국역 의례

국역 의례

상례편 (喪禮篇)

이상아 · 박상금 · 최진 엮음
성백효 감수

한국인문고전연구소

차
례

대공大功

세최繐衰

소공小功

시마緦麻

기記

第十二 사상례 士喪禮

시사始死

소렴小斂(2일째)

대렴大斂(3일째)

성복成服(4일째), 조석곡朝夕哭, 삭망전朔望奠, 천신薦新

서택筮宅, 시곽視椁, 복장일卜葬日

第十三 기석례 旣夕禮

계빈啓殯

장전葬前

장葬

기記

第十四 # 사우례 士虞禮

삼우제三虞祭

기記

그림목차

《國譯儀禮》를 發刊하면서

禮經은 儒家 經典의 대표라 할 것이다. 孔子는 아들 伯魚에게 "禮를 배우지 않으면 설 수 없다.〔不學禮 無以立〕" 하여, 《詩經》과 함께 인간이 반드시 배워야 할 대상으로 말씀하였다. 이후 禮經은 수천 년 동안 詩·禮로 병칭되면서 사람이 알지 않으면 안 되고 행하지 않으면 안 되는 것으로 인식되었다. 그리하여 禮經은 五經이나 六經에 반드시 들어가는 중요 경전이 되었다. 하지만 대부분의 儒敎 경전은 단지 儒敎에만 그치는 것이 아니요 인간이면 누구나 알아야 하고 행해야 하는 기본서로 인식되었으며, 특히 禮經은 국가의 큰 儀禮로부터 士庶人의 冠·婚·喪·祭에 이르기까지 없어서는 안 될 규범이었다.

禮經은 보통 三禮라 하여 《儀禮》·《周禮》·《禮記》로 나눈다. 《儀禮》와 《周禮》는 周公이 지은 것으로 알려져 있는데, 《周禮》는 대체로 周나라의 관직 제도에 중점이 맞추어져 있지만, 《儀禮》는 그 내용이 冠·婚·喪·祭는 물론이요 士相見禮와 鄕飮酒禮·燕禮·大射·聘禮·公食大夫禮·覲禮까지도 포함되었으며, 《禮記》는 《儀禮》의 이론을 정리한 책이라고 할 것이다. 朱子도 "《禮記》는 《儀禮》의 傳(注疏)이다."라고 하여, 《禮記》를 배우려면 먼저 《儀禮》를 공부해야 함을 강조하였다.

《儀禮》가 비록 禮의 기본서라고는 하지만 대부분 오늘날 사용하지 않는 것이어서 그만큼 공부하기가 어려우며, 더구나 당시에 禮를 행하던 실물이 없어진 상태에서 행동규범만을 설명하다 보니, 그만큼 이해하기 어려웠다. 十三經注疏本이 있지만 注疏에 대한 옳고 그름의 논란이 끊임없이 제기되었으며, 역시 난해하여 經傳이나 文集을 보다가 《儀禮》에 관한 내용이 나오면 겨우 글자를 맞추어 강의하거나 번역할 뿐이었다. 일반인들이 연구를 꺼리는 첫 번째 經書라 해도 과언이 아니며, 禮學을 전공한 분들이 있지만 대부분 禮書의 기본 실력이 부족하여 禮經의 원전을 대하면 구두가 떼어지지 않는 실정이었다. 그나마 中國과 日本의 연구와 譯書가 있어서 그것을 보고 따라하는 걸음마 단계에 있는 것이 사실이다.

근래 中國의 학자인 楊天宇의 《儀禮譯注》가 세상에 알려지면서 크게 관심을 갖게 되었다. 이 역주본은 현재 나온 《儀禮》 주석서 중 가장 자세하여 《儀禮》 초학자들에게 적지 않은 도움을 주고 있다. 그런데 이제 李常娥, 朴相今, 崔振 세 분이 수년간 "楊天宇의 《儀禮

譯注》를 대본으로 하고 여러 주석서들을 참고하여 강독한 다음 번역과 수정을 반복하여 이제 그 첫 작품인 《國譯儀禮》 喪禮篇이 발간되게 되었다. 위의 세 분은 옛날 민족문화추진회 부설 국역연수원(현 한국고전번역원)의 연수부를 우수한 성적으로 졸업하였으며, 특히 李常娥 박사는 국역연수원 상임연구원 출신으로 한국고전번역원에서 국고문헌을 번역하였고, 성균관대학교 한국고전번역 협동과정에서 丁茶山의 《祭禮考定》으로 박사학위를 수여받고, 대동문화연구원 책임연구원으로 거점사업에 참여하여 《無名子集》 등을 국역하였다.

나는 일찍이 이분들을 女學士 3인방이라고 지칭한 바 있다. 이 세 분은 총명한 자질로 십수 년에 걸친 노력 끝에 한문의 기본 실력을 쌓았으며, 성품들이 원만하여 상대방의 장점을 최대한 수용하는 겸양의 미덕을 소유하였다. 漢文은 총명하지 않으면 접근하기 어렵고, 기초부터 차근차근 쌓아가지 않으면 안 된다. 또한, 집중력과 好學不倦의 자세가 필요하다. 그리고 끝으로 꼭 필요한 것이 겸손과 포용이다. 좀 재주가 있고 실력이 있으면 안하무인이요 자신이 최고라는 과대망상에 사로잡히기 십상이다. 그런데 이분들은 세 가지를 모두 구비하였다. 아무리 칭찬해도 지나치지 않을 것이다. 大成하기를 기대해 마지않는다.

일반적으로 공동 번역을 하게 되면 일정한 분량을 나누어 각자 번역하고 이것을 수합, 검토하는 것이 준례이다. 그러나 이 《국역의례》는 전체를 세 분이 주 3회 이상 강독하고, 강독이 끝나면 번역을 하되 이것을 字句마다 一一히 검토, 교열하는 방식을 취하였다. 그야말로 완벽한 譯書를 만들기 위해 많은 시간과 정력을 쏟아 넣은 力作이라 하겠다. 또한 각종 도면을 발췌 게재함으로써 古代 禮器와 行禮 위치 등을 일목요연하게 하였다.

이에 해동경사연구소에서는 호서문화연구소와 함께 우수한 번역서가 있으면 이를 발굴 지원하여 간행할 예정으로, 이 《國譯儀禮》가 첫 번째 간행도서가 되었다. 물론 재정적 어려움이 있어 크게 지원하지 못하는 것이 아쉽지만, 앞으로 좋은 결실이 있으리라 믿어 의심하지 않는다. 옛말에 '뜻이 있는 자는 일이 반드시 이루어진다.〔有志者 事竟成〕' 하였다. 이 세 분의 뜻이 이루어져 단시일 내에 《儀禮》가 完譯됨으로써 學界와 번역가들에게 큰 도움이 되어 줄 것을 거듭 믿어 의심하지 않는다.

2015년 7월 海東經史研究所長

成百曉

《國譯儀禮》 출간에 부쳐

옛날에 '생활이 풍족하지 않으면 禮義를 닦지 못한다.' 하였다. 그러나 생활이 풍족한 오늘날 우리들은 과연 禮義에 대해 얼마나 알고 있을까?

古來로 우리나라는 禮義之邦으로 불려왔다. 그만큼 禮義를 잘 알고 존숭해왔던 터이다. 春秋時代 齊나라의 名相인 管仲은 그가 남긴 《管子》에서 "禮義와 廉恥를 일러 四維라 하니, 四維가 제대로 펼쳐지지 못하면 나라가 마침내 멸망한다.〔禮義廉恥 是謂四維 四維不張 國乃滅亡〕" 하였다. 四大維는 天地 四方을 붙들어 매는 큰 동아줄이란 뜻이다. 이처럼 禮義와 廉恥는 國家 立政의 四綱領으로 인식되어, 위에서는 이 정신에 입각하여 서로 권면함으로써 상호간에 情志가 두터워지고 禮意가 돈독해졌고, 이것이 風化되어 일반인들은 어렸을 때에 灑掃應對에 종사하고 장성하여서는 孝悌忠信에 힘쓰게 되었다. 그리하여 안으로는 父兄을 섬기고 밖으로는 長上을 섬기며 聖賢의 글을 溫習하여 事物上에 실천하였다. 이에 父子·君臣·夫婦·長幼의 사이에 어디를 가나 자신의 위치에서 직분상 행하여야 할 도리를 다하지 않음이 없어서, 인륜이 돈독해지고 풍속이 아름다워져서 이 나라 삼천리가 다 禮義江山이었다.

그러나 천지 만물의 이치란 한 번 성하면 곧 쇠하여지고 그릇이 차면 반드시 넘치는 법인가. 어느새 이 땅에 道學의 기운이 쇠퇴하여 인륜이 무너지고 誠敬의 행실이 피폐해진지 하루이틀이 아니다. 참으로 안타까운 사건들이 이 사회에 만연하여 국가의 기강을 흔들고 道德과 義理가 상실된 행위가 횡행하여 綱常이 무너지고 悖倫이 성행하고 있다. 우리의 禮義邦이 온통 금수의 지경에 빠져, 이제는 예의를 쓸모없는 물건처럼 여기는 세태로 변하였다.

이에 평소 개탄을 금치 못하던 차에 《國譯儀禮》의 출간 소식은 一線之陽의 반가운 소식이 아닐 수 없다. 이 《儀禮》는 모든 禮의 근간이 되었다. 우리나라에서도 《國朝五禮儀》가 이 《儀禮》에 근거하여 만들어짐으로써 朝鮮朝 五百年間 그대로 적용되었으며, 士大夫들 사이에서 金科玉條처럼 사용되었던 《朱子家禮》 역시 이 《儀禮》가 뿌리였음은 두말 할 나위가 없다.

그동안 일상적인 禮儀凡節에 대한 제대로 된 기본서가 없던 터라 晩時之歎이 있지만, 이번 출간이 禮義를 알아 닦는 계기가 됨은 물론이요, 禮學을 연구하는 기초가 되어 중요한 가치와 의미를 가진다 하겠다.

이 사업은 애초 해동경사연구소에서 기획한 것인데, 본 연구소도 이 사업의 취지에 십분 공감하고 微誠이나마 연구를 지원하게 되었다. 앞으로 두 연구소가 연구 번역 및 도서출간 사업에 상호 협력할 것을 다짐하며, 이 책을 국역 출판하기 위해 애쓰신 분들에게 노고를 致賀한다.

荀子는 千秋必返이라 하였다. 此際에 우리 國民 모두가 禮義를 실천하는 세상이 되어 禮義之邦이라는 칭호가 다시는 실추되지 않기를 바라는 마음 간절하다.

2015년 7월 영동대학교 호서문화연구소 소장

林東喆

일러두기

1. 대본

1) 이 번역서는 楊天宇(1943~2011)의 《儀禮譯注》(上海: 上海古籍出版社, 1994)(이하 역주본)를 주요 번역 대본으로 삼아 이 가운데 주석과 각 편의 해제 부분을 대부분 채택하여 번역하였다. 역주본은 주석이 상세하면서도 핵심만을 제시하여 번다하지 않기 때문이다. 다만 경문의 번역은 역주본을 따르지 않고 새롭게 번역하였다.
2) 역주본의 〈《儀禮》簡述〉 부분은 楊天宇의 《鄭玄三禮注硏究》(天津: 天津人民出版社, 2007)의 〈《儀禮》槪述〉 부분을 번역하였다. 〈《儀禮》槪述〉은 〈《儀禮》簡述〉과 대동소이하나 인용문의 출처 표기가 더욱 상세하며 일부 내용이 수정되어 있다.

2. 교감과 표점

1) 《儀禮注疏》(李學勤主編, 北京大學出版社, 2000)(이하 통행본)를 주요 대교본으로 삼고 기타 《의례》 표점서들을 참교본으로 삼아 역주본과 비교하여 더욱 타당성이 있다고 판단된 것을 수록하였다.
2) 표점본 간 표점의 異同이 유의미한 경우 그 내용을 【按】부분에 제시하였다.
3) 교감 결과 원문의 글자가 誤字·脫文·衍文으로 의심되는 경우 《二十四史》(北京: 中華書局, 1997)의 교감 원칙을 참고하여 '()'를 사용하여 수정 또는 보충하고 병기하였다. 예) 衆人 → 衆(主)人 (〈기석례〉4) // 大(丈)夫踊 (〈기석례〉16)
4) 경문의 한자는 발음이 어렵거나 두 개 이상으로 발음이 날 경우 각종 禮書를 참고하여 한글 발음을 부기하고, 논란이 있는 글자는 그 근거를 주석에 제시하였다.

3. 章節의 구분

1) 장절의 구분은 역주본을 따랐다.
2) 장절의 소제목은 역주본과 기타 번역서들의 小結을 참고하여 별도로 경문 앞에 제시하였다.

4. 번역

번역은 경문과 주석을 반영하여 이해하기 쉽게 번역하였다. 다만 禮書에서 통상적으로 사용되는 명물이나 전문 용어는 그대로 원문 용어를 사용하고 독자의 이해를 돕기 위해 바로 뒤에 간주 형식으로 괄호 안에 간략한 해석을 덧붙였다.

5. 주석

주석은 세 부분으로 이루어졌다.

첫 번째 부분은 역주본의 주석이다. 별도의 표기 없이 역주본의 내용을 대부분 채택하여 번역하였다. 다만 중복되거나 문화적인 차이로 인해 불필요하다고 판단된 경우에는 별도의 설명 없이 삭제하고, 제시한 인용문이나 글자의 오류가 명백한 경우에도 별도의 설명 없이 수정하여 번역하였다.

두 번째 부분은 按說이다. '【按】'으로 표기하고 역주본의 주석 내용을 번역에서 취하지는 않더라도 일설로 남겨둘 가치가 있다고 판단되거나, 역주본에는 없으나 보충 설명이 필요한 경우 그 내용을 제시하였다.

세 번째 부분은 각주이다. 역주본에 제시되지 않은 원문이나 案說의 출처, 기타 부가적으로 필요하다고 판단된 원문 등을 제시하였다.

6. 범례

喪禮만이 아닌 禮 전반에 적용할 수 있는 2종의 범례를 실었다. 범례이기 때문에 대부분의 예서 주석서에 오히려 설명이 없는 경우가 많을 뿐 아니라 각각의 의절이 범례인지 특례인지의 여부 역시 그 의절의 의미를 판단하는 중요한 기준이 될 수 있기 때문이다. 하나는 이 책 내에서 언급하고 있는 범례이다. 각 편별로 범례로 볼 수있는 예들을 모아 수록하고 이에 해당하는 근거를 각주로 제시하였다. 수록 범위는 경문과 주석을 모두 포괄하였다. 다른 하나는 凌廷

堪(1755～1808)의 《禮經釋例》 중 '凡'으로 시작된 범례 목록이다. 《禮經釋例》는 通例, 飮食之例, 賓客之例, 射例, 變例, 祭禮之例, 器服之例, 雜例 등 총 8類로 구성되어 있다. 張惠言(1761～1802)의 《儀禮圖》, 胡培翬(1782～1849)의 《儀禮正義》와 함께 3대 禮書 중의 하나로 칭해지며 청대 예학 성과의 이정표라고도 불리운다.

7. 圖

1) 범위

크게 2종의 그림을 수록하였다.

하나는 본문 안에 수록한 그림이다. 역주본과 기타 각종 禮書의 그림들을 비교하여 더욱 적절하다고 판단된 것을 수록하였으며, 필요한 경우 서로 상이한 그림을 동시에 수록하고 이에 대한 설명을 덧붙였다. 다만 명물 그림은 기존의 禮書 그림이 최근의 출토문물과 비교했을 때 다른 것이 많아 오해를 줄이기 위해 가급적 생략하였다.

다른 하나는 부록에 실은 그림이다. 張惠言의 《儀禮圖》 권5에 실린 行禮圖와 黃以周(1828～1899)의 《禮書通故》 권48 〈禮節圖〉에 실린 行禮圖중 喪禮에 관련된 圖를 모두 수록하였다. 아울러 장혜언의 《의례도》 권1에 실린 宮室圖를 함께 실어 궁실의 각 명칭을 알 수 있도록 하였다. 장혜언의 《의례도》는 지금까지 나온 儀禮圖 중 경문의 차례에 따라 각각의 의절을 그린 것으로는 가장 자세하다. 圖 안의 自注 부분을 비롯한 대부분의 원문을 표점하고 이에 해당하는 경문을 각주에 제시하여 연결시켰다. 황이주의 《예서통고》는 장혜언의 《의례도》에 비해 소략하기는 하나 禮學의 집대성이라고 일컬어지며 장혜언의 圖 중 오류 부분을 바로잡은 것이 많다. 두 禮圖를 비교하여 異同이 있을 경우 이에 대한 설명을 덧붙이고 필요한 경우 본문 주석에 관련 圖를 수록하였다.

2) 방향

모든 그림은 윗쪽이 북쪽, 오른쪽이 동쪽이다.

8. 용어 색인

1) 범위

경문과 주석을 포함하여 이 책에 보이는 전문 어휘와 명물 용어를 수록하였다. 인명과 지명은 싣지 않았다.

2) 순서

한자 대표음을 기준으로 가나다 순으로 싣고 용어 오른쪽에 실제 禮書에서 나는 발음을 병기하였다. 발음이 같을 경우에는 부수 순으로, 부수가 같을 경우에는 획수 순으로 실었다.

3) 약호

편명은 약호를 사용하였다. 〈喪服〉은 '服', 〈士喪禮〉는 '喪', 〈旣夕禮〉는 '夕', 〈士虞禮〉는 '虞'로 표시하였다. 그 뒤에는 이 책에서 구분한 章節의 번호를 쓰고, 그 뒤에는 經文이면 '經', 傳이면 '傳', 주석이면 바로 주석번호를 제시하였다. 예컨대 '服1①'은 '〈상복〉 제1절 주①'이라는 의미이다.

《의례》에 대하여

楊天宇

1. 《의례》의 서명

《의례》라는 이 서명은 뒤에 붙인 이름으로, 先秦 시기에는 《의례》를 《禮》라고만 불렀다. 예를 들면 《예기》〈經解〉에는 "공손함·검소함·장중함·공경함은 《예》의 가르침이다.〔恭儉莊敬, 《禮》教也.〕"라고 하고 있고, 《莊子》〈天運〉에는 공자가 "나는 《詩》·《書》·《禮》·《樂》·《易》·《春秋》 6경을 공부하였다.〔丘治《詩》、《書》、《禮》、《樂》、《易》、《春秋》六經.〕"라고 말했다고 기록하고 있다. 이상의 인용문에서 말하는 《예》가 가리키는 것은 모두 《의례》이다.

漢代에 《의례》는 또 《예》라고만 칭해지기도 하였으며, 《士禮》나 《禮經》으로도 칭해졌다. 예를 들면 《史記》〈儒林列傳〉에 다음과 같은 내용이 보인다.

> 《예》를 말한 것은 魯의 高堂生에서부터이다.〔言《禮》自魯高堂生.〕
> 여러 학자들이 《예》를 말한 자가 많았으나 노나라 고당생이 가장 시초이다. 《예》는 진실로 공자 때부터 그 경문이 구비되어 있지 않았는데, 秦나라 때 焚書를 겪게 되자 글이 흩어져서 없어진 것이 더욱 많게 되었다. 지금은 《士禮》만 남아있는데, 고당생이 이를 말할 줄 알았다.〔諸學者多言《禮》, 而魯高堂生最本. 《禮》固自孔子時而其經不具, 及至秦焚書, 書散亡益多, 于今獨有《士禮》, 高堂生能言之.〕
> 魯의 徐生이 儀容에 뛰어났다.……아들에게 전하여 손자 徐延과 徐襄에게까지 전해지게 되었다. 徐襄은 천성적으로 의용을 차리는데 뛰어났으나 《예경》에는 능통하지 못하였다.〔魯徐生善爲容.……傳子至孫徐延、徐襄. 襄其天姿善爲容, 不能通《禮經》.〕

《의례》는 漢代에는 또 《예기》의 명칭으로 쓰이기도 하였다.[1]

阮元(1764~1849)이 말하기를 "살펴보면 《예경》은 漢나라 때에는 단지 《예》라고만 칭했으며, 《예기》라고도 칭하였다. 《熹平石經》에는 《의례》가 있으며, 洪适(1117~1184)의 《隸釋》이 기록되어 있는데 東晉의 戴延之가 이를 일러 《예기》라고 한 것이 바로 이 것이다. 그러나 《의례》라고 칭한 경우는 없었다.〔按《禮經》在漢只稱爲《禮》, 亦曰《禮記》; 《熹平石經》有《儀禮》, 載洪适《隸釋》而戴延之謂之《禮記》是也. 無稱《儀禮》者.〕"라고 하였다.[2]

洪業(1893~1980)도 이 설을 지지하고 있는데, 그 주요 근거로 司馬遷이 《사기》〈孔子世家〉에서 "《예기》는 孔氏에게서 나왔다.〔《禮記》出自孔氏.〕"라고 한 것과 《사기》〈유림열전〉에서 "지금은 《士禮》만 남아있다.〔於今獨有《士禮》.〕"라고 한 것을 들며, 여기에서 〈공자세가〉의 《예기》가 바로 〈유림열전〉의 《士禮》인 것은 의심의 여지가 없다는 것이다.[3]

완원과 홍업의 설은 모두 훌륭하다. 우리는 또 얼마간의 증거를 찾을 수 있는데, 예를 들면 鄭玄(127~200)은 《시경》〈采蘩〉에 주를 내면서 《의례》〈少牢饋食禮〉 경문을 인용하여 말하기를 "《예기》에 이르기를 '주부는 머리에 다리를 한다.〔《禮記》曰: 主婦髲鬄.〕' 하였다." 라고 하였으며, 郭璞(276~324)은 《爾雅》〈釋言〉에 주를 내면서 《의례》〈有司徹〉의 경문을 인용하여 말하기를 "《예기》에 이르기를 '陽厭 때 자리를 둘러 祭物을 가린다.〔《禮記》曰: 厞用席.〕' 하였다."라고 하였다. 곽박은 晉나라 사람이니 아마도 漢나라 때의 書名을 그대로 답습한 듯하다.

漢代에는 아직 《의례》라는 이름이 없었으며, 이 점에 있어서는 고금의 학자들 모두 의심이 없다. 陳夢家(1911~1966)는 두 《漢書》 중에는 "《의례》라는 명칭이 한 번도 출현하지 않는다.〔從未出現《儀禮》的名目〕"라고 하고, 아울러 이것을 근거로 武威縣에서 출토된 漢簡本 《의례》를 推斷하여 "만일 큰 제목을 둔다면 응당 《禮》가 되어야 할 것이다.〔若有大題應是《禮》.〕"라고 하였다.[4]

《의례》라는 이름이 도대체 언제 출현했는가에 대해서는 지금은 이미 명확하게 고찰하기가 어렵다. 《晉書》〈荀崧傳〉에 순숭(263~329)이 상소하여 박사를 더 늘려 세워줄 것을 청하는 기록이 실려 있는데, 그 가운데 "정현의 《의례》 박사 1사람을 더 두어야 합니다.〔鄭《儀禮》博士一人.〕"라는 구절이 있다. 이것은 아무리 늦어도 東晉 元帝(재위 318~323) 때에는 이미 《의례》라는 명칭이 있었음을 설명하는 것이다.

---

1 〔원주〕 大戴(戴德)나 小戴(戴聖)의 《예기》와 같은 것이 아니다.

2 〔원주〕《儀禮注疏》 권1 "《儀禮》疏卷第一" 아래 阮元의 교감기에 보인다.

3 〔원주〕 洪業의《儀禮引得序》는 《儀禮引得》(上海古籍出版社, 1983)에 보인다.

4 〔원주〕 《武威漢簡》(文物出版社, 1964) 13쪽 참조.

2. 《의례》의 유래와 공자의 《예》 編定

금본 《의례》 17편은, 이 가운데 제13편 〈旣夕禮〉는 제12편 〈士喪禮〉의 하편이며 제17편 〈有司徹〉은 제16편 〈少牢饋食禮〉의 하편이기 때문에 실제로는 고대의 15종 의례만을 기록하고 있다. 그러나 중국 고대의 의례는 단지 이 15종에만 그치는 것은 결코 아니다.

중국 상고 시대 인류는 원시 사회에서 계급 사회로 진입한 이후 차츰차츰 삼엄한 등급 제도를 수립하기 시작하였다. 이러한 등급 제도를 유지하기 위해서는 저 높이 위에 있는 귀족들을 서민이나 노예와는 서로 구별되게 해야 했으며, 동시에 귀족들 중에서도 다른 등급은 서로 구별되게 해야 했다. 그리하여 수많은 禮들을 제정하였는데, 예를 들면 朝覲, 盟會, 錫命, 軍旅, 蒐閱, 巡狩, 聘問, 射御, 賓客, 祭祀, 婚嫁, 冠笄, 喪葬 등등과 같은 것으로, 후세 사람들은 이 禮들을 吉·凶·賓·軍·嘉의 5가지로 크게 분류하고 있다.[5] 서로 다른 등급의 귀족은 서로 다른 禮를 행하였으며, 설사 동일한 의례 활동 안이라 할지라도 귀족의 등급이 다르면 사용하는 기물이나 입는 의복, 행하는 의식 등도 각각 달랐다. 귀족 통치자들은 이 수많은 禮들을 통해 그 정치적인 의도를 관철시킴으로써 등급 제도의 기초 위에 수립한 사회의 정상적인 질서를 유지하였다. 이것이 바로 '禮로 정사를 체현한다.〔禮以體政〕'는 것이다.[6]

그런데 이 수많은 禮들은 도대체 어떻게 생겨난 것일까? 楊寬(1914~2005)의 연구에 따르면 일부 禮들은 씨족 사회 시기부터 이어져 내려온 禮俗이 발전하여 변화된 것이다. 예를 들면 籍禮(籍田을 경작하는 禮)는 씨족 사회 시기에 족장이나 장로가 조직하여 구성원들이 집단 노동을 하도록 격려하는 의식에서 유래하였으며, 蒐禮(군대를 사열하는 禮)는 군사민주제 시기의 무장 '민중대회'에서, 冠禮는 씨족사회의 成年禮에서, 鄕飮酒禮는 씨족사회의 회식 제도에서 유래했다는 것 등등이다.[7]

그러나 씨족사회의 禮俗에서 발전하여 변화된 禮는 또한 매우 작은 일부일 뿐이다. 각 방면에서 자신의 특권과 통치 질서를 유지하기 위한 귀족 통치자의 필요성에 응하는 데에는 이 禮들은 매우 부족한 것이어서 수많은 새로운 禮들을 또 제정해야만 했다. 邵懿辰(1810~1861)은 말하기를 "禮는 본래 한 때 한 시대에 이루어진 것이 아니다. 오랜 기간 익숙해지면서 점차 정비되어 크게 갖추어지게 된 것이다.〔禮本非一時一世而成, 積久服習, 漸

---

5 〔원주〕《周禮》〈春官 大宗伯〉에 처음 보인다.

6 〔원주〕《左傳》桓公 2년(기원전 710) 조 참조.

7 〔원주〕楊寬의 《古史新探》(中華書局, 1965) 에 자세하다.

次修整而臻於大備.〕"라고 하였다.[8] 이 말은 매우 옳은 말이다. 그러나 또 禮를 제정하는 과정 중 개인의 역할을 부인할 수도 없다. 중국 고대에는 이른바 '周公制禮'의 전설이 있었다. 周禮는 모두 주공이 제정했다는 것이다. 예를 들면 《左傳》 魯 文公 18년(기원전 609) 조에는 "선군 주공께서 禮를 제정하셨습니다.〔先君周公制禮.〕"라는 노나라 季文子의 말이 기록되어 있으며, 《尙書大傳》에서는 더욱 구체적으로 다음과 같이 말하고 있다.

> 주공은 섭정을 하여, 1년째에는 管叔과 蔡叔의 난을 바로잡았고, 2년째에는 殷나라를 이겼고, 3년째에는 奄나라의 임금을 주살했고, 4년째에는 侯服에서 衛服까지 5등의 제후를 세웠고, 5년째에는 成周(西周의 東都인 洛邑)를 건립하였고, 6년째에는 禮樂을 제정하였고, 7년째에는 成王에게 정사를 돌려주었다.〔周公攝政, 一年救亂, 二年克殷, 三年踐奄, 四年建侯衛, 五年營成周, 六年制禮作樂, 七年致政成王.〕[9]

이러한 말은 춘추전국 시대에 매우 성행하였는데 전혀 이치가 없는 것은 아니다. 《논어》 〈爲政〉에 이르기를 "周나라는 殷나라의 禮를 인습했으니, 그 가감한 것을 알 수 있다.〔周因于殷禮, 其損益可知也.〕"라고 하였다. 주공은 주나라 초기 최고의 행정 장관이 되어 당시의 상황에 근거하여 은나라의 예를 가지고 재고 헤아려, 취할 것은 취하고 버릴 것은 버리는 일련의 '가감'하는 작업을 행하였다. 그리고 이러한 작업을 통해 새로 일어난 주나라 왕조의 필요에 꼭 맞는 禮를 제정했다는 것은 전적으로 가능성이 있는 이야기이다. 단지 이러한 일을 신화화해서는 안 된다는 것뿐이다. 어떤 사람은 주나라 禮를 제정하는 것에 대해 주공이 한 역할을 지나치게 과장하였다고 말한다. 顧頡剛(1893~1980)은 다음과 같이 말하고 있다. "주공이 禮를 제정했다는 이 점은 인정해야한다. 개국할 때 어떻게 수많은 제도와 의절을 정하지 않을 수 있겠는가. ……그러나 하나의 일이 장기간의 전설을 거치다보면 종종 지나치게 과장되곤 한다. 주공이 禮를 제정한 일은 늘 사람들의 입에 오르내리고 있는데, 마치 周代의 모든 제도와 禮儀가 모두 주공 한 사람의 손에서 정해지고, 주공이 정한 禮는 최고의 것이기 때문에 3천 년 동안 내려온 봉건 사회에서 조금만 변경되고 그다지 큰 변화는 없었던 것처럼 말하고 있다. 심지어는 남녀의 혼인제도도 그가 처음으로 확립한 것이라고까지 하는데, 이것은 역사적인 진실과는 완전히 동떨어진 이야기이다."[10]

---

8 〔원주〕 邵懿辰의 《禮經通論·論孔子定禮樂》(國學扶輪社鉛印本, 淸 宣統 3年(1911)) 참조.

9 〔원주〕 明 柯尙遷의 《周禮全經釋原》 卷首 《原流敍論》(文淵閣 《四庫全書》本)에서 재인용.

10 〔원주〕 顧頡剛의 《"周公制禮"的傳說和〈周官〉一書的出現》(《文史》 第6輯)에 실림.

주공이 禮를 만들 수 있었다면 주공 이후의 執政者들도 禮를 만들 수 있는 것이다. 그들은 당시의 수요에 따라 주나라 초기의 禮에 필요한 조정과 수정을 진행하거나 얼마간의 새로운 禮를 일부 제정했을 것이며, 또한 직접 이 일을 했을 수도 있고 당시의 통치 계급 중 이 쪽에 관련된 전문가(후대의 예학자)에게 명령하여 이 일을 하게 했을 수도 있다. 후대 조정의 통치자들이 늘 그 대신들에게 禮를 의론하거나 제정하게 했던 것과 같은 것처럼 말이다. 이렇게 해서 禮의 숫자는 끊임없이 증가했으며 禮儀 역시 이에 따라 갈수록 번다해지게 되었다. 그러므로 《예기》〈禮器〉에 이른바 "經禮는 3백 가지이고 曲禮는 3천 가지이다.〔經禮三百, 曲禮三千.〕"라는 설은 禮가 많고 번다하다는 것을 심하게 말한 것이다. 끊임없이 증가하고 날로 번다해진 이 禮들을 통칭하여 周禮라고 부른다.

이 수많은 周나라 禮들이 그 당시 문자로 씌어졌는지의 여부에 대해 혹자는 西周 시대에 후대의 禮書와 같은 것이 있었는지의 여부에 대해서는 확실한 증거가 없기 때문에 아직까지 섣불리 단언할 수 없다고 한다. 그러나 이치로 따져보면 주나라 통치자들이 이미 이렇게 禮를 중시했다면 그들이 제정한 禮를 문자로 기록함으로써 귀족과 그 자제들이 익히고 실천하는 데 편리하도록 했을 것이라는 것도 당연하다는 것이다. 《논어》〈八佾〉에 다음과 같은 공자의 말이 실려 있다. "夏나라의 禮를 내가 능히 말할 수 있으나 杞나라에서 그 근거를 충분히 찾을 수 없고, 殷나라 禮를 내가 능히 말할 수 있으나 宋나라에서 그 근거를 충분히 찾을 수 없다. 文獻이 충분하지 않기 때문이다. 충분하다면 내가 그 근거를 댈 수 있다.〔夏禮, 吾能言之, 杞不足徵也; 殷禮, 吾能言之, 宋不足徵也. 文獻不足故也. 足則吾能徵之矣.〕" 여기에서 '文獻'이라는 글자는, 朱熹의 《集註》 해석에 따르면 '文'은 典籍을 가리키며 '獻'은 歷史典故를 잘 아는 賢者를 가리킨다. 공자는 '문헌이 부족하다'고 말하였는데, 하나라와 은나라의 禮가 그 당시에는 아직 다소나마 문자로 기록된 것들이 남아있었다는 것을 알 수 있다. 《논어》 같은 편에서 공자는 또 말하기를 "주나라는 하나라와 은나라의 禮를 보고 가감하였으니, 찬란히 빛나도다, 그 文이여!〔周監于二代, 郁郁乎文哉!〕"라고 하였다. 이렇게 '찬란히 文이 빛났던' 주나라의 禮가 도리어 문자의 기록도 없었을까? 공자는 또 무엇을 가지고 주나라의 禮가 '郁郁乎文'임을 알았을까? 《莊子》〈天運〉에 "저 六經은 先王의 옛 자취이다.〔夫六經, 先王之陳迹也.〕"라는 老子의 말이 기록되어 있다. 여기에서 말하는 '옛 자취'는 바로 주나라 선왕들이 남겨놓은 문헌을 가리킨다. 물론 여기에는 禮를 기록한 문헌도 포함된다.[11] 다시 다음에 나오는 자료를 한 번 보기로 하자.

---

11 〔원주〕《周予同經學論著選集》(上海人民出版社, 1983) 800쪽 참조.

《맹자》〈萬章下〉: "北宮錡가 물었다. '주나라 왕실에서 작록을 반열한 것은 어떻게 했습니까?' 맹자가 대답하였다. '그 상세한 내용은 내 듣지 못하였다. 제후들이 자신들에게 해가 되는 것을 싫어하여 모두 그 전적을 없애버렸기 때문이다.〔北宮錡問曰: '周室班爵祿也, 如之何?' 孟子曰: '其詳, 不可得而聞也. 諸侯惡其害己也, 而皆去其籍.'〕"[12]

《漢書》〈禮樂志〉: "주나라 왕실이 쇠락해지자 제후들이 법도를 넘곤 하였는데, 禮制가 자신들에게 해가 되는 것을 싫어하여 그 편장이나 전적들을 없애버렸다.〔及其衰也, 諸侯踰越法度, 惡禮制之害己, 去其篇籍.〕"

《漢書》〈藝文志〉: "제왕의 질박함과 문채남은 시대마다 가감이 있었다. 주나라에 오자 그 규정들이 지극히 정밀해져 일마다 모두 제도가 있게 되었다. 그러므로 '禮經은 3백 가지이고 威儀는 3천 가지이다.'라고 말하였다. 그러다가 주나라 왕실이 쇠락해지자 제후들이 법도를 넘으려고 하면서 禮制가 자신들에게 해가 되는 것을 싫어하여 모두들 그 전적을 없애버렸다.〔帝王質文, 世有損益, 至周曲爲之防, 事爲之制, 故曰'禮經三百, 威儀三千'. 及周之衰, 諸侯將踰法度, 惡其害己, 皆滅去其籍.〕"

이상의 내용을 믿을 수 있다면 주나라의 禮는 바로 원래부터 '전적'이 있었으며 이러한 주나라의 禮를 기록한 전적들이 바로 후대 《의례》의 기원이라고 말할 수 있다.

춘추 시대가 되자 생산력의 발전에 따라 새로운 계급 역량이 일어나기 시작하였다. 이와 동시에 주나라 왕실이 쇠락해지자 제후들은 강대해졌으며, 제후들의 公室이 쇠락해지자 私門이 강대해졌다. 이렇게 되자 예전의 등급 제도와 등급 관계는 흔들리기 시작하였으며, 예전의 등급 관계를 유지해주었던 일련의 禮들도 자연히 무너지게 되었다. 그리하여 '천자의 禮인 팔일무를 대부의 뜰에서 추거나〔八佾舞于庭〕' '삼가의 대부 집안에서 천자만이 쓸 수 있는 〈雍〉시를 읊으며 제사 때 祭物을 거두는〔三家者以《雍》徹〕'[13] 것과 같은 '참람된〔僭越〕' 짓들과, 이른바 '예악이 무너지는〔禮崩樂壞〕' 상황이 출현하게 되었다. 이와 동시에 강대국이 약소국을 능멸하고 대국이 소국을 침략하여 제후국 간에 전쟁이 끊이지 않음으로써 전 사회가 불안하게 흔들리며 백성들이 그 피해를 고스란히 받게 되었다. 이때 儒家가 출현하여 현실 사회를 구원하는 것을 소임으로 삼았는데, 그 최초의 대표적인 인물이 바로 공자이다.

---

12 〔원주〕 '班爵祿'은 주나라의 일종의 행정 제도였을 뿐 아니라 동시에 일종의 禮이기도 하였다. 주나라 왕실에서는 귀족이나 공신들에게 작록을 班列할 때 성대한 의식을 거행하지 않은 적이 없었다.

13 〔원주〕 모두 《논어》〈八佾〉에 보인다.

공자가 제시한 救世 학설의 핵심은 바로 仁과 禮이다. 즉 仁으로 殺伐을 중지시키고 禮로 어지러운 사회를 구원하는 것이었다. "私慾을 이기고 禮로 돌아가는 것이 仁이다.〔克己復禮爲仁.〕"[14]라는 이 말은 공자의 전체 정치 강령을 개괄한 것이다. 공자에게 있어 최고의 정치적 이상은 바로 西周 시대와 같은 그런 조화롭고 안정된 禮制 사회를 회복하는 것이었다. 바로 공자가 말하는 "찬란히 빛나도다, 그 文이여! 내 주나라를 따르리라.〔郁郁乎文哉! 吾從周.〕"라는 것이다.

공자는 이미 하나의 禮制 사회 건립에 대한 환상이 있었기 때문에 주나라의 禮를 유지하고 회복하는 것을 자신의 임무로 여겼다. 공자는 禮를 어기거나 무너뜨리는 각종 행위들에 대해 모두 비평이나 비난을 하였다. 예를 들면 공자는 魯나라의 대부인 季氏가 '천자의 禮인 팔일무를 뜰에서 춘 것〔八佾舞于庭〕'을 비난하여 "이것을 차마 한다면 어느 것인들 차마 하지 못하겠는가.〔是可忍, 孰不可忍!〕"라고 하였으며, 노나라의 仲孫·叔孫·季孫 세 집안에서 제사 때 〈雍〉시를 읊으며 祭物을 거두는〔以《雍》徹〕' 것에 대해 비평하기를 "'제후들이 제사를 돕거늘 천자는 엄숙하게 계시다.'라는 가사를 어찌하여 三家의 당에서 취해다 쓰는가?〔'相維辟公, 天子穆穆', 奚取於三家之堂?〕"라고 하였다. 또 季氏가 泰山에 제사를 지내는 禮에 대하여 비평하기를 "일찍이 태산이 林放보다도 못하다고 여겼단 말인가.〔曾謂泰山不如林放乎?〕"라고 하였으며, 노나라 임금이 禘祭의 禮를 지내는 것에 대하여 말하기를 "降神禮 이후로는 내 더 이상 보고 싶지 않다.〔自旣灌而往者, 吾不欲觀之矣.〕"라고 하였으며, 子貢이 '告朔禮 때 희생으로 쓰는 양을 없애고자 한 것〔欲去告朔之餼羊〕'에 대하여 말하기를 "너는 그 양을 아끼느냐? 나는 그 禮를 아끼노라.〔爾愛其羊? 我愛其禮.〕"라고 하였다.[15] 이와 동시에 공자는 적극적으로 禮를 전파하고 실천하였을 뿐 아니라 禮를 제자를 가르치는 과목의 하나로 삼았다. 《논어》에는 禮에 관한 공자의 말을 기록한 것이 매우 많은 비중을 차지하며 '禮'라는 글자만해도 72차례나 사용하고 있다. 이 밖에도 '禮'라는 글자를 쓰지는 않았지만 실제로는 禮를 얘기하는 말이 매우 많은데, 예를 들면 위에서 든 〈팔일〉편의 여러 구절들은 자공을 비평한 구절을 제외하면 모두 '禮' 자를 사용하지 않았다.

공자의 주나라 禮에 관한 지식의 원천은 두 가지 경로가 있었다. 하나는 부지런히 묻는 것이다. 예를 들면 《논어》〈八佾〉에 다음과 같은 내용이 있다. "공자가 太廟에 들어가 매사를 묻자 어떤 사람이 말하였다. '누가 鄹人의 아들이 禮를 안다고 말했는가. 태묘에 들어와서 매사를 묻는구나.' 공자는 이 말을 듣고 '이렇게 하는 것이 禮이다.'라고 하였다.〔孔子入

14 〔원주〕《논어》〈顔淵〉에 보인다.

15 〔원주〕이상은 모두 《논어》〈八佾〉에 보인다.

太廟, 每事問. 或曰: '孰謂鄹人之子知禮乎? 入太廟, 每事問.' 子聞之, 曰: '是禮也.']" 다른 하나는 주나라 禮에 관한 문헌의 기록을 읽는 것이다. 비록 춘추 시대에 제후들이 '자신에게 해가 되는 것을 싫어해서[惡其害己]' '그 전적을 없애버리기는[去其籍]' 했지만 각 제후국들의 상황은 같지 않았다. 예를 들면 노나라는 당시 주나라 禮에 관한 문헌이 비교적 많은 제후국이었으며, 이 때문에 晉나라의 韓宣子가 노나라에서 '책을 본[觀書]' 뒤에 "주나라 禮가 모두 노나라에 있다.[周禮盡在魯矣.]"라고 찬탄했던 것이다.[16] 공자는 노나라 사람이었을 뿐 아니라, 또 노나라에서 벼슬을 하여 '직접 임금과 통할 수 있었던[能自通於國君]' 관리로 있던 적이 있었는데,[17] 대략 공자가 52세일 때였다. 또한 노나라의 司寇 벼슬을 한 적도 있다. 이로 인해 공자는 노나라의 문헌을 읽고 그 속에서 주나라의 禮를 학습하고 연구할 수 있는 조건과 가능성을 완전히 갖추고 있었다. 공자는 또 여러 제후국들을 주유하였는데, 바로 이 때문에 다른 제후국들에 보존된 문헌들을 접할 수 있었다. 부지런히 묻고 부지런히 학습한 것은, 공자를 주나라 禮에 관한 가장 유명한 전문가가 되게 하였을 뿐 아니라 또 공자로 하여금 주나라의 禮를 가지고서 당시의 사회를 구하게 하도록 하였다.

공자가 이미 주나라의 禮에 대하여 이렇게 열성적이었다면, 주나라의 禮에 대하여 약간 가공하고 수정하는 작업을 함으로써 공자의 이상에 따라 더욱 엄밀하고 완벽하게 되도록 하고, 아울러 자신이 중요하다고 생각하는 禮를 문자로 기록하여 제자를 교육시키는 교재로 삼는 것은 매우 자연스러운 일이었다. 《孔子世家》에는 晏嬰이 공자를 비판하는 다음과 같은 기록이 실려 있다. "공자는 용모를 성대하게 꾸미고서 오르고 내리는 禮와 절도에 맞게 걷는 의절을 번다하게 하였다. 그리하여 몇 세대를 익혀도 다 익힐 수 없으며 평생을 다해도 그 禮를 터득할 수 없다.[孔子盛容飾, 繁登降之禮、趨詳之節, 累世不能殫其學, 當年不能究其禮.]" 주나라 禮가 공자의 손에 오자 더욱 세밀하고 번다하게 가공되었다는 것을 알 수 있다. 여기에서 '다 익히다[殫其學]', '그 禮를 터득하다[究其禮]'라고 말하였는데, 공자가 이미 자체적으로 하나의 체계적인 禮學을 갖고 있었다는 것을 알 수 있다. 《史記》〈儒林列傳〉에 이르기를 "공자는 王道가 무너지고 邪道가 일어나는 것을 슬퍼하여 이에 《詩》와 《書》를 논정하여 편차하고 《禮》와 《樂》을 정리하여 회복시켰다.[孔子閔王路廢而邪道興, 于是論次《詩》、《書》, 修起《禮》、《樂》.]"라고 하였다. 학자 중에는 이 문장의 앞 구절에서는 '論' 자를 쓰고 뒷 구절에서는 '修' 자를 써서 어휘를 다르게 쓴 것은, 공자가 했던 작업도 다르다는 것을 설명하는 것이라고 말하는 사람도 있다. 그러나 사실상 이 문장에서 '論'

16 [원주] 《좌전》 昭公 2년(기원전 540) 조에 보인다.

17 [원주] 崔述의 《洙泗考信錄》(商務印書館, 1936) 권1 참조.

과 '修'는 互文으로 쓴 것으로, 모두 수정하고 편차하였다는 뜻이다. 《공자세가》에 이르기를 "공자는 벼슬하지 않고 물러나 《詩》·《書》·《禮》·《樂》을 정리하였다.〔孔子不仕, 退而修《詩》、《書》、《禮》、《樂》.〕"라고 하였다. 司馬遷이 여기에서는 '修'라는 글자 하나만을 사용한 것이 바로 그 명백한 증거이다. 《禮記》〈雜記下〉 중의 한 구절을 다시 한 번 보자.

> 恤由의 喪에 哀公이 孺悲를 보내 공자에게 士의 喪禮를 배우도록 하였다. 그리하여 〈士喪禮〉가 기록되게 되었다.〔恤由之喪, 哀公使孺悲之孔子學士喪禮, 《士喪禮》於是乎書.〕

유비가 '기록'한 〈사상례〉의 내용은 단지 금본 《의례》의 〈사상례〉에만 국한되지 않고 士의 喪禮에 관한 전부를 포괄한 것이었다. 沈文倬은 여기의 〈사상례〉는 《의례》 가운데 〈士喪禮〉·〈旣夕禮〉·〈士虞禮〉·〈喪服〉 4편의 내용 전체를 포괄하는 것이어야 한다고 하였는데,[18] 이것은 매우 정확한 말이다. 유비가 기록한 상례는 직접적으로 공자에게서 온 것임을 알 수 있다. 〈雜記下〉의 이 자료에서 다음 몇 가지 짐을 설명할 수 있다.

첫째, 공자는 확실히 禮에 관한 학문으로 제자들을 교육한 적이 있지만 유비가 魯 哀公의 명을 받들어 공자에게 배운 것은 단지 士의 상례만이라는 것이다.

둘째, 禮는 매우 쉽게 잊히는 것이기 때문에 유비는 배우는 동시에 이제 막 배워 인상이 매우 깊을 때 재빨리 배운 내용을 '기록〔書〕'해둠으로써 잊어버렸을 때를 대비하였다는 것이다. "3년 동안 禮를 행하지 않으면 禮는 반드시 무너지게 된다.〔三年不爲禮, 禮必壞.〕"[19] 상례는 3년 안에는 반드시 다시 실행할 기회를 가질 수 없기 때문에 문자로 기록해두지 않으면 반드시 무너질 것임은 의심의 여지가 없는 것이다.

셋째, 고대의 기록 조건은 매우 열악하여 오늘날 학생들이 배울 때처럼 모두들 교재를 가지고 있었던 것이 아니었다. 禮에 관한 교재는 공자에게만 자신이 엮은 저본이 하나 있었을 것이다. 그래서 제자들은 공자가 강론할 때 마음속에 이를 기억해두었다가 연습을 통해 공고하게 다지고 마지막으로 이것을 유비처럼 정리하여 기록해두어야 했다. 이러한 상황은 漢나라 때까지 이어져서 漢나라의 經師들이 經을 전수할 때에도 이와 같이 하였다. 그러므로 여기에서 "그리하여 〈士喪禮〉가 기록되게 되었다.〔《士喪禮》於是乎書.〕"라고 말한 것이 결코 공자에게 기록이 없었다는 것을 반증할 수는 없다는 것이다.

---

18 〔원주〕 沈文倬의 《禮典의 실행과 〈의례〉의 편찬에 관하여 간략히 논함〔略論禮典的實行和〈儀禮〉書本的撰作〕》(下)(《文史》 第16輯) 참조.

19 〔원주〕 《논어》〈陽貨〉에 보인다.

공자가 編定하여 교재로 사용했던 《禮》가 바로 《의례》의 初本이다. 당초에 공자가 도대체 어떤 禮들을 선정하여 교재로 만들었느냐에 대해서는 지금은 이미 알 수 없지만, 분명한 것은 금본 《의례》를 포괄할 뿐 아니라 금본 《의례》 17편에만 그치지 않고 훨씬 더 많았을 것이라는 것이다.

《사기》〈孔子世家〉에 따르면 공자는 魯나라를 14년 동안 떠나 있다가 다시 노나라로 돌아온 뒤에 '三代의 禮를 고찰하여〔追跡三代之禮〕' '編次'하는 작업을 하였다. "이 때문에 《서전》과 《예기》가 孔氏에게서 나오게 되었다.〔故《書傳》、《禮記》自孔氏.〕" 여기에서 말하는 《예기》는 바로 《예》를 가리킨다. 이것이 즉 《의례》라는 것은 앞에서 이미 말하였다. 이것은 공자가 마지막으로 《예》를 편정한 것이 노나라로 돌아온 뒤부터 세상을 떠나기 전까지의 기간 동안에 있어야 한다는 것을 말한다. 《좌전》의 기록에 따르면 공자가 노나라로 돌아온 것은 魯 哀公 11년(기원전 484)이며 세상을 떠난 것은 애공 16년(기원전 479)이다. 이때는 바로 춘추 말기에 해당한다.

최초의 금본 《의례》는 공자가 춘추 말기에 편정한 것이라고 하는데, 이 成書 시기에 대해서는 《의례》 안에서 그 증거를 찾을 수 있다.

금본 《의례》에 실린 기물의 명칭 중에 敦(대)라는 것이 있고 簋라는 것이 있다. 그러나 《의례》 안에서는 敦와 簋가 구분되지 않는다. 즉 모두가 敦를 가리킨다. 〈聘禮〉와 〈公食大夫禮〉에는 簋만 있고 敦는 없으며, 〈士昏禮〉·〈士喪禮〉·〈旣夕禮〉·〈士虞禮〉·〈少牢饋食禮〉에는 敦만 있고 簋는 없으며, 〈特牲饋食禮〉에는 敦자가 7번 보이고 簋자가 1번 보인다. 〈특생궤사례〉에 다음과 같은 내용이 있다.

> 주부가 2개의 黍敦와 稷敦를 俎의 남쪽에 진설하는데, 서쪽을 상위로 하여 서쪽에 黍敦를 놓는다. 이어서 2개의 鉶을 진설하는데, 羹에는 조미용 채소를 넣어서 豆의 남쪽에 진설하되 북쪽에서 남쪽으로 차례대로 진설한다.〔主婦設兩敦黍稷于俎南, 西上. 及兩鉶, 芼, 設于豆南, 南陳.〕

또 다음과 같은 내용이 있다.

> 시동의 동쪽 마주보는 자리에 對席을 편다. 佐食이 簋(敦) 안의 黍 일부를 會(敦의 뚜껑)에 나누어 담고, 2개의 鉶 중 하나를 나누어서 對席 앞에 진설한다.〔筵對席. 佐食分簋、鉶.〕

여기에서 나누어 담은 簋는 즉 앞에서 진설한 두 개의 敦이다. 그러므로 정현의 주에 이르기를 "分簋는 敦의 黍를 會에 나누어 담는 것이니, 對席에 진설하기 위해서이다.〔分簋者, 分敦黍於會, 爲有對也.〕"라고 한 것이다. 이 문제에 대하여 容庚은 그의 저서《商周彝器通論》에서 또 전문적인 고증을 하고, 아울러《의례》중의 '敦'와 '簋'가 동일한 글자라는 결론을 내렸다.[20]

왜 敦와 簋가 구분되지 않는 이러한 상황이 나타나게 되었을까? 이것은 바로 이 두 기물 자체의 성쇠와 관련이 있다. 簋의 출현은 비교적 이르다. 주로 西周 시기에 성행하였는데, 춘추 중기와 말기에 오자 이미 그다지 크게 쓰이지 않게 되었으며, 전국 시기에 이르자 이미 기본적으로는 퇴출된 靑銅禮器 계열에 속하게 되었다. 그러나 敦의 출현은 비교적 늦은 것이었다. 주로 춘추 말기부터 전국 시기까지 성행하였다.[21] 簋와 敦는 모두 음식을 담는 기물로 黍稷 등을 담는 데 사용되었다. 춘추 말기는 바로 이 두 기물의 성쇠가 교차하는 시기로, 簋는 이미 기본적으로는 사용하지 않게 되었는데 敦는 한창 성행하던 때였다. 앞에서도 말한 것처럼 공자가 禮를 정리한 것은 禮를 가지고 세상을 바로잡기 위해서였으며 사람들에게 이를 실제로 행하게 하기 위해서였다. 그러므로 禮를 행할 때 사용하는 기물, 즉 禮器는 반드시 당시에 성행하는 물건이어야 했다. 그런데 西周 시기에 성행했던 簋는 당시에는 이미 그다지 쓰이지 않게 된 반면 敦는 한창 성행하던 기물이었다. 따라서 공자가 禮를 정리할 때 원래 禮儀에서 簋를 쓰도록 규정한 곳을 敦로 바꾸는 것은 매우 자연스러운 일이었다. 그러나 기물은 바뀌었는데 기물의 명칭에 쓰는 글자는 미처 다 고치지 못했던 것이다.[22] 즉 미처 다 고치지 못한 이런 상황이 바로《예》가 최초로 편정되어 成書된 시대의 흔적을 남기게 되었다.

簋와 敦는 모두 음식을 담는 기물이기는 하지만 기물의 형태는 달랐다. 敦는 두 개의 半球가 합쳐진 형태로, 뚜껑과 몸체의 형태가 완전히 동일하였다. 각각 모두 3개의 다리가 있었기 때문에 뚜껑을 바닥에 뒤집어 놓을 수 있었다. 敦의 뚜껑은《의례》에서 會라고 부르는데, 이 때문에《의례》에서는 敦를 진설할 때 모두 '敦의 뚜껑을 열어서〔啓會〕' 바닥에 뒤집어 놓는 의절[23]을 두고 있으며,〈특생궤사례〉에서는 또 연 뚜껑을 사용하여 '敦의 黍를 나누어 담는〔分簋〕' 의절을 두고 있다. 簋의 뚜껑은 얕으며 다리가 없어서 음식을 담을 수 없다. 즉 簋가 성행하고 敦가 아직 출현하기 전의 西周에서는 啓會나 分簋(敦)와 같은 의절이 있을 수 없다는 것을 알 수 있다. 이것을 통해 또《의례》안에서 敦의 사용과 관련된 모든

---

20 〔원주〕容庚의《商周彝器通論》(臺灣通大書局, 1983) 323~324쪽 참조.

21 〔원주〕《商周彝器通論》439·441쪽 및 馬承源 主編《中國靑銅器》(上海古籍出版社, 1988) 제2장 제4절 참조.

22 〔원주〕《의례》중 敦자는 모두 23번 보이고, 簋자는 8번 보인다.

23 〔원주〕즉 앞에서 인용한 '佐食이 簋(敦) 안의 黍 일부를 會(敦의 뚜껑)에 나누어 담는〔佐食分簋〕' 의절을 이른다.

의절은 모두 공자가 禮를 정리할 때 추가적으로 집어넣은 것임을 증명할 수 있는데, 이것이 공자가 禮를 정리했다는 것을 살필 수 있는 부분이다.

3. 《의례》의 漢代에서의 流傳과 鄭玄의 《의례》 注

공자가 편정하고 그 제자와 후학들이 차례로 전수한 《예》는 전국 시기와 秦나라를 거쳐서 漢나라에 이르자 이미 그 원래의 모습은 아니게 되었다. 이것은 다음 두 가지 이유가 있다.

첫째, 앞에서도 얘기한 것처럼 공자가 전수한 《예》는 제자들이 기억에 의지해 정리하여 기록한 것이라는 것이다. 이러한 정리 기록 작업은 당시에 바로 했을 수도 있고 오랜 시간이 지난 뒤에야 했을 수도 있으며, 또 각자의 기억력의 차이로 인해 그들이 정리 기록한 《예》는 문자와 의절에 있어 필연적으로 차이가 날 수 밖에 없게 된다. 그러므로 동일하게 공자가 전수한 것이었다 할지라도 제자들의 기록을 거친 뒤에는 달라질 수 있으며, 이렇게 되면 本이 다른 《예》가 流傳될 수 있는 것이다.

둘째, 공자의 제자와 후학들이 공자가 전한 《예》에 대해 또 끊임없이 수정하고 변경시켰을 수도 있다는 것이다.[24]

이상의 원인으로 말미암아 조성된 《禮》書의 변경은 선진 문헌에서 인용한 《禮》文과 今本의 차이에서 알 수 있다. 이제 몇 가지 예를 들어 보자.[25]

《의례》〈士相見禮〉 : 致仕한 관리의 집이 邦에 있으면 '市井之臣'이라고 하고, 野에 있으면 '草茅之臣'이라고 한다.〔宅者在邦則曰市井之臣, 在野則曰草茅之臣.〕

《맹자》〈萬章下〉 : 國中에 있으면 '市井之臣'이라고 하고, 野에 있으면 '草莽之臣'이라고 한다.〔在國曰市井之臣, 在野曰草莽之臣.〕

《의례》〈士冠禮〉 : 冠者가 북향하고 어머니를 알현한다. 어머니가 절을 하고 脯를 받으면 아들이 포를 보내고 절을 한다. 어머니가 또 절을 한다.……관자가 형제를 알현한다. 형제가 재배하면 관자가 답배한다.〔(冠者)北面見于母. 母拜受. 子拜送. 母又拜.……冠者見於兄弟. 兄

24 〔원주〕 공자를 신성화하여 공자가 한 말은 구구절절 모두 진리여서 천고토록 바꿀 수 없는 것이며, 그렇지 않으면 '성인을 비방하고 법을 무시하는 것〔非聖無法〕'이어서 이보다 더 큰 죄가 없다고 생각한 것은 漢代 이후에나 생긴 일이다.

25 〔원주〕 금본의 글을 위에, 선진 문헌에서 인용한 《예》文을 아래에 두었다.

弟再拜. 冠者答拜.〕
《예기》〈冠義〉 : 冠者가 어머니를 알현하면 어머니가 절을 하고 형제를 알현하면 형제가 절을 하는데, 이것은 성인으로서 그들과 함께 禮를 행하는 것이다.〔見于母, 母拜之; 見於兄弟, 兄弟拜之: 成人而與爲禮也.〕

《의례》〈士相見禮〉 : 무릇 경대부와 같이 신분이 높은 군자를 모시고 앉았을 때, 군자가 하품을 하거나 허리를 펴며 시간이 얼마나 되었는지를 물으면 음식이 다 준비되었다고 고한다. 앉은 자세를 바꾸면 물러가기를 청하는 것이 좋다.〔凡侍坐于君子, 君子欠伸, 問日之早晏, 以食具告, 改居則請退可也.〕
《예기》〈少儀〉 : 군자를 모시고 앉았을 때 군자가 하품을 하거나 기지개를 펴며, 홀을 만지작거리거나 검의 손잡이를 만지작거리며, 신을 돌려놓거나 시간이 얼마나 되었는지를 물으면 물러가기를 청하는 것이 좋다.〔侍坐于君子, 君子欠伸, 運笏, 澤劍首, 還屨, 問日之蚤莫, 雖請退可也.〕

《의례》〈士喪禮〉 : 復者 한 사람이 死者의 爵弁服을 上衣에 下裳을 연결하여 왼쪽 어깨에 걸치고 死者의 爵弁服 衣領(옷깃)을 자신의 앞쪽 衣帶 사이에 꽂은 뒤 동쪽 추녀 쪽으로 지붕에 올라간다. 지붕 한 가운데에 이르러 북향하고서 작변복을 흔들며 혼을 부르기를 "아무는 돌아오시오.〔皐某復.〕"라고 길게 세 번 외친 뒤 옷을 당 앞쪽으로 던진다. 밑에서 상자〔篋〕로 이것을 받아 동쪽 계단으로 올라가 시신에 그 옷을 덮는다. 復者가 지붕 뒤 서쪽 추녀 쪽으로 내려온다.〔復者一人, 以爵弁服, 簪裳于衣, 左何之, 扱領于帶, 升自前東榮, 中屋, 北面, 招以衣, 曰: '皐某復.' 三, 降衣于前. 受用篋, 升自阼階, 以衣尸. 復者降自後西榮.〕
《예기》〈喪大記〉 : 小臣이 復을 하는데, 復者는 朝服을 입는다.……死者가 士일 경우에는 爵弁服으로 復을 한다.……모두 동쪽 추녀 쪽으로 지붕에 올라간다. 지붕 한 가운데 이르면 가장 높은 곳을 밟고 북향하여 세 번 외친 뒤 옷을 말아서 당 앞쪽으로 던진다. 司服이 이를 받는다. 復者가 서북쪽 추녀 쪽으로 지붕을 내려온다.〔小臣復, 復者朝服.……士以爵弁.……皆升自東榮, 中屋履危, 北面三號, 捲衣投于前. 司服受之. 降自西北榮.〕

《의례》〈士喪禮〉 : 머리를 묶고 뽕나무로 만든 비녀를 꽂는데, 길이는 4촌이며 가운데를 잘록하게 만든다. 飯含할 때 死者의 얼굴을 덮는 布巾은 한 변의 길이가 2척 2촌인 정사각형이며 입부분에 구멍을 뚫지 않는다. 死者의 머리를 싸는 掩은 마전한 비단으로 만든다. 너비는 온폭(2척)으로 하고 길이는 5척으로 하는데, 양쪽 끝부분을 갈라서 두 가닥으로 만든다. 귀막이용 瑱은 흰 솜을 사용한다. 얼굴을 덮는 幎目은 겉감은 검은색 비단을 사용하는데 사방 1척 2촌이고 안감은 붉은색이다. 겉감과 안감 사이에 솜을 채워 넣고, 네 귀퉁이에는 실끈을 단다.〔鬠笄用桑, 長四寸, 纋中. 布巾環幅不鑿. 掩練帛, 廣終幅, 長五尺, 析其末. 瑱用白纊. 幎目用緇, 方尺二寸, 䞓裏, 著, 組繫.〕

《荀子》〈禮論〉: 귀를 막는 용으로 瑱을 단다.……死者의 얼굴에 掩을 덮고 눈을 두르며 머리를 묶고 冠과 비녀를 하지 않는다.〔充耳而設瑱.……設掩面, 儇目, 鬠而不冠笄矣.〕

이러한 例들은 또한 수없이 들 수 있는데, 이것은 바로 공자가 전한 《예》가 그 뒤 배우는 사람의 손에서 확실히 그때마다 매번 고쳐졌다는 것을 말한다. 이미 그 문자와 의절을 고칠 수 있었다면 篇目 역시 산삭하거나 나눌 수 있었을 것이다. 예를 들어 금본 士의 喪禮에 관한 4편은 孺悲에게는 단지 한 편이었을 것이다.[26] 그런데 유비가 공자가 원래 갖고 있었던 책의 편목을 합친 것인지, 아니면 후세의 학자들이 공자가 원래 갖고 있었던 책의 편목을 나눈 것인지는 이미 고찰할 길이 없다.

공자가 편정한 《예》는 漢나라 때까지 流傳되었는데, 그 사이에 또 秦나라 때 焚書를 당하는 재액을 겪기도 하였다. 《사기》〈儒林列傳〉에 이르기를 "秦나라 말년에 이르러 《詩》 《書》를 불태우고 術士들을 묻어 죽이니, 六藝가 이때부터 흠결되게 되었다.〔及至秦之季世, 焚《詩》《書》, 阬術士, 六藝從此缺焉.〕"라고 하였는데, 이것은 역사적 사실에 부합하는 기록이다. 《禮》書는 秦나라의 분서를 겪은 뒤 두 가지 큰 손실이 있게 되었다. 하나는 本이 줄어든 것이다. 앞에서 말한 것처럼 공자가 전수한 《예》는 전국 시기에 수많은 다른 本으로 발전 변화되었다. 그러나 수많은 本들이 秦나라의 분서를 피하지 못하고 모두 없어지면서 漢代까지 流傳되어 學官에 세워진 本은 高堂生이 전한 本밖에 없게 된 것이다. 두 번째는 편목이 감소된 것이다. 즉 요행히 流傳되어온 本 역시 秦나라의 분서로 인해 흠결되어 온전하지 못하게 된 것이다. 이 때문에 漢代에 학관에 세워진 《예》는 17편밖에 없게 되었다. 이 점에 관하여는 《逸禮》의 발견이 바로 이 사실을 증명하고 있다. 그러나 邵懿辰(1810~1861)은 그의 저서 《禮經通論》에서 《의례》 17편은 결코 잔결된 것이 아니며 이른바 《일례》 39편이라는 것은 모두 劉歆(기원전 50~기원후 23)이 위조한 것이라고 하였다. 그러나 이것은 극단적인 今文學家의 입장에서 立論한 것에 지나지 않은 것이어서 결코 취할 수 없는 주장이다.

본고 서두에서 《사기》〈유림열전〉을 인용하여 "《예》를 말한 것은 魯의 高堂生에서부터이다.〔言《禮》自魯高堂生.〕"라고 하고, 또 "지금은 《士禮》만 남아있는데, 고당생이 이를 말할 줄

---

26 〔원주〕 이 점에 대해서는 이미 앞에서 말하였다.

알았다.〔于今獨有《士禮》, 高堂生能言之.〕"라고 하였는데, 선진 시기의 《예》가 전해지다가 漢나라 초기에 이르러서는 고당생의 《사례》만 남게 되었다는 것을 알 수 있다. 《漢書》〈藝文志〉에서도 "漢나라가 일어나자 노의 고당생이 《사례》 17편을 전하였다.〔漢興, 魯高堂生傳《士禮》十七篇.〕"라고 말하고 있다. 그러나 고당생이 전한 《사례》가 누구에게 근원을 둔 것이지, 또 누구에게 전수되었는지는 모두 분명하지 않다. 《사기》〈유림열전〉에는 또 다음과 같은 내용이 보인다.

> 魯의 徐生은 禮儀에 뛰어났다. 孝文帝 때 서생은 禮儀로 禮官大夫가 되었으며, 이것을 아들에게 전하여 손자 徐延과 徐襄에게까지 이르게 되었다. 서양은 천성적으로 禮儀에 뛰어났으나 《예경》에는 능통하지 못하였으며, 서연은 《예경》에는 제법 능통했으나 그렇게 뛰어나지는 않았다.〔而魯徐生善爲容. 孝文帝時, 徐生以容爲禮官大夫, 傳子至孫徐延、徐襄. 襄其天姿善爲容, 不能通《禮經》; 延頗能, 未善也.〕

여기에서 이른바 서양은 '능통하지 못했는데' '서연은 제법 능통했으나 그렇게 뛰어나지는 않았던' 《예경》은 아마도 고당생에게서 전수된 《사례》였을 것이다. 서생과 고당생은 모두 魯人인데다 徐氏의 家學이 본래 禮儀를 익히는 것이었고 《예경》은 없었기 때문이다. 그러나 서연과 서양은 이미 손자 항렬이었으니 어쩌면 이미 고당생의 再傳 또는 三傳 제자였을 수도 있다. 《사기》〈유림열전〉에는 또 다음과 같은 내용이 있다.

> 서양은 禮儀로 예관대부가 되고 벼슬이 廣陵 內史에까지 이르렀다. 서연과 서씨의 제자들, 즉 公戶滿意·桓生·單次는 모두 일찍이 漢나라의 예관대부가 되었으며, 瑕丘 사람 蕭奮은 禮로 淮陽 太守가 되었다. 이후 《예》를 말하고 禮儀를 행할 수 있는 자들은 모두 서씨의 문하에서 나왔다.〔襄以容爲漢禮官大夫, 至廣陵內史. 延及徐氏弟子公戶滿意、桓生、單次, 皆嘗爲漢禮官大夫, 而瑕丘蕭奮以禮爲淮陽太守. 是後能言《禮》爲容者, 由徐氏焉.〕

여기에서 알 수 있는 것은 소분 역시 서씨의 제자로, 그 역시 서양·서연과 마찬가지로 고당생의 재전 또는 삼전 제자라는 것이다. 그들은 바로 서씨의 가학에서 나와 禮儀에 뛰어났을 뿐 아니라, 또 고당생에게서 나온 《예경》을 전수받았기 때문에 '이후 《예》를 말하고 禮儀를 행할 수 있는 자들은 모두 서씨의 문하에서 나오게' 되었던 것이다.

《한서》〈유림전〉에 따르면 소분은 생전에 전수받은 《예경》을 또 東海 사람 孟卿에게 전하였고, 맹경은 后倉에게 전하였으며, 후창은 聞人通漢 子方 및 戴德·戴聖·慶普에게 전하였다. 대덕은 당시에 大戴라고 불렸으며 戴聖은 小戴라고 불렸는데, 이때에 이르자 《禮》學은 三家로 나뉘게 되었다. 즉 '大戴學·小戴學·慶氏學이 있게 된 것〔有大戴、小戴、慶氏之學〕' 이다. 《한서》〈예문지〉에 따르면 三家는 漢 宣帝 때 모두 학관에 세워졌다.[27]

《한서》〈유림전〉에 따르면 대대의 《예》학은 徐良에게 전수되어 대대의 《예》는 다시 徐氏學으로 분화되었고, 소대의 《예》학은 橋仁과 楊榮에게 전수되어 소대의 《예》학은 다시 橋氏學과 楊氏學으로 분화되었으며, 경씨의 《예》학은 夏侯敬과 조카 慶咸에게 전수되었다.

東漢에 오자 대대와 소대의 《예》학은 쇠퇴하였다. 조정에서 세운 대대와 소대의 박사 관원은 전수가 끊긴 것은 아니었으나 그 영향력은 이미 크지 않게 되었으며 慶氏의 《예》만 비교적 성행하였다. 《東漢書》〈儒林傳〉에 따르면 曹充은 경씨의 《예》를 익혀 아들 曹褒에게 전하였으며, 조포는 《漢禮》를 편찬하여 당시에 이름이 났다. 또 董鈞이란 사람도 경씨의 《예》를 익혀 매우 조정의 신임을 받았다. 그러나 총체적으로 말하면 동한의 《예》학은 이미 점차 쇠락의 길로 가고 있었다. 이 때문에 《隋書》〈經籍志〉에서 "三家가 있었지만 모두 미약하였다.〔三家雖存幷微.〕"라고 한 것이다.

삼가가 전한 《예》는 이미 모두 망실되었다. 1950년 7월에 甘肅省 武威縣에서 비교적 完整한 9편의 《의례》가 출토되었는데, 陳夢家(1911~1966)의 고증에 따르면 실전된 경씨의 《예》일 가능성이 있다.[28]

이상은 《예》의 今文學派를 기술한 것이다.

《한서》〈藝文志〉에는 또 《禮古經》 56권(편)이 있다고 기록하고 있는데, 班固(32~92)는 "《예고경》이 魯 淹中[29]과 孔氏[30]에서 나왔는데, 《의례》 17편의 글과 유사하며 39편이 더 많다.〔《禮古經》者出于魯淹中及孔氏, 與十七篇文相似, 多三十九篇.〕"라고 말하고 있다. 여기에서 더 많이 나온 39편이 바로 이른바 《逸禮》이다. 劉歆(기원전 50~기원후 23)이 〈移讓太常博士書〉에서 말한 '《일례》 39편〔《逸禮》有三十九篇〕'은 바로 이것을 가리킨다. 古文《예》는 流傳되지 않았는데, 언제 망실된 것인지도 명확하게 고찰할 수 없다.

동한 말년에 오자 鄭玄(127~200)이 《의례》에 주를 내었다. 정현은 경학에 있어 今古學派를 함께 아우른 通學者였다. 정현은 《의례》에 주를 낼 때 《의례》 원문에 대해서도 일련의

---

27 〔원주〕 그러나 《후한서》〈유림전〉에 따르면 今文學 14家 博士 중에 慶氏《禮》를 넣지 않고 京氏《易》을 넣고 있다. 즉 경씨《예》가 서한 때 학관에 세워졌는지의 여부에 대해서는 아직까지 의문으로 남아있다.

28 〔원주〕 陳夢家의 《武威漢簡》(文物出版社, 1964)에 자세하다.

29 〔원주〕 淹中은 里의 이름이다.

30 〔원주〕 孔氏는 孔壁을 이른다.

정리 작업을 하였는데, 그 정리 방법은 바로 今文과 古文 두 本을 가지고 서로 참조하여 두 본에서 글자를 다르게 쓴 경우를 만날 때마다 선택을 하여 금문을 채택하기도 하고 고문을 채택하기도 하여 '그 뜻이 뛰어난 것을 취해〔取其義長者〕' 쓰는 것이었다.[31] 금문을 선택해 사용한 글자는 반드시 그 注에 고문에는 이 글자가 아무 글자로 되어 있다는 것을 밝혔으며, 고문을 사용한 글자는 반드시 그 주에 금문에는 이 글자가 아무 글자로 되어 있다는 것을 밝혔다. 즉 〈士喪禮〉 가공언의 소에서 말한 것처럼 금문을 따른 경우에는 '주 안에 고문 글자를 중복하여 달았으며〔于《注》內疊出古文〕' 고문을 따른 경우에는 '주 안에 금문 글자를 중복하여 달았다〔于《注》內疊出今文〕'. 이렇게 금문과 고문을 섞어서 채택하여 함께 주를 내는 작업을 거친 정현의 《의례》가 바로 금본 《의례》로, 이것이 이른바 《의례》 鄭氏學이라는 것이다. 그러므로 금본 《의례》는 이미 금문과 고문이 뒤섞여있는 本인 것이다.

정현은 《의례》에 주를 내는 외에 《周禮》와 《禮記》 두 책에도 주를 내었다. 그리하여 《주례》·《의례》·《예기》가 처음으로 '통틀어서 《三禮》가 되었다〔通爲《三禮》焉〕'.[32] 이것이 바로 《삼례》라는 명칭의 유래이다.

4. 《의례》의 편차에 대하여

정현 注本 《의례》[33]의 편차는 다음과 같다.

〈士冠禮〉第一, 〈士昏禮〉第二, 〈士相見禮〉第三, 〈鄕飮酒禮〉第四, 〈鄕射禮〉第五, 〈燕禮〉第六, 〈大射〉第七, 〈聘禮〉第八, 〈公食大夫禮〉第九, 〈覲禮〉第十, 〈喪服〉第十一, 〈士喪禮〉第十二, 〈旣夕禮〉第十三, 〈士虞禮〉第十四, 〈特牲饋食禮〉第十五, 〈少牢饋食禮〉第十六, 〈有司〉第十七.

정현의 《儀禮目錄》을 인용한 가공언의 소에 따르면 이 편차는 劉向의 《別錄》本에 근거한 것이다.

이밖에도 大戴(戴德)本과 小戴(戴聖)本 두 종류의 다른 편목 편차가 있는데,[34] 이제 나열하면 다음과 같다.

---

31 〔원주〕《東漢書》〈儒林傳〉 참조.

32 〔원주〕《東漢書》〈儒林傳〉 참조.

33 〔원주〕 즉 금본 《의례》이다.

34 〔원주〕 모두 금본 《의례》 각 편의 제목 아래 가공언의 소에서 인용한 정현의 《의례목록》에 보인다.

대대본의 편목 편차

〈사관례〉제일, 〈사혼례〉제이, 〈사상견례〉제삼, 〈사상례〉제사, 〈기석례〉제오, 〈사우례〉제육, 〈특생궤사례〉제칠, 〈소뢰궤사례〉제팔, 〈유사〉제구, 〈향음주례〉제십, 〈향사례〉제십일, 〈연례〉제십이, 〈대사〉제십삼, 〈빙례〉제십사, 〈공사대부례〉제십오, 〈근례〉제십육, 〈상복〉제십칠.

소대본의 편목 편차

〈사관례〉제일, 〈사혼례〉제이, 〈사상견례〉제삼, 〈향음주례〉제사, 〈향사례〉제오, 〈연례〉제육, 〈대사〉제칠, 〈사우례〉제팔, 〈상복〉제구, 〈특생궤사례〉제십, 〈소뢰궤사례〉제십일, 〈유사〉제십이, 〈사상례〉제십삼, 〈기석례〉제십사, 〈빙례〉제십오, 〈공사대부례〉제십육, 〈근례〉제십칠.

이 3종의 편목 편차는 앞쪽 3편은 모두 동일하지만 이후의 14편은 편차가 서로 다르다. 이 3종의 편목 편차의 우열에 대해서는 본래 다른 견해가 존재하지만 대부분의 학자들은 소대본의 편차가 좀 어지럽게 뒤섞여 가장 취할 것이 없다고 생각한다. 이 때문에 논쟁의 초점은 대대본과 劉向의《別錄》本의 우열에 있다.

예를 들어 淸代의 금문학가들은 대대본의 편차가 가장 우수하다고 말하는데, 자세한 것은 邵懿辰의《禮經通論》제1절 〈예 17편은 대대본의 순서를 따라야 한다는 것에 대해 논함〔論禮十七篇當從大戴之次〕〉을 참조할 수 있다. 그러나 정현의 注本이《별록》본의 편차를 채택한데다 또 세상에 성행했기 때문에 학자들 대부분은 또《별록》본이 가장 우수하다고 생각한다. 가공언은 〈사관례〉 제목 아래 疏에서 말하기를 "유향의《별록》은 바로 이 17편의 순서로 편차 하였다. 모두 尊卑吉凶의 순서로 차례차례 기술하였기 때문에 정현이 이 순서를 쓴 것이다. 대대본……이나 소대본……은 모두 존비길흉이 어지럽게 뒤섞여 있기 때문에 정현이 모두 따르지 않은 것이다.〔其劉向《別錄》即此十七篇之次是也. 皆尊卑吉凶次第倫敘, 故鄭用之. 至于大戴……, 小戴……, 皆尊卑吉凶雜亂, 故鄭玄皆不從之矣.〕"라고 하였다.

사실 가공언 소의 견해도 좀 견강부회한 것이다. 예를 들어 길흉의 순서대로 말한다면 〈소뢰궤사례〉와 〈유사〉는 길례에 속하기 때문에 〈상복〉 앞에 두어야 하는데 오히려 가장 뒤쪽에 편차하였다. 또 존비의 순서대로 말한다면 〈근례〉[35] 뒤에는 士의 喪禮가 다시 나와서는 안 되며, 士의 상례 뒤에는 다시 경대부의 禮[36]가 나와서는 안 된다.

종합하면 3종 本의 편차는 모두 저마다 부족한 부분이 있다는 것이다. 그러나 상대적으로 말한다면 그래도 《별록》본의 편차가 비교적 좀 우수하다고 생각한다. 이 본은 대체로 길례를 앞에 두고 흉례를 뒤에 두는 순서에 따라 편차하고 있다. 앞쪽에 배열한 것은 10편의 길례인데, 대체로는 또 士부터 시작하여 대부에 이르고, 다시 제후에 이르고, 다시 천자에 이르는 순서에 따라 배열하고 있다. 이러한 편차 방식은 다른 편차에 비해 《예》문에 대한 이해에 비교적 도움이 된다.

이상 3종 본의 편차 외에도 武威 簡本《의례》의 편차가 있다. 무위에서 출토된 漢簡本《의례》는 甲·乙·丙 3종이 있다. 이 가운데 을본은 〈服傳〉 1편만 있으며, 병본은 〈喪服〉 1편만 있어서 이른바 편차라는 것이 없다. 甲本은 7편이 있는데, 매 편 머리마다 모두 편의 제목과 편차가 기록되어 있어 이를 통해 책 전체의 편차를 미루어 알 수 있다. 陳夢家의 고증에 따르면 무위 갑본의 편차는 다음과 같다.[37]

무위 갑본의 편차

(〈사관례〉제일), (〈사혼례〉제이), 〈사상견례〉제삼, (〈향음주례〉제사), (〈향사례〉제오), (〈사상례〉제육), 〈기석례〉제칠, (〈복전〉제팔), (〈사우례〉제구), 〈특생〉제십, 〈소뢰〉제십일, 〈유사〉제십이, 〈연례〉제십삼, 〈泰射〉제십사, (〈빙례〉제십오), (〈공사대부례〉제십육), (〈근례〉제십칠).

진몽가는 말하기를 "무위 갑본은 두 戴本과 다를 뿐 아니라 《별록》본과도 다르지만 소대본에 가깝다. 무위 갑본과 소대본의 편차는 〈사상례〉〈기석례〉와 〈연례〉·〈대사례〉가 짝을 지어 바뀐 것뿐이다.〔武威甲本, 旣不同于兩戴, 和《別錄》亦異, 而近于小戴本. 兩者的篇次, 僅在《士喪》、《旣夕》與《燕禮》、《大射》對調而已.〕"라고 하였다.[38] 이에 따른다면 무위 갑본의 편차도 다른 三家의 편차보다 우수하지는 못한 것이다.

---

35 〔원주〕 천자를 朝見하는 禮이다.

36 〔원주〕 〈소뢰궤사례〉는 경대부가 廟에 제사 올리는 禮에 속한다.

37 〔원주〕 방괄호(()) 안에 넣은 것은 갑본 편목에 없는 것이다.

38 〔원주〕 陳夢家의 《武威漢簡》(文物出版社, 1964) 제11쪽 참조.

5. 《의례》는 士禮가 아니다

《의례》가 漢代에는 〈士禮〉라는 명칭이 있었기 때문에 《의례》를 전적으로 士의 禮만 기록한 것이라고 생각하는 사람도 있다. 사실 이것은 글자만 보고 견강부회해서 빚어진 오해이다. 《의례》 안에 기록된 것은 士의 禮만 있는 것이 아니라 경대부·제후(公)·천자의 禮도 있다. 《의례》가 비록 17편 밖에 없고 이미 앞에서 기록한 것처럼 실제로는 15종의 禮만 기록하고 있지만, 이 禮들은 이미 중국 고대 귀족의 각 계층을 언급하고 있다. 이를 구체적으로 한 번 분석해보면 다음과 같다.

〈사관례〉·〈사혼례〉·〈향사례〉·〈사상례〉·〈기석례〉·〈사우례〉·〈특생궤사례〉 7편은 6종의 禮를 기록하고 있는데,[39] 이 6종의 禮는 의심할 것 없이 모두 士의 禮이다.

〈향음주례〉는 제후의 鄕大夫가 주관하는 飮酒禮이다. 〈소뢰궤사례〉와 그 하편인 〈유사〉는 제후의 경대부가 廟에서 제사지내는 禮를 기록한 것이다. 따라서 이 3편이 기록하고 있는 2종의 禮는 경대부에 속하는 禮이다.

〈연례〉는 제후(즉 公)가 신하에게 宴享을 베푸는 禮를 기록한 것이다. 〈대사〉는 제후와 그 신하가 거행하는 활쏘기 시합의 禮를 기록한 것이다. 〈빙례〉는 제후국 간의 聘問하는 禮를 기록한 것이다. 〈공사대부례〉는 제후국의 임금이 빙문 온 대부를 접대하는 禮를 기록한 것이다. 이 4종의 禮는 제후의 禮에 소속시켜야 할 것이다.

〈覲禮〉는 제후가 천자를 朝覲하는 禮와 천자가 조근 온 제후를 접대하는 禮를 기록한 것이다. 그러므로 이 1편은 천자의 禮로 볼 수도 있으며 제후의 禮로 볼 수도 있다.

〈사상견례〉의 내용은 좀 뒤섞여있다. 士와 士가 서로 만날 때의 禮를 기록하고 있을 뿐 아니라 다른 각 계층의 귀족들이 서로 방문하고 만날 때의 禮도 기록하고 있으며, 또 다른 방면의 의절들도 조금 기록하고 있다. 〈상복〉은 중국 고대의 상복 제도를 기록하고 있는데, 이 편에서 기록하고 있는 服制는 위로는 천자에서부터 아래로는 서민에 이르기까지 모두 적용되는 것이라고 한다. 그러므로 우리는 이 두 편에서 기록하고 있는 禮를 通禮라고 부를 수 있다.

위에서 알 수 있듯 《의례》를 士禮라고 말하는 것은 이치에 맞지 않는 것이다. 그렇다면 옛 사람들은 왜 그것에 《사례》라는 명칭을 붙였을까? 지금까지도 만족할만한 해석은 없다. 어쩌면 《의례》에서 士禮를 기록한 것이 비교적 많기 때문에 그 중 많은 것을 들어서 이름을 붙였을 것이라고 생각하는 사람도 있다. 蔣伯潛(1892~1956)은 "《사례》는 첫 번째 편명

39 [원주] 〈기석례〉는 〈사상례〉의 하편이다.

때문에 붙여진 이름이다.〔《士禮》以首篇得名.〕"라고 생각했다. 즉 "이 책의 첫 번째 편이 《사관례》이기 때문에 마침내 책 전체를 《사례》라고 통칭했다.〔此書首篇爲《士冠禮》, 遂通稱全書爲《士禮》.〕"는 것이다.[40] 장백잠의 설은 비교적 믿을 만하다고 생각한다. 그러나 만일 장백잠의 설을 조금 수정한다면 더욱 합리적일 것이라고 생각한다. 즉 《사례》는 첫 번째 편명 때문에 붙여진 것이 아니라 처음 두 글자 때문에 붙여진 이름이라는 것이다. 옛 사람들은 시문의 처음 한 두 글자나 약간의 글자를 가지고 시문에 이름을 붙이는 습관이 있었다. 예를 들면 《시경》 중 대부분의 편명은 모두 이렇게 붙여졌다는 것이다. 《의례》 중 〈기석례〉와 〈유사〉도 모두 처음 두 글자를 취해 이름을 붙인 것이다. 책 전체에 대해 이름을 붙이는 것도 동일한 命名法을 채택했을 수 있다. 《의례》 全書의 시작은 바로 편명인 "士冠禮"라는 세 글자이다. 만일 '冠' 자를 그대로 남겨두면 뜻이 너무 협소하게 되기 때문에 '冠' 자를 떼고 '士'와 '禮' 두 글만 쓴 것이다. 이렇게 해서 《사례》라는 書名이 만들어지게 된 것이다. 따라서 이 書名은 결코 어떤 실제적인 含意를 갖고 있지 않으며 단지 이 책의 별칭으로 쓰고 있을 뿐이다.

6. 漢代 이후의 《儀禮》學

鄭玄(127~200)이 《의례》에 注를 낸 이후 大戴·小戴·慶氏 3家의 學은 쇠퇴하여 漢魏 간에는 鄭學獨盛의 국면이 형성되었다.

魏와 西晉 시대에는 王肅(195~256)이 鄭學을 극력 반대하고 홀로 새로운 기치를 내걸었다. 왕숙은 일찍이 금문경학을 익혔는데 또 賈逵(30~101)와 馬融(79~166)이 전한 고문경학도 연구하여 그 역시 通儒였다. 왕숙은 《儀禮注》와 《儀禮·喪服經傳注》를 지었는데, 곳곳에서 정현과 입장을 달리하고 있다. 즉 정현의 주에서 금문설을 썼으면 그는 고문설로 반박하고, 정현의 주에서 고문설을 썼으면 금문설로 반박하였다. 그리하여 《예》학은 왕숙의 손에 오게 되자 고금문의 家法이 더욱 심하게 뒤섞이게 되었다. 이렇게 되자 《의례》 본래의 금문경학 면목은 이미 더 이상 남아있지 않게 되었다. 또 蜀國의 李譔도 《三禮》에 주를 냈는데, 가규와 마융의 고문학을 준거로 삼고 왕숙과 떨어져 있어 함께 상의한 것은 아니었지만 그 《예》설의 뜻이 왕숙과 같은 데로 귀결된 것이 많았으니, 이 역시 王學의 聲勢를 충분히 도울 수 있는 것이었다. 왕숙은 또 司馬氏와의 혼인으로 정치적 세력의 도움

---

40 〔원주〕 蔣伯潛의 《十三經概論》 325쪽 참조.

을 빌려 자신의 《예》학을 학관에 세우게 할 수 있었는데, 이로 인해 魏와 西晉 시기에는 왕학이 거의 鄭學의 자리를 빼앗았다. 그러나 서진이 멸망하자 왕학도 따라서 쇠퇴하게 되었다. 東晉이 건립된 뒤에 《삼례》는 오직 鄭氏學만 하게 되었다. 동진 元帝(276~322) 초년에 정씨의 《주례》와 《예기》 박사를 세웠고, 원제 말년에는 또 정씨의 《의례》 박사를 추가로 세웠다.

南北朝 시대에 국가는 남북으로 나뉘었으며 경학도 南學과 北學으로 나뉘게 되었다. 그러나 《北史》〈儒林傳〉에 이르기를 "《예》는 다 같이 정씨를 따랐다.〔《禮》則同遵于鄭氏.〕"라고 하였다. 남조는 《삼례》에 통달한 학자들이 매우 많았다. 《南史》〈유림전〉에 따르면 何佟之·司馬筠·崔靈恩·孔僉·沈峻·皇侃·沈洙·戚衮 등이 모두 《삼례》에 통달했는데, 雷次宗(386~448)의 《삼례》학이 가장 유명하여 당시 사람들이 그를 정현과 병칭하여 '雷鄭'이라고 불렀다. 《의례》 방면의 연구는 전문가가 더욱 많아서 明山賓·嚴植之·賀瑒(창) 등이 모두 《의례》에 정통하였으며 그 중에서도 鮑泉이 "《의례》에 더욱 밝았다.〔于《儀禮》尤明.〕"[41] 당시 남조 사회는 크게 士와 庶人의 두 계급으로 나뉘어 있었기 때문에 《의례》를 연구한 사람들은 대부분 〈상복〉 연구에 치중하였다. 그리고 왕학의 영향도 여전히 남아 있어 학자들은 매번 왕학과 정학을 다 같이 채택하여 설을 삼았으며 결코 정씨학만 따른 것은 아니었다.

北朝에서 경학을 연구하여 大儒로 불린 사람으로는 제일 먼저 北魏의 徐遵明(475~529)을 꼽는다. 서준명은 여러 경전에 두루 통달했는데, 《삼례》는 정씨학을 종주로 삼았다. 《북사》〈유림전〉에 따르면 북조에서는 "《삼례》가 모두 서준명의 문하에서 나왔다.〔《三禮》幷出遵明之門.〕" 서준명은 李鉉 등에게 전하였고, 이현은 《三禮義疏》를 지었다. 이현은 熊安生 등에게 전하였다. 웅안생은 孫靈暉·郭仲堅·丁恃 등에게 전하였으며, "그 뒤 《禮經》에 능통한 사람들은 대부분 웅안생의 문인이었다.〔其後能通《禮經》者, 多是安生門人.〕" 또 北周의 沈重이 있는데, 그는 당대의 儒宗으로 《儀禮義》 35권을 지었다.

隋나라가 陳나라를 평정하고 천하를 통일하자 경학의 남학과 북학도 따라서 통일되었다. 皮錫瑞는 말하기를 "천하가 통일되자 남조가 북조에 병합되었는데, 경학은 통일되자 북학이 도리어 남학에 병합되었다.〔天下統一, 南幷于北; 而經學統一, 北學反幷于南.〕"라고 하였다.[42] 그러나 《의례》에 있어서는 여전히 鄭學을 근본으로 하였다. 《隋書》〈經籍志1〉에 이르기를 "오직 정현의 주만이 국학에 세워졌다.〔唯鄭《注》立于國學.〕"라고 하였다. 당시 예학을 연구한 사람으로 가장 유명한 사람은 張文詡(?~?)를 꼽아야 한다. 史書에서는 "특히 《삼

---

41 〔원주〕《南史》〈鮑泉列傳〉에 보인다.

42 〔원주〕皮錫瑞의 《經學歷史》7 〈經學統一時代〉 참조.

례》에 정통했으며〔特精《三禮》〕" "매번 정현의 주해를 좋아하였다.〔每好鄭玄注解.〕"라고 하였는데,[43] 다만 세상에 전하는 저작이 있다는 소리는 들리지 않는다.

唐朝 초년에 太宗은 조서를 내려 顔師古(581~645)에게 오경의 문자를 考定하여 《五經定本》을 편찬하게 하여 천하에 반포하였다. 또 孔穎達(574~648) 등에게 《五經正義》를 편찬하게 하여 마찬가지로 천하에 반포하고, 아울러 이것을 明經科의 인재를 뽑는 근거로 삼아 진정한 경학의 대통일을 실현하였다. 그러나 당나라 초기에는 《의례》를 중시하지 않아서 조서를 내려 정한 오경 안에는 《삼례》 중에서 오직 《예기》만 들어 있다. 唐 高宗 永徽(650~655) 연간에 太學博士 賈公彦(?~?)이 《儀禮義疏》 40권[44]을 편찬하여 전문적으로 정현의 주에 대해 疏解를 하여 마침내 정씨의 《의례》학이 보존될 수 있게 하였다. 《舊唐書》와 《新唐書》의 〈儒學傳〉에 따르면 가공언의 《예》학은 張士衡(?~645)에게 전수받은 것이다. 장사형은 劉軌思와 熊安生에게 전수받았으니, 이 역시 정학의 淵源에서 온 것이다. 開元 8년(720)에 國子司業 李元瓘이 상소하여 《의례》 박사를 세울 것을 청하였다. 조정에서 그 의론을 따라 이에 《의례》에 처음으로 學官이 세워지게 되었다. 그러나 이때 세운 《의례》에 사용된 것이 가공언의 疏本 이었는지의 여부는 확실히 알 수 없다. 《의례》는 비록 학관에 세워졌지만 여전히 이것을 익히고 전하는 자는 많지 않았다. 이 때문에 개원 16년(728)이 되자 國子祭酒 楊瑒은 상주하여 "《주례》·《의례》와 《公羊傳》·《穀梁傳》이 거의 폐해질 지경이니, 만약 우수한 인재를 뽑아 등용하지 않는다면 후대에는 폐기될지도 모릅니다.〔《周禮》、《儀禮》及《公羊》、《穀梁》殆將廢絕, 若無甄異, 恐後代便棄.〕"라고 하였고, 또 말하기를 "신은 늘 《의례》가 폐해져서 사대부들조차도 이를 행할 수 없는 것에 탄식하였습니다.〔瑒常嘆《儀禮》廢絕, 雖士大夫不能行之.〕"라고 하였다.[45] 唐代에 《의례》학이 비록 계속 이어져서 끊어지지는 않았다 할지라도 이미 쇠퇴해졌다는 것을 알 수 있다.

宋나라 초기의 경학은 여전히 唐人의 舊習을 답습하여 《三禮》·《三傳》·《易》·《詩》·《書》 9經을 학관에 세우고 아울러 이를 통해 인재를 취해 썼을 뿐만 아니라 이 9경의 注疏本을 모두 판각하여 인쇄하였다. 송나라는 또 《論語》·《孝經》·《爾雅》·《孟子》 4종의 注疏를 더 늘려서 모두 학관에 세웠다. 그리하여 《十三經》과 《十三經注疏》라는 명칭이 처음으로 확립되었다. 그러나 송나라는 慶歷(1041~1048) 연간 이후로 경학이 일변하게 되었다. 당나라 이전의 경학은 古義를 독실하게 지킨 것이 대부분이었으며 학자들은 저마다 스승에

---

43 〔원주〕《隋書》〈張文詡傳〉 참조.

44 〔원주〕 즉 지금의 《十三經注疏》 중 《儀禮注疏》이다.

45 〔원주〕《舊唐書》〈楊瑒傳〉 참조.

게 전수받은 것을 계승하여 새롭고 기이한 설을 취하지 않고 漢學에 연원을 두었었다. 그런데 경력 연간 이후 疑古의 풍조가 일어나기 시작하여 前人의 注疏를 믿지 않고 새로운 뜻을 내는데 힘쓰게 되었다. 《의례》학은 본래 實學이었기 때문에 宋學의 풍조에 그렇게 심한 영향을 받지는 않았다. 그러나 北宋은 《의례》학에 있어 말할만한 것이 없었다. 神宗 熙寧(1068~1077) 연간에 王安石(1021~1086)이 또 《의례》 학관을 없앴다. 그리하여 학자들 중에 《의례》를 연구하는 사람이 드물게 되었다.

南宋에 오자 孝宗 乾道 8년(1172)에 兩浙轉運判官 曾逮가 정현이 주석을 낸 《의례》 17권을 간행하였다. 張淳이 이것을 교감하고 정정했는데, 여러 종의 판본을 참조하여 경문과 주석 중의 誤字를 정정해서 《儀禮識誤》를 편찬하였다. 이것은 "가장 상세하게 살핀 것이었다〔最爲詳審〕".[46] 李如圭는 《儀禮集釋》 17권을 편찬했는데,[47] 정현의 주를 전체 수록하였을 뿐 아니라 또 旁證을 두루 인용하여 해석함으로써 가공언의 疏에서 發明하지 못했던 것을 발명한 것이 많았다. 魏了翁은 《儀禮要義》 50권을 편찬했는데, 이것은 정현의 주석은 오래되고 심오하며 가공언의 소는 번다하기 때문이었다. 그리하여 注疏의 정수를 뽑아 이 책을 편찬하였는데, "군더더기들을 깨끗하게 정리하여 제거한 점이 학자들에게 가장 큰 공을 세운 것이다.〔其梳爬剔抉, 于學者最爲有功.〕"[48] 그 뒤에 朱熹(1130~1200)와 제자 黃榦(1152~1221)이 《儀禮經傳通解》를 편찬하였는데, 《의례》를 經으로 삼고 《주례》와 《예기》 및 여러 經史와 잡서들에서 禮를 언급한 기록들을 뽑아 모두 經 아래에 붙이고 注疏와 여러 儒者들의 설을 모두 열거하여 이 책을 완성하였다. 그러나 이 책은 宋學의 풍조를 피하지 못하고 《삼례》를 섞어서 《예》를 논하였는데, 이 점은 정현보다 더욱 심한 것이었다. 또 주희의 제자 楊復은 《儀禮圖》 17권을 편찬했는데 마찬가지로 학자들에게 매우 유익하다. 이상에서 알 수 있듯 宋代의 《의례》학은 비록 쇠퇴하기는 하였지만 唐代에 비해서는 볼만하였다.

元代와 明代의 경학은 여전히 宋學의 習氣를 탈피하지 못하였다. 원대에는 인재를 등용할 때 《의례》를 쓰지 않았으며 《의례》를 연구하는 학자들도 매우 드물었다. 그 당시 名儒였던 吳澄(1255~1330)만이 《의례》를 깊이 연구하여 교정 작업을 진행하였다. 오징은 《儀禮逸經傳》 2권을 편찬했는데, 여러 서적들에서 두루 채집하고서 이것을 가리켜 《의례》 逸文이라고 하였다. 이 책의 편찬 體例는 주희의 《의례경전통해》를 모방한 것이었다. 또 敖繼公

46 〔원주〕《四庫提要》 권20 《儀禮識誤》〈提要〉

47 〔원주〕 금본은 30권으로 나뉘어졌다.

48 〔원주〕《四庫提要》 권20 《儀禮識誤》〈提要〉

은《儀禮集說》17권을 편찬했는데, 정현의 주석을 흠은 많고 精純함은 적다고 생각하여 정현의 설 중에 경문과 합치되지 않는다고 생각한 것들을 刪削해버리고 다시 설을 지었다. 이것 역시 宋學의 풍조로 인한 것이었다.

明代에는《의례》학이 거의 끊어지기 직전까지 갔다. 郝敬(1558~1639)은《의례》는 經이 될 수 없다고까지 말하였는데, 학경이 편찬한《儀禮節解》는 注疏를 거의 다 버리고 다시 자신의 설을 지은 것이다. 張鳳翔(1473~1501)은《禮經集注》를 편찬하였는데, 주희가《의례》를 經으로 삼은 설을 주장하기는 하였으나 그 大旨는 정현의 주석을 위주로 한 것이었다. 그 뒤에 朱朝瑛(1605~1670)이《讀儀禮略記》를 편찬했는데, 경문을 모두 수록하지 않았으며 채택한 설은 오계공과 학경의 설이 많았다. 명대의《의례》학이 가장 말할 만한 것이 없다는 것을 알 수 있다.

淸代는 경학의 부흥시대라고 일컬어진다. 그러나 淸初에는 아직 宋學의 遺風을 탈피하지 못하였으며, 乾隆(1736~1795) 이후에 와서 漢學이 크게 일어났다. 건륭 연간에 특별히《十三經注疏》를 간행하여 학관에 나누어 반포하였다. 건륭 13년(1748)에는 또 칙명으로《三禮義疏》를 편찬했는데, 이 가운데《儀禮義疏》48권은 대부분 오계공의 설을 종주로 삼고 정현의 주를 아울러 채택하였다. 이후《의례》의 연구와 저술이 점점 많아져서 저명한 학자와 저작이 매우 많아졌다. 예를 들면 張爾岐(1612~1678)의《儀禮鄭注句讀》17권은 정현의 주를 모두 수록하고 가공언의 소를 절록하고서 자신의 의견을 간략하게 덧붙여 판단을 내렸을 뿐만 아니라 그 句讀를 정하고 章節을 나누었다. 이 책은 家法을 가장 잘 구비한 것이어서 학자들에게 많이 일컬어지고 있다. 萬斯大(1633~1683)는《삼례》에 더욱 정통하였다. 그가 지은《儀禮商》2권은《의례》17편을 가져다 편마다 설을 지은 것으로, 새로운 뜻이 매우 많다. 方苞(1668~1749)는 말년에 스스로 말하기를 자신이《의례》를 정리한 것은 11차례로, 공력을 가장 많이 쏟아 부은 것이라고 하였다. 그가 지은《儀禮析疑》17권은《의례》에서 의심나는 것을 뽑아서 辨釋하였는데, 처음으로 발명한 뜻이 매우 많다. 福建의 吳廷華(1682~1755)는 벼슬을 버리고 떠난 뒤에 蕭寺에 은거하면서 "가공언과 공영달을 깊이 연구하여 二禮《疑義》 수십 권을 지었다.〔穿穴賈、孔, 著二禮《疑義》數十卷.〕" 그의《周禮疑義》는 지금까지 남아 있으며,《儀禮疑義》는 바로 지금 전하는《儀禮章句》17권인 듯하다.[49] 이 책은 편 내에서 장절을 구분하고 구두를 찍었으며, 訓釋은 대부분 정현과 가공언의 注疏에 근본을 두었지만 다른 설들도 함께 채택하고서 '案'을 덧붙여 그 의미를 發明하였다. 그리고 行文은 지극히 간략하여《예》학에 매우 도움이 된다. 蔡德晉의《禮經本義》17권은

49 〔원주〕《四庫提要》에 보인다.

송·원·명 이래의 여러 학자들의 설을 인용하여 注疏와 서로 참조하고 증거로 삼아서 그 뜻을 發明하였는데, 名物制度의 考辨에 매우 자세할 뿐 아니라 새로운 의미도 아울러 말하였다. 盛世佐의 《儀禮集編》 40권은 고금의 《의례》를 말한 197家의 설을 수집하고 자신의 뜻으로 판단을 내렸는데, 그 지론이 엄격하고 신중하여 淺學의 공허하고 천박한 담론이 없다. 諸家의 오류에 대해서는 변증이 더욱 상세하여 《의례》를 연구하는 데 매우 좋은 참고서가 된다. 기타 沈彤의 《儀禮小疏》, 褚寅亮(1715~1790)의 《儀禮管見》, 胡匡衷(1728~1801)의 《儀禮釋官》, 江永(1681~1762)의 《儀禮釋官增注》, 程瑤田(1725~1814)의 《儀禮喪服文足徵記》 등등은 모두 한 시대의 名著들이다. 그러나 이 중에서도 가장 유명하고 또 《의례》학에 가장 공이 많은 것은 胡培翬(1782~1849)의 《儀禮正義》, 張惠言(1761~1802)의 《儀禮圖》, 凌廷堪(1755~1809)의 《禮經釋例》 3종의 저작을 꼽아야 한다.

호배휘의 《의례정의》 40권은 대략 4가지 體例가 있다. 첫째는 경문에 疏를 내어 정현의 주를 보충하는 것이다. 두 번째는 소를 통하여 정현의 주를 거듭 천명하는 것이다. 세 번째는 각 학자들의 설을 회집하여 정현의 주에 덧붙이는 것이다. 네 번째는 다른 설을 채택하여 정현의 주를 정정하는 것이다. 이것은 또한 《의례》의 新疏이며 《의례》학의 집대성적인 저작으로, 후대에 《의례》를 연구하는 사람들은 모두 이 책을 빠트려서는 안 된다. 장혜언의 《의례도》 6권은 《의례》 각 편의 禮儀의 추이에 따라 매 하나의 중요한 의절마다 모두 그림을 그렸는데, 각 그림들은 모두 그 궁실 제도나 禮器와 인물의 위치 및 行禮 과정 중 사람과 사물의 처소와 방위의 변화 등등에 대해 매우 상세하다. 명확하게 알기 어려운 禮文을 그 그림을 보면 첫눈에 환히 알 수 있도록 하여 학자들에게 매우 편리하다. 능정감의 《예경석례》 13권은 《의례》 중의 禮例를 분류하여 246例로 귀납하였다. 능정감은 서문에서 스스로 말하기를 "10여년을 부지런히 쉬지 않고 힘써 원고를 모두 수차례나 바꾸어서〔矻矻十餘年, 稿凡數易〕" 완성하였다고 하였다. 또 말하기를 《의례》의 "節文과 威儀는 매우 세세하고 번다하여 급히 보면 엉킨 실타래를 푸는데 갈수록 더 엉키는 것처럼 보이지만 그 실마리를 자세히 찾다보면 모두 구분할 수 있는 날줄과 씨줄이 있으며, 언뜻 보면 마치 산에 들어갔다가 길을 잃은 것 같지만 차근차근 가다보면 모두 올라갈 수 있는 길이 있는 것과 같다. 이 때문에 그 날줄과 씨줄, 또는 길을 찾지 못하면 비록 상등의 哲人이라 할지라도 그 어려움에 곤란을 느끼지만, 만약 찾기만 하면 중등의 재능으로도 노력만 하면 진실로 다다를 수 있게 된다.〔節文威儀, 委曲繁重, 驟閱之如治絲而棼, 細繹之, 皆有經緯可分也; 乍睹如入山而迷途, 歷之皆有途徑可躋也. 是故不得其經緯途徑, 雖上哲亦苦其難, 苟其得之, 中材固可以勉而赴焉.〕"라고 하였다. 그가 이 책을 편찬한 목적은 바로 "애오라지 이를 빌려 엉킨 실타래를 풀고 산에 올라가는데 도움이 되게 하기 위해서이다.〔聊借爲治絲登山

之助.〕"[50] 능정감의 이 책은 《의례》를 읽을 때 하나의 규칙을 앎으로써 이와 비슷한 것들을 미루어 알 수 있는 효과를 거둘 수 있다. 그리하여 지금도 여전히 우리가 《의례》를 이해하는 하나의 열쇠가 되고 있다.

이상에서 알 수 있듯 《의례》학은 淸代에 와서 지극히 번성했다고 일컬을 수 있다.

7. 《의례》의 오늘날에 있어서의 의의

《의례》에 기록된 각종 번다한 禮儀들은 옛사람들도 일찍부터 이미 당시의 쓰임에 맞지 않는 것이라고 생각하였다. 예를 들면 韓愈(768~824)는 말하기를 "나는 일찍이 《의례》가 읽기 어려운 것에 애를 먹었다. 또 지금 행해지는 것이 적을 뿐 아니라 이어 받은 것도 다른데 이것을 회복하고자 해도 따를 길이 없으니, 오늘날 살펴보면 참으로 《의례》를 쓸 데가 없다.〔余嘗苦《儀禮》難讀, 又其行於今者蓋寡, 沿襲不同, 復之無由, 考於今, 誠無所用之.〕"[51] 라고 하였다. 朱熹도 여러 차례 말하기를 "古禮는 지금은 실로 행하기 어렵다.〔古禮今實難行.〕"라고 하였으며, 또 "禮는 시간이 중요하다. 聖人이 나온다면 반드시 오늘날의 禮를 따라서 합당한 것을 재고 헤아려 그 중에 간편하고 알기 쉬워서 행할 수 있는 것을 취할 것이요, 필시 옛사람의 번다한 禮를 가지고 와서 오늘날에 시행하는 데에까지는 이르지 않을 것이다. 고례가 이처럼 자질구레할 뿐 아니라 번다하고 쓸데없으니 지금 어떻게 행할 수 있겠는가.〔禮, 時爲大. 有聖人者作, 必將因今之禮而裁酌其中, 取其簡易易曉而可行, 必不至復取古人繁縟之禮而施之於今也. 古禮如此零碎繁冗, 今豈可行?〕"[52] 라고 하였다.

봉건사회의 멸망과 수반하여 《의례》에 기록된 각종 예의 제도는 이미 사회적으로 기댈 곳을 잃어버리고 역사의 유적이 되어 버렸지만, 《의례》는 중요한 전통 문화 전적으로서 여전히 매우 귀중한 가치를 지니고 있다.

중국 고대 사회는 노예 사회에서 봉건 사회에 이르기까지 모두 禮制를 행하는 사회였는데, 이것이 바로 《의례》라는 책이 생겨나고 流傳될 수 있었던 근본적인 원인이다. 《의례》라는 책을 통하여 우리는 중국 고대의 통치 계급이 어떻게 禮를 이용하여 그들의 등급 제도를 유지하고 공고히 하였는지 분명하게 알 수 있다. 설령 《의례》에 기록된 예의가 봉건 통치

---

50 〔원주〕凌廷堪, 《禮經釋例·序》, 《淸經解》 第5冊, 第135面, 上海書店出版社, 1988年.

51 〔원주〕《韓昌黎集》 卷11 〈讀儀禮〉(國學基本叢書本, 商務印書館, 1958)

52 〔원주〕《朱子語類》 卷84 〈論古禮綱領〉

계급에게도 지나치게 번다한 것 때문에 실용에는 맞지 않는다는 느낌을 주었다 할지라도 이 《의례》는 줄곧 經으로 높여지고 禮를 논의하거나 제정할 때 중요한 근거가 되어왔다. 이 점은 우리가 《二十四史》 중의 〈禮志〉나 《通典》·《文獻通考》 등의 책을 잠깐만 뒤적여도 수많은 사례들을 찾을 수 있다. 《의례》의 정신 또는 禮例에 의거하지 않거나 그 중의 儀則을 참조하지 않으면 비판을 받았다. 예를 들면 주희는 일찍이 이렇게 비판을 한 적이 있다. "橫渠(張載)가 만든 禮는 《의례》에 근거를 두지 않은 것이 많으며 스스로 杜撰한 부분들이 있다.〔橫渠所制禮, 多不本諸《儀禮》, 有自杜撰處.〕" 이와 반대로 주희는 《의례》를 따른 사람에게는 긍정적인 평가를 내리고 있다. 말하기를 "溫公(司馬光)과 같은 경우는 오히려 《의례》에 근본을 두고 있으니 고금의 마땅함에 가장 적합하다.〔如溫公却是本諸《儀禮》, 最爲適古今之宜.〕"라고 하였다.[53] 그러므로 《의례》라는 책은 우리가 오늘날 중국 고대 사회의 역사를 알고 연구하는 데, 특히 중국 고대 사회에서 행해졌던 禮制를 알고 연구하는 데 중요한 의미를 지닌다.

禮學과 仁學은 서로 상보상생하는 관계를 가지고 있으며 중국 고대 유가 학설의 핵심이다. 《의례》는 유가 예학에 있어 가장 초기의 문헌이자 가장 기본적인 문헌이다. 중국 고대의 유가 사상을 연구하고자 한다면, 특히 유가의 예학 사상을 연구하고자 한다면 《의례》는 반드시 읽어야 하는 문헌이다. 동시에 우리는 또 중국 고대 사회에서 유가의 예학 사상이 이미 국가 통치 사상의 중요한 구성 부분이 되었으며, 이미 사람들의 일상생활 각 방면에 침투함으로써 사람들의 사상과 언행을 지도하는 준칙 및 윤리 도덕의 규범, 즉 공자가 이른바 "禮가 아니면 보지 말며, 禮가 아니면 듣지 말며, 禮가 아니면 말하지 말며, 禮가 아니면 행하지 말라.〔非禮勿視, 非禮勿聽, 非禮勿言, 非禮勿動.〕"라는 규범이 되었다는 것을 알아야 한다.[54] 이러한 준칙과 규범들은 공허하거나 추상적인 것이 아니라 일련의 禮儀와 禮容의 구체적인 요구를 통하여 체현된 것들로서, 《의례》는 바로 통치 계급이 이러한 요구들을 제시하고 확정하는 중요한 근거였던 것이다. 그러므로 《의례》라는 책은 유가의 예학을 연구하는 데 있어서 뿐 아니라 고대 사회 사람들의 사상과 생활, 윤리 도덕관념 등등을 연구하는 데 있어서도 모두 중요한 의미를 지닌다.

《의례》라는 책은 또한 매우 중요한 사료적인 가치를 지니고 있다. 《의례》에 가장 많이 기록된 것은 士禮이다. 이로 인해 《의례》는 중국 고대 士의 계급적 지위와 士 내부의 등급 관계, 士가 담당했던 관직, 士의 생활과 경제 상황 등등의 방면과 관련된 자료들을 집중적이

53 〔원주〕《朱子語類》 卷84 〈論後世禮書〉

54 〔원주〕《論語》〈顔淵〉

면서도 대량으로 제공하고 있다. 《의례》에 기록된 천자에서부터 제후까지, 다시 경대부까지, 다시 士까지 이르는 서로 다른 예의와 이러한 예의들을 통해 체현한 그들 상호간의 관계는 우리가 중국 고대 계급 관계를 연구하는 데 중요한 자료가 된다. 《의례》에는 또 수많은 중국 고대의 관직과 관련된 자료들이 남아있는데, 이것은 우리가 오늘날 중국 고대의 관제를 연구하는 데 귀중한 자료가 된다. 청나라 사람 胡匡衷(1782~1849)은 일찍이 《儀禮釋官》을 지어 이미 이런 방면에서 근거로 삼아 살펴볼 수 있는 先例를 우리에게 제공하고 있다. 또 《의례》에 기록된 중국 고대의 궁실 제도나 복식 제도, 음식 제도 및 다량의 禮器의 응용 제도 등등은 우리가 오늘날 고대사를 연구하는 데 있어서나 고고학에 있어서도 모두 중요한 가치를 지닌다.

또 하나 지적하고 싶은 것이 있다. 《의례》를 읽고 이해하는 것은 우리가 수많은 다른 고대 문헌을 읽고 이해하는 데 매우 중요하다는 것이다. 중국 고대 문헌 중에는 禮와 관련된 기록들이 매우 많으며, 수많은 기록들이 모두 禮를 언급하고 있어서 《의례》를 읽지 않은 사람은 관련 기록에 대해 진정으로 이해하기가 매우 어렵기 때문이다. 예를 들면 《의례》를 읽지 않은 사람은 《예기》와 《주례》의 관련 篇章을 읽기가 매우 어려울뿐 아니라 《荀子》의 〈禮論〉을 이해하는 것도 분명 매우 어려울 것이다. 또 예를 들면 《좌전》 宣公 18년(기원전 591) 조에 魯나라의 公孫歸父가 晉나라에 聘問가라는 魯 宣公의 명을 받고 방문 갔는데, 돌아올 때 선공이 이미 죽자 이에 "子家(공손귀보)는 돌아올 때 笙에 이르자 단을 쌓아 휘장을 치고서 副使에게 복명하였다. 복명이 끝나자 윗옷의 왼쪽 소매를 벗고 머리를 삼으로 묶고 자신의 哭位로 가서 곡하고 三踊을 하고 나왔다.〔子家[55]還, 及笙, 壇帷, 復命於介. 既復命, 袒、括髮, 即位哭, 三踊而出.〕"라는 기록이 있다. 《의례》의 〈聘禮〉와 〈喪服〉을 읽지 않았다면 《좌전》의 이 기록에 언급되어 있는 禮에 대해 진정으로 이해할 수 없다. 또 예를 들면 《논어》〈八佾〉에 "활쏘기는 과녁의 가죽을 꿰뚫는 것을 주장하지 않는다.〔射不主皮.〕"라는 공자의 말이 기록되어 있다. 만일 〈鄉射禮〉를 읽지 않았다면 이 구절의 의미 역시 이해하기가 매우 어렵다. 이러한 사례들은 이루 다 들 수 없을 정도로 많아서 세심하게 《의례》를 읽는다면 저절로 알게 될 것이다.

이상의 내용을 종합하자면, 《의례》라는 이 책에 대해 우리는 그것이 이미 역사적인 묵은 자취이기 때문에 현실 사회와는 너무나 동떨어진 것이라고 생각하여 버려두고 돌아보지 않아서는 결코 안 된다는 것을 알 수 있다. 우리가 발굴만 잘 한다면 그 가운데 분명 오늘날 연구자들이 이용할 수 있는 다량의 귀중한 자료들이 들어있을 뿐 아니라 또한 지금 사람들

---

55 〔원주〕 子家는 公孫歸父의 字이다.

이 중국 전통 문화를 배우고 이해하는 데 진귀하면서도 연구해볼 가치가 있는 전적이기도 하다.

옛날에 사람이 죽으면 살아있는 사람들은 死者를 위하여 상복을 입었는데, 死者와의 遠近·親疏·尊卑 관계의 다름에 따라 입는 상복 및 상복을 입는 기간도 달라 이 방면으로 엄격한 제도와 규정이 있었다. 본편은 바로 이러한 상복 제도를 기록한 것이다. 본편에서 기록하고 있는 상복 제도는 천자에서 서인까지 모두에게 적용되었다고 한다. 이 때문에 鄭玄의 《目錄》에서는 본편을 '천자부터 천자 이하의 사람들이 죽어서 상을 치를 때 입는 의복·연월·친소·융쇄의 예[天子以下死而相喪, 衣服年月親疏隆殺之禮也]'를 기록한 것이라고 말하고 있다.

全文은 모두 25절로 이루어져 있으며, 7개 부분으로 구분할 수 있다.

첫째 부분은 1절부터 2절까지이다. 斬衰三年服과 복을 입는 대상을 기록하였다.

둘째 부분은 3절부터 10절까지이다. 齊衰의 상복 및 복을 입는 대상을 기록하였다. 이 부분은 다시 4개 層次로 나눌 수 있다. 첫 번째는 3절과 4절로, 齊衰三年服 및 복을 입는 대상을 기록하였다. 두 번째는 5절과 6절로, 齊衰杖期服 및 복을 입는 대상을 기록 하였다. 세 번째는 7절과 8절로, 齊衰不杖期服 및 복을 입는 대상을 기록하였다. 네 번째는 9절과 10절로, 齊衰三月服 및 복을 입는 대상을 기록하였다.

셋째 부분은 11절부터 14절까지이다. 大功服 및 복을 입는 대상을 기록하였다. 이 부분은 다시 2개 층차로 나눌 수 있다. 첫 번째는 11절과 12절로, 大功殤九月服이나 大功殤七月服 및 복을 입는 대상을 기록하였다. 두 번째는 13절과 14절로, 大功九月服 및 복을 입는 대상을 기록하였다.

넷째 부분은 15절부터 16절까지이다. 繐衰服 및 그 복을 입는 대상을 기록하였다.

다섯째 부분은 17절부터 20절까지이다. 小功服 및 그 복을 입는 대상을 기록하였다. 이 부분은 다시 2개 층차로 나눌 수 있다. 첫 번째는 17절과 18절로, 小功殤五月服 및 복을 입는 대상을 기록하였다. 두 번째는 19절과 20절로, 小功五月服 및 복을 입는 대상을 기록하였다.

여섯째 부분은 21절부터 22절까지이다. 緦麻服 및 그 복을 입는 대상을 기록하였다.

일곱째 부분은 23절부터 25절까지이다. 이 부분은 〈記〉文으로, 상복에 관계되는 제도·尺寸·쓰이는 布의 升數 및 受衰·受冠 등을 잡다하게 기록하였다.

第十一 상복 喪服

참최 斬衰

자최 齊衰

대공 大功

세최 繐衰

소공 小功

시마 緦麻

기 記

참최 斬衰

1. 斬衰三年의 喪服

> 喪服。斬衰裳①, 苴絰、杖、絞帶②, 冠繩纓③, 菅(관)屨者④,
>
> 상복이다.
> 자른 뒤에 가장자리를 꿰매지 않은 布로 만든 衰裳을 입고, 苴麻(암삼)로 만든 首絰과 腰絰을 하고, 苴杖(苴竹으로 만든 喪杖)을 짚고, 苴麻로 만든 絞帶를 하고, 武와 纓(관끈)을 牡麻(숫삼)로 꼬아 만든 喪冠을 쓰고, 菅屨(골풀로 만든 신)를 신는 상복은 다음의 경우에 입는다.

① 斬衰裳

'斬'은 천을 자르는 것을 이른다. 李如圭에 따르면 "자른다고 하지 않고 베어낸다고 한 것은 매우 애통한 뜻을 취한 것이다.〔不言裁割而曰斬者, 取痛甚之意.〕" 또 〈傳〉에 따르면 斬은 가장자리를 꿰매지 않는 것을 이른다. 즉 布를 재단한 뒤에 가장자리를 가지런하게 꿰매지 않는 것이다. '衰'는 정현의 주에 따르면 "일반적으로 상복은 상의를 衰, 하의를 裳이라고 한다.〔凡服, 上曰衰, 下曰裳.〕"

② 苴絰、杖、絞帶

즉 苴絰과 苴杖과 苴絞帶이다. 가공언의 소에 따르면 "苴 한 글자로 이 3가지를 지칭하였다.〔以一苴目此三事.〕" '苴'는 씨를 맺는 麻이다. 즉 〈傳〉에서 말한 '麻 중에 씨가 있는 것〔麻之有蕡者〕'이다. '絰'은 음이 '질'이다. 머리와 허리에 두르는 孝帶(상복에 매는 띠)이다. 가공언의 소에 "苴麻(암삼)로 수질과 요질을 만든다.〔苴麻爲首絰、要(腰)絰.〕"라고 하였다. 수질은 喪冠위에 더하는 것이다. '苴杖'은 竹杖을 이른다. 〈傳〉에 "苴杖은 대나무로 만든 것이다.〔苴杖, 竹也.〕"라고 하였는데, 가공언의 소에 "苴竹으로 喪杖을 만든다.〔以苴竹爲杖.〕"라고 하였다. 吳廷華는 "苴(암삼)를 쓰지 않았는데도 苴라는 이름을 붙였다.〔雖不用苴而有苴名.〕"라고 하였다. '苴

絞帶'는 마찬가지로 일종의 麻로 만든 孝帶이다. 허리에 매어 몸을 묶는 데 쓴다. 〈傳〉에 "絞帶는 繩帶이다.〔絞帶者, 繩帶也.〕"라고 하였는데, 가공언의 소에 "苴麻로 교대를 만든다.〔以苴麻爲絞帶.〕"라고 하였다. 李如圭는 "교대와 요질은 똑같이 허리에 매는 것인데, 교대 역시 苴麻로 만드는 듯하다.〔絞帶與要絰同在於要, 蓋亦以苴麻爲之.〕"라고 하였다.(교대와 요질의 구별은 〈상복〉1. 주⑱ 참조) 정현의 주에 "수질은 緇布冠의 缺項을 본떴고, 요질은 大帶를 본떴고, 교대는 또 혁대를 본떴다.〔首絰象緇布冠缺項, 要絰象大帶, 又有絞帶象革帶.〕"라고 하였다.

【按】 정현의 주에 따르면 '絰'은 '實'의 뜻으로, 효자가 충실한 마음을 가지고 있음을 밝힌 것이다.[1] '苴杖'의 '苴'에 대해 孔穎達은 '초목 중에 말라비틀어진 것' 또는 '검은색'으로 풀이하였다.[2] 胡培翬는 이를 근거로 苴를 검은색으로 보았다. 즉 지극히 애통해하는 마음이 안에 맺히면 반드시 밖으로 드러나게 되는데, 마음이 찢어지는 듯하기 때문에 겉으로 드러나는 모습도 반드시 거무죽죽하게 되며, 그래서 상복에 쓰는 요질·수질과 喪杖을 모두 검은색으로 한다고 해석하였다.[3]

③ 繩纓

가공언의 소에 따르면 麻를 꼬아 만든 冠纓을 이른다.[4] 〈상복〉1. 주⑲ 참조.

【按】 가공언의 소에 따르면 이때 사용하는 麻는 苴麻가 아닌 枲麻(숫삼)이다. 자최복에 사용하는 冠纓은 布를 쓰기 때문이다. 〈그림 1〉 참조.

④ 菅屨者

'菅屨'는 즉 골풀로 만든 신발이다. 《廣雅》〈釋草〉에 "菅(골풀)은 茅이다.〔菅, 茅也.〕"라고 하였다. '者'는 여기에서는 멈춰주는 작용을 하여 다음 문장을 이끌어 내는 역할을 한다. 정현의 주에 "者는 다음 문장이 나온다는 것을 밝힌 것이다.〔'者'者, 明爲下出也.〕"라고 하였다. '下'는 바로 다음에 나오는 경문, 즉 예를 들면 '父'나 '諸侯爲天子' 등등을 가리킨다.

[傳曰]⑤

斬者何? 不緝也⑥。苴絰者, 麻之有蕡(분)者也⑦。苴絰大搹(격), 左本在下⑧, 去五分一以爲帶⑨。齊衰之絰, 斬衰之帶也⑩, 去五分一以爲帶。大功之絰, 齊衰之帶也, 去五分一以爲帶。小功之絰, 大功之帶也, 去五分一以爲帶。

1) 鄭玄注: "絰之言, 實也, 明孝子有忠實之心."

2) 《毛詩正義》〈大雅 召旻〉孔穎達正義: "苴是草木之枯槁者, 故在樹未落及已落爲水漂, 皆稱苴也."

3) 《儀禮正義》卷21: "《禮記》孔疏云'苴是黎黑色', 又云'苴者, 黯也, 至痛內結, 必形色外章, 心如斬斫, 故貌必蒼苴, 所以衰裳絰杖, 俱備苴色也."

4) 賈公彦疏: "云'冠繩纓'者, 以六升布爲冠, 又屈一條繩爲武, 垂下爲纓.……又齊衰冠纓用布, 則知此繩纓不用苴麻, 用枲麻, 故退冠在下, 更見斬義也."

緦麻之絰，小功之帶也，去五分一以爲帶。
苴杖，竹也。削杖，桐也⑪。杖各齊其心⑫，皆下本。杖者何？爵也⑬。無爵而杖者何？擔主也⑭。非主而杖者何？輔病也⑮。童子何以不杖？不能病也⑯。婦人何以不杖⑰？亦不能病也。
絞帶者，繩帶也⑱。冠繩纓條屬(촉)⑲，右縫⑳。冠六升㉑，外畢㉒，鍛而勿灰㉓。衰三升。菅屨者，菅菲也㉔，外納㉕。居倚廬㉖，寢苫枕塊㉗，哭晝夜無時。歠粥㉘，朝一溢(일)米㉙，夕一溢米，寢不說(탈)絰帶。旣虞，翦屛柱楣㉚，寢有席，食疏食(사)水飮㉛，朝一哭，夕一哭而已。旣練，舍外寢㉜，始食菜果，飯素食，哭無時。

〔傳曰〕
'斬'이란 무엇인가? 布를 자른 뒤에 가장자리를 꿰매지 않는 것이다. '苴絰'은 씨가 있는 麻로 만든 首絰과 腰絰이다.
斬衰服의 수질의 굵기는 한 움큼 정도이며, 마의 뿌리 부분이 왼쪽 귀 위로 가도록 하고 麻의 뿌리 부분이 마의 위쪽 끝보다 아래로 가게 한다. 참최복의 수질에서 5분의 1을 줄여 (즉 5분의 4) 참최복의 요질을 만든다.
齊衰服의 수질은 참최복의 요질과 굵기가 같고, 자최복의 수질에서 5분의 1을 줄여 자최복의 요질을 만든다.
大功服의 수질은 자최복의 요질과 굵기가 같고, 대공복의 수질에서 5분의 1을 줄여 대공복의 요질을 만든다.
小功服의 수질은 대공복의 요질과 굵기가 같고, 소공복의 수질에서 5분의 1을 줄여 소공복의 요질을 만든다.
緦麻服의 수질은 소공복의 요질과 굵기가 같고, 시마복의 수질에서 5분의 1을 줄여 시마복의 요질을 만든다.

苴杖은 대나무로 만든 것이다. 削杖은 오동나무로 만든 것이다. 喪杖의 높이는 상장을 짚는 사람의 심장과 나란히 할 정도이며, 모두 뿌리 부분이 아래로 가게 한다.

상장을 짚는 것은 왜인가? 작위가 있기 때문이다.
작위가 없는데도 상장을 짚는 것은 왜인가? 적자로서 喪事를 주관하기 때문이다.
주관하는 사람이 아닌데도 상장을 짚는 것은 왜인가? 애통해 하는 것이 지나쳐 병이 날 경우 부축하기 위해서이다.
동자는 왜 상장을 짚지 않는가? 아직 어려서 병이 날 정도까지 애통해 하지 않을 것이기 때문이다.
부인은 왜 상장을 짚지 않는가? 死者와의 관계가 비교적 소원하여 부인 역시 병이 날 정도까지 애통해하지 않을 것이기 때문이다.

絞帶는 麻를 꼰 끈으로 만든 帶이다.
冠梁에 麻를 꼬아서 만든 纓(관끈)을 붙이고 관량의 주름을 오른쪽으로 잡아 꿰맨다. 이때 관량은 6승포로 만들고 武의 밖으로 접어 武에 꿰맨다. 관량을 만드는 布는 두드려 빨기만 할 뿐 잿물에 넣어 표백하지는 않는다. 참최복은 3승포를 쓴다.
菅屨는 菅菲와 같은 것이다. 신발을 마무리할 때 겉에서 매듭짓는다.

倚廬에서 거처하며, 거적자리에 눕고 흙덩이를 베며, 밤낮으로 때 없이 곡한다. 아침에 1溢(한 홉 정도)의 쌀과 저녁에 1溢의 쌀로 만든 멀건 죽을 마시고, 잠잘 때에도 絰帶를 벗지 않는다.
虞祭를 지낸 뒤에는 의려를 덮었던 거적자리를 조금 다듬어 손질하고, 땅 위에 놓아두었던 楣(도리)를 기둥으로 받쳐 올린다. 잠잘 때 자리를 깔며, 거친 밥을 먹고 물을 마시며, 아침저녁으로 한 차례씩 곡한다.
練祭를 지낸 뒤에는 外寢에서 머물며, 비로소 채소와 과일을 먹고 평상시의 음식을 먹으며, 때 없이 곡한다.

⑤ 傳曰

이 편 중의 〈傳〉文은 舊說에서는 子夏가 지은 것이라고 생각하였다. 注疏本 제목 아래에 바로 '子夏傳'이라는 3글자가 있다. 가공언의 소에 "傳曰이라는 것은 누가 지은 것인지 알 수 없으나 사람들은 모두 공자의 제자인 卜商(字는 子夏)이 지은 것이라고들 한다.……스승에서 스승으로 전해졌다는 것은 빈말이 아닌듯하다.〔'傳曰'者, 不知是誰人所作, 人皆云孔子弟子卜商字子夏所爲,……師師相傳, 蓋不虛也.〕"라고 하였다. 그러나 자하가 傳을 지었다는 설은 실제로는 믿을 수 없다. 武威縣에서 출토된 2개의 簡本(甲本과 乙本) 〈服傳〉에는 모두 '子夏傳'이라고 쓰여 있지 않다. 《經典釋文》에도 이 題名이 없는데 唐石經에 처음으로 이 세 글자로 표제하였으니, 실은 後儒들이 멋대로 집어넣은 것이다. 沈文倬(1917~2009)의 고증에 따르면 〈服傳〉이 지어진 것은 "아무리 위로 올라가더라도 《예기》의 禮를 논한 여러 편의 글이 이루어진 후, 즉 周나라 愼靚王 이후(기원전 315)이며 아무리 아래로 내려가더라도 秦나라 始皇帝 34년(기원전 213) 분서갱유 이전이다.〔其上限在《禮記》論禮諸篇成書以後, 卽周愼靚王以後, 其下限在秦始皇三十四年焚書以前.〕" 沈文倬은 또 〈服傳〉이 처음에는 단독이라 말하고 전해진 책이라 말하고, "東漢 시대에도 여전히 단독으로 유통되어 일찍이 《白虎通德論》에서 증거로 인용된 적이 있다. 馬融이 東觀에 들어가 궁중 도서의 교감을 맡고 있을 때 이것을 단독으로 유통되고 있던 經과 합쳐서 《喪服經傳》 1권을 완성하고, 아울러 주를 내어 이 한 편만 단독으로 유행시켰다. 말년에 《三禮》 전체에 주를 내고 이것을 17편 안에 합쳤다. 이후 鄭玄 등이 이어서 주를 내어 정현본이 지금까지 전해지고 있다. 唐나라 사람들이 처음으로 '자하가 전을 지었다.〔子夏撰傳〕'라는 말을 했기 때문에 今本에도 여전히 '子夏傳'이라는 제목을 두고 있는데, 이 점은 일찍부터 사람들의 의심을 불러일으켰다. 오늘날 출토된 西漢의 簡本에는 이 제목이 없으니, 당나라 사람들의 설이 거짓이라는 것을 증명하기에 충분하다.〔東漢時仍單傳別行, 曾爲《白虎通德論》所徵引. 馬融入東觀典校秘書時, 把它與單經合編, 成《喪服經傳》一卷, 竝撰注單行, 晩年撰《三禮》全注, 合於十七篇中. 以後鄭玄等相繼撰注, 鄭本流傳至今. 唐人始有'子夏撰傳'之說, 故今本仍題'子夏傳', 早就引起人們的懷疑. 今得西漢簡本無此題, 足證唐人說之謬妄.〕"라고 하였다.《漢簡'服傳'考(下)》

【按】 '東觀'은 동한 洛陽 南宮 내의 觀 이름이다. 漢 明帝가 조서를 내려 班固 등에게 이곳에서 《漢記》를 편찬하게 하여 여기에서 완성된 책을 《東觀漢記》라고 한다. 章帝와 和帝 때에는 황궁의 도서를 보관하는 곳이었다. 뒤에는 '國史를 편찬하는 곳'이라는 의미로 쓰이게 되었다.

⑥ 緝

吳廷華에 따르면 "꿰맨다는 뜻이다.〔縫也.〕"

⑦ 蕡

《爾雅》〈釋草〉 邢昺의 疏에서 孫炎의 설을 인용한 것에 따르면 "蕡은 삼씨이다.〔蕡, 麻子也.〕"[5]

【按】 현행본 《이아》 형병의 소에는 孫炎(魏)의 말을 인용하고 있지 않으며 이 내용은 가공언의 소에 보인다. 가공언이 주석을 낼 때 저본으로 삼았던 《이아》의 판본이 현행본과 달랐던 듯하다. 가공언에 따르면 苴와 蕡은 모두 암삼인데, 苴는 색깔로 말한 것이고 蕡은 열매로 말한 것이다. 숫삼인 牡麻는 蕡과 상대적으로 쓰는 말이며, 枲는 苴와 상대적으로 쓰는 말이다.[6]

⑧ 苴絰大搹, 左本在下

'搹'은 握과 같다. 정현의 주에 따르면 "손에 가득 차는 것을 '搹'이라 한다.〔盈手曰搹.〕" '本'은 胡培翬에 따르면 "麻의 뿌리이다.〔麻根也.〕" 《예기》〈間傳〉 孔穎達의 正義에 따르면 首絰은 두 가닥의 麻를 꼬아서 만든다.[7] 또 張爾岐에 따르면 두 가닥의 마를 꼬아 수질을 만들 때 마의 뿌리가 있는 쪽을 왼쪽 귀 위쪽 부분에 두어야 하는데, 이때 마의 위쪽 끝을 마의 뿌리 부분 위로 가게 해야 한다. 이것이 이른바 '마의 뿌리 부분이 왼쪽 귀 위쪽으로 가도록 하고 마의 위쪽 끝보다 아래로 가게 한다.〔左本在下〕'는 것이다.[8]

【按】 '左本在下'는 〈그림 5〉 참조.

⑨ 去五分一以爲帶

胡培翬에 따르면 "帶는 참최의 요질을 이른다.〔帶謂斬衰之要絰也.〕" 정현의 주에 따르면 참최의 수질은 굵기가 搹(격)과 같다. 1搹은 보통 사람 손으로 한 움큼이니, 그 둘레가 9寸이다. 9寸의 5분의 1이면 1寸 8分이 된다.[9] 吳廷華는 1搹은 6寸이 되어야 한다고 하고, 아울러 "정현의 주에서 둘레가 9寸이라고 한 것은 아마도 근거한 尺이 가장 작은 것이었던 듯하다.〔鄭注謂圍九寸, 豈所據之尺爲最小者與?〕"라고 하였다.

【按】 吳廷華에 따르면 이하에 나오는 絰帶는 모두 5등급인데, 이때의 絰은 모두 首絰을 가리키고 帶는 腰絰을 가리킨다. 요질을 '帶'라고 한 것은 喪禮 때 쓰는 요질이 吉禮 때 쓰는 大帶를 본뜻 것이기 때문이다.[10]

⑩ 齊衰之絰, 斬衰之帶也

5) 《爾雅》〈釋草〉: "黂, 枲實." 邢昺疏: "枲, 麻也. 黂者, 卽麻子名也."

6) 《儀禮》〈喪服〉賈公彦疏: "云'苴絰者, 麻之有蕡者也', 案《爾雅·釋草》云'蕡, 枲實', 孫氏注云: '蕡, 麻子也.' 以色言之謂之苴, 以實言之謂之蕡. 下言牡者, 對蕡爲名; 言枲者, 對苴生稱也, 是以云'斬衰貌若苴, 齊衰貌若枲'也. 若然, 枲是雄麻, 蕡是子麻. 《爾雅》云'蕡, 枲實'者, 擧類而言."

7) 孔穎達正義: "此直云'葛帶三重', 則首絰雖葛, 不三重也, 猶兩股糾之也."

8) 《儀禮鄭注句讀》卷11: "左本在下者, 本謂麻根首絰之制, 以麻根置左當耳上, 從額前遶項後, 復至左耳上, 以麻之末加麻根之上, 綴束之也."

9) 鄭玄注: "盈手曰搹, 搹, 扼也. 中人之扼圍九寸. 以五分一爲殺者, 象五服之數也."

10) 《儀禮章句》卷11: "以下絰帶各五. 絰, 首絰; 帶, 要絰. 曰帶者, 蓋指象大帶者言之."

'齊'는 음이 '자'이다. 이 구절은 자최 수질의 굵기와 참최 요질의 굵기가 같다는 말이다. 아래도 이와 같다. 齊衰와 다음에 나오는 大功·小功·緦麻는 점차 가벼워지는 상복 등급의 명칭이다.

⑪ 削杖, 桐也

오동나무를 깎아 만든 喪杖을 '削杖'이라고 한다. 吳廷華는 "오동나무는 본래 둥그니 그 가지와 잎만 깎아서 버린다.〔桐本圓, 削去其枝葉也.〕"라고 하였다. 削杖은 齊衰에 쓰는 喪杖인데 〈傳〉을 지은 자가 苴杖을 기록하면서 아울러 언급한 것이다.

⑫ 杖各齊其心

【按】 가공언의 소에 따르면 喪杖은 병을 부지하는 것이다. 병은 마음에서 일어나기 때문에 喪杖의 높이를 심장과 같은 높이로 끊는 것이다.[11]

⑬ 爵也

가공언의 소에 따르면 "작위가 있는 사람은 반드시 덕이 있으며 덕이 있으면 부모의 喪으로 인해 병나는 것이 더 깊기 때문에 喪杖으로 병든 몸을 부지할 수 있게 허용하는 것이다.〔有爵之人必有德, 有德則能爲父母致病深, 故許其以杖扶病.〕" '致病'은 부모의 喪에 너무 심하게 애통해 하여 병이 난 것을 이른다.

⑭ 擔主

상주의 임무를 맡아 喪事를 주관하는 사람이다. 여기에서는 適子를 가리킨다. 가공언의 소에 따르면 "비록 작위와 덕은 없지만 적자이기 때문에 작위가 있는 사람이 喪杖을 짚는 제도를 빌린 것이다. 그리하여 상주가 되어 賓에게 절하고 전송하도록 함으로써 상주의 의리를 이루게 한 것이다.〔以其雖無爵無德, 然以適子故, 假借有爵之杖, 爲之喪主, 拜賓、送賓, 成喪主之義也.〕"

⑮ 非主而杖者何? 輔病也

정현의 주에 따르면 상주가 아닌데도 상장을 짚는 사람은 적자 이외의 여러 아들을 이른다.[12] '輔病'은 병든 몸을 부축한다는 뜻이다. 가공언의 소에 "비록 상주는 아니지만 자식이 부모로 인해 병나는 것은 같기 때문에 마찬가지로 병든 몸을 부지하도록 한 것이다.〔雖非爲主, 子爲父母致病是同, 亦爲輔病也.〕"라고 하였다.

⑯ 童子何以不杖? 不能病也

11) 賈公彦疏 : "杖所以扶病, 病從心起, 故杖之高下以心爲斷也."

12) 鄭玄注 : "非主, 謂衆子也."

吳廷華에 따르면 동자는 무지하여 애통함이 병이 날 정도는 아니기 때문에 상복을 입지도 않으며 喪杖을 짚을 필요도 없는 것이다.[13]

【按】 정현과 오정화에 따르면 '童子'는 아직 冠禮를 하지 않은 사람이다.[14]

⑰ 婦人

胡培翬에 따르면 여기에서는 主婦 이외의 부인으로, 恩義가 소원한 자를 가리킨다.

【按】 호배휘에 따르면 여기의 '婦人'은 시집온 다른 성씨의 부인을 이른다. 《예기》〈喪大記〉에 "임금의 喪에는 夫人과 世婦가 喪杖을 짚고, 대부의 喪에는 主婦가 상장을 짚고, 士의 喪에는 婦人이 모두 상장을 짚는다."라고 하였으니 婦人이 모두 상장을 짚는 것은 오직 士의 喪에서만이다. 대부의 喪에는 주부 외에는 상장을 짚지 않으며 임금의 喪에는 夫人과 世婦 외에는 상장을 짚지 않는다. 상장을 짚지 않는 사람은 모두 恩義가 소원하기 때문에 병이 날 리 없다는 것이다.[15]

⑱ 繩帶

絞帶이다. 李如圭에 따르면 "麻를 꼬아 끈을 만들어 이것으로 帶를 삼는 것이다.〔絞麻爲繩作帶也.〕" 이여규는 또 "오복의 絰은 모두 마를 꼬아 만드니, 두 가닥을 서로 교차한다. 繩帶는 두 가닥만 꼬는 것은 아니다.〔五服之絰皆絞麻, 兩股相交. 繩帶則不但兩股矣.〕"라고 하였다. 또 張惠言의 《儀禮圖》 권5 '絞帶' 조에 "교대는 요질보다 작다.〔絞帶小於要絰.〕"라고 하였으니 즉 그 굵기가 요질보다 가늘다는 말이다.

⑲ 冠繩纓條屬

'屬'은 '붙이다〔着〕'라는 뜻으로, 연결하여 꿰매는 것이다. 張惠言의 〈冠〉

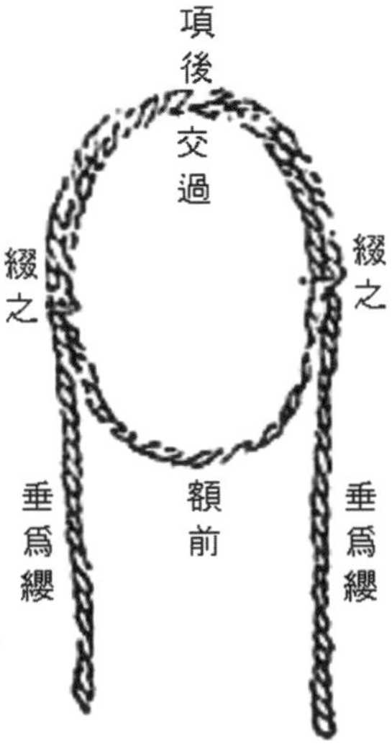

• 그림 1 • 繩纓
張惠言《儀禮圖》

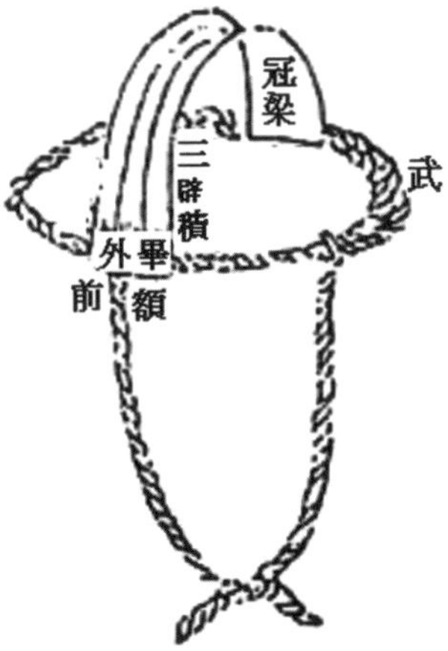

• 그림 2 • 喪冠
張惠言《儀禮圖》

13) 《儀禮章句》卷11 : "(童子)不能病, 無知也. 無知則無心可表, 故不任服, 亦不杖."

14) 《儀禮》〈喪服〉鄭玄注 : "童子, 未冠之稱."

15) 《儀禮正義》卷21 : "此婦人, 謂異姓來嫁之婦人. 案《喪大記》: '君之喪, 夫人、世婦杖; 大夫之喪, 主婦杖; 士之喪, 婦人皆杖.' 然則婦人皆杖者, 唯士之喪耳. 若大夫之喪, 則主婦而外有不杖者矣; 君之喪, 則夫人、世婦而外有不杖者矣. 凡此不杖者, 恩皆疏, 故曰不能病."

圖(《그림 1》)에 따르면 한 가닥 麻繩으로 앞이마에서부터 뒷목으로 빙 두르고, 뒷목에서 교차하여 다시 앞으로 돌려 머리의 좌우 양쪽 귀가 있는 곳에서 꿰맨다. 이렇게 머리를 빙 두르는 繩圈을 '武' 즉 '冠圈'이라고 부르며, 두르고 남는 부분은 귀에서 아래로 늘어뜨려서 '纓'(관끈)을 삼는다. 또 너비가 2寸인 布로(布 위에는 오른쪽으로 접은 3개의 세로 방향 주름이 있는데, 이른바 '辟積'이라는 것이다) 武의 앞쪽(즉 앞이마 위)에서 머리 위쪽으로 덮어 뒷목까지 오게 하는데, 이것이 '冠梁'이다. 간단하게 '冠'이라고도 하며, 武를 관 위에서 꿰맨다.(《그림 2》) 정현의 주에 "끈 하나를 통째로 구부려서 武를 만들고, 武를 만들고 남은 부분을 아래로 늘어뜨려서 纓으로 삼아 이것을 冠梁에 꿰맨다.〔通屈一條繩爲武, 垂下爲纓, 著之冠也.〕"라고 하였다.

⑳ 右縫

《예기》〈雜記〉에 "삼년상에 쓰는 練冠은 마찬가지로 麻를 꼬아 만든 纓(관끈)을 붙이고 冠梁의 주름은 오른쪽으로 잡아 꿰맨다.〔亦條屬, 右縫.〕"라고 하였는데, 정현의 주에 "右縫은 오른쪽으로 주름을 잡아 꿰매는 것이다.〔右縫者, 右辟而縫之.〕"라고 하였다. '辟'은 주름이다. 즉 冠梁의 布의 주름을 오른쪽으로 잡아 꿰매는 것이다.

㉑ 冠六升

정현의 주에 따르면 "布는 80올이 1升이다.〔布八十縷爲升.〕" 즉 6승이면 480올이다. 이것은 喪冠을 만드는 布의 촘촘한 정도를 가리킨 것이다. 고대의 布幅은 너비가 2尺 2寸이었으니, 升數가 많을수록 布도 촘촘하게 된다. 그러나 정현의 이 설이 무엇을 근거로 하였는지는 이미 알 수 없게 되었다. 가공언의 소에 "정현이 '布八十縷爲升'이라고 한 것은 正文은 없으며 스승에서 스승으로 전해진 말이다.〔云'布八十縷爲升'者, 此無正文, 師師相傳言之.〕"라고 하였다.

㉒ 外畢

斬衰冠의 冠梁과 冠圈(즉 武)을 꿰매는 법은 冠梁의 布 앞뒤 양끝 남은 부분을 冠圈의 안쪽에서 밖으로 향하게 한 뒤에 위로 접어 올려 冠圈에 꿰맨다. 이렇게 위로 접어 올린 부분을 '畢'이라고 하며, 이렇게 밖으로 접어 꿰매는 법을 '外畢'이라고 한다. 정현의 주에 따르면 "外畢은 冠梁의 앞뒤에서 구부려 밖으로 나오게 해서 武에 붙여 꿰매는 것이다.〔外畢者, 冠前後屈而出, 縫於武也.〕"

㉓ 鍛而勿灰

《廣雅》〈釋詁〉에 따르면 "鍛은 방망이질한다는 뜻이다.〔鍛, 椎也.〕" 여기에서는 방망이로 두드려 빤다는 뜻이다. 《예기》〈雜記〉에 "잿물에 넣어 표백한다.〔加灰, 錫也.〕"라고 하였는데, 孫希旦의 《禮記集解》에 "加灰는 잿물을 써서 두드려 빠는 것을 이른다.〔加灰, 謂用灰鍛治之.〕"라고 하였다. '加灰鍛治'는 잿물에 넣어서 두드려 빨아 布의 색이 하얗게 되도록 하는 것이다. 그런데 여기에서는 잿물에 넣을 필요가 없다. 가공언의 소에 "물에 빨기만 하고 잿물을 써서는 안 된다.〔加以水濯, 勿用灰而已.〕"라고 하였다. 胡培翬는 "冠은 머리에 쓰는 것이니 높이기는 하지만 색은 희게 할 필요가 없기 때문에 잿물을 쓰지 말라고 한 것이다.〔冠在首, 尊之, 但色不須白, 故勿加灰.〕"라고 하였다.

㉔ 菲

胡培翬에 따르면 이 〈傳〉을 지은 사람이 살았던 시대의 사람들은 喪屨를 '菲'라고 불렀기 때문에 이것으로 비유한 것이다.[16)]

㉕ 外納

張爾岐에 따르면 "신발을 다 짜고 나서 그 나머지 부분을 바깥쪽으로 매듭짓는 것을 이른다.〔謂編屨畢, 以其餘頭向外結之.〕"

㉖ 倚廬

본래는 담장에 기대어 여막을 짓는다는 뜻이었는데 마침내 倚廬를 居喪하는 여막의 이름으로 삼게 된 것이다. 《예기》〈間傳〉에 "부모의 喪에는 中門 밖 의려에서 거처한다. 의려는 동쪽 담장 아래에 만들며 문을 북쪽으로 낸다.〔父母之喪, 居倚廬於中門外, 東牆下, 戶北面.〕"라고 하였다. 胡培翬에 따르면 士는 문이 2개이니, 外門은 大門이고 中門은 寢門이다.[17)] 즉 寢門 밖 동쪽 담장 아래에 담장에 기대어 여막을 짓고 거처하는 것이다. 여막의 刑制는 〈상복〉1. 주㉚ 참조.

【按】 위 《예기》〈간전〉의 인용문은 孫詒讓의 《周禮正義》 등에서 인용한 《예기》의 글이다. 현재의 통행본 《예기》에는 '父母之喪, 居倚廬'까지만 경문의 내용으로 되어 있다. 《예기》〈喪大記〉에 따르면 일반적으로 適子가 아닌 경우 장례 전에는 남들이 보지 않는 곳에 여막을 짓고 거처한다. 이에 대해 주소에서는 이것은 서자가 중문 밖 동남쪽 모퉁이에 여막을 짓고 거처하는 것을 말한 것으로, 장례 전 뿐만 아니라 장례 후에도 여전히 여기에서 거처한다고 하였다.[18)]

16) 《儀禮正義》卷21 : "菅屨者, 菅菲也. 周公時謂之屨, 後世或謂喪屨爲菲, 故作傳者據當時之名, 釋之. 菲與屝同."

17) 《儀禮正義》卷21 : "此中門, 即寢門, 亦即殯宮門也. 士止有二門, 大門在外, 寢門在內, 故謂寢門爲中門."

18) 《禮記》〈喪大記〉: "凡非適子者, 自未葬以於隱者爲廬." 鄭玄注: "不欲人屬目, 蓋廬於東南角. 既葬, 猶然." 賈公彥疏: "凡非適子, 謂庶子也. '自未葬, 以於隱者爲廬'者, 既非喪主, 不欲人所屬目, 故於東南角隱映處爲廬. 經雖云未葬, 其實葬竟亦然也."

㉗ 寢苫枕塊

'苫'은 阮元의 교감본에는 잘못 '苦'로 되어있다. '寢'은 '눕다'라는 뜻이다. '苫'은 '거적자리'를 이른다. '塊'는 '흙덩이'를 이른다.

㉘ 歠

음은 '철'이다. '마시다'라는 뜻이다.

㉙ 溢

정현의 주에 따르면 "20兩이 1溢이니, 쌀 $1\frac{1}{24}$되이다.〔二十兩曰溢, 爲米一升二十四分升之一(卽米一又二十四分之一升).〕" 당시의 兩과 升이 도대체 어느 정도인지 지금은 명확히 고찰하기 어렵게 되었다.

㉚ 既虞, 翦屛柱楣

'虞'는 死者를 장례한 뒤에 死者에게 지내는 제사의 이름이다. (《사우례》) 《釋名》〈釋喪制〉에 "장례하고 나서 돌아와 殯宮에 제사하는 것을 '虞'라고 한다.〔既葬, 還祭於殯宮曰虞.〕"라고 하였다. '殯宮'은 즉 死者가 생전에 거

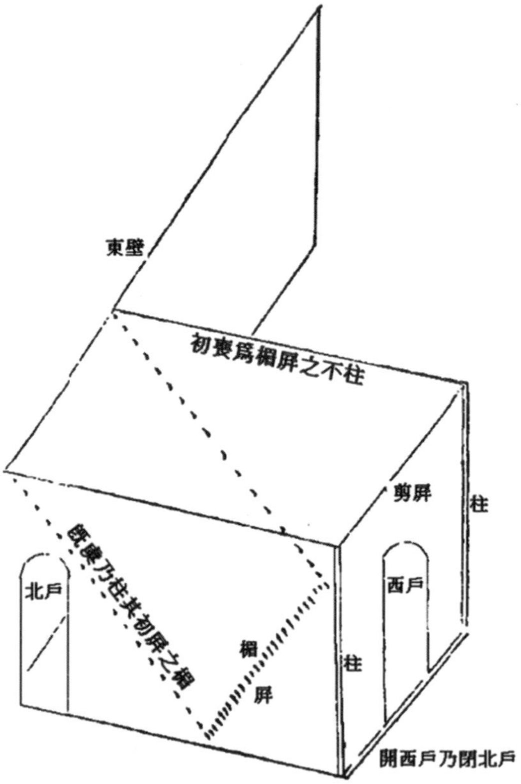

· 그림 3 · 剪屛柱楣圖
程瑤田《儀禮喪服文足徵記》

처하던 寢이다. 장례하기 전에 이곳에 殯을 했기 때문에 '殯宮'이라고 이름을 붙인 것이다.

'屛'은 여막 위에 덮은 거적자리를 가리킨다. 비바람을 가릴 수 있기 때문에 '屛'이라는 이름을 붙인 것이다. '楣'는 여막을 지을 때 담장에서 5尺 떨어진 곳에 담장과 평행이 되도록 바닥에 놓아둔 나무를 가리킨다. 여막의 形制는 聶崇義의 《三禮圖集注》 권15에서 唐나라 楊垂의 《喪服圖》를 인용한 말에 따르면 다음과 같다. 일반적으로 여막을 세울 때에 먼저 나무기둥 하나를 담장 아래에 담장과 5척 되는 곳에 가로로 놓아두는데, 이것을 '楣(도리)'라고 한다. 楣 위에는 5개의 椽(서까래)을 세워서 동쪽 담장에 비스듬히 기대고 그 위에는 거적자리를 덮으며 남북 양쪽에도 거적자리로 비바람을 가린다. 북쪽으로 문 하나를 열어 두며, 여막 안은 半席 정도이다. 虞祭를 지내고 나면 상례가 점차 가벼워지니 여막의 形制도 바뀌게 된다. 즉 원래 바닥에 놓아두었던 楣 양끝을 기둥으로 받쳐 올리는데, 그러면 여막은 작은 집의 형태를 이루게 된다. 이것을 '柱楣'라고 한다. 이때 문 역시 서쪽으로 열도록 바꾸며 원래 다듬지 않았던 거적자리도 이때가 되면 조금 다듬어 손질할 수 있다. 이것을 '翦屛'이라고 한다.[19]

㉛ 疏食水飮

가공언의 소에 따르면 '疏'는 거친 米飯을 이른다. 虞祭를 지내기 전에도 물은 마셨는데 지금 또 '물을 마신다'고 한 이유는 우제를 지내고나면 혹시 우유 등을 마실 수 있다고 여길까 염려해서이다.[20]

㉜ 旣練, 舍外寢

'練'은 부모가 돌아가신지 11개월이 되었을 때 지내는 제사이다. 이때에는 마전한 백색 布帛으로 만든 옷을 입을 수 있기 때문에 이것으로 제사의 이름을 삼은 것이다. 《예기》〈雜記下〉에 "11개월이 되었을 때 練祭(小祥)를 지낸다.〔十一月而練.〕"라고 하였다. '舍'는 '머무르다〔宿〕'라는 뜻이다. '寢'은 室이다. 張爾岐는 "中門 밖의 옛 여막이 있던 곳에 집을 만들어 거처한다.〔於中門外舊廬處爲屋以居.〕"라고 하였다. 정현의 주에 따르면 이것은 벽돌을 쌓아 만든 작은 초가집으로, 이때에도 지붕 위에 흙을 바를 수 없고 어떠한 꾸밈도 할 수 없으며 단지 白堊土로 담장을 바를 뿐이다. 이 때문에 이 집을 '堊室'이라고 한다.[21]

19) 《三禮圖集注》卷15〈倚廬〉: "楊垂撰《喪服圖》說廬形制及堊室幕次序列次第云: 設廬次於東廊下無廊於牆下北上. 凡起廬, 先以一木橫於牆下, 去牆五尺, 卧於地爲楣. 即立五椽於上, 斜倚東墉, 上以草苫蓋之. 其南、北面, 亦以草屛之. 向北開門一. 孝子一廬門簾以縗布, 廬形如偏屋, 其間容半席, 廬間施苫塊."

20) 賈公彦疏 : "今旣虞之後, 用粗疏米爲飯而食之, 明不止朝一溢夕一溢而已, 當以足爲度. 云飮水者, 未虞以前, 渴亦飮水, 而在旣虞後, 與疏食同言水飮者, 恐虞後飮漿酪之等, 故云飮水而已也."

21) 鄭玄注 : "舍外寢, 於中門之外, 屋下壘墼爲之, 不塗墍, 所謂堊室也."

2. 斬衰三年服을 입는 대상

父①。

[傳曰] 爲父何以斬衰也? 父至尊也。

諸侯爲天子。

[傳曰] 天子至尊也。

君。

[傳曰] 君至尊也。

父爲長子②。

[傳曰] 何以三年也? 正體於上, 又乃將所傳重也③。庶子不得爲長子三年④, 不繼祖也。

爲人後者⑤。

[傳曰] 何以三年也? 受重者必以尊服服之⑥。何如而可爲之後? 同宗則可爲之後⑦。何如而可以爲人後? 支子可也⑧。爲所後者之祖、父、母、妻, 妻之父、母、昆弟、昆弟之子; 若子⑨。

妻爲夫。

[傳曰] 夫至尊也。

妾爲君⑩。

[傳曰] 君至尊也。

女子子在室爲父⑪, 布總, 箭笄, 髽(좌), 衰⑫, 三年。

[傳曰] 總六升, 長六寸⑬。箭笄長尺, 吉笄尺二寸。

子嫁反在父之室⑭, 爲父三年。

公士大夫之衆臣⑮, 爲其君布帶、繩屨⑯。

[傳曰] 公卿大夫室老、士⑰, 貴臣, 其餘皆衆臣也。君謂有地者也。衆臣杖, 不以即位⑱。近臣, 君服斯服矣⑲。繩屨者, 繩菲也。

아버지를 위하여 입는다.

〔傳曰〕 아버지를 위하여 왜 참최복을 입는가? 아버지는 지극히 존

귀하기 때문이다.

제후가 천자를 위하여 입는다.
〔傳曰〕 천자는 지극히 존귀하기 때문이다.

임금을 위하여 입는다.
〔傳曰〕 임금은 지극히 존귀하기 때문이다.

적장자인 아버지가 자신의 적장자를 위하여 입는다.
〔傳曰〕 왜 삼년복을 입는가? 적장자인 아들은 윗대에 대하여 正體일뿐 아니라 장차 重(종묘 주인의 지위)을 전해받을 사람이기 때문이다. 서자(次子 이하)인 아버지는 자신의 장자를 위해 삼년복을 입지 못하는데, 서자의 장자는 할아버지를 이은 正體가 아니기 때문이다.

大宗의 후사가 된 자가 종자를 위하여 입는다.
〔傳曰〕 왜 삼년복을 입는가? 重을 받은 자를 위해서는 반드시 참최복으로 입어주어야 하기 때문이다. 어찌해야 종자의 후사가 될 수 있는가? 같은 대종이면 종자의 후사가 될 수 있다. 같은 대종인 사람은 어찌해야 종자의 후사가 될 수 있는가? 支子라야 종자의 후사가 될 수 있다. 자신을 후사로 들인 종자의 할아버지·아버지·어머니·처와 종자의 처의 부모·처의 형제·처의 형제의 아들을 위하여 宗子의 친아들처럼 입는다.

처가 남편을 위하여 입는다.
〔傳曰〕 남편은 지극히 존귀하기 때문이다.

첩이 君(남편)을 위하여 입는다.
〔傳曰〕 君은 지극히 존귀하기 때문이다.

딸이 아직 혼인하지 않고 집에 있을 때 아버지를 위하여 입는다. 布

로 머리를 묶고, 조릿대 비녀를 꽂고, 麻로 묶은 북상투를 하고, 참최복을 입으며, 喪期는 3년이다.

〔傳曰〕 머리를 묶는 布는 6승포이며 묶은 뒤에 늘어뜨리는 부분의 길이는 6寸이다. 조릿대 비녀는 길이가 1尺이고 吉笄는 1尺 2寸이다.

시집 간 딸이 쫓겨나서 친정집으로 돌아와 있을 경우에는 아버지를 위하여 삼년복을 입는다.

공경대부의 衆臣이 그들의 君(주인)을 위하여 입는다. 布帶를 두르고, 繩屨(麻를 꼬아 만든 신발)를 신는다.

〔傳曰〕 공경대부의 室老(家相)와 士(邑宰)는 貴臣이고 그 나머지 家臣은 모두 衆臣이다. '君'은 封地를 소유한 자를 이른다. 衆臣은 喪杖은 짚지만 곡하는 자리에는 나아가지 않으며, 近臣은 嗣君이 상복을 입으면 사군을 따라서 입는다. '繩屨'는 繩菲이다.

① 父

이는 앞 경문의 '者'를 받아서 말한 것이다. 즉 앞 경문에서 말한 그런 상복은 아들이 아버지를 위해 입는 상복이라는 말이다. 아래도 이와 같다. 〈상복〉에서는 모두 상복을 먼저 말한 뒤에 입는 대상을 말하였다.

② 長子

정현의 주에 따르면 適長子를 이른다.[22] 胡培翬는 "옛날에는 宗法을 중히 여겨 아버지가 장자를 위하여 참최삼년복을 입었으니, 또한 宗을 공경하는 뜻이다.〔古者重宗法, 父爲長子服斬衰三年, 亦敬宗之義.〕"라고 하였다. 吳廷華에 따르면 여기에서 말하는 장자의 아버지도 적장자이다.[23]

【按】 注疏에 따르면 여기에서 '適子'라 하지 않고 '長子'라고 한 것은 위로 천자에서부터 아래로 士에 이르기까지 모두 통용할 수 있는 명칭을 쓰기 위해서이다. '적자'는 오직 대부와 士의 경우에만 해당되고 '태자'는 오직 천자와 제후의 경우에만 해당되기 때문이다. 또한 '적자'는 適妻가 낳은 아들이라는 뜻이지만 '장자'라고 하면 적처가 낳은 맏아들이 죽었을 경우에 적처가 낳은 둘째 아들을 長子로 세울 수 있기 때문이다. 양천우의 주에서는 鄭玄의 위 주와 吳廷華의 설을 근거로 하여 여기의 '장자'는 적장자를 이른다고 하였으나 엄밀히 말하면 이와 같이 구분이 된다.[24]

22) 鄭玄注 : "不言適子, 通上下也. 亦言立適以長." 據第一者, 若云長子, 通立適以長故也."

23) 《儀禮章句》卷11 : "長子, 適長子, 其父亦適長子也."

24) 賈公彦疏 : "言長子通上下, 則適子之號, 唯據大夫、士, 不通天子、諸侯. 若言大子, 亦不通上下. …… 云'亦言立適以長'者, 欲見適妻所生, 皆名適子, 第一子死, 則取適妻所生第二長者立之, 亦名長子. 若言適子, 唯據第一者, 若云長子, 通立適以長故也."

③ 正體於上, 又乃將所傳重也

이 두 구는 아버지가 적장자를 위해 왜 삼년 상복을 입어야 하는가를 해석한 것이다. 정현의 주에 "적장자가 선조의 正體에 해당됨을 중히 여긴 것이며, 적장자는 또 장차 자신을 대신하여 종묘의 주인이 될 것이기 때문이다.〔重其(指適長子)當先祖之正體, 又以其將代己爲宗廟主也.〕"라고 하였다. 중국 고대의 종법제도는 적장자가 계승하는 제도를 시행하여 적장자만이 선조를 계승하는 正體로 인정하였다. 이른바 '正體於上'이라는 것이다. 또 종법제도에 따르면 적장자만이 종묘 제사를 주관할 권한을 가지고 종묘의 주인이 될 수 있는데, 이 종묘 주인의 지위를 '重'이라고 한다. 종묘 주인이라는 아버지의 지위를 적장자에게 전하는 것을 '傳重'이라고 한다. 이른바 '又乃將所傳重也'라는 것이다. 程瑤田의 《儀禮喪服文足徵記四》에 "宗子가 禰廟(아버지 廟)의 제사를 주관하는 것을 '重'이라고 하니, 그가 重을 받은 사람이란 것을 말한다. 종자의 장자는 적장자에서 적장자로 계승하여 자신이 받은 重을 적장자에게 전하는데, 이것이 바로 '又乃將所傳重'이다……즉 '받은 重을 전해준다'는 말과 같다.〔宗子主禰廟之祭, 斯謂之重, 言其爲受重之人也. 其長子適適相承, 是己所受之重, 將於長子傳之, 是爲'又乃將所傳重'也……猶云乃將所受之重傳之也.〕"라고 하였다.

④ 庶子不得爲長子三年

胡培翬에 따르면 庶子는 본래 첩의 아들을 가리키는데 여기에서는 적장자 이외의 여러 아들들을 통틀어서 말한 것이다.[25] 여기의 '庶子'는 아버지 본인이 서자인 것을 말한다. 아버지가 서자면 宗을 계승한 正體가 아니니 重을 전해받을 수 없으며, 重을 전해받지 못했으면 할아버지를 계승할 수 없으니 그의 장자도 저절로 정체가 아니며 할아버지를 계승할 수도 없다. 이 때문에 서자인 아버지는 자신의 장자를 위해 삼년 상복을 입지 못하는 것이다. 程瑤田의 《儀禮喪服文足徵記四》에 "서자의 장자는 할아버지를 계승하지 못한다. 서자는 본래 尊者와 한 몸이 되지 못하여 윗대에 대하여 正體가 되지 못하기 때문에 禰廟의 제사를 주관하지 못하는 것이다. 그 重은 본래 서자가 받을 수 있는 것이 아니니 서자가 전할 수 있는 것도 아니다. 그 장자가 어떻게 할아버지를 계승할 수 있겠는가? 重을 전해받았기 때문에 할아버지를 계승하는 것이고, 重을 전해 받지 못했기 때문에 할아버지를 계승하지 못하는 것이다. 삼년복을 입는 것과 삼년복을 입

25) 《儀禮正義》卷21 : "庶子是妾子之稱, 意鄭謂'爲長子三年', 止爲父後承宗祀之一人, 則嫡妻之第二子, 亦不得'爲長子三年', 故以'爲父後者之弟'釋之, 明《傳》言'庶子'實包衆子在內. 統言庶者, 是遠別之, 見其不得與爲父後者同也."

지 못하는 것은 할아버지를 계승했느냐 계승하지 못했느냐로 나누어질 뿐이다.〔庶子之長子不繼祖, 以庶子本不與尊者爲一體, 不能正體於上, 不主禰廟之祭, 其重本非庶子所得受, 則亦非庶子所能傳, 其長子烏得繼祖? 傳重故繼祖, 不傳重故不繼祖. 服三年與不服三年, 繼祖不繼祖之分而已矣.〕"라고 하였다.

⑤ 爲人後者

'人'은 宗子를 이른다. 즉 大宗으로, 이른바 '別子를 이어 宗이 된〔繼別爲宗〕' 자이다. '後'는 종자의 후사가 된 자를 이른다. 종자의 후사는 본래 적장자이지만 종자에게 아들이 없거나 아들이 있어도 일찍 죽을 수 있는데, 그러면 대종은 끊어지게 된다. 그러나 대종은 끊어져서는 안 되기 때문에 族人이 支子를 대종의 후사로 삼는 것이다. (〈상복〉2 주⑧, 〈상복〉8. 주㉟) 支子는 대종의 후사가 된 뒤에는 종자를 친아버지로 섬겨야 하기 때문에 참최삼년복을 입는 것이다. 또 여기에서 '爲人後者'로 말한 것은 말뜻이 완전하지 않은데, 종자의 후사가 된 자는 후사를 들인 종자를 위하여 참최삼년복을 입는다는 뜻이다. 그러나 후사를 들인 사람은 아버지 항렬이 될 수도 있고 할아버지나 증조할아버지 항렬이 될 수도 있다. 이것은 종자의 적장자와 적장손이 모두 일찍 죽을 수 있기 때문에 경문에서 단지 '爲人後者'라고만 말하고 후사를 들인 사람이 누구인지는 말하지 않은 것이다. 雷次宗은 "이 문장은 마땅히 '종자의 후사가 된 자는 자신을 후사로 들인 아버지를 위하여〔爲人後者, 爲所後之父〕'라고 말해야 한다. '爲所後之父' 5자를 생략한 것은 후사를 들인 사람이 할아버지나 고조할아버지 또는 증조할아버지가 될 수 있기 때문에 글이 번잡하여 갖추지 않고 하나만 가정으로 들어 말함으로써 둘을 포괄한 것이니, 후사를 들인 사람은 모두 이 안에 포함된다.〔此文當言'爲人後者, 爲所後之父'者, 闕此五字者, 以所後者或爲祖父, 或爲高、曾, 文繁不可備, 設言一以包二, 則凡所後者皆包於其中也.〕"라고 하였다.

【按】《예기》〈喪服小記〉에 따르면 "別子가 祖가 되고, 별자를 이은 것이 宗이 된다.〔別子爲祖, 繼別爲宗.〕" 여기의 별자는 國君의 적장자 아래의 아들로서 갈라져 나와 경대부가 된 자를 가리킨다. 그들은 각각 支族을 세워 그 族의 시조가 된다. 경대부의 지위는 대대로 그 적장자가 계승하는데, 이것을 '大宗'이라고 한다. 즉 이른바 '繼別爲宗'이라는 것이다. 그러므로 대종의 집은 바로 경대부의 집이다. 〈그림 4〉 참조.

⑥ 受重者必以尊服服之

'受重者'는 正體로서 傳重을 받아 할아버지를 계승하게 된 사람이다. 吳廷華는 "受重은 傳重하는 重을 받은 것이다.〔受重, 受傳重之重.〕"라고 하였다. '尊服'은 胡培翬에 따르면 "참최복을 이른다.〔謂斬衰.〕"

⑦ 同宗

胡培翬에 따르면 "같은 대종이라는 말이다. 즉 '別子를 계승한' 같은 宗 안에 함께 있어야 후사가 될 수 있으며 姓이 같아도 宗이 다르면 또한 후사로 삼을 수 없음을 이른다.〔同大宗也. 謂同在'繼別'一宗之內, 乃可爲後, 若同姓而爲別宗, 亦不可也.〕" 吳廷華에 따르면 "대종의 종자는 종족을 수합하기 때문에 반드시 같은 종이어야 한다.〔宗子(卽大宗)所以收族, 故須同宗.〕"

⑧ 支子可也

'支子'는 여기에서는 적장자 아래의 여러 적자와 庶子, 즉 첩의 아들을 통틀어서 말한 것이다. 胡培翬는 "支子는 適妻의 차남 이하와 첩의 아들이다. 支子의 적장자는 별도로 小宗이 되어야 하기 때문에 지자를 대종의 후사로 들이는 것이다.〔支子, 適妻次子以下及妾子也. 其適(長)子當自爲小宗, 故以支子爲大宗後也.〕"라고 하였다. 또 許猛(晉代)의 설을 인용하여 "支子可也는 대종이 비록 중하기는 하나 자신의 正體를 빼앗겨 남의 후사가 되게 하지는 않는다는 말이다.〔支子可也, 言大宗雖重, 猶不奪己之正以後之也.〕"라고 하였다. 다음에 나오는 〈傳〉에서도 "적자는 대종의 후사가 될 수 없다.〔適子不得後大宗.〕"라고 하였다. (〈상복〉8. 주㉟ 참조) 《예기》〈喪服小記〉에 "별자가 시조가 되고, 별자를 계승한 자가 大宗이 되며, 아버지를 계승한 자가 小宗이 된다.〔別子爲祖, 繼別爲宗, 繼禰者爲小宗.〕"라고 하였다. '繼別爲宗'의 '宗'은 大宗이다. 大宗은 대대로 적장자가 계승한다. 그러나 각 세대마다 대종은 적장자를 제외한 支子도 있으며 이 지자들도 모두 분가하여 별도로 宗을 세우는데, 이렇게 宗을 세우는 자도 그 적장자가 계승한다. 이것을 '小宗'이라고 한다. 이른바 '繼禰者爲小宗'이라는 것이다. 〈傳〉에서 말한 '支子'는 아버지를 계승한 小宗, 즉 적장자 이외의 支子를 가리킨다. (〈그림 4〉 참조. 그림에서 2世 支子는 別子의 친아들이니 본래 별자를 위하여 참최복을 입어야 하는 것은 의심할 것이 없다. 3世 이하의 지자가 바로 〈傳〉에서 말한 '爲人後者'가 될 수 있는 자들이다. 지면의 한계 때문에 그림에는 단지 2世 지자 중의 한 사람이 갈라져 나와 붙어난 정황만을 그렸으니, 나머지는 유추해 볼 수 있다) 또 이른바 '支子可也'라는 것은 지자는 모두 宗子의 후사가 될 수 있다는 말이다. 그러나 만일 종자에게 아들이 없다면 종자를 계승할 사람은 지자 중에 종자와 가장 가까운 사람 중의 한 사람이 될 수밖에 없다. 지자를 모두 '가능하다'는 범위에 포함시킨 이유는 종자와 가장 가까운 지자도 아들이 없을 수 있기 때문에 종자와 다음으로 가까운 지자들 중에서 선택하여 후사로 삼는 것이다. 이렇게 하면 대종이 영원히 끊기지 않는 것이 보장된다.

⑨ 爲所後者……若子

후사를 들인 종자의 할아버지·아버지·어머니·아내는 후사가 된 자에게는 증조할아버지·할아버지·할머니·어머니 항렬이 되는데, 이것이 '正親'이다. 종자의 妻의 아버지·어머니·형제는 후사가 된 자에게는 외할아버지·외할머니·외삼촌이 되며, 종자의 처의 형제의 아들은 후사가 된 자에게는 외사촌이 되니, 이것이 '外親'이다. '若子'는 후사를 들인 종자의 친아들과 같다는 말이다. 즉 후사가 된 자가 앞에서 말한 正親과 外親을 위하여 입는 상복은 모두 후사를 들인 종자의 친아들이 입는 것과 똑같은 상복을 입는다는 말이다. 胡培翬에 따르면 "후사를 들인 종자의 正親과 外親을 위하여 입는 상복은 모두 종자의 친아들이 입는 것과 같다. 예를 들면 증조할아버지를 위하여 자최삼월복을 입고 할아버지를 위하여 기년복을 입는 등등은 모두 친아들이 입는 상복인데, 후사가 된 자도 이와 똑같이 입기 때문에 〈傳〉에서 '若子'라고 한 것이다.〔爲所爲後者之親之服, 一如親子之爲之, 如爲曾祖齊衰三月, 祖父母期之類, 是皆親子之服, 而爲

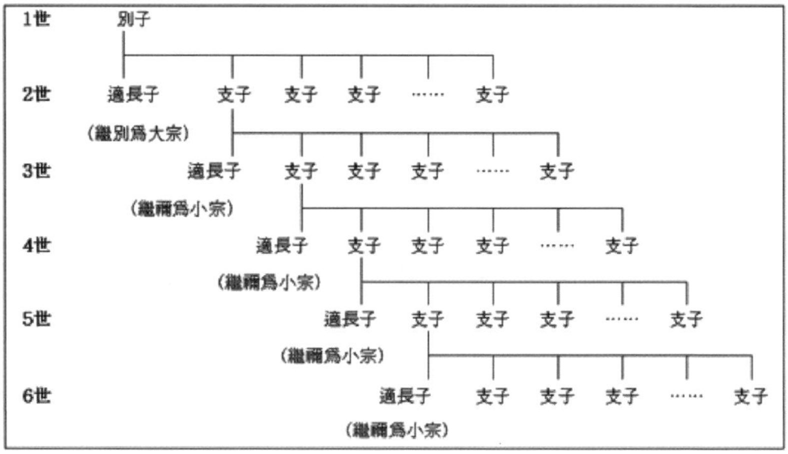

• 그림 4 • 大宗과 小宗

後者亦如之, 故〔傳〕云'若子'也.〕"

⑩ 妾爲君

'君'은 첩의 남편이다. 胡培翬가 陳銓을 인용하여 "감히 '夫'라고 칭하지 못하고 '君을 위하여'라고 칭한 것은 첩은 남편에게 있어 신하와 같기 때문이다.〔不敢稱夫稱爲君者, 同於人臣也.〕"라고 하였다.

⑪ 女子子在室爲父

'女子子'는 女子이다. 요즘 말하는 '아가씨'나 '처자'라는 말과 같다. 정현의 주에 "女子子는 딸자식이라는 뜻이니 아들과 구별한 것이다.〔女子子者, 子女也, 別於男子也.〕"라고 하였다. '在室'은 정현의 주에 따르면 이미 정혼한 경우까지 통틀어 말한 것이다.[26]

【按】 양천우의 주에서는 '在室'에 대해 정현의 주를 근거로 '이미 정혼은 하였으나 혼인은 아직 하지 않은 자'로 해석하였는데, 이것은 '關'을 '謂'로 본 것이다. 그러나 阮元의 교감본에서는 《通典》·《集釋》·《通解》에 '關'으로 되어 있을 뿐 아니라 張淳의 《儀禮識誤》에서 監本·巾箱本·杭本에 모두 '關'으로 되어 있고 가공언의 소에도 "關은 通의 뜻이니 이미 정혼한 경우를 통틀어 말한 것이다.[關, 通也, 通已許嫁.]"라고 한 것을 근거로 하여 '關'으로 썼다. 이렇게 보면 '在室'은 정혼 여부에 상관없이 아직 혼인을 하지 않은 딸이면 모두 이에 해당된다. 가공언의 소와 교감본을 따라 '關'을 通의 뜻으로 보아야 할듯하다.

⑫ 布總, 箭笄, 髽, 衰

'總'은 정현의 주에 따르면 "머리카락을 묶는 것을 '總'이라고 한다.〔束髮謂之總.〕" '布總'은 布로 머리카락을 묶는 것이다. '箭'은 정현의 주에 따르면 "조릿대이다.〔篠竹也.〕" 胡培翬에 따르면 '篠(소)'는 작은 대나무로, '箭笄'는 작은 대나무로 만든 비녀이다.[27] '髽'는 음이 '좌'이다. 정현의 주에 따르면 "노출시킨 상투이다.〔露紒也.〕" '紒'는 머리카락을 묶은 상투를 이른다. 정현의 주에 따르면 북상투는 麻로 묶는다.[28] '衰'는 참최복이다.

⑬ 長六寸

정현의 주에 따르면 布로 머리를 묶고 나서 나머지를 그대로 늘어뜨려 꾸밈으로 삼는 부분을 가리킨다.[29]

⑭ 反在父之室

정현의 주에 따르면 이미 시집 간 딸이 잘못으로 인해 남편 집에서 쫓겨나 친정으로 돌아온 것을 가리킨다.[30]

【按】 가공언의 소에 따르면 아버지 상을 당한 뒤에 쫓겨났으면 처음 아버지 상을 당했

26) 鄭玄注 : "言在室者, 關已許嫁."

27) 《儀禮正義》卷21 : "《廣韻》'篠同筱', 《說文》'筱, 箭屬, 小竹也'. 然則箭笄者, 以小竹爲笄也."

28) 鄭玄注 : "斬衰括髮以麻, 則髽亦用麻也."

29) 鄭玄注 : "長六寸, 謂出紒後所垂爲飾也."

30) 鄭玄注 : "謂遭喪後而出者, 始服齊衰期, 出而虞, 則受以三年之喪受, 旣虞而出, 則小祥亦如之, 旣除喪而出, 則已."

을 때는 자최기년복을 입어 혼인하기 전 친정에 있을 때와 복을 다르게 입지만, 자최기년복을 입다가 쫓겨나 아버지 喪의 虞祭나 小祥을 만나게 되면 참최삼년복을 입어 혼인하기 전 친정에 있을 때와 복을 똑같이 입는다는 말이다.[31] 胡培翬는 이와 달리 '子嫁反在父之室'을 아버지가 살아있을 때 쫓겨나서 친정으로 돌아온 딸로 해석하였다.[32]

⑮ 公士大夫之衆臣

'士'는 정현의 주에 따르면 "卿士이다.〔卿士也.〕" '衆臣'은 胡培翬에 따르면 "여러 가신이다.〔衆家臣也.〕"

⑯ 爲其君布帶、繩屨

'君'은 主子(주인)라는 말과 같다. 여기에서는 공경대부를 가리킨다. '繩屨'는 麻를 꼬아 만든 신발이다. 吳廷華에 따르면 布帶는 자최복에 착용하는 腰帶이고 (참최복에는 絞帶를 쓴다) 繩屨는 대공복에 신는 신발이다.[33] 이것은 家臣이 그 君(주인)을 위하여 온전하지 않은 참최복을 입는다는 말이다. 즉 絞帶를 착용하지 않고 布帶를 착용하며, 菅屨를 신지 않고 繩屨를 신는다.

⑰ 公卿大夫室老、士

'室老'는 가신 중 우두머리이다. 정현의 주에 따르면 "室老는 집안의 재상이다.〔室老, 家相也.〕" '士'는 정현의 주에 따르면 "읍재이다.〔邑宰也.〕" 즉 공경대부를 위하여 封邑의 사무를 관장하는 사람이다. 胡培翬에 따르면 家相은 家宰라고도 하는데, 封地를 소유한 자만이 家宰도 있고 邑宰도 있으며 士처럼 봉지가 없는 자는 家宰만 있고 邑宰는 없다.[34]

⑱ 不以卽位

'位'는 곡하는 자리를 이른다. 衆臣은 지위가 貴臣보다 낮기 때문에 그들을 위하여 곡하는 자리를 마련하지 않는다. 이 때문에 곡하는 자리에도 나아가지 않는 것이다. 李如圭는 "卽位는 조석으로 곡하는 자리에 나아가는 것이다. 衆臣이 喪杖은 짚지만 곡하는 자리에는 나아가지 않는 것은 貴臣보다 禮를 낮춘 것이다.〔卽位, 卽朝夕哭位也, 衆臣杖, 不以卽位, 下於貴臣.〕"라고 하였다. 조석으로 곡하는 자리는 〈사상례〉32 참조.

⑲ 近臣, 君服斯服矣

'近臣'은 정현의 주에 따르면 "閽(혼)·寺(시) 등속을 이른다.〔謂閽、寺之屬.〕" '閽'은 문을 지키는 사람이고 '寺'는 환관이다. '君'은 〈傳〉에 나온 '君謂有地者'의 君과는 다르다. 정현의 주에 따르면 여기에서는 嗣君을 가리킨다.[35] 胡培翬는 "여기에서 말하는 嗣君은 공경대부의 아들로, 아버지가

31) 賈公彦疏 : "云'反在父之室'者, 以其出時, 父已死, 初服齊衰, 不與在室同. 既服齊衰, 後反被出, 更服斬衰, 即與在室同, 故須言在室也."

32) 《儀禮正義》卷21 : "經言'子嫁反在父之室', 明以別於未嫁在室之女, 則父存而被出者, 自不得包于上'女子子在室'條內, 賈說未的."

33) 《儀禮章句》卷11 : "布帶, 齊衰之帶也. 繩屨, 大功之屨, 亦三年服也."

34) 《儀禮正義》卷1 : "家相, 亦名家宰. 若無地卿大夫, 則無邑宰, 直有家宰."

35) 鄭玄注 : "君, 嗣君也."

죽은 뒤에 이어서 후사가 된 자를 이른다.〔此謂公卿大夫之子, 父死而嗣爲後者.〕"라고 하였다.

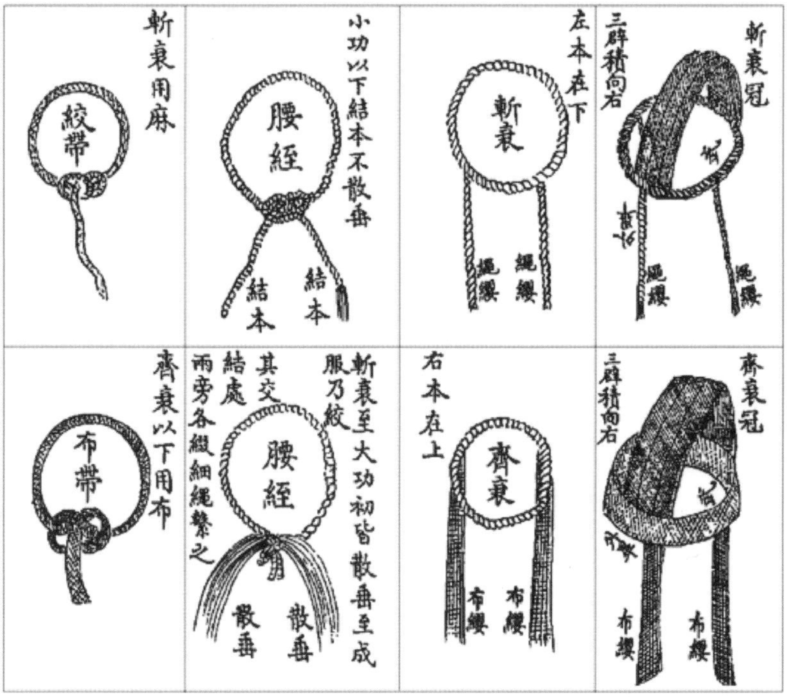

• 그림 5 • 喪冠
未詳《家山圖書》

【按】〈그림 5〉는 《家山圖書》의 喪冠 그림 중 齊衰冠의 '三辟積向左'를 '三辟積向右'로 수정하고, 齊衰以下用布의 '絞帶'를 '布帶'로 수정한 것이다. 이는 蔡德晉의 《禮經本義》 권11 〈兇禮〉에서 " 喪冠의 冠梁은 주름을 세로로 잡아 꿰맨다. 대공 이상은 애통함이 重하여 冠梁의 주름을 오른쪽으로 잡아 꿰매는데 이는 陰의 의미를 따른 것이며, 소공 이하는 애통함이 가벼워서 冠梁의 주름을 왼쪽으로 잡아 꿰매는데 이는 陽의 의미를 따른 것이다.[喪冠則用三闢積而直縫焉. 大功以上, 哀重, 其三闢積向右縫之, 從陰也; 小功以下, 哀輕, 三闢積向左縫之, 從陽也.]"라는 설과 《의례》 경문에 근거한 것으로, 胡培翬를 비롯하여 대부분 이 설에 동의하고 있기 때문이다. 다만 《家山圖書》가 현재는 비록 朱熹의 문인이 지은 것으로 추정되는 등 저자 미상의 책으로 판명되기는 하였으나 원래 《永樂大全》에 朱熹의 저작으로 소개되어 있을 뿐 아니라 喪冠의 그림이 다른 책에 비교했을 때 좀 더 상세하여 이곳에 실었다. 胡培翬는 《儀禮正義》 권21에서 黃幹의 설을 인

용하여 五服의 喪冠 제도에 대해 그 異同을 소개하였는데, 차이점은 모두 4가지이다. 즉 升數의 차이, 繩纓과 布纓·澡纓의 차이, 冠梁의 주름을 오른쪽으로 잡느냐 왼쪽으로 잡느냐의 차이, 喪冠을 만들 천을 잿물[灰]에 넣느냐 넣지 않느냐의 차이이다. 같은 점 역시 모두 4가지이다. 즉 條屬, 外畢, 冠梁의 주름 수가 3개인 것, 冠梁의 폭이 2寸인 것이다.

자최齊衰

3. 齊衰三年의 喪服

疏衰裳齊①, 牡麻絰②, 冠布纓③, 削杖, 布帶④, 疏屨⑤, 三年者⑥,

[傳曰] 齊者何? 緝也。牡麻者, 枲(시)麻也⑦。牡麻絰, 右本在上⑧。冠者沽功也⑨。疏屨者, 藨(표)、蒯(괴)之菲也⑩。

자른 뒤에 가장자리를 꿰맨 布로 만든 거친 衰裳을 입고, 牡麻(숫삼)로 만든 首絰과 腰絰을 하고, 武와 纓(관끈)을 布로 만든 喪冠을 쓰고, 削杖(오동나무를 깎아 만든 喪杖)을 짚고, 布로 만든 腰帶를 하고, 疏屨(풀로 짠 거친 신발)를 신고, 喪期가 3년인 상복은 다음의 경우에 입는다.

〔傳曰〕'齊'는 무엇인가? 가장자리를 꿰매는 것이다. '牡麻'는 숫삼이다. 牡麻로 만든 수질은 麻의 뿌리 부분이 오른쪽 귀 위로 가도록 하고 麻의 뿌리 부분이 麻의 끝 부분보다 위로 가게 한다. 冠은 거친 大功布로 만든다. '疏屨'는 藨草 혹은 蒯草로 만든 신발이다.

① 疏

정현의 주에 따르면 "麤와 같다.〔猶麤也.〕" '麤'는 '거칠다〔粗〕'라는 뜻이다. 아래의 '疏'도 같다.

② 牡麻

숫삼이다. 胡培翬에 따르면 "牡는 씨를 맺지 않는 것이다.〔牡不帶子.〕"

③ 冠布纓

胡培翬에 따르면 "布로 武를 만들고 그 남은 부분을 아래로 늘어뜨려 纓으로 삼는 것이다.〔以布爲武, 垂下爲纓也.〕" 敖繼公은 "이 冠布纓도 참최복의 冠繩纓처럼 布로 된 纓(관끈)을 冠梁 위에 붙인다. 관량은 주름을 오른쪽으로 잡아 꿰맨다.〔此冠布纓亦條屬, 右縫.〕"라고 하였다. 이에 따르면 자최의 冠은 麻繩을 布로 바꾸는 것을 제외하고는 그 形制가 참최의 冠과 모두 같다. 〈상복〉1. 주⑲ 참조.

【按】〈그림 5〉 참조.

④ 布帶

盛世佐에 따르면 "布帶는 참최복의 絞帶와 상대적으로 말한 것이다. 마찬가지로 吉服의 革帶를 본떴다.〔布帶與絞帶對, 亦所象革帶也.〕" 聶崇義의 《三禮圖集注》 권16에 따르면 이 布帶는 7승포로 만든다.[36]

⑤ 疏屨

풀로 짠 거친 신발이다. 吳廷華에 따르면 "草屨이다.〔草屨也.〕"

⑥ 三年

胡培翬는 姜兆錫(1666~1745)을 인용하여 "참최에 3년을 말하지 않은 것은 참최상은 3년 아닌 것이 없어서 말할 필요가 없기 때문이다. 그러나 자최상은 3년, 1년, 3개월인 경우가 있기 때문에 3년이라고 말한 것이다.〔斬衰不言三年者, 斬衰無不三年, 不待言也. 齊衰有三年, 有期, 有三月, 故言之.〕"라고 하였다.

⑦ 枲麻

'枲'는 음이 '시'이다. '枲麻'는 씨를 맺지 않는 숫삼이다. 《本草綱目》 권22에 "숫삼은 枲麻와 牡麻이고, 암삼은 苴麻와 茡(자)麻이다.〔雄者名枲麻、牡麻, 雌者名苴麻、茡麻.〕"라고 하였다.

⑧ 牡麻絰右本在上

'絰'은 首絰을 이른다. '右本在上'은 참최의 수질이 左本在下인 것과는 정반대인 것이다. 〈상복〉1. 주⑧ 참조.

【按】'右本在上'은 〈그림 5〉 참조.

⑨ 冠者沽功也

'冠'은 여기에서는 冠을 만드는 布를 가리킨다. '沽'는 정현의 주에 따르면 '거칠다〔粗〕'라는 뜻이니, '沽功'은 거친 大功布를 이른다.[37] 즉 大功에 쓰는 衰裳의 布보다 조금 더 거친 布를 자최의 冠布로 삼는 것이다. 胡培翬에 따르면 대공의 衰裳으로 가장 重한 것은 7승포로 만드는데, 이 布를 조금 더 거칠게 만들어 자최의 冠布로 삼는다.[38]

⑩ 藨、蒯之菲

'藨'는 음이 '표'이다. 蒯의 종류이다. 물가에서 자라고 키는 4尺 정도이다.

36) 《三禮圖集注》卷16 : "布帶者, 亦象革帶, 以七升布爲之."

37) 鄭玄注 : "沽, 猶麤也. 冠尊, 加其麤. 麤功, 大功也."

38) 《儀禮正義》卷21 : "《間傳》曰'大功, 七升、八升、九升', 此七升之布爲大功之首, 稍加以麤略之功者也."

줄기로는 자리·끈·신발 등을 만들 수 있다. '蒯'는 음이 '괴'이다. 풀 이름이다. 다년생 풀이며 대부분 물가에서 무더기로 자란다. 郝敬은 "蕉와 蒯는 모두 풀인데 菅(골풀)보다 조금 가늘다.〔蕉、蒯皆草, 而較細於菅.〕"라고 하였다.

4. 齊衰三年服을 입는 대상

父卒則爲母①。
繼母如母。
[傳曰] 繼母何以如母? 繼母之配父, 與因母同②。故孝子不敢殊也。
慈母如母。
[傳曰] 慈母者何也? 傳曰③: "妾之無子者, 妾子之無母者, 父命妾曰: '女以爲子.' 命子曰: '女以爲母.'" 若是, 則生養之終其身如母, 死則喪之三年如母, 貴父命也。
母爲長子④。
[傳曰] 何以三年也? 父之所不降⑤, 母亦不敢降也。

아버지가 돌아가신 경우 어머니를 위하여 입는다.

계모에게도 친어머니와 똑같이 입는다.
〔傳曰〕 계모에게 왜 어머니와 똑같이 입는가? 계모가 아버지의 배필인 것은 因母(친어머니)와 똑같기 때문에 효자가 감히 달리 입지 못하는 것이다.

慈母에게도 어머니와 똑같이 입는다.

〔傳曰〕 慈母는 누구인가? 옛 기록에 이르기를 "첩에게 아들이 없고 첩의 아들에게 어머니가 없는 경우 아버지는 첩에게 명하기를 '너는 이 아이를 아들로 삼도록 하라.'라고 하고, 아들에게 명하기를 '너는 이 분을 어미로 삼도록 하라.'라고 한다."라고 하였다. 이렇게 하면 살아계실 때에는 그분이 돌아가실 때까지 친어머니처럼 봉양을 하고 돌아가시면 자최삼년 상복을 친어머니처럼 입는데, 이것은 아버지의 명을 귀하게 여기기 때문이다.

適妻인 어머니가 적장자를 위하여 입는다.

〔傳曰〕 왜 삼년복을 입는가? 아버지가 降服하지 않는 대상에게는 어머니도 감히 降服하지 못하기 때문이다.

① 父卒則爲母

敖繼公에 따르면 "아버지가 살아계시면 어머니를 위하여 기년복을 입고, 아버지가 돌아가셨으면 삼년복을 입는다.〔父在爲母期, 父卒則三年.〕"

② 因

정현의 주에 따르면 "親과 같다.〔猶親也.〕"

③ 傳曰

【按】 가공언의 소에 따르면 〈傳〉에서 별도로 '傳'을 언급한 것은 子夏가 옛 기록을 인용하여 자신의 뜻에 대한 증거로 든 것[《傳》別擧傳者, 是子夏引舊傳證成己義故也.]'이다. 가공언은 〈傳〉의 작자를 자하로 보고 해석한 것이나 실제의 작자는 자세하지 않다. (《상복》1. 주⑤ 참조) 胡培翬는 〈傳〉을 지은 사람이 옛 기록을 인용하여 자신의 주장을 증명한 것이라고 하였다. 여기에서는 이에 따라 〈傳〉 중의 '傳'을 '옛 기록'으로 번역하기로 한다. 程瑤田의 《儀禮喪服文足徵記》에 따르면 이러한 사례는 모두 6조목으로, 經에 5조목, 〈記〉에 1조목이 있다.[39]

④ 母爲長子

胡培翬에 따르면 "適子의 妻가 長子를 위하여 입는 것을 이른다.〔謂適子之妻爲長子也.〕" 이것은 아버지 본인이 적장자이고 어머니는 또 아버지의 適妻인 경우, 어머니는 자신의 적장자를 위하여 자최삼년복을 입는다는 말이다. 가공언의 소에 따르면 아버지가 적장자를 위하여 참최삼년복을 입기 때문에 (《상복》2. 주② 참조) 어머니도 따라서 삼년복을 입는 것이다. 그러

39) 《儀禮正義》卷21 : "《傳》中別擧傳者, 是作傳者引舊傳, 證成己義. 程氏瑤田云: 《傳》中別擧傳, 凡六條, 經五條, 《記》一條."

나 어머니는 참최복을 입지 않고 자최복으로 입는데, 이것은 아들이 어머니를 위하여 자최복을 입기 때문에 아들이 자신을 위하여 입는 상복보다 무겁게 입을 수 없어서이다.[40]

⑤ 不降

정현의 주에 따르면 아버지가 비록 존귀하나 적장자는 할아버지를 계승한 正體이므로 "감히 아버지 자신의 존귀함으로 할아버지와 아버지의 正體인 적장자에게 降服하지 못하는 것이다.〔不敢以己尊降祖禰之正體.〕" '降'은 상복을 한 등급 낮추는 것이다. 程瑤田의 《儀禮喪服文足徵記五》 "降服說"에 "降服은 그 親服을 한 등급 낮추는 것이다.〔降服者, 降其親服一等也.〕"라고 하였다. 이른바 '親服'이란 本服이다. 즉 親疎 관계에 따라 본래 입어야 하는 상복이다. 〈상복〉8. 주⑪ 참조.

【按】 정현의 주에 따르면 '不降'은 "그 本服대로 입어주는 것을 이른다. 降服에는 모두 4가지가 있다. 제후와 대부가 존귀하여 강복하는 것, 제후의 서자와 대부의 아들이 壓尊되어 강복하는 것, 제후의 형제가 旁尊이어서 강복하는 것, 남의 후사가 되거나 시집간 딸이 본종에서 나갔기 때문에 강복하는 것이다."[41]

5. 齊衰杖期의 喪服

疏衰裳齊, 牡麻絰, 冠布纓, 削杖, 布帶, 疏屨, 期者①.
　[傳曰] 問者曰: 何冠也? 曰: 齊衰、大功冠其受也, 緦麻、小功冠其衰也②。帶緣各視其冠③。

자른 뒤에 가장자리를 꿰맨 布로 만든 거친 衰裳을 입고, 牡麻(숫삼)로 만든 首絰과 腰絰을 하고, 武와 纓(관끈)을 布로 만든 喪冠을 쓰고, 削杖(오동나무를 깎아 만든 喪杖)을 짚고, 布로 만든 腰帶를 하고, 疏屨(풀로 짠 거친 신발)를 신고, 喪期가 1년인 상복은 다음의 경우에 입는다.

40) 賈公彦疏 : "父爲長子在斬章, 母爲長子在齊衰, 以子爲母服齊衰, 母爲之不得過於子爲己, 故亦齊衰也."

41) 鄭玄注 : "凡不降者, 謂如其親服服之. 降有四品: 君、大夫以尊降, 公子、大夫之子以厭降, 公之昆弟以旁尊降, 爲人後者、女子子嫁者以出降."

〔傳曰〕 어떤 사람이 물었다. "어떤 冠을 쓰는가?" 대답하였다. "자최와 대공의 冠은 受服(장례한 뒤에 받는 衰服)과 같은 升數의 布로 만든다. 시마와 소공의 冠은 각각의 衰服과 같은 승수의 布로 만든다. 腰帶에 가선을 두르는 布의 승수는 각각 그 冠布의 승수와 같다."

① 期

喪期가 1년인 것을 이른다. 여기에 기록한 자최기년상은 削杖이 있어서 다음에 나오는 喪杖이 없는 자최기년상과는 다르다. (《상복》7. 참조) 이 때문에 상복 등급에서 이것을 '齊衰杖期'라고 부른다.

② 齊衰、大功冠其受也, 緦麻、小功冠其衰

여기에서는 자최의 冠을 말하면서 또 대공·시마·소공의 冠까지 언급하였다. 〈傳〉을 지은 사람이 여기에서 시마를 소공의 앞에 둔 것은, 胡培翬에 따르면 특별한 뜻은 없고 단지 '대공과 운을 맞추기 위해서일 뿐〔取與大功協句耳〕'이다. '冠其受'의 '受'는 衰服을 받는 것을 이른다. 대다수의 상복은 服喪 기간 내내 변하지 않는 것이 아니며 복상의 달라지는 단계에 따라 변한다. 즉 복상이 달라지는 단계마다 상복을 다시 받아야 하는데, 이것을 '受衰'라고 한다. (衰에는 裳도 포함된다) 聶崇義의 《三禮圖集注》 권15에 "일반적으로 喪禮에서 制服은 슬픔을 표시하는 것이다. 슬픔은 성할 때와 줄어들 때가 있으니 상복도 슬픔에 따라 重하게도 하고 가볍게도 하는 것이다. 그러므로 처음에는 거친 상복을 입다가, 장례한 뒤, 練祭(小祥)를 지낸 뒤, 大祥을 지낸 뒤에는 상복을 만드는 布의 실도 차츰 가늘어지고 상복도 차츰 꾸미는 것이다.〔凡喪, 制服所以表哀. 哀有盛時、殺時, 其服乃隨哀隆殺. 故初服麤惡, 至葬後、練後、大祥後, 漸細加飾.〕"라고 하였다. 차츰 가늘게 하는 기준은 冠을 만드는 布의 거친 정도로 척도를 삼는다. 예를 들면 참최복은 처음에는 3승포로 衰裳을 만들고 冠은 6승포로 만든다. 장례한 뒤에는 冠布와 같은 승수의 衰服을 받아서 6승포로 만든 상복으로 바꿔 입고 冠은 1승을 더하여 7승포로 만든다. 小祥 (죽은 지 1년이 되면 지내는 제사 이름으로, 《예기》〈雜記下〉에 "13개월이 되면 小祥을 지낸다.〔十三月而祥〕"라고 하였다) 뒤에는 또 7승포로 만든 衰服을 받고 冠은 8승포로 만드는 것과 같은 것들이다. 자최와 대공도 이와 같다. 즉 자최상에 처음 입는 衰服은 4승포로 만들고 冠은 7승포로 만들며, 장례한 뒤에는 冠의 승수에 따라 衰服

을 받아서 衰服은 7승이 되고 冠은 8승이 된다. 대공복에 처음 입는 衰服은 7승포로 만들고 冠은 10승포로 만들며, 장례한 뒤에는 衰服은 10승이 되고 冠은 11승이 된다. (〈喪服·記〉25. 참조) 聶崇義의 《三禮圖集注》에 "처음 喪이 났을 때 쓰는 冠의 승수는 모두 장례한 뒤에 바꾸어 입는 衰服의 승수와 같기 때문에 〈傳〉에서 '자최와 대공의 冠은 受服과 같은 升數의 布로 만든다.'라고 한 것이다.〔以其初喪冠升數皆與旣葬衰升數同, 故《傳》云'齊衰、大功冠其受'.〕"라고 하였다. '緦麻、小功冠其衰'는 시마와 소공의 冠布가 衰服의 布와 같다는 말이다. 가공언의 소에 따르면 소공의 衰服은 10승이고 시마의 衰服은 15승에서 반을 뽑아낸 것이다. (15승에서 반을 뽑아내면 7승반이 된다. 〈상복〉21. 주② 참조) 그런데 "冠은 모두 衰服의 승수와 같기 때문에 '冠其衰也'라고 한 것이다.〔冠皆與衰升數同, 故云'冠其衰也'.〕"[42]

③ 帶緣各視其冠

'帶緣'은 布帶의 가선이다. 盛世佐는 "참최의 絞帶에는 가선을 두르지 않는다. 자최 이하는 布로 帶를 만드는데, 여기에 가선도 두르는 것은 가벼운 상복이기 때문에 꾸미는 것이다.〔斬衰絞帶無緣, 齊衰以下以布爲帶, 又有緣, 輕者飾也.〕"라고 하였다. 이것은 자최 이하의 상복은 점차 가벼워지기 때문에 帶에 선을 둘러 꾸미는 것이다. 성세좌는 또 "帶의 가선에 쓰는 布가 각각 그 冠布와 같다면 帶의 승수는 각각 그 衰服의 布와 같을 것이다.〔緣各視其冠, 則帶之升數各視其衰與!〕"라고 하였다. 이것은 가선에 쓰는 포는 관포와 승수가 같고 가선을 두를 帶에 쓰는 포는 衰裳의 승수와 같다고 본 것이다.

【按】 '帶緣'에 대해 '帶와 緣'으로 보는 설과 '帶의 緣'으로 보는 설이 있다. 가공언은 '帶'는 布帶로 革帶를 본뜬 것이고 '緣'은 상복 안에 입는 中衣의 가선을 布로 하는 것이라고 하여 '帶緣'을 '帶와 緣'으로 해석하였으나, 盛世佐는 위와 같이 '帶의 緣'으로 해석하였다. 胡培翬 역시 성세좌의 설을 지지하고 있다.

42) 賈公彦疏 : "云'緦麻、小功冠其衰也'者, 以其降服小功衰十升, 正服小功衰十一升, 義服小功衰十二升緦麻十五升, 抽其半, 七升半, 冠皆與衰升數同, 故云冠其衰也."

6. 齊衰杖期服을 입는 대상

父在爲母。

[傳曰] 何以期也? 屈也①。至尊在, 不敢伸其私尊也②。父必三年然後娶, 達子之志也③。

妻。

[傳曰] 爲妻何以期也? 妻至親也。

出妻之子爲母④。

[傳曰] 出妻之子爲母期, 則爲外祖母無服。傳曰: "絶族無施服⑤, 親者屬(속)⑥。" 出妻之子爲父後者⑦, 則爲出母無服。傳曰: "與尊者爲一體, 不敢服其私親也⑧。"

父卒, 繼母嫁, 從⑨, 爲之服。報⑩。

[傳曰] 何以期也? 貴終也⑪。

아들이 아버지가 살아계신 경우 어머니를 위하여 입는다.

〔傳曰〕 왜 기년복을 입는가? 굽히기 때문이다. 至尊(아버지)이 살아계시기 때문에 私尊(어머니)에 대하여 감히 슬픔을 다 펴지 못하는 것이다. 아버지가 반드시 3년이 지난 뒤에 後妻를 얻는 것은 心喪으로 삼년상을 마치는 아들의 슬픔을 펼 수 있도록 하기 위해서이다.

남편이 처를 위하여 입는다.

〔傳曰〕 처를 위하여 왜 기년복을 입는가? 처는 至親이기 때문이다.

쫓겨난 처의 아들이 어머니를 위하여 입는다.

〔傳曰〕 쫓겨난 처의 아들은 어머니를 위하여 기년복을 입지만 외할아버지와 외할머니를 위해서는 복을 입지 않는다. 옛 기록에 이르기를 "아버지와 끊어진 친족(外親)에게는 복을 입지 않으나 어머니와는 여전히 이어져 있기 때문이다."라고 하였다. 그러나 쫓겨난

처의 아들이 아버지의 후사인 경우에는 쫓겨난 어머니를 위하여 복을 입지 않는다. 옛 기록에 이르기를 "尊者와 한 몸인 後嗣는 감히 私親을 위하여 복을 입지 못한다."라고 하였다.

아버지가 돌아가시고 계모가 개가할 때 계모를 따라간 경우에는 계모를 위하여 입는다. 계모도 이 아들을 위하여 報服으로 입는다.

〔傳曰〕 왜 기년복을 입는가? 終(그 恩義를 잘 마치는 것)을 귀하게 여기기 때문이다.

① 屈

감히 펴지 못한다는 말이다. 즉 상복 한 등급을 낮춘다는 뜻이다. 아들은 어머니를 위하여 자최삼년복을 입어야 하는데 지금 기년복을 입기 때문에 굽힌다고 한 것이다. 굽히는 이유는 아버지가 살아계시기 때문에 '私尊에 대해 감히 슬픔을 다 펴지 못하는 것〔不敢伸其私尊也〕'이다.

② 私尊

가공언의 소에 따르면 어머니의 존귀함은 단지 아들에 대해서만 말한 것이기 때문에 아들의 '私尊'으로 불리는 것이다. 그러나 아버지는 다르다. 아들에 대해서 뿐만 아니라 처에 대해서도 지극히 존귀하기 때문에 아버지는 私尊이라 칭하지 않는다.[43] 吳廷華는 "어머니를 私라고 한 것은 아들의 입장에서 말한 것이다.〔母謂之私者, 據子言之也.〕"라고 하였다.

③ 父必三年然後娶, 達子之志也

吳廷華에 따르면 "達은 통한다는 뜻이며 편다는 뜻이다.〔達, 通也, 伸也.〕" 가공언의 소에 따르면 아들은 아버지가 살아계시기 때문에 어머니를 위한 상복을 낮추기는 하지만 마음속으로는 여전히 어머니를 위하여 삼년의 상복을 입는다. 이것이 이른바 '心喪猶三年'이라는 것이다. 이 때문에 아버지는 아들의 이런 심정을 헤아려서 반드시 삼년이 지난 뒤에야 비로소 後妻를 얻는다. 이것이 이른바 '達子之志也'라는 것이다.[44]

④ 出妻

정현의 주에 따르면 "出은 '去(버리다)'와 같다.〔出, 猶去也.〕" 가공언의 소에 따르면 처가 '일곱 가지 쫓겨날 일〔七出〕'을 범하여 남편 집에서 버림받은 것이다. 이른바 '일곱 가지 쫓겨날 일'이란, 첫째 아들이 없는 것, 둘째 음

43) 賈公彦疏："不直言尊而言私尊者, 其父非直於子爲至尊, 妻於夫亦至尊. 母則於子爲尊, 夫不尊之, 直據子而言, 故言私尊也."

44) 賈公彦疏："子於母屈而期, 心喪猶三年, 故父雖爲妻期而除, 三年乃娶者, 通達子之心喪之志故也."

란한 것, 셋째 시부모를 섬기지 않는 것, 넷째 말을 이리저리 옮기는 것, 다섯째 도둑질하는 것, 여섯째 투기하는 것, 일곱째 惡疾을 앓는 것을 가리킨다.[45]

⑤ 絕族無施服

'絕族'은 恩義가 이미 끊어진 친족이니, 쫓겨난 처의 친정 친족을 가리킨다. 이 구절은 아들이 왜 외할아버지와 외할머니를 위해 상복을 입지 않는가에 대한 대답이다.

⑥ 親者屬

'屬'은 '연결되어있다〔連〕'라는 뜻이다. 정현의 주에 따르면 "母子 간은 지극히 친하여 끊어지는 이치가 없기 때문이다.〔母子至親, 無絕道.〕" 이 구절은 아들이 왜 아버지에게 쫓겨난 어머니를 위해 상복을 입어야 하는가에 대한 대답이다.

⑦ 爲父後者

즉 아버지의 적장자이다.

⑧ 私親

어머니를 이른다. 敖繼公에 따르면 "어머니가 더 이상 아버지의 배필이 아니면 아들은 쫓겨난 어머니를 私親으로 본다.〔母不配父, 則子視之爲私親.〕"

⑨ 從

《日知錄》의 "父卒繼母嫁" 조에 "從자에서 구두를 끊어야 한다. 즉 아들이 나이가 어려 자립할 수 없어서 개가하는 계모를 따라간 것을 이른다.〔'從'字句, 謂年幼不能自立, 從母而嫁也.〕"라고 하였다.

⑩ 報

敖繼公에 따르면 계모는 자신을 위해 자최기년복을 입어주어야 하는 이 아들이 만일 자신보다 먼저 죽으면 자신도 마찬가지로 '같은 복으로 입어주어야〔以其服服之〕' 한다. 즉 계모 역시 아들을 위하여 자최기년복을 입어주어야 하기 때문에 '報'라고 말한 것이다. 程瑤田의 《儀禮喪服文足徵記四》 "報服擧例述" 조에 "報는 같은 복으로 서로 입어주는 것에 대한 이름이다.〔報者, 同服相爲之名.〕"라고 하였다. 이하 '報'라고 한 것은 뜻이 모두 이와 같다.

⑪ 貴終

45) 賈公彦疏 : "此謂母犯七出. 去謂去夫氏或適他族, 或之本家子從而爲服者也. 七出者: 無子一也, 淫佚二也, 不事舅姑三也, 口舌四也, 盜竊五也, 妬忌六也, 惡疾七也."

정현의 주에 따르면 "일찍이 모자 사이였으니 그 恩義를 잘 마치는 것을 귀하게 여기는 것이다.〔嘗爲母子, 貴終其恩.〕"

7. 齊衰不杖期의 喪服

> 不杖, 麻屨者①,
>
> 喪杖을 짚지 않고, 牡麻(숫삼)로 만든 신발을 신는 상복은 다음의 경우에 입는다.

① 不杖, 麻屨

정현의 주에 따르면 "이것 역시 자최복으로, 앞의 자최복과 다른 점을 말한 것이다.〔此亦齊衰, 言其異於上.〕" 이것도 자최복을 기록한 것인데, 다만 喪杖을 짚지 않는 것과 疏屨를 신지 않고 麻屨를 신는 점이 앞의 자최복과 다르다는 것을 알 수 있다. 그 나머지, 즉 자른 뒤에 가장자리를 꿰맨 布로 만든 거친 衰裳을 입고, 牡麻(숫삼)로 만든 首絰과 腰絰을 하고, 武와 纓(관끈)을 布로 만든 喪冠을 쓰고, 布로 만든 腰帶를 하고, 喪期를 1년으로 하는 것과 같은 것들은 모두 앞의 자최복과 같다. 같은 부분은 모두 생략하고 다른 부분만 기록했기 때문에 "앞의 자최복과 다른 점을 말하였다."라고 한 것이다. 여기에서 기록한 자최기년복은 喪杖을 짚지 않기 때문에 상복의 등급에 있어 '齊衰不杖期'라고 한다. 李如圭는 "이 이하의 상복에는 슬픔이 줄어들고 병도 가벼워지기 때문에 喪杖을 짚지 않는다.〔自此以下哀殺, 病輕, 故不杖也.〕"라고 하였다.

8. 齊衰不杖期服을 입는 대상

祖父母。

[傳曰] 何以期也? 至尊也。

世父母、叔父母①。

[傳曰] 世父、叔父, 何以期也? 與尊者一體也②。然則昆弟之子, 何以亦期也? 旁尊也, 不足以加尊焉, 故報之也③。父子一體也, 夫妻一體也, 昆弟一體也。故父子, 首足也; 夫妻, 牉合也④; 昆弟, 四體也⑤。故昆弟之義無分。然而有分者⑥, 則辟(피)子之私也⑦。子不私其父, 則不成爲子。故有東宮, 有西宮, 有南宮, 有北宮⑧, 異居而同財: 有餘則歸之宗, 不足則資之宗⑨。世母、叔母, 何以亦期也? 以名服也⑩。

大夫之適子爲妻。

[傳曰] 何以期也? 父之所不降, 子亦不敢降也⑪。何以不杖也⑫? 父在, 則爲妻不杖⑬。

昆弟⑭。

爲衆子⑮。

昆弟之子。

[傳曰] 何以期也? 報之也⑯。

大夫之庶子爲適昆弟⑰。

[傳曰] 何以期也? 父之所不降, 子亦不敢降也⑱。

適孫⑲。

[傳曰] 何以期也? 不敢降其適也⑳。有適子者, 無適孫, 孫婦亦如之㉑。

爲人後者爲其父母㉒。報。

[傳曰] 何以期也? 不貳斬也㉓。何以不貳斬也? 持重於大宗者, 降其小宗也㉔。爲人後者, 孰後? 後大宗也。曷爲後大宗? 大宗者, 尊之統也㉕。禽獸知母而不知父。野人曰:

"父母何筭焉[26]?" 都邑之士, 則知尊禰矣[27]。大夫及學士, 則知尊祖矣[28]。諸侯, 及其大祖[29]。天子, 及其始祖之所自出[30]。尊者, 尊統上; 卑者, 尊統下[31]。大宗者, 尊之統也; 大宗者, 收族者也[32]: 不可以絕[33], 故族人以支子後大宗也[34]。適子不得後大宗[35]。

女子子適人者爲其父母、昆弟之爲父後者。

[傳曰] 爲父何以期也? 婦人不貳斬也。婦人不貳斬者, 何也? 婦人有三從之義[36], 無專用之道[37]。故未嫁從父, 既嫁從夫, 夫死從子。故父者, 子之天也; 夫者, 妻之天也。婦人不貳斬者, 猶曰"不貳天"也, 婦人不能貳尊也。爲昆弟之爲父後者, 何以亦期也? 婦人雖在外, 必有歸宗[38], 曰"小宗", 故服期也。

繼父同居者。

[傳曰] 何以期也? 傳曰: "夫死, 妻穉[39], 子幼[40], 子無大功之親[41], 與之適人。而所適者亦無大功之親[42], 所適者以其貨財爲之築宮廟[43], 歲時使之祀焉, 妻不敢與焉[44]。" 若是, 則繼父之道也。同居則服齊衰期, 異居則服齊衰三月也。必嘗同居, 然後爲異居。未嘗同居, 則不爲異居[45]。

爲夫之君[46]。

[傳曰] 何以期也? 從服也[47]。

姑、姊、妹、女子子適人無主者[48]。姑、姊、妹報。

[傳曰] 無主者, 謂其無祭主者也[49]。何以期也[50]? 爲其無祭主故也[51]。

爲君之父母、妻、長子、祖父母。

[傳曰] 何以期也? 從服也[52]。父母、長子, 君服斬[53]。妻則小君也[54]。父卒然後爲祖後者服斬[55]。

妾爲女君[56]。

[傳曰] 何以期也? 妾之事女君, 與婦之事舅姑等[57]。

婦爲舅姑。

[傳曰] 何以期也? 從服也[58]。

夫之昆弟之子[59]。

[傳曰] 何以期也? 報之也㊵。

公妾㊶、大夫之妾爲其子。

[傳曰] 何以期也? 妾不得體君, 爲其子得遂也㊷。

女子子爲祖父母㊸。

[傳曰] 何以期也? 不敢降其祖也㊹。

大夫之子爲世父母、叔父母、子、昆弟、昆弟之子, 姑、姊、妹、女子子無主者: 爲大夫、命婦者㊺。唯子不報㊻。

[傳曰] 大夫者, 其男子之爲大夫者也。命婦者, 其婦人之爲大夫妻者也。無主者, 命婦之無祭主者也。何以言唯子不報也? 女子子適人者, 爲其父母期, 故言不報也, 言其餘皆報也㊼。何以期也? 父之所不降㊽, 子亦不敢降也。大夫曷爲不降命婦也㊾? 夫尊於朝, 妻貴於室矣㊿。

大夫爲祖父母、適孫爲士者(71)。

[傳曰] 何以期也? 大夫不敢降其祖與適也(72)。

公妾以及士妾爲其父母(73)。

[傳曰] 何以期也? 妾不得體君, 得爲其父母遂也(74)。

할아버지와 할머니를 위하여 입는다.

〔傳曰〕 왜 기년복을 입는가? 지극히 높은 분이기 때문이다.

世父(백부)·世母(백모)와 숙부·숙모를 위하여 입는다.

〔傳曰〕 왜 世父와 숙부에게 기년복을 입는가? 尊者(아버지)와 한 몸이기 때문이다. 그렇다면 세부와 숙부는 왜 그들 역시 형제의 아들인 조카에게 기년복을 입는가? 세부와 숙부는 조카의 입장에서 말하면 旁尊(방계의 어른)이어서 加尊할 수 없다. 그런데 조카가 그들에게 加尊하여 기년복을 입기 때문에 그들도 조카에게 기년복으로 報服을 입는 것이다. 父子는 한 몸이요, 夫婦는 한 몸이요, 兄弟는 한 몸이다. 그러므로 父子는 한 몸의 머리와 발이요, 夫婦는 반쪽이 합하여 하나가 된 것이요, 兄弟는 한 몸의 팔과 다리이다. 그러므로 형제의 義를 가지고 말하면 나누어질 수 없는 것이다. 그러나 형제가 분가하여 사는 경우에는 각각 자신의 아버

지를 후히 대하고 싶어하는 사사로운 정을 존중하여 피해준다. 아들이 자신의 아버지를 후히 대하는 사사로운 정이 없다면 아들이라고 할 수 없기 때문에 東宮을 두고 西宮을 두고 南宮을 두고 北宮을 두어 거처를 달리한다. 그러나 재산은 함께 하여 여유가 있으면 宗家에 귀속시키고, 부족하면 종가에서 받아간다. 왜 세모·숙모에게도 기년복을 입는가? 세부·숙부의 배필이 되어 세모·숙모의 명칭이 생겼기 때문에 그들에게 기년복을 입어주는 것이다.

대부의 적장자가 자신의 처를 위하여 입는다.

〔傳曰〕 왜 기년복을 입는가? 아버지가 降服하지 않는 대상에게는 아들도 감히 降服하지 못하기 때문이다. 왜 喪杖을 짚지 않는가? 아버지가 살아계시면 처를 위하여 기년복을 입기는 하지만 壓尊되어 喪杖은 짚지 못하기 때문이다.

형제를 위하여 입는다.

衆子(적장자 이외의 여러 아들)를 위하여 입는다.

형제의 아들을 위하여 입는다.

〔傳曰〕 왜 기년복을 입는가? 報服으로 입는 것이다.

대부의 서자가 아버지의 후사인 적장자 형제를 위하여 입는다.

〔傳曰〕 왜 기년복을 입는가? 아버지가 降服하지 않는 대상에게는 아들도 감히 降服하지 못하기 때문이다.

適孫을 위하여 입는다.

〔傳曰〕 왜 기년복을 입는가? 할아버지는 자신의 적손에게 감히 降服하지 못하기 때문이다. 적장자가 살아 있으면 적손이 있을 수 없으며, 적손부도 마찬가지로 있을 수 없다.

大宗의 후사가 된 支子가 친부모를 위하여 입는다. 친부모도 다른 사람의 후사로 간 아들을 위하여 報服으로 입는다.

〔傳曰〕 왜 기년복을 입는가? 참최복을 두 번 입지 않기 때문이다. 왜 참최복을 두 번 입지 않는가? 大宗에서 傳重을 받은 사람(다른 사람의 후사가 된 자)은 小宗(다른 사람의 후사가 된 자의 친부모)에 대한 상복의 등급을 낮추어야하기 때문이다. 남의 후사가 되었다는 것은 누구의 후사가 되었다는 것인가? 대종의 후사가 되었다는 것이다. 支子를 왜 대종의 후사로 삼는가? 대종은 여러 소종들이 높이는 統領이기 때문이다. 금수는 어미가 있는 것만 알고 아비가 있는 것은 모른다. 野人들은 "부모의 尊卑를 무엇 때문에 굳이 따지는가?"라고 말한다. 都邑의 士는 아버지를 존중할 줄 안다. 대부와 學士는 할아버지를 존중할 줄 안다. 제후는 태조까지 제사를 지낸다. 천자는 시조의 所自出(하늘)까지 제사를 지낸다. 지위가 높은 자는 높여서 통할하는 제사의 대상이 먼 조상까지 미치고, 지위가 낮은 자는 높여서 통할하는 제사의 대상이 가까운 조상까지만 미친다. 대종은 여러 소종들이 높이는 통령이며, 대종은 종족을 취합하는 존재이다. 따라서 대종의 후사를 끊을 수가 없으므로 족인들이 소종의 지자를 대종의 후사로 삼는 것이다. 그러나 소종의 적장자는 대종의 후사가 될 수 없다.

시집간 딸이 친정 부모와 친정아버지의 후사가 된 형제를 위하여 입는다.

〔傳曰〕 아버지를 위하여 왜 기년복을 입는가? 부인은 참최복을 두 번 입지 않기 때문이다. 부인이 참최복을 두 번 입지 않는 것은 왜인가? 부인에게는 三從의 도리가 있고 자신의 독자적인 주장을 쓰는 도리가 없다. 그러므로 시집가기 전에는 아버지를 따르고, 시집가서는 남편을 따르고, 남편이 죽은 뒤에는 아들을 따른다. 그러므로 아버지는 자식의 하늘이요, 남편은 처의 하늘이다. 부인이 참최복을 두 번 입지 않는 것은 '두 개의 하늘을 가질 수 없다'는 말과 같으니, 부인은 두 尊者를 둘 수 없다. 시집간 딸이 아버지의 후사가 된 형제를 위하여 왜 기년복을 입는가? 부인은 비록 출가하여 밖에 있더라도 반드시 돌아갈 宗이 있어야하기 때문이다. 바

로 小宗을 말하니, 그러므로 소종의 후사에게 기년복을 입는 것이다.

계속 同居한 繼父를 위하여 입는다.

〔傳曰〕 왜 기년복을 입는가? 옛 기록에 이르기를 "남편은 죽고 아내는 젊으며(50세 미만) 아들은 어리면서(15세 이하) 大功親이 없는 경우, 이 아들이 改嫁하는 어머니와 함께 다른 사람에게 갔는데 개가한 상대 남자도 대공친이 없고 자신의 재물로 그를 위해 宮廟를 지어서 歲時마다 그로 하여금 생부에게 제사를 지내게 해주면 이때 처는 감히 그 전남편의 제사에 참여하지 못한다. 이와 같이 하면 계부의 도리가 있는 것이다."라고 하였다. 이런 경우 그 아들은 계부와 계속 同居했으면 계부를 위하여 자최기년복을 입고 중간에 異居했으면 자최삼월복을 입는다. 그러나 반드시 예전에 동거한 적이 있은 뒤에야 異居가 된다. 예전에 동거하지 않았으면 異居가 되지 않는다.

처가 남편의 君(주군)을 위하여 입는다.

〔傳曰〕 왜 기년복을 입는가? 남편을 따라서 입기 때문이다.

시집간 고모·누나·여동생·딸에게 제사를 주관할 자가 없는 경우 이들을 위하여 입는다. 고모·누나·여동생도 報服으로 기년복을 입는다.

〔傳曰〕 '無主'는 제사를 주관할 사람이 없는 것을 이른다. 왜 기년복을 입는가? 그들의 제사를 주관할 사람이 없기 때문이다.

臣이 君(임금)의 부모·처·적장자를 위하여 입으며, 君의 아버지가 일찍 돌아가신 경우 君의 할아버지·할머니를 위하여 입는다.

〔傳曰〕 왜 기년복을 입는가? 君을 따라서 입기 때문이다. 君은 부모와 적장자를 위하여 참최복을 입는다. 君의 처는 小君이기 때문이다. 아버지가 돌아가신 뒤에 할아버지의 후사가 된 자(君)는 君의 할아버지·할머니를 위하여 참최복을 입는다.

첩이 女君(남편의 適妻)을 위하여 입는다.

〔傳曰〕 왜 기년복을 입는가? 첩이 女君을 섬기는 것은 며느리가 시부모를 섬기는 것과 같기 때문이다.

며느리가 시부모를 위하여 입는다.

〔傳曰〕 왜 기년복을 입는가? 남편을 따라서 입기 때문이다.

남편 형제의 아들을 위하여 입는다.

〔傳曰〕 왜 기년복을 입는가? 남편 형제의 아들이 자기를 위하여 기년복을 입기 때문에 자기도 그를 위하여 報服으로 기년복을 입는 것이다.

제후의 첩과 대부의 첩이 자기 아들을 위하여 입는다.

〔傳曰〕 왜 기년복을 입는가? 첩은 君(남편)과 한 몸이 될 수 없으므로 자기 아들을 위하여 本服으로 입을 수 있기 때문이다.

딸(손녀)이 할아버지·할머니를 위하여 입는다.

〔傳曰〕 왜 기년복을 입는가? 이미 시집갔더라도 할아버지·할머니에게 감히 降服하지 못하기 때문이다.

대부의 아들이 대부인 世父·숙부·衆子·형·아우·형제의 아들과 命婦(대부의 처)인 世母·숙모를 위하여 입으며, 命婦로 제사를 주관할 사람이 없는 고모·누나·여동생·딸을 위하여 입는다. 이 중에 딸만은 기년복을 報服으로 입는 것이 아니라 本服으로 입는 것이다.

〔傳曰〕 '大夫'는 남자로서 대부가 된 사람이다. '命婦'는 부인으로서 대부의 처가 된 사람이다. '無主'는 위 命婦들을 위하여 제사를 주관하는 사람이 없는 것이다. 왜 딸만 報服으로 입는 것이 아니라고 했는가? 시집간 딸은 자기 부모를 위하여 원래 기년복을 입기 때문에 報服으로 입는 것이 아니라고 한 것이니, 나머지 사람들은 모두 報服으로 입는 것이라고 말한 것이다. 왜 기년복을 입는가? 아버지가 降服하지 않는 대상에게는 아들도 감히 降服하

지 못하기 때문이다. 대부는 왜 命婦에게 降服하지 않는가? 남편이 조정에서 존귀하면 처도 집에서 존귀하기 때문이다.

대부가 士인 할아버지·할머니·適孫을 위하여 입는다.

〔傳曰〕 왜 기년복을 입는가? 대부라 할지라도 할아버지·할머니·적손에게 감히 降服하지 못하기 때문이다.

제후의 첩부터 士의 첩에 이르기까지 자기 부모를 위하여 입는다.

〔傳曰〕 왜 기년복을 입는가? 첩은 君(남편)과 한 몸이 될 수 없으므로 자기 부모를 위하여 本服대로 입을 수 있기 때문이다.

① 世父母, 叔父母

《爾雅》〈釋親〉에 따르면 "아버지의 형제는, 먼저 태어난 이가 世父이고 뒤에 태어난 이가 叔父이다.〔父之昆弟, 先生爲世父, 後生爲叔父.〕" '世父'는 즉 백부이다.

【按】 가공언의 소에 따르면 '伯'을 '世'라고 말한 것은 세대를 잇는다는 것을 보여주기 위해서이다.[46] 邢昺의 疏에서도 '世'는 적장자로서 아버지보다 먼저 태어나 세대를 이은 자이기 때문에 '世父'라고 한다고 하였다.[47] 그러나 盛世佐는 "아버지보다 먼저 태어난 사람이 모두 대를 잇는 적자는 아니지만 할아버지의 후사가 되는 경우도 있기 때문에 '世'라고 한 것이다.[父之先生者, 不皆世適, 而爲祖後者亦存焉, 故謂之世.]"라고 하였고, 吳廷華는 "세부·세모와 숙부·숙모 모두 適庶를 밝히지 않은 것은 그 복이 같기 때문이다.[不言適庶, 蓋其服同.]"라고 하였다.

② 與尊者一體

'尊者'는 아버지를 이른다. 世父와 숙부는 아버지와 한 몸이니, 즉 다음 글에서 이른바 "형제는 한 몸이다.〔昆弟一體〕"라는 뜻이다. 李如圭에 따르면 세부와 숙부는 자신과 같이 한 할아버지에게서 나온 사람이니 할아버지가 같은 사람에게는 원래 대공복을 입어야 한다. 그러나 세부·숙부는 아버지와 한 몸이기 때문에 상복의 등급을 올려서 기년복을 입는 것이다.[48]

③ 然則昆弟……故報之也

자신은 世父와 숙부를 위하여 기년복을 입지만, 세부와 숙부의 입장에서

46) 賈公彦疏 : "伯言世也, 欲見繼世."

47) 《爾雅》〈釋親〉邢昺疏 : "繼世以嫡長, 先生於父則繼世者也, 故曰世父."

48) 《儀禮集釋》卷17 : "世父、叔父與己同出于祖, 應服大功, 以其與父爲一體, 故進服期也."

말하면 자신은 그들의 조카인데 세부와 숙부도 자신을 위하여 기년복을 입어야 하는 것은 무슨 이유인가? 이 때문에 물은 것이다. 세부와 숙부는 자신의 입장에서 말하면 본래 旁尊일 뿐 正尊 (자신의 친아버지나 친할아버지 등)은 아니다. 방존에게는 본래 加尊 (상복의 등급을 높이는 것) 해서는 안 되며 正尊이어야만 加尊할 수 있다. 그러나 조카의 입장에서는 세부·숙부가 아버지와 한 몸이기 때문에 그들에게 本服인 대공복으로 입지 않고 기년복으로 올려 입으니, 이는 세부·숙부를 위하여 加尊한 것이다. 세부·숙부는 원래 加尊의 대상이 될 수 없는데 加尊되었기 때문에 그들도 조카에게 加尊한 복으로 보답하여 조카를 위하여 기년복을 입는 것이다. 敖繼公에 따르면 "형제의 아들을 위한 상복도 本服은 대공복이지만 세부와 숙부가 본복으로 입지 않고 조카가 자신을 위해 加尊하여 입었던 복으로 報服을 입는 것은 자신은 正尊이 아니어서 加尊될 수 없기 때문이다.〔昆弟之子本服亦大功, 世、叔父不以本服服之, 而報服以其爲己加隆之服者, 以己非正尊, 不足以尊加之故也.〕"

④ 牉合

'牉'은 음이 '반'으로, '반쪽'이라는 뜻이다. 물건 가운데를 나누어 둘로 만들었을 때 그 중 하나가 바로 牉이니, 두 개의 牉을 합하면 한 몸이 된다. 이후 '牉合'으로 부부의 배우 관계를 비유하게 되었다.

⑤ 昆弟四體也

'四體'는 四肢이다. 四肢는 모두 한 몸이니, 본래 한 몸이어서 나눌 수가 없기 때문에 형제는 한 몸인 것이다.

⑥ 然而有分

吳廷華에 따르면 "따로 사는 것을 이른다.〔謂異居也.〕"

⑦ 辟子之私

'辟'는 즉 '避(피하다)'이다. '私'는 자기 아버지를 사사로이 대한다는 말로, 아들이 자기 아버지를 至親과 至尊으로 여겨 유독 후하게 대한다는 뜻이다. 旁尊인 世父와 숙부는 모두 이 부자간의 사사로운 정을 빼앗을 수 없기 때문에 피해준다. 즉 아들의 자기 아버지에 대한 사사로운 정을 인정하고 존중해준다는 의미이다. 吳廷華는 "형제의 아들이 저마다 자기 아버지를 사사로이 대하는 것은 旁尊에게 간섭 받을 수 없기 때문에 피하여 따로 사는 것이다.〔昆弟之子各私其父, 不可間於旁尊, 故避而分之.〕"라고 하였다.

⑧ 故有東宮……北宮

東宮·西宮·南宮·北宮은 형제들이 각각 그 父子를 단위로 하여 따로 사는 것을 나타낸 것일 뿐, 실제로 이러한 집의 제도가 있는 것은 결코 아니다. 吳廷華는 "《예기》〈內則〉에서 '命士 이상은 父子가 집을 달리한다.'라고 한 것도 이와 같을 것이지만 그 제도는 상세하지 않다. 어쩌면 집은 같은데 방만 달리하는 것인가?(《內則》'命士以上父子異宮', 當亦如之, 其制未詳, 或同宮而別室與?)"라고 하였다.

⑨ 異居……資之宗

정현의 주에 따르면 '宗'은 소종을 이른다. (〈그림 4〉 참조) 즉 아들의 世父이다. '資'는 '취한다〔取〕'는 뜻이다.[49] 盛世佐는 "남거나 모자라는 支子와 庶子의 재산은 모두 종자가 그 大綱을 총괄하여, 남으면 덜고 부족하면 보충해 준다.〔支庶之贏餘匱乏, 皆宗子總攬其大綱, 而爲之裒益於其間.〕"라고 하였고, 胡培翬는 "異居而同財 이하는 또 종법에 나아가서 형제가 비록 따로 살아도 여전히 함께 산다는 뜻을 밝힌 것이다.〔'異居而同財'以下, 則又卽宗法以明昆弟雖分而仍合之義.〕"라고 하였다.

⑩ 以名服也

胡培翬에 따르면 "世母·숙모는 世父·숙부의 배필이어서 '세모'·'숙모'라는 명칭이 생겼기 때문에 상복도 세부·숙부와 같게 함을 이른다.〔謂世、叔母以配世、叔父而有母名, 故服亦與世叔父同.〕"

⑪ 父之所不降, 子亦不敢降

정현의 주에 "대부가 適婦에게 자기가 높다는 이유로 降服하지 않는 것은 적자를 중하게 여겨서이다.〔大夫不以尊降適婦者, 重適也.〕"라고 하였다. 胡培翬에 따르면 大夫는 지차 며느리를 위해서는 降服해야 하지만 適婦를 위해서는 降服하지 않는데, 이는 적자를 중하게 여기기 때문이다. 또 호배휘에 따르면 대부는 適婦를 위하여 대공복을 입고 남편은 처를 위하여 기년복을 입어야 하는데, 이것은 아버지가 이미 적자를 중히 여겨 適婦를 위한 대공복을 낮추어 입지 않았기 때문에 아들도 妻를 위한 기년복을 감히 낮추지 못하는 것이다.[50] 또 정현의 주에 따르면 이른바 '낮추지 않는다〔不降〕'는 것은 親疏 관계에 따라 어느 등급의 상복을 입어야 하면 바로 그 상복을 입는 것을 가리킨다.[51] 즉 이른바 "本服으로 입는다.〔以本服

49) 鄭玄注："宗者, 世父爲小宗典宗事者. 資, 取也."

50) 《儀禮正義》卷22："注云'大夫不以尊降適婦者, 重適也'者, 謂降庶婦, 不降適婦, 是重適也. 馬氏云:'大夫重適, 不降大功, 子從父, 不敢降其妻, 故服期也.' 案舅爲適婦大功, 夫爲妻期. 今父旣重適, 不降適婦大功之服, 故子亦不敢降妻之期服也."

51) 鄭玄注："凡不降者, 謂如其親服服之."

服之〕"라는 것이다. 예를 들면 남편이 처를 위한 本服이 기년복인데 그대로 기년복을 입으면 이것을 '不降'이라고 한다. 반대로 만일 本服으로 입지 않고 다음 등급의 상복을 입으면 이것을 '降'이라고 한다. 예를 들면 대부가 지차 며느리들을 위해 입는 本服은 소공복이다. 그러나 대부는 그 자신의 지위가 높음으로 인해 지차 며느리들을 위해 소공복을 입지 않고 시마복을 입는데 이것을 '降'이라고 이른다.

⑫ 何以不杖也

胡培翬에 따르면 "남편이 처를 위해 기년복을 낮추어 입지 않았다면 喪杖을 짚는 것도 낮추면 안 되기 때문에 물은 것이다.〔旣不降期服, 則亦當不降杖, 故問也.〕"

⑬ 父在則爲妻不杖

李如圭에 따르면 "適子는 처를 위해 비록 本服으로 입을 수는 있으나 그래도 아버지에게 壓尊되어 ('厭'은 음이 '압'이다. '누르다'라는 뜻이다. 아버지의 높음에 눌리는 것이다) 그 喪杖만은 짚지 못하는 것이다.〔適子爲妻雖得伸服, 猶厭於其父, 直去其杖.〕"

⑭ 昆弟

정현의 주에 따르면 "昆은 형이라는 뜻이다.〔昆, 兄也.〕"

【按】 茶山 丁若鏞에 따르면 '昆弟'는 昭穆이 같은 경우에 쓰고, '兄弟'는 소목에 구애되지 않고 祖·孫·叔·姪 누구에게든 五服 내에 있는 친속에게는 모두 쓸 수 있다.[52]

⑮ 衆子

정현의 주에 따르면 "衆子는 장자의 아우와 첩의 아들이다.〔衆子者, 長子之弟及妾子.〕" 즉 적장자를 제외한 나머지 여러 아들이다.

⑯ 報之也

〈상복〉 6. 주⑩ 참조.

⑰ 庶子爲適昆弟

胡培翬에 따르면 여기에서의 '庶子'는 적장자 이외의 여러 아들과 첩의 아들을 포괄한다. '適昆弟'는 여기에서는 적장자를 가리킨다. 적장자는 모든 첩의 아들보다 반드시 나이가 많은 것은 결코 아니다. 그 위로 庶兄이 있을 수 있기 때문에 여러 서자들에 근거하여 '適昆弟'라고 말한 것이다.[53] 정현의 주에 "昆과 弟 두 가지로 말한 것은 적자는 형이 될 수도 있고 아우가 될 수도 있기 때문이다.〔(昆、弟)兩言之者, 適子或爲兄, 或爲弟.〕"라고

52) 《喪禮四箋》 卷12 〈喪期別8 出後34〉 : "古經字例, 昭穆同者, 謂之'昆弟'. 其別言'兄弟'者, 不拘昭穆, 不問祖孫叔姪, 凡在五服之內者, 都稱兄弟."

53) 《儀禮正義》卷22 : "今案庶子, 謂適妻所生第二以下及妾子也. 適昆弟, 謂其爲父後者一人也. 天子、諸侯爲長子服斬, 則天子、諸侯之庶子於適昆弟, 與大夫之庶子同可知. 注云'兩言之者, 適子或爲兄, 或爲弟'者, 經言昆, 復言弟, 以其適子有長於妾子者, 亦有小於妾子者, 不定故兩言之也."

하였다. 胡培翬에 따르면 "適昆弟는 아버지의 후사가 된 한 사람을 이른다.〔適昆弟, 謂其爲父後者一人也.〕"

⑱ 父之所不降, 子亦不敢降也

盛世佐에 따르면 아버지는 자신의 적장자를 위하여 참최삼년복을 입는다. 서자를 위해서는 기년복을 입어야 하지만 자신의 높음으로 인해 낮추어서 대공복을 입는다. 서자는 여러 형제를 위하여 기년복을 입어야 하지만 아버지에게 압존되어 대공복으로 降服한다. 그러나 아버지의 후사가 된 適昆弟(즉 적장자)에게는 아버지가 적장자를 위한 삼년복을 낮추지 않았기 때문에 서자도 감히 형제를 위한 기년복을 낮추지 못한다.[54]

⑲ 適孫

胡培翬에 따르면 이것은 적장자가 죽고 적손이 承重하여 종묘의 제사를 주관하게 되면 그 할아버지가 적손을 위하여 기년복을 입는 것을 가리킨다.[55]

⑳ 不敢降其適也

盛世佐에 따르면 손자는 할아버지를 위해 기년복을 입으며 할아버지도 報服으로 기년복을 입어야 한다. 그러나 할아버지는 손자의 正尊이기 때문에 상복의 등급을 낮추어 손자를 위하여 대공복을 입지만 적손에게는 감히 降服하지 못하기 때문에 "적손에게 감히 降服하지 못한다.〔不敢降其適也.〕"라고 말한 것이다.[56]

㉑ 有適子者無適孫, 孫婦亦如之

정현의 주에 따르면 만일 적장자가 살아 있으면 할아버지가 適孫과 適孫婦를 여러 손자·손부와 모두 똑같이 본다는 것이다.[57]

㉒ 爲人後者

종자의 후사가 된 支子를 가리킨다. 〈상복〉2. 주⑤ 참조.

㉓ 不貳斬

敖繼公에 따르면 "아버지는 둘이 될 수 없고 참최복은 두 번 입을 수 없으니, 이미 후사로 삼아준 사람을 위하여 참최복을 입었다면 친아버지에게는 降服하여 기년복으로 입지 않을 수 없는 것이다.〔父不可二, 斬不幷行, 旣爲所後之父斬, 則於所生之父不得不降而爲期.〕"

㉔ 持重於大宗者, 降其小宗也

胡培翬에 따르면 "持重은 종묘 제사의 重을 주관하는 것을 이른다. 즉 앞

54) 《儀禮集編》卷23 : "父於長子三年, 庶子期, 昆弟相爲亦期, 服之正也. 大夫以尊, 故降庶子於大功, 而於長子自若三年, 是父之所不降也. 大夫之庶子厭於父, 降其庶昆弟於大功, 而於適昆弟自若期, 是子亦不敢降也."

55) 《儀禮正義》卷22 : "此謂適子死, 其適孫承重者, 祖爲之期. 今案適孫承重, 爲祖斬衰, 祖似當從父爲長子之例, 服斬. 今期者, 吳氏廷華云: '適子死, 其祖已爲之服斬, 故不復爲適孫斬也.'"

56) 《儀禮集編》卷23 : "孫爲祖期, 祖亦當報之以期, 以正尊故, 降之於大功, 而爲適孫, 則在此章, 是不敢降其適也."

57) 鄭玄注 : "周之道, 適子死則立適孫, 是適孫將上爲祖後者也. 長子在, 則皆爲庶孫耳. 孫婦亦如之, 適婦在, 亦爲庶孫之婦. 凡父於將爲後者, 非長子, 皆期也."

의 〈傳〉에서 말한 '受重'이라는 것이다.〔持重, 謂主持宗廟祭祀之重, 卽前傳所謂受重也.〕" (〈상복〉2. 주③ 참조) 여기에서 말하는 '大宗'은 후사를 들인 사람을 이르고, '小宗'은 남의 후사가 된 사람의 친부모를 이른다.

㉕ 大宗者, 尊之統也

胡培翬에 따르면 "《백호통》에 이르기를 '宗은 높인다는 뜻이다. 선조의 제사를 주관하는 종자는 宗人들이 높이는 대상이다.'라고 하였다. 대종과 소종은 모두 族人들이 높이는 대상인데 대종은 또 소종을 통할하기 때문에 '尊之統'이라고 한 것이다.〔《白虎通》云: '宗者, 尊也. 爲先祖主者, 宗人之所尊也.' 是大宗、小宗皆族人所尊, 而大宗又統乎小宗, 故爲尊之統.〕" 이에 따르면 '尊之統'은 즉 '여러 소종의 통령〔衆小宗之統〕'이라는 뜻이다.

㉖ 野人曰, 父母何筭焉

胡培翬에 따르면 "野는 교외의 땅이다. '野人'은 시골 사람을 이른다.〔野, 郊外之地. 野人, 謂鄕曲之人.〕" 段玉裁의 《經韻樓集》 "野人曰" 조에 따르면 "이것은 야인들이 왜 아비와 어미를 구분하느냐고 한다는 말이다. '何筭'은 '何別'과 같다. 가공언의 소에 '부모의 존비를 구별할 줄 모른다.'라고 하였으니, 이 말이 매우 분명하다.〔此謂野人言父與母何別也? 何筭, 猶何別也. 《疏》云'不知分別父母尊卑也', 語深明.〕"

㉗ 都邑之士

胡培翬에 따르면 "都邑은 성내의 백성이 모이는 곳이다.〔都邑是城內人民聚會之地.〕" 또 호배휘에 따르면 "여기의 '士'는 널리 士民을 가리켜 말한 것으로, 다음에 나오는 學士와는 다르다.〔此'士'字汎指士民言, 與下學士異.〕"

㉘ 大夫及學士

胡培翬에 따르면 "大夫는 나라의 정사에 종사하여 남을 다스리는 소임이 있는 사람이고, 學士는 학교에 올라온 士로서 三物의 六行에 통달한 사람을 이른다.〔大夫, 是服官政, 有治人之任者. 學士, 謂升於學校之士, 通三物六行者也.〕"

【按】 '升於學校之士'는 《예기》〈王制〉에 "鄕에 명을 내려 秀士를 논하여 司徒에게 추천해 올리도록 하니, 選士라고 한다. 司徒는 選士들 중에 뛰어난 자를 논하여 學에 올리니, 俊士라고 한다. 추천을 받아 司徒에게 올라온 選士는 鄕에서의 요역을 면제시켜주고 學에 올라온 俊士는 司徒에게서의 요역을 면제시켜주니 造士라고 한다.〔命鄕論秀士, 升之

司徒, 曰選士. 司徒論選士之秀者而升之學, 曰俊士. 升於司徒者不征於鄕, 升於學者不征於司徒, 曰造士.]"라는 내용이 보인다. 정현의 주에 따르면 '秀士'는 鄕大夫가 德行과 道藝가 있다고 추천한 사람이며 '學'은 大學을 이른다. 또 《孟子》〈滕文公上〉에 "庠·序·學·校를 설치하여 백성들을 가르쳤으니, 庠은 봉양한다는 뜻이요, 校는 가르친다는 뜻이요, 序는 활쏘기를 익힌다는 뜻이다. 夏나라에서는 校, 殷나라에서는 序, 周나라에서는 庠이라 하였으며 學은 三代가 이름을 함께 하였다.[設爲庠、序、學、校以教之. 庠者養也, 校者敎也, 序者射也. 夏曰校, 殷曰序, 周曰庠, 學則三代共之.]"라는 내용이 보이는데, 朱熹의 주에 따르면 庠·序·校는 모두 鄕學을 이르며 學은 國學(즉 大學)을 이른다.[58] '三物六行'은 정현의 주에 따르면 '物'은 '事'와 같은 뜻으로, '三物'은 六德·六行·六藝를 이른다. 《주례》〈地官 大司徒〉에 따르면 六德은 知·仁·聖·義·忠·和, 六行은 孝·友·睦·婣·任·恤, 六藝는 禮·樂·射·御·書·數를 이른다.[59]

㉙ 及

敖繼公에 따르면 "及은 제사가 미치는 것을 이른다.〔及, 謂祭及之也.〕" 다음에 나오는 '及'도 의미가 같다.

㉚ 始祖之所自出

옛날 사람들은 자기 민족의 조상을 신격화하기 위하여 시조를 天帝의 精氣에 감응하여 태어났다고 말하였다. 예를 들면 商人은 "商나라의 시조인 契(설)은 어머니 簡狄이 天帝가 명령한 제비의 알을 삼킨 뒤 임신되어 태어났다."라고 하고, 周人은 "周나라의 시조인 后稷은 어머니 姜嫄이 天神 巨人의 발자국을 밟고 이에 감응이 있어 임신되어 태어났다."라고 말하는 것과 같은 것이다. 이것이 이른바 '感生說'이다. 그러므로 시조의 所自出은 바로 하늘이나 天帝를 가리킨다. 이 때문에 정현의 주에 "及始祖之所自出은 하늘에 제사한다는 말이다.〔及始祖之所自出, 謂祭天也.〕"라고 한 것이다.

㉛ 尊者尊統上, 卑者尊統下

가공언의 소에서는 '尊者'는 천자와 제후를 이르고 '卑者'는 대부와 士를 이른다고 보았다. '尊統上'은 높여서 통할하는 제사의 대상이 위로 먼 조상까지 미칠 수 있음을 이르며, '尊統下'는 높여서 통할하는 제사의 대상이 위로 미치는 데 한계가 있어 자신과 매우 가까운 조상에게까지만 미치는 것을 이른다.[60] 胡培翬는 "統上과 統下는 비교하는 말이다. 아버지를 높이고 할아버지를 높이는 것에서부터 시조의 所自出에게까지 제사가 미

58) 《孟子》〈滕文公上〉 朱熹注 : "庠以養老爲義, 校以教民爲義, 序以習射爲義, 皆鄕學也. 學, 國學也."

59) 《周禮》〈地官 大司徒〉: "以鄕三物教萬民而賓興之. 一曰六德, 知、仁、聖、義、忠、和; 二曰六行, 孝、友、睦、婣、任、恤; 三曰六藝, 禮、樂、射、御、書、數."

60) 賈公彦疏 : "云'上猶遠也, 下猶近也'者, 天子, 始祖所自出, 諸侯及大祖, 竝於親廟外祭之, 是尊統遠. 大夫三廟, 適士二廟, 中、下士一廟, 是卑者尊統近也."

친다는 것은 천자의 높임은 제후와 대부에 비해 통할하는 제사의 대상이 먼 조상까지 미친다는 것이며, 繼禰와 繼祖에서부터 繼別子의 所自出에게까지 미친다는 것은 대종의 높임은 소종에 비해 통할하는 제사의 대상이 먼 조상까지 미친다는 것이다. 그러므로 '尊者尊統上, 卑者尊統下'라고 한 것이다.〔統上、統下, 是比擬之辭, 言由尊禰、尊祖, 以至祭及始祖之所自出, 是天子之尊比諸侯、大夫, 所統爲上; 由繼禰、繼祖以及繼別子之所自出, 則大宗之尊比小宗所統爲上. 故曰'尊者尊統上, 卑者尊統下'.〕"라고 하였다.

【按】 가공언의 소에 따르면 천자는 시조의 所自出까지 제사하고 제후는 시조까지 제사하여 親廟 이상까지 제사지낼 수 있으니, 이것이 바로 尊統上 즉 尊統遠이다. 대부는 3廟, 適士는 2廟, 中士와 下士는 1廟로, 이것이 바로 尊統下 즉 尊統近이다.[61]

㉜ 收

吳廷華에 따르면 "취합한다는 뜻이다.〔合也.〕"

㉝ 不可以絕

吳廷華에 따르면 "할아버지와 더불어 正體가 될 뿐 아니라 종가의 일을 주관하기 때문이다.〔與祖爲體, 且主宗事故也〕" 즉 대종은 할아버지를 이어 重을 계승하는 존재이므로 대가 끊어져서는 안 된다는 말이다.

㉞ 故族人以支子後大宗

대종은 대대로 적장자가 계승하니, 만일 어느 한 代의 대종에 아들이 없으면 대종은 끊어지게 된다. 그러나 대종은 또 대가 끊어지면 안 되기 때문에 族人들이 支子를 대종의 후사로 삼아 끊어지지 않게 하는 것이다.

㉟ 適子不得後大宗

'適子'는 대종 형제 각자의 적장자를 이른다. 이 적장자들은 모두 아버지를 계승하여 소종의 일을 주관해야하기 때문에 대종의 후사로 삼을 수 없는 것이다. 이는 許猛(晉代)이 말한 "대종이 비록 중하기는 하나 소종에서도 자기의 正體를 빼앗겨 남의 후사가 되도록 하지는 않는다.〔大宗雖重, 猶不奪己之正以後之.〕"라는 뜻이다. 〈상복〉 2. 주⑧ 참조.

㊱ 三從

바로 다음 글에서 말하는 "시집가기 전에는 아버지를 따르고, 시집가서는 남편을 따르고, 남편이 죽은 뒤에는 아들을 따른다.〔未嫁從父, 既嫁從夫, 夫死從子.〕"라는 것이다.

61) 賈公彦疏 : "天子始祖所自出, 諸侯及大祖, 竝於親廟外祭之, 是尊統遠. 大夫三廟, 適士二廟, 中、下士一廟, 是卑者尊統近也."

㊲ 無專用之道

胡培翬에 따르면 "자신의 독자적인 주장을 쓰는 도리가 없는 것이다.〔無自專自用之道.〕" 즉 독립적인 생각과 인격을 가지는 것을 허락하지 않아서 스스로 주장을 할 수 없는 것이다.

㊳ 歸宗

소종으로 돌아오는 것을 이른다. 정현의 주에 따르면 "歸宗은 아버지가 돌아가셨더라도 자신의 本宗으로 돌아가서, 친정아버지의 후사가 되어 重을 주관하는 사람을 宗으로 삼아 스스로 자신의 친족들을 끊지 않는 것이다.〔歸宗者, 父雖卒, 猶自歸, 宗其爲父後持重者, 不自絶於其族類也.〕"

【按】 가공언의 소에 따르면 "歸宗은 아버지가 비록 돌아가셨더라도 시집간 딸이 자신의 本宗으로 돌아가 의리가 그러함을 아는 것은, 마치 부모가 살아계실 때 시집간 딸이 본래 친정 부모에게 歸寧해야 하는 것과 같은 것이니, 굳이 종자에게 돌아간다고 할 필요가 없는 것이다.[歸宗者, 父雖卒, 猶自歸宗, 知義然者, 若父母在, 嫁女自當歸寧父母, 何須歸宗子.]"

㊴ 穉

'穉'의 이체자이다. 정현의 주에 따르면 "50세 미만을 이른다.〔謂年未滿五十.〕"

【按】 王力에 따르면 '穉'는 '穉'와 '稚'의 本字이다. 本義는 '어린 벼[幼禾]'라는 뜻으로, 引伸되어 '어리다'라는 뜻이 되었다.[62] 《說文解字》에는 '穉'와 '稚'가 없고 '穉'로 나와 있다.

㊵ 幼

정현의 주에 따르면 "15세 이하를 이른다.〔謂年十五已下.〕"

㊶ 子無大功之親

李如圭에 따르면 "五服 내 친속의 상복은 아버지가 같은 사람을 위해서는 기년복을 입고, 할아버지가 같은 사람을 위해서는 대공복을 입고, 증조할아버지가 같은 사람을 위해서는 소공복을 입고, 고조할아버지가 같은 사람을 위해서는 시마복을 입는다.〔五屬之服, 同父者期, 同祖者大功, 同曾祖者小功, 同高祖者緦.〕" '大功之親'은 즉 할아버지가 같은 친속을 이른다. 郝敬에 따르면 "만일 아들에게 대공친이 있으면 이때에도 남을 아버지로 삼아서 의지하지 못한다.〔設使子有大功之親, 則亦不依他人爲父.〕"

㊷ 所適者亦無大功之親

62) 王力, 《王力古漢語字典》(北京: 中華書局, 2005), 847·850·851쪽.

郝敬에 따르면 "만일 그 사람에게 대공친이 있으면 그 사람 역시 남을 아들로 삼아서 기를 수 없다.〔使其人有大功之親, 則亦不得養他人爲子.〕"

㊸ 宮廟

즉 '廟'이다. '宮' 역시 廟이다. 고대에는 종묘 역시 '宮'이라고 불렀다. 《시경》〈雲漢〉에 "교외에서 宮으로 간다.〔自郊徂宮.〕"라고 하였는데, 정현의 箋에 "宮은 종묘이다.〔宮, 宗廟也.〕"라고 하였다. 가공언의 소에 따르면 "개가하는 어머니를 따라가서 廟를 갖게 되는 경우 반드시 正廟인 것은 아니지만 귀신이 거하는 곳을 '廟'라고 하니, 《예기》〈祭法〉에서 말한 '庶人은 寢에서 제사한다.'라는 것과 같은 것이다.〔隨母嫁得有廟者, 非必正廟, 但是鬼神所居曰廟, 若《祭法》云'庶人祭於寢也'.〕"

㊹ 妻不敢與焉

정현의 주에 따르면 이것은 처가 남편과 至親이기는 하지만 다른 사람에게 개가하면 전 남편의 친족과는 관계가 끊어지게 된다. 또한 '夫不可二', 즉 부인은 두 남편을 둘 수 없기 때문에(설령 그 중 한 사람이 죽었다 할지라도) 전 남편의 제사에 감히 참여하지 못한다.[63]

㊺ 必嘗同居……不爲異居

胡培翬에 따르면 "〈傳〉에서는 사람들이 개가하는 어머니를 따라 가지 않는 것을 異居라고 생각하지 않을까 우려하였기 때문에 특별히 변석한 것이다.〔《傳》蓋恐人以不隨母適人者爲異居, 故特辨之.〕"

㊻ 爲夫之君

胡培翬가 吳紱의 설을 인용한 것에 따르면 "제후의 부인과 畿內의 公卿·大夫·士의 처가 천자를 위하여, 제후국의 公卿·大夫·士의 처가 제후를 위하여 입으니, 무릇 공경·대부·士의 家臣의 처가 그 君(주군)을 위해 입는 상복은 모두 이러하다.〔諸侯夫人、畿內公卿大夫士之妻爲天子, 侯國公卿大夫士之妻爲國君, 凡公卿大夫士之臣之妻爲其君, 皆是也.〕"

㊼ 從服

馬融에 따르면 "남편은 君을 위해 삼년복을 입는다. 처는 남편을 따라 입는 것이어서 한 등급 낮추어 입기 때문에 기년복을 입는다.〔夫爲君服三年, 妻從夫降一等, 故服周(期).〕"

【按】《예기》〈大傳〉에 "상복을 입는 도에는 여섯 가지가 있다. 첫째는 친한 이를 친히 하는 의미로 입는 것이다. 둘째는 존귀한 사람을 존귀하게 여기는 뜻으로 입는 것이다. 셋

63) 鄭玄注 : "妻不敢與焉, 恩雖至親, 族已絶矣. 夫不可二, 此以恩服爾."

째는 명칭 때문에 입는 것이다. 넷째는 시집을 갔는지의 여부에 따라 입는 것이다. 다섯째는 장유에 따라 입는 것이다. 여섯째는 남을 따라서 입는 것이다.[服術有六, 一曰親親, 二曰尊尊, 三曰名, 四曰出入, 五曰長幼, 六曰從服.]"라는 내용이 보인다. 정현의 주에 따르면 "術은 道라는 뜻이다. 親親은 부모를 가장 앞에 둔다. 尊尊은 임금을 가장 앞에 둔다. 名은 世母·숙모와 같은 종류이다. 出入은 딸이 시집을 간 경우와 집에 있는 경우이다. 長幼는 성인과 요절의 경우이다. 從服은 남편이 처의 부모를 위하여 상복을 입는다거나 처가 남편의 친속을 위하여 상복을 입는 것과 같은 것이다.[術, 猶道也. 親親, 父母爲首. 尊尊, 君爲首. 名, 世母、叔母之屬也. 出入, 女子子嫁者及在室者. 長幼, 成人及殤也. 從服, 若夫爲妻之父母, 妻爲夫之黨服.]"

㊽ 姑、姊、妹、女子子適人無主者

《爾雅》〈釋親〉에 따르면 "남자는 자기보다 먼저 태어난 여자를 '姊', 뒤에 태어난 여자를 '妹', 아버지의 姊妹를 '姑'라 이른다.[男子謂女子先生爲姊, 後生爲妹, 父之姊妹爲姑.]" '無主'는 제사를 주관할 사람이 없는 것을 이른다.

㊾ 無祭主

아들이 없는데 남편까지 잃어서 죽은 뒤에 자기를 위해 제사를 주관할 사람이 없는 것을 이른다. 雷次宗은 "지금 제사를 주관할 사람이 없다면 아들도 없고 남편도 없는 것이다.[今無祭主者, 是無子、無夫.]"라고 하였다.

㊿ 何以期也

시집간 고모·누나·여동생·딸에게는 낮추어 대공복을 입어야 하는데 지금 기년복을 입는다고 했기 때문에 물은 것이다.

(51) 爲其無祭主故也

정현의 주에 따르면 제사를 주관해줄 사람이 없으면 사람들이 가엾게 여기기 때문에 그들을 위한 本服을 차마 낮추지 못하는 것이다.[64] 敖繼公은 "시집간 고모·누나·여동생·딸을 위해서는 낮추어 대공복을 입는데 지금 제사를 주관할 사람이 없기 때문에 降服에서 한 등급을 높여 기년복을 입어주는 것이다.[爲姑、姊、妹、女子子出適者降爲大功, 今以其無主, 乃加於降服一等, 而爲之期.]"라고 하였다.

(52) 從服

吳廷華에 따르면 臣이 君(임금)을 따라서 입는 것을 이른다.[65]

(53) 父母、長子, 君服斬

64) 鄭玄注 : "無主後者, 人之所哀憐, 不忍降之."

65) 《儀禮章句》卷11 : "從君."

왜 臣이 君(임금)의 부모와 적장자를 위하여 기년복을 입는가를 해석한 것이다. 君은 자신의 부모와 적장자를 위하여 참최복을 입는데, 臣은 君을 따라 입는 것이어서 君보다 한 등급을 낮추어 입기 때문에 기년복을 입는 것이다.

⑭ 妻則小君

왜 君의 처를 위하여 기년복을 입는가를 해석한 것이다. 君의 처는 小君이기 때문이다. 敖繼公에 따르면 "그녀는 君의 배필이 되어서야 '小君'이라는 명칭이 있을 수 있기 때문이다.〔謂其得配於君, 乃有小君之稱故也.〕"

⑮ 父卒然後爲祖後者服斬

'爲祖後者'는 君을 이른다. 君의 아버지가 일찍 돌아가셨기 때문에 할아버지의 適長孫이 지위를 계승하여 君이 된 것이다. 이 구절은 어떤 경우에 臣이 君의 할아버지·할머니를 위하여 기년복을 입는가를 해석한 것이다. 君의 아버지가 할아버지보다 먼저 돌아가신 상황에서 할아버지가 돌아가시면 君은 그 할아버지를 위하여 참최복을 입어야 한다. 臣은 君을 따라 입는 것이기 때문에 한 등급을 낮추어 기년복을 입는다.

⑯ 女君

정현의 주에 따르면 "君(남편)의 적처이다.〔君適妻也.〕" 胡培翬에 따르면 "첩은 남편을 君으로 삼기 때문에 남편의 적처에게 '女君'이라는 이름을 붙인 것이다.〔妾以夫爲君, 卽名夫之適妻爲女君也.〕"

⑰ 與婦之事舅姑等

며느리가 시부모를 위하여 기년복을 입기 때문에 첩도 女君을 위하여 기년복을 입는 것이다.

⑱ 從服

남편을 따라서 입는 것을 이른다. 馬融에 따르면 "從服은 한 등급을 낮추어 입기 때문에 남편이 삼년복을 입으면 처는 기년복을 입는 것이다.〔從服降一等, 故夫服三年, 妻服周(期)也.〕"라고 하였다.

⑲ 夫之昆弟之子

이것은 世母나 숙모가 남편 형제의 아들을 위하여 입는 것이다.

⑳ 報之也

처가 남편 형제의 아들을 위하여 입는 상복은 실제로는 남편을 따라서 입는 것이다. 남편은 형제의 아들을 위하여 기년복을 입기 때문에 《상복》8. 참조) 처가 남편을 따라서 입는다면 한 등급을 낮추어 대공복을 입어야 한다. 그러나 형제의 아들이 자기를 위하여 기년복을 입기 때문에 (《상복》8. 참조) 자기도 그를 위하여 기년복을 입어준다. 그러므로 "報服으로 기년복을 입는 것이다.〔報之〕"라고 말한 것이다. 李如圭에 따르면 "남편을 따라 입는다면 대공복을 입어야 하지만 報服으로 입기 때문에 기년복을 입는 것이다.〔從乎夫而服則當大功, 報之, 故期也.〕"

㉑ 公

제후를 이른다.

㉒ 妾不得體君, 爲其子得遂也

'體君'은 君(남편)과 한 몸이 되어 君의 존귀함을 함께 가진 것을 이른다. '遂'는 '따르다〔順〕'라는 뜻이다. 정현의 주에 따르면 첩은 君과 한 몸이 될 수 없으므로 君의 適妻인 女君의 존귀함이 없기 때문에 자기 아들을 위해서도 감히 降服하지 못하고 本服대로 기년복을 입는다. 제후·대부와 그 女君의 경우에는 적장자를 위하여 참최복을 입어서 감히 降服하지 못하는 경우를 제외하고는 나머지 아들들에게는 모두 자신의 존귀함으로 한 등급을 낮추어 대공복을 입는다.[66]

㉓ 女子子爲祖父母

馬融에 따르면 "손녀라고 하지 않고 딸이라고 한 것은 소박한 부인은 친한 이를 친히 하기 때문에 아버지에게 붙여서 말한 것이다. 혼인 여부와 관계없이 입는 상복이 같기 때문에 집에 있는지 시집갔는지를 말하지 않은 것이다.〔不言女孫, 言女子子者, 婦質者親親, 故繫父言之. 出入服同, 故不言在室、適人也.〕" 또 馬融에 따르면 여기에서 말하는 딸은 이미 시집간 딸을 가리킨다.

【按】'在室'은 여자가 정혼은 했으나 시집은 아직 가지 않은 경우, 또는 시집갔다가 이혼당하여 친정으로 돌아온 경우를 이른다. 정현은 마융과 해석을 달리 하였다. 즉 경문에서는 집에 있는 딸을 말하고 〈傳〉에서는 이미 시집간 딸을 가리키는 것으로 추정하였다.[67] 가공언은 정현의 주에 대해 다음과 같이 해석하였다. 경문에는 시집간다는 말이 없고 단지 '女子子'라는 말만 있기 때문에 "집에 있는 딸을 가리키는 듯하다.[似在室.]" 라고 한 것이며, 〈傳〉에서 '不敢'이라고 말한 것은 '敢'은 시집가면 방친에게 降服한다는 것을 말한 것이다. 즉 '不敢'은 시집을 갔더라도 감히 할아버지에게 降服하지 못하기 때문에 "〈傳〉에서는 이미 시집간 딸을 가리키는 듯하다.[傳似已嫁.]"라고 한 것이다. 즉

66) 鄭玄注："此言二妾不得從於女君尊降其子也. 女君與君一體, 唯爲長子三年, 其餘以尊降之, 與妾子同也."

67) 鄭玄注："經似在室, 傳似已嫁, 明雖有出道, 猶不降."

經과 〈傳〉은 互文으로, 집에 있든 시집을 갔든 모두 降服하지 않는다는 것을 보인 것이다.[68]

⑭ 不敢降其祖

이미 시집간 여자는 그 本服을 한 등급 낮추어야 한다. 그러나 할아버지에 대해서는 감히 降服하지 못하는데, 胡培翬가 孔倫의 설을 인용한 것에 따르면 "부인은 자신의 宗으로 돌아가기 때문에 자신의 할아버지에게 감히 降服하지 못하는 것이다.〔婦人歸宗, 故不敢降其祖.〕"

⑮ 大夫之子爲世父母、叔父母、子、昆弟、昆弟之子, 姑、姊、妹、女子子無主者: 爲大夫、命婦者

여기에서는 대부의 아들이 기년복을 입어주는 12종의 친속에 대하여 말하였다. 남자 6종은 世父·숙부·衆子·형·아우·형제의 아들로, 이들의 신분은 모두 대부이다. 여자 6종은 世母·숙모·고모·누나·여동생·딸로, (고모·누나·여동생·딸은 모두 죽은 뒤에 제사를 주관할 사람이 없는 경우이다) 이들의 신분은 모두 命婦이다. '子'는 衆子를 가리킨다. 즉 적장자를 제외한 여러 아들들이다. '命婦'는 조정에서 爵命을 하사받은 부인이다. 정현의 주에 따르면 남자는 君(임금)이 爵命을 하사하니 士부터 上公까지 모두 9등급이고, 부인은 君后가 그 부인의 남편에 상응하는 爵命을 하사한다.[69] 가공언의 소에 따르면 "여기에서는 대부의 아들이 이 6종의 대부와 6종의 命婦를 위하여 기년복을 입어서 降服하지 않는 일에 대하여 말한 것이다.〔此言大夫之子爲此六大夫、六命婦服期不降之事.〕" 胡培翬에 따르면 아들은 이 12종의 친속에게 대부인 아버지를 따라 상복을 입는데, 아버지가 이 12종의 친속을 위하여 기년복을 입기 때문에 아버지를 따라 상복을 입는다면 한 등급 낮추어 대공복을 입어야 하는데도 기년복을 입기 때문에 가공언의 소에 "기년복을 입어 降服하지 않는 일"이라고 한 것이다.[70]

【按】 호배휘에 따르면 대부의 아들은 이 12종의 친속이 士 또는 士의 妻인 경우에는 1등급을 낮추어 대공복을 입는다. 그러나 6종의 남자 친속과 世母·숙모의 신분이 대부 또는 命婦여서 대부인 자기 아버지와 신분이 같기 때문에 降服하지 못하고 기년복을 입는 것이다. 또한 고모·누나·여동생·딸은 제사를 주관할 사람이 없어 가엾기 때문에 1등급을 높여 기년복을 입어주는 것이다.

⑯ 唯子不報

'子'는 〈傳〉에 따르면 '딸〔女子子〕'을 이른다. 딸만이 報服으로 입는 것이

68) 賈公彦疏 : "知經似在室者, 以其直云'女子子', 無嫁文, 故云'似在室'. 云'傳似已嫁'者, 以其言'不敢', 則有敢者, 敢謂出嫁, 降旁親, 是已嫁之文. 此言不敢, 是雖嫁而不敢降祖, 故云'傳似已嫁'也. 經傳互言之, 欲見在室、出嫁同不降."

69) 鄭玄注 : "命者, 加爵服之名, 自士至上公, 凡九等. 君命其夫, 則后夫人亦命其妻矣."

70) 《儀禮正義》卷22 : "今案: 此十二人, 本皆期服, 大夫之子, 從父降旁親一等, 於世、叔父、子、昆弟、昆弟之子之爲士者. 世、叔母之爲士妻者, 皆降服大功. 今以其爲大夫命婦, 尊與己父同, 故服期. 姑、姊、妹、女子子出嫁, 降大功, 適士又降小功. 今以其爲大夫妻, 尊同, 但降大功, 又以其無主而憐之加一等, 故服期也. 此大夫之子從大夫而服, 經不見大夫者, 擧大夫之子以包之也."

아닌 이유는 〈傳〉에 자세하다.

⑰ 其餘皆報也

이것은 딸을 제외한 나머지 사람들은 '대부의 아들'에게 모두 報服으로 기년복을 입어야 한다고 말한 것이다. 〈傳〉의 이 말은 빠진 것이 있으니, 이 점에 대해서는 前人들이 이미 많이 지적하였다. 衆子(경문의 '子')는 아버지(경문의 '大夫之子')를 위하여 참최복을 입어야 하고 기년복을 입어서는 안 되기 때문에 '報服'이라는 것이 없다. 기타 10종의 친속은 이 대부의 아들에게 本服으로 대공복을 입는데, 대부의 아들이 그들을 위하여 기년복을 입어 주기 때문에 그들도 대부의 아들을 위하여 기년복을 입는 것이다. 이래야만 '報服'이라고 말할 수 있다.

⑱ 父之所不降

程瑤田의 《儀禮喪服文足徵記一》에 따르면 이것은 대부인 아버지가 자신의 이 12종 친속에게 모두 기년복을 입고 降服하지 않는 일을 말한 것이며 아들의 12종 친속에 나아가서 말한 것은 아니다. 만일 아들의 12종 친속에 나아가서 말했다면 아들의 世母와 숙모는 아버지의 형수와 제수이니 대부인 아버지는 그녀들에게 본래 服이 없다. 즉 降服하는 문제도 존재하지 않게 된다. 아들의 衆子라면 아버지의 庶孫이다. 할아버지는 자신의 서손을 위하여 대공복을 입고 기년복을 입어서는 안 되니, 마찬가지로 降服하지 않는다는 뜻과 합치되지 않는다.[71]

⑲ 大夫曷爲不降命婦也

이것도 아버지의 친속에 나아가서 물은 것이다. 정현의 주에 따르면 여기에서의 '命婦'는 이미 시집간 고모·누나·여동생·딸을 가리킨다.[72] (胡培翬에 따르면 世母와 숙모도 이 안에 포함시켜야만 한다. 호배휘는 정현의 주석이 '미비된 듯하다[似尙未備]'고 하였다)[73] 이미 시집간 고모·누나·여동생·딸을 위하여 대부는 降服하여 대공복을 입어야 하는데 (이것은 대부에게 시집간 사람에 대하여 말한 것이다. 만약 士에게 시집갔다면 降服하여 소공복을 입어야 한다) 여전히 기년복을 입으니, 이는 무엇 때문인가? 이 때문에 물은 것이다. 胡培翬는 "〈傳〉은 대부가 이미 시집간 고모·누나·여동생·딸에게 명백히 降服하는 도가 있다는 것에 근거했기 때문에 '왜 降服하지 않는가?'라고 물은 것이다.[《傳》據大夫於姑、姊、妹、女子子明有降道, 故發'曷爲不降'之問也.]"라고 하였다.

⑳ 夫尊於朝, 妻貴於室

71) 《儀禮喪服文足徵記》: "父之所不降, 言大夫於此六命夫、六命婦之親, 服期不降, 非指其子之親而言也. 若其子之世母, 則大夫之嫂, 其子之叔母, 則大夫之弟婦, 大夫於此人, 本無服, 不得云不降. 其子之衆子, 則大夫之庶孫, 本大功服, 亦不得云何以期也."

72) 鄭玄注: "無主者, 命婦之無祭主, 謂姑、姊、妹、女子子也."

73) 《儀禮正義》卷22: "據《傳》'夫尊於朝'二句, 則'不降命婦'之問, 兼有世、叔母在內. 鄭唯據姑、姊、妹、女子子言, 似尙未備."

이것은 '왜 降服하지 않는가?'의 원인을 해석한 것이다. 정현의 주에 따르면 그녀들의 남편은 모두 조정의 命을 받아 대부가 되었으니 그 존귀함이 자기(대부의 아들)와 같고, 그 妻들 역시 남편의 작위를 그녀들의 작위로 삼으니 그녀들의 존귀함도 자기와 같기 때문에 降服하지 않는 것이다.[74]

⑪ 大夫爲祖父母, 適孫爲士者

敖繼公에 따르면 "여기의 할아버지와 적손은 士이다. 그런데 할머니까지 士라고 말했으니, 이른바 '처는 남편의 작위를 따른다.'라는 것이다.〔此祖父、適孫爲士也, 乃合祖母言之, 所謂妻從夫爵者也.〕"

⑫ 大夫不敢降其祖與適

할아버지와 적손이 士이면 대부는 士보다 높으니 자신의 존귀함에 근거하여 한 등급 낮추어 입어야 한다. 그러나 감히 降服하지 못하는 것은, 馬融에 따르면 "할아버지를 높이고 적손을 중히 여기는 것은 존귀한 자로부터 시작되기 때문에 감히 降服하지 못하는 것이다.〔尊祖重適, 自尊者始也, 故不敢降.〕"

⑬ 公妾以及士妾

'公'은 제후를 이른다. 馬融에 따르면 "그 사이에 경과 대부의 첩이 있으므로 '以及'이라고 한 것이다.〔其間有卿、大夫妾, 故言'以及'也.〕"

⑭ 妾不得體君, 得爲其父母遂

沈彤에 따르면 적처는 君(남편)과 한 몸이 될 수 있어 君과 존귀함을 같이 하기 때문에 자기 부모를 위하여 本服대로 기년복을 입고 君에게 壓尊되지 않을 수 있다. 그러나 첩은 君과 한 몸이 될 수 없으니 君에게 압존되어 자기 부모를 위하여 기년복을 입을 수 없을까 의심되기 때문에 〈傳〉에서 첩도 자기 부모를 위하여 君에게 압존되지 않고 그 본복대로 기년복을 입을 수 있다고 특별히 밝힌 것이다.[75]

74) 鄭玄注 : "夫尊於朝, 與已同, 婦貴於室, 從夫爵也."

75) 《儀禮小疏》卷4 : "此不對女君以尊降其父母言. 蓋以女君體君, 得爲其父母遂, 無所厭屈, 妾不得體君, 君不厭之, 故亦得爲其父母遂, 不嫌等于女君也."

9. 齊衰三月의 喪服

疏衰裳, 齊, 牡麻絰, 無受者①,

자른 뒤에 가장자리를 꿰맨 布로 만든 거친 衰裳을 입고, 牡麻(숫삼)로 만든 首絰과 腰絰을 하고, 受服(服喪의 달라지는 단계에 따라 상복을 다시 받는 것)이 없는 상복은 다음의 경우에 입는다.

① 疏衰裳……無受者

정현의 주에 따르면 여기에서 말한 齊衰三月의 상복 중 신발은 대공과 똑같이 繩屨를 신지만 생략하고 말하지 않은 것이다.[76] 李如圭에 따르면 이른바 '繩屨'라는 것은 '麻로 끈을 꼬아 만든 것[以麻糾繩爲之]'이니, 즉 삼끈으로 짠 신발이다. '無受'는 除服한 뒤에 한 등급 가벼운 상복으로 다시 바꾸어 입지 않는 것을 말한다. 정현의 주에 따르면 "상을 마칠 때까지 이 상복을 계속 입은 뒤에 벗는 것이니, 중간에 가벼운 상복으로 받아 입지 않는 것이다.[服是服而除, 不以輕服受之.]" 일반적으로 喪에는 장례를 행한 뒤에 모두 원래보다 조금 가벼운 상복으로 바꾸어 입어야 하는데 이것을 '受服'이라고 한다. (〈상복〉5. 주② 참조) 그러나 여기서 말한 것은 자최삼월복이니, 장례를 행하기 전이나 장례를 행할 때에 상복 기간이 이미 차게 된다. 《예기》〈王制〉에 따르면 "천자는 7개월 만에 장례를 행하고, 제후는 5개월 만에 장례를 행하고, 대부와 사는 3개월 만에 장례를 행한다.[天子七月而葬, 諸侯五月而葬, 大夫士三月而葬.]" 이 때문에 반드시 가벼운 상복으로 바꾸어 입을 필요가 없게 된다. 胡培翬는 "이 자최복은 3개월이 되면 除服하고 가벼운 상복으로 바꾸어 입지 않기 때문에 '無受'라고 말하였다.[此齊衰之服, 三月卽除, 不易以輕服, 故云'無受'也.]"라고 하였다.

【按】《春秋傳》에 따르면 천자를 7개월 만에 장례를 행하는 것은 제후국에서 모두 올 수 있는 기간이기 때문이며, 제후를 5개월 만에 장례를 행하는 것은 同盟國에서 올 수 있는 기간이기 때문이며, 대부를 3개월 만에 장례를 행하는 것은 같은 지위를 가진 대부들이 올 수 있는 기간이기 때문이며, 士를 만 한 달 만에 장례를 행하는 것은 인척이 올 수

76) 鄭玄注 : "《小記》曰: '齊衰三月, 與大功同者繩屨.'"

있는 기간이기 때문이다.[天子七月而葬, 同軌畢至. 諸侯五月, 同盟至. 大夫三月, 同位至. 士踰月, 外姻至.][77]

10. 齊衰三月服을 입는 대상

寄公爲所寓①。

[傳曰] 寄公者何也? 失地之君也。何以爲所寓服齊衰三月也? 言與民同也②。

丈夫、婦人爲宗子③、宗子之母、妻。

[傳曰] 何以服齊衰三月也? 尊祖也④。尊祖故敬宗, 敬宗者, 尊祖之義也。宗子之母在, 則不爲宗子之妻服也。

爲舊君⑤、君之母、妻。

[傳曰] 爲舊君者, 孰謂也? 仕焉而已者也⑥。何以服齊衰三月也? 言與民同也。君之母、妻, 則小君也。

庶人爲國君⑦。

大夫在外⑧, 其妻、長子爲舊國君。

[傳曰] 何以服齊衰三月也? 妻, 言與民同也⑨。長子, 言未去也⑩。

繼父不同居者⑪。

曾祖父母。

[傳曰] 何以齊衰三月也⑫? 小功者, 兄弟之服也⑬, 不敢以兄弟之服服至尊也⑭。

大夫爲宗子⑮。

[傳曰] 何以服齊衰三月也? 大夫不敢降其宗也⑯。

舊君⑰。

[傳曰] 大夫爲舊君何以服齊衰三月也? 大夫去, 君掃其宗

77) 《禮記》〈王制〉 鄭玄注.

廟⑱, 故服齊衰三月也, 言與民同也⑲。何大夫之謂乎? 言其以道去君⑳, 而猶未絕也㉑。
曾祖父母爲士者, 如衆人㉒。
[傳曰] 何以齊衰三月也? 大夫不敢降其祖也。
女子子嫁者、未嫁者爲曾祖父母。
[傳曰] 嫁者, 其嫁於大夫者也。未嫁者, 其成人而未嫁者也㉓。何以服齊衰三月? 不敢降其祖也㉔。

寄公이 의탁하고 있는 나라의 임금을 위하여 입는다.

〔傳曰〕 寄公은 누구인가? 땅을 잃은 임금이다. 왜 의탁하고 있는 나라의 임금을 위하여 자최삼월복을 입는가? 그 나라의 일반 백성과 똑같이 입는다는 뜻을 말한 것이다.

族人의 丈夫와 婦人이 대종의 宗子·종자의 어머니·종자의 처를 위하여 입는다.

〔傳曰〕 왜 자최삼월복을 입는가? 태조를 높이기 위해서이다. 태조를 높이기 때문에 종자를 공경하니, 종자를 공경하는 것은 태조를 높이는 뜻이다. 종자의 어머니가 살아 계시면 宗子의 처를 위하여 복을 입지 않는다.

致仕한 신하가 舊君·舊君의 어머니·舊君의 처를 위하여 입는다.

〔傳曰〕 舊君을 위하여 입는 사람은 누구를 말하는가? 그 임금에게 벼슬하다가 그만 둔 사람이다. 왜 자최삼월복을 입는가? 일반 백성과 똑같이 입는다는 뜻을 말한 것이다. 임금의 어머니와 임금의 처는 小君이기 때문이다.

庶人이 임금을 위하여 입는다.

대부가 待放하다가 그 나라를 떠나 국외에 있을 경우 그 나라에 남아 있는 그의 처와 장자가 舊國의 임금을 위하여 입는다.

〔傳曰〕 왜 자최삼월복을 입는가? 처는 일반 백성과 똑같이 입는

다는 뜻을 말한 것이다. 장자는 아직 그 나라를 떠나지 않은 것을 말한다.

예전에는 함께 살았으나 지금은 따로 사는 계부를 위하여 입는다.

증조할아버지·증조할머니를 위하여 입는다.

〔傳曰〕 왜 자최삼월복을 입는가? 소공복은 형제를 위하여 입는 상복이기 때문에 감히 형제를 위하여 입는 상복으로 至尊에게 입지 못하는 것이다.

대부가 대종의 종자를 위하여 입는다.

〔傳曰〕 왜 자최삼월복을 입는가? 대부라 할지라도 감히 자기의 宗에 降服하지 못하기 때문이다.

待放하는 대부가 舊君을 위하여 입는다.

〔傳曰〕 대부가 舊君을 위하여 왜 자최삼월복을 입는가? 대부가 임금을 떠났더라도 임금이 그의 종묘를 관리해주기 때문에 자최삼월복을 입는 것이니, 일반 백성과 똑같이 입는다는 뜻을 말한 것이다. 왜 여전히 대부라고 말하는가? 자신의 道를 지키기 위해 임금을 떠났지만 임금은 여전히 그에 대한 恩義를 끊지 않음을 말한 것이다.

대부는 士인 증조할아버지·증조할머니를 위하여 일반 族人과 같이 입는다.

〔傳曰〕 왜 자최삼월복을 입는가? 대부라 할지라도 감히 자기 할아버지에게 降服하지 못하기 때문이다.

대부에게 시집간 딸이나 아직 시집가지 않은 딸이 증조할아버지·증조할머니를 위하여 입는다.

〔傳曰〕 '嫁'는 대부에게 시집간 것이다. '未嫁'는 成人으로서 아직 시집가지 않은 것이다. 왜 자최삼월복을 입는가? 감히 자기 할아

버지에게 降服하지 못하기 때문이다.

① 寄公爲所寓

정현의 주에 따르면 "寓도 의탁한다는 뜻이다. 의탁하고 있는 나라의 임금을 위하여 입는 복이다.〔寓, 亦寄也. 爲所寄之國君服.〕"

② 與民同

다음 經文에 '庶人이 임금을 위하여〔庶人爲國君〕' 자최삼월복을 입는다고 했기 때문에 일반 백성과 똑같이 입는다고 말한 것이다. 또 정현의 주에 따르면 제후는 5개월 만에 장례를 행하니, 자최삼월복을 입을 경우 3개월이 다 찼을 때 우선 그 상복을 보관해 두었다가 장례를 행할 때 다시 입고 送葬하며, 장례를 행한 뒤에는 다시 벗는다.[78]

③ 丈夫、婦人爲宗子

여기에서 말하는 '丈夫'와 '婦人'은 남자와 여자를 일반적으로 가리킨다. 馬融에 따르면 "一族의 남녀는 모두 종자·종자의 어머니·종자의 처를 위하여 자최삼월복을 입는다는 것을 말한다.〔言一族男女皆爲宗子、母與妻服(齊衰三月).〕"

【按】 정현의 주에 따르면 여기의 '宗子'는 別子를 이은 후손으로 百世가 되도록 체천하지 않은 大宗의 종자이다.[79] 또 여기의 '婦人'을 정현은 집에 있는 딸과 시집갔다가 쫓겨나 本宗으로 돌아온 딸로 보았고,[80] 가공언은 同宗의 여자로 보았다.[81] 호배휘는 정현의 설을 따랐다.[82]

④ 尊祖也

【按】 敖繼公과 沈彤에 따르면 여기의 '祖'는 태조를 가리키며, '宗'은 宗子를 가리킨다.[83]

⑤ 舊君

致仕한 신하는 예전에 섬겼던 임금을 '舊君'이라고 칭한다.

⑥ 仕焉而已

'仕'는 관리가 되어 직책을 맡는 것을 이른다. '已'는 '그치다〔止〕'라는 뜻이니, 여기에서는 致仕하고 관직을 떠난 것을 이른다. 정현의 주에 따르면 "仕焉而已는 늙었거나 廢疾이 있어서 致仕한 것을 이른다.〔'仕焉而已'者, 謂老若(或)有癈疾而致仕者也.〕"

⑦ 庶人爲國君

78) 鄭玄注 : "諸侯五月而葬, 而服齊衰三月者, 三月而藏其服, 至葬又反服之, 既葬而除之."

79) 鄭玄注 : "宗子, 繼別之後, 百世不遷, 所謂大宗也."

80) 鄭玄注 : "婦人, 女子子在室及嫁歸宗者也."

81) 賈公彦疏 : "丈夫、婦人者, 謂同宗男子、女子皆爲大宗子, 並宗子母、妻, 齊衰三月也."

82) 《儀禮正義》卷23 : "女子子在室, 謂未嫁者與嫁歸宗者, 則如斬衰章所云子嫁反在父之室, 謂已嫁而被出, 歸於本宗者也."

83) 《儀禮集說》卷11 : "祖者, 己之所自出也."
《儀禮小疏》卷4 : "祖, 太祖也. 宗, 宗子也."

【按】 정현의 주에 따르면 여기에서 '民'이라 하지 않고 '庶人'이라고 한 것은 庶人 중에 관직에 있는 자가 있을 수도 있기 때문이다.[84] 가공언에 따르면 관직에 있는 서인은 府·史·胥·徒와 같은 하급 관리를 이른다.[85] 〈기석례〉9. 주⑧ 참조.

⑧ 大夫在外

정현의 주에 따르면 待放하다가 이미 그 나라를 떠난 사람이다.〔待放已去者.〕" 이는 대부가 자신의 道를 지키기 위해 임금을 떠난 것을 가리킨다. 아래 주⑱ 참조.

⑨ 妻, 言與民同也

吳廷華는 "처도 아직 그 나라를 떠나지 않았으면 상복을 입고, 떠났으면 입지 않는다.〔妻亦未去而服, 去則無服.〕"라고 하였고, 沈彤은 "처가 일반 백성과 똑같이 입는 것은 아직 그 나라를 떠나지 않았기 때문에 일반 백성과 똑같이 입는 것이다.〔妻與民同者, 惟未去, 故與民同也.〕"라고 하였다.

【按】 정현은 이와 달리 처가 본국에 남아있든 국외에 있든 모두 본국의 임금을 위하여 자최삼월복을 입는다고 보았다. 즉 정현의 주에 따르면 옛날에 대부는 다른 나라에서 아내를 맞이하지 않았기 때문에 대부의 처는 남편을 따라 국외에 있다 하더라도 본국에는 자신의 本宗이 그대로 남아 있어 여전히 그들과 왕래하여 본국의 백성과 같기 때문에 본국의 임금을 위하여 자최삼월복을 입는다는 것이다.[86]

⑩ 長子, 言未去也

沈彤에 따르면 "장자도 아직 그 나라를 떠나지 않았으면 일반 백성과 똑같이 입는다.〔長子未去, 則亦與民同也.〕"

【按】 정현의 주와 가공언의 소에 따르면 대부의 장자는 원래 대부인 아버지를 따라 대부의 禮를 행하여 본국에 있을 때는 본국의 임금을 위하여 상복을 입으며 아버지가 본국을 떠났으면 마찬가지로 상복을 입지 않는다. 따라서 여기에서 자최삼월복을 입는다고 한 것은 장자가 아직 본국을 떠나지 않았다는 말이다.[87]

⑪ 繼父不同居者

정현의 주에 따르면 "예전에는 함께 살았으나 지금은 함께 살지 않는 자이다.〔嘗同居, 今不同.〕" 〈상복〉8. 주㊺ 참조.

⑫ 何以齊衰三月也

胡培翬에 따르면 그 증조할아버지·증조할머니를 위하여 자최복을 입는 것은 너무 무겁고, 입는 기간이 겨우 3개월이면 또 너무 가벼운 것이 이상하기 때문에 물은 것이다.[88]

84) 鄭玄注 : "不言民而言庶人, 庶人或有在官者."

85) 賈公彦疏 : "庶人, 謂府、史、胥、徒."

86) 鄭玄注 : "妻雖從夫而出, 古者大夫不外娶, 婦人歸宗, 往來猶民也. 《春秋傳》曰: '大夫越境逆女, 非禮.'"

87) 鄭玄注 : "君臣有合離之義, 長子去, 可以無服." 賈公彦疏 : "長子本爲君斬者, 亦大夫之子得行大夫禮, 從父而服之. 今父已絶於君, 亦當不服矣, 而皆服齊衰三月, 故發問也.……離子旣隨父, 故去可以無服也."

88) 《儀禮正義》卷23 : "言'何以'者, 怪其三月太輕, 齊衰又重, 故發問也."

⑬ 小功者, 兄弟之服也

소공복은 또 '형제를 위하여 입는 복'이라고도 한다. 그 이유에 대해 胡培翬는 "옛날 사람들은 外姻('外'는 婚姻으로 인해 생긴 친족이다)까지도 통틀어 '형제'라고 말했는데, 소공복 이하의 상복에는 外姻을 위하여 입는 상복도 들어있기 때문에 그 상복을 '형제의 복'이라고 이름붙인 것이다. 다음에 나오는 〈傳〉(〈상복〉23. 참조)에서 '소공복 이하는 형제를 위하여 입는 상복'이라고 한 것이 이것이다.〔古人通謂外姻(外爲婚姻之族)爲兄弟, 而喪服小功以下, 外姻之服亦在焉, 故名其服爲兄弟之服. 下《傳》云'小功以下爲兄弟', 是也.〕"라고 하였다.

⑭ 不敢以兄弟之服服至尊也

정현의 주에 따르면 五服의 뜻으로 미루어 보면 증조할아버지를 위해서는 소공복을 입어야 한다. 그러나 증조할아버지는 지존인데 소공복을 입으면 너무 가볍고, 恩義가 이미 줄어들었는데 자최복을 입는 것은 또 너무 무겁다. 이 때문에 절충할 방법을 생각해낸 것이다. 즉 그 상복을 무겁게 하여(자최의 상복을 쓰는 것이다) 尊崇을 표시하고, 그 기간을 줄여서 恩義가 줄어든 것을 표시하는 것이다.[89]

⑮ 宗子

胡培翬에 따르면 "여기에서도 大宗의 종자를 이른다. 秦蕙田이 '〈상복〉에서 宗子의 복이라고 한 것은 모두 대종을 가리켜서 말한 것이다.'라고 한 것이 이것이다.〔亦大宗也. 秦氏蕙田謂'《喪服》言宗子之服, 皆指大宗言', 是也.〕"

⑯ 大夫不敢降其宗

대부는 지위가 높은데 종자가 혹 士인 경우, 만일 종자를 위하여 입는 것이 아니라면 대부는 자기의 높음으로 인해 本服에서 한 등급을 낮추어 입어야 하지만 종자에게는 감히 낮추지 못한다. 馬融에 따르면 "五服 내의 자손들은 비록 대부라 할지라도 종자에게 감히 降服하지 못하기 때문에 자최삼월복을 입는 것이다.〔五屬孫雖爲大夫, 不敢降其宗子者, 故服齊衰三月.〕"

⑰ 舊君

정현의 주에 따르면 대부가 待放하면서 아직 그 나라를 떠나지 않은 자가 그 舊君을 위하여 입는 복을 가리킨다.[90] 그러나 〈傳〉에 따르면 이미 그

89) 鄭玄注 : "正言小功者, 服之數盡於五, 則高祖宜緦麻, 曾祖宜小功也. 高祖、曾祖皆有小功之差, 則曾孫、玄孫爲之服同也. 重其衰麻, 尊尊也. 減其日月, 恩殺也."

90) 鄭玄注 : "大夫待放未去者."

나라를 떠난 사람인 듯하다.

【按】 李如圭와 方苞 역시 대부가 본국을 떠난 것으로 보았다. 즉 종자가 나라를 떠나면 서자가 단을 만들어 제사를 지내기 때문에 임금이 담당 관리에게 명하여 봄·가을로 그 대부의 종묘를 관리하게 한다는 것이다.[91]

⑱ 君掃其宗廟

方苞에 따르면 임금이 담당 관리에게 명하여 봄가을에 나라를 떠난 대부를 위하여 그 대부의 종묘를 관리해주는 것으로, "그가 돌아와 선조의 제사를 지키기를 희망하여 감동시키는 뜻을 보이는 것뿐이다.〔示望其歸守先祀, 以相感動耳.〕" 이것은 대부가 비록 떠나기는 했지만 임금이 여전히 그 신하에게 恩義를 두기 때문에 대부가 舊君을 위하여 입는다고 설명한 것이다.

【按】 方苞에 따르면 임금이 떠난 대부를 위하여 대신 종묘를 관리해주는 것은 그 대부가 돌아오기를 바라는 뜻을 보인 것이지만, 또 그 대부가 宗子일 경우 본국을 떠나면 서자는 별도로 단을 만들어 제사를 지낼 수 있을 뿐 감히 그 廟門을 열 수 없어서 그 대부의 종묘를 관리할 사람이 없기 때문이다.[92]

⑲ 與民同

胡培翬에 따르면 "벼슬자리에 있지 않는 것에 근거하여 감히 자신을 남아있는 신하들에게 견주지 못하기 때문에 스스로 庶人과 똑같게 한 것이다.〔據不在列位, 不敢自比於留臣, 故自同於庶人也.〕"

⑳ 以道去君

정현의 주에 따르면 여러 차례 임금에게 간했으나 따라주지 않았기 때문에 임금을 떠나가 교외에서 待放하는 것을 이른다.[93] 신하가 임금을 떠났는데 '待放'이라고 이르는 것은 《白虎通》 권5 〈諫諍〉에 "待放이라고 말하는 이유는 신하가 임금을 위해 그 허물을 숨겨주는 말로, 마치 자신이 죄를 지어 임금이 추방했다고 말하는 것처럼 하는 것이다. 불가하다고 간했던 일이 이미 행해진 경우에는 마침내 그 나라를 떠나고 머무르지 않는다. 무릇 '待放'이란 임금이 자기 말을 써주기를 희망하는 것이다.〔所以言待放者, 臣爲君諱, 若言有罪放之也. 所諍事已行者, 遂去不留. 凡待放, 冀君用其言耳.〕"라고 하였다.

㉑ 未絕

정현의 주에 따르면 임금이 이 대부의 爵祿을 여전히 보류해 두고 아직 끊

91) 《儀禮集釋》卷18 : "《傳》言'大夫去', 又曰'以道去君', 蓋大夫已去而服舊君之有恩禮者, 非待放未去者也.……鄭以此經爲大夫待放未去……失之矣."
《儀禮析疑》卷11 : "宗子去國, 庶子爲壇而祭, 則歸其宗廟於何人哉? 主祭者出, 其留者不敢闢廟門, 故君命有司, 春秋埽除, 示望其歸守先祠, 以相感動耳."

92) 《儀禮析疑》卷11 : "宗子去國, 庶子爲壇而祭, 則歸其宗廟於何人哉? 主祭者出, 其留者不敢闢廟門, 故君命有司, 春秋掃除, 示望其歸守先祠, 以相感動耳."

93) 鄭玄注 : "以道去君, 謂三諫不從, 待放於郊."

지 않은 것을 말한다.[94]

㉒ 曾祖父母爲士者, 如衆人

胡培翬에 따르면 여기의 상복을 입는 사람도 대부이다. '如衆人'은 증조할아버지·증조할머니를 위한 상복은 귀천을 가리지 않고 모두 자최삼월복을 입는다는 것을 설명한 것이다.[95] 여기의 '衆人'은 同族을 이른다.

㉓ 成人而未嫁者

정현의 주에 따르면 "成人은 20세가 되어 이미 笄禮를 행하고 醴酒를 받은 자를 이른다.[成人, 謂年二十已笄醴者也.]" '笄'는 笄를 꽂아주는 禮를 행한다는 말이다. 이것은 여자가 許婚하는 특별한 의식으로, 여자가 이미 성인이 되었다는 것을 표시한다. 그러므로 정현의 주에 이르기를 "남자에게 冠을 씌워주는 것과 같다.[若冠男子也.]"라고 한 것이다. 여자가 아직 허혼하지 않았을 경우에는 《예기》〈雜記〉에 따르면 "20세가 되기를 기다렸다가 笄禮를 행한다.[年二十而笄.]" '醴'는 이미 笄禮를 행한 여자에게 醴禮를 베푸는 것을 이른다. 沈彤에 따르면 일반적으로 여자가 대부에게 시집가는 것을 '嫁'라고 한다. 여기의 未嫁者는 대부에게 허혼한 여자인 듯하다.[96]

㉔ 不敢降其祖

沈彤에 따르면 "대부에게 시집갔거나 대부에게 허혼한 여자는 모두 귀하다. 그러나 귀하다 할지라도 감히 자기 할아버지에게 降服하지 못하는 것은 할아버지는 지존이기 때문이다.[嫁於大夫, 字於大夫, 皆貴也. 雖貴, 不敢降其祖, 祖至尊也.]"

94) 鄭玄注 : "未絶者, 言爵祿尙有列於朝, 出入有詔於國, 妻子自若民也."

95) 《儀禮正義》卷23 : "此亦蒙上大夫爲之文, 故《傳》以'大夫'言之. 經不云'如士'而云'如衆人', 明曾祖父母之服, 無貴賤同也."

96) 《儀禮小疏》卷4 : "凡女行于大夫曰嫁, 故曰嫁于大夫, 未嫁者, 蓋許字于大夫者也."

대공大功

11. 大功殤의 상복(9개월 또는 7개월)

大功布衰裳①, 牡麻絰, 無受者②,

대공포로 만든 衰裳을 입고, 牡麻(숫삼)로 만든 首絰과 腰絰을 하고, 受服(服喪의 달라지는 단계에 따라 상복을 다시 받는 것)이 없는 상복은 다음의 경우에 입는다.

① 大功布

정현의 주에 따르면 이것은 '두드려 빤〔鍛治〕' 공이 거칠기 때문에 '大功布'라고 칭하는 것이다.[97] '大'는 '대략' 또는 '거칠다'라는 뜻이다. '鍛治'는 방망이질하여 빠는 것이다. 〈상복〉1. 주㉓ 참조.

② 無受

喪을 마칠 때까지 한 가지 상복만 입어서 장례를 행한 뒤에 가벼운 상복으로 바꿔 입지 않는 것을 이른다. 李如圭에 따르면 이 大功의 衰裳도 布의 가장자리를 꿰매야 하는데 "齊라고 말하지 않은 것은 말하지 않아도 알 수 있기 때문이다.〔不言'齊'者, 可知也.〕" 또 胡培翬가 楊復이나 吳紱 등의 설을 인용한 것에 따르면 이 대공복의 冠纓은 布로 만든 纓이며, 허리에는 布帶를 매고, 신발은 자최삼월복과 마찬가지로 繩屨를 신는다.[98] 또 이 상복을 몇 개월 동안 입는지 말하지 않은 것에 대하여 호배휘는 "개월 수를 말하지 않은 것은 9개월이 되기고 하고 7개월이 되기도 하여 다르기 때문이다.〔不言月數者, 或九或七, 異也.〕"라고 하였다. 이 상복은 오로지 殤者(일찍 죽은 자)를 위하여 마련되었기 때문에 '大功殤'이라고 칭하는 것이다.

97) 鄭玄注："大功布者, 其鍛治之功麤沽之."

98)《儀禮正義》卷23 ："楊氏復云: '斬衰, 冠繩纓; 齊衰, 冠布纓; 齊衰以下, 不見所用何纓.' 案《雜記》云: '緦, 冠繰纓.' 注云: '繰, 當爲澡麻帶絰之澡, 謂有事其布以爲纓.' 以此條推之, 則自緦而上, 亦皆冠布纓而未澡, 至緦, 始澡其纓耳. 吳氏紱云: '不言布帶, 因於齊衰可知也.' 其屨, 繩屨, 見齊衰三月章注."

12. 大功殤服을 입는 대상

子、女子子之長殤、中殤①。

[傳曰] 何以大功也? 未成人也。何以無受也? 喪成人者其文縟②, 喪未成人者其文不縟。故殤之絰不樛(규)垂③, 蓋未成人也。年十九至十六爲長殤, 十五至十二爲中殤, 十一至八歲爲下殤, 不滿八歲以下皆爲無服之殤④。無服之殤, 以日易月⑤。以日易月之殤, 殤而無服。故子生三月則父名之, 死則哭之, 未名則不哭也。

叔父之長殤、中殤。姑姊妹之長殤、中殤。昆弟之長殤、中殤。夫之昆弟之子、女子子之長殤、中殤。適孫之長殤、中殤。大夫之庶子爲適昆弟之長殤、中殤。公爲適子之長殤⑥、中殤。大夫爲適子之長殤、中殤。

其長殤皆九月, 纓絰⑦。其中殤七月, 不纓絰。

長殤·中殤한 아들과 딸을 위하여 입는다.

〔傳曰〕 왜 대공복을 입는가? 아직 成人이 되기 전에 죽었기 때문이다. 왜 受服이 없는가? 成人을 위한 喪禮는 그 禮의 형식이 번다하지만 성인이 되지 못하고 죽은 사람을 위한 상례는 예의 형식이 번다하지 않기 때문이다. 그러므로 殤者를 위한 腰絰은 허리에 묶고 남은 부분을 꼬지 않고 늘어뜨리니, 이는 성인이 되지 못하고 죽었기 때문이다. 19세에서 16세 사이에 죽으면 長殤, 15세에서 12세 사이에 죽으면 中殤, 11세에서 8세 사이에 죽으면 下殤이라고 한다. 8세 미만에 죽으면 모두 無服의 殤이라고 한다. 無服의 殤은 생존했던 달수를 날로 바꾸어 곡한다. 생존했던 달수를 날로 바꾸어 곡하는 殤은 마음아파하며 곡을 할 뿐 상복은 없다. 그러므로 자식이 태어나 3개월이 되면 아버지가 이름을 지어주고 그 자식이 죽으면 곡을 하며, 이름을 짓기 전에 죽으면 곡을 하지 않는다.

長殤·中殤한 숙부를 위하여 입는다.
장상·중상한 고모·자매를 위하여 입는다.
장상·중상한 형제를 위하여 입는다.
장상·중상한 남편 형제의 아들·딸을 위하여 입는다.
장상·중상한 적손을 위하여 입는다.
대부의 庶子가 장상·중상한 適兄弟를 위하여 입는다.
公(제후)이 장상·중상한 적장자를 위하여 입는다.
대부가 장상·중상한 적장자를 위하여 입는다.

長殤한 자를 위해서는 모두 大功九月服을 입고 首絰에 纓纓을 붙인다.
中殤한 자를 위해서는 大功七月服을 입고 首絰에 纓纓을 붙이지 않는다.

① 殤

남자와 여자가 성인이 되기 전에 죽으면 이를 '殤'이라고 한다. 정현의 주에 따르면 "殤으로 죽은 자는 남자나 여자가 冠禮나 笄禮를 하기 전에 죽어서 가슴 아파할만한 자이다.[殤者, 男女未冠笄而死, 可傷者.]"라고 하였다. 또 정현에 따르면 여자가 성인이 되기 전에 죽었다할지라도 이미 허혼한 뒤에 죽었으면 殤으로 간주하지 않는다.[99]

② 其文縟

'文'은 禮의 형식을 이르니, 즉 禮儀이다. '縟'은 본래 文飾이 번다한 것을 가리킨다. 여기에서는 예의가 번다한 것을 가리킨다. 정현의 주에 따르면 "縟은 數(번다하다)과 같다. 禮의 형식이 번다하다는 것은 變服이나 除服의 의절을 이른다.[縟, 猶數也. 其文數者, 謂變、除之節也.]" 胡培翬에 따르면 禮의 형식이 번다하다는 것은 장례를 행한 뒤에 또 가벼운 상복을 받아서 바꿔 입어야 하는 것을 이른다. 즉 이른바 "변복과 제복의 의절이 있다.[有變除之節]"라는 것이다.[100]

③ 絰不樛垂

'絰'은 여기에서는 腰絰을 가리킨다. '樛'는 음이 '규'로, '摎(규)'와 통한다. '꼬다[絞]', '묶다[纏結]'는 뜻이다. 정현의 주에 따르면 "不樛垂는 腰帶

99) 鄭玄注 : "女子子許嫁, 不爲殤也."

100) 《儀禮正義》卷23 : "其文縟者, 謂禮文繁數, 既葬受以輕服, 有變除之節也. 不縟則無變除之節, 故無受也."

의 묶고 남은 늘어뜨린 부분을 꼬지 않는 것이다.〔不樛垂者, 不絞其帶之垂者.〕" 요질은 牡麻(숫삼)를 사용하며 묶고 남은 부분을 꼬지 않고 그대로 늘어뜨린다. 褚寅亮에 따르면 늘어뜨린 부분에는 樛와 散의 變이 있다. 처음에는 꼬지 않은 채로 늘어뜨렸다가〔散〕 뒤에 다시 꼬는 것〔樛〕이 變이니 禮의 형식이 번다한 것이며, 처음부터 끝까지 꼬지 않은 채로 늘어뜨려 두는 것이 不變이니 禮의 형식이 번다하지 않은 것이다.[101] 成人이 되기 전에 죽은 것이 殤이니, 그 禮의 형식이 번다하지 않기 때문에 꼬지 않은 채로 늘어뜨린다.

【按】 여기의 '絰'을 敖繼公은 首絰로 보아 殤에 수질의 纓을 꼬지 않고 늘어뜨리는 것을 成人과 다른 점으로 본 반면,[102] 鄭玄·褚寅亮·胡培翬 등은 腰絰로 보았다.[103] 저인량은 요질에는 樛와 散의 變이 있지만 수질은 애초부터 變과 不變의 문제가 없다는 점에서 요질이 분명하다고 하였다. 즉 요질의 경우에 처음에는 허리에 묶고 남은 부분을 꼬지 않고 늘어뜨렸다가 뒤에는 꼬는 것을 變이라 하고, 묶고 남은 부분을 시종일관 꼬지 않고 늘어뜨리는 것을 不變이라 하지만, 수질은 9개월 이상의 복에는 시종일관 纓이 있고 7개월 이하의 복에는 시종일관 纓이 없다는 것이다. 호배휘는 오계공과 저인량의 두 설을 모두 소개한 뒤 저인량의 설을 옳다고 보았다.[104] '樛'를 鄭玄은 '絞'로 보았는데,[105] 胡培翬는 '樛'가 石經에 '摎'로 되어 있고 《廣雅》와 《衆經音義》에서 '묶다'는 뜻으로 본 것을 근거로 '樛'는 '묶다'는 뜻이라고 하였다. 호배휘는 또 정현이 《예기》〈檀弓〉의 주에서 '繆絰'의 '繆'를 '摎垂'의 '摎'로 보았는데, 이것은 樛를 묶는다는 뜻의 '摎'로 본 것으로, 오계공이 '繆'를 '꼬다'는 뜻의 絞로 본 것은 틀렸다고 하였다.[106] 그러나 《예기》〈喪服小記〉의 "不散麻"에 대한 孔穎達의 正義에 "不散麻는 그 늘어뜨린 부분을 꼬지 않는다는 뜻이다.[不散麻, 糾其垂也.]"라고 하였고, 이전 禮書들의 絞帶 그림에도 모두 밑으로 늘어뜨린 부분이 꼬아져 있다.(〈그림 5〉 참조) 양천우는 이 두설을 취하여 꼰다는 뜻과 묶는다는 두 가지 뜻으로 보았는데, 여기에서는 통설에 따라 '꼬다'는 뜻으로 번역하였다.

④ 不滿八歲以下皆爲無服之殤

【按】 가공언의 소에 따르면 여기에서 無服之殤의 기준을 8세로 둔 것은, 남자아이는 태어난 지 8개월이 되면 젖니가 나고 8세가 되면 젖니가 빠지고 영구치가 나며, 여자아이는 7개월이 되면 젖니가 나고 7세가 되면 젖니가 빠지고 영구치가 나는데, 여기 〈傳〉에서는 남자아이를 기준으로 두고 말했기 때문이다.[107]

⑤ 以日易月

101) 《儀禮管見》卷中5 : "要絰有樛、散之變, 始散繼樛者爲變, 其文縟也, 始終不樛者爲不變, 其文不縟也."

102) 《儀禮集說》卷11 : "絰, 謂首絰也. 垂者, 其纓也. 殤絰之有纓者, 不絞其纓而散之, 此亦異於成人者."

103) 鄭玄注 : "不樛垂者, 不絞其帶之垂者."
《儀禮管見》卷中5 : "文承不縟言, 指要絰明矣. 蓋要絰有樛、散之變. 始散繼樛者爲變, 其文縟也, 始終不樛者爲不變, 其文不縟也. 若首絰則九月以上, 始終有纓, 七月以下, 始終無纓, 無變不變之異也."

104) 《儀禮正義》卷23 : "今案褚說是也."

105) 鄭玄注 : "不樛垂者, 不絞其帶之垂者."

106) 《儀禮集說》卷11 : "樛, 當作繆. 《檀弓》曰'齊衰而繆絰', 正謂此也. 繆, 絞也."
《儀禮正義》卷23 : "樛, 當從手旁, 石經原刻作摎是也. 《廣雅》'摎, 束也', 《衆經音義》引《倉頡篇》, 亦云'摎, 束也'. 摎垂, 謂結束其帶之垂者. 今本作樛, 假借字. '南有樛木', 《傳》云'木下曲曰樛', 又《檀弓》'衣衰而繆絰', 鄭注'繆讀爲不摎垂之摎', 足見字以作摎爲正矣. 敖氏云'摎當作繆', 非."

107) 賈公彦疏 : "案《家語·本命》云: '男子八月生齒, 八歲亂齒. 女子七月生齒, 七歲亂齒.' 今《傳》據男子而言, 故八歲已上爲有服之殤也."

정현의 주에 따르면 "생존한 기간이 한 달이면 하루를 곡하는 것이다.〔謂生一月者, 哭之一日也.〕"

⑥ 公爲適子

'公'은 제후국의 임금을 이른다. '適子'는 적장자를 이른다. 가공언의 소에 따르면 임금은 적장자를 위하여 참최복을 입어야 한다. 그러나 이 아들이 아버지를 대신할 만한 나이까지 장성하지 못했기 때문에, 즉 殤이기 때문에 대공복으로 낮추어 입는 것이다. 다음에 나오는 '대부가 적장자를 위하여〔大夫爲適子〕'라는 뜻도 이와 같다.[108]

【按】 '適子'는 〈상복〉2. 주② 참조.

⑦ 纓絰

首絰에 纓이 있는 것을 이른다. 注疏에 따르면 喪冠에는 纓이 있는데 首絰에도 纓이 있다. 冠纓은 턱 아래에서 묶어 冠을 고정시키는 것이니, 수질의 纓은 수질을 고정시키기 위한 것이다. 수질의 纓도 한 가닥 麻繩으로 앞이마에서부터 뒷목으로 빙 두르고, 뒷목에서 교차하여 다시 앞으로 돌려 머리의 좌우 양쪽 귀가 있는 곳에서 꿰매어 늘어뜨려 완성하니 冠纓과 같다. (〈상복〉1. 주⑲ 참조) 首絰은 纓의 有無로 輕重을 구분한다. 長殤九月服은 中殤七月服에 비해 무겁기 때문에 纓이 있다.[109]

【按】 注疏에 따르면 대공 이상의 首絰에는 纓이 있고 소공 이하의 수질에는 纓이 없다.

13. 大功九月의 상복

大功布衰裳, 牡麻絰, 纓①, 布帶, 三月受以小功衰②, 即葛, 九月者③.

[傳曰] 大功布九升, 小功布十一升④。

初喪에는 대공포로 만든 衰裳을 입고, 牡麻(숫삼)로 만든 首絰과 腰

108) 賈公彦疏 : "云公爲適子、大夫爲適子, 皆是正統, 成人斬衰. 今爲殤死, 不得著代, 故入大功. 特言適子者, 天子、諸侯於庶子, 則絶而無服, 大夫於庶子降一等, 故於此不言, 唯言適子也."

109) 鄭玄注 : "絰有纓者, 爲其重也. 自大功以上, 絰有纓, 以一條繩爲之. 小功已下, 絰無纓也."
賈公彦疏 : "鄭知'一條繩爲之'者, 見斬衰冠繩纓, 通屈一條繩爲武, 垂下爲, 故知此絰之纓, 亦通屈一條屬之絰, 垂下爲纓可知. '小功已下絰無纓'也'者, 亦以此經中殤七月絰無纓, 明小功五月已下, 絰無纓可知."

經을 하고, 수질에 繩纓을 붙이고, 布로 만든 腰帶를 착용한다. 3개월이 되어 장례를 행한 뒤에는 소공포로 만든 衰裳을 받아서 바꾸어 입고, 麻經과 布帶를 葛經과 葛帶로 바꾼다. 喪期가 9개월인 상복은 다음의 경우에 입는다.

〔傳曰〕 이때의 대공포는 9승(아홉새)이고 소공포는 11승이다.

① 纓

胡培翬에 따르면 "首經에는 纓이 있다.〔經有纓也.〕" 즉 수질에 繩纓을 붙이는 것을 이른다. 〈상복〉12. 주⑦ 참조.

【按】 胡培翬에 따르면 대공 이상의 首經에는 모두 纓이 있는데 유독 여기에서 말한 것은 바로 앞의 경문 "其中殤七月, 不纓經."을 받아 이 大功九月服에도 纓이 없다고 오해할까 하여 특별히 밝힌 것이다.[110]

② 三月受以小功衰

'三月'은 대부와 士의 葬期를 가지고 말한 것이다. 대부와 士는 3개월 만에 장례를 행하고 장례를 행한 뒤에는 가벼운 상복으로 바꾸어 입는다. 정현의 주에 따르면 "곧바로 '三月'이라고 말한 것은 천자와 제후는 대공복이 없기 때문에 대부와 士를 위주로 말한 것이다.〔正言三月者, 天子諸侯無大功, 主於大夫士也.〕" 胡培翬는 "대공포로 만든 衰裳을 벗고 소공포로 만든 衰裳을 받아서 바꾸어 입는 것이다.〔說(脫)大功布衰裳, 而以小功布衰裳受之也.〕"라고 하였다. 소공포는 대공포에 비해 조금 더 가늘고 촘촘한 布이니, 〈傳〉에 "대공포는 9승이고 소공포는 11승이다."라고 하였다.

③ 卽葛, 九月

'卽'은 '나아가다'라는 뜻이다. 郝敬은 "옛것을 버리고 새로운 것에 나아가는 것을 '卽'이라고 한다.〔去故就新曰卽.〕"라고 하였다. 胡培翬는 "麻經과 布帶를 벗고 葛經과 葛帶로 바꾸어 착용하는 것이다. 3개월이 되면 衰裳을 바꾸어 입고 葛經로 바꾸며 9개월이 되면 벗는다.〔說麻經(布)帶, 就葛經帶也. 三月而變衰葛, 九月而除之.〕"라고 하였고, "卽葛九月은 3개월이 되었을 때 상복을 바꾸어 입은 뒤에 小功 衰裳과 葛經·葛帶로 9개월의 喪期를 마치는 것을 이른다.〔卽葛, 九月, 謂於三月變服後, 以小功衰及葛經帶, 終九月之期也.〕"라고 하였다.

④ 大功布九升, 小功布十一升

110)《儀禮正義》卷23 : "今案大功以上經皆有纓, 獨於此言之者, 以文承中殤不纓經之後, 嫌亦無纓, 故特著之於此."

【按】《예기》〈間傳〉에 따르면 "자최에는 4승·5승·6승포, 대공에는 7승·8승·9승포, 소공에는 10승·11승·12승포를 쓴다.[齊衰四升、五升、六升, 大功七升、八升、九升, 小功十升、十一升、十二升.]" 즉 大功에는 殤과 成人의 降服에 7승포, 本服에 8승포, 從服에 9승포를 쓰고, 小功에는 殤과 成人의 강복에 10승포, 본복에 11승포, 종복에 12승포를 쓴다. 〈상복〉5. 주②, 〈상복〉25. 주⑤ 참조.

14. 大功九月服을 입는 대상

姑、姊、妹、女子子適人者。

　[傳曰] 何以大功也①? 出也②。

從父昆弟③。

爲人後者爲其昆弟。

　[傳曰] 何以大功也? 爲人後者, 降其昆弟也④。

庶孫⑤。

適婦⑥。

　[傳曰] 何以大功也? 不降其適也⑦。

女子子適人者爲衆昆弟。

姪丈夫、婦人⑧。報。

　[傳曰] 姪者何也? 謂吾姑者, 吾謂之姪。

夫之祖父母、世父母、叔父母。

　[傳曰] 何以大功也? 從服也⑨。夫之昆弟何以無服也? 其夫屬乎父道者, 妻皆母道也。其夫屬乎子道者, 妻皆婦道也。謂弟之妻婦者, 是嫂亦可謂之母乎⑩? 故名者, 人治之大者也⑪, 可無愼乎?

大夫爲世父母、叔父母、子⑫、昆弟、昆弟之子爲士者。

　[傳曰] 何以大功也? 尊不同也。尊同則得服其親服⑬。

公之庶昆弟、大夫之庶子爲母、妻、昆弟。

[傳曰] 何以大功也⑭? 先君餘尊之所厭(압), 不得過大功也⑮。大夫之庶子則從乎大夫而降也⑯。父之所不降⑰, 子亦不敢降也。

皆爲其從父昆弟之爲大夫者⑱。

爲夫之昆弟之婦人子適人者⑲。

大夫之妾爲君之庶子。

女子子嫁者、未嫁者爲世父母、叔父母、姑、姊妹⑳。

[傳曰] 嫁者, 其嫁於大夫者也。未嫁者, 成人而未嫁者也。何以大功也? 妾爲君之黨服, 得與女君同㉑。下言爲世父母、叔父母、姑、姊妹者, 謂妾自服其私親也㉒。

大夫、大夫之妻、大夫之子、公之昆弟爲姑、姊妹、女子子嫁於大夫者。

君爲姑、姊妹、女子子嫁於國君者。

[傳曰] 何以大功也㉓? 尊同也㉔。尊同則得服其親服。諸侯之子稱公子, 公子不得禰先君; 公子之子稱公孫, 公孫不得祖諸侯: 此自卑別於尊者也㉕。若公子之子孫有封爲國君者, 則世世祖是人也㉖, 不祖公子: 此自尊別於卑者也㉗。是故始封之君不臣諸父、昆弟, 封君之子不臣諸父而臣昆弟, 封君之孫盡臣諸父、昆弟㉘。故君之所爲服, 子亦不敢不服也; 君之所不服, 子亦不敢服也㉙。

시집간 고모·누나·여동생·딸을 위하여 입는다.

〔傳曰〕 왜 대공복을 입는가? 시집을 갔기 때문이다.

사촌형제를 위하여 입는다.

다른 사람의 후사가 된 자가 자기의 친형제들을 위하여 입는다.

〔傳曰〕 왜 대공복을 입는가? 다른 사람의 후사가 된 자는 자기의 형제들에게 降服하기 때문이다.

庶孫을 위하여 입는다.

適婦(적장자의 처)를 위하여 입는다.

〔傳曰〕 왜 대공복을 입는가? 적장자에게는 降服하지 않기 때문에 적부에게도 강복하지 않는 것이다.

시집간 딸이 자기 형제들을 위하여 입는다.

시집간 고모가 丈夫인 조카와 婦人인 시집간 조카를 위하여 입는다. 조카들도 고모에게 報服으로 大功九月服을 입는다.

〔傳曰〕 조카는 누구인가? 나를 '고모'라고 부르는 사람을 나는 '조카'라고 부른다.

처가 남편의 할아버지·할머니·世父(백부)·世母(백모)·숙부·숙모를 위하여 입는다.

〔傳曰〕 왜 대공복을 입는가? 남편을 따라서 입기 때문이다. 남편의 형제에게는 왜 복이 없는가? 남편이 아버지의 항렬에 속한다면 처는 모두 어머니 항렬이 되며, 남편이 아들의 항렬에 속한다면 처는 모두 며느리 항렬이 되기 때문이다. 아우의 처를 며느리라고 한다면 형수도 어머니라고 해야 하는데, 그것이 가능한가? 그러므로 명칭이란 사람의 도리 중에 큰 것이니, 신중히 하지 않을 수 있겠는가?

대부가 士인 世父·世母·숙부·숙모·아들·형제·형제의 아들을 위하여 입는다.

〔傳曰〕 왜 대공복을 입는가? 존귀함이 다르기 때문이다. 존귀함이 같으면 그 本服인 자최기년복으로 입을 수 있다.

公(제후)의 庶兄弟와 대부의 서자가 어머니·처·형제를 위하여 입는다.

〔傳曰〕 왜 대공복을 입는가? 제후의 서형제는 先君의 남은 존귀함에 눌리기 때문에 대공복을 넘어 입을 수 없는 것이다. 대부의

서자는 대부를 따라 입기 때문에 降服하는 것이다. 아버지가 강복하지 못하는 대상에게는 아들도 감히 강복하지 못한다.

대부인 사촌형제들이 서로를 위하여 입는다.

남편 형제의 시집간 딸을 위하여 입는다.

대부의 첩이 君(남편)의 서자를 위하여 입는다.

대부에게 시집간 딸과 아직 시집가지 않은 딸이 世父·世母·숙부·숙모·고모·자매를 위하여 입는다.

〔傳曰〕 '嫁者'는 대부에게 시집간 자이다. '未嫁者'는 성인이 되었으나 아직 시집가지 않은 자이다. 왜 대공복을 입는가? 대부의 첩이 君(남편)의 宗族을 위하여 입는 상복은 女君(적처)과 똑같이 입을 수 있기 때문이다. 그 다음에 世父·世母·숙부·숙모·고모·자매를 위하여 입는다고 말한 것은 첩이 자기 친정의 이러한 친속을 위하여 복을 입음을 이른다.

대부·대부의 처·대부의 아들·제후의 형제가 대부에게 시집간 고모·자매·딸을 위하여 입는다.

君(임금)이 國君에게 시집간 고모·자매·딸을 위하여 입는다.

〔傳曰〕 왜 대공복을 입는가? 존귀함이 같기 때문이다. 존귀함이 같으면 그 本服대로 입을 수 있다. 公(제후)의 아들은 '公子'라고 칭하는데 公子는 先君을 위하여 禰廟(아버지 廟)를 세울 수 없으며, 公子의 아들은 '公孫'이라고 칭하는데 公孫은 제후를 위하여 祖廟를 세울 수 없다. 이것은 公子와 公孫의 지위가 낮음으로 인해 지위가 높은 적장자와 구별한 것이다. 만약 公子의 자손 중에 國君으로 봉해진 자가 있으면 대대로 이 사람을 태조로 삼으며 그 公子를 태조로 삼지는 않는다. 이것은 봉함을 받은 國君의 지위가 높음으로 인해 지위가 낮은 公子와 구별한 것이다. 이 때문에 始

封君(처음으로 君에 봉해진 사람)은 諸父와 형제를 신하로 삼지 않으며, 始封君의 아들은 諸父는 신하로 삼지 않지만 형제는 신하로 삼으며, 始封君의 손자는 諸父와 형제를 모두 신하로 삼는다. 그러므로 君이 복을 입는 대상에게는 아들도 감히 복을 입지 않을 수 없으며, 君이 복을 입지 않는 대상에게는 아들도 감히 복을 입지 못한다.

① 何以大功也

고모·누나·여동생·딸은 본래 기년복을 입어야 하는데 지금 낮추어 대공복 조에 있기 때문에 물은 것이다.

② 出也

정현의 주에 따르면 "시집가면 반드시 降服하는 것은 우리 쪽을 대신하여 후하게 입어줄 사람이 있기 때문이다.〔出必降之者, 蓋有受我而厚之者.〕" 이른바 '우리 쪽을 대신하여 후하게 입어줄 사람〔受我而厚之者〕'은 남편을 이른다. 胡培翬에 따르면 남편이 그녀들을 위하여 齊衰杖期服을 입어줄 것임을 이른다.[111]

【按】 정현의 주 가운데 '我'는 친정쪽을 이른다. 정현의 주와 공영달의 정의에 따르면 고모·누나·여동생이 시집간 뒤에 죽으면 그녀들의 남편은 처를 위하여 기년복을 입고 친정 형제는 대공복으로 낮추어 입는 것은 남편이나 사위가 친정 쪽을 대신하여 후히 입어줄 것이기 때문이다.[112]

③ 從父昆弟

《爾雅》〈釋親〉에 따르면 "형의 아들과 아우의 아들은 서로 사촌형제라고 한다.〔兄之子, 弟之子, 相謂爲從父昆弟.〕" 이에 따르면 이른바 '從父'란 바로 아버지의 형제, 즉 世父와 숙부이다. 이 때문에 鄭玄의 주에서 이 구를 해석하기를 "세부·숙부의 아들이다.〔世父、叔父之子也.〕"라고 한 것이다.

【按】 〈상복〉8. 주① 참조.

④ 降其昆弟

馬融에 따르면 형제를 위한 本服은 기년복이지만 다른 사람의 후사가 된 자는 후사를 삼아준 사람을 친히 여기기 때문에 자기 형제들에게 낮추어 입는 것이다.[113]

⑤ 庶孫

111) 《儀禮正義》卷23 : "敖氏云'以出者, 降其本親之服, 故此亦降之也.' 《檀弓》云'姑姊妹之薄也', 蓋有受我而厚之者也, 此鄭注所本. 薄, 謂降服大功也. 受我而厚之, 謂其夫爲之杖期、禫也. 此雖言姑姊妹, 而女子子義亦同."

112) 《禮記正義》〈檀弓上〉: "姑、姊、妹之薄也, 蓋有受我而厚之者也." 鄭玄注 : "欲其一心於厚之者, 姑、姊、妹嫁, 大功. 夫爲妻期." 孔穎達正義 : "'姑、姊、妹之薄也'者, 未嫁之時爲之厚, 今姑、姊、妹出嫁之後爲之薄. 蓋有夫、婿受我之厚而重親之, 欲一心事於厚重, 故我爲之薄."

113) 《儀禮正義》卷23 : "馬氏云: '昆弟在期而降之, 以所後爲親也.'"

'孫'은 阮元의 교감본에는 '子'로 잘못되어 있다. 注疏에 인용한 글에는 모두 '孫'으로 되어 있고 各本에도 모두 '孫'으로 되어 있다. 이른바 '庶孫'이란 適長孫 이외의 여러 손자들을 지칭하지만 만약 적자가 살아 있으면 적장손도 庶孫과 똑같이 간주한다. 즉 이른바 "적장자가 살아 있으면 적손이 있을 수 없다.〔有適子者, 無適孫.〕"라는 것이다. 〈상복〉8. 참조.

【按】 武威 漢簡本 〈服傳〉 甲本과 乙本에는 모두 '庶孫'이라는 두 글자가 없다.

⑥ 適婦

정현의 주에 따르면 "적자의 처이다.〔適子之妻.〕"

⑦ 不降其適

胡培翬에 따르면 庶婦를 위해서는 降服하여 소공복을 입지만 적자를 중히 여기기 때문에 適婦를 위해서도 강복하지 않는 것이다.[114]

【按】 여기에서 '適'은 정현의 주에 따르면 適婦를 가리킨다.[115] 〈상복〉2. 주② 참조.

⑧ 姪丈夫、婦人

《爾雅》〈釋親〉에 따르면 "여자는 형제의 아들을 '조카'라고 한다.〔女子謂昆弟之子爲姪〕" 胡培翬에 따르면 시집간 고모가 그 조카를 위하여 입는 복을 말한 것으로, 고모가 입어주는 조카는 남녀를 구분하지 않는다.[116] 그러므로 정현의 주에 "남녀 조카를 위한 상복은 똑같다.〔爲姪男女服同.〕"라고 한 것이다. '丈夫'는 남자 조카를 이르고 '婦人'은 여자 조카를 이른다. 또 여기에서 말하는 여자 조카는 이미 시집간 사람이기 때문에 '婦人'이라고 한 것이다.

【按】 〈상복〉10. 주③ 참조.

⑨ 從服

남편을 따라서 입는 것을 이른다. 남편이 기년복을 입으면 처는 남편을 따라 입는데 한 등급을 낮추어 대공복을 입는다. 일반적으로 '從服'은 모두 尊者를 따라서 입는데, 그 尊者보다 한 등급 낮추어 입는다.

⑩ 其夫屬乎父道者……可謂之母乎

'道'는 정현의 주에 따르면 "行(항)과 같다.〔猶行也.〕" '行'은 즉 항렬이다. 이 구절은 왜 처가 남편의 형제에게 服이 없는가에 대한 대답이다. 〈傳〉에 따르면 처는 남편의 형제 입장에서 말하면 형수가 아니면 아우의 처이다. 이 때문에 며느리의 신분으로 복을 입을 수도 없고 어머니의 신분으로 복을 입을 수도 없다. 만일 반드시 그들을 위해 복을 입고자 한다면 이것

114) 《儀禮正義》卷23 : "'何以'者, 據爲庶婦小功而問也. '不降其適也', 答辭, 馬氏云 '重適, 故不降之爲服也.'"

115) 鄭玄注 : "婦言適者, 從夫名."

116) 《儀禮正義》卷23 : "此姑已適人者爲姪服也.……今案: 《爾雅》'女子謂晜弟之子爲姪', 姪, 兼男女言."

은 아우의 처를 며느리로 간주하거나 형수를 어머니로 간주할 수 있다고 말하는 것과 같다. 그렇게 되면 인륜이 어지러워지기 때문에 남편의 형제를 위하여 상복을 입을 수 없는 것이다. 沈彤에 따르면 "형수를 어머니라고 할 수 없기 때문에 남편 형제의 아들에게 입는 복으로 그 아우(시동생)에게 입을 수 없으며, 아우의 처를 며느리라고 할 수 없기 때문에 남편의 世父·世母와 숙부·숙모에게 입는 복으로 그 형(시아주버니)에게 입을 수 없는 것이다. 이는 바로 형제의 처가 남편의 형제에게 복을 입지 않는 뜻에 답한 것이다.〔嫂不可謂母, 故不得以服夫之昆弟之子者服其弟; 弟妻不可謂婦, 故不得以服夫之世、叔父者服其兄: 此正答昆弟之妻不服夫之昆弟之義.〕" 왜 형수나 아우의 처 신분으로 남편의 형제를 위하여 상복을 입을 수 없는가에 대해, 옛날 학자들은 모두 이른바 '시동생과 형수 간에 혐의를 예방하는〔叔嫂防嫌〕' 뜻을 체현한 것이라고 말하고 있다. 즉 《예기》〈檀弓〉에서 말한 "형수와 시동생 간에 복이 없는 것은 밀어내어 멀리하게 하려는 것이다.〔嫂叔之無服也, 蓋推而遠之.〕"라는 것이다. 즉 시동생은 남편 항렬에 있고 형수는 처의 항렬에 있게 되어 혐의가 있기 때문이다. 沈彤은 "《예기》〈曲禮〉에 '형수와 시동생은 서로 직접 안부를 묻지 않는다.'라고 하였다. 무릇 살아 있을 때에는 안부를 묻지 않다가 죽으면 서로를 위하여 상복을 입는 것은 무슨 의리인가? 그리고 그 죽은 사람을 위하여 복을 입지 않는 것은 바로 살아 있을 때 멀리하게 하기 위해서이다.〔《曲禮》云 : '嫂叔不通問.' 夫生則不問, 死則爲之衰麻, 何義乎? 且所以不爲服於其死者, 正使之遠別於其生.〕"라고 하였다.

【按】 위 《예기》〈檀弓〉의 말은 아우의 처와 시아주버니 사이도 포함하는 말이다. 〈상복〉 20. 주⑭ 참조.

⑪ 人治之大者

정현의 주에 따르면 "治는 理와 같다. 부모·형제·부부의 도리는 인륜 중에서도 큰 것이다.〔治, 猶理也. 父母兄弟夫婦之理, 人倫之大者.〕"

⑫ 子

【按】 정현의 주에 따르면 "庶子를 이른다.〔謂庶子.〕"

⑬ 親服

즉 本服이니, 본래 입어야하는 상복이다. 가공언의 소에 따르면 대부는 이 친속들을 위하여 본래는 기년복을 입어야 하지만 그들이 지위가 낮은 士

이기 때문에 대공복으로 낮추어 입는 것이다.[117]

【按】 이 내용은 다른 문헌들에는 馬融의 설로 인용되어 있다.[118] 대부가 이들을 위하여 기년복을 입는 것은〈상복〉8. 참조.

⑭ 何以大功也

胡培翬에 따르면 "이 친속들에게는 모두 기년복을 입어야 하는데 지금 대공복을 입기 때문에 물은 것이다.〔以此等親皆宜服期, 今大功, 故問也.〕"

⑮ 先君餘尊之所厭, 不得過大功也

'厭'은 '누르다〔抑〕'라는 뜻이다. 지위가 낮은 자가 지위가 높은 사람에게 눌려서 자신의 本服대로 입을 수 없는 것을 이른다. 胡培翬에 따르면 國君은 첩·첩의 아들·첩의 아들의 처(즉 서자의 어머니·형제·처)에게는 服이 없다. 그러므로 先君이 살아 있을 때는 서자 역시 임금에게 압존되어 감히 자신의 庶兄弟를 위하여 복을 입지 못하며, 자기 어머니와 처를 위해서는 겨우 五服 외 變例의 복만 입을 수 있다. (즉 〈喪服 記〉에서 말한 "公子가 자기 어머니를 위해서는 練冠을 쓰고, 麻絰과 麻帶를 착용하고, 분홍색 布로 가선을 두른 麻衣를 입으며, 처를 위해서는 분홍색 관〔縓冠〕을 쓰고, 葛絰과 葛帶를 하고, 분홍색 포로 가선을 두른 麻衣를 입는다.〔公子爲其母練冠, 麻, 麻衣縓緣; 爲其妻縓冠, 葛絰帶, 麻衣縓緣.〕"라는 것이다. 〈상복〉23. 주⑤ 참조) 아버지가 죽은 뒤에는 서자는 현재 임금의 서형제가 되니, 자기 어머니·처·형제를 위하여 본래 기년복을 입어야 한다. 그러나 여전히 선군의 남은 존귀함에 눌려서 그 본복을 입지 못하고 대공복만 입을 수 있다.[119]

⑯ 從乎大夫而降

吳廷華에 따르면 士는 아들이 있는 첩에게 본래 시마복을 입어야 하며, 대부는 낮추어서 복이 없다. 대부는 庶婦(庶子의 처)에게는 본래 소공복을 입어야 하지만 낮추어서 시마복을 입고, 서자에게는 본래 기년복을 입어야 하지만 낮추어서 대공복을 입는다. 서자는 아버지를 따라 입는 것이니 본래 기년복을 입어야 하는 이 세 친속들에게 모두 한 등급을 낮추기 때문에 대공복을 입는 것이다.[120]

⑰ 父之所不降

吳廷華에 따르면 "適을 이른다.〔謂適也.〕" '適'은 적장자를 이르니, 아버지는 적장자에게 降服하지 않는다.

【按】 위 오정화의 설은 정현의 주에 보인다.

⑱ 皆爲其從父昆弟之爲大夫者

117) 鄭玄注 : "尊同, 謂亦爲大夫者. 親服, 期."
賈公彦疏 : "大夫爲此八者本期, 今以爲士, 故降至大功, 亦爲重出此文, 故次在此也."

118) 《儀禮正義》卷23 : "尊不同, 謂大夫與士也. 馬氏云: '皆期也. 大夫尊, 降士, 故服大功也.'"

119) 《儀禮正義》卷23 : "國君絶期, 於妾及庶子、庶婦, 皆不爲服, 故君在則公子厭於父. 子尊於昆弟無服而爲母若妻在五服之外. 下《記》'公子爲其母練冠, 麻, 麻衣縓緣; 爲其妻縓冠, 葛絰帶, 麻衣縓緣'是也. 君卒, 向之公子, 今爲公之庶昆弟, 然猶厭於餘尊, 止服大功而已."

120) 《儀禮章句》卷11 : "士, 妾有子者緦, 大夫降而無服. 庶婦本小功, 降則當緦, 庶子本期, 降則大功, 此大夫降也. 庶子于生母如母, 妻及兄弟皆期, 從父而降, 故止于大功. 此僅從本服降一等, 與父之所不服子亦不服, 義微別."

정현의 주에 따르면 "皆는 서로 복을 입어주는 것을 말한다. 존귀함이 같으면 서로 降服하지 않는다.〔皆者, 言其互相爲服, 尊同則不相降.〕" 여기에서 알 수 있듯 이것은 대부가 대부인 사촌형제를 위하여 복을 입는 것으로, 모두가 대부이기 때문에 서로 간에 대공복을 입어주고 降服하지 않음을 말한 것이다.

⑲ 婦人子

정현의 주에 따르면 "婦人子는 딸〔女子子〕이다. 女子子라고 말하지 않은 것은 시집갔기 때문에 恩義가 소원함을 보인 것이다.〔婦人子者, 女子子也. 不言女子子者, 因出(嫁)見恩疏.〕"

【按】 '婦人'은 〈상복〉14. 주⑧ 참조.

⑳ 女子子嫁者、未嫁者

【按】정현의 주에 따르면 "이전에는 앞의 경문과 합쳐서 '大夫之妾爲君之庶子、女子子嫁者、未嫁者'로 읽어 대부의 첩이 이 세 사람을 위하여 입는 복을 말한 것이라고 하였다.〔舊讀合大夫之妾爲君之庶子、女子子嫁者、未嫁者, 言大夫之妾爲此三人之服也.〕" 이렇게 보면 바로 뒤에 나오는 '爲世父母、叔父母、姑、姊妹'의 주체도 대부의 첩이 된다. 이것은 馬融 등이 예전에 이렇게 읽었던 것을 정현이 옳지 않다고 생각하여 고친 것이다.

㉑ 何以大功也? 妾爲君之黨服, 得與女君同

정현의 주에 따르면 이것은 바로 앞에 나오는 '大夫之妾爲君之庶子'를 해석한 〈傳〉으로, 글이 뒤섞여 뒤에 있게 된 것이다.[121] 정현의 이 주는 앞뒤의 文意로 보면 의심할 것도 없이 정확한 것이다. 그러나 漢簡本 〈服傳〉과 대조해보면 그 行文의 순서도 여기와 똑같으니 결코 '글이 뒤섞여 아래에 있게 된 것'은 아닌 듯하다. 〈傳〉의 글이 원래부터 우연히 그 순서가 잘못되었을 가능성이 높다. '君黨'은 君의 종족을 이른다. 여기에서 '君'은 대부를 가리킨다. 胡培翬는 "대부와 대부의 처(즉 女君)는 서자를 위하여 대공복을 입는데 이 대부의 첩도 대부의 서자를 위하여 대공복을 입으니, 이것은 대부의 첩이 君(남편)의 종족을 위하여 女君(적처)과 똑같이 입을 수 있다는 것이다.〔蓋大夫與大夫之妻(卽女君)爲庶子大功, 此大夫之妾爲大夫之庶子亦大功, 是爲君之黨服得與女君同也.〕"라고 하였고, 沈彤은 "첩이 君을 따라 君의 종족을 위하여 복을 입는다면 君의 할아버지·할머니·世父·世母·숙부·숙모를 위해서도 대공복을 입는다는 것을 알 수 있다.〔妾從君而服君之黨, 則爲君之祖父母、世父母、叔父母亦大功可知也.〕"라고 하였다.

121) 鄭玄注 : "傳所云'何以大功也? 妾爲君之黨服得與女君同', 文爛在下爾."

㉒ 下言爲世父母、叔父母、姑、姊妹者, 謂妾自服其私親也

이 21자는 학자들 모두 정현의 주가 〈傳〉 안에 잘못 들어갔다고 하는데 매우 옳은 말이다. 漢簡本 〈服傳〉에는 이 21자가 없으니 확고한 증거라고 이를 만하다.

㉓ 何以大功也

胡培翬에 따르면 제후는 기년복까지만 입는데(즉 제후의 복은 기년복에서 그치고 기년복 이하의 친속에게는 복을 입지 않는다) 지금 여기에서는 제후에게 시집간 고모·자매·딸을 위하여 대공복을 입는다고 했기 때문에 물은 것이다.[122]

㉔ 尊同

자신이 제후일 경우 고모·자매·딸이 제후에게 시집갔으면 그녀들은 제후와 한 몸이 되니, 이런 경우 그녀들의 존귀함은 자기와 같다.

㉕ 諸侯之子……別於尊者也

'諸侯之子'는 적장자 이외의 支庶子를 가리킨다. '不得禰'의 '禰'는 禰廟를 이르고 '不得祖'의 '祖'는 祖廟를 이른다. 정현의 주에 따르면 "그 廟를 세워서 제사할 수 없다는 뜻이다.〔不得立其廟而祭之也.〕" '先君'과 '諸侯'는 모두 이미 죽은 公子의 아버지와 公孫의 할아버지를 가리킨다. 先君의 제후라는 지위는 적장자만 계승할 수 있으며 적장자여야만 承重하여 宗廟主가 되어 先君에게 제사할 수 있는 권한을 가질 수 있다. 다른 公子와 公孫들은 지위가 적장자보다 낮아서 이러한 권한이 없기 때문에 禰廟와 祖廟를 세울 수 없는데, 이것이 이른바 '自卑別於尊'의 뜻이다.

㉖ 世世祖是人

'祖'는 태조를 이른다. '是人'은 처음 제후에 봉해진 자이다. 胡培翬에 따르면 "제후에 봉해진 자를 태조로 받들어 대대로 제사지내고, 公子를 태조로 삼아 제사하지 않는다.〔世世奉封爲國君者爲大祖而祀之, 不祀公子爲大祖.〕"

㉗ 自尊別於卑

'自'는 張爾岐에 따르면 "말미암는다는 뜻이니, 그 지위의 높고 낮음으로 인해 구별하는 것이다.〔由也, 由其位之或尊或卑爲別.〕" '別'은 후세 자손이 구별한다는 말이며 始封者(처음 봉함을 받은 자)가 스스로 구별한다는 말이 아니다. 始封者가 제후가 되었으면 지위가 높다. 이 때문에 그 자손이 제후가 되지 못한 선조(公子)와 구별하여 그 始封者를 태조로 높여서 대대

122) 《儀禮正義》卷23 : "以諸侯絕期以下服, 今服大功, 故問也."

로 제사지내는 것이다.

㉘ 是故始封之君……盡臣諸父昆弟

'諸父'는 世父와 叔父를 이른다. '臣某'는 某를 자기의 신하로 삼는 것이다. 朱熹(1130~1200)에 따르면 처음으로 봉함을 받은 제후(태조)의 아버지(즉 公子)가 諸父와 형제를 신하로 삼은 적이 없기 때문에 자기는 비록 封君이 되었더라도 여전히 아버지에게 壓尊되어 감히 諸父와 형제를 신하로 삼지 못한다. 始封君의 아들이 지위를 계승하여 2대 임금이 되면 始封君의 형제는 바로 2대 임금의 諸父가 된다. 始封君이 감히 자기 형제를 신하로 삼지 못하였기 때문에 2대 임금도 감히 그 諸父를 신하로 삼지 못한다. 2대 임금의 형제는 始封君의 아들이니, 始封君이 일찍이 신하로 삼았었기 때문에 2대 임금도 그를 신하로 삼는다. 始封君의 손자가 지위를 계승하여 3대 임금이 되면 2대 임금의 형제는 3대 임금의 諸父가 되고 3대 임금의 형제는 2대 임금의 아들이 된다. 이들은 2대 임금이 모두 신하로 삼았었기 때문에 3대 임금은 "諸父와 형제를 모두 신하로 삼는다.〔盡臣諸父昆弟.〕"[123]

㉙ 故君之所爲服……子亦不敢服也

胡培翬에 따르면 "始封君인 아버지가 신하로 삼지 않았으면 지위를 계승한 아들이 복을 입어 주고, 始封君인 아버지가 신하로 삼았으면 복을 입지 않는다.〔不臣則爲服, 臣之則不服.〕" 盛世佐에 따르면 제후는 신하로 삼지 않은 자에게는 本服대로 입어 絶服(존귀함으로 인해 복을 입지 않는 것)하지 않으며 降服도 하지 않는다. 그러나 신하로 삼았으면 신하는 임금을 위하여 참최복을 입지만 임금은 신하에게 絶服하여 복을 입지 않는다.[124]

123) 《儀禮經傳通解續》卷1〈喪服1 喪禮1〉: "先師朱文公親書藁本: '今案: 疏義有未明者. 竊詳始封之君所以不臣諸父昆弟者, 以始封君之父未嘗臣之, 故始封之君不敢臣也. 封君之子所以不臣諸父而臣昆弟者, 以封君之子所謂諸父者, 即始封君謂之昆弟, 而未嘗臣之者也, 故封君之子亦不敢臣之. 封君之子所謂昆弟者, 即始封君之子, 始封君嘗臣之者也, 故今爲封君之子者亦臣之. 封君之孫, 所謂諸父昆弟者, 即封君之子所臣之昆弟及其子也, 故封君之孫亦臣之. 故下文繼之以君之所不服, 子亦不敢服也, 君之所爲服, 子亦不敢不服也.'"

124) 《儀禮集編》卷24 : "前《傳》云'父之所不降, 子亦不敢降', 亦是此意.. 彼主爲大夫, 故言降與不降, 此主爲諸侯, 故言服與不服, 以諸侯有絶而無降也."

세최 繐衰

15. 繐衰의 상복(7개월)

繐衰裳①, 牡麻絰, 既葬除之者②,
[傳曰] 繐衰者何③? 以小功之繐也④。

繐布로 만든 衰裳을 입고, 牡麻(숫삼)로 만든 首絰과 腰絰을 하고, 7개월이 되어 장례를 행한 뒤에 除服하는 상복은 다음의 경우에 입는다.

〔傳曰〕 繐衰裳이란 무엇인가? 소공포처럼 처리한 縷를 가지고 성글게 짠 繐布로 만든 衰裳이다.

① 繐衰裳

繐布로 衰裳을 만든 것이다. 《說文解字》에 따르면 "繐는 가늘고 성근 포이다.〔繐, 細疏布也.〕" 정현의 주에 따르면 "일반적으로 올이 가늘고 짜임이 성근 布를 繐라고 한다.〔凡布細而疏者謂之繐.〕" 〈喪服 記〉에 따르면 繐衰布는 4승 반이니 (〈상복〉25. 참조) 그 布가 매우 성근 것이다. 또 馬融에 따르면 세최복에 사용하는 絰(牡麻로 만든 수질과 요질)과 帶는 모두 "대공복의 제도를 따른다.〔從大功制度〕"[125] 그렇다면 그 帶도 布帶가 되어야 한다. 〈상복〉13. 참조.

【按】 王士讓에 따르면 繐衰七月의 상복은 제후의 대부가 천자의 喪을 처음 들었을 때 입는 복으로, 白布 深衣에 素冠을 쓰고 絇(신코 장식)가 없는 吉屨를 신는다.[126]

② 既葬除之

胡培翬에 따르면 이런 繐衰喪은 제후의 신하가 천자를 위하여 입는 복이다. 천자는 7개월 만에 장례를 행하니 장례가 끝나면 除服한다. 여기에서 개월 수를 말하지 않은 것은 복을 입는 기간이 천자의 장례 기간과 똑같아서 말하지 않아도 알 수 있기 때문이다.[127]

125) 《儀禮正義》卷24 : "馬氏云'絰帶從大功制度', 小功言澡麻, 是言牡麻, 知從大功也."

126) 《儀禮紃解》卷11 : "按戴氏德云: '繐衰七月之服, 諸侯之大夫始聞天子之喪, 白布深衣, 素冠, 吉屨無絇."

127) 《儀禮正義》卷24 : "此諸侯之臣爲天子服. 天子七月而葬, 既葬除之, 故在大功九月下, 小功五月上.……既葬, 除其服. 天子七月葬, 不言七月者, 言同時而除也."

③ 繐衰者何

裳布는 衰布와 똑같기 때문에, 衰를 물었지만 실제로는 裳도 포함된다.

④ 以小功之繐

'繐'는 阮元의 교감본에서는 段玉裁와 程瑤田의 설을 인용하여 모두 '縷'의 오류라고 하였다. 또 許宗彦의 설을 인용하여 "〈傳〉에서는 '소공포처럼 올이 가늘고 짜임이 성근 포〔小功之繐〕'로 해석하였고 정현의 주에서는 '縷를 소공포처럼 처리한다.〔治縷如小功.〕'라고 차례로 해석하였다. 그러나 〈傳〉의 글이 '縷'로 되어 있었다면 정현은 더 이상 주를 달지 않아도 되었을 것이다. '繐'는 縷와 升數 양쪽을 아우르기 때문이다. 단옥재와 정요전은 모두 틀렸다."라고 하였다. 漢簡本 〈服傳〉에 이 구는 다음 제16절 〈傳〉의 "諸侯大夫以時相見乎天子" 다음에 잘못 놓여 있는데, 마찬가지로 '小功之繐'로 되어 있다. 금본과 허종언의 설이 틀리지 않았음을 증명할 수 있다. 정현의 주에 "縷를 소공포처럼 처리하여 포를 만들되 4승반으로 한다.〔治其縷如小功而成布四升半.〕"라고 하였다. 또 정현의 주에 따르면 縷를 소공포처럼 가늘게 하는 이유는 제후의 신하와 천자 사이는 恩義가 가볍기 때문이다. 그러나 또 포를 4승반으로 성글게 하는 것은 상복을 입어 주는 대상이 천자로 지존이기 때문이다.[128] 일반적으로 喪이 무거울수록 상복에 사용하는 布는 올이 굵고 짜임이 성글어지며, 반대로 가벼우면 올이 가늘고 짜임이 촘촘해진다.

16. 繐衰服을 입는 대상

諸侯之大夫爲天子。

[傳曰] 何以繐衰也? 諸侯之大夫以時接見乎天子①。

제후의 대부가 천자를 위하여 입는다.

128) 鄭玄注 : "細其縷者, 以恩輕也. 升數少者, 以服至也."

〔傳曰〕 왜 繐衰服을 입는가? 제후의 대부는 정해진 시기가 없이 천자를 접견하기 때문이다.

① 以時接見乎天子

'接'은 정현의 주에 따르면 "會와 같다.〔猶會也.〕" 가공언의 소에 "제후가 정해진 시기 없이 조현하는 것을 '時會'라고 한다.〔無常期曰時會.〕"라고 하였다. 정해진 시기 없이 천자를 會見하는 것은 제후의 대부와 천자 사이에 정이 소원함을 설명한 것으로, 이 때문에 복이 가벼운 것이다. 그러므로 정현의 주에서 천자를 조현할 수 없는 士와 서민은 천자를 위해서는 "상복을 입지 않음을 알 수 있다.〔不服可知.〕"라고 한 것이다.[129]

【按】《주례》〈春官 大宗伯〉에 "제후가 봄에 천자를 조현하는 것을 '朝', 여름에 조현하는 것을 '宗', 가을에 조현하는 것을 '覲', 겨울에 조현하는 것을 '遇', 정해진 시기 없이 조현하는 것을 '會', 사방의 제후들이 모두 한꺼번에 와서 조현하는 것을 '同'이라 한다.[春見曰朝, 夏見曰宗, 秋見曰覲, 冬見曰遇, 時見曰會, 殷見曰同.]"라는 내용이 보인다.

129) 鄭玄注 : "諸侯之大夫, 以時會見於天子而服之, 則其士、庶民不服可知."

소공小功

17. 小功殤의 상복(5개월)

> 小功布衰裳①, 澡麻帶絰, 五月者②,
>
> 소공포로 만든 衰裳을 입고, 물에 빤 牡麻(숫삼)로 만든 首絰과 腰絰을 하고, 喪期가 5개월인 상복은 다음의 경우에 입는다.

① 小功布

이것은 대공포와 상대적으로 쓴 것이다. 胡培翬에 따르면 "두드려서 빠는 공이 거칠기 때문에 '대공포'라고 한다. 소공포는 들이는 공이 좀 더 세밀하다.〔其鍛治之功麤略, 故謂之大功布也. 若小功, 則功差細密矣.〕" '鍛治'는 두드려서 빠는 것이다. (〈상복〉11. 주① 참조) 이 절에서 기록한 상복은 殤者를 위해 만든 것이기 때문에 '小功殤'이라고 칭한다.

② 澡麻帶絰

'澡麻'는 세탁을 거친 麻이다. 정현의 주에 따르면 "澡는 때만 제거하고 그 뿌리는 잘라내지 않는 것이다.〔澡者, 治去莩垢, 不絶其本也.〕" '莩垢'는 삼 껍질 위의 때를 가리킨다. 삼을 물로 씻어서 그 때를 제거하여 깨끗하게 하는 것을 '藻'라고 한다. '不絶其本'은 뿌리까지 함께 씻는 것을 말한다.

【按】 '帶絰'은 腰絰과 首絰을 이른다. (〈상복〉1. 주⑨ 참조) 다만 여기에서 帶絰이라고 하여 常例와 달리 帶를 특별히 絰보다 앞에 둔 것은, 가공언의 소에 따르면 대공 이상의 喪에는 麻의 뿌리를 잘라내지 않고 소공 이하의 喪에는 뿌리를 잘라내는데, 여기 小功殤의 요질은 마의 뿌리를 잘라내지 않아 대공과 같기 때문에 글자를 바꾸어서 중함을 보인 것이다.[130] 또한 정현의 주에 따르면 대공 이상은 首絰에 纓이 있으나 소공 이하는 首絰에 纓이 없다.[131]

130) 賈公彦疏 : "自上以來, 皆帶在絰下, 今此帶在絰上者, 以大功已上, 絰､帶有本, 小功以下, 斷本. 此殤小功中, 有下殤小功, 帶不絶本, 與大功同, 故進帶於絰上, 倒文以見重, 故與常例不同也."

131) 鄭玄注 : "自大功以上, 絰有纓, 以一條繩爲之, 小功已下, 絰無纓也."

18. 小功殤服을 입는 대상

叔父之下殤。適孫之下殤。昆弟之下殤。大夫庶子爲適昆弟之下殤。爲姑、姊、妹、女子子之下殤①。爲人後者爲其昆弟,從父昆弟之長殤②。

[傳曰] 問者曰: 中殤何以不見也? 大功之殤中從上, 小功之殤中從下③。

爲夫之叔父之長殤④。

昆弟之子、女子子、夫之昆弟之子、女子子之下殤⑤。

爲姪、庶孫丈夫、婦人之長殤⑥。

大夫、公之昆弟、大夫之子爲其昆弟、庶子、姑、姊、妹、女子子之長殤⑦。

大夫之妾爲庶子之長殤⑧。

下殤한 숙부를 위하여 입는다. 下殤한 적손을 위하여 입는다. 下殤한 형제를 위하여 입는다. 대부의 서자가 下殤한 적형제를 위하여 입는다. 下殤한 고모·누나·여동생·딸을 위하여 입는다. 다른 사람의 후사가 된 자가 長殤한 친형제를 위하여 입고, 일반 사람들이 長殤한 사촌 형제를 위하여 입는다.

〔傳曰〕 어떤 사람이 물었다. "中傷은 왜 보이지 않는가?" 본복으로 대공복을 입어주어야 하는 자가 中殤일 경우에는 上等(長殤)을 따라 1등급을 낮추고, 본복으로 소공복을 입어주어야 하는 자가 中殤일 경우에는 下等(下殤)을 따라 2등급을 낮추기 때문이다.

長殤한 남편의 숙부를 위하여 입는다.

世父·숙부가 下殤한 형제의 아들·딸을 위하여 입고, 世母·숙모가 下殤한 남편 형제의 아들·딸을 위하여 입는다.

시집간 고모가 長殤한 남녀 조카를 위하여 입고, 할아버지가 長殤한 서손자와 서손녀를 위하여 입는다.

대부의 형제·제후의 형제·대부의 아들이 長殤한 형제·서자·고모·누나·여동생·딸을 위하여 입는다.

대부의 첩이 長殤한 君(남편)의 서자를 위하여 입는다.

① 叔父之下殤……女子子之下殤

馬融에 따르면 "본래는 모두 기년복을 입어야 하지만 下殤에는 2등급을 낮추기 때문에 소공복을 입는 것이다.〔本皆服期, 下殤降二等, 故在小功也.〕"

② 爲人後者爲其昆弟, 從父昆弟之長殤

학자들은 대부분 '從父昆弟之長殤'은 다른 사람의 후사가 된 자가 입어주는 대상이 아니고 일반 사람들이 입어주는 대상을 말하며, 따로 한 조항을 만들어야 하는데 經에서 글을 생략함으로 인해 두 조항을 아울러 말한 것이라고 한다. 胡培翬는 "이 절은 본래 두 조항이다. 從父昆弟는 일반 사람들이 입어주는 대상을 가리키며 다른 사람의 후사가 된 자가 입어주는 대상을 말하는 것이 아니다. 經에서 이 둘의 長殤에 입는 복이 똑같기 때문에 총괄하여 말한 것이다.〔此節本屬兩條, 從父昆弟係指凡人爲之, 非謂爲人後者爲之也. 經以二者長殤之服同, 故總言之.〕"라고 하였다. 馬融은 "성인일 경우 본복이 대공복이면 長殤일 경우에는 1등급을 낮추기 때문에 소공복을 입는 것이다.〔成人大功也, 長殤降一等, 故小功.〕"라고 하였다.

③ 大功之殤中從上, 小功之殤中從下

정현의 주에 따르면 여기에서 말하는 '소공'과 '대공'은 모두 成人으로 죽었을 경우에 소공복이나 대공복을 입어주는 관점에서 말한 것이다.[132] 그러나 성인이 되기 전에 죽어서 中殤일 경우 '從上'은 殤의 상등인 長殤을 따른다는 말이며 '從下'는 下殤을 따른다는 말이다. 이 때문에 張爾岐는 "성인이라면 대공복을 입어주어야 하는 자에게는 그의 중상·장상에 상복이 똑같으며, 성인이라면 소공복을 입어주어야 하는 자에게는 그의 중상·하상에 상복이 똑같다.〔成人當服大功者, 其中殤與長殤同; 成人當服小功

132) 鄭玄注 : "大功、小功, 皆謂服其成人也."

者, 其中殤與下殤同.]"라고 하였다. 또 盛世佐에 따르면 從上일 경우에는 본복보다 1등급을 낮추어 입고 從下일 경우에는 본복보다 2등급을 낮추어 입는다. 이에 따르면 대공의 중상일 경우 상등인 장상을 따라 1등급을 낮추면 소공복이 되고, 소공의 중상일 경우 하등인 하상을 따라 2등급을 낮추면 복이 없다. (소공복에서 1등급을 낮추면 시마복이 되고, 다시 1등급을 낮추면 복이 없다) 〈傳〉에 "하상일 경우에는 2등급을 낮춘다.[下殤降二等.]"(〈상복〉22. 주㉛ 참조)라고 하였으니, 소공복에 하상을 따르면 절로 無服에 속하게 된다.[133] 또 정현의 주에 따르면 여기에서 말하는 從上·從下는 모두 남자가 殤者를 위해 입는 복을 가리킨다. 만일 부인이 殤者를 위하여 입는 상복이라면 이 禮를 따르지 않는다.[134]

【按】 가공언에 따르면 이것은 丈夫가 殤者를 위해 입는 복을 말한 것이다. 부인의 경우에는, 본복으로 자최기년복을 입어주어야 하는 자가 中殤인 경우에는 상등인 長殤을 따라 1등을 낮추어 대공복을 입고, 본복으로 대공복을 입어주어야 하는 자가 中殤인 경우에는 下殤을 따라 2등을 낮추어 시마복을 입는다.[135] 〈상복〉22. 〈傳〉 참조.

④ 爲夫之叔父之長殤

馬融에 따르면 "성인이라면 대공복을 입어 주어야 할 사람이 長殤인 경우에는 1등급을 낮춘다.[成人大功, 長殤降一等.]"

⑤ 昆弟之子……下殤

馬融에 따르면 "世父·世母와 숙부·숙모가 조카를 위하여 입는 복이다. 성인이라면 기년복을 입어 주어야 할 자가 下殤인 경우 2등급을 낮추기 때문에 소공복을 입는 것이다.[伯叔父母爲之服也. 成人在周(期), 下殤降二等, 故服小功也.]"

⑥ 爲姪、庶孫丈夫、婦人之長殤

胡培翬에 따르면 여기에서는 시집간 고모가 자신의 조카를 위해 입고, 할아버지가 자기 庶孫을 위하여 입는 것을 말한 것이다. 조카와 서손이 성인이라면 모두 대공복을 입어주어야 하지만 長殤인 경우에는 1등급을 낮추기 때문에 소공복을 입는다.[136] '丈夫'와 '婦人'은 남자와 여자라고 말하는 것과 같다.

【按】 정현의 주에 따르면 "딸이 이미 허혼했으면 殤이 되지 않는다.[女子子許嫁, 不爲殤也.]" 〈상복〉12. 주① 참조.

⑦ 大夫……女子子之長殤

133) 《儀禮集編》卷24 : "從上者, 比本服降一等也. 從下者, 比本服降二等也. 大功之殤中從上, 皆降爲小功, 惟下殤則服緦麻之服也. 小功之殤中從下, 皆降爲無服, 惟長殤則服緦麻之服也."

134) 鄭玄注 : "此主謂丈夫之爲殤者服也."

135) 賈公彦疏 : "《緦麻章》云: '齊衰之殤中從上, 大功之殤中從下.' 兩文相反, 故鄭以彼謂婦人爲夫之族類, 此謂丈夫爲殤者服也. 鄭必知義然者, 以其此《傳》發在從父昆弟丈夫下, 下文發《傳》在婦人爲夫之親服下, 故知義然也."

136) 《儀禮正義》卷24 : "適人姑還爲姪, 祖爲庶孫, 成人大功, 長殤降一等, 故小功也. 言丈夫、婦人者, 明姑與姪、祖與孫疎遠, 故以遠辭言之."

胡培翬에 따르면 "이것은 대부의 형제·公(제후)의 형제·대부의 아들, 이 세 부류의 사람이 이들 7종의 친속을 위하여 복을 입는 것을 말한 것이다.〔此謂大夫、公之昆弟、大夫之子三等人, 爲此七種人服也.〕" '公之昆弟'는 정현의 주에 따르면 "대부와 같다.〔猶大夫也.〕"

⑧ 庶子

정현의 주에 따르면 "君의 서자이다.〔君之庶子.〕" '君'은 즉 첩의 남편이다. (<상복>2. 주⑩ 참조) 반드시 '君之庶子'라고 말한 것은 胡培翬에 따르면 이 서자 중에는 적처가 낳은 둘째 아들 이하의 아들들이 포함되며 단지 첩이 낳은 아들만 가리키는 것은 아니기 때문이다.[137]

19. 小功五月의 상복

小功布衰裳, 牡麻絰①, 卽葛, 五月者②,

소공포로 만든 衰裳을 입고, 물에 빤 牡麻(숫삼)로 만든 首絰과 腰絰을 착용하며, 장례를 행한 뒤에는 麻絰을 葛絰로 바꾸고, 喪期가 5개월인 상복은 다음의 경우에 입는다.

① 牡麻絰

郝敬에 따르면 "牡麻는 두드려서 물에 빤 牡麻이다. '澡'를 말하지 않은 것은 小功殤服과 같기 때문이다.〔牡麻, 洗治之牡麻, 不言澡, 同也.〕"

【按】 小功五月服 이하의 絰에 사용하는 牡麻는 모두 麻의 뿌리를 잘라낸다. (<상복>17. 주② 참조) 또한 정현의 주에 따르면 小功五月服 이하는 모두 絇(신코 장식)가 없는 吉屨를 신는다.[138]

② 卽葛, 五月者

'卽'은 '나아가다〔就〕'라는 뜻이다. 정현의 주에 따르면 이것은 소공포로

137) 《儀禮正義》卷24 : "鄭以經未言君, 故特著之, 必云'君之庶子'者, 以其庶子中, 兼有適妻所生第二子以下及他妾之子也."

138) 鄭玄注 : "舊說小功以下, 吉屨無絇也."

만든 衰裳을 3개월 동안 입은 뒤에(즉 장례 뒤) 이전 衰裳은 그대로 입은 채 牡麻로 만든 수질과 요질을 葛絰로 바꾸어 이러한 차림으로 喪期 5개월을 마치는 것이다.[139]

20. 小功五月服을 입는 대상

從祖祖父母、從祖父母①。報②。
從祖昆弟③。
從父姊妹④。
孫適人者⑤。
爲人後者爲其姊妹適人者。
爲外祖父母。
[傳曰] 何以小功也⑥? 以尊加也⑦。
從母⑧。丈夫、婦人報⑨。
[傳曰] 何以小功也? 以名加也⑩。外親之服皆緦也⑪。
夫之姑、姊妹、娣姒婦⑫。報。
[傳曰] 娣姒婦者, 弟長也⑬。何以小功也? 以爲相與居室中⑭, 則生小功之親焉。
大夫、大夫之子、公之昆弟爲從父昆弟、庶孫⑮、姑、姊、妹、女子子適士者。
大夫之妾爲庶子適人者⑯。
庶婦⑰。
君母之父母、從母⑱。
[傳曰] 何以小功也? 君母在則不敢不從服⑲, 君母不在則不服⑳。
君子子爲庶母慈己者㉑。

139) 鄭玄注 : "即, 就也. 小功輕, 三月變麻, 因故衰以就葛絰帶, 而五月也."

[傳曰] 君子子者, 貴人之子也, 爲庶母何以小功也? 以慈己加也㉒。

종조할아버지·종조할머니·종조부(당숙)·종조모(당숙모)를 위하여 입는다. 그들도 報服으로 소공복을 입어준다.

종조형제(6촌 형제)를 위하여 입는다.

아버지 형제의 딸(사촌 누나·사촌 여동생)을 위하여 입는다.

시집간 손녀를 위하여 입는다.

다른 사람의 후사가 된 자가 시집간 친누나·친여동생을 위하여 입는다.

외할아버지·외할머니를 위하여 입는다.

〔傳曰〕 왜 소공복을 입는가? 어머니의 至尊이기 때문에 한 등급을 높여 입는 것이다.

이모를 위하여 입는다. 이모도 丈夫인 姨姪(자매의 아들)과 婦人인 姨姪女(자매의 딸)를 위하여 報服으로 입어준다.

〔傳曰〕 왜 소공복을 입는가? '母'라는 명칭이 있기 때문에 한 등급을 높여 입는 것이다. 외친을 위한 복은 모두 시마복이다.

처가 남편의 고모·누나·여동생을 위하여 입고, 자기의 아랫동서·윗동서를 위하여 입는다. 그녀들도 報服으로 입어준다.

〔傳曰〕 '娣姒婦'는 처의 아랫동서와 윗동서이다. 왜 소공복을 입는가? 한 집에서 함께 살면 소공복을 입을 친밀함이 생기기 때문이다.

대부·대부의 아들·제후의 형제가 士인 사촌 형제·서손과 士에게 시집간 고모·누나·여동생·딸을 위하여 입는다.

대부의 첩이 君(남편)의 시집간 庶女를 위하여 입는다.

시부모가 庶婦를 위하여 입는다.

첩의 아들이 君母(아버지의 適妻)의 부모와 군모의 자매를 위하여 입는다.

〔傳曰〕 왜 소공복을 입는가? 군모가 계시면 감히 따라 입지 않을 수 없기 때문이다. 군모가 계시지 않으면 복을 입지 않는다.

君子子(대부·公子의 適妻의 아들)가 자기를 길러준 庶母를 위하여 입는다.

〔傳曰〕 君子子는 귀인의 아들인데, 庶母를 위하여 왜 소공복을 입는가? 자기를 길러주었기 때문에 상복의 등급을 높여 입어 주는 것이다.

① 從祖祖父母、從祖父母

'從祖祖父母'는 《爾雅》〈釋親〉에 따르면 "아버지의 世父와 숙부가 종조할아버지이고, 아버지의 世母와 숙모가 종조할머니이다.〔父之世父、叔父爲從祖祖父, 父之世母、叔母爲從祖祖母.〕" 馬融은 "종조할아버지·종조할머니는 증조할아버지의 자식이며 할아버지의 형제이다.〔從祖祖父母者, 曾祖之子, 祖之昆弟也.〕"라고 하였다. '從祖父母'는 《이아》〈석친〉에 따르면 "아버지의 사촌 형제는 종조부(당숙)이다.〔父之從父昆弟爲從祖父.〕" 또 〈석친〉에 따르면 "아버지의 사촌 형제의 처는 종조모(당숙모)이다.〔父之從父昆弟之妻爲從祖母.〕" 馬融은 "종조부·종조모는 종조할아버지의 자식이니 아버지의 사촌 형제이다.〔從祖父母者, 從祖祖父之子, 是父之從父昆弟也.〕"라고 하였다.

② 報

馬融에 따르면 "報라고 한 것은 은혜가 가벼워서 양쪽이 서로 복을 입어 줌을 보이기 위한 것이다.〔云報者, 恩輕, 欲見兩相爲服.〕"

③ 從祖昆弟

정현의 주에 따르면 "아버지의 사촌 형제의 아들이다.〔父之從父昆弟之

子.]" 馬融은 "증조할아버지의 손자이니 자신에게는 재종형제가 된다. 모두 증조할아버지에게서 나왔기 때문에 종조형제라고 한다.〔曾祖孫也, 於己爲再從昆弟. 同出曾祖, 故言從祖昆弟.〕"라고 하였다.

④ 從父姊妹

정현의 주에 따르면 "아버지 형제의 딸이다.〔父之昆弟之女.〕" 馬融은 "세부와 숙부의 딸이다.〔伯、叔父之女.〕"라고 하였다.

⑤ 孫

정현의 주에 따르면 여기에서는 女孫, 즉 손녀를 가리킨다.[140]

⑥ 何以小功也

다음의 〈傳〉에 "외친의 복은 모두 시마복이다.〔外親之服皆緦也.〕"라고 하였는데, 여기에서 외친을 위하여 소공복을 입는다고 했기 때문에 물은 것이다.

⑦ 以尊加

馬融에 따르면 "본복은 시마복이지만 어머니의 至尊이기 때문에 소공복으로 등급을 높인 것이다. 그러므로 '以尊加'라고 한 것이다.〔本親緦, 以母所至尊, 加服小功, 故曰'以尊加'.〕"

⑧ 從母

《爾雅》〈釋親〉에는 "어머니의 자매가 從母이다.〔母之姊妹爲從母.〕"라고 하였고, 정현의 주에는 "從母는 어머니의 자매이다.〔從母, 母之姊妹.〕"라고 하였다. 이에 따르면 '從母'는 즉 이모이니, 姨姪·姨姪女가 이모를 위하여 복을 입는 것이다.

⑨ 丈夫、婦人報

馬融은 "이모가 자매의 아들·딸을 위하여 報服으로 입는다.〔從母報姊妹之子男女也.〕"라고 하였다. 이에 따르면 '丈夫'와 '婦人'은 외조카와 외조카딸이니, 이모와 姨姪·姨姪女가 서로를 위하여 입어주는 것이다. 姨姪女를 '婦人'이라고 칭한 이유는, 李如圭에 따르면 姓이 다른 방계 친족이어서 시집을 감으로 인해 降服하는 것과 같은 문제가 존재하지 않기 때문에 시집을 갔느냐에 상관없이 일률적으로 成人일 때의 이름으로 칭한 것이다.[141]

⑩ 以名加

胡培翬에 따르면 이모에게는 본래 시마복을 입어야 하지만 '母'라는 이름이 있기 때문에 한 등급을 높여 소공복을 입는 것이다.[142]

140) 鄭玄注 : "孫者, 子之子, 女孫在室, 亦大功也."

141) 《儀禮集釋》卷18 : "言婦人者, 異姓無出降已嫁, 與在室者同服, 故擧其成人之名."

142) 《儀禮正義》卷24 : "以名加也, 謂因有母名, 故加至小功."

⑪ 外親之服皆緦

'外親'은 妻族과 母族이 모두 외친이니 異姓의 姻親이다. 정현의 주에 따르면 "외친은 姓이 다르니 그를 위한 본복은 시마복을 넘지 않는다.〔外親異姓, 正服不過緦.〕" 여기에서는 한 걸음 더 나아가 외할아버지·외할머니·이모를 위하여 모두 상복의 등급을 높인 것에 대해 설명하였다.

⑫ 娣姒婦

정현의 주에 따르면 시아주버니의 처는 '姒'이고 시동생의 처는 '娣'이니, 즉 오늘날 이른바 '동서'이다. 아랫동서와 윗동서는 모두 처이기 때문에 '婦'라고 칭한 것이다.[143]

⑬ 弟長

즉 아랫사람과 윗사람이다. 시동생의 처는 아랫사람이기 때문에 '弟'라 이르고, 시아주버니의 처는 윗사람이기 때문에 '長'이라 이른다. 馬融에 따르면 "부인은 자기 마음대로 하는 법이 없기 때문에 남편을 기준으로 長幼가 정해지며 자기의 나이로 정하는 것이 아니다.〔婦人無所專, 以夫爲長幼, 不自以年齒也.〕"

⑭ 相與居室中

함께 산다는 뜻이다. 敖繼公에 따르면 부인은 남편의 형제에게는 혐의를 피하기 위하여 본래 복이 없으니 (《상복》14. 주⑩ 참조) 형제의 처에게도 저절로 복이 없게 된다. 이것은 여자 동서 간에는 본래 서로를 위하여 복을 입어주는 의리가 없는데 경문에서 또 소공복을 입는다고 말한 이유를 설명한 것이니, '함께 살면 친해져서 복이 없어서는 안 되기 때문〔居室相親, 不可無服故爾〕'이다. 만약 동서가 함께 살지 않았거나 항상 함께 산 것은 아니라면 마찬가지로 서로를 위하여 복을 입어주지 않는다. 이 복은 단지 계속 함께 산 것 때문에 생겨난 것이다.[144]

⑮ 從父昆弟、庶孫

정현의 주에 따르면 "이들 역시 士인 자를 이른다.〔亦謂爲士者.〕"

⑯ 庶子

정현의 주에 따르면 여기에서는 대부의 서녀를 가리킨다.[145]

⑰ 庶婦

馬融에 따르면 "서자의 부인이니, 시부모가 그녀들을 위하여 입는 것이다.〔庶子婦也, 舅姑爲之服也.〕"

143) 鄭玄注 : "娣姒婦者, 兄弟之妻相名也. 長婦謂稺婦爲娣婦, 娣婦謂長婦爲姒婦."

144) 《儀禮集說》卷11 : "婦人於夫之昆弟, 當從服以遠嫌之故而止之, 故無服. 假令從服, 亦僅可以及於其昆弟之身, 不可以復及其妻也. 然則娣姒婦無相爲服之義, 而禮有之者, 則以居室相親, 不可無服故爾. 然二人或有竝居室者, 有不竝居室者, 亦未必有常共居室者而相爲服之義, 惟主於此者, 蓋本其禮之所由生者言也."

145) 鄭玄注 : "君之庶子, 女子子也. 庶女子子在室大功, 其嫁於大夫亦大功."

⑱ *君母之父母、從母*

정현의 주에 따르면 "君母는 아버지의 適妻이다. 從母는 君母의 자매이다.〔君母, 父之適妻也. 從母, 君母之姊妹.〕" 胡培翬는 "이것은 첩의 아들이 適母의 부모와 적모의 자매를 위하여 입는 것을 이른다.〔此謂妾子爲適母之父母、適母之姊妹服.〕"라고 하였다.

⑲ *從服*

馬融에 따르면 "君母가 군모 자신의 친속을 위하여 복을 입는 것을 첩의 아들이 따라서 입어주는 것이다.〔從君母爲親服也.〕"

⑳ *君母不在*

【按】 가공언은 '不在'를 쫓겨나거나 죽은 경우를 모두 포함한다고 보았으나,[146] 〈상복〉 제22절 정현의 주에 따르면 죽었다는 뜻으로 보아도 무방할 듯하다. 〈상복〉22. 주㉗ 참조.

㉑ *君子子爲庶母慈己者*

정현의 주에 따르면 '君子'는 대부(胡培翬는 士도 포함해야 한다고 하였다)와 公子(제후의 적장자 이외의 아들)를 가리키며, '君子子'는 君子의 적처의 아들을 가리킨다.[147] '庶母慈己者'는 자기를 길러준 君子의 첩을 이른다. '庶母慈己者'는 慈母와는 다르다. 慈母는 아버지가 명하여 母子가 된 자이니, 아들은 자모를 위하여 자최삼년복을 입어야 한다.(〈상복〉4. 참조) 그러나 庶母慈己者는 오직 자신을 잘 길러주었을 뿐이기 때문에 복이 가벼워서 소공복만 입어준다. 만약 자기를 길러주지 않았다면 시마복을 입는다. 慈母와 庶母慈己者에 대한 복은 첩의 아들과 적처의 아들이 똑같다.

㉒ *以慈己加*

胡培翬에 따르면 "本服은 시마복이지만 자신을 길러주었기 때문에 등급을 높여 소공복을 입는 데에까지 이른 것이다.〔是本服爲緦, 因慈己加至小功耳.〕"

146) 賈公彦疏 : "云君母不在者, 或出或死, 故直云不在, 容有數事不在也."

147) 鄭玄注: "君子子者, 大夫及公子之適妻子."

시마緦麻

21. 緦麻三月의 상복

> 緦麻三月者①,
> [傳曰] 緦者, 十五升抽其半②, 有事其縷, 無事其布曰緦③。
>
> 緦布로 만든 衰裳을 입고, 牡麻(숫삼)로 만든 首絰과 腰絰을 하고, 喪期가 3개월인 상복은 다음의 경우에 입는다.
> 〔傳曰〕 緦布는 15升 올 중에 그 반(7승반)을 뽑아낸 것이다. 올은 生絲처럼 가늘게 가공하지만 布는 잿물을 넣지 않고 물에 빨기만 한 것을 '緦'라고 한다.

① 緦麻

정현의 주에 따르면 "布로 만든 衰裳과 牡麻(숫삼)로 만든 수질과 요질이다. 衰裳과 수질·요질을 말하지 않은 것은 생략한 것이니, 가벼운 상복이기 때문에 글을 줄인 것이다.〔布衰裳而麻絰帶也. 不言衰絰, 略, 輕服省文.〕" 胡培翬는 "緦布로 衰裳을 만들고, 牡麻로 수질과 요질을 만들었기 때문에 상복 이름을 '시마'라고 한 것이다.〔謂以緦布爲衰裳, 以麻爲絰、帶, 故服名緦麻也.〕"라고 하였다. 호배휘는 또 "麻는 뿌리까지 깨끗하게 씻어낸 牡麻이다.〔麻, 澡麻也.〕"라고 하였다.

【按】 〈상복〉17. 주② 참조.

② 緦者, 十五升抽其半

'緦'는 정현의 주에 따르면 "그 올을 명주실처럼 가늘게 가공한 것이다.〔治其縷, 細如絲也.〕" '十五升抽其半'은 정현의 주에 따르면 "抽는 去(제거하다)와 같다.〔抽猶去也.〕" 15升에서 반을 제거하면 7승반이 되니, 이 緦布는 올이 가늘고 짜임은 성근 것이다. 聶崇義의 《三禮圖集注》 권16에 따르면 "80올이 1승이니, 15승은 1천 200올이며, 그 반을 뽑아내면 600올이 된다. 올의 굵기는 朝服과 같이 가늘고 올의 수는 조복의 반이니, 가늘고 성글다고 이를만하다. 가장 가벼운 상복이다.〔八十縷爲升, 十五升千二百縷, 抽其半六百縷. 縷細如朝服, 數則半之, 可謂細而疏, 服最輕也.〕" 李如圭는 "조복의 포는 그 날실이 1천 200올이다. 緦布는 그 반이니, 승수는 비록 적지만 올의 굵기는 조복과 같다.〔朝服之布, 其經千二百縷. 緦半之, 升數雖少, 而縷之精麤如朝服.〕"라고 하였다.

③ 有事其縷, 無事其布

李如圭에 따르면 "事는 治(가공하다)와 같다.〔事猶治也.〕" '有事其縷'는 즉 정현의 주에서 말한 "그 올을 명주실처럼 가공한다.〔治其縷如絲.〕"라는 것이다. '無事其布'는 즉 잿물을 쓰지 않은 布이니, 緦布를 두드려 빨기만 하고 잿물을 넣지는 않는다는 말이다. 또 胡培翬가 말한 "잿물을 넣어 희고 매끄럽게 하지 않는다.〔不加灰治之使滑易也.〕"라는 것이다. '滑易'(이)는 '희고 매끄럽다'는 뜻이다.

22. 緦麻三月服을 입는 대상

族曾祖父母、族祖父母、族父母、族昆弟①。
庶孫之婦。
庶孫之中殤②。
從祖姑、姊妹適人者③。報。
從祖父、從祖昆弟之長殤④。
外孫⑤。
從父昆弟、姪之下殤⑥, 夫之叔父之中殤、下殤。
從母之長殤。報。
庶子爲父後者爲其母⑦。
〔傳曰〕 何以緦也⑧? 傳曰: "與尊者爲一體, 不敢服其私親也⑨。" 然則何以服緦也⑩? 有死於宮中者, 則爲之三月不擧祭, 因是以服緦也⑪。
士爲庶母⑫。
[傳曰] 何以緦也? 以名服也。大夫以上爲庶母無服⑬。
貴臣、貴妾⑭。
[傳曰] 何以緦也? 以其貴也。
乳母⑮。
[傳曰] 何以緦也? 以名服也。
從祖昆弟之子⑯。
曾孫。
父之姑。
從母昆弟⑰。
[傳曰] 何以緦也? 以名服也⑱。
甥。
[傳曰] 甥者何也? 謂吾舅者, 吾謂之甥。何以緦也? 報之也。
壻。
[傳曰] 何以緦? 報之也⑲。
妻之父母。
[傳曰] 何以緦? 從服也⑳。
姑之子㉑。
[傳曰] 何以緦? 報之也㉒。
舅。
[傳曰] 何以緦? 從服也㉓。
舅之子㉔。
[傳曰] 何以緦? 從服也㉕。
夫之姑、姊、妹之長殤。
夫之諸祖父母㉖。報。
君母之昆弟㉗。
[傳曰] 何以緦? 從服也㉘。
從父昆弟之子之長殤, 昆弟之孫之長殤。
爲夫之從父昆弟之妻㉙。
[傳曰] 何以緦也? 以爲相與同室, 則生緦之親焉㉚。長殤、

中殤降一等。下殤降二等。齊衰之殤中從上。大功之殤中從下㉛。

族曾祖父(증조할아버지의 형제)·族曾祖母(증조할아버지 형제의 처), 族祖父(할아버지의 사촌형제)·族祖母(할아버지 사촌형제의 처)·族父(아버지의 6촌 형제)·族母(아버지 6촌 형제의 처)·族兄弟(8촌 형제)를 위하여 입는다.

庶孫의 처를 위하여 입는다.

中殤한 庶孫을 위하여 입는다.

시집간 종조고모(할아버지 형제의 딸. 당고모)와 종조자매(할아버지 형제의 손녀)를 위하여 입는다. 그녀들도 報服으로 입어준다.

長殤한 종조부(할아버지 형제의 아들. 당숙)와 종조형제(할아버지 형제의 손자. 6촌형제)를 위하여 입는다.

외손을 위하여 입는다.

下殤한 사촌 형제와 조카를 위하여, 中傷이나 下殤한 남편의 숙부를 위하여 입는다.

長殤한 이모를 위하여 입는다. 이모도 보복으로 입어준다.

아버지의 후사가 된 서자(첩의 아들)가 生母를 위하여 입는다.

〔傳曰〕 왜 시마복을 입는가? 옛 기록에 이르기를 "서자가 尊者(아버지)와 한 몸이 되면 감히 私親(생모)을 위하여 본복대로 입지 못한다."라고 하였다. 그렇다면 왜 시마복을 입는가? 집안에서 臣僕이 죽은 경우 3개월 동안 사친을 위한 제사를 지내지 못하기 때문에 이 3개월 동안에는 사친을 위하여 시마복을 입을 수 있기 때문이다.

士가 庶母를 위하여 입는다.

〔傳曰〕 왜 시마복을 입는가? 庶母는 '母'라는 명칭이 있기 때문이다. 대부 이상은 서모를 위한 복이 없다.

공경대부의 임금이 貴臣(室老·邑宰)과 貴妾(媵妾)을 위하여 입는다.

〔傳曰〕 왜 시마복을 입는가? 그들은 귀하기 때문이다.

유모를 위하여 입는다.

〔傳曰〕 왜 시마복을 입는가? 유모는 '母'라는 명칭이 있기 때문이다.

從祖兄弟(6촌 형제)의 아들을 위하여 입는다.

증손을 위하여 입는다.

아버지의 고모(할아버지의 누나·여동생)를 위하여 입는다.

이종사촌 형제(이모의 아들)를 위하여 입는다.

〔傳曰〕 왜 시마복을 입는가? 從母昆弟는 '母'와 '昆弟'라는 명칭이 있기 때문이다.

외삼촌이 생질(누나·여동생의 아들)을 위하여 입는다.

〔傳曰〕 '생질'은 누구인가? 나를 '외삼촌'이라고 부르는 사람을 나는 '생질'이라고 부른다. 왜 시마복을 입는가? 報服으로 입어주는 것이다.

사위를 위하여 입는다.

〔傳曰〕 왜 시마복을 입는가? 報服으로 입어주는 것이다.

처의 부모를 위하여 입는다.

〔傳曰〕 왜 시마복을 입는가? 처를 따라서 입기 때문이다.

고모의 아들을 위하여 입는다.
〔傳曰〕 왜 시마복을 입는가? 報服으로 입어주는 것이다.

외삼촌을 위하여 입는다.
〔傳曰〕 왜 시마복을 입는가? 어머니를 따라서 입는 것이다.

외삼촌의 아들(외사촌형제)을 위하여 입는다.
〔傳曰〕 왜 시마복을 입는가? 어머니를 따라서 입는 것이다.

남편의 長殤한 고모·누나·여동생을 위하여 입는다.

남편의 여러 할아버지·할머니를 위하여 입는다. 그들도 報服으로 입어준다.

첩의 아들이 君母(아버지의 적처)의 형제를 위하여 입는다.
〔傳曰〕 왜 시마복을 입는가? 군모를 따라서 입기 때문이다.

사촌 형제의 長殤한 아들을 위하여, 형제의 長殤한 손자를 위하여 입는다.

남편의 사촌형제의 처를 위하여 입는다.
〔傳曰〕 왜 시마복을 입는가? 같이 한 집에서 살면 시마복을 입어주는 친함이 생기기 때문이다. 長殤·中殤인 경우에는 1등급을 낮추고, 下殤인 경우에는 2등급을 낮추어 입는다. 본복으로 자최복을 입어주어야 하는 자가 中傷인 경우에는 長殤을 따라 1등급을 낮추고, 본복으로 대공복을 입어주어야 하는 자가 中傷인 경우에는 下殤을 따라 2등급을 낮춘다.

① 族曾祖父母、族祖父母、族父母、族昆弟
'族曾祖父'는 고조할아버지의 아들이니, 자기 증조할아버지의 형제이다. '族祖父'는 고조할아버지의 손자이니, 자기 할아버지의 사촌 형제이다.

'族父'는 고조할아버지의 증손이니, 자기 아버지의 6촌 형제(자기의 재당숙)이다. '族昆弟'는 고조할아버지의 현손이니, 자기의 삼종형제(8촌 형제)이다. '母'는 위에서 말한 여러 '父'의 처이다.

② 庶孫之中殤

【按】 정현과 가공언은 庶孫이 성인으로 죽었을 경우에는 대공복을 입어야 하는데 中殤일 경우에는 長殤을 따라 소공복을 입어야 하기 때문에 여기 경문에서 '中殤'이라고 한 것은 下殤의 오류라고 하였다. 가공언은 또 殤 가운데 中傷만 단독으로 언급하는 일은 없기 때문에 더욱 下殤의 오류라는 것을 알 수 있다고 하였다. 그러나 이 부분에 대해서는 그대로 中傷으로 보아야 한다는 이설이 존재한다.[148]

③ 從祖姑、姊妹

'從祖姑'는 《爾雅》〈釋親〉에 따르면 "아버지의 사촌누나·여동생이 종조고모이다.〔父之從父姊妹爲從祖姑.〕" 아버지의 從父姊妹는 자기 종조할아버지의 딸이니, 자기는 종조고모(당고모)라고 부른다. '姊妹'는 종조자매(6촌 자매)를 이르니, 자기 종조할아버지의 손녀이다. '從祖'는 《爾雅》〈釋親〉에 "아버지의 世父·숙부가 종조할아버지가 된다.〔父之世父、叔父爲從祖祖父.〕"라고 하였으니, 아버지의 세부·숙부는 할아버지의 친형제이다.

④ 從祖父、從祖昆弟

'從祖父'는 종조할아버지의 아들을 이르니, 자신은 그를 당숙이라고 칭한다. '從祖昆弟'는 종조할아버지의 손자를 이르니, 자신은 그를 재종형제(6촌 형제)라고 칭한다.

⑤ 外孫

정현의 주에 따르면 "딸의 아들이다.〔女子子之子.〕"

⑥ 姪

胡培翬에 따르면 시집간 고모가 친정 조카를 위하여 입는다는 말이다.[149]

⑦ 庶子爲父後者

가공언의 소에 따르면 아버지에게 적자가 없고 첩의 아들만 있을 경우 아버지가 죽으면 첩의 아들이 뒤를 잇는데, 이것이 서자가 아버지의 후사가 되는 경우이다.[150]

⑧ 何以緦也

胡培翬에 따르면 士의 서자는 아버지가 생존해 있고 어머니가 죽으면 어머니를 위하여 자최기년복을 입어야 하고, 아버지가 죽은 뒤에 어머니가

148) 鄭玄注 : "庶孫者, 成人大功, 其殤, 中從上. 此當爲下殤, 言中殤者, 字之誤爾. 又諸言中者, 皆連上下也."
賈公彥疏 : "注云'庶孫者, 成人大功, 其殤, 中從上'者, 則長、中殤皆入小功章中, 故云'此當爲下殤, 言中殤者, 字之誤爾.' '又諸言中者, 皆連上下也'者, 謂大功之殤, 中從上, 小功、緦麻之殤, 中從下. 謂殤之內無單言中殤者, 此經單言中殤, 故知誤, 宜爲下也."

149) 《儀禮正義》卷24 : "從父昆弟, 本服大功, 其長殤, 小功. 姑適人者, 爲姪本服大功, 其長殤亦小功. 俱見小功章, 故下殤在此章也."

150) 賈公彥疏 : "此謂無冢適, 惟有妾子, 父死, 庶子承後, 爲其母緦也."

죽으면 자최삼년복을 입어야 한다. (《상복》4. 참조) 그런데 지금 시마복을 입는다고 했기 때문에 물은 것이다.[151]

⑨ 與尊者爲一體, 不敢服其私親

'尊者'는 아버지를 이른다. '私親'은 어머니를 이른다. 胡培翬에 따르면 "서자가 아버지의 후사가 되면 아버지의 重을 전해 받으니 바로 아버지와 한 몸이 된다. 그러나 첩인 어머니, 즉 생모는 君(남편)과 한 몸이 될 수 없어 자신의 私親일 뿐이기 때문에 감히 본복대로 입지 못하는 것이다.〔庶子爲父後, 傳父之重, 卽與父爲一體, 而妾母不得體君, 是已之私親, 故不敢服也.〕" '不敢服'은 감히 본복대로 입지 못하고 시마복만 입는 것을 이른다.

⑩ 然則何以服緦也

가공언의 소에 따르면 "앞의 대답에서 이미 '사친을 위하여 감히 본복대로 입지 못한다.'라고 했으니 아예 입지 않아야 하는데, 또 시마복을 입는 것은 무엇 때문이냐는 말이다.〔前答旣云'不敢服其私親', 卽應全不服, 而又服緦, 何也?〕"

⑪ 有死於……服緦也

'有死於宮中者'는 吳廷華에 따르면 이때 죽은 사람은 臣僕을 이른다.[152] '不擧祭'의 '祭'는 어머니를 위한 제사를 이른다. 小祥·大祥의 제사를 가리키는 듯하다. 吳廷華는 "喪이 나면 제사는 폐한다.〔有喪則廢祭.〕"라고 하였다. '有喪'은 여기에서는 臣僕이 죽은 것을 가리킨다. 이 옛 기록 세 구절의 뜻은 아버지의 후사가 된 서자(妾子)는 확실히 자신의 私親을 위하여 감히 본복을 입지 못한다. 그러나 만일 이러한 상황, 즉 어머니가 죽어 장례를 행한 뒤에 어머니를 위한 제사를 지내고자 할 때 臣僕이 죽었다면, 禮의 규정에 따르면 이때에는 제사를 지내지 못하고 3개월이 지나 죽은 臣僕의 장례를 행한 뒤에 제사를 지내야 한다. 서자는 바로 이 3개월 동안에는 私親을 위하여 시마복을 입어도 무방하다는 말이다.

⑫ 庶母

胡培翬가 賀循의 설을 인용한 것에 따르면 "士의 아버지의 첩이다.〔士父之妾也.〕"

⑬ 大夫以上爲庶母無服

敖繼公에 따르면 "庶母를 위한 복은 시마복인데 대부 이상은 시마복이 없

151) 《儀禮正義》卷24 : "'何以緦也', 怪其不服母之本服而問也.……士雖在, 庶子爲母亦期, 與衆人同, 沒, 亦三年也, 詳齊衰三年章父卒則爲母下. 蓋爲父後則服緦, 不爲父後, 則其服如是也."

152) 《儀禮章句》卷11 : "〔有死于宮中者〕謂臣僕."

기 때문이다.[以庶母之服緦, 而大夫以上無緦服故也.]"

⑭ 貴臣, 貴妾

정현의 주에 따르면 이는 공경대부의 貴臣과 貴妾을 가리킨다. '貴臣'은 가신의 우두머리인 室老와 邑宰인 士를 이른다. (〈상복〉2. 주⑰ 참조) '貴妾'은 "姪과 娣이다.[姪, 娣也.]"[153] 여기의 '士'는 정현의 주에 따르면 "卿士이다.[卿士也.]" '姪'은 처의 형제의 딸이고 '娣'는 처의 여동생으로, 시집가는 것을 따라와서 첩이 된 자이다. 정현의 주에 따르면 "옛날에 딸을 시집보낼 때에는 반드시 姪과 娣를 딸려 보냈는데, 이를 媵(잉)이라고 한다. 姪은 처의 언니의 딸이며, 娣는 처의 여동생이다.[古者嫁女, 必娣, 姪從之, 謂之媵. 姪, 兄之子; 娣, 女弟也.]"라고 하였다. 또 정현의 주에 따르면 娣와 姪 중에서는 娣가 더 높다. 그러나 신부 집에서 반드시 娣가 있는 것은 아니니 娣가 없으면 媵은 오직 姪만 둔다.

⑮ 乳母

胡培翬에 따르면 "유모는 오로지 젖을 먹인 것으로 말한 것이니, 자신을 길러준 慈母와는 다르다.[乳母專以乳哺言, 與慈母養己者異]" 胡培翬는 또 呂坤의 설을 인용하여 "여기의 '유모'는 다른 사람의 부인을 고용하여 3년 동안 젖을 먹여서 은혜가 어머니와 같기 때문에 '母'라고 부르는 것이다.[此乳母者, 蓋僱他人之婦乳哺三年, 恩亦如母, 故以母呼之者.]"라고 하였다.

⑯ 從祖昆弟之子

정현의 주에 따르면 이것은 族父(아버지의 6촌 형제)·族母(아버지 6촌 형제의 처)가 그를 위해 입어 주는 복이다.[154] 胡培翬는 "이 절의 첫머리에서 종조형제(6촌 형제)의 아들이 족부·족모를 위하여 시마복을 입는다고 했기 때문에 족부·족모가 報服으로 입는 것도 시마복이다.[章首係從祖昆弟之子爲族父母服緦麻, 故族父母報之, 亦緦麻也.]"라고 하였다.

⑰ 從母昆弟

《爾雅》〈釋親〉에 따르면 "이모의 아들이 從母昆弟이다.[從母之男子爲從母昆弟.]" 즉 지금의 이른바 '이종사촌 형제'라는 것이다.

⑱ 以名服

馬融에 따르면 "이모에게 '母'라는 이름이 있고 그 아들에게 '昆弟'라는 이름이 있기 때문이다.[以從母有母名, 以子有昆弟名.]"

153) 鄭玄注 : "此謂公士大夫之君也, 殊其臣妾貴賤而爲之服. 貴臣, 室老, 士也. 貴妾, 姪娣也. 天子諸侯降其臣妾, 無服. 士卑無臣, 則士妾又賤, 不足殊, 有子則爲之緦, 無子則已."

154) 鄭玄注 : "族父母爲之服."

⑲ 報之

馬融에 따르면 "사위가 나의 딸을 따라서 나를 위하여 시마복을 입어 주기 때문에 나도 報服으로 시마복을 입어 주는 것이다.〔壻從女來爲己服緦, 故報之以緦也.〕"

⑳ 從服

정현의 주에 따르면 "처를 따라서 입는 것이다.〔從於妻而服之.〕" 일반적으로 '從服'은 따라서 입는 대상보다 모두 1등급을 낮추어 입는다.

㉑ 姑之子

즉 이른바 '고종 사촌형제'라는 것이다. 이것은 고모의 아들을 위하여 입어주는 것이다.

㉒ 報之

李如圭에 따르면 "고모의 아들이 어머니를 따라서 나에게 입어 주니 나도 報服으로 입어 주는 것이다.〔姑之子從於母而服己, 則報之.〕"

㉓ 從服

정현의 주에 따르면 "어머니를 따라서 입는 것이다.〔從於母而服之.〕"

㉔ 舅之子

즉 이른바 '외사촌형제'라는 것이다. 이것은 외삼촌의 아들을 위하여 입어주는 것이다.

㉕ 從服

胡培翬에 따르면 "여기에서도 어머니를 따라서 입어 주는 것이다.〔亦是從於母而服之.〕"

㉖ 夫之諸祖父母

吳廷華에 따르면 "諸祖父母는 종조부(당숙)·종조모(당숙모)이다.〔諸祖父母者, 從祖父母也.〕" 오정화는 또 "이들은 남편의 소공친이기 때문에 처도 시마복을 입어주는 것이다.〔此夫之小功之親, 故妻爲之服緦也〕"라고 하였다.

【按】 정현의 주에 따르면 '諸祖父母'는 남편이 소공복을 입어주는 사람으로, 종조할아버지·종조할머니·외할아버지·외할머니이다.[155]

㉗ 君母之昆弟

'君母'는 즉 適母이니, 아버지의 適妻이기도 하다. 馬融은 "첩의 아들이 적부인의 형제를 위하여 입는 것이다. 적모가 죽었을 경우에는 복을 입지 않

155) 鄭玄注 : "諸祖父母者, 夫之所爲小功, 從祖祖父母, 外祖父母."

는다.〔妾子爲適夫人昆弟服也. 君母卒則不服.〕"라고 하였다.

【按】〈상복〉20. 주⑱ 참조.

㉘ 從服

정현의 주에 따르면 "君母를 따라서 외삼촌에게 입어주는 것이다. 君母가 살아 있으면 감히 따라 입지 않을 수 없지만 군모가 죽었으면 복을 입지 않는다.〔從於君母而舅服之也. 君母在則不敢不從服, 君母卒則不服也.〕"

㉙ 從父昆弟之妻

胡培翬에 따르면 "남편의 사촌형제의 처도 동서(사촌 동서)이니, 그 상복을 친동서보다 낮추어 입기 때문에 시마복을 입는 것이다.〔夫之從父昆弟之妻, 亦娣姒也, 其服降於親娣姒, 故服緦也.〕"

㉚ 以爲相與同室, 則生緦之親焉

胡培翬에 따르면 "남편의 사촌 형제의 처를 위하여 남편은 본래 복을 입지 않는데 그 처들이 서로 입어주는 이유는, 馬融에 따르면 '동서가 한 집에서 살면 친해져서 시마복을 입어주는 친함이 생기기 때문이다.'〔蓋夫之從父昆弟之妻, 夫本不爲服, 而其妻乃相爲服者, 馬氏云: '娣姒以同室相親, 生衰緦之服.' 是也.〕" (〈상복〉20. 주⑭ 참조) 〈상복〉 제20절에서 친동서 간에 소공복을 입어준다고 하였으니, 여기에서는 친동서 간이 아니기 때문에 1등급을 낮춘 것이다.

㉛ 齊衰之殤中從上, 大功之殤中從下

'從上'은 長殤을 따르는 것을 이르니 본복보다 1등급을 낮추며, '從下'는 下殤을 따르는 것을 이르니 본복보다 2등급을 낮춘다. (〈상복〉18. 주③ 참조) 정현의 주에 따르면 "여기에서는 처가 남편의 친척을 위하여 입는 상복을 위주로 말한 것이다.〔此主謂妻爲夫之親服也.〕" 처가 남편의 친척을 위하여 입는 상복은 또 남편을 따라 입는 것이어서 1등급을 낮추어야한다. 이 때문에 胡培翬가 본복으로 자최복을 입어주어야 하는 사람이 中殤인 경우에는 長殤을 따라 남편은 1등급을 낮추어 대공복을 입고 처는 소공복을 입으며, 본복으로 대공복을 입어주어야 하는 사람이 중상인 경우에는 下殤을 따라 2등급을 낮추어 남편은 시마복을 입고 처는 복이 없다고 한 것이다.[156]

156) 《儀禮正義》卷24 : "惟爲夫黨之親殤服, 與丈夫異. 所以然者, 妻從夫服本降一等, 齊衰之殤, 長殤、中殤夫服大功者, 妻服小功; 下殤夫服小功者, 妻服緦麻. 大功之殤, 長殤、中殤夫服小功, 下殤夫服緦麻者, 妻惟長殤服緦麻, 中殤、下殤則無服. 若小功之殤, 雖長殤, 妻亦無服, 故變言'齊衰之殤中從上, 大功之殤中從下', 以別於丈夫也."

기記

23. 상복 제도에 대한 雜記

《記》①。

公子爲其母②, 練冠,③ 麻④, 麻衣縓(전)緣⑤。爲其妻縓冠, 葛絰帶, 麻衣縓緣。皆旣葬除之⑥。

[傳曰] 何以不在五服之中也? 君之所不服, 子亦不敢服也。君之所爲服, 子亦不敢不服也⑦。

大夫、公之昆弟、大夫之子於兄弟降一等⑧。

爲人後者於兄弟降一等。報⑨。於所爲後之兄弟之子若子⑩。

兄弟皆在他邦, 加一等⑪。不及知父母, 與兄弟居, 加一等⑫。

[傳曰] 何如則可謂之兄弟? 傳曰: "小功以下爲兄弟⑬。"

朋友皆在他邦, 袒免(문), 歸則已⑭。

朋友麻⑮。

君之所爲兄弟服, 室老降一等⑯。

夫之所爲兄弟服, 妻降一等⑰。

庶子爲後者爲其外祖父母、從母、舅無服。不爲後, 如邦人⑱。

宗子孤爲殤⑲, 大功衰、小功衰⑳, 皆三月㉑。親則月筭如邦人㉒。

改葬緦㉓。

童子唯當室緦㉔。

[傳曰] 不當室則無緦服也㉕。

凡妾爲私兄弟如邦人。

大夫弔於命婦, 錫衰。命婦弔於大夫, 亦錫衰。

[傳曰] 錫者何也㉖? 麻之有錫者也㉗。錫者, 十五升抽其半, 無事其縷,有事其布曰錫㉘。

女子子適人者爲其父母, 婦爲舅姑, 惡笄有首以髽(좌)㉙。卒哭㉚, 子折笄首以笄㉛, 布總㉜。

[傳曰] 笄有首者㉝, 惡笄之有首也。惡笄者, 櫛(즐)笄也㉞。折笄首者, 折吉笄之首也。吉笄者, 象笄也㉟。何以言子折笄首而不言婦? 終之也㊱。妾爲女君、君之長子惡笄有首, 布總。

《記》

제후의 서자가 생모를 위하여 練冠(누인 布로 만든 冠)을 쓰고, 牡麻(숫삼)로 만든 首絰과 腰絰을 하고, 牡麻로 만든 深衣에 옅은 빨강색 가선을 두른 상복을 입는다.

제후의 서자가 처를 위하여 縓冠(옅은 빨강색 冠)을 쓰고, 葛로 만든 수질과 요질을 하고, 牡麻로 만든 深衣에 분홍색 가선을 두른 상복을 입는다.

모두 3개월이 되어 장례를 치르고 난 뒤에 상복을 벗는다.

〔傳曰〕 왜 오복 안에 들어 있지 않는가? 임금이 상복을 입지 않는 대상에게는 아들도 감히 입지 못하며, 임금이 상복을 입어주는 대상에게는 아들도 감히 입지 않을 수 없기 때문이다.

대부·제후의 형제·대부의 아들이 族親을 위하여 1등급을 낮추어 입는다.

다른 사람의 후사가 된 자가 자기 친형제를 위하여 1등급을 낮추어 입는다. 그 형제도 報服으로 입어준다.

후사를 삼아준 사람의 형제의 아들을 위하여 자기 친아들처럼 입어준다.

형제들이 모두 다른 나라에 있는데 그 중 한 사람이 죽으면 本服보다 1등급을 올려 입는다. 미처 부모도 알아보지 못할 나이에 부모가 돌아가시고 형제와 함께 살아왔다면 그 죽은 형제를 위하여 1등급을 올려 입는다.

〔傳曰〕 어찌하면 여기에서 말하는 '형제'라고 이를 수 있는가? 옛 기록에 이르기를 "小功親 이하가 형제가 된다."라고 하였다.

朋友들이 모두 타국에 있는데 그 중 한 사람이 죽으면 袒과 免을 하고 喪을 주관하되, 죽은 朋友의 靈柩가 본국으로 돌아가면 袒과 免을 그만둔다.

朋友를 위하여 시마복에 사용하는 首絰과 腰絰을 착용한다.

君(공경대부)이 형제(소공 이하의 친속)의 복을 입어주는 사람에게 室老(家相)는 君을 따라 1등급을 낮추어 시마복을 입는다.

남편이 형제(소공 이하의 친속)의 복을 입어주는 사람에게 처는 남편을 따라 1등급을 낮추어 입는다.

아버지의 후사가 된 서자는 자신의 외할아버지·외할머니·이모·외삼촌을 위하여 입는 복이 없다. 후사가 되지 않았다면 일반 사람들과 똑같이 입는다.

아버지가 돌아가신 宗子가 관례하기 전에 殤을 당했을 경우, 오복 외의 族人은 그 종자의 長殤·中殤에는 대공복을 입고 下殤에는 소공복을 입어주는데 모두 3개월만 입으며, 오복 내의 친속은 상복을 입는 개월 수를 일반 친척의 喪을 당했을 때와 똑같이 입는다.

묘소를 改葬할 때 시마복을 입는다.

동자는 父兄이 없어서 집안일을 관장하는 경우에만 族人을 위하여 시마복을 입는다.
〔傳曰〕 동자는 집안일을 관장하지 않으면 시마복이 없다.

첩은 친정 형제를 위하여 일반 사람들과 똑같이 입는다.

대부는 命婦를 조문할 때 錫衰를 입는다. 명부도 대부를 조문할 때 錫衰를 입는다.

〔傳曰〕 錫衰란 무엇인가? 麻로 만든 錫衰이다. 錫衰는 15승에서 그 반을 제거한 布로 만든 성근 衰服이다. 올은 가공하지 않지만 布는 가공한 것을 '錫'이라고 한다.

시집 간 딸이 친정 부모를 위하여, 며느리가 시부모를 위하여 상복을 입을 때 惡笄(약간의 장식이 있는 喪笄)를 髽(북상투)에 꽂는다. 졸곡하면 딸은 시집으로 돌아가는데, 이때 장식이 있는 머리 부분을 잘라낸 吉笄를 꽂고 머리를 布로 묶는다.

〔傳曰〕 '笄有首'는 惡笄의 머리 부분에 조각이 있는 것을 이른다. '惡笄'는 떡갈나무로 만든 비녀이다. '折笄首'는 吉笄의 머리 부분을 잘라내는 것이다. '吉笄'는 象笄(코끼리뼈로 만든 비녀)이다. 왜 딸은 비녀의 머리 부분을 잘라낸다 말하고 며느리는 말하지 않았는가? 며느리는 喪笄를 한 채 상을 끝마치기 때문이다. 첩은 女君(적처)과 君(남편)의 장자를 위하여 상복을 입을 때 惡笄를 꽂고 布로 머리를 묶는다.

① 記

이것은 후세 사람이 〈상복〉 경문을 해석하거나 경문에서 갖추지 못한 것을 보충하여 지은 것이다. 또 이 〈記〉 안에도 〈傳〉이 있으니, 이 〈傳〉은 〈記〉보다 더 뒤에 지어졌음을 알 수 있다. 즉 이른바 "子夏가 〈傳〉을 지었다.〔子夏作《傳》.〕"라는 설이 잘못임을 설명한 것이기도 하다. 經·〈記〉·〈傳〉의 관계에 대해 陳夢家(1911~1966)는 고증하기를 "여러 방면으로 추측해보면 먼저 〈상복〉 경문이 있은 뒤에 〈記〉를 덧붙인 것이니, 이것은 漢나라 초기부터 이미 이러하였다. 서한 중기에 經과 〈記〉에 대한 刪削을 거쳐 〈傳〉을 짓고 이 〈傳〉을 해당하는 經과 〈記〉의 아래에 나누어 붙였다. 동한 말기의 古文家들이 이 刪定本의 〈傳〉文을 다시 전체의 經과 〈記〉에 나누어 붙인 본이 마침내 오늘날 보는 정현의 注本, 賈公彦의 疏本, 당나라 開成(836~840) 연간의 石經本이 되었다."라고 하였다.[157]

② 公子爲其母

정현의 주에 따르면 여기서는 첩의 아들이 생모를 위하여 입는 상복을 가리킨다.[158]

157) 《武威漢簡》〈敍論〉: "我們從各方面推斷, 先有《喪服》的經, 然後附益以記, 此在漢初已然. 西漢中期經過對於經、記的刪削而作傳, 分系于相當的經、記之下. 東漢晩期的古文家, 將刪定本的傳文重行分屬于全經全記本, 遂成爲今日所見的鄭注本、賈疏本和唐開成石經本."

158) 鄭玄注 : "公子, 君之庶子也. 其或爲母, 謂妾子也."

③ 練冠

《說文解字》에 "練은 비단을 누이는 것이다.[練, 湅繒也.]"라고 하였는데, 《玉篇》〈水部〉에 "湅(련)은 비단을 삶아 익히는 것이다.[湅, 煮絲絹熟也.]"라고 하였다. 또 《一切經音義》 권61 〈華嚴經音義〉에서는 《珠叢》을 인용하여 "生絲를 삶아 익힌 것을 '練'이라고 한다.[煮絲令熟曰練.]"라고 하였다. 생사는 삶고 나면 희고 부드럽게 변하게 된다. 그러나 여기에서 누인 것은 생사가 아닌 布이다. 삶아서 희고 부드러워진 布로 만든 喪冠을 '練冠'이라고 하기 때문에 胡培翬는 "布에 '練'이라는 이름을 붙인 것은 또한 이미 누였다는 것이다.[布之名練, 亦是已練者.]"라고 하였고, 또 "오복은 모두 生布를 쓰는데 여기에서는 삶은 布로 冠을 만들었기 때문에 '練冠'이라고 한 것이다.[五服皆用生布, 此用練熟布爲冠, 故云練冠也.]"라고 하였다.

④ 麻

정현의 주에 따르면 시마복에 쓰는 絰帶, 즉 麻로 만든 首絰과 腰絰을 가리킨다.[159] 〈상복〉21. 주① 참조.

⑤ 麻衣縓緣

'麻衣'는 정현의 주에 따르면 소공포로 만든 深衣 (上衣와 下裳이 하나로 연결된 옷) 이다.[160] '縓'은 음이 '전'이다. 정현의 주에 따르면 "옅은 빨강색이니, 한번 염색한 것을 縓이라고 한다.[淺絳也, 一染爲之縓.]" '絳'은 빨강색인데 縓은 한번만 염색하여 색이 연하기 때문에 옅은 빨강색이 된다. '緣'은 의복에 두른 가선이다. 胡培翬에 따르면 "여기의 '縓緣'은 옅은 빨강색 포로 가선을 두른 것이다.[此縓緣用縓色布爲之.]" 練冠과 麻絰帶와 옅은 빨강색 가선을 두른 麻深衣는 모두 五服 안에 들어 있지 않은 오복 밖의 變例이다. 첩의 아들이 생모를 위하여 이 복을 입는 이유는, 정현의 주에 따르면 "첩의 아들이 아버지에게 壓尊되어 생모를 위하여 본복을 입지 못하니 임시방편으로 이 상복을 만들어 그 恩義를 빼앗지 않는 것이다.[妾子壓於父, 爲母不得伸(其本服), 權爲制此服, 不奪其恩也.]" 다음에 나오는 처를 위한 상복을 기록한 것도 그 의미는 이와 같다. 다만 상복이 더욱 가볍기 때문에 정현의 주에 "처를 위하여 縓冠을 쓰고 葛로 만든 수질과 요질을 하는 것은 어머니보다 처가 가볍기 때문이다.[爲妻縓冠, 葛絰帶, 妻輕.]"라고 하였다. 〈상복〉14. 주⑮ 참조.

159) 鄭玄注 : "麻者, 緦麻之絰帶也."

160) 鄭玄注 : "此麻衣者, 如小功布深衣, 爲不制衰裳變也."

【按】〈사상례〉9. 주㉒ 참조.

⑥ 旣葬

정현의 주에 따르면 "모두 3개월 만에 장례를 행한다.〔皆三月而葬.〕"[161]

⑦ 君之所不服……不敢不服也

정현의 주에 따르면 "임금이 상복을 입지 않는 대상은 첩과 庶婦를 이르고, 임금이 상복을 입어주는 대상은 夫人과 適婦를 이른다.〔君之所不服, 謂妾與庶婦也. 君之所爲服, 謂夫人與適婦也.〕"

⑧ 大夫、公之昆弟、大夫之子於兄弟降一等

정현의 주에 따르면 "兄弟는 族親이라는 말과 같다.〔兄弟, 猶言族親也.〕" 胡培翬는 "여기의 형제는 포괄하는 대상이 매우 넓어 기년복과 대공복 이하의 복을 입어주는 방친이 모두 이에 속한다.〔此兄弟所包甚廣, 凡旁親期、功(大功)以下皆是.〕"라고 하였다. 즉 방친들 중에 자최기년복을 입거나 대공복 이하의 복을 입어주어야 하는 사람은 모두 여기에서 말한 '형제'에 포함됨을 이른다. 沈彤에 따르면 從父 이상은 할아버지·아버지의 형제가 되고, 형제에서부터 종조형제(종조할아버지의 손자. 6촌 형제)까지는 자기의 형제가 되며, 從子 이하는 자손의 형제가 되는 등등이다. 이 때문에 심동은 "형제는 바로 旁親에 대한 옛사람들의 통칭이므로 정현이 族親으로 해석한 것이다.〔兄弟者, 乃古人旁親之通稱, 故鄭以族親解之.〕"라고 하였다.[162] '降一等'은 胡培翬에 따르면 "대부는 자신의 존귀함으로 降服하고, 제후의 형제는 방친의 존귀함으로 강복하고, 대부의 아들은 아버지를 따라서 강복한다.〔大夫以尊降,公之昆弟以旁尊降, 大夫之子以從於父而降.〕"

⑨ 報

정현의 주에 따르면 다른 사람의 후사가 된 자의 친형제들도 1등급을 강복하여 남의 후사가 된 자에게 報服으로 입어준다는 뜻이다.[163]

⑩ 於所爲後之兄弟之子若子

沈彤에 따르면 '후사를 삼아준 사람의 형제의 아들〔所爲後之兄弟之子〕'은 이제 자기에게는 從兄弟(사촌형제)에 해당되며, '若子'는 자신의 친아들을 위해 입듯 대공복을 입고 강복하지 않는다는 말이다.[164] 자기의 친형제를 위하여 복을 입을 때는 1등급을 낮추고 종자의 형제의 아들을 위하여 복을 입을 때는 도리어 낮추지 않는 것은 대종을 중히 여기는 의리를 구체적으로 드러낸 것이다.

161) 鄭玄注 : "諸侯之妾, 貴者視卿, 賤者視大夫, 皆三月而葬."

162) 《儀禮小疏》卷4 : "蓋從父以上爲祖、父之兄弟, 即《特牲饋食禮》之'長兄弟'也. 昆弟以至從祖昆弟爲己之兄弟, 即《特牲饋食禮》之'衆兄弟'也. 從子以下爲子孫之兄弟, 即《特牲饋食禮》之'兄弟弟子'也. 《有司徹》謂之兄弟之後生姑、姊妹爲父及己之女兄弟, 即《特牲饋食禮》之'內兄弟'也. 是'兄弟'者, 乃古人旁親之通稱, 故鄭以族親解之."

163) 鄭玄注 : "言報者, 嫌其爲宗子不降."

164) 《儀禮小疏》卷4 : "所爲後, 謂我所爲之後之人. 所爲後之兄弟之子, 今於己爲從兄弟, 若子者, 言如親子之服大功也. 所爲後之兄弟之子, 報之如所爲後之親子可知也."

⑪ 兄弟皆在他邦

정현의 주에 따르면 "벼슬하러 가거나 유람을 떠나거나 원수를 피하는 일들을 이른다.〔謂行仕, 出遊, 若(或)辟仇.〕" 胡培翬에 따르면 형제들이 모두 타국에 있고 집안의 친척이 없기 때문에 형제 중에 어떤 사람이 죽으면 살아 있는 형제가 그를 위하여 상복을 입되 1등급을 올려 입는다. 예를 들면 본래 복이 없는 경우에는 시마복을 입고, 본래 소공복을 입어야 할 경우에는 대공복을 입는다. 이것은 그가 타국에서 객사한 일을 가엾게 여기기 때문이다.[165]

⑫ 不及知父母, 與兄弟居, 加一等

胡培翬에 따르면 "어릴 적에 부모가 모두 죽어서 부모를 미처 알지 못하고 형제에 의지하여 함께 산 경우, 형제가 죽으면 미처 부모도 모르는 그 사람이 죽은 형제를 위하여 1등급을 올려 입음을 이른다.〔謂幼小、父母俱亡, 不及知之, 依兄弟同居, 而兄弟死, 則此不及知父母者爲加服一等.〕"

⑬ 小功以下爲兄弟

여기에서 말하는 '형제'는 오로지 '타국에 있으면서 1등급을 올려 입어주는' 형제만을 가리키니, 앞 경문의 '1등급을 낮추어 입는' 형제와는 포괄하는 범위가 다르다. (〈상복〉23. 주⑧ 참조) 胡培翬는 "經과 〈記〉에서 '형제'라고 말한 것이 많으나 유독 여기에서만 '小功以下爲兄弟'라는 〈傳〉을 달아놓았으니, 이는 오로지 이 節만을 가리켜 말한 것으로 이 〈傳〉에 얽매어 다른 곳의 '형제'를 해석해서는 안 됨을 밝힌 것이다.〔經、記言兄弟者多矣, 獨於此發'小功以下爲兄弟'之傳, 明專指此節而言, 不可泥此傳以解他處之兄弟也.〕"라고 하였다.

⑭ 朋友皆在他邦, 袒免, 歸則已

정현의 주에 따르면 여기에서는 자신과 자신의 朋友들이 모두 타국에 있는데 한 朋友가 죽으면 죽은 자가 타국에 있어 그를 위하여 喪을 주관할 친척이 없기 때문에 자신이 그 朋友를 위하여 喪을 주관한다는 뜻이다. 이미 그를 위하여 喪을 주관했다면 禮의 규정에 따라 袒을 해야 할 때는 단을 해야 하며, 단을 하기 전에는 반드시 먼저 冠을 벗고 免(문)을 해야 한다. 여기에서 말하는 '免'이라는 것도 그 形制는 冠과 비슷하며 너비는 1寸이다.[166] (冠梁과 유사한 免 위에 있는 것의 너비를 가리킨다) 《예기》〈喪服小記〉에 "免을 하는데 布로 만든다.〔免而以布〕"라고 하였으니, 免은 布로 만든다는 것

165) 《儀禮正義》卷25 : "兄弟皆在他邦, 加一等者, 以其俱在異地, 無家室之親, 而有死者, 則生者爲之服加一等. 如無服則爲之緦, 緦則加服小功, 小功加服大功, 愍其客死故也."

166) 鄭玄注 : "謂服無親者, 當爲之主, 每至袒時則袒, 袒則去冠, 代之以免. 舊說云以爲免, 象冠, 廣一寸."

을 알 수 있다. 또 敖繼公에 따르면 朋友들이 조문할 때는 弔服에 시마복의 首絰과 腰絰을 착용하는데,(〈상복〉23. 주⑮ 참조) 이 朋友는 타국에서 객사하여 더욱 가엾기 때문에 1등급을 올려 입어 袒과 免을 하는 것이다.[167]
'歸則已'는 정현의 주에 따르면 "已는 止(중지하다)와 같다. 귀국해서 喪을 주관할 자가 있으면 중지한다.〔已猶止也. 歸有主, 則止.〕" 만일 죽은 朋友의 영구를 본국으로 운송하게 되면 그의 친속이 그를 위하여 喪을 주관할 것이니 이로 인해 바로 중지하고 더 이상 袒과 免을 하지 않는다는 뜻이다.

【按】 袒·裼·肉袒·襲 이 네 가지는 다른 것이다. '袒'은 上衣의 왼쪽 소매만 빼고 안의 襦(유)와 中衣는 그대로 있는 것을 이른다. '裼'은 겨울에 갖옷[裘]을 입고 갖옷 위에 裼衣, 裼衣 위에 上衣를 입는데, 이 上衣의 왼쪽 소매를 빼서 裼衣가 보이도록 하는 것을 이른다. '肉袒'은 안팎의 옷 왼쪽 소매를 빼서 팔이 드러나도록 하는 것을 이른다. '襲'은 袒도 裼도 하지 않는 것을 이른다. 이때 왼쪽 옷소매를 빼는 左肉袒은 죄를 청한다는 의미에서 가장 공경하는 禮이며, 오른쪽 옷소매를 빼는 右肉袒은 형벌에 사용한다. 일반적으로 盛禮는 문식을 하지 않기 때문에 襲을 공경으로 여기고, 盛禮가 아닌 경우에는 아름다움을 드러내기 때문에 裼을 공경으로 여긴다.[168]

⑮ 朋友麻

'麻'는 정현의 주에 따르면 "시마복에 사용하는 首絰과 腰絰을 착용하는 것이다.〔服緦之絰帶.〕" 이것은 朋友를 위하여 단지 시마복에 사용하는 首絰과 腰絰만 착용한다는 말이다. 정현의 주에 따르면 朋友는 친속은 아니지만 道를 같이 하는 恩義가 있기 때문에 서로 시마복에 사용하는 首絰과 腰絰을 착용해주는 것이다.[169]

⑯ 君之所爲兄弟服, 室老降一等

'君'은 정현의 주에 따르면 공경대부를 가리킨다.[170] '兄弟服'은 소공 이하의 服을 가리킨다. 앞의 〈傳〉에서 "소공복은 형제를 위하여 입는 服이다.〔小功者, 兄弟之服也.〕"라고 하였는데,(〈상복〉10. 주⑭ 참조) 다음 문장에서 말하는 '兄弟服'도 그 뜻은 같다. '室老降一等'은 胡培翬에 따르면 천자와 제후의 신하는 천자와 제후가 상복을 입는 대상에게 무거운 복은 따라 입고 가벼운 복은 따라 입지 않는데, 공경대부의 신하인 室老는 자신의 주군(공경대부)이 상복을 입는 대상에게 소공복과 같은 형제의 복일지라도 따라서 입어야 한다. 이것은 천자·제후의 신하와 다른 부분이기 때문에

167) 《儀禮集說》卷11 : "朋友相爲弔服加麻也. 此亦爲其客死於外, 尤可哀憐, 故加一等而爲之袒免, 以示其情."
168) 錢玄, 《三禮辭典》, 376·688쪽.
169) 鄭玄注 : "朋友雖無親, 有同道之恩, 相爲服緦之絰帶."
170) 鄭玄注 : "公士大夫之君."

〈記〉를 지은 자가 여기에 특별히 기록하여 다른 점을 보인 것이다. 從服은 1등급을 낮추어 입으니, 공경대부가 소공복을 입는다면 室老는 시마복을 입는다.[171]

【按】 정현의 주에 보이는 여기의 '士'는 "卿士이다.[卿士也.]" 〈상복〉2. 주⑮ 참조.

⑰ 妻降一等

沈彤에 따르면 남편이 형제의 복(소공복) 을 입어주는 대상에게 처는 1등급을 낮추어 시마복을 입어주며, 남편이 시마복을 입어주는 대상에게도 처는 1등급을 낮추기 때문에 복이 없다.[172]

⑱ 邦人

胡培翬에 따르면 "衆人이라고 말한 것과 같다.〔猶言衆人.〕"[173]

⑲ 孤爲殤

胡培翬에 따르면 "아버지가 돌아가시고 아직 관례하기 전에 죽은 자를 이른다.〔謂無父未冠而死者.〕"[174]

⑳ 大功衰、小功衰

정현의 주에 따르면 長殤·中殤인 경우에는 大功衰를 입고 下殤인 경우에는 小功衰를 입는다.[175] '衰'는 여기에서는 '服'의 變文이다.

㉑ 皆三月

정현의 주에 따르면 이것은 종자와의 관계가 소원한 자, 즉 오복 외에 있는 자들을 가리킨다.[176] 이들은 모두 아버지가 돌아가시고 아직 관례하기 전에 죽은 종자를 위하여 대공복이나 소공복을 3개월 동안 입는다.

㉒ 親則月筭如邦人

'親'은 정현의 주에 따르면 宗子와의 관계가 오복 내에 있는 자를 가리킨다. '筭'은 정현의 주에 따르면 "數이다.〔數也.〕"[177] '邦人'은 마찬가지로 衆人이다. 胡培翬는 "오복 내의 親이라면 상복을 입는 개월 수가 일반 친척들과 똑같아서, 각각 그 親에 따라 입어서 모두 3개월인 것은 아님을 이른다.〔謂親則月數與衆人同, 各隨其親服之, 不皆三月也.〕"라고 하였다. 예를 들어 성인이라면 본복으로 자최기년복을 입어주어야 하는 친척의 殤이 長殤이나 中殤이면 대공복으로 낮추어 입고 下殤이면 소공복으로 낮추어 입는데, 종자에게도 이와 같이 한다는 것이다.

㉓ 改葬緦

정현의 주에 따르면 이것은 신하가 임금을 위해, 아들이 아버지를 위해, 처

171) 《儀禮正義》卷25 : "天子、諸侯之臣, 重服從, 輕服不從. 此室老、家臣, 即兄弟服亦從服, 是與天子、諸侯之臣異, 故特記之. 降一等者, 如君服小功, 室老則服緦也."

172) 《儀禮小疏》卷 : "有若夫之從祖父母、夫之從父姊妹之類, 皆以小功而降爲緦, 有若夫之族曾祖父母、族祖父母、族父母及夫之從祖姑姊妹適人者之類, 夫皆爲之緦, 妻皆降而無服, 並包含于其中矣."

173) 《儀禮正義》卷25 : "邦人人, 猶言衆人. 言庶子若不爲後, 則爲其母黨服, 與衆人同也."

174) 鄭玄注 : "言孤, 有不孤者. 不孤則族人不爲殤服服之也. 不孤, 謂父有廢疾, 若年七十而老, 子代主宗事者也."

175) 鄭玄注 : "長殤、中殤, 大功衰; 下殤, 小功衰."

176) 鄭玄注 : "皆如殤服而三月, 謂與宗子絶屬者也."

177) 鄭玄注 : "親, 謂在五屬之內算數也."

가 남편을 위해 改葬하는 것을 가리킨다. 개장하는 이유는 원래의 묘소가 어떤 원인으로 인해 파괴되었기 때문이다. 시마복을 입는 이유는 시신이 들어 있는 널을 보고서 상복이 없을 수 없기 때문이다. 이 복은 3개월을 입고 벗는다.[178]

㉔ 童子唯當室緦

'當室'은 동자가 아버지도 없고 형도 없어서 집안일을 관장하는 자를 이른다. 《예기》〈問喪〉의 정현의 주에 따르면 "當室은 동자가 父兄이 없어서 집안일을 주관하는 자를 이른다.〔當室, 謂無父兄而主家者也.〕" '緦'는 族人 중에 시마복을 입어 줄 親이 있는 자를 위하여 동자가 시마복을 입어주는 것을 이른다. 《예기》〈문상〉에 "동자는 시마복을 입지 않으며 집안일을 관장하는 경우에만 시마복을 입는다.〔童子不緦, 唯當室緦.〕"라고 하였다. 즉 집안일을 관장하는 동자만이 族人을 위해 시마복을 입는다는 말이다.

【按】 정현의 주에 따르면 "童子는 아직 관례를 행하지 않은 자의 호칭이다.〔童子, 未冠之稱也.〕"

㉕ 不當室則無緦服也

胡培翬에 따르면 이것은 집안일을 관장하지 않는 동자는 시마복이 없다는 것을 강조한 것뿐이며 期功 이상의 상복은 비록 禮를 다 갖추지는 않는다 할지라도 동자 역시 입어야 한다.[179]

㉖ 錫者何也

'錫'은 錫衰를 이른다. 胡培翬는 "錫은 五服 외에 들어 있기 때문에 물은 것이다.〔以錫在五服外, 故問也.〕"라고 하였다.

㉗ 麻之有錫者也

'麻'라고 말했으니, 그렇다면 錫衰도 麻布로 만들었다는 것을 알 수 있다. '錫'은 麻布를 잿물에 넣어 빨아서 희고 매끄럽게 하는 것을 이른다. 정현의 주에 따르면 "錫이라고 한 것은 布를 가공하여 매끄럽게 만들었다는 뜻이다.〔謂之錫者, 治其布, 使之滑易也.〕" '治其布'는 布를 잿물에 넣어 두들겨 빠는 것이다. 즉 《예기》〈雜記下〉에서도 말한 '잿물에 넣어 희고 매끄럽게 하는 것〔加灰錫也〕'이다. '滑易'는 희고 매끄럽다는 뜻이다.

㉘ 無事其縷, 有事其布曰錫

잿물에 넣어 가공하지 않는 것을 이른다. 다음에 나오는 '有事'는 잿물에 넣어 가공하는 것을 이른다. 〈상복〉21. 주③ 참조.

178) 鄭玄注 : "謂墳墓以他故崩壞, 將亡失尸柩者也. 改葬者, 明棺物毁敗, 改設之, 如葬時也.……服緦者, 臣爲君也, 子爲父也, 妻爲夫也. 必服緦者, 親見尸柩, 不可以無服, 緦三月而除之."

179) 《儀禮正義》卷25 : "《記》言'唯當室緦', 則不當室自無緦服, 而《傳》言之者, 嫌期、功之服亦無也. 蓋童子不當室, 雖無緦服, 而期功以上之服, 則仍服之."

【按】敖繼公에 따르면 일반적으로 상복은 올의 굵기를 선후로 삼는다. 錫衰에서 올을 가공하지 않는다는 것은 그 올이 시마복의 올처럼 가늘지 않다는 말이며 바로 이 때문에 시마복보다 덜 중하다는 것이다. 그러나 그 布는 반드시 가공하는데, 弔服을 아무런 가공도 하지 않을 수는 없기 때문에 올은 비록 가공하지 않았지만 布는 가공하여 희고 매끄럽게 하는 것이다.[180] 胡培翬는 斬衰章 〈傳〉의 "冠梁을 만드는 布는 두드려 빨기만 할 뿐 잿물에 넣어 표백하지 않는다.〔鍛而勿灰〕"라는 구절을 근거로 하여 잿물에 넣지 않으면 비록 두드려 빤다 하더라도 '有事'라고 할 수 없으니 緦麻章 〈傳〉의 '有事其縷'의 '有事'도 잿물에 넣는 것이라고 하였다.[181] 오계공과 호배휘의 설을 종합한다면 여기의 '無事其縷'는 올을 명주실처럼 가늘게도 하지 않고 잿물에 넣어 표백하지도 않는 것을 이른다.

㉙ 惡笄有首以髽

'惡笄'는 즉 喪笄이다. '有首'는 상계의 머리 부분에 조금 장식한 것을 이르니, 즉 盛世佐가 말한 '조금 꾸민다〔差飾〕'는 것이다.[182] 아래 주㉝ '笄有首' 참조.

㉚ 卒哭

虞祭를 지낸 뒤의 제사 이름이다. 胡培翬에 따르면 "장례가 끝나면 우제를 지내고 우제를 지낸 뒤에는 졸곡제를 지내니, 이렇게 하면 喪禮의 큰일이 끝나게 된다.〔蓋葬畢而虞, 虞而卒哭, 是喪之大事畢也.〕"

㉛ 子折笄首以笄

胡培翬에 따르면 '子'는 시집 간 딸을 이르며, '折笄首'는 惡笄를 吉笄로 바꾸면서 길계의 머리 부분을 잘라내고 착용한다는 말이다.[183] 길계의 머리 부분을 잘라내는 이유는, 정현의 주에 따르면 졸곡한 뒤에 딸은 남편의 집으로 돌아가게 되는데, 남편의 집으로 돌아가면 상계를 착용하지 못하고 길계로 바꾸어야 한다. 그런데 길계의 머리 부분에는 또 大飾, 즉 지나친 장식이 있기 때문에 그 머리 부분을 잘라내고 착용하는 것이다.[184] '以笄'는 敖繼公에 따르면 "비녀를 착용한다는 말이다.〔著笄之稱也.〕"

㉜ 布總

布로 머리를 묶는 것이다. 〈상복〉2. 주⑫ 참조.

㉝ 笄有首

정현의 주에 "조각하여 장식한 요즘의 擿頭와 같은 것이다.〔若今時刻鏤擿頭矣.〕"라고 하였다. 胡培翬에 따르면 '今時'는 漢나라 때를 이르고, '擿'은

180) 《儀禮集說》卷11 : "凡服, 以麤細爲先後, 錫不治縷, 則其縷不如緦之細, 所以差重也. 然而必有事其布者, 蓋弔服不可以無所事, 旣不治縷, 則當治布也. 治其布則滑易矣, 所以謂之錫."

181) 《儀禮正義》卷24 : "緦則有事其縷、無事其布, 錫則無事其縷、有事其布, 此錫與緦所以異也. 《雜記》云'加灰, 錫也', 卽此有事其布之謂. 斬衰章《傳》云'冠六升, 鍛而勿灰', 然則不加灰, 雖鍛, 不可謂之有事也. 緦衰云'有事其縷', 蓋亦加灰治之."

182) 《儀禮集編》卷25 : "惡笄有首, 差飾也."

183) 《儀禮正義》卷25 : "子, 謂女子子也. 初喪, 亦惡笄有首以髽, 至卒哭後, 或有事歸於夫家, 則易吉笄而折其首以著之."

184) 鄭玄注 : "卒哭而喪之大事畢, 女子子可以歸於夫家而著吉笄. 吉笄尊, 變其尊者, 婦人之義也. 折其首者, 爲其大飾也."

한나라 때의 비녀〔笄〕이며, '頭'는 擿의 머리 부분으로, 擿의 머리 부분에 조각을 하여 장식으로 삼는 것이다. 여기에서는 한나라 때의 擿頭로 笄首를 견준 것이니, 笄首 역시 조각하여 장식으로 삼았음을 알 수 있다.[185]

㉞ 櫛笄

胡培翬에 따르면 "櫛은 即(즐)로 읽어야 한다. 即은 떡갈나무이다. 떡갈나무는 조악하기 때문에 이것으로 喪笄를 만든다.〔櫛, 當讀爲'即', 即, 柞木也. 作木粗惡, 故以爲喪笄.〕"

【按】'即'은 楖(즐)과 같다.

㉟ 象笄

비녀를 코끼리뼈로 만들기 때문에 '象笄'라는 이름을 붙인 것이다.

㊱ 終之也

敖繼公에 따르면 '終'은 喪을 마치는 것을 이른다. 즉 며느리는 시부모를 위하여 상복을 입을 때 喪笄를 착용하고서 시부모의 상을 마쳐야하기 때문에 '吉笄의 장식 부분을 잘라내는 일이 없음〔無折笄首之事〕'을 이른다.[186]

【按】 정현은 '終之'를 '부모에 대한 자식의 도리를 모두 마치는 것[終子道於父母之恩]'으로 보았다.

24. 상복의 衰裳 제도와 치수

> 凡衰外削幅①, 裳內削幅。幅三袧(구)②。
> 若齊, 裳內衰外。
> 負廣出於適寸③。
> 適博四寸, 出於衰④。
> 衰長六寸, 博四寸⑤。
> 衣帶下尺⑥。

185) 《儀禮正義》卷25 : "惠氏棟云: '鄭以擿頭解笄. 首, 笄之首, 猶擿之頭, 漢之擿, 古之笄也,《續漢志》曰擿長一尺爲簪.' 今案: 鄭解有首在櫛笄之後, 是指吉笄之首言之, 故以漢時刻鏤擿頭況之也."

186) 《儀禮集說》卷11 : "終, 終喪也. 言婦惡笄以終喪, 無折笄首之事, 故不言婦也."

衽二尺有五寸⑦。
袂屬幅⑧。
衣二尺有二寸⑨。
袪尺二寸⑩。

일반적으로 衰(상의)는 시접이 밖으로 나오도록 폭을 줄여 꿰매고, 裳(하의)은 시접이 안으로 들어가도록 폭을 줄여 꿰맨다. 이때 裳은 폭마다 3개의 주름을 잡는다.
가장자리를 가지런하게 꿰맬 경우 裳은 가장자리를 안으로 접어 꿰매고 衰는 가장자리를 밖으로 접어 꿰맨다.
衰의 負版의 너비는 適(벽령)에서 양쪽으로 1寸씩 더 나오도록 한다.
適은 너비가 4寸으로, 衰에서 바깥쪽으로 내서 만든다.
衰는 길이가 6寸이고, 너비가 4寸이다.
上衣의 帶下 길이는 1尺이다.
衽의 길이는 2尺 5寸이다.
袂(소매)는 上衣 몸판과 통폭으로 연결되어 있다.
衣身(上衣 몸판)의 길이는 2尺 2寸이다.
袪(소맷부리)의 너비는 1尺 2寸이다.

① 凡衰外削幅

'凡'은 胡培翬에 따르면 五服을 겸하여 말한 것이다.[187] '削'은 정현의 주에 따르면 "殺(쇄)와 같다.〔猶殺也.〕" '殺'는 '줄이다'라는 뜻이다. '外削幅'은 호배휘에 따르면 "밖으로 1寸을 접어 꿰매는 것을 이른다.〔外削幅者, 謂揩倒一寸向外也.〕" 다음에 나오는 '內削幅'도 그 뜻은 이와 같다. 호배휘에 따르면 "內削幅은 안으로 1寸을 접어 꿰매는 것을 이른다.〔內削幅者, 謂揩倒一寸向內也.〕"

② 幅三袧

'袧'는 주름이다. 즉 裳의 허리에 잡은 주름이다. '幅三袧'는 裳의 布幅마다 3개의 주름을 잡은 것을 이른다. 정현의 주에 "袧는 양쪽에는 주름을 잡고 가운데는 비게 하는 것을 이른다.〔袧者, 謂辟(襞)兩側, 空中央也.〕"라고 하였고, 또 "일반적으로 裳은 앞이 3폭, 뒤가 4폭이다.〔凡裳, 前三幅,

187) 《儀禮正義》卷25 : "云'凡'者, 兼五服言之, 謂衰裳、外削、內削及裳每幅三袧之制, 五服皆同也."

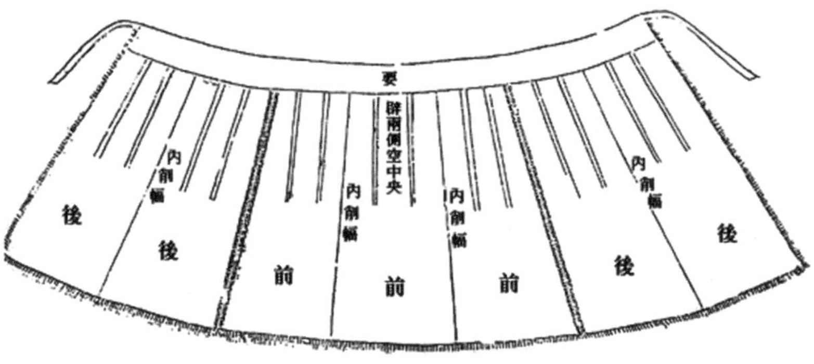

• 그림 6 • 斬衰
張惠言《儀禮圖》

後四幅也.〕"라고 하였다. 이는 裳은 7폭의 포가 모여서 이루어짐을 이른 것이다.

【按】〈그림 6〉은 張惠言의 〈斬衰〉圖로 폭마다 주름이 두 개씩 잡혀 있는데, 다른 禮書에는 주름이 세 개씩 잡혀있는 그림도 있다.

③ 負廣出於適寸

注疏에 따르면 '負'는 衰(상의)의 등 부분을 가리킨다. '衰의 등 부분'은 1尺 8寸 되는 정사각형의 布로, 등쪽에 있기 때문에 '負' 또는 '負版'이라는 이름을 붙인 것이다.[188]

'適'은 衰의 領(옷깃)이다. 너비가 4寸이며 (《記》〈그림 7〉〈그림 8〉 참조) '辟領'이라고도 한다. 負의 윗부분은 適과 접하는데, 양쪽 가장자리가 適보다 각각 1寸이 넓으니, 이것이 이른바 '出於適寸'이라는 것이다.

④ 適博四寸, 出於衰

정현의 주에 따르면 '適博'은 領의 너비를 이른다.[189] 領의 한 가운데가 領口이고 領口의 반지름은 4寸이니 좌우를 합하면 가로로 8寸이 된다. 領口의 좌우 양쪽에는 각각 두 어깨 쪽으로 붙인 布가 하나씩 있는데 너비가 4寸이니 이것을 '適'이라고 한다. 適은 4寸이니 양쪽을 합하면 8寸이다. 여기에 가운데 領口 부분의 비워놓은 8寸을 더하면 좌우의 너비는 1尺 6寸이 된다. 윗글에 따르면 "負는 適에서 양쪽으로 1寸씩 더 나오도록 한다.〔負廣出於適寸.〕"라는 것은 양쪽을 합쳐 더 나온 너비가 2寸이니 負의 너비는 1尺 8寸이 됨을 알 수 있다. '出於衰'의 '衰'는 길이 6寸, 너비 4寸인 앞가슴 중앙의 布를 가리키다. (《記》〈그림 7〉 참조) 어깨 위의 두 개의 適은 아

188) 鄭玄注 : "負, 在背上者也. 適, 辟領也. 負出於辟領外旁一寸." 賈公彦疏 : "以一方布置於背上, 上畔縫著領, 下畔垂放之. 以在背上, 故得負名. 適, 辟領, 即下文適也. 出於辟領外旁一寸, 總尺八寸也."

189) 鄭玄注 : "博, 廣也."

래의 衰와 비교하면 모두 衰의 밖으로 나와 있기 때문에 '出於衰'라고 말한 것이다. 胡培翬에 따르면 "衰는 앞가슴 부분에 있으니, 양 어깨의 辟領(適) 입장에서 보면 衰 밖으로 나온 것이 된다.〔衰在胸前, 以兩肩辟領望之, 出衰外也.〕"

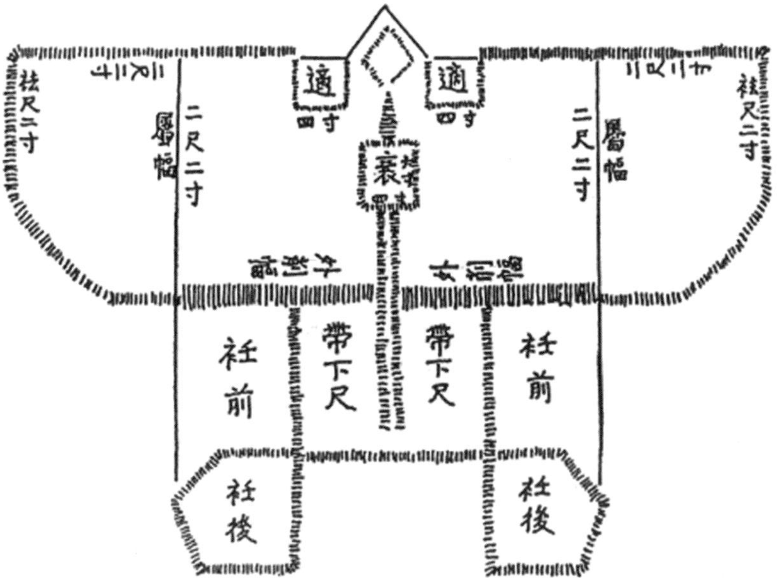

• 그림 7 • 斬衰前
張惠言《儀禮圖》

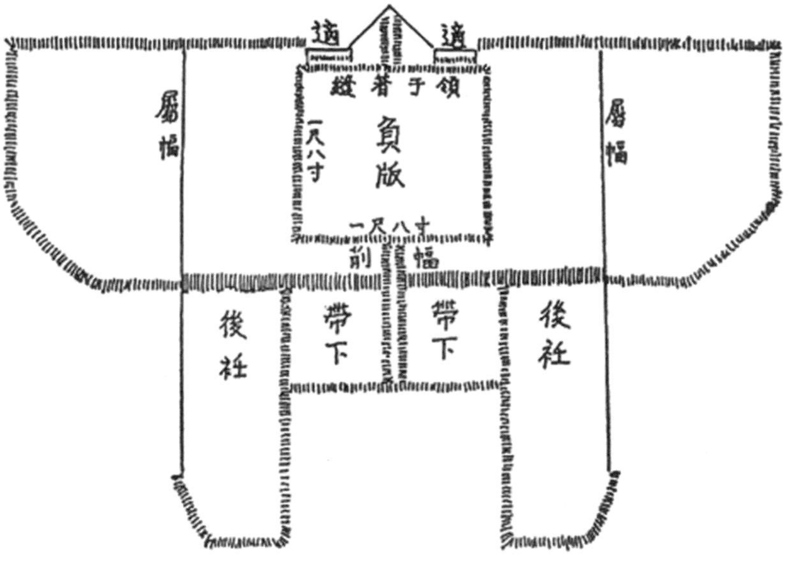

• 그림 8 • 斬衰後
張惠言《儀禮圖》

⑤ 衰長六寸, 博四寸

정현의 주에 따르면 '衰'는 앞의 심장 부분에 있다.[190] 여기에서 말하는 衰는 상복의 상의를 통틀어 衰라고 이르는 것과는 의미가 다르다.

【按】 정현의 주에 따르면 衰服 앞에는 衰를 붙이고 뒤에는 負版을 붙이며 좌우에는 辟領을 붙이는 것은 효자의 애통함이 있지 않은 곳이 없기 때문이다.[191]

⑥ 衣帶下尺

吳廷華에 따르면 '帶'는 上衣의 束帶하는 부분을 이른다. 상의의 길이는 겨우 2尺 2寸이지만 상의의 양쪽 옆에 아래로 늘어뜨린 衽이 있어 裳을 가릴 수 있다. (《記》 〈그림 7〉 〈그림 8〉 참조) 그러나 상의에 束帶를 하고 나면 아래로 남겨진 부분이 매우 적어서 裳을 가릴 수 없게 되기 때문에 상의의 앞뒤 束帶하는 부분 아래에 또 '帶下'라는 이름의 1尺의 布를 이어 덧대는데, 이렇게 하면 바로 裳의 윗부분을 가릴 수 있게 된다.[192]

⑦ 衽二尺有五寸

정현의 주에 따르면 '衽'은 裳을 가리기 위하여 대는 것으로, 상의의 양쪽 옆에 있다. 그 윗부분은 곱자 모양이고 아랫단은 사선으로 잘라서 燕尾形을 만든다.[193] 가공언의 소에 따르면 이것은 남자의 喪服이다. 부인은 深衣를 입기 때문에 帶下와 衽이 없다.[194]

⑧ 袂屬幅

'屬'은 '이어져 있다〔連〕'라는 뜻이다. '幅'은 상의의 幅을 이른다. 옷소매를 별도의 布로 만들어 衣身(上衣 몸판)에 붙이는 것이 아니라 衣身과 통폭의 포로 만든다는 말이다. 이 때문에 정현의 주에 "폭이 이어져 있다는 것은 줄이지 않는다는 말이다.〔連幅, 謂不削.〕"라고 한 것이다. 즉 폭을 합쳐 꿰매어 줄일 필요가 없다는 것이다.

⑨ 衣二尺有二寸

정현의 주에 따르면 "상의는 領에서 허리까지 2尺 2寸이다.〔衣自領至要二尺二寸.〕"

⑩ 袪

정현의 주에 따르면 "소맷부리이다.〔袖口也.〕"

190) 鄭玄注 : "前有衰."

191) 鄭玄注 : "前有衰, 後有負版, 左右有辟領, 孝子哀戚, 無所不在."

192) 《儀禮章句》卷11 : "帶者, 要間當帶之處. 衣長二尺二寸, 不過及要, 與裳相接, 每不能掩, 故于當帶處以布綴之, 垂下長尺, 以掩裳際也."

193) 鄭玄注 : "衽, 所以掩裳際也. 二尺五寸, 與有司紳齊也. 上正一尺, 燕尾二尺五寸, 凡用布三尺五寸."

194) 賈公彦疏 : "此謂男子之服. 婦人則無, 以其婦人之服連衣裳, 故鄭上斬章注云婦人之服'如深衣則衰無帶下, 又無衽'是也."

25. 상복에 사용하는 포의 升數와 참최·자최의 受服·受冠

衰三升①, 三升有半②。其冠六升。以其冠爲受③, 受冠七升④。
齊衰四升, 其冠七升。以其冠爲受, 受冠八升⑤。
繐衰四升有半, 其冠八升。
大功八升若九升。
小功十升若十一升⑥。

참최복은 3승 또는 3승반의 포로 만들며 冠은 6승포로 만든다. 장례를 행한 뒤에는 원래의 冠에 사용했던 포의 升數에 따라 衰服을 받아 바꾸어 입으며 이때 冠은 7승포로 만든다.
자최복은 4승포로 만들고 관은 7승포로 만든다. 장례를 행한 뒤에는 원래의 冠에 사용했던 포의 升數에 따라 최복을 받아 바꾸어 입으며 이때 冠은 8승포로 만든다.
세최복은 4승반의 포로 만들고 冠은 8승포로 만든다.
대공복은 8승이나 9승포로 만든다.
소공복은 10승이나 11승포로 만든다.

① 衰

정현의 주에 따르면 "참최이다.〔斬衰也.〕"

② 三升有半

정현의 주에 "혹자는 3승 반은 義服(의리로 입어주는 복)이라고도 한다.〔或曰三升半者, 義服也.〕"라고 하였다. '義服'은 아래 주⑥에 자세하다. 胡培翬는 여기에서의 義服은 공경대부의 가신이 자신의 주군(즉 공경대부)을 위하여 입는 복을 가리킨다고 하였다.[195]

【按】 가공언의 소에 따르면 이 3승 반은 실제로 義服이기는 하나 正文이 없기 때문에 정현이 혹자의 해석을 인용하여 증거를 삼은 것이다.[196]

195) 《儀禮正義》卷25 : "戴氏震以三升有半之衰, 專爲公士大夫之臣服其君, 較舊說爲長."

196) 賈公彦疏 : "此三升半, 是實義服, 但無正文, 故引或人所解爲證也."

③ 以其冠爲受

初喪 때 착용했던 冠布의 升數에 따라 장례를 행한 뒤에 衰服을 받아 바꾸어 입는 것을 이른다. 그렇다면 이때 받는 최복에 사용하는 포는 6승이 되어야 한다. 胡培翬에 따르면 "初喪의 成服 때 冠에 사용했던 6승포를 장례를 행한 뒤에 받는 최복의 포로 삼는 것이다.〔以初喪成服時冠六升之布, 爲旣葬後受衰之布.〕" 〈상복〉5. 주② 참조.

④ 受冠七升

胡培翬에 따르면 "7승포를 장례를 행한 뒤에 받는 冠의 포로 삼는 것을 이른다.〔謂以七升之布爲旣葬後受冠之布也.〕"

⑤ 齊衰四升……受冠八升

【按】 정현의 주에 따르면 이것은 어머니를 위한 상복이다. 齊衰正服은 衰裳은 5승포로 만들고 관은 8승포로 만든다.[197]

⑥ 大功八升若九升, 小功十升若十一升

'若'은 '및〔及〕'이라는 뜻이다. 盛世佐에 따르면 여기에서 대공에 7승을 말하지 않고 소공에 12승을 말하지 않은 것은 "글이 갖추어지지 않은 것뿐이다.〔文不具耳.〕"[198] 《예기》〈間傳〉에 "자최에는 4승·5승·6승포를, 대공에는 7승·8승·9승포를, 소공에는 10승·11승·12승포를 쓴다.〔齊衰四升、五升、六升, 大功七升、八升、九升, 小功十升、十一升、十二升.〕"라는 내용이 있다. 후대의 儒者들은 이를 근거로 자최부터 소공까지 모두 각각 3등급의 상복이 있다고 말하고 이 3등급을 각각 '降服' '正服' '義服'이라고 하였다.(金榜의 《禮箋》권2 "冠衰升數" 참조) 3등급의 상복 중 降服이 가장 무거우며, 經과 〈傳〉에서도 강복에 대하여 기술한 것이 많다. 어떤 원인(예를 들면 壓尊되는 것과 같은 경우)으로 인해 本服대로 입을 수 없으면 1등급을 낮추어 입어야 하는데, 1등급을 낮춘 뒤에 입는 복은 바로 아래 등급의 복 중 가장 무거운 복이기 때문에 '降服'으로 이 등급의 상복 이름을 삼은 것이다. 예를 들어 아버지와 어머니는 자식의 입장에서 말하면 은혜와 사랑이 본래 똑같으나 아버지를 위해서는 3승포로 만든 참최복을 입고 어머니를 위해서는 4승포로 만든 자최복, 즉 자최복 중의 강복을 입는다. 바로 여기에서 참최복에는 강복이 있을 수 없고 단지 正服과 義服 2등급의 상복만 있음을 알 수 있다. 제2등은 正服이니, 즉 本服이다. 제3등은 義服이다. 이른바 '義服'이란 '의리로 입어주는 복'이라는 뜻이다. 즉 본래는 친속 관계가 없

197) 鄭玄注 : "此謂爲母服也. 齊衰正服五升, 其冠八升."

198) 《儀禮集編》卷25 : "大功不言七升, 小功不言十二升, 文不具耳."

지만 모종의 의리 때문에 복을 입어주는 것이다. 義服을 입는 것은 3등급 중에 가장 가벼운 등급의 상복이다. 예를 들어 공경대부의 가신이 자신의 주군을 위하여 義服으로 3승반의 참최복을 입어주는 것과 같은 것이다. 예로부터 학자들은 3등급 상복의 구분에 대하여 자못 心力을 허비하면서 각각 자신의 설을 주장했지만 그 대체적인 요지는 위에 말한 것과 같다.

본편은 고대의 士가 죽으면 마찬가지로 士인 그 아들이 死者를 위하여 喪을 치르는 禮를 기록한 것이다. 이 때문에 이름을 〈士喪禮〉라고 하였다. 全文은 모두 36절로 이루어져 있으며 5개 부분으로 구분할 수 있다.

첫째 부분은 1절부터 14절까지이다. 사람이 죽은 첫째 날 死者를 위하여 招魂하는 禮, 임금과 親友가 死者에게 옷을 보내는 禮, 사자를 목욕시키고 飯含하며 시신을 襲하고 重을 진설하는 등의 禮를 기록하였다.

둘째 부분은 15절에서 23절까지이다. 주로 둘째 날의 小斂과 소렴 후에 死者를 위하여 奠을 진설하는 禮를 기록하였다.

셋째 부분은 24절에서 30절까지이다. 주로 셋째 날의 大斂하고 초빈하는 것과 대렴 후에 死者를 위하여 奠을 진설하는 禮를 기록하였으며, 동시에 임금이 친히 와서 대렴을 보는 禮를 기록하였다.

넷째 부분은 31절에서 33절까지이다. 주로 넷째 날 成服한 뒤에 5일째부터 시작되는 朝夕哭의 禮를 기록하였으며, 동시에 朔月奠과 薦新의 禮를 기록하였다.

다섯째 부분은 34절에서 36절까지이다. 묘 자리를 잡고, 槨을 살피고, 葬日을 잡는 등의 禮를 기록하였다.

본편에 기록된 士喪禮는 葬日을 잡는 것까지만 기록되어 있어 결코 완료된 것이 아니다. 다음에 이어지는 〈旣夕禮〉와 실제로는 한 편인데 古人들이 그 簡册이 많고 무겁다는 이유로 상·하 두 편으로 나눈 것이다. 이 때문에 본편의 〈記〉 역시 다음에 이어지는 〈旣夕禮〉 뒤에 함께 두었다.

第十二 사상례 士喪禮

시사 始死

소렴 小斂

대렴 大斂

성복 成服 · 조석곡 朝夕哭 · 삭망전 朔望奠 · 천신 薦新

서택 筮宅 · 시곽 視椁 · 복장일 卜葬日

시사始死

1. 招魂

士喪禮。死于適室①, 幠用斂衾②。復者一人③, 以爵弁服④, 簪裳于衣⑤, 左何之⑥, 扱領于帶⑦。升自前東榮⑧, 中屋⑨, 北面, 招以衣, 曰: "皐某復⑩!" 三, 降衣于前⑪。受用篋⑫, 升自阼階, 以衣尸。復者降自後西榮。

士의 喪禮이다.
士가 適室(正寢의 室)에서 죽으면 斂衾으로 시신을 덮는다.
復者(혼을 부르는 사람) 한 사람이 死者가 생전에 입었던 爵弁服을 上衣에 下裳을 이어 붙인 뒤 왼쪽 어깨에 얹고 그 옷의 領(옷깃)을 자신의 허리띠에 끼운다. 東榮 앞쪽에서 사다리를 타고 지붕으로 올라가 용마루에 이르면 북향하고서 옷을 흔들며 혼을 부르는데, 소리를 길게 끌며 부르기를 "아무(死者의 이름)는 돌아오시오!"라고 한다. 이렇게 세 번을 부른 뒤에 옷을 당 앞쪽 처마 아래로 던진다.
受者(받는 사람)가 대나무 상자로 그 옷을 받아서 동쪽 계단으로 올라가 시신에게 덮어준다.
復者가 西榮 뒤쪽으로 내려온다.

① 適室

정현의 주에 따르면 正寢의 당 뒤쪽에 있는 室을 가리킨다.[1] 이른바 '正寢'이란 胡培翬에 따르면 천자부터 士까지 모두 정침과 燕寢이 있는데, 연침은 평소에 항상 거처하는 곳이고 정침은 반드시 재계하거나 질병이 있을 때 거처하는 곳이다. 천자와 제후의 정침은 '路寢', 대부와 士의 정침은 '適寢'이라고 한다. 정침과 연침은 形制가 같다.[2] 吳廷華는 "정침은 앞에 있고 연침은 뒤에 있다.〔正寢在前, 燕寢在後.〕"라고 하였다. 또 정현의 주에 따르면 질병이 있을 때는 室의 북쪽 벽 아래에 눕히고 죽은 뒤에는 室

1) 鄭玄注 : "適室, 正寢之室也."

2)《儀禮正義》卷26 : "自天子至士, 皆有正寢、燕寢, 詳《士昏禮》. 燕寢, 常居之所; 正寢, 唯齊及疾, 乃居之.《檀弓》云'君子非致齊也、非疾也, 不晝夜居於內.' 鄭注'內, 正寢之中'是也. 正寢, 天子、諸侯謂之'路寢', 大夫、士謂之'適寢'."

의 남쪽 창 아래로 모신다.[3]

② 幠用斂衾

'幠'는 《說文解字》에 따르면 "덮는다는 뜻이다.〔覆也.〕" '衾'은 정현의 주에 따르면 "이불이다.〔被也.〕" 즉 '斂衾'은 시신을 덮는데 쓰는 이불이다. 또 정현의 주에 따르면 이때 시신을 덮는데 쓰는 이불이 바로 大斂 때 쓰는 이불이다.[4]

③ 復者

혼을 부르는 사람이다. 정현의 주에 따르면 士는 자신의 屬吏에게 복자의 임무를 맡긴다.[5]

【按】 가공언의 소에 따르면 여기의 屬吏, 즉 有司는 府나 史의 등속이다.[6] 府와 史는 〈기석례〉9. 주⑧ 참조.

④ 爵弁服

'爵弁'은 일종의 文冠으로, '爵'은 '雀'과 통한다. 색깔이 붉으면서도 조금 검어서 마치 참새의 머리와 같은 색이기 때문에 爵弁이라는 이름을 붙인 것이다. 爵弁服은 작변에 맞추어 입는 옷이다. 즉 분홍색 下裳〔纁裳〕, 緇色 上衣〔純衣〕, 緇色 폐슬〔韎韐〕로 이루어져 있다. 胡培翬에 따르면 이것은 死者가 생전에 입었던 上服이다.[7]

【按】 〈상복〉23. 주⑤, 〈사상례〉9. 주⑳ 참조.

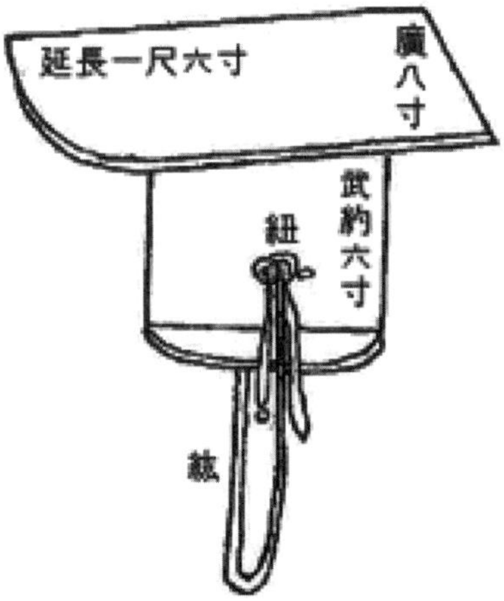

· 그림 9 · 爵弁
張惠言《儀禮圖》

⑤ 簪裳于衣

정현의 주에 따르면 "簪은 '연결하다'라는 뜻이다.〔簪, 連也.〕" 이것은 爵弁服의 上衣와 下裳을 하나로 이어붙인 것으로, 그 목적은 다음 經文에서 말한 '왼쪽 어깨에 멜 때〔左何之〕' 편리하도록 하기 위해서이다.

⑥ 何

'荷(메다)'와 통용한다.

⑦ 扱領于帶

3) 鄭玄注："疾時處北墉下, 死而遷之當牖下."

4) 鄭玄注："斂衾, 大斂所並用之衾. 衾, 被也."

5) 鄭玄注："復者, 有司招魂復魄也."

6) 賈公彦疏: "云'復者, 有司'者, 案《喪大記》復者小臣, 則士家不得同僚爲之, 則有司府、史之等也."

7) 《儀禮正義》卷26："復皆用死者之上服也."

'扱'은 《廣雅》〈釋詁〉에 따르면 "끼운다는 뜻이다.〔插也.〕" 盛世佐에 따르면 이것은 復者가 死者의 爵弁服 衣領(옷깃)을 자신의 衣帶 사이에 끼워 그 옷이 어깨에서 미끄러지지 않도록 하기 위한 것이다.[8]

【按】 성세좌에 따르면 復者가 死者의 옷깃을 자신의 腰帶에 끼우는 것은 사다리를 오르는데 편리하게 하기 위해서이다.

⑧ 升自前東榮

'升'은 사다리를 타고 지붕으로 올라가는 것이다. '榮'은 처마 양쪽 끝에 위로 올라간 부분이다. 屋翼이라고도 하는데, 새가 두 날개를 편 것과 같다는 말이다.

⑨ 中屋

즉 용마루이다.

⑩ 皐某復

'皐'는 정현의 주에 따르면 "소리를 길게 내는 것이다.〔長聲也.〕" 즉 소리를 길게 끌면서 부르는 것이다. '某'는 死者의 이름이다. 文意로 보면 '皐'는 당연히 앞에 나온 '曰'의 부사여야 한다. 그러나 禮文에는 모두 '皐某復' 3글자를 함께 이어서 '曰' 뒤에 두고 있다. 예를 들면 《예기》〈禮運〉에 "그가 죽으면 지붕에 올라가 부르며 길게 소리치기를 '아무는 돌아오시오.'라고 한다.〔及其死也, 升屋而號告曰: '皐某復'.〕"라고 하였으니, 이것은 일종의 습관적인 표현 방식이었던 듯하다.

⑪ 降衣于前

胡培翬에 따르면 "前은 남쪽 처마를 이른다. 降衣는 혼이 내려가는 것과 같은 것이다. 《예기》〈喪大記〉에 '옷을 말아서 남쪽 처마 아래로 던진다.'라고 하였다.〔前, 謂南檐也. 降衣, 如魂之降也. 《喪大記》曰: '卷衣投於前.'〕"

⑫ 受用篋

이 구절의 주어는 受者(받는 사람)이니 당연히 "受者가 대나무 상자로 받는다.〔受者受用篋.〕"라고 해야 한다. 정현의 주에 따르면 受者도 士의 屬吏 중 한사람이 맡는다.[9] '篋'은 대나무 상자 이름이다. 그 刑制는 정현의 주에 따르면 "직사각형이다.〔隨(橢)方.〕" 호배휘에 따르면 "장방형이고 정방형은 아닌 듯하다. 그러므로 《經典釋文》에서 '좁고 길다.'라고 한 것이다.〔蓋長方而不正方, 故《釋文》云'狹而長也'.〕"

8) 《儀禮集編》卷26 : "以左肩荷爵弁服而插其領於己之帶間, 亦便其登梯也."

9) 鄭玄注 : "受者, 受之於庭也. 復者其一人招, 則受衣亦一人也."

2. 楔齒·綴足·設奠·帷堂

楔(설)齒用角柶①, 綴足用燕几②。奠脯、醢、醴、酒③, 升自阼階, 奠于尸東。帷堂④。

死者의 치아 사이에 角柶를 이어붙인 모양의 楔을 끼워 넣고 燕几로 死者의 발을 고정시킨다.
奠物은 脯·醢·醴를 올리거나 醴가 없으면 脯·醢·酒를 올리는데, 동쪽 계단으로 올라가 시신의 동쪽에 올린다.
당에 휘장을 친다.

① 楔齒用角柶

이것은 앞으로 飯含하기 위하여 준비하는 것으로, 정현의 주에 따르면 "반함할 때 死者의 입이 꽉 다물어져서 벌어지지 않을까 염려해서이다.〔爲將含, 恐其口閉急也.〕" '角柶'는 뿔로 만든 柶(숟가락)이다. 그러나 이 角柶는 醴를 뜨는 柶와는 다르다. 그 形制는 醴를 뜨는 柶의 둥근 부분 두 개를 이어서 人자 모양으로 만든 것이니, 〈記〉에 이른바 "楔의 모양은 멍에와 같다.〔楔貌如軛〕"라는 것이다.

• 그림 10 • 楔
黃以周《禮書通故》

② 綴足用燕几

정현의 주에 따르면 "綴은 拘(고정시키다)와 같다. 신발을 신길 때 발이 뒤틀릴까 염려해서이다.〔綴, 猶拘也. 爲將屨, 恐其辟戾也.〕" '辟戾'는 '변형되다' 또는 '구부러지다'라는 뜻이다. 이것은 死者에게 신발을 신길 때 死者의 발이 변형될까 염려되어 燕几로 고정시키는 것이다. '燕几'는 吳廷華에 따르면 "평소 거처할 때 기대어 편안하게 하는 几(안석)인 듯하다.〔燕居時憑以爲安之几與.〕" 燕几로 어떻게 발을 고정시키는가는 〈記〉에 자세하다. 〈기석례〉 19. 주⑥ 참조.

③ 奠脯、醢、醴、酒

'奠'은 奠物을 진설하는 것을 이른다. 즉 死者를 위하여 祭物을 올려 진설한다는 뜻이다. 여기에는 두 가지 의미가 있다. 하나는 死者에게 제사를 지내는 의미이다. 이 때문에 《釋名》〈釋喪祭〉에 "喪祭를 '奠'이라 한다.〔喪祭曰奠.〕"라고 한 것이다. 두 번째는 死者를 위하여 의지할 곳을 마련해주는 의미이다. 즉 정현의 주에 이른바 "귀신은 형상이 없으니 奠을 진설하여 여기에 의지하게 한다.〔鬼神無象, 設奠以馮依之.〕"라는 것이다. 아래에서 '奠'이니 '設奠'이니 하는 것은 뜻이 모두 이와 같다.

【按】 가공언의 소에 따르면 이때에는 醴·酒가 모두 있다 하더라도 그 중 하나만을 쓰고 다 쓰지 않는데, 이 점이 醴·酒를 모두 쓰는 소렴 때와 다르다. 즉 醴가 있으면 醴를 쓰고 酒는 쓰지 않으며 醴가 없으면 새로 담근 酒를 쓰라는 말이다.[10] 〈기석례〉19. 주⑨ 참조.

④ 帷堂

吳廷華에 따르면 "귀신은 어두컴컴한 곳을 숭상하기 때문이다.〔以鬼神尙幽暗也.〕"

3. 赴告하러 갈 자에게 명하는 禮

乃赴于君①。主人西階東②, 南面命赴者, 拜送③。有賓則拜之④。

이어서 임금에게 부고한다.
주인은 서쪽 계단의 동쪽에서 남향하고 부고하러 갈 사람에게 명한 뒤 절하여 전송한다. 士인 賓이 있으면 이때 절한다.

① 赴

'알리다〔告〕'라는 뜻이다.

10) 賈公彦疏 : "下《記》云'若醴若酒', 鄭注云'或卒無醴, 用新酒', 此醴、酒雖俱, 言亦科用其一, 不竝用, 以其小斂酒、醴具有, 此則未具, 是其差."

【按】 士의 부고는, 같은 나라의 대부와 士에게는 "아무개가 죽었습니다."라고 하고, 다른 나라의 임금에게는 "임금님의 外臣 아무개가 죽었습니다."라고 하며, 다른 나라의 대부와 士에게는 "그대의 外私 아무개가 죽었습니다."라고 한다.[11]

② 主人

死者의 적장자이다.

③ 拜送

【按】 凌廷堪의 《禮經釋例》 권1에 따르면 "일반적으로 拜送하는 禮는 전송하는 사람은 절하고 떠나는 사람은 答拜하지 않는다.[凡拜送之禮, 送者拜, 去者不答拜.]"

④ 有賓則拜之

'賓'은 정현의 주에 따르면 "동료나 벗인 여러 士들이다.〔僚友群士也.〕" 胡培翬에 따르면 부고를 알리러 갈 사람에게 명하는 틈에 賓이 있으면 賓에게 拜禮를 행하는 것이며, 그런 경우가 아니면 주인은 室에서 나오지 않는다.[12]

【按】 가공언의 소에 따르면 '僚'는 같이 벼슬하는 사람을 이르며 '友'는 뜻이 같은 사람을 이른다.[13] 또 호배휘에 따르면 동료나 벗이 모두 士의 신분임을 아는 것은 다음에 나오는 경문에서 대부가 賓으로 오면 그에게는 단독으로 절한다고 했기 때문이다.[14]

4. 시신이 室에 있을 때 주인 이하의 사람들이 哭을 하는 위치

入①, 坐于牀東。衆主人在其後。西面②。婦人俠牀, 東面③。親者在室④。衆婦人戶外北面, 衆兄弟堂下北面⑤。

주인은 다시 室로 들어가 尸牀의 동쪽에 앉고 衆主人(死者의 아들들)은 주인의 뒤에 서향하고 앉는다.
부인들(主婦와 衆主婦)은 尸牀을 끼고 맞은편에서 동향하고 앉는다.

11) 《禮記》〈雜記上〉: "士訃於同國大夫, 曰'某死'; 訃於士, 亦曰'某死'. 訃於他國之君, 曰'君之外臣某死'; 訃於大夫, 曰'吾子之外私某死'; 訃於士, 亦曰'吾子之外私某死'."

12) 《儀禮正義》卷26 : "此謂因命赴見賓, 遂拜之也. 不然則在室不出."

13) 賈公彦疏 : "'僚友群士也'者, 同官爲僚, 同志爲友, 群士即僚友也."

14) 《儀禮正義》卷26: "鄭必知賓是僚友群士者, 以下云'有大夫則特拜之', 此但云'拜', 故知是士之僚友也."

> 親者(대공친 이상)는 室 안에 앉는다.
> 衆婦人(소공친 이하)은 室戶 밖 당 위에서 북향하여 서고, 衆兄弟(소공친 이하)는 당 아래에서 북향하고 선다.

① 入

주인이 부고를 하러 갈 사람에게 명을 내린 뒤에 다시 室 안으로 들어가는 것이다.

② 衆主人在其後, 西面

정현의 주에 따르면 "衆主人은 여러 형제들이다.〔庶昆弟也.〕" 이들은 주인의 여러 형제들을 말하니, 死者에게는 여러 아들이 된다. 蔡德晉에 따르면 이때 시신은 室의 남쪽 창 아래로 모시는데, 머리는 남쪽을 향하고 발은 북쪽을 향하게 한다. 주인은 尸牀의 동쪽에 앉고 衆主人은 또 주인의 동쪽에 앉아서 모두 서향하여 시신을 향한다.[15]

③ 婦人俠牀, 東面

'婦人'은 주인과 衆主人의 처첩들이다. '俠牀'은 盛世佐에 따르면 "俠은 夾과 통용한다. 俠牀은 尸牀의 서쪽에서 남자와 마주보기 때문에 俠牀이라고 한 것이다.〔俠, 夾通. 俠牀, 在牀西也, 與男子相對, 故云俠牀.〕" 蔡德晉에 따르면 주부(주인의 適妻)는 尸牀의 서쪽에 앉고 衆主婦는 또 주부의 서쪽에 앉아서 모두 동향하여 시신을 향한다.[16] 경문에서 부인에게는 '앉는다〔坐〕'라는 말을 하지 않은 것은, 張惠言에 따르면 "앞에 나온 '室로 들어가 앉고'라는 글을 받았기 때문에〔蒙上入坐文〕" 생략한 것이다.[17]

【按】 張惠言의 〈始死陳襲事〉圖와 黃以周의 〈始死陳襲〉圖에는 모두 主婦 뒤에 衆婦人이 위치해 있는데, 여기의 衆婦人은 위 채덕진의 설에 따르면 衆主婦로 보인다. 衆婦人은 소공친 이하로 室戶 밖에 남향하고 있다.

④ 親者在室

'親者'는 정현의 주에 따르면 대공복 이상을 입는 자를 가리킨다.[18] 가공언의 소에 따르면 "정현이 親者가 대공친 이상인 자라는 것을 안 것은 대공친 이상은 재물을 함께하는 의리가 있기 때문이다."[19] 盛世佐는 "여기에서도 남자와 부인을 아울러 말한 것이다. '親者'라고 말한 것은 다음에 나오는 '戶外'나 '堂下'에 있는 사람들과 상대적으로 말한 것일 뿐 실제로는 尸牀의 동쪽과 서쪽에 있는 사람들에 비해 조금 소원한 친속이다.〔此亦兼

15) 《禮經本義》卷12〈兇禮〉: "尸牀, 竪設於當牖之間. 尸首向南, 足向北. 主人坐於牀東, 衆主人又在主人之東, 皆西面, 以向尸也."

16) 《禮經本義》卷12〈兇禮〉: "婦人, 主婦及衆主婦也. 俠牀者, 男子牀東, 婦人牀西, 以近而言也. 主婦坐於牀西, 衆主婦又在主婦之西, 皆東向, 亦以向尸也."

17) 《讀儀禮記》卷下 : "經云'衆主人在其後'、'婦人俠牀', 俱不言坐, 蒙上'入坐'文也."

18) 鄭玄注 : "謂大功以上父、兄、姑、姊、妹、子姓在此者."

19) 賈公彦疏 : "知親者謂大功以上者, 以大功以上有同財之義, 相親昵之理."

男子、婦人言也. 謂之親者, 對下在戶外、堂下者言耳, 其實比於在牀東西者爲少疏也.〕"라고 하였다. 정현의 주와 胡培翬에 따르면 室 안에 있는 남자는 주인과 衆主人 외에도 死者의 諸父·諸兄과 손자들도 포함되며, 室 안에 있는 여자는 주인·중주인의 처첩들 외에도 死者의 고모·자매·딸·손녀들도 포함된다.[20] 총괄하자면 자최복이나 대공복을 입는 친속은 모두 親者의 범주에 속한다.

【按】 가공언의 소에 따르면 親者가 대공친 이상인 자라는 것은 室戶 밖에 있는 衆婦人이 소공친 이하의 疏者이기 때문에 親者가 대공친 이상이라는 것을 알 수 있는 것이다.[21]

⑤ 衆婦人戶外北面, 衆兄弟堂下北面

'衆婦人'과 '衆兄弟'는 여기에서는 소공친 이하의 친속을 두루 가리켜 말한 것으로, 同姓 뿐 아니라 異姓의 姻親도 포함한다. 沈彤은 "여기의 소공복과 시마복을 입는 부인과 형제 중에는 각각 同姓도 있고 異姓도 있다.〔此小功、緦服婦人兄弟中, 各有同姓、異姓.〕"라고 하였으며, 胡培翬는 "앞에서는 '婦人'이라고 말했는데 뒤에서는 '男子'라 하지 않고 '兄弟'라고 한 것은 옛 사람들은 혼인한 관계도 통틀어 '형제'라고 말했기 때문이다. 또 《의례》〈喪服〉의 〈傳〉에 '小功親 이하가 형제가 된다.'라고 하였기 때문에 '형제'라는 어휘로 포괄한 것이다.〔上言'婦人', 下不言'男子'言'兄弟'者, 古人通謂婚姻爲兄弟, 又《喪服·傳》謂'小功以下爲兄弟', 故以兄弟該之也.〕"라고 하였다. '戶外'는 당 위의 室戶 밖을 이른다.

【按】 張惠言에 따르면 일반적으로 女賓은 衆婦人을 따라 자리한다.[22]

5. 國君이 使者를 보내 조문하고 襚를 보냄

> 君使人弔①。徹帷②。主人迎于寢門外, 見賓不哭③, 先入門右④, 北面。弔者入, 升自西階, 東面。主人進中庭⑤。弔者致

20) 《儀禮正義》卷26: "鄭云'父兄姑姊妹子姓', 本《喪大記》. 據彼云'父兄子姓', 又云'姑姊妹子姓', 則此注'子姓'兼男女言也, '父兄姑姊妹', 謂死者之諸父、諸兄及諸姑姊妹, '子姓'則死者之孫男女及昆弟之子男女凡屬齊衰大功者, 皆在其內."

21) 賈公彦疏: "下有衆婦人戶外, 據小功以下疏者, 故知此爲大功以上也."

22) 《儀禮圖》卷5〈始死陳襲事〉: "凡女賓從衆婦人之位."

命⑥。主人哭, 拜稽顙⑦, 成踊⑧。賓出。主人拜送于外門外。君使人襚⑨。徹帷⑩。主人如初⑪。襚者左執領, 右執要, 入升致命。主人拜如初⑫。襚者入, 衣尸⑬, 出。主人拜送如初⑭。唯君命出⑮, 升降自西階⑯, 遂拜賓⑰。有大夫則特拜之⑱, 卽位于西階下, 東面, 不踊⑲。大夫雖不辭, 入也⑳。

임금이 使者를 보내 조문한다.
당에 친 휘장을 걷어 올린다.
주인은 寢門 밖에서 맞이하는데, 賓(使者)을 보고 곡하지 않고 앞장서서 침문 오른쪽으로 들어가 북향한다.
弔者(조문 온 使者)가 침문을 들어와 서쪽 계단으로 당에 올라가 동향한다.
주인이 中庭으로 나아가면 弔者가 당 위에서 임금의 명을 전한다.
주인이 곡하고 拜手한 뒤에 稽顙하고 成踊한다.
賓이 나가면 주인은 外門(대문) 밖에서 절하여 전송한다.

임금이 使者를 시켜 襚(死者에게 보내는 옷)를 보낸다.
당에 친 휘장을 걷어 올린다.
주인이 앞에서와 같은 의절로 賓(使者)을 맞이한다.
襚者(襚를 가지고 온 使者)가 왼손으로는 襚의 옷깃을 잡고 오른손으로는 허리 부분을 잡고서 침문 안으로 들어가 당에 올라가서 명을 전한다.
주인이 앞에서와 같은 의절로 절한다.
襚者가 室 안으로 들어가 시신 위에 옷을 올려 놓고 나온다.
주인이 앞에서와 같은 의절로 절하여 전송한다.

주인은 임금의 명을 받은 使者가 왔을 때만 室에서 나온다. 이때 서쪽 계단으로 오르내리는데, 이 틈에 다른 賓들(士)에게 旅拜(한꺼번에 세 번 절하는 것)한다. 대부에게는 特拜(한 사람씩 일일이 한 번 절하는 것)한다. 이 때 주인은 서쪽 계단 아래의 자리로 나아가 동향하고 곡과 절만 할 뿐 成踊은 하지 않는다. 대부가 조문하는 말을 하지 않더라도 주인은 그 말을 기다리지 않고 곧바로 室로 들어간다.

① 君使人弔

정현의 주에 따르면 임금이 보낸 使者는 士이다. 死者가 士이기 때문에 士를 使者로 보낸 것이니, 이른바 "使者를 보낼 때는 반드시 상대방의 작위대로 보낸다.〔使人必以其爵.〕"라는 것이다.[23]

② 徹帷

胡培翬에 따르면 임금의 使者는 당 위에서 임금의 명을 전하고 주인은 당 아래에서 들어야 하는데 휘장으로 막으면 안 되기 때문에 걷는 것이다.[24] 가공언의 소에 따르면 "휘장을 걷어 올리는 것을 말하며 완전히 치우는 것을 말하는 것은 아니다.〔謂褰帷而上, 非謂全徹去.〕"

③ 見賓不哭

吳廷華에 따르면 "賓은 使者를 이른다. 不哭은 使者가 임금의 명으로 왔기 때문이다.〔賓, 謂使者. 不哭, 爲其以君命來.〕"

④ 先入門右

이것은 賓을 인도하기 위하여 앞장서서 들어가는 것이다.

⑤ 主人進中庭

《예기》〈聘禮〉의 "賓은 碑 안쪽에서 명을 듣는다.〔賓自碑內聽命.〕"라는 글로 미루어보면 喪禮 때에도 주인은 碑의 북쪽인 碑의 안쪽까지 나아가 북향하고 使者가 전하는 임금의 명을 들어야 한다.

【按】 張惠言의 〈始死陳襲事〉圖에는 침문 동쪽, 碑 바깥쪽에 그려져 있다. 黃以周는 이에 대해 장혜언의 이 圖를 오류로 단정하였다. 그리고 盛世佐의 말을 인용하여 '中庭'의 뜻을 '동서로 庭의 중앙'이라는 뜻으로 보았다. 또한 남북으로는 庭의 3분의 1되는 북쪽에 있어 聘禮 때 碑 안쪽에서 命을 들을 때와 위치가 같다고 하였다.[25] 정현의 주에 따르면 이때 주인이 당에 오르지 않는 것은 신분이 낮기 때문이다.[26]

⑥ 弔者致命

정현의 주에 따르면 "다음과 같이 명을 전한다. '임금님께서 당신의 喪을 듣고 슬퍼하시며 아무개(使者)를 보내 위로하시기를 어쩌다가 이렇게 참혹한 일을 겪게 되었느냐고 하셨습니다.'〔致命曰: 君聞子之喪, 使某, 如何不淑.〕"

【按】 정현의 주에 따르면 '淑'은 '좋다'라는 뜻으로, '如何不善'은 임금이 몹시 애통해하며 아무개(使臣 자신)를 보내 조문하게 하셨다는 말이다.[27] 胡廣은 '如何不淑'을 어쩌다가 이렇게 참혹한 일을 겪게 되었느냐는 말이라고 하였다.[28]

23) 鄭玄注 : "使人, 士也. 禮, 使人必以其爵."

24) 《儀禮正義》卷26 : "必徹帷者, 以主人在堂下, 使者致命於堂上, 不可以帷隔之也."

25) 《禮書通故》卷48〈始死陳襲〉: "張圖'主人進中庭'誤, 當依盛說中庭爲東西節. 其南北, 三分庭一在北, 與《聘禮》自碑內聽命同."
《儀禮集編》卷12 : "當洗旣爲南北之節, 則中庭爲東西節明矣."

26) 鄭玄注 : "主人不升, 賤也."

27) 《禮記正義》〈雜記上〉: "客曰: '寡君使某, 如何不淑.'" 鄭玄注: "淑, 善也. 如何不善, 言君痛之甚, 使某弔."

28) 《禮記大全》〈雜記上〉注 : "如何不淑, 慰問之辭, 言何爲而罹此凶禍也."

⑦ 稽顙

정현의 주에 따르면 "머리를 땅에 닿게 하는 것이다.〔頭觸地.〕" '顙'은 이마이다.

【按】 '拜稽顙'은 《周禮》에 보이는 稽首, 頓首, 空首, 振動, 吉拜, 凶拜, 奇拜, 褒拜, 肅拜의 9拜 중 다섯 번째 吉拜를 이른다. 정현의 주에 따르면 여섯 번째 凶拜가 '稽顙한 뒤에 拜手하는 것[稽顙而后拜]'으로 三年喪에 쓰는 것과 달리, 吉拜는 '拜手한 뒤에 稽顙하는 것[拜而后稽顙]'으로 齊衰不杖期 이하의 喪에 쓴다. 이 두 가지는 모두 喪禮 때 쓰는 절이다. 《예기》〈檀弓上〉에 "拜手한 뒤에 稽顙하는 것은 매우 공경하는 것이며, 稽顙한 뒤에 拜手하는 것은 지극히 애통해하는 것이다.[拜而后稽顙, 頹乎其順也; 稽顙而后拜, 頎乎其至也.]"라는 내용이 보인다. '拜手'는 9拜중 세 번째 空首와 같은 것으로, 무릎을 꿇고 손을 가슴 부분에서 모은 뒤에 머리를 숙여 손에까지 오게 하는 절이다. '稽顙'은 무릎을 꿇은 뒤 손을 바닥에 짚고 머리를 숙여 이마가 바닥에 닿도록 하는 절이다.[29] 凌廷堪의 《禮經釋例》 권1 〈周官九拜解〉에 따르면 첫 번째 '稽首'는 신하가 임금에게 하는 절로, '머리가 바닥에 이르도록 절하는 것[拜頭至地]'이다. 일반적으로 신하가 임금과 禮를 행할 때에는 모두 계단을 내려가 再拜稽首하며, 임금이 사양하면 당에 올라와 다시 再拜稽首하는데, 이를 '升成拜'라고 한다. 두 번째 '頓首'는 賓主의 지위가 대등할 때 하는 절로, '머리가 바닥에 닿도록 절하는 것[拜頭叩地]'이다. 세 번째 '空首'는 임금이 신하에게 답할 때 하는 절로, 拜手와 같다. 임금이 신하를 특히 공경할 경우에는 拜手稽首한다. 네 번째 '振動'은 喪禮에서 절한 뒤에 踊을 하는 것으로, 吉禮의 稽首와 같다. 절 중에서 가장 重하다. 다섯 번째 '吉拜'와 여섯 번째 '凶拜'는 위에서 설명하였다. 일곱 번째 奇拜는 一拜를 말한다. 頓首와 空首에 모두 있는 절이다. 여덟 번째 '褒拜'는 再拜를 말한다. 稽首는 모두 再拜를 하며 頓首와 空首에도 再拜가 있다. 아홉 번째 '肅拜'는 부인의 절이다. 남자는 軍禮에만 肅拜를 한다. 종합하면 稽首, 頓首, 空首는 吉事의 절이고 振動, 吉拜, 凶拜는 凶事의 절로, 이 여섯 가지는 절의 經이다. 奇拜와 褒拜는 모든 절에 들어있으며 절의 緯이다.

⑧ 成踊

정현의 주에 따르면 "成踊은 踊을 3번씩 3차례 하는 것이다.〔成踊, 三者三.〕" 가공언의 소에 따르면 한 번 뛸 때마다 3번 뛰는 것을 1節로 삼는데, 이와 같이 하기를 3節을 하기 때문에 (이른바 '三踊'이다.) '成踊三者三'이라고 한 것이다. 또 《예기》〈檀弓下〉 孔穎達의 正義에 "뛰는 것이 踊이니, 1번의 踊마다 3번씩 뛰어 3차례 踊을 하면 모두 9번 뛰게 된다.〔跳躍爲踊, 每一

29) 《周禮》〈春官 大祝〉: "辨九拜, 一曰稽首, 二曰頓首, 三曰空首, 四曰振動, 五曰吉拜, 六曰凶拜, 七曰奇拜, 八曰褒(포)拜, 九曰肅拜, 以享右祭祀." 鄭玄注 : "吉拜, 拜而后稽顙, 謂齊衰不杖以下者. 言吉者, 此殷之凶拜, 周以其拜與頓首相近, 故謂之吉拜云. 凶拜, 稽顙而后拜, 謂三年服者."

踊三跳, 三踊九跳.〕"라고 하였으니 가공언의 소와 뜻이 같다.

【按】 공영달의 정의에 따르면 가슴을 두드리는 것을 '辟'이라 하고 뛰는 것을 '踊'이라 한다. 孝子가 어버이 喪을 당하여 슬픔과 사모하는 마음이 지극하기 때문에 남자는 踊을 하고 여자는 辟을 한다. 그러나 이것을 제한하지 않으면 생명을 해칠 수도 있기 때문에 禮로 그 수를 제한하는 것이다.[30)]

⑨ 襚

死者에게 보내는 옷과 이불이다. 정현의 주에 따르면 "襚는 보낸다는 뜻이다. 옷과 이불을 보내는 것을 襚라고 한다.〔襚之言, 遺也. 衣被曰襚.〕" 다음 경문에 따르면 여기에서는 死者에게 옷을 보내는 것을 가리킨다.

⑩ 徹帷

胡培翬에 따르면 "앞에서 임금이 使者를 보내 조문할 때 휘장을 걷어 올렸는데 여기에서 또 휘장을 걷어 올린다고 말했으니, 使者의 조문이 끝난 뒤에 바로 내린 것이다.〔上君使人弔徹帷, 此又言徹帷, 則弔事畢, 即下之也.〕"

⑪ 主人如初

胡培翬에 따르면 "앞에서 조문왔을 때 주인이 寢門을 나가 맞이하는 것이나 앞장서서 침문 안으로 들어가는 등과 같은 여러 의절을 이른다.〔謂如上弔時出迎、先入諸儀也.〕"

⑫ 拜如初

胡培翬에 따르면 "마찬가지로 앞에서 使者가 조문 왔을 때 주인이 拜手한 뒤에 稽顙하고 成踊하는 것과 같은 것이다.〔亦如上弔時拜稽顙、成踊也.〕"

⑬ 衣尸

胡培翬에 따르면 "襚를 斂衾 위에 덮는 것인 듯하다.〔蓋以襚衣覆於斂衾之上.〕

⑭ 拜送如初

胡培翬에 따르면 "마찬가지로 外門 밖에서 전송하는 것이다.〔亦送於外門外也.〕"

⑮ 唯君命出

'君命'은 임금이 使者에게 명하여 조문하고 襚를 전해주도록 한 것을 이른다. 정현의 주에 따르면 만일 대부 이하의 사람이 조문을 오거나 襚를 보내올 경우에는 주인은 室에서 나가 맞이하거나 절하지 않는다는 것을 여

30) 孔穎達正義 : "撫心爲辟, 跳躍爲踊. 孝子喪親, 哀慕至懣, 男踊女辟, 是哀痛之至極也. 若不裁限, 恐傷其性, 故辟踊有算, 爲準節文章. 準節之數, 其事不一, 每一踊三跳, 三踊九跳, 都爲一節."

기에서 알 수 있다. “처음 喪을 당한 날에는 너무나 애통하여 室에 있기 때문에 室에서 나와 賓에게 절하지 않는 것이다.”[31]

⑯ 升降自西階

胡培翬에 따르면 “동쪽 계단은 주인(死者)의 계단이기 때문에 차마 다니지를 못하는 것이다. 《예기》<曲禮>에서 ‘居喪하는 禮는 당을 오르내릴 때 동쪽 계단으로 다니지 않는다.’라고 한 것이 이것이다.〔以阼階是主階, 不忍由之. 《曲禮》云‘居喪之禮, 升降不由阼階’, 是也.〕” 다음에 나오는 “서쪽 계단 아래에서 자리에 나아간다.〔卽位于西階下.〕”라고 한 것도 뜻이 이와 같다.

【按】 정현의 주에 따르면 ‘阼階’의 ‘阼’는 ‘酢(보답하다)’의 뜻으로, 동쪽 계단은 賓客에게 답하는 곳이기 때문에 주인의 계단을 阼階라고 한 것이다.[32]

⑰ 遂拜賓

吳廷華에 따르면 “室을 나갔기 때문에 인하여 절하는 것이다. 室을 나가지 않았으면 절도 하지 않는다.〔因出遂拜, 不出則不拜也.〕” 또 정현의 주에 따르면 여기의 賓은 士를 이르니, 주인은 士인 賓에게는 旅拜한다.[33] ‘旅’는 ‘무리’라는 뜻으로, 여러 士들에게 한꺼번에 세 번 절하는 것을 이른다. <사상례>20. 주⑰ 참조.

【按】 정현의 주에 “賓의 자리는 조석곡 때와 같다.”라고 하였다. 張惠言에 따르면 賓이 卿大夫인 경우에는 中庭에서 서향하고, 士는 西方에서 동향하고, 屬吏는 침문 동쪽에서 북향하고, 諸公은 침문 동쪽에서 조금 앞으로 나오고, 他國의 士는 침문 서쪽에서 북향하고, 침문 서쪽에서 異爵者는 조금 앞으로 나온다. 《예기》<喪大記> 注疏에 따르면 대부가 혼자 오면 북향하고, 대부와 士가 함께 오면 모두 서쪽 계단 남쪽에서 동향한다. 장혜언에 따르면 여기에서는 빈이 처음 들어와 조문하는 자리이기 때문에 주인이 남향하고 빈에게 절하는 것이다.[34]

⑱ 特拜

‘特’은 ‘하나’라는 뜻이다. 대부 한 사람 한사람에게 일일이 절하는 것은 士에게 하는 旅拜와는 구별됨을 이른다.

⑲ 卽位于西階下, 東面, 不踊

吳廷華에 따르면 “절을 해야 하기 때문에 절하는 자리로 나아가는 것이다. ‘不踊’은 임금의 경우와 구별한 것이다.〔因拜, 故卽拜位也. 不踊, 別於君.〕” 정현의 주에 “踊을 하지 않고 哭과 절만 할 뿐이다.〔不踊, 但哭拜而

31) 鄭玄注 : “唯君命出, 以明大夫以下, 時来弔襚, 不出也. 始喪之日, 哀戚甚, 在室, 故不出拜賓也.”

32) 《儀禮》<士冠禮>鄭玄注 : “阼, 猶酢也. 東階所以答酢賓客也.”

33) 鄭玄注 : “大夫則特拜, 別於士旅拜也.”

34) 《儀禮圖》卷5<始死陳襲事>: “注云‘賓位如朝夕哭’, 則卿大夫位中庭西面, 士西方東面, 屬吏門東北面, 諸公門東少進, 他國之士門西北面, 異爵者少進也. 《大記》注云: ‘大夫特來, 則北面.’ 疏云: ‘大夫與士俱來, 皆西階南東面.’ 此賓始入弔之位, 故主人南面拜賓也.”

已.〕"라고 하였다.

【按】'卽位于西階下'는 注疏에 따르면 차마 주인의 자리에 있을 수 없기 때문이다. 주인은 소렴한 뒤에야 비로소 동쪽 계단 아래로 나아간다.[35]

⑳ 大夫雖不辭, 入也

吳廷華에 따르면 대부는 주인에게 조문하는 말을 하지 않는데 그 이유는 주인이 밖에서 너무 오랫동안 지체할까 염려해서이며, 주인 역시 대부의 조문하는 말을 기다리지 않고 곧바로 室로 들어가는데 주인은 본래 대부를 위해 室에서 나온 것이 아니기 때문이다.[36]

6. 親者·庶兄弟·朋友가 襚를 올림

親者襚①, 不將命以卽陳②。庶兄弟襚③, 使人以將命于室④。主人拜于位⑤, 委衣于尸東牀上⑥。朋友襚, 親以進⑦。主人拜。委衣如初, 退⑧。哭, 不踊。徹衣者執衣如襚, 以適房⑨。

親者(대공친 이상)가 襚를 올릴 경우에는 주인에게 명을 전할 필요 없이 곧바로 東房에 나아가 진열한다.

庶兄弟가 襚를 올릴 경우에는 먼저 사람을 시켜 室에 들어가 주인에게 명을 전하게 한다.

주인이 尸牀의 동쪽 자리에서 將命者(명을 전하는 사람)에게 절한다. 將命者가 襚를 尸牀 위, 시신의 동쪽에 둔다.

朋友가 襚를 올릴 경우에는 직접 옷을 가지고 室로 들어간다. 주인이 붕우에게 절한다. 붕우가 서형제의 將命者가 襚를 올릴 때처럼 尸牀 위, 시신의 동쪽에 놓고 賓의 자리로 물러나온다. 이때 주인은 곡은 하지만 踊은 하지 않는다.

徹衣者(襚를 거두는 자)가 襚者가 올릴 때처럼 왼손으로는 襚의 옷깃

35) 鄭玄注 : "卽位西階下, 未忍在主人位也."
賈公彥疏 : "云'未忍在主人位也'者, 至小斂後, 始就東階下西南面主人位也."

36) 《儀禮章句》卷12 : "辭之, 恐其爲賓留于外也. 不辭亦入者, 本不爲賓出也."

을 잡고 오른손으로는 허리 부분을 잡고서 東房으로 간다.

① 親者

정현의 주에 따르면 '재물을 함께하는 의리가 있는 대공 이상의 친속〔大功以上有同財之義〕'을 이른다.

【按】〈사상례〉4. 주④ 참조.

② 不將命以卽陳

'將'은 '전하다'라는 뜻이다. '以'는 '而'이다. '不將命'은 정현의 주에 따르면 "다른 사람을 시켜 주인에게 전하게 하지 않는 것이다.〔不使人將之致於主人也.〕" 즉 주인에게 알릴 필요가 없다는 뜻이다. 胡培翬는 "〈사상례〉 제4절에서 '親者는 室에 있다.〔親者在室.〕'라고 했으니, 직접 전달할 수 있기 때문에 명을 전할 필요가 없는 것이다.〔上言親者在室, 則可以直達, 故不須將命也.〕"라고 하였다. '卽陳'은 정현의 주에 따르면 "방 안에 진열하는 것이다.〔陳在房中.〕" '房'은 東房을 이르니, '卽陳'은 곧바로 東房 안의 襚를 진열해야 하는 곳에 나아가 진열하는 것을 이른다.

③ 庶兄弟

정현의 주에 따르면 "즉 衆兄弟이다. 衆을 바꾸어 庶라고 한 것은 同姓을 포함한다는 뜻에서 쓴 것뿐이다.〔卽衆兄弟也, 變衆言庶, 容同姓耳.〕" 胡培翬는 "同姓을 포함한다는 것은 서형제 중에 同姓인 먼 친속도 포함한다는 것이다.〔容同姓者, 容庶中兼有疏遠之同姓也.〕"라고 하였다.

【按】가공언의 소에 따르면 〈상복〉 제7장 '不杖麻屨章'에서 士에 대해서는 '衆子'라 하고 대부에 대해서는 '庶子'라고 하였는데, 이에 대한 정현의 주에 "士에 대해 衆子라고 한 것은 멀리 구별할 수 없기 때문이다.[士謂之衆子, 未能遠別也.]"라고 한 것을 보면 '庶'는 疏遠한 사이를 가리킬 때 사용하는 칭호이다.[37]

④ 使人以將命于室

정현의 주에 따르면 "명을 전하기를 '아무(庶兄弟)가 아무개(將命者)를 시켜 襚를 올리도록 했습니다.'라고 한다.〔將命曰: '某使某襚.'〕" 胡培翬는 "庶兄弟의 곡하는 자리는 당 아래에 있기 때문에 室에 명을 전하는 것이다. 또한 곡하는 자리에는 있지 않지만 襚를 보내는 자가 있을 수도 있기 때문에 모두 사람을 시켜 室에 명을 전해야 한다.〔此庶兄弟哭位在堂下, 故致命於室. 亦容有不在哭位而襚者, 故均須使人將命於室也.〕"라고 하였다.

37) 賈公彦疏："云'變衆言庶, 容同姓耳'者, 以同姓絶服者有襚法, 鄭必知變衆言庶, 卽容同姓者, 見《喪服》'不杖麻屨章'士言衆子, 大夫言庶子. 鄭云: '士謂之衆子未能遠別也.' 是庶者疏遠之稱, 故知言庶容同姓."

⑤ 于位

정현의 주에 따르면 "室 안의 자리이다.〔室中位也.〕" 즉 尸牀의 동쪽 자리이다.

⑥ 委衣于尸東牀上

張爾岐에 따르면 이것은 將命者가 올려놓는 것이다.[38] 尸牀 위 시신의 동쪽에 놓는 까닭은 敖繼公에 따르면 "임금이 보낸 襚를 피하기 위한 것일 뿐 아니라 그것이 쓰이기를 기필하지 않는 것이다.〔辟君襚, 且不必其用之也.〕"

⑦ 朋友襚, 親以進

敖繼公에 따르면 "親者가 襚를 올릴 경우에는 다른 사람을 시켜 명을 전하지 않는다. 庶兄弟는 다른 사람을 시켜 명을 전하지만 직접 올리지는 않는다. 朋友는 직접 올린다. 이는 친밀하면 禮를 간략하게 하고 소원하면 禮를 성대히 하기 때문이다.〔親者襚, 不將命; 庶兄弟將命, 不親致; 朋友則親致之. 蓋親則禮略, 疏則禮隆.〕"

⑧ 委衣如初, 退

張爾岐에 따르면 "如初는 尸牀 위 시신의 동쪽에 놓는 것과 같다는 것이다. 襚를 놓는 사람은 붕우이다.〔如初, 如其于尸東牀上. 委之者, 朋友也.〕" '退'는 정현의 주에 따르면 "당에서 내려와 賓의 자리로 돌아가는 것이다.〔下堂, 反賓位也.〕"

⑨ 徹衣者執衣如襚, 以適房

'徹衣者'는 주인의 有司 중에 오로지 襚를 거두는 일만 책임진 사람이다. 정현의 주에 "일반적으로 襚를 올린 자가 나가면 有司가 襚를 거둔다.〔凡於襚者出, 有司徹衣.〕"라고 하였다. 胡培翬는 "앞에서(〈사상례〉5.) 임금이 襚를 보냈을 때 襚를 받든 자가 왼손으로는 襚의 옷깃을 잡고 오른손으로는 허리 부분을 잡았으니, 襚를 거두는 자도 그와 같이 잡는다. 단지 '如襚'라고만 말했으니, 그렇다면 일반적으로 襚를 잡는 자는 모두 왼손으로 襚의 옷깃을 잡고 오른손으로 허리 부분을 잡는다는 것이다.〔上文君襚時, 襚者左執領, 右執腰, 此徹衣者執衣亦如之. 但云'如襚', 則是凡襚者 皆左執領, 右執要也.〕"

38) 《儀禮鄭注句讀》卷12 : "委衣者, 將命者委之也."

7. 銘旌을 만듦

爲銘①, 各以其物②。亡(무)則以緇長半幅③, 䞓(정)末, 長終幅④, 廣三寸。書銘于末曰⑤: "某氏某之柩⑥。" 竹杠(강)長三尺⑦, 置于宇西階上⑧。

銘旌을 만드는 데 死者가 각각 생전에 사용하던 物(깃발)로 만든다. 깃발이 없는 경우(子爵이나 男爵 제후국의 不命之士)에는 명정의 윗부분은 길이가 반폭(1尺)인 검은색 布로 하고 아랫부분은 길이가 終幅(2尺)인 붉은색 布로 한다. 布의 너비는 3寸이다. 아래의 붉은색 부분에 "아무씨 아무의 널〔某氏某之柩〕"이라고 성명을 써 넣는다.
이때 사용하는 대나무 깃대는 길이가 3尺으로, 처마 아래 서쪽 계단 위에 둔다.

① 爲銘

'銘'은 '기록하다' 또는 '표시하다'라는 뜻이다. 死者의 성명을 써서 柩(널)의 표지로 삼는 것을 이른다. 胡培翬는 "명정은 柩를 표시하는 것이다.〔銘所以表柩也.〕"라고 하였다. 死者의 성명을 死者가 생전에 쓰던 깃발에 쓰고 다시 이것으로 柩의 표시로 삼기 때문에 다음 경문에 '各以其物'이라고 한 것이다. 정현의 주에 "銘은 명정이다.〔銘, 明旌也.〕"라고 하였다. '明旌'은 '旌'으로 분명히 밝힌다는 뜻이다.

② 各以其物

'物'은 깃발이다. 胡培翬에 따르면 "각각 생전에 세웠던 기를 이른다.〔謂各以生時所建之旗也.〕" 이편에서 기록한 것은 士의 喪禮이지만 여기에서는 명정 만드는 제도를 일반적으로 말한 것이고 오직 士의 喪禮에만 근거해서 말한 것은 아니다. 死者는 생전의 신분이 다르며 사용하던 깃발 역시 다르기 때문에 "각각 생전에 사용하던 깃발로 만든다.〔各以其物〕"라고 한 것이다.

【按】《주례》〈春官 司常〉의 경문과 注疏에 따르면 왕은 大常을, 제후는 旂를, 孤와 卿은

旜을, 大夫와 士는 物을, 6鄕 6遂의 대부인 師都는 旗를 세운다. 왕의 깃발에는 하늘의 밝음을 형상하여 해와 달을 그리고, 제후는 올라가서는 천자를 조회하고 내려가서는 封國으로 돌아간다고 하여 두 마리의 交龍을 그리며, 孤와 卿은 단지 왕의 政敎만을 받든다고 하여 아무 것도 그리지 않는다. 대부와 士의 깃발은 선왕의 바른 도를 돕는 직책이라고 하여 가운데는 周나라의 正色인 붉은색이 들어가고 주변은 殷나라의 正色인 흰색이 들어간 雜帛을 사용하며, 師都는 鄕과 遂에서 軍賦를 낸다고 하여 용맹을 상징하는 곰과 범을 그린다.[39] 따라서 '各以其物'의 '物'은 깃발의 凡稱으로 볼 수도 있으나 士가 사용하는 깃발의 이름인 物을 지칭한다고도 볼 수 있다. 이 문장에 대한 정현의 주에서도 "雜帛으로 만든 깃발이 物이니 대부와 士가 세우는 것이다.[雜帛爲物, 大夫士之所建也.]"라고 하였다.

③ 亡則以緇長半幅

'緇'는 孔穎達의 正義에 따르면 검은색 布를 이른다.[40] '半幅'은 정현의 주에 따르면 "1尺이다.〔一尺.〕" 가공언의 소에 따르면 布幅은 너비가 2尺 2寸이니, 양변에서 각 1寸씩 제거하면 2尺이 되기 때문에 半幅은 1尺이다.[41] 다음의 '終幅'은 2尺이다.

【按】 注疏에 따르면 '亡'는 '無'와 같다. 생전에 사용하던 깃발이 없는 사람은 不命之士로, 즉 子爵이나 男爵의 작위를 가진 제후의 士를 이른다.[42] 魏了翁은, 천의 幅이 본래 2尺 2寸인 것과 2尺인 것 두 종류가 있는데 喪禮는 간소한 것을 숭상하기 때문에 그 중 좁은 것을 쓴 것으로 보았다. 여기에서 명정을 만드는 천은 비단이다. 정현에 따르면 일반적으로 神을 위해 만드는 衣物은 반드시 작게 한다.[43]

④ 䞓末

'䞓'은 음이 '정'이다. 붉은색이라는 뜻이다. 胡培翬는 "䞓末이라고 했으니, 위는 검은색이고 아래는 붉은색이다.〔言䞓末, 則上緇下赬也.〕"라고 하였다.

⑤ 書銘

胡培翬에 따르면 "銘은 名으로 써야 한다.〔銘當作名.〕" 胡承珙은 "鄭君이 《주례》〈司常〉에 주를 낼 때에도 〈사상례〉의 이 문장을 인용하여 '書名於末'이라고 했으니,[44] 경문의 글자는 원래 '名'으로 되어 있었던 듯하다. 식견이 짧은 자가 이 문장에 대한 정현의 주에 '今文에는 銘이 모두 名으로 되어 있다.'라는 말이 있다고 하여 마침내 경문의 '書名於末'의 '名'도 고쳐서 '銘'으로 쓴 것이다.〔鄭君注《司常》亦引《士喪禮》'書名於末', 此蓋經字

39) 《周禮》〈春官 司常〉: "日月爲常, 交龍爲旂, 通帛爲旜, 雜帛爲物, 熊虎爲旗, 鳥隼爲旟, 龜蛇爲旐, 全羽爲旞, 析羽爲旌.……王建大常, 諸侯建旂, 孤卿建旜, 大夫士建物, 師都建旗."
鄭玄注 : "王畫日月, 象天明也. 諸侯畫交龍, 一象其升朝, 一象其下復也. 孤卿不畫, 言奉王之政教而已. 大夫士雜帛, 言以先王正道佐職也. 師都, 六鄕六遂大夫也. 謂之師都, 都民所聚也. 畫熊、虎者, 鄕、遂出軍賦, 象其守猛莫敢犯也."
賈公彦疏 : "云'大夫士雜帛'者, 謂中央赤, 旁邊白, 白是先王殷之正色而在旁, 故云以先王正道佐職也."

40) 《禮記正義》〈雜記上〉孔穎達正義 : "緇布冠, 黑布冠也."

41) 賈公彦疏 : "布幅二尺二寸, 今云二尺者, 鄭君計侯與深衣皆除邊幅一寸, 此亦兩邊除二寸而言之."

42) 鄭玄注 : "亡, 無也. 無旌, 不命之士也." 賈公彦疏 : "謂子、男之士也."

43) 《儀禮要義》卷13〈鄕射3〉: "云'半幅一尺, 終幅二尺', 亦謂繒而幅二尺者. 幅有二種, 喪禮略, 用其狹者, 故《周禮》鄭云'凡爲神之衣物, 必治而小'是也."

44) 鄭玄注 : "《士喪禮》曰: '爲銘, 各以其物. 亡則以緇長半幅, 赬末長終幅, 廣三寸.' 書名於末, 蓋其制也."

本作名. 淺人因《注》有'今文銘皆爲名'之語, 遂改經'書名於末'名'字亦作'銘'.〕"라고 하였다.

【按】'鄭君'은 東漢의 대학자 鄭玄(127~200)의 존칭이다. 당시에 덕행으로 유명했던 孔融(153~208)은 정현의 나이 64세 때인 漢 獻帝 初平 원년(190)에 정현의 고향이 있는 北海郡의 相으로 있었는데, 정현을 매우 존중하여 직접 정현을 배방한 뒤 정현의 고향인 高密縣을 '鄭公鄕'이라 명명하였다. 또한 그 마을의 길과 문을 넓혀 높은 수레가 다닐 수 있도록 하고 '通德門'이라 부름으로써 정현의 명성과 덕망을 표창하였다. 뒤에 정현의 나이 70세 때인 漢 獻帝 建安 원년(196)에는 徐州에 가 있던 정현에게 여러 차례 정중히 청하여 정현이 고밀현으로 돌아오자, 공융은 下屬에게 말하기를 "옛날 周나라 사람들은 스승을 존숭하여 '尙父'라고 불렀다. 지금부터는 모두 '鄭君'이라 부르고 그 분의 이름을 부르지 말라.[昔周人尊師, 謂之尙父; 今可咸曰鄭君, 不得稱名也.]"라고 하였다. 이때부터 정현을 '정군'으로 칭하게 되었다.[45]

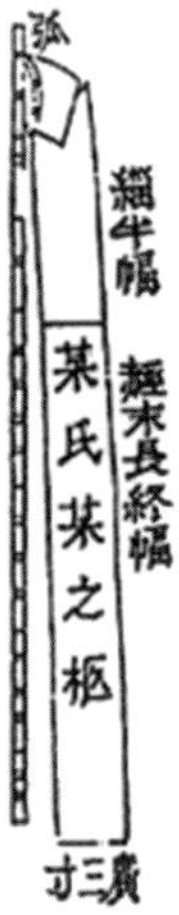

• 그림 11 •
銘
張惠言《儀禮圖》

⑥ 某氏某之柩

胡培翬에 따르면 "앞의 '某'는 死者의 성씨이고 뒤의 '某'는 死者의 이름이다.〔上'某', 爲死者姓氏; 下'某', 死者名.〕"

【按】시신은 牀에 있을 때에는 '尸'라 하고 시신이 들어있는 棺은 '柩'라고 한다.[46] 가공언에 따르면 殷나라의 禮에는 남자는 천자부터 士에 이르기까지 모두 이름을 쓰지만, 周나라의 禮에는 천자와 제후를 제외한 남자는 모두 성명을 쓰고 부인은 姓과 伯·仲을 쓴다.[47]

⑦ 竹杠

胡培翬에 따르면 "杠은 '명정의 깃대'이다. 대나무로 만든다.〔杠, 銘之竿也, 以竹爲之.〕"

⑧ 置于宇西階上

'宇'는 '처마'이다. 명정을 서쪽 계단 위, 처마 아래에 두는 것을 이른다. 胡培翬는 "반드시 서쪽 계단 위에 두는 이유는 명정은 널을 표시하는 것으로 널을 서쪽 계단 위에 두기 때문이다. 이때는 아직 入棺하기 전이니, 이것은 미리 써서 표시하는 것인 듯하다.〔所以必置於西階上者, 以銘所以表柩, 柩在西階上故也. 此時尸未斂於柩, 蓋預書以表之.〕"라고 하였다.

45) 楊天宇, 《鄭玄三禮注硏究》, 天津人民出版社, 2007, 10·12쪽.

46) 《禮記》〈曲禮下〉: "在牀曰尸, 在棺曰柩."

47) 賈公彦疏 : "凡書銘之法, 案《喪服小記》云: '復與書銘, 自天子達於士, 其辭一也. 男子稱名, 婦人書姓與伯仲.' 鄭注云: '此謂殷禮也. 殷質, 不重名, 復則臣得名君. 周之禮, 天子崩, 復曰皐天子復. 諸侯薨, 復曰皐某甫復. 其餘及書銘則同.' 以此而言, 除天子、諸侯之外, 其復男子皆稱姓名, 是以此云某氏某之柩."

【按】 가공언의 소에 따르면 이것은 임시 두는 것으로, 〈사상례〉 제14절과 같이 中庭에 重이 설치된 뒤에는 이 銘旌을 重이 있는 곳에 두는 것과 같은 것이다. 〈사상례〉 제27절과 같이 당 위 서쪽 계단 위쪽에 殯을 한 뒤에는 肂에 둔다.[48]

8. 목욕과 飯含 때 쓸 기물의 진열

甸人掘坎于階間少西①, 爲垼(역)于西牆下②, 東鄕③。新盆、槃、瓶、廢敦(대)、重鬲(력)④, 皆濯, 造于西階下⑤。

甸人이 양쪽 계단 사이 서쪽으로 조금 치우친 곳에 구덩이를 파고 뜰의 서쪽 담장 아래에 아궁이를 동향하도록 만든다.
새로 마련한 盆·槃·瓶·廢敦(다리가 없는 敦)·重鬲 등을 모두 깨끗하게 씻어서 서쪽 계단 아래에 진열해 둔다.

① 甸人掘坎

'甸人'은 胡匡衷의 《儀禮釋官》에 따르면 公(제후국 임금)의 신하로서 士의 喪事를 돕기 위해 온 사람이다.[49] 정현의 주에 따르면 甸人은 "땔감 공급을 관장한다.〔掌供薪蒸.〕" 《주례》〈天官 甸師〉에 "甸師는 자기 下屬을 거느리고 內饔과 外饔에 공급하기 위하여 필요한 땔감을 채취한다.〔帥其徒以薪蒸役外內饔之事.〕"라고 하였는데, 정현의 주에 "나무 중에 큰 것을 薪이라 하고 작은 것을 蒸이라고 한다.〔木大曰薪, 小曰蒸.〕"라고 하였다. 胡匡衷은 "옛날에 신하에게 喪事가 생기면 조정에서 사람을 보내 상사를 돕게 하였다. 상사에는 필요한 사람이 매우 많은데 家臣만으로는 그 많은 관리들을 갖출 수 없기 때문이다.〔古者臣有喪事, 公家使人治之, 以喪事需人孔多, 家臣不能具官故也.〕"라고 하였다. '坎'은 '구덩이'이다. 구덩이를 파는 목적은 胡培翬에 따르면 "시신을 목욕시키고 난 뒤의 潘水(심수) 및 巾과

48) 賈公彦疏 : "此始造銘訖, 且置於宇下西階上, 待爲重訖, 以此銘置於重. 又下文卒塗, 始置於肂. 若然, 此時未用, 權置於此及於重也."

49) 《儀禮釋官》卷5 : "凡有爵者之喪, 凡公有司之所其職喪, 令之趨其事.……蓋皆公家之臣來治喪事者也."

柶(숟가락) 등의 물건들을 묻기 위해서이다.〔以埋沐浴餘瀋(汁)及巾柶等物.〕"

【按】〈기석례〉23. 참조.

② 爲垼于西牆下

'垼'은 정현의 주에 따르면 "흙덩이로 쌓은 아궁이이다.〔塊竈也.〕" 흙덩이를 쌓아 아궁이를 만드는 목적은 潘水(시신을 목욕시키는데 쓰는 쌀뜨물. 〈사상례〉11. 주③ 참조)를 끓이기 위해서이다.

【按】'西牆'은 정현의 주에 따르면 中庭의 서쪽을 이른다.[50]

③ 東鄕

즉 동향하도록 하는 것이다. 정현의 주에 따르면 "今文에는 鄕이 面으로 되어 있다.〔今文鄕爲面.〕"

④ 新盆、槃、瓶、廢敦、重鬲

'廢敦'는 일종의 다리가 없는 敦(黍稷을 담는 祭器)이다. 가공언의 소에 따르면 "일반적으로 물건에 다리가 없는 것을 '廢'라고 칭한다.〔凡物無足稱廢.〕" '鬲'은 음이 '력'이다. 鼎의 일종으로 입구가 둥글고 다리는 세 개이며 다리 속은 비어있다. 《爾雅》〈釋器〉에 "鼎 중에 다리 속이 비어있는 것을 '鬲'이라고 이른다.〔(鼎)款足者謂之鬲.〕"라고 하였다. '款足'은 즉 다리의 속이 빈 것이다. 《說文解字》에 따르면 鬲은 6斗를 담을 수 있다.[51] '重鬲'은 胡培翬에 따르면 "鬲은 重에 매달기 때문에 重鬲이라는 이름을 붙인 것이다.〔鬲懸於重, 故名重鬲.〕" '重'은 鬲을 매다는 나무 이름이다. (〈사상례〉14. 참조) 정현의 주에 따르면 위에서 말한 5가지 기물은 모두 瓦器 (즉 陶器) 이며 모두 새것을 써야 한다.[52] 또 정현의 주에 따르면 '盆'은 물을 담는데, '槃'은 목욕시키고 난 뒤의 潘水를 담는데, '瓶'은 물을 긷는데, '廢敦'는 쌀을 담는데 쓴다.[53] '重鬲'은 아래 경문에 따르면 潘水를 끓이는데 쓴다.

【按】호배휘에 따르면 '鬲'은 潘水를 끓이는 데에도 사용하지만 飯含하고 남은 쌀을 끓여 죽으로 만들 때에도 사용한다. 이때 끓인 죽을 重에 매달아놓기 때문에 '重鬲'이라고 한 것이다.[54]

⑤ 造

정현의 주에 따르면 "이른다는 뜻이니, 饌(진열하다)과 같다.〔至也, 猶饌也.〕"

50) 鄭玄注 : "西牆, 中庭之西."

51) 《說文解字》: "鬲, 鼎屬. 實五觳. 斗二升曰觳."

52) 鄭玄注: "新此瓦器五種者, 重死事."

53) 鄭玄注: "盆以盛水, 槃承渜濯, 瓶以汲水也. 廢敦, 敦無足者, 所以盛米也."

54) 《儀禮正義》卷26 : "下經煮潘用鬲, 又以飯尸之餘米, 用鬲煮爲鬻, 縣于重, 故名重鬲."

9. 東房에 襲尸 때 사용할 衣物의 진열

陳襲事于房中①, 西領, 南上, 不精(쟁)②。明衣裳用布③。鬠(괄)笄用桑④, 長四寸, 纋(우)中⑤。布巾環幅不鑿⑥。掩練帛, 廣終幅⑦, 長五尺, 析其末⑧。瑱用白纊⑨。幎(멱)目用緇⑩, 方尺二寸, 䞓(정)裏, 著⑪, 組繫⑫。握手用玄⑬, 纁裏, 長尺二寸⑭, 廣五寸, 牢(루)中旁寸, 著, 組繫⑮。決用正王棘若檡(택)棘⑯, 組繫⑰。纊極二⑱。冒緇質⑲, 長與手齊; 䞓殺(쇄)掩足。爵弁服純(치)衣⑳, 皮弁服㉑, 褖(단)衣㉒, 緇帶㉓, 韎韐(매겹)㉔, 竹笏㉕。夏葛屨, 冬白屨㉖, 皆繶(억)緇絇純(준)㉗, 組綦(기)繫于踵㉘。庶襚繼陳, 不用㉙。

東房에 襲에 필요한 衣物을 진열한다. 옷은 領(옷깃)을 서쪽으로 향하게 하며, 衣物을 남쪽부터 진열하여 북쪽으로 진열하되 북쪽 끝에서 다시 남쪽으로 굽혀 진열하지는 않는다.

明衣裳은 布로 만든다.

鬠(死者의 상투)에 꽂는 비녀는 뽕나무로 만든다. 길이는 4寸이고 가운데를 잘록하게 만든다.

布巾(반함할 때 얼굴을 덮는 수건)은 環幅(정사각형 2尺 2寸)이며 입부분에 구멍을 뚫지 않는다.

掩(머리 싸개)은 마전한 비단으로 만든다. 너비는 終幅(2尺)으로 하고 길이는 5尺으로 하는데, 양쪽 끝부분을 갈라서 두 가닥으로 만든다.

瑱(귀막이)은 흰 솜을 사용한다.

幎目(얼굴 싸개)은 겉감은 검은색 비단을 사용하는데 사방 1尺 2寸이고, 안감은 붉은색이다. 겉감과 안감 사이에 솜을 채워 넣고 네 귀퉁이에는 실끈을 단다.

握手(손 싸개)는 겉감은 검은색 비단을 사용하고 안감은 분홍색 비단을 사용한다. 길이는 1尺 2寸이고 너비는 5寸이며, 중앙 부분은 양쪽에서 각각 1寸씩 줄인다. 겉감과 안감 사이에 솜을 채워 넣고 양

끝에 실끈을 단다.
決(오른쪽 엄지손가락에 끼우는 깍지)은 재질이 좋은 王棘나무나 檡棘나무를 사용하고 실끈을 단다.
極(골무)은 흰 솜으로 두 개를 만든다.
冒(시신을 싸는 자루)는 검은색 비단으로 質(상반신을 싸는 자루)을 만드는데 길이는 손과 나란히 되도록 하고, 붉은색 비단으로 殺(하반신을 싸는 자루)를 만드는데 길이는 발을 가리도록 한다.
爵弁服의 純衣纁裳·皮弁服·褖衣·緇帶·韎韐·竹笏 등을 진열한다. 여름에는 흰색 葛屨를 준비하고 겨울에는 흰색 皮屨를 준비한다. 신발 장식인 繶(둥근 장식 끈)·絇(신코 장식)·純(신발의 가선 장식)은 모두 검은색으로 하며 綦(신발 끈)를 신발 뒤꿈치 부분에 단다.
사람들이 보내온 庶襚는 東房에 이어서 진열하는데 사용하지는 않는다.

① 陳襲事

정현의 주에 따르면 "襲事는 의복을 이른다.〔襲事, 謂衣服也.〕" 死者에게 옷을 입히는 것을 '襲'이라고 하기 때문에 死者의 의복을 진열하는 것을 '陳襲事'라고 한 것이다. 또 胡培翬에 따르면 다음 글에서 기록하고 있는 물건들은 의복만이 아닌데 정현이 襲事를 의복이라고 한 것은 衣物 중에 큰 것을 들어 말한 것이다.[55]

【按】《예기》〈喪大記〉에 따르면 일반적으로 옷을 진열할 때는 篋(대바구니)에 담아 진열하고 옷을 받아갈 때에도 篋에 담아 받아간다. 이때 모두 서쪽 계단으로 오르내린다.[56] 〈그림 12〉는 黃以周의 〈東房陳襲〉圖로, 張惠言의 〈始死陳襲事〉圖에 들어있는 衣物의 배치와 조금 다르다. 또한 두 圖 모두 決과 冒 사이에 極이 빠져 있다.

· 그림 12 ·
東房陳襲
黃以周《禮書通故》

② 南上, 不綪

가공언의 소에 따르면 喪事는 황망하고 급작

55) 《儀禮正義》卷26 : "注云'襲事謂衣服也'者, 西領, 故指衣服言之. 但下文所陳, 不止衣服, 擧其大者言也."

56) 《禮記》〈喪大記〉: "凡陳衣者實之篋, 取衣者亦以篋. 升降者自西階."

스런 일이므로 의복의 진열은 만든 선후를 차례로 삼아 먼저 만들어진 것을 남쪽 상위에서부터 진열한다.[57] '綪'은 음이 '쟁'으로, 絳(구불구불할 쟁)과 같다. '굽히다'라는 뜻이다. '不綪'은 의복을 남쪽에서부터 북쪽으로 진열하여 북쪽 끝에 다다르면 진열이 끝나서 다시 구부려 북쪽에서부터 남쪽으로 진열하지 않는다는 말이다.

【按】 가공언의 소에 따르면 衣物을 東房 동쪽에 진열하는 것은 가져다 쓰기 편리하게 하기 위해서이다.[58]

③ 明衣裳

胡培翬에 따르면 死者가 생전에 재계할 때 입었던 깨끗한 내의이다. '明衣'라고 부르는 이유는 바로 '정결하다'는 의미를 취한 것이다.[59]

④ 鬠

음은 '괄'이다. 《玉篇》 권5 髟部에 따르면 '髻(머리묶을 괄)'과 같다. 《옥편》에서는 또 《說文解字》를 인용하여 "髻은 머리카락을 묶는 것이다.[絜髮也.]"라고 하였다.[60] '絜髮'은 머리카락을 묶어 상투[髻]로 삼는 것이니 이것은 死者를 위해 묶는 喪髻이다.

【按】 '絜'은 음이 '결'이다. 《설문해자》〈絜〉의 "삼 한 묶음이다.[麻一耑也.]"에 대한 段玉裁의 注에 "耑은 一束과 같다. 耑은 '머리'라는 뜻이다. 어떤 물건을 묶으면 반드시 그 머리를 가지런히 하기 때문에 '耑'이라고 한 것이다.[耑, 猶一束也. 耑, 頭也. 束之必齊其首, 故曰耑.]"라는 내용이 보인다.

⑤ 纋中

【按】 '纋'는 정현의 주에 따르면 "비녀의 가운데로 머리카락을 고정시키는 것이다.[纋, 笄之中央以安髮.]" '纋中'은 가공언의 소에서는 "비녀의 양쪽 끝이 넓고 중앙부분이 좁은 것으로 머리를 고정시키기 좋은 비녀이다.[兩頭濶, 中央狹,則於髮安, 故云以安髮也.]"라고 하였고, (〈그림 13〉 참조) 沈彤은 "비녀의 양쪽은 좁고 중앙이 넓은 것을 이른다. 중앙이 넓으면 비녀가 더욱 견고하여 머리카락이 더욱 고정되기 때문이다.[謂兩頭狹, 中央闊也. 中央闊, 則笄之益固而髮尤安.]"라고 하였다. 가공언의 소를 비롯하여 대부분의 禮書에서는 '纋中'을 비녀의 양쪽이 넓고 중앙이 좁은 것으로 설명하고 있기 때문에 여기에서는 이를 따르기로 한다.

• 그림 13 • 鬠笄
《欽定儀禮義疏》

⑥ 布巾環幅不鑿

57) 賈公彦疏 : "此襲事, 以其初死, 先成先陳, 後成後陳, 喪事遽, 備之而已, 故不依次也."

58) 賈公彦疏 : "知戶東陳之者, 取之便故也."

59) 《儀禮正義》卷26 : "古者, 有疾則齊, 故襲時近體著此衣裳, 言明者, 取明潔之義."

60) 《玉篇》卷5〈髟部 髻〉: "《說文》曰: '絜髮也.'", 卷5〈髟部·鬠〉: "同上. 《儀禮》, 鬠用組束髮."

여기의 '布巾'은 胡培翬에 따르면 死者에게 반함할 때 시신의 얼굴을 덮는 데 쓰는 수건이다.[61] '環幅'은 정현의 주에 따르면 "너비와 길이가 같은 것이다.〔廣袤等也.〕" '不鑿'은 정현의 주에 따르면 布巾 중 死者의 입 부분에 구멍을 내지 않는 것을 이른다.[62] 胡培翬에 따르면 死者가 대부라면 賓이 死者에게 반함을 해야 한다. 이때 빈이 死者의 얼굴을 보고 혐오스럽게 여길까 걱정되기 때문에 布巾을 들추지 않고 단지 布巾 중 死者의 입 부분에 구멍을 뚫어 반함을 하도록 한다. 그러나 여기에서 기록한 死者는 士이며, 그 아들이 반함을 하니 아들은 이를 혐오스럽게 여겨서는 안 된다. 布巾을 들추고 반함하여 구멍을 낼 필요가 없기 때문에 '뚫지 않는다〔不鑿〕'라고 한 것이다.[63]

【按】 '環幅'은 호배휘에 따르면 2尺 2寸이다.[64]

⑦ 掩練帛

'掩'은 정현의 주에 따르면 死者의 머리를 싸는데 쓰는 비단이다.[65] '練帛'은 마전을 거친 비단이다. 〈상복〉23. 주③ 참조.

⑧ 析其末

즉 掩帛의 양쪽 끝부분을 중간에서 갈라 각각 두 가닥으로 만들어서 묶기에 편리하도록 한 것이다. 정현의 주에 따르면 "析其末은 한 쪽 끝은 턱 밑에서 묶고 또 다른 한 쪽 끝은 이마에서 뒤로 돌려 뒷목에서 묶기 위해서이다.〔析其末, 爲將結於頤下, 又還結於項中.〕"

【按】 張惠言에 따르면 두 가닥으로 만든 掩의 한쪽 끝을 먼저 뒷목에서 앞으로 가지고 와 턱 아래에서 묶은 뒤 掩으로 뒤쪽에서 머리를 감싸 이마까지 오면 그 끝을 뒷목으로 돌려 묶는다.[66] 〈그림 14〉 참조.

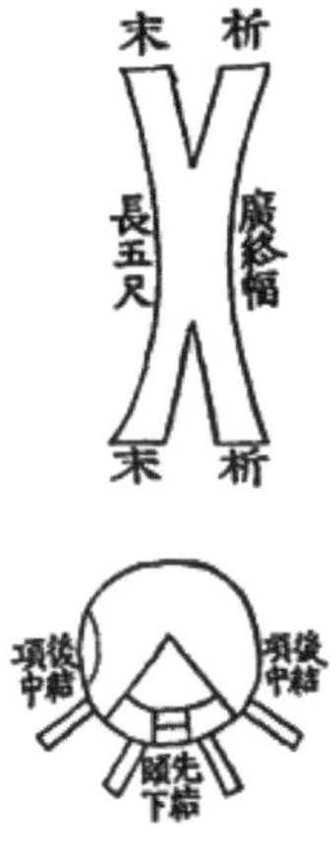

· 그림 14 · 掩
金長生《家禮輯覽》

⑨ 瑱用白纊

'瑱'은 음이 '진'이다. '充耳' 또는 '塞耳'라고도 하며 死者의 귀를 막는 데 쓰는 것이다. 옛 사람들이 살아 있을 때 쓰는 冠冕 양쪽에도 瑱을 매달았는데, 옥이나 코끼리뼈로 만들었다. 胡培翬에 따르면 여기의 死者는 士이므로 생전에는 코끼리뼈로 瑱을 만들었을 것이다. 사람은 죽었어도 사용하는 재료만 다를 뿐 살았을 때처럼 瑱을 달아준다.[67] '纊'은 정현의 주에

61) 《儀禮正義》卷26 : "布巾, 爲飯而設, 以覆尸面. 用布爲之."

62) 鄭玄注 : "不鑿者, 士之子親含, 反其巾而已. 大夫以上, 賓爲之含, 當口鑿之, 嫌有惡."

63) 《儀禮正義》卷26 : "大夫以上, 賓爲其親含, 恐尸爲賓所憎穢, 故設巾覆尸面而當口鑿穿之, 令含得入口也. 士自含其親, 不得憎穢之, 故不得鑿巾, 但露面而含耳."

64) 《儀禮正義》卷26 : "注云'環幅, 廣袤等也'者, 謂巾之制正方也. 凡布幅廣二尺二寸, 廣袤等則方矣. 劉氏續《三禮圖》以爲方二尺二寸是也."

65) 鄭玄注 : "掩, 裹首也."

66) 《儀禮圖》卷5〈掩〉: "其末, 謂兩端. 以一端先從項後結于頤下, 却自後掩首至額, 還以一端結于項中."

67) 《儀禮正義》卷26 : "生時當用象爲瑱, 今不用象, 而用白纊爲瑱, 又無紞懸, 異於生也."

따르면 "새 솜이다.〔新綿.〕" '綿'은 즉 '명주실 풀솜〔絲綿〕'이다.

⑩ 幎目

'幎'은 '덮는다'는 뜻이다. '幎目'은 정현의 주에 따르면 "얼굴을 덮는 것이다.〔覆面者也.〕" 胡培翬에 따르면 幎目은 비단으로 만드는 듯하다.[68]

⑪ 著

정현의 주에 따르면 "솜으로 채운다는 뜻이다.〔充之以絮也.〕"

⑫ 組繫

'組'는 실끈이다. 注疏에 따르면 幎目의 네 귀퉁이에는 실끈을 매달아 놓아 死者의 뒷목에서 묶을 수가 있는데, 이 실끈을 '組繫'라고 한다.[69]

⑬ 握手

비단으로 만들며 직사각형이다. 死者의 손을 싸는데 쓰는 것이다. 盛世佐는 "握手는 손을 싸는 것이다.……양 손에 각각 하나씩인 듯하다.〔握手, 所以韜手也.……蓋兩手各一.〕"라고 하였다.

⑭ 牢中旁寸

정현의 주에 따르면 "牢는 樓로 읽어야 한다. 樓는 握手의 중앙 부분을 줄여서 손을 고정시키는 것을 이른다.〔牢讀爲樓, 樓, 謂削約握之中央以安手也.〕" 이른바 '削約握之中央'이라는 것은 握手의 중앙 부분을 양쪽에서 각각 1寸씩 줄이는 것을 이른다. 握手는 너비가 5寸이니, 이 牢 부분은 3寸이 된다. 손을 묶을 때 엄지손가락을 제외한 네 손가락이 곧 牢 부분에 놓이게 된다.

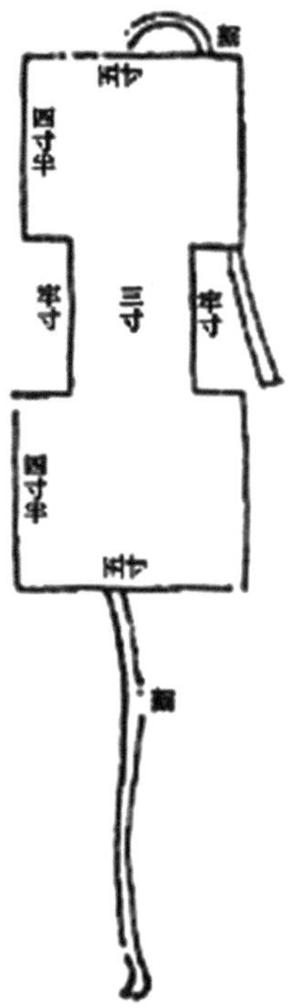

• 그림 15 • 握手
張惠言《儀禮圖》

⑮ 著, 組繫

胡培翬에 따르면 "여기의 著 역시 검은색 겉감과 분홍색 안감 사이에 솜을 채워 넣는 것을 이른다. 여기의 '組繫'도 묶기 위한 것이다.〔著, 亦謂以絮充入玄表纁裏之中. 組繫, 亦以爲結.〕" 聶崇義의 《三禮圖集注》 권17에 따르면 握手는 양쪽 끝에 각각 매달아놓은 실끈이 하나씩 있다.

⑯ 決用正王棘若檡棘

'決'은 화살을 쏠 때 오른손 엄지손가락에 끼는 코끼리뼈로 만든 골무로,

68)《儀禮正義》卷26 : "前陳明衣裳及飯含之巾, 言用布, 掩言用帛, 此及幎目不言者, 蓋亦用帛爲之, 蒙掩而省也."

69) 鄭玄注 : "組繫, 爲可結也." 賈公彦疏 : "云'組繫爲可結也'者, 以四角有繫, 於後結之, 故有組繫也."

활을 당길 때 손가락을 보호하기 위한 것이다. '檡'은 음이 '택'이다.[70] '正'은 정현의 주에 따르면 "좋다는 뜻이다. 王棘과 檡棘은 결이 고우며 단단하고 질긴 나무로, 모두 決을 만들 수 있다.〔正, 善也. 王棘與檡棘, 善理堅韧者, 皆可以爲決.〕" 決은 생전에는 코끼리뼈로 만들고 죽으면 나무로 만드니, 이점이 생시와 다르다.

⑰ 組繫

胡培翬에 따르면 "이것으로 손목에 묶으려는 것이다.〔將以結於掔(腕)者.〕"

⑱ 纊極二

'極'은 '골무'를 가리킨다. 오른손 손가락에 착용하여 활을 쏠 때 손가락을 보호하기 위한 것이다. 생시에 사용하는 極은 모두 세 개로, 식지·중지·무명지에 각각 한 개씩 사용하며 무두질한 붉은색 쇠가죽으로 만든다. 정현의 주에 따르면 極은 손가락에 끼우는 가죽으로 만든 깍지이다. 무두질한 붉은색 쇠가죽으로 만들기 때문에 朱極이라고 한다. 임금의 오른손 엄지손가락에는 또 코끼리뼈로 만든 決이 있어서 이 3개의 極과 함께 활을 쏠 때 손가락을 더욱 보호할 수 있도록 한다. 이때에는 솜으로 두 개만 만드는데, 이점이 생시와 다르다.

⑲ 冒

시신을 싸는 자루로, 布로 만든다. 정현의 주에 따르면 "冒는 시신을 싸는 것으로, 刑制는 곧은 자루와 같다. 윗부분은 質, 아랫부분을 殺라고 한다.〔冒, 韜尸者, 制如直囊, 上曰質, 下曰殺.〕" 정현은 또 冒로 시신을 쌀 때에는 먼저 殺를 발에서부터 위쪽으로 싼 뒤에 質을 머리에서부터 아래쪽으로 싼다고 하였다.[71]

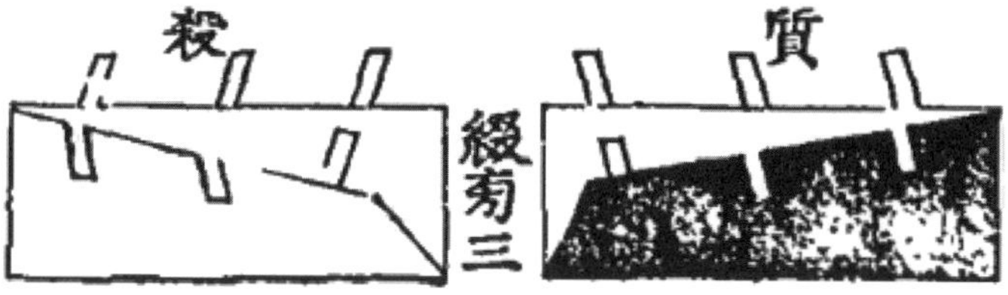

• 그림 16 • 緇冒赬殺
金長生《家禮輯覽》

70) 《常變通攷》卷6〈喪禮 襲 陳襲衣〉: "若檡.【音澤】"

71) 鄭玄注 : "其用之, 先以殺韜足而上, 後以質韜首而下, 齊手."

⑳ 爵弁服純衣

정현의 주에 따르면 死者가 생전에 爵弁을 쓸 때 함께 입었던 옷이다. 여기에서 말한 '純衣'는 纁裳을 포함한다.[72] 胡培翬는 "여기에서 진열한 것은 衣와 裳에 그치고 冠이 없는데도 경문에서 '爵弁服'이라고 한 것은 冠으로 服의 이름을 붙이기 때문이다.〔此所陳止衣裳無冠, 而經云爵弁服, 是以冠名服.〕"라고 하였다.

【按】'爵弁服'은 〈사상례〉1. 주④ 참조.

㉑ 皮弁服

皮弁은 일종의 武冠이다. 흰 사슴 가죽으로 만들며, 그 형태는 대체로 지금의 瓜皮帽와 비슷하다. 皮弁服은 皮弁에 맞추어 입는 옷으로, 즉 素積(허리 부분에 주름을 넣은 흰색 裳), 緇帶, 素韠(흰색 폐슬)이다.

㉒ 褖衣

정현의 주에 따르면 붉은색 가선을 두른 검은색 衣裳으로 袍 위에 덧입는 옷이다.[73] 또 沈肜에 따르면 褖衣의 衣와 裳은 하나로 이어져 있는데, 이는 襲을 하는데 편리하게 하기 위해서이다.[74]

【按】심동에 따르면 길례인 〈士冠禮〉에서 진열한 3종의 의복 중 玄端服을 喪禮에서 褖衣로 바꾼 것은, 단의는 衣와 裳이 연결되어 있을 뿐 아니라 黑色이고 玄色이 아니어서

• 그림 17 • 宵衣(褖衣)
《欽定禮記義疏》

72) 鄭玄注："謂生時爵弁所衣之服也. 純衣者, 纁裳."

73) 鄭玄注："黑衣裳, 赤緣謂之褖. 褖之言, 緣也, 所以表袍者也."

74) 《儀禮小疏》卷6 ："《士冠禮》所陳三服有玄端, 此易褖衣者, 褖衣連衣裳, 黑而非玄, 與生時相變, 又以明爵弁、皮弁二服亦襘裳于衣也, 蓋衣裳連則便于襲歛."

생시와 다르게 한 것이다. 또한 衣와 裳이 연결되어 있으면 襲을 하거나 斂을 할 때 편하기 때문이다. 보통 硃砂와 赤粟으로 염료를 만들어 붉은 색을 물들이는데, 한 번 들이면 縓(전), 두 번 들이면 赬(정), 세 번 들이면 纁, 네 번 들이면 赤이라고 한다. 纁을 더 이상 붉은색 염료에 넣지 않고 개흙[涅]으로 만든 黑色 염료에 넣으면 紺(감), 紺을 다시 흑색 염료에 넣으면 緅(추), 緅를 흑색 염료에 넣으면 玄, 玄을 흑색 염료에 넣으면 緇(치)가 된다.[75]

㉓ 緇帶

정현의 주에 따르면 "검은색 비단으로 만든 帶이다.〔黑繒之帶.〕" 일반적으로 衣 밖에 매는 띠는 衣와 같은 색이다.

㉔ 韎韐

적황색 蔽膝이다. '韎'는 본래 꼭두서니풀을 가리키는데, 여기에서는 꼭두서니풀에서 추출한 적황색을 가리킨다. 정현의 주에 "士는 茅蒐로 염색하기 때문에 이로 인해 이름을 붙였다. 지금 齊나라 사람들은 蒨(꼭두서니)을 韎라고 한다.〔士染以茅蒐, 因以名焉. 今齊人名蒨爲韎.〕"라고 하였다. '茅蒐'는 즉 꼭두서니풀이다. 염료를 만들어 布를 적황색으로 염색할 수 있다.

㉕ 笏

정현의 주에 따르면 "笏은 생각한 것, 대답한 것, 명받은 것을 기록하는 것이다.〔笏, 所以書思、對、命者.〕" 이것은 바로 《예기》〈玉藻〉의 글로, 정현의 주에 따르면 "思는 생각하여 임금에게 고하려는 것, 對는 임금에게 대답한 것, 命은 임금의 명을 받은 것이다. 이것들을 홀에 쓰는 것은 잊어버릴까 해서이다.〔思, 所思念將以告君者也. 對, 所以對君者也. 命, 所以受君命者也. 書之於笏, 爲失忘也.〕" 여기에서의 홀은 대나무로 만든다.

㉖ 夏葛屨, 冬白屨

'白屨'는 즉 가죽신이다. 정현의 주에 따르면 "皮를 白으로 바꾸어 말한 것은 여름철에 신기는 葛屨도 흰색임을 밝히기 위해서이다.〔變言白者, 明夏時用葛亦白也.〕"

㉗ 皆繶緇絇純

盛世佐에 따르면 "緇를 繶과 絇·純의 사이에 둔 것은 이 세 가지가 모두 검은색임을 밝힌 것이다.〔言緇於繶與絇純之間, 明此三者皆緇也.〕" 이에 따르면 이 문장의 의미는 〈士冠禮〉에서 "絇·繶·純을 검은색으로 만든다.〔緇絇繶純.〕"라고 한 것과 같다.

75) 《十三經義疑》卷8〈論語紺緅〉: "蓋以纁入赤則爲朱, 以纁入黑則爲紺, 以紺入黑則爲緅. 緅是三入赤、再入黑, 黑少赤多, 如爵頭然."

《爾雅注疏》〈釋器〉: "一染謂之縓, 再染謂之赬, 三染謂之纁."

㉘ 組綦繫于踵

'綦'는 정현의 주에 따르면 "신발 끈이다.〔屨係也.〕" 胡培翬는 "組綦로 신발을 묶는 것은 멈추게 한다는 뜻이 있기 때문에 '綦'라고 부른 것이다.〔組綦以繫屨, 有拘止之義, 故云.〕"라고 하였다. '踵'은 발뒤꿈치이다. 여기에서는 신발 뒤꿈치 부분을 가리킨다. 敖繼公은 "발뒤꿈치에 해당하기 때문에 이로 인해 신발의 뒤꿈치도 '踵'이라는 이름을 붙인 것이다. 신발 끈을 여기에 매어놓는 것은 거두어 묶으려고 해서이다. 신발을 신게 되면 이 끈을 발등에 묶는다.〔以其當足踵之處, 故因以名之. 以綦相繫於此, 欲其斂也. 及著之, 乃繫於跗(脚背).〕"라고 하였다.

• 그림 18 • 黑屨
金長生《家禮輯覽》

㉙ 庶襚繼陳, 不用

정현의 주에 따르면 "庶는 무리라는 뜻이다. 不用은 襲에 사용하지 않는다는 뜻이다. 많이 진열하는 것을 영예롭게 여기고 조금 넣는 것을 귀하게 여긴다.〔庶, 衆也. 不用, 不用襲也. 多陳之爲榮, 少納之爲貴.〕" 胡培翬에 따르면 '庶襚'는 대공복 이상의 親者 및 庶兄弟와 붕우가 보내온 襚를 가리킨다.[76]

【按】 가공언의 소와 胡培翬에 따르면 여기의 '少納之爲貴'는 襲尸 때 오직 세 벌만 사용하는 것을 이른다. 즉 《예기》〈喪服小記〉에서 말한 것처럼 "기물을 진설하는 도는 많이 진열했을 때는 줄여서 넣는 것이 좋고, 줄여서 진열했을 때는 모두 넣는 것이 좋다."는 것이다.[77]

76) 《儀禮正義》卷26 : "庶襚, 卽上親者及庶兄弟、朋友之襚也."

77) 賈公彦疏 : "云'多陳之爲榮'者, 庶襚皆陳之是也. '少納之爲貴'者, 襲時唯用三稱是也."
《儀禮正義》卷26 : "《喪服小記》云: '陳器之道, 多陳之而省納之可也. 省陳之而盡納之可也.' 彼注云'多陳之以多爲榮', 此注'多陳之少納'之語, 蓋本於彼.

10. 西序 아래에 목욕과 반함을 위한 도구 진열

貝三, 實于笲(번)①。稻米一豆, 實于筐②。沐巾一、浴巾二, 皆用綌, 于笲。櫛(즐)于簞③。浴衣于篋④。皆饌于西序下, 南上⑤。

貝(조개껍데기) 3개를 笲(대바구니)에 담는다. 쌀 1豆를 筐(대광주리)에 담는다. 沐巾 1장과 浴巾 2장을 모두 거친 갈포로 만들어 笲에 담는다. 빗을 簞(둥근 대광주리)에 담는다. 浴衣를 篋(대나무 상자)에 담는다.
모두 西序 아래에 진열하는데, 남쪽을 상위로 하여 남쪽부터 진열한다.

① 貝三實于笲

'貝'는 조개껍데기이다. 死者에게 飯含할 때 쓰기 위한 것이다. '笲'은 물건을 담는 대나무 그릇으로, 그 刑制는 자세하지 않다. 《예기》〈昏義〉의 '執笲'에 대한 釋文에 "갈대나 대나무로 만든다. 그 형태는 莒와 같으며 푸른색 비단을 입힌다.〔以葦若竹爲之, 其形如莒, 衣之以靑繒.〕"라고 하였다.

【按】'笲'은 음이 '번'이다.[78] 가공언의 소에 따르면 반함 때 천자는 貝 9개, 제후는 7개, 대부는 5개, 士는 3개를 사용한다는 《예기》〈雜記〉의 기록은 夏나라 때의 禮이며, 周나라 춘추 시대에는 천자는 珠, 제후는 玉, 대부는 璧, 士는 貝를 사용하였다.[79]

② 一豆

정현의 주에 따르면 1斗 4升이 들어간다.[80]

③ 櫛于簞

'櫛'은 梳(얼레빗)와 篦(참빗 비)의 통칭이다. '簞'은 대나무로 만든 둥근 그릇이다.

④ 浴衣于篋

'浴衣'는 정현의 주에 따르면 "목욕시킨 뒤에 입히는 옷이다.〔已浴所衣之衣.〕" '篋'은 일종의 대나무 상자이다.

【按】張惠言은 이때 夷槃도 진열해두는데, 경문에는 그 장소를 말하지 않았으나 이반은 소렴한 뒤에 사용하는 것으로 笲貝 등의 다음에 나오기 때문에 浴衣를 담은 篋 북쪽에

78) 《常變通攷》〈昏禮 婦見舅姑 婦見于舅姑〉: "婦執笲.【音煩】"

79) 賈公彦疏 : "《雜記》云: '天子飯九貝, 諸侯七, 大夫五, 士三.' 鄭注云: '此蓋夏時禮也. 周禮, 天子飯含用玉.' ……何休云: '天子以珠, 諸侯以玉, 大夫以璧, 士以貝, 春秋之制也.'"

80) 鄭玄注 : "斗四升."

두어야 할 것이라고 추정하였다.[81] 그러나 〈사상례〉11. 주⑤에 따르면 이반은 士의 喪禮에서 임금에게 하사받았을 경우에 한하여 소렴 전 시신을 목욕시킬 때 사용한다. 황이주의 〈浴尸含襲〉圖에는 이반이 없다.

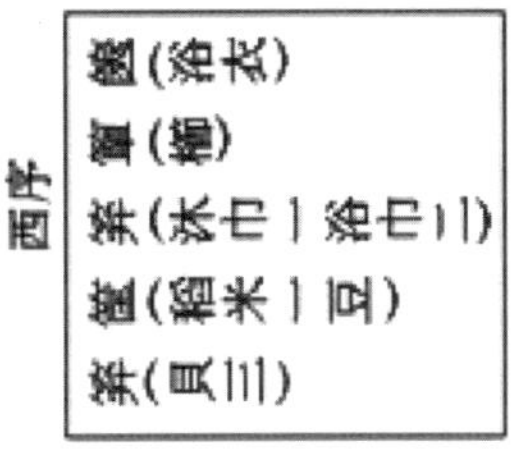

• 그림 19 • 沐浴飯含之具

⑤ 西序下, 南上

'西序下'는 즉 서쪽 序의 앞이다. '南上'은 盛世佐에 따르면 "貝를 상위로 삼고 쌀 이하는 貝 다음에 순서대로 북쪽으로 진열하는 것이다.〔以貝爲上, 稻米以下次而北也.〕"라고 하였다. 장혜언의 〈始死陳襲事〉圖 참조.

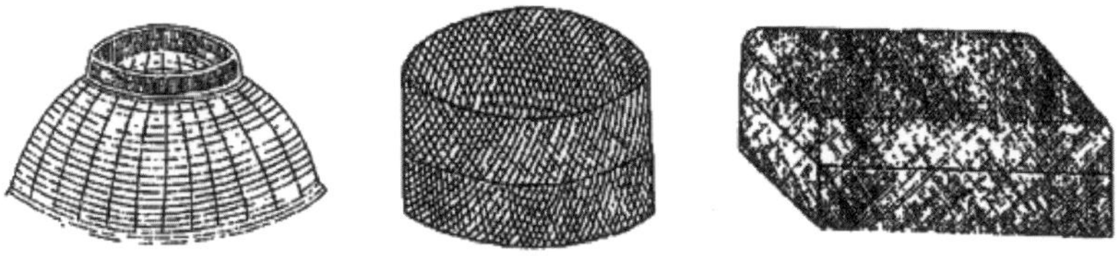

笲 簞 篋

• 그림 20 • 笲, 簞, 篋
《欽定儀禮義疏》

11. 死者를 목욕시킴

管人汲, 不說(탈)繘(율), 屈之①。祝淅米于堂②, 南面, 用盆。管人盡階不升堂, 受潘(반)③, 煮于垼(역), 用重鬲(력)。祝盛米于敦(대), 奠于貝北④。士有冰, 用夷槃可也⑤。外御受沐入⑥。主人皆出戶外⑦, 北面。乃沐櫛, 挋(진)用巾⑧。浴用巾⑨, 挋用浴衣。渜(난)濯棄于坎⑩。蚤揃(전)如他日⑪。鬠(괄)用組⑫, 乃笄。設明衣裳。主人入, 卽位⑬。

81) 《儀禮圖》卷5〈始死陳襲事〉: "夷槃不言設處, 小斂後所用, 文次笲貝等, 或當在此."

管人이 물을 길은 뒤에 瓶에 맨 줄을 풀지 않고 손에 둘둘 만 채 물을 들고 온다.
夏祝이 堂에서 쌀을 씻는데, 남향하고 盆을 사용한다.
管人이 계단을 끝까지 올라와 당에는 올라가지 않고 夏祝에게서 潘水(쌀뜨물)를 받아 서쪽 담장 아래의 아궁이에서 끓이는데, 重鬲을 사용한다.
商祝이 씻은 쌀을 廢敦에 담아 貝의 북쪽 본래의 자리에 둔다.
여름에 임금이 하사하여 士에게 얼음이 있을 경우에는 夷槃을 사용할 수 있다.
당 위에 있던 外御(小臣)가 끓인 潘水를 管人에게서 받아 室로 들어간다.
주인들과 부인들이 모두 室戶 밖으로 나와 당에서 북향하고 선다.
이어서 外御 두 사람이 死者의 머리를 감기고 빗질한 뒤 沐巾으로 물기를 닦아준다. 浴巾으로 몸을 씻기고 浴衣를 입혀 물기를 닦아 말린다. 渜濯(목욕시킨 물)을 양쪽 계단 사이 파놓은 구덩이에 버린다.(이때 사용한 빗과 巾도 함께 버린다)
평상시처럼 死者의 손톱과 발톱을 깎고 수염을 다듬는다.
鬠(死者의 상투)은 실끈으로 묶고 이어서 뽕나무로 만든 비녀를 꽂는다.
明衣裳을 입힌다.(이때 浴衣를 양쪽 계단 사이 파놓은 구덩이에 버린다)
주인들과 부인들이 室로 들어가 각자의 자리로 나아간다.

① 管人汲, 不說繘, 屈之

'管人'은 정현의 주에 따르면 "객관을 관장하는 사람이다. 客은 使者를 이르는데, 아래로 士介에게까지 이른다.〔掌客館者也. 客謂使者, 下及士介也.〕" 胡匡衷의《儀禮釋官》에 따르면 여기의 管人도 喪事를 도우러 온 제후의 신하이다.[82] '繘'은 음이 '율'이다. 물을 긷는데 사용하는 줄이다. '不說繘, 屈之'는 胡培翬에 따르면 "喪事는 급작스런 일이므로 물을 긷는 자가 이때 사용한 줄을 풀 겨를이 없어 이 줄을 그저 손에 둘둘 말아서 잡는 것이다.〔喪事遽, 故汲水者不暇解脫其繘, 但縈屈之執於手.〕" 管人이 물을 긷는 것은 이것을 가지고 祝에게 나아가 쌀을 씻게 하기 위해서이다.

【按】 孔穎達의 正義에 따르면 '繘'은 물을 길을 때 瓶에 매는 줄이다.[83] 이때 줄을 풀

82) 《儀禮釋官》卷5 : "管人亦公臣, 見《聘禮》."
83) 《禮記》〈喪大記〉孔穎達正義 : "繘, 汲水瓶索也."

지 않은 것은, 물이 부족하면 다시 긷기 위해서일 뿐 아니라 목욕물을 준비할 때도 물을 길어야하기 때문이라고 보기도 한다.[84]

② 祝淅米

'祝'은 정현의 주에 따르면 "夏祝이다.〔夏祝也.〕" 胡匡衷의《儀禮釋官》에 따르면 '夏祝'은 즉 夏나라의 禮를 익힌 祝이다. 다음에 나오는 商祝도 이와 같이 商나라의 禮를 익힌 祝이다. 또 胡匡衷에 따르면 이 夏祝 역시 제후의 신하로, 그 직책은《주례》商祝의 직책에 해당한다. 일반적으로 경대부에게 喪事가 있으면 그들을 위해 斂棺·飾棺을 관장한다.[85] '淅米'는 '쌀을 씻다'라는 뜻이다.

【按】 호광충에 따르면 **夏祝**·**商祝**·**祝**은 모두 **周**나라의 **祝**으로, **夏禮**를 익혔으면 **夏祝**이라 하고 **商禮**를 익혔으면 **商祝**이라고 하는 것 뿐이다. 이 3종의 **祝**은 모두 제후의 신하이다. 특히 **夏祝**에 대해 정현은 "**夏**나라 사람들은 **忠**으로 가르쳐서 봉양에 마땅하다.[**夏人敎以忠, 其於養宜.**]"라고 하였다. **加藤常賢**에 따르면 〈사상례〉에서 **夏祝**은 **死者**의 음식에 관한 일을 관장하고, **商祝**은 시신의 처리에 관한 전반적인 일을 관장하고, **周祝**은 **銘旗**의 일을 관장한다.[86] 〈사상례〉25. 주① 참조. **張惠言**의 〈**始死陳襲事**〉**圖**에는 **祝**이 서쪽 기둥 서쪽에서 쌀을 씻도록 되어 있는데, 장혜언은 그 근거로 "**序**의 중반 이남을 **堂**이라고 한다.[**中以南謂之堂.**]"라는 정현의 주를 인용하여 당 가운데에서 쌀을 씻지 않는다는 것을 알 수 있다고 하였다.[87]

③ 潘

《說文解字》에 따르면 "쌀을 씻은 물이다.〔淅米汁也.〕" 胡培翬는 "祝이 그 쌀뜨물을 주면 管人이 받는다.〔祝授之, 管人受之.〕"라고 하였다.

④ 祝盛米于敦, 奠于貝北

'祝'은 여기에서는 商祝을 이른다. '米'는 앞에서 말한 夏祝이 씻은 쌀이다. '敦'는 앞에서 西階 아래에 진열했던 廢敦이다. '奠于貝北'은 정현의 주에 따르면 원래 쌀을 筐에 담아 진열했던 자리이다.[88] 쌀은 씻기 전에는 筐에 담아 貝의 북쪽에 두고 씻은 뒤에는 廢敦에 바꾸어 담아 원래 筐을 놓았던 자리에 둔다.

【按】 쌀을 씻기 전에는 **筐**에 담아둔다는 등의 내용은 **黃幹**(宋)의《**儀禮經傳通解續**》, **蔡德晉**(淸)의《**禮經本義**》, **盛世佐**(淸)의《**儀禮集編**》 등에 보인다.

⑤ 士有冰, 用夷槃可也

정현의 주에 따르면 이것은 여름철에 士에게 喪事가 났을 때 임금이 얼음

84)《欽定儀禮義疏》卷27〈士喪禮〉注 : "不說繘者, 恐水不足, 將以備再汲, 且浴水又須汲也."

85)《儀禮釋官》卷5 : "夏祝、商祝、祝皆周祝也. 以習夏禮謂之夏祝, 習商禮謂之商祝. 三祝皆公臣, 當《周禮》商祝之職."

86) 加藤常賢著,《禮の起源と其發達》(東京:中文馆书店, 1933) 118쪽.

87)《儀禮圖》卷5〈始死陳襲事〉: "注于'饌于西序下'注云'東西牆謂之序, 中以南謂之堂', 祝淅米不中堂可知."

88) 鄭玄注 : "復於筐處."

을 하사한 것을 가리킨다.[89] 또 정현에 따르면 士의 喪事에는 본래 얼음을 쓰지 못할 뿐 아니라 夷槃을 써서도 안 되고 瓦槃을 써야 한다.[90] 그러나 임금이 夷槃에 얼음을 담아 士에게 하사하면 얼음은 尸牀 아래에 두어 시신을 차갑게 하고 夷槃은 목욕시키고 버리는 물을 담는 데에 쓸 수 있기 때문에 '用夷槃可也'라고 한 것이다. 《예기》〈喪大記〉에 따르면 임금은 大槃을 사용하고 대부는 夷槃을 사용한다. 〈상대기〉 정현의 주에 《漢禮器制度》를 인용하여 "大槃은 너비가 8尺, 길이가 1丈 2尺, 깊이가 3尺이다. 夷槃은 이보다 작다.〔大槃廣八尺, 長丈二尺, 深三尺. 夷槃小焉.〕"라고 하였다.

【按】 정현의 주에 따르면 임금은 **大槃**에 얼음을 쓰고, 대부는 **夷槃**에 얼음을 쓰며, **士**는 **瓦槃**에 얼음이 없다. '《예기》〈상대기〉에 따르면…… **夷槃**을 사용한다.'는 통행본 《**禮記正義**》에는 없고 《**儀禮注疏**》 정현의 주에 〈상대기〉의 내용이라 하여 이 구절이 인용되어 있다. 《예기》 **定本**이 확정되지 않은 상태에서 《의례》 주석을 낸 것으로 보인다. '**夷槃小焉**'은 〈사상례〉 가공언의 소에 **鄭玄**의 말로 인용되어 있으나 통행본 《예기정의》 정현의 주에는 이 4글자가 없다.

⑥ 外御受沐入

'外御'는 정현의 주에 따르면 "小臣으로 侍從하는 자이다.〔小臣侍從者.〕" 가공언의 소에 따르면 外御는 內御와 상대적으로 말한 것으로, 어머니 喪에는 內御가 모시고 목욕시킨다.[91] 胡匡衷의 《儀禮釋官》에 따르면 '御'는 士의 近臣이다.[92] 또 정현의 주에 따르면 '沐'은 管人이 끓인 潘水(쌀뜨물)이다.[93]

【按】 **胡培翬**에 따르면 이때 **外御**는 당 위에 있으며 **管人**에게서 목욕물을 받아 **室**로 들어간다.[94] 《예기》〈**喪大記**〉에 따르면 시신의 머리를 감길 때 사용하는 물은 "제후는 **粱米** 뜨물을 사용하고 대부는 **稷米** 뜨물을 사용하며 **士**는 **粱米** 뜨물을 사용한다".[95] 정현의 주에 "〈사상례〉에서는 **稻米** 뜨물을 사용한다고 하였는데 《예기》〈상대기〉에서 **士**가 **粱米** 뜨물을 사용한다고 한 것은, 〈상대기〉의 **士**는 천자의 **士**를 말한 것인 듯 하다. 이러한 차등의 비율로 올라가면 천자는 **黍米** 뜨물을 사용할 것이다."라고 하였다.[96]

⑦ 主人皆出

'主人'은 衆主人을 포함한다. 敖繼公은 "이때 부인들도 모두 室戶 밖으로 나오는데 경문에서 말하지 않은 것은 생략한 것이다.〔是時婦人亦皆出, 經不言, 略之.〕"라고 하였다.

89) 鄭玄注 : "謂夏月而君加賜冰也."

90) 鄭玄注 : "夷槃, 承尸之槃. 《喪大記》曰: '君設大槃, 造冰焉. 大夫設夷槃, 造冰焉. 士併瓦槃, 無冰. 設牀襢笫, 有枕.'"

91) 賈公彦疏 : "此云'外御'者, 對內御爲名. 故下記云: '其母之喪, 則內御者浴.'"

92) 《儀禮釋官》卷5 : "外御, 士近臣."

93) 鄭玄注 : "管人所煮潘也."

94) 《儀禮正義》卷26 : "外御受沐, 受之於管人也, 在堂上受之. 入, 入室也."

95) 《禮記》〈喪大記〉 : "君沐粱, 大夫沐稷, 士沐粱."

96) 鄭玄注 : "《士喪禮》沐稻, 此云'士沐粱', 蓋天子之士也. 以差率而上之, 天子沐黍與?"

【按】 張惠言은 "命婦는 당 위에서 북향한다.[命婦在堂上北面.]"라는 《예기》〈喪大記〉 정현의 주를 인용하여, 일반적으로 女賓의 자리는 衆婦人의 자리를 따른다고 하였다.[97]

⑧ 挋

음은 '진'으로 '닦는다[拭]'는 뜻이다. 《예기》〈喪大記〉에 "머리를 감길 때는 瓦盤을 사용하고 수건으로 닦는다.[沐用瓦盤, 挋用巾.]"라고 하였는데, 孔穎達의 正義에 "수건으로 머리카락과 얼굴의 물기를 닦는 것을 이른다.[用巾拭髮及面.]"라고 한 것이 이것이다.

⑨ 浴

정현의 주에 《예기》〈喪大記〉를 인용한 글에 따르면 外御 2명이 盆에서 枓(주)로 물을 떠서 시신의 몸에 부어 씻기는 것이다.[98] '枓'는 '斗'와 같은 것으로 물을 뜨는 기물이다. 머리를 감기고 몸을 씻기는 데 사용한 물은 끓인 潘水(쌀뜨물)이다.

【按】 枓는 勺과 같은 모양이나 枓는 물을 뜨는 것이고 勺은 술을 뜨는 것이다.[99]

⑩ 渜濯棄于坎

'渜'은 음이 '난'이다. 《說文解字》에 따르면 "끓인 물이다.[湯也.]" 여기에서 말하는 '湯'은 바로 潘水를 가리킨다. 吳廷華는 "潘水가 渜인데, 머리를 감기고 몸을 씻기고 나면 '濯'이라고 한다.[潘水爲渜, 旣沐浴則謂之濯.]"라고 하였다. '棄于坎'은 정현의 주에 따르면 "머리를 감기고 몸을 씻기고 난 潘水를 버리는 것이다. 이때 수건·빗·浴衣도 함께 버린다.[沐浴餘潘水, 巾、櫛、浴衣亦幷棄之.]" 吳廷華는 "浴衣는 明衣를 입힐 때 버려야 되는데 정현의 주에서는 이를 아울러 말한 것뿐이다.[浴衣當在設明衣時去之, 《注》蓋幷言之耳.]"라고 하였다.

⑪ 蚤揃如他日

'蚤'는 정현의 주에 따르면 "爪로 읽어야 한다. 손톱을 깎는다는 뜻이다.[讀爲爪, 斷爪.]" 《說文解字》〈叉〉에 "손톱과 발톱이다.[手足甲也.]"라고 하였는데, 段玉裁의 注에 "叉와 爪는 古今字이다. 古文에는 叉로 되어 있으며 今文에서는 爪로 쓴다. 禮經에서 가차하여 蚤로 썼다.[叉、爪古今字, 古作叉, 今用爪, 禮經假借作蚤.]"라고 하였다. 여기의 '蚤'는 바로 '爪'이니, 손톱과 발톱을 이른다. '蚤'는 여기에서는 동사로 쓰여 손톱과 발톱을 깎는다는 뜻이다. 바로 정현의 주에서 말한 '斷爪'라는 것이다. '揃'은 음이 '전'이다. '잘라서 다듬다[修剪.]'라는 뜻이다. 정현의 주에 따르면

97) 《儀禮圖》卷5〈始死陳襲事〉: "凡女賓從衆婦人之位. 《大記》注云: '命婦在堂上, 北面.'"

98) 鄭玄注 : "《喪大記》曰: '御者二人浴, 浴水用盆, 沃水用枓.'"

99) 《三禮圖集注》卷13〈洗勺〉: "賈疏引《少牢禮》云'罍枓【音注】. 彼枓與此勺爲一物, 但彼枓所以斞(구)水, 此勺所以斞酒.'"

"수염을 잘라 다듬는 것이다.〔揃鬚也.〕" '他日'은 정현의 주에 따르면 "평상시이다.〔平常時.〕"

⑫ 鬠用組

【按】'鬠'은 〈사상례〉9. 주④ 참조.

⑬ 主人入, 卽位

敖繼公에 따르면 "주인이 들어갔다면 衆主人과 부인들도 모두 室로 들어가 자기 자리로 나아간 것이다.〔主人入, 則衆主人及婦人亦皆入卽位.〕" 方苞에 따르면 이것은 室로 들어가 飯含을 보려는 것이다.[100]

【按】張惠言은 오계공의 말과 달리 부인들은 시신을 목욕시킬 때 室을 나온 뒤에 들어가지 않는다고 하였다.[101] 黃以周는 이때 부인들도 들어간다는 오계공의 설을 먼저 제시한 뒤, 경문에서 '皆'를 말하지 않은 것은 주인만 들어간 것이라는 혹자의 설도 함께 소개하고 있다.[102]

12. 飯含

商祝襲祭服, 褖(단)衣次①。主人出, 南面, 左袒, 扱(삽)諸面之右②, 盥于盆上, 洗貝, 執以入③。宰洗柶(사), 建于米④, 執以從。商祝執巾從入⑤, 當牖, 北面⑥, 徹枕⑦, 設巾, 徹楔(설)⑧, 受貝, 奠于尸西⑨。主人由足西, 牀上坐, 東面。祝又受米, 奠于貝北⑩。宰從立于牀西, 在右⑪。主人左扱米, 實于右⑫, 三實一貝。左、中亦如之。又實米, 唯盈⑬。主人襲⑭, 反位。

商祝이 襲牀에 祭服(爵弁服과 皮弁服)을 차례대로 펴놓고 褖衣를 그 다음에 놓는다.
주인이 室에서 나와 남향하고 왼쪽 옷소매를 빼서 앞의 오른쪽 帶에

100) 《儀禮析疑》卷12 : "至復入, 亦惟擧主人, 以衆主人、婦人親者, 必入視飯含, 不待言也."

101) 《儀禮圖》卷5〈浴尸含襲〉: "敖以含時衆主人皆出戶, 婦人立于房. 今案經文, 自浴尸時, 主人皆出戶, 則婦人亦出, 蓋未嘗入也."

102) 《禮書通故》卷48〈始死陳襲〉: "敖謂'主人入, 則衆主人及婦人亦皆入'. 或云: '經入不言皆, 惟主人入.'"

끼우고, 盆에서 손을 씻은 뒤에 祝이 쌀을 씻었던 盆에 貝를 씻어서 笲(번)에 담아 들고 室로 들어간다.
宰가 柶(숟가락)를 씻어 廢敦(다리가 없는 敦) 안의 쌀에 꽂아 들고서 주인을 따라 들어간다.
商祝이 반함에 쓸 布巾을 들고 室로 따라 들어가 남쪽 창이 있는 곳에서 북향하고 선다. 시신의 베개를 치우고 얼굴에 布巾을 덮는다.
입 안의 楔을 빼내고 주인에게서 貝를 받아 시신의 서쪽에 둔다.
주인이 시신의 발쪽(북쪽)으로 돌아 서쪽으로 가서 尸牀 위에 동향하여 앉는다.
商祝이 또 宰에게서 쌀이 담긴 廢敦를 받아 貝의 북쪽에 둔다.
宰가 주인을 따라 가서 尸牀의 서쪽, 주인의 오른쪽(남쪽)에 선다.
주인이 왼손으로 쌀을 떠서 貝에 담아 시신의 입 오른쪽에 채워 넣는데, 세 번 떠서 貝 하나를 채운다. 시신의 입 왼쪽과 중앙에도 이와 같이 채워 넣는다. 또 한 차례 쌀을 채워 넣어 시신의 입안이 가득 차도록 한다.
주인은 반함이 끝나면 왼쪽 소매를 다시 입고 본래 있던 尸牀의 동쪽 자리로 돌아간다.

① 商祝襲祭服, 褖衣次

'襲'은 張爾岐에 따르면 이때는 다만 襲할 옷을 차례대로 襲牀에 놓았을 뿐 실제로는 아직 襲하지 않았는데 '襲'이라고 말한 것으로, "옷과 옷을 차례대로 펴놓았다.〔衣與衣相襲而布之也.〕"라는 말이다. '祭服'은 정현의 주에 따르면 爵弁服과 皮弁服을 이른다. '褖衣次'는 祭服 다음에 놓는 것을 이른다. 祭服을 진열하는 곳은 별도의 牀 위이다. 《예기》〈喪大記〉에 따르면 반함할 때 牀 하나, 襲을 할 때 牀 하나, 시신을 당으로 옮길 때 또 하나의 牀이 있다.[103] 지금 시신은 반함을 준비하는 牀 위에 있고 商祝이 祭服을 진열하는 곳은 襲을 위해 준비하는 牀 위이다.

【按】 정현의 주에 따르면 爵弁服과 皮弁服은 모두 임금을 따라 제사를 도울 때 입는 옷이다.[104]

② 左袒, 扱諸面之右

'扱'은 '꽂다〔揷〕'라는 뜻이다. '面'은 '앞〔前〕'이라는 뜻이다. 가공언의 소

103) 鄭玄注 : "《喪大記》曰: '含一牀, 襲一牀, 遷尸於堂, 又一牀.'"

104) 鄭玄注 : "祭服, 爵弁服、皮弁服, 皆從君助祭之服."

에 따르면 "왼쪽 옷소매를 빼서 오른쪽 겨드랑이 아래의 帶 안에 꽂는 것을 이르니, 편리함을 취한 것이다.〔謂袒左袖, 扱於右腋之下帶之內, 取便也.〕"

【按】 '左袒'은 胡培翬에 따르면 "일반적으로 禮事에는 길흉을 막론하고 모두 왼쪽 소매를 빼며 오직 刑을 받았을 때만 오른쪽 소매를 뺀다.[凡禮事, 無問吉兇皆左袒, 惟受刑則右袒.]"[105]

③ 洗貝, 執以入

【按】 黃以周에 따르면 주인이 貝를 씻은 盆은 바로 앞에서 祝이 쌀을 씻었던 盆이다.[106] 〈사상례〉11. 주② 참조. 蔡德晉에 따르면 이때 주인은 貝를 씻어 笲에 담아서 들고 들어가는 것이다.[107]

④ 宰洗柶, 建于米

'宰'는 士의 家臣 중 우두머리이다. '建'은 '꽂다〔插〕'라는 뜻이다. 이것은 廢敦의 쌀에 꽂는 것이다. 胡培翬에 따르면 꽂을 때 柶의 大端(둥근 부분)이 위로 가게 꽂는다.[108]

⑤ 巾

앞에서 진열한 반함에 쓰는 布巾이다.

【按】 〈사상례〉9. 주⑥ 참조.

⑥ 當牖, 北面

정현의 주에 따르면 시신의 남쪽에서 북향하고 서는 것이다.[109]

⑦ 徹枕

郝敬에 따르면 "베개를 치워 머리가 위로 들리게 하면 반함 때 쌀이 들어가기가 쉽기 때문이다.〔去枕, 使首仰, 則飯易入.〕"

⑧ 設巾, 徹楔

'楔'은 楔齒에 사용한 角柶이다. 〈사상례〉2. 참조.

【按】 士의 아들은 반함할 때 死者의 얼굴에 수건을 덮지 않는데 여기에서 덮는 것은, 注疏에 따르면 반함할 때 떨어지는 쌀이 얼굴 위에 있게 될까 염려해서이다.[110] 그러나 敖繼公은 "효자가 부모의 모습이 변한 것을 보고 슬퍼하여 반함을 하지 못할까 염려해서이다."라고 하였다.[111]

⑨ 受貝, 奠于尸西

가공언의 소에 따르면 "시신의 동쪽에 있는 주인에게 나아가 笲에 든 貝를 받아 시신의 남쪽으로 돌아가서 시신의 서쪽 尸牀 위에 놓고 주인이 직

105) 《儀禮正義》卷26〈士商禮 飯含〉

106) 《禮書通故》卷48〈浴尸含襲〉: "主人洗貝之盆, 卽祝淅米之盆."

107) 《禮經本義》卷12〈兇禮〉: "'執以入'者, 以貝置於笲內, 執笲以入也."

108) 《儀禮正義》卷26 : "宰洗柶, 建于米, 執以從者, 以柶建于廢敦所盛米內, 其葉向上而執廢敦, 以從入也."

109) 鄭玄注 : "當牖北面, 值尸南也."

110) 鄭玄注 : "設巾覆面, 爲飯之遺落米也."
賈公彦疏 : "士之子親含, 發其巾, 不嫌穢惡. 今設巾覆面者, 爲飯時恐有遺落米在面上, 故覆之也."

111) 《儀禮集說》卷12 : "設巾者, 慮孝子見其親之形變而哀, 或不能飯含也."

접 반함하기를 기다린다.〔就尸東主人邊, 受取笄貝, 從尸南過, 奠尸西牀上, 以待主人親含也.〕"

⑩ 祝又受米奠于貝北

盛世佐에 따르면 祝은 宰에게서 쌀이 담긴 廢敦를 받아 貝의 북쪽에 둔다.[112] 貝는 尸牀 위, 시신의 서쪽에 있으니, 쌀이 담긴 廢敦도 尸牀에 올릴 때 貝의 북쪽에 놓아 쌀을 뜨기 편하게 한다.

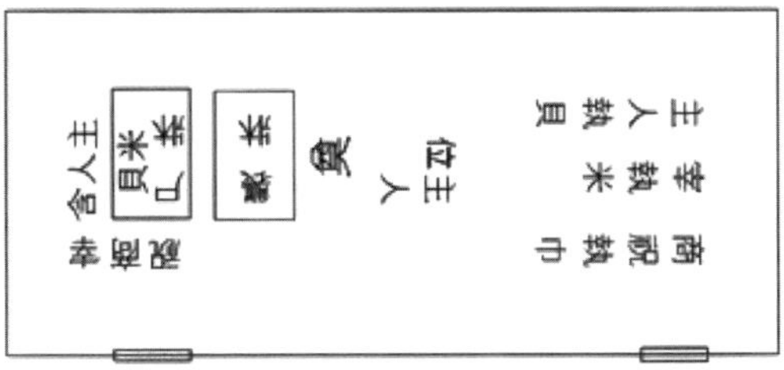

• 그림 21 • 飯含
黃以周《禮書通故》

⑪ 宰從立于牀西, 在右

'在右'는 주인의 남쪽에 있는 것이다. 정현의 주에 따르면 이것은 宰가 반함하는 주인을 돕기 위하여 여기에 서있는 것이다.[113]

⑫ 實于右

정현의 주에 따르면 "于右는 시신의 입 오른쪽에 채워 넣는 것이다.〔于右, 實口之右側.〕"

⑬ 又實米, 唯盈

정현의 주에 따르면 "唯盈은 가득 채운다는 뜻을 취한 것뿐이다.〔唯盈, 取滿而已.〕" 敖繼公은 "음식을 배불리 먹는 것을 형상한 것이다.〔象食之飽也.〕"라고 하였다.

⑭ 襲

정현의 주에 따르면 "다시 입는 것이다.〔復衣也.〕" 즉 다시 왼쪽 소매를 입는 것이다.

112) 《儀禮集編》卷27 : "受米, 受敦于宰也."

113) 鄭玄注 : "宰立牀西, 在主人之右, 當佐飯事."

13. 襲尸

商祝掩瑱(진), 設幎(멱)目, 乃屨, 綦(기)結于跗①, 連約(구)。乃襲三稱②, 明衣不在筭③。設韐(겹)、帶④, 搢笏。設決, 麗(리)于掔(완), 自飯持之⑤。設握, 乃連掔⑥。設冒, 櫜(고)之⑦, 幠用衾⑧。巾、柶、鬊(순)、蚤, 埋於坎⑨。

시신을 襲牀으로 옮긴 뒤 商祝이 掩으로 시신의 머리를 싸고, 瑱으로 귀를 막고, 幎目으로 얼굴을 덮는다. 이어서 신발을 신기고 신발끈을 발등에서 묶은 뒤에 約(신코 장식)에 연결한다.

이어서 세벌의 옷(爵弁服·皮弁服·褖衣)을 입히는데, 明衣는 이 세 벌의 옷에 들어가지 않는다.

韎韐(매겹. 적황색 폐슬)과 緇帶(검은색 비단으로 만든 大帶)를 채우고, 竹笏을 帶에 꽂는다.

決을 오른손 엄지손가락에 끼우고 決의 끈을 손목에 묶는데, 손목에 묶기 전에 먼저 엄지손가락 밑 부분을 빙 둘러서 묶어 고정시킨다.

握手를 오른손에 맨 뒤에 악수의 끈을 손목에 묶은 決의 끈과 함께 연결하여 묶는다.

冒를 씌워 시신을 싸고 斂衾(始死에 썼던 이불)으로 그 위를 덮는다.

반함할 때와 머리감기고 몸을 씻길 때 썼던 巾, 楔齒와 쌀을 뜰 때 사용했던 柶, 빗질할 때 빠진 머리카락, 깎은 손톱과 발톱을 모두 당 아래 양쪽 계단 사이에 파놓은 구덩이에 묻는다.

① 跗

발등이다.

② 三稱

衣와 裳 한 벌을 '一稱'이라고 한다. '三稱'은 爵弁服·皮弁服·褖(단)衣를 이른다. 정현의 주에 따르면 시신을 먼저 襲牀 위에 옮긴 뒤에 襲을 해야 한다.[114] 胡培翬는 "앞글에서 이미 반함하는 동쪽 襲牀 위에 옷을 펴놓았으

114) 鄭玄注 : "遷尸於襲上而衣之."

니, 이제 시신을 그 위로 옮겨서 옷을 입히는 것이다.〔上文已布衣於含東襲牀上, 今乃遷尸就其上而衣之也.〕"라고 하였다.

③ 明衣不在筭

敖繼公에 따르면 "裳을 말하지 않은 것은 글을 생략한 것뿐이다. 이것은 死者의 몸에 직접 닿는 속옷이기 때문에 그 수에 넣지 않은 것이다. 수에 넣지 않는다고 말한 이유는 明衣도 衣와 裳이 갖추어졌으니 마찬가지로 稱이 되어야 한다고 여길까 염려해서이다.〔不言裳者, 省文耳. 此乃死者親身之衣褻, 故不在數中. 言之者, 嫌其衣裳具, 亦當成稱也.〕"

④ 韐、帶

靺韐(적황색 폐슬)과 緇帶이다.

【按】 靺韐은 일종의 蔽膝이다. 士의 경우 玄端服과 皮弁服의 폐슬은 韠(필), 爵弁服의 폐슬은 靺韐(매겹)이라고 하며, 大夫 이상의 冕服에 착용하는 폐슬은 芾(불)이라고 한다. 芾은 또 韍(불)이라고도 하는데, 이것은 祭服을 높이는 의미에서 달리 부르는 것으로 韠과 形制가 같다.[115] 〈사상례〉9. 참조.

⑤ 設決, 麗于擘, 自飯持之

'決'은 즉 〈사상례〉 제9절에서 말한 王棘이나 檡棘으로 만든 決이다. '麗'는 정현의 주에 따르면 "베푼다는 뜻이다.〔施也.〕" '擘'은 음이 '완'이다. '腕'과 같다. '飯'은 정현의 주에 따르면 "엄지손가락의 뿌리 부분이다.〔大擘指本也.〕" 즉 엄지손가락의 밑 부분이다. 決에는 매단 끈이 있는데 이것도 〈사상례〉 제9절에 보인다. 決을 끼우는 법은 胡培翬에 따르면 決을 오른손 엄지손가락에 끼운 뒤에 먼저 決의 끈으로 엄지손가락 밑 부분을 빙 둘러서 묶는다. 그런 뒤에 손목에 묶는데, 이렇게 하면 決이 단단하게 고정된다. 이것이 바로 '自飯持之'라는 것이다.[116]

⑥ 設握, 乃連擘

胡培翬에 따르면 "握手를 맨 뒤에 악수의 끈과 손목에 묶은 決의 끈을 서로 연결하여 손목에 묶으면 악수도 고정되어 벗겨지지 않게 된다.〔設握手, 乃以握之繫與施于擘之決繫相連而結於擘, 則握亦固而不脫矣.〕"

【按】 여기의 握手는 死者의 오른손에 매는 것이다. 〈기석례〉23. 주⑲ 참조.

⑦ 設冒, 櫜之

'櫜'는 음이 '고'이다. 정현의 주에 따르면 "櫜는 韜이니 물건을 담는 것이다. 그 일을 취하여 이름으로 삼은 것이다.〔櫜, 韜, 盛物者, 取事名焉.〕"

115) 《毛詩正義》卷15〈小雅 采菽〉孔穎達正義.

116) 《儀禮正義》卷26 : "上經陳決, 有組繫, 此設決於右大擘指, 以組繫, 施於擘, 結之以爲固, 而必先以組繞大擘指本, 繫之以爲根, 再以組之兩端, 施結於擘, 則決牢固而不動, 所謂'自飯持之'也."

胡培翬는 "싸서 담는 일은 모두 橐라고 할 수 있기 때문에 '그 일을 취하여 이름으로 삼은 것이다.'라고 말한 것이다.〔韜盛之事, 皆可以橐名之, 故云取事名焉.〕"라고 하였다. 蔡德晉은 "시신은 이미 襲을 마치기는 하였지만 冒를 씌우지 않으면 그 모습이 여전히 밖으로 드러나서 사람들에게 혐오스럽게 여겨질까 염려되기 때문에 다시 冒를 씌워 시신을 가리는 것이다.〔尸雖已襲, 然不設冒, 則其形尙見於外, 恐爲人所惡, 故復設冒以掩之.〕"라고 하였다. 冒를 씌우는 법은 위 〈사상례〉9. 주⑲ 참조.

【按】 채덕진의 《禮經本義》에는 '恐爲人所惡' 뒤에 '且或蠅蚋得而嘬之(그리고 혹여 파리나 등에가 빨아먹을 수도 있기 때문에)'라는 구절이 더 있다.

⑧ 幠用衾

〈사상례〉1. 주② 참조.

⑨ 巾、柶、鬊、蚤

'巾'은 반함할 때 얼굴에 덮었던 布巾과 머리 감기고 몸을 씻길 때 썼던 巾을 이른다. '柶'는 楔齒와 쌀을 뜰 때 사용했던 柶를 이른다. '鬊'은 음이 '순'이다. 胡培翬에 따르면 "빗질하고 난 뒤에 빠진 머리카락이다.〔櫛餘亂髮也.〕" '蚤'는 깎은 손톱과 발톱을 이른다.

【按】 정현의 주에 따르면 襲을 앞두고 始死奠을 잠시 다른 곳에 옮겨두었다가 襲이 끝나면 다시 원래의 위치인 시신의 동쪽에 돌려놓는다.[117] 가공언은 〈사상례〉 제20절의 "소렴을 앞두고 尸牀 동쪽에 진설한 始死奠을 옮기는데, 室 밖으로 내놓지 않는다.[小斂, 辟奠不出室.]"라는 구절과, 대렴 때 소렴 奠物을 序의 서남쪽으로 옮겨두는 것을 근거로, 이때에는 室의 서남쪽 모퉁이[奧]로 옮겨두어야 한다고 하였다.[118]

14. 重의 설치와 반함하고 남은 쌀로 죽을 만듦

重, 木刊鑿之①。甸人置重于中庭②, 參分庭一在南。夏祝鬻(죽)餘飯③, 用二鬲(력)于西牆下④。冪(멱)用疏布久之⑤, 繫用

117) 鄭玄注 : "將襲辟奠, 旣則反之."

118) 賈公彦疏 : "案下《記》云: '小奠, 辟奠不出室.' 彼還是襲奠, 辟小斂, 則此辟襲奠, 亦不出室, 仍不言處. 大斂時, 辟小斂奠于序西南, 則此宜室西南隅."

> 軨(금)縣于重⑥。冪用葦席⑦, 北面, 左衽⑧。帶用軨賀之, 結于後⑨。祝取銘置于重⑩。
>
> 重(물건을 매다는 나무)은 나무를 깎은 뒤에 위쪽에 구멍을 뚫어 만든다.
> 甸人이 中庭에 重을 설치하는데, 뜰을 남북으로 3등분 했을 때 남쪽 3분의 1되는 지점에 설치한다.
> 夏祝이 반함하고 남은 쌀로 죽을 끓이는데, 두 개의 鬲을 사용하여 서쪽 담장 아래에서 끓인다.
> 끓인 죽을 거친 포로 덮어 鬲의 입구를 막고 軨(대 껍질로 꼰 노끈)을 사용하여 中庭에 설치한 重에 매단다.
> 葦席(삿자리)으로 重과 鬲을 에워싸서 덮는데, 葦席의 양끝이 북쪽으로 가게 하여 왼쪽(서쪽)으로 여민다.
> 軨으로 帶를 만들어 둘러친 葦席을 묶는데, 두 번 둘러 뒷쪽(남쪽)에서 매듭을 짓는다.
> 周祝이 당의 서쪽 계단 위쪽에서 銘旌을 가져와 中庭의 重이 있는 곳에 둔다.

① 重, 木刊鑿之

'重'은 물건을 매다는 나무이다. 정현의 주에 따르면 "나무인데 여기에 물건을 매달면 '重'이라고 한다.〔木也, 縣物焉曰重.〕" '刊'은 잘라서 깎는 것이다. '鑿'은 나무에 구멍을 뚫는 것이다. 重의 形制는 정현의 주에 따르면 길이 3尺짜리 나무막대를 잘라서 깎은 뒤에 그 윗부분에 구멍을 뚫어 만든다. 물건을 매달아야 할 때는 그 구멍에 簪(즉 다음에 나오는 軨이다. 아래 주⑥ 참조)을 꿰어 사용한다.[119]

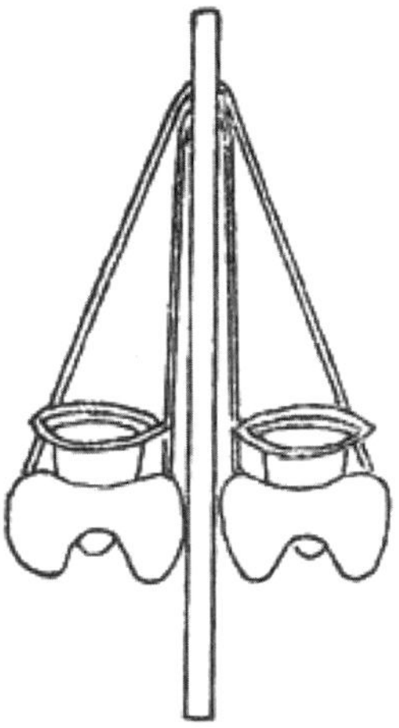

• 그림 22 • 重鬲
張惠言《儀禮圖》

【按】 吳廷華에 따르면 먼저 다른 橫木을 重의 구멍에 끼운 뒤에 그 횡목에 끈을 달아 鬲을 매단다. 그에 따르면 하나의 횡목에는 鬲을 두 개 매다는데, 천자는 4橫에 8鬲, 제후는 3橫에 6鬲,

119) 鄭玄注 : "刊, 斲治, 鑿之爲縣簪孔也. 士重木, 長三尺."

대부는 2橫에 4鬲, 士는 1橫에 2鬲이다.[120] 이전의 문헌을 살펴보면 重의 그림이 오정화의 설처럼 橫木을 끼워 만든 것(〈그림 23〉)도 있으나 정현의 주처럼 橫木을 사용하지 않은 것(〈그림 22〉)도 있다. 〈그림 23〉은 《欽定儀禮義疏》에 실린 그림으로, 黃以周의 《禮書通故》에도 이와 유사한 그림이 실려 있다.

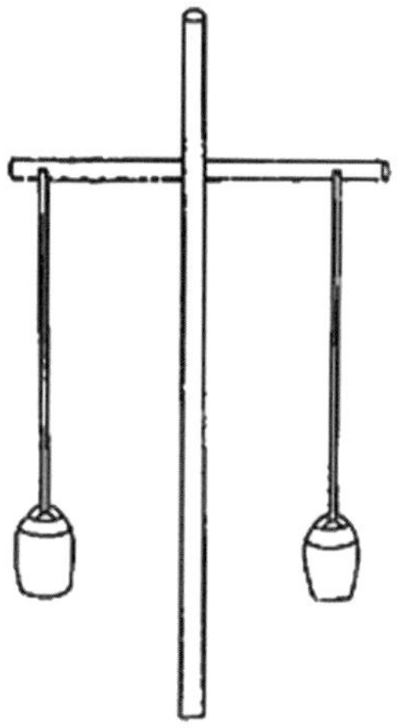

• 그림 23 • 重鬲
《欽定儀禮義疏》

② 甸人置重于中庭

'中庭'은 吳廷華에 따르면 "동서의 중앙이다.〔東西之中.〕"

【按】'甸人'은 〈사상례〉8. 주① 참조. '中庭'은 〈사상례〉5. 주⑤ 참조.

③ 鬻餘飯

정현의 주에 따르면 이것은 반함에 쓰고 남은 쌀로 죽을 끓이는 것이다.[121] '鬻'은 즉 '粥'이니, 《經典釋文》에 "어떤 本에는 또 粥으로 되어있다.〔本又作粥.〕"라고 하였다.

④ 用二鬲于西牆下

서쪽 담장 아래에 흙덩이를 쌓아 만든 아궁이가 있기 때문에 서쪽 담장 아래에서 죽을 끓이는 것이다.

【按】〈사상례〉8. 주② 참조.

⑤ 冪用疏布久之

'冪'은 '덮다〔覆〕'라는 뜻이다. '鼏(솥뚜껑 멱)'과 같다. '久'는 정현의 주에 따르면 "灸로 읽어야 한다. 鬲의 입구를 덮어서 막는 것을 이른다.〔讀爲灸, 謂以蓋塞鬲口也.〕"

⑥ 繫用靲縣于重

'靲'은 음이 '금'으로 대나무 껍질이다. 가공언의 소에 따르면 "끈을 만들 수 있는 대나무의 푸른 부분을 이른다.〔謂竹之靑可以爲繫者.〕" '重'은 여기에서는 또 다른 重으로, 오로지 鬲을 매달기 위해 설치한 것이다. 靲을 重에 있는 구멍에 꿰어 하나의 重에 두 개의 鬲을 매단다. 〈그림 22〉 참조.

【按】여기의 重은 〈사상례〉 제11절에서 시신을 목욕시키기 위해 潘水(쌀뜨물)를 끓이는데 쓴 重鬲과 다르다는 말이다. 郝敬에 따르면 重에 鬲을 매달아서 殯宮의 뜰 남쪽 3의 1 지점에 둔다.[122] 장혜언의 〈浴尸含襲〉圖 참조.

120) 《儀禮章句》卷12："鑿者, 鑿之爲孔, 以橫木貫之, 每橫縣二鬲. 天子八鬲四橫, 諸侯六鬲三橫, 大夫四鬲二橫, 皆互連交懸, 士二鬲一橫而已."

121) 鄭玄注："鬻餘飯, 以飯尸餘米爲鬻也."

122) 《儀禮節解》卷12："鑿木爲孔以懸鬲, 置于殯宮庭中三分庭一在南."

⑦ 冪用葦席

이것은 葦席(삿자리)으로 重과 두 개의 鬲을 에워싸서 덮는 것이다. 胡培翬에 따르면 여기에서 이른바 '重을 에워싸서 덮는다〔覆重〕'는 것은 위에서부터 덮는 것이 아니라 자리를 말아서 위의 입구는 작게 하고 아래의 입구는 크게 하여 나팔 모양이 되도록 사방을 빙 둘러 덮는 것이다.[123]

⑧ 北面, 左衽

敖繼公에 따르면 "北面은 葦席의 양끝이 모두 북쪽에 있는 것을 이른다. 左衽은 오른쪽 끝이 위로 오면서 서향하게 하는 것으로, 死者의 左衽을 형상한 것이다.〔北面, 謂席之兩端皆在北也. 左衽者, 右端在上而西鄕, 象死者之左衽也.〕"

⑨ 帶用靲賀之, 結于後

'靲'은 胡培翬에 따르면 "이것으로 葦席의 가운데 부분을 帶처럼 가로로 묶는 것이다.〔以靲橫束席之中如帶也.〕" '賀'는 정현의 주에 따르면 "加의 뜻이다.〔加也.〕" 沈彤은 "加는 여러 번 묶는 것을 이른다. 이것은 靲으로 남쪽에서 북쪽으로 두른 뒤에 다시 북쪽에서 남쪽으로 둘러 묶는 것이다.〔加謂累加之, 蓋用靲從南鄕北, 又從北鄕南而結之.〕"라고 하였다. 심동에 따르면 '賀'는 여기에서는 중복해서 두 번을 묶는다는 뜻이다. '後'는 李如圭에 따르면 "葦席의 양끝이 모두 북쪽을 향하여 이곳이 앞쪽이 되도록 하였으니 남쪽을 뒤로 삼은 것이다.〔北面, 以南爲後.〕"

⑩ 祝取銘置于重

'祝'은 정현의 주에 따르면 周祝이다. 즉 이른바 '周나라의 禮를 익힌' 祝이다.[124] '取銘置于重'은 胡培翬에 따르면 이때 銘旌은 아직 사용하지 않기 때문에 서쪽 계단 위쪽에서 가져와 中庭의 重을 설치한 곳에 잠시 두는 것이다. 명정을 잠시 이곳에 두는 까닭은 重과 명정 모두 柩를 표시하는 것이기 때문이다.[125] 重과 명정이 있는 곳은 부록 〈小斂〉圖 참조.

【按】 〈사상례〉7. 참조.

123) 《儀禮正義》卷26 : "以席覆重, 非覆之於上, 當是四面旋轉覆之."

124) 鄭玄注 : "祝, 習周禮者也."

125) 《儀禮正義》卷26: "此時銘未用, 權置於此, 必置于重者, 以重亦所以表柩也."

소렴小斂(2일째)

15. 소렴에 사용할 衣物의 진열

> 厥明, 陳衣于房①, 南領, 西上②。綪(쟁)③。絞橫三④, 縮一, 廣終幅, 析其末⑤。緇衾赬(정)裏, 無紞(담)⑥。祭服次⑦, 散衣次⑧, 凡有十九稱⑨。陳衣繼之⑩, 不必盡用。
>
> 그 다음날 소렴에 필요한 衣物을 東房에 진열하는데, 옷은 領(옷깃)을 남쪽으로 향하게 하고 서쪽을 상위로 하여 서쪽부터 동쪽으로 진열한다. 이때 동쪽 끝까지 진열하면 다시 서쪽으로 구부려 진열한다.
> 絞(옷을 묶는 布帶)는 가로로 3가닥을 놓고 세로로 1가닥을 놓는다. 너비는 終幅(2尺)을 쓰고 양쪽 끝부분을 갈라서 세 가닥으로 만든다.
> 衾(이불)은 겉감은 검은색, 안감은 붉은 색으로 만들며 상하를 구별하는 끈이 없다.
> 衾 다음에 祭服(爵弁服과 皮弁服)을 놓고 祭服 다음에 散衣(祭服 이외의 옷)를 놓는데, 祭服과 散衣 합쳐서 모두 19벌이다. 사람들이 보내온 庶襚를 잇대어 진열하는데 반드시 다 쓰는 것은 아니다.

① 陳衣

敖繼公에 따르면 진열하는 것이 옷만은 아니지만 옷이 대부분을 차지하기 때문에 옷을 진열하는 것으로 말한 것이다.[126] 의복은 東房 안의 문 동쪽, 남쪽 벽 아래에 진열한다.

② 西上

胡培翬에 따르면 소렴 때 먼저 사용하는 옷을 서쪽 상위에 놓는다.[127]

【按】 호배휘에 따르면 일반적으로 옷을 진열할 때는 염할 때 밖에 입히는 것을 먼저 진열하며, 옷을 펴놓을 때도 마찬가지이다. 서쪽을 상위로 하여 놓는 것은 가져다 쓰기에 편리하게 하기 위해서이다.

③ 綪

126) 《儀禮集說》卷12："此雖有他物, 而衣居多, 故惟以陳衣言之."

127) 《儀禮正義》卷27："凡陳衣, 斂時在外者先陳之, 布衣亦然. 今案據此則先陳者先用, 西上, 便於取也."

정현의 주에 따르면 "구부린다는 뜻이다.〔屈也.〕" (《사상례》9. 주② 참조) 胡培翬는 "첫째 줄은 서쪽에서부터 동쪽으로 진열하고, 둘째 줄은 동쪽에서부터 서쪽으로 진열하여, 마치 물건이 구부러져 돌아오는 것처럼 진열하는 것이다. 이하가 모두 그러하다.〔第一行自西而東, 第二行則自東而西, 如物之屈而轉也. 其下皆然.〕"라고 하였다.

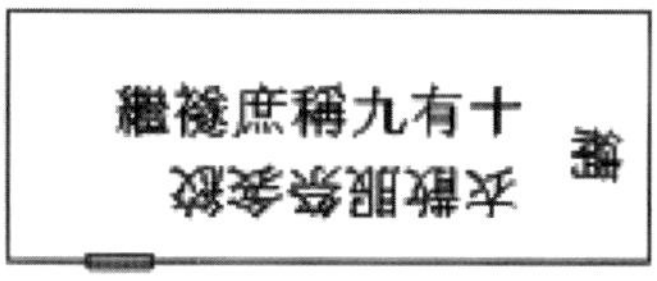

• 그림 24 • 東房 小斂衣物

④ 絞

옷을 묶는 布帶이다.

⑤ 析其末

정현의 주에 따르면 "끝을 갈라놓는 것은 묶을 수 있도록 하기 위해서이다.〔析其末者, 令可結也.〕" 요즘 의사들이 거즈로 싸맬 때 끝을 찢어서 묶기에 편리하게 하는 것과 같다. 그러나 요즘 거즈는 끝을 2가닥으로만 가르는데 여기의 絞는 정현의 주에 따르면 3가닥으로 가른다.[128]

⑥ 緇衾赬裏, 無紞

'赬'은 '赬(정)'의 이체자이다. '紞'은 음이 '담'이다. 이불 끝에 매달아서 위아래를 식별하게 하는 끈이다. 정현의 주에 "紞은 이불의 표지이다.〔紞, 被識也.〕"라고 하였고, 또 《예기》〈喪大記〉 정현의 주에서는 "紞은 실끈과 같은 것으로 만든다.〔紞, 以組類爲之.〕"라고 하였다. 또 정현의 주에 따르면 소렴 때 쓰는 이불은 상하를 구별하지 않아도 되기 때문에 표시할 필요가 없다.[129]

⑦ 祭服

정현의 주에 따르면 爵弁服과 皮弁服을 가리킨다.[130]

⑧ 散衣

祭服 이외의 옷을 통칭하여 '散衣'라고 한다.

⑨ 凡有十九稱

【按】 정현의 주에 따르면 "옷을 19벌 쓰는 것은 하늘과 땅의 끝나는 수를 본뜬 것이다.[131] 이에 대해 공영달은 "하늘의 수는 9에서 끝나고 땅의 수는 10에서 끝나는데, 사람이 이미 생을 마쳤기 때문에 하늘과 땅의 끝나는 수로 염하는 옷을 입히는 것이다."라고 하였다.[132]

⑩ 陳衣繼之

128) 鄭玄注 : "《喪大記》曰: '絞, 一幅爲三.'"

129) 鄭玄注 : "斂衣或倒, 被無別於前後也."

130) 鄭玄注 : "爵弁服、皮弁服."

131) 《禮記》〈喪大記〉 鄭玄注 : "衣十有九稱, 法天地之終數也."

132) 孔穎達正義 : "《易·繫辭》云'天一·地二·天三·地四·天五·地六·天七·地八·天九·地十', 天數終於九也, 地數終於十也. 人既終, 故云'以天地終數斂衣之也'."

'陳衣'는 정현의 주에 따르면 "庶襚이다.[庶襚.]" 즉 앞에서 진열했던 여러 사람들이 보낸 襚이다. 앞 경문에서 '庶襚繼陳'이라고 하였기 때문에 (〈사상례〉9. 참조) '陳衣'로 庶襚를 대신 가리킨 것이다.

【按】 胡培翬에 따르면 여기에서 '陳衣'는 '庶襚'를 가리키는데, 襲尸 때처럼 庶襚라고 하지 않고 陳衣라고 한 이유는 19벌 안에 庶襚가 포함되어 있는데 이 19벌 외에는 진열만 해두고 사용하지 않기 때문이다. 또한 정현이 '陳衣'를 '庶襚'로 해석한 것은 이 19벌 안에 주인의 盡心이 모두 갖추어져 있기 때문에 이 밖에 진열해둔 옷은 모두 庶襚일 뿐임을 이른 것이다.[133]

16. 소렴 음식과 盆盥의 진열

饌于東堂下①: 脯、醢、醴、酒。冪(멱)奠用功布, 實于簞, 在饌東②。設盆盥于饌東③, 有巾④。

東堂 아래에 脯·醢·醴·酒를 진열한다.
奠物을 덮는 冪(덮개)은 功布로 만드는데, 먼저 簞(대광주리)에 담아 脯·醢·醴·酒의 동쪽에 진열한다.
盆盥을 脯·醢·醴·酒의 동쪽에 진열하는데, 이때 손을 닦는 수건도 놓아둔다.

① 東堂下

東坫의 동쪽이다.

【按】 부록 〈小斂〉圖 참조.

② 冪奠用功布, 實于簞, 在饌東

'奠'은 정현의 주에 따르면 "고문에는 '奠'이 '尊'(준. 술단지)으로 되어 있다.[古文奠爲尊.]" 惠棟의 《禮經古義》〈儀禮下〉에 따르면 "고문에는 '尊'

133) 《儀禮正義》卷27 : "此云'陳衣繼之', 與上襲時所云'庶襚繼陳'同也. 但經不云'庶襚'而云'陳衣'者, 以十九稱中兼有庶襚在內. 此則十九稱之外, 陳而不用者, 故目爲陳衣. 云'繼之'者, 繼十九稱而陳也. 注以'庶襚'釋'陳衣'者, 謂主人所自盡者, 已俱在十九稱之內, 此所陳之衣, 則皆庶襚耳.

이 '鼻'으로 되어 있는데 이것은 '奠'과 비슷함으로 인해 생긴 오류이다.〔古尊字作鼻, 與奠相似, 故譌從之奠. 從丌, 讀若箕, 從廾, 讀若拱.〕" 여기의 '奠'은 '尊'이 되어야 한다. '功布'는 정현의 주에 따르면 "잿물에 넣어 두들겨 빤 布이다.〔鍛濯灰治之布也.〕" 沈彤에 따르면 이것은 소공포를 가리킨다.[134] '實于簞'은 이때는 아직 鼎을 사용하기 전이므로 簞에 담아 놓는 것이다. '饌'은 앞에서 진열한 脯·醢·醴·酒를 이른다.

【按】 양천우의 주에서는 '奠'을 '尊'으로 보았으나 여기에서는 통설을 따라 奠物의 奠으로 해석하였다. 〈사상례〉 제21절에도 奠物을 덮는 巾이 나온다. '功布'는 가공언의 소에서는 대공포로 보았다.[135] 정현의 주에 따르면 둥근 대광주리를 簞, 네모진 대광주리를 笥라고 한다.[136]

③ 設盆盥于饌東

【按】 注疏에 따르면 喪事는 간소하게 하기 때문에 洗를 두지 않고 盆만 둔 것이다. 정현의 주에 따르면 '洗'는 盥洗하는 사람이 손을 씻고 난 물을 받는 그릇이며,[137] '盆'은 물이나 희생의 피를 담는 그릇으로 洗보다 깊다.[138] 張惠言의 〈小斂〉圖에는 東堂 아래 진열한 奠物과 盆盥이 모두 북향으로 되어 있고, 黃以周의 〈小斂〉圖에는 奠物과 盆盥이 모두 남향으로 되어 있다.[139] 〈사상례〉18. 주② 참조.

④ 巾

布巾이니 손을 닦는 것이다.

17. 소렴 뒤에 착용할 絰帶의 진열

苴絰大鬲(격)①, 下本在左②。要絰小焉③, 散帶垂長三尺④。牡麻絰右本在上⑤, 亦散帶垂。皆饌于東方⑥。婦人之帶牡麻⑦, 結本⑧, 在房⑨。

苴絰(암삼으로 만든 首絰)은 굵기가 한 움큼 정도 되며 머리 왼쪽에 麻

134) 《儀禮小疏》卷5 : "謂冪奠以闢塵汚, 宜用小功布矣."

135) 賈公彦疏 : "此云大功布者, 大功之布, 故云'鍛濯灰治之'也."

136) 《禮記》〈曲禮上〉鄭玄注 : "簞笥, 盛飯食者. 圜曰簞, 方曰笥."

137) 《儀禮》〈士冠禮〉 鄭玄注 : "洗, 承盥洗者棄水器也."

138) 《儀禮》〈士冠禮〉 鄭玄注 : "洗, 承盥洗者棄水器也."

139) 鄭玄注 : "喪事略, 故無洗也." 賈公彦疏 : "喪事略, 故無洗, 直以盆爲盥器也."

의 뿌리 부분이 끝 부분보다 아래쪽으로 가도록 묶는다.
腰絰은 首絰보다 가늘며, 요질을 두른 뒤에 남은 부분(뿌리쪽)을 꼬지 않고 늘어뜨리는데, 길이가 3尺이다.
牡麻絰(숫삼으로 만든 首絰)은 머리 오른쪽에 麻의 뿌리 부분이 끝 부분보다 위쪽으로 가도록 묶으며, 마찬가지로 요질을 두른 뒤에 남은 부분(뿌리쪽)을 꼬지 않고 늘어뜨린다.
이상은 모두 東方(당 아래 東坫 남쪽)에 미리 진열해둔다.
부인의 요질도 牡麻로 만드는데 麻의 뿌리 부분을 늘어뜨리지 않고 묶는다. 東房에 진열한다.

① 苴絰大鬲

'苴絰'은 참최복의 首絰이다.[140] '鬲'은 '搹(격)'과 같다. '한 움큼'이라는 뜻이다. 〈상복〉1. 주②⑧ 참조.

② 下本在左

즉 머리 왼쪽에 麻의 뿌리 부분이 끝 부분보다 아래쪽으로 가도록 묶는다는 뜻이다. 〈상복〉1. 주⑧ 참조.

③ 要絰小焉

〈喪服〉에 따르면 "수질에서 5분의 1을 줄여서 腰絰을 만든다.〔去五分一以爲帶.〕" (〈상복〉1. 주⑨ 참조) 즉 요질은 수질보다 가늘다.

④ 散帶

'帶'는 즉 요질이다. 요질을 허리에 두른 뒤 남은 부분을 묶지 않고 흩어진 대로 늘어뜨리기 때문에 '散帶'라고 한 것이다. (〈상복〉12. 주③ 참조) 郝敬에 따르면 일반적으로 요질은 모두 麻의 뿌리가 있는 쪽을 늘어뜨린다.[141]

⑤ 牡麻絰右本在上

'牡麻絰'은 자최복 이하부터 소공복까지 복을 입는 사람의 수질이다.[142] '右本在上'은 '左本在下'와 정반대가 된다. 〈상복〉3. 주②⑧ 참조.

⑥ 皆饌于東方

이것은 먼저 진열해 두었다가 소렴이 끝나기를 기다린 뒤에 착용하는 것이다. 胡培翬에 따르면 "소렴이 끝나고 성복하기 전에 수질과 요질을 착용해야 하기 때문이다.〔以小斂訖, 當服未成服之麻故也.〕" '未成服之麻'는 衰裳은 입지 않고 수질과 요질만 착용하는 것을 말한다.

140) 鄭玄注 : "苴絰, 斬衰之絰也."
141) 《儀禮節解》卷12 : "凡麻帶皆本下垂, 唯首絰有上下本之異."
142) 鄭玄注 : "牡麻絰者, 齊衰以下之絰也."

【按】 注疏에 따르면 여기의 '東方'은 〈사상례〉 제18절의 '東方'이 東堂 아래를 가리키는 것과 달리 東坫의 남쪽을 가리킨다. 이때 소렴전을 이미 東堂 아래에 진열해두었기 때문에 만일 여기의 '東方'도 東堂 아래(東坫 동쪽)를 가리킨다고 하면 '饌東' 또는 '饌北'으로 말했을 것이기 때문이다.[143]

⑦ 帶

여기에서는 요질을 가리킨다.

【按】 注疏에 따르면 이때 부인의 首絰은 苴麻로 만드는데, 여기에서 帶만 말한 것은 수질과 다른 것을 기록한 것이다.[144] 〈상복〉1. 주⑨ 참조.

⑧ 結本

麻의 뿌리 부분을 묶어서 허리에 두르는 것을 이른다. 胡培翬에 따르면 "結本은 늘어뜨리지 않는 것을 이른다. 이것은 남자와 다른 점이다. 여기에서 부인의 요질에 마의 뿌리 부분을 묶는 것은 또한 대공복 이상인 자를 이른다.〔結本謂不垂, 異於男子也. 此婦人之帶結本, 亦謂大功以上者.〕"

⑨ 在房

【按】 張惠言은 옷을 東房 동쪽에 진열하였으니 부인의 요질은 東房 서쪽에 남쪽을 상위로 하여 두어야 할 것이라고 추정하였다.[145] 장혜언의 〈小斂〉圖 참조.

18. 牀·第·夷衾과 盆盥의 진열

> 牀、第(자)、夷衾, 饌于西坫南①。西方盥, 如東方②。
>
> 牀·第(대자리)·夷衾을 西坫의 남쪽에 진열한다.
> 西方(西堂 아래)에 盆盥과 布巾을 東方(東堂 아래)과 같이 진열한다.

① 第、夷衾

'第'는 음이 '자'이다. 《爾雅》〈釋器〉에 "簀(대자리 책)을 第라고 한다.〔簀謂之

143) 鄭玄注 : "饌于東方, 東坫之南."
賈公彦疏 : "經直言東方, 知不在東堂下東方者, 以其小斂陳饌, 皆在東堂下, 若此亦在東堂下, 當言陳于饌東饌北, 何須言東方乎? 明此非東堂下也."

144) 鄭玄注 : "婦人亦有苴絰, 但言帶者, 記其異. 此齊衰婦人, 斬衰婦人亦有苴絰也."
賈公彦疏 : "云'斬衰婦人亦苴絰也'者, 此亦據帶而言, 以其帶亦名絰, 則《喪服》云'苴絰杖', 鄭云: '麻在首、在要皆曰絰.'"

145) 《儀禮圖》卷5〈小斂〉: "婦人之帶不言所在. 衣在戶東, 則或宜在戶西, 南上."

笫.〕"라고 하였는데, 郭璞의 注에 "牀版이다.〔牀版.〕"라고 하였다. 또《說文解字》에서는 "簀은 牀棧이다.〔簀, 牀棧也.〕"라고 하였다. 笫는 즉 簀이고, 簀은 즉 牀版이며 또 牀棧이라고 한다. 郝懿行의《爾雅義疏》에 "簀은 대나무로 만든 것이다. 許愼은 '牀棧'이라 하였고 郭璞은 '牀版'이라 하였는데, 모두 竹片을 쪼개어 牀의 몸체 위에 펴는 것을 이른다.〔簀以竹爲之, 許云'牀棧', 郭云'牀版', 皆謂分析竹片, 施於牀榦之上.〕"라고 하였다. 여기에서 알 수 있듯 笫는 즉 竹片으로 만든 牀墊(매트리스 같은 것)으로, 그 위에는 席(자리)이나 褥(이불) 등을 더 깔아야 한다. (《기석례》19. 주① 참조) '夷衾'은 정현의 주에 따르면 "시신을 덮는 이불이다.〔覆尸之衾.〕" 始死에 斂衾으로 시신을 덮는데, 이 斂衾은 대렴에도 쓰는 이불이다. (《사상례》1. 주② 참조) 여기 소렴에는 夷衾을 쓴다. 정현의 주와 가공언의 소에 따르면 夷衾에 쓰는 비단의 색과 길이 등의 제도는 冒의 質(윗부분)·殺(아랫부분)와 같다.[146] (《사상례》9. 및 주⑲ 참조) 胡培翬는 "여기의 夷衾은 아마도 검은색을 위로 하고 붉은색을 아래로 하여 윗부분인 質은 검고 아랫부분인 殺는 붉은 冒와 같은 듯하다.〔此夷衾, 或以緇爲上, 以經爲下, 如冒之上緇質下赬殺.〕"라고 하였다.

【按】 孔穎達의 正義에 따르면 夷衾에 쓰는 비단의 색깔과 길이의 제도가 검은색 윗부분의 길이는 손과 나란히 오도록 하고 붉은색 아랫부분의 길이는 3척이라는 점에서 冒의 質·殺와 같다는 말이다. 夷衾이 冒와 다른 점이 있다면 주머니와 旁綴(質과 殺의 옆에 다는 끈)을 달지 않는다는 것이다. 喪禮 때 시신을 덮는 이불은 始死에는 斂衾을 쓰는데, 소렴 때가 되면 임금은 錦衾을, 대부는 縞衾을, 士는 緇衾을 사용하다가 소렴이 모두 끝나면 별도로 夷衾을 만들어 시신을 덮는다. 대렴과 襚를 진열하는 때가 되면 다시 衾을 하나 만들어 대렴에 사용한다.[147] '冒'는 〈그림 16〉 참조.

② 西方盥, 如東方

정현의 주에 따르면 "東堂 아래(東坫 동쪽)와 마찬가지로 盆盥과 布巾을 西堂 아래(西坫 서쪽)에 진열하는 것이다.〔亦用盆、布巾, 饌於西堂下.〕" 〈사상례〉16. 참조.

【按】 정현의 주에 따르면 이때 西方에 盆盥을 진열하는 것은 시신을 들 자들을 위해 준비해두는 것이다.[148] 胡培翬에 따르면 소렴 때(《사상례》16. 참조) 東堂 아래에 진열한 것은 이와 달리 奠物을 진설하기 위하여 준비해둔 것이다. 대렴 때에는 東堂 아래의 盆盥은 廟門 밖으로 옮기고 西堂 아래의 盆盥은 그대로 두는데, 西堂 아래의 盆盥을 그대로 두는 것은 대렴 때에도 시신을 드는 일이 있기 때문이다.[149]

146) 鄭玄注 : "《喪大記》曰: '自小斂以往用夷衾, 夷衾質殺之裁猶冒也.'"
賈公彦疏: "案上文冒之材云'冒緇質, 長與手齊, 經殺掩足', 注云: '上曰質, 下曰殺.' 此作夷衾, 亦如此, 上以緇, 下以經. 連之乃用也. 其冒則韜下韜上訖, 乃爲綴旁使相續, 此色與形制大同, 而連與不連則異也."

147) 《禮記》〈喪大記〉孔穎達正義: "'夷衾質殺之裁猶冒也'者, 裁, 猶制也, 言夷衾所用, 上齊於手, 下三尺所用繒色及長短制度, 如冒之質殺也. 但不復爲囊及旁綴也. 熊氏分質字屬上, 殺字屬下爲句, 其義非也. 然始死, 幠用斂衾, 是大斂之衾, 自小斂以前覆尸. 至小斂時, 君錦衾, 大夫縞衾, 士緇衾, 用之小斂, 斂訖, 別製夷衾以覆之, 其小斂以前所用大斂之衾者, 小斂以後停而不用. 至將大斂及陳衣, 又更制一衾, 主用大斂也."

148) 《鄭玄注 : "爲擧者設盥也."

149) 《儀禮正義》卷27 : "注云'爲擧者設盥也'者, 擧者, 謂將擧尸者, 卽下經'士盥二人以並'是也.……今案小斂時, 東堂下之盥爲奠設, 西堂下之盥爲擧者設. 大斂時, 亦有二盥. 東堂下之盥, 移設于門外, 而西堂下之盥, 仍設如初, 以大斂亦有擧尸之事."

19. 鼎의 진열 (特豚一鼎)

陳一鼎于寢門外, 當東塾少南, (西)北面①。其實特豚: 四鬄(척)②, 去蹄(제), 兩胉(박)③、脊、肺。設扃(경)、鼏(멱)④, 鼏西末。素俎在鼎西⑤, 西順。覆匕(비)⑥, 東柄。

鼎 하나를 寢門 밖에 진열하는데 東塾에서 조금 남쪽에 북향하도록 놓는다.
鼎 안에 담는 것은 特豚(새끼 돼지 한 마리)으로, 4體로 자르고 발굽은 제거하며, 두 개의 胉(脅)과 脊·肺도 함께 담는다.
扃(鼎을 드는 막대)으로 鼎의 귀를 꿰고 鼏(덮개)으로 鼎을 덮는데, 鼏의 끝부분이 서향하도록 한다.
素俎(장식이 없는 俎)는 鼎의 서쪽에 두되 鼎과 나란히 서향하도록 한다.
匕를 鼎 위에 뒤집어서 엎어놓되 匕의 자루가 동향하도록 한다.

① (西)北面

【按】 張惠言에 따르면 경문의 '西面'은 '北面'의 오류이다. 장혜언은, 〈사상례〉 제21절 "침문으로 들어가 鼎을 동쪽 계단 앞에 서향하도록 놓는다."라는 경문에 대한 가공언의 소에 "이것은 침문 밖에 진열할 때 북향하도록 했던 것에 상대적으로 말한 것이다."라는 구절을 그 근거로 제시하였다.[150] 黃以周 역시 장혜언의 주장을 옳다고 보았다. 胡培翬는 吉禮에 鼎을 북향하도록 진설한 것과 달리 여기에서는 凶禮이기 때문에 서향하도록 한 것이라고 하여 경문의 '西面'을 옳은 것으로 보았으나,[151] 여기에서는 호배휘보다 후대에 나온 황이주의 설을 따라 '北面'의 오류로 보기로 한다.

② 四鬄

'鬄'은 음이 '척'이다. '剔'과 통용한다. 牲體를 가르는 것이다. 정현의 주에 따르면 "鬄은 '자르다'라는 뜻이다. 4體로 잘라서 좌우의 肩(어깨뼈)과 髀(넓적다리)로만 나눌 뿐이다.〔鬄, 解也. 四解之, 殊肩、髀而已.〕" '髀'는 牲體의 뒷다리 가장 윗부분을 가리킨다.

【按】 注疏에 따르면 牲體를 쓰는 법은 두 가지가 있는데, 喪事는 간소하게 하기 때문에

150) 《儀禮圖》卷5〈小斂〉: "陳鼎, 經文俗本云'西面'. 案下經'入阼階前西面錯', 注云'錯鼎于此, 宜西面', 疏云'對在門外時北面', 西面當爲北面之訛."

151) 《儀禮正義》卷27 : "吉事, 陳鼎北面. 今西面, 變於吉也."

희생을 4體로만 나누는 것이다.[152] 凌廷堪에 따르면 牲體를 나누는 법은 7體로 나누는 법과 21體로 나누는 법이 있다. 즉 좌우 肱股 4體, 脊 1體, 좌우 脅 2體로 나눈 것을 '七體' 또는 '豚解'라고 하며 豚解를 올린 것을 全脀이라고 한다. 또 좌우 肱股骨 각 6體, 脊骨 3體, 脅骨 6體로 나눈 것을 '二十一體' 또는 '體解'라고 하며 體解를 올린 것을 房脀이라고 한다. 이밖에 또 牲體의 뼈를 나누는 '節解'라는 것이 있는데, '折骨'이라고도 하며 折骨을 올린 것을 殽脀이라고 한다. 일반적으로 희생이 소와 양일 경우에는 腸胃를 쓰고 膚를 쓰지 않으며, 돼지는 膚를 쓰고 腸胃를 쓰지 않는다. 또 희생은 일반적으로 右體를 쓰고 고기의 결이 앞으로 가도록 진설하지만, 變禮에는 左體를 쓰고 뼈의 뿌리 부분이 앞으로 가도록 한다. 희생이 腊(갓잡아 말린 들짐승)인 경우에도 牲體를 나누는 법은 같다.[153]

• 그림 25 • 豕牲右胖圖
金長生《家禮輯覽》

③ 胉

음은 '박'이다. 정현의 주에 따르면 "脅이다.〔脅也.〕"

④ 扃鼏

'扃'은 음이 '경'이다. 鼎 위의 두 귀를 관통하는 가로막대기로, 鼎을 드는 데 사용한다. '鼏'은 음이 '멱'이다. 鼎을 덮는 물건이다. 〈사혼례〉 정현의 주에 "鼏은 덮는 것이다.〔鼏, 覆之.〕"라고 하였다. 李如圭에 따르면 여기의 鼏도 茅(띠풀)로 만든다.[154]

【按】 이여규에 따르면 '鼏'은 茅로 만들고 뿌리부분이 동쪽으로 가도록 한다.

⑤ 素俎

【按】 물건에 장식이 없는 것을 '素'라고 한다. 《예기》〈檀弓〉에 따르면 음식을 素器에 담

152) 鄭玄注："鬄, 解也. 四解之, 殊肩髀而已, 喪事略." 賈公彦疏："凡牲體之法有二, 一者四解而已. 此經直云'四鬄', 卽云去蹄, 明知殊肩髀爲四段."

153) 《禮經釋例》卷5："殊左右肱股四、脊一、兩脅二, 謂之七體, 又謂之豚解, 豚解謂之全脀. 左右肱股骨各六、脊骨三、左右脅骨六, 謂之二十一體, 又謂之體解, 體解謂之房脀. 節解謂之折骨, 折骨謂之殽脀.……凡牛、羊有腸胃, 無膚; 豕有膚, 無腸胃. 凡牲皆用右體, 進腠; 變禮則用左體, 進柢. 凡腊之體同牲."

154) 《儀禮集釋》卷21："鼏, 以茅爲之, 其本在東."

155) 《儀禮集釋》卷21："凡物無飾曰素. 《檀弓》曰: '奠以素器, 以生者有哀素之心也.'"

아 올리는 것은 살아있는 사람에게 애통하여 꾸밈이 없는 마음이 있기 때문이다.[155]

⑥ 匕

음은 '비'이다. 고대에 음식을 뜨던 기물이다. 자루가 굽었고 斗(둥근 부분) 부분이 얕다. 柶와 같이 생겼는데, 지금의 숟가락과 유사하지만 크다.

20. 小斂

士盥, 二人以竝①, 東面立于西階下。布席于戶內: 下莞(완), 上簟(점)②。商祝布絞、衾、散衣、祭服③。祭服不倒, 美者在中④。士擧遷尸, 反位⑤。設牀、第於兩楹之間, 衽如初⑥, 有枕。

卒斂⑦, 徹帷。主人西面馮尸⑧, 踊無筭。主婦東面馮, 亦如之。主人髺(괄)髮袒, 衆主人免(문)于房⑨。婦人髽(좌)于室⑩。士擧, 男女奉尸⑪, 侇(이)于堂⑫, 幠用夷衾。男女如室位⑬, 踊無筭。

主人出于足⑭, 降自西階。衆主人東卽位⑮。婦人阼階上, 西面⑯。主人拜賓⑰: 大夫特拜, 士旅之⑱。卽位踊⑲, 襲絰于序東⑳, 復位。

士가 시신을 들기 위해 西堂 아래에서 손을 씻고 두 사람씩 나란히 서쪽 계단 아래에 동향하고 선다.

有司가 室戶 안에 소렴할 자리를 펴는데, 莞席(왕골자리)을 밑에 깔고 簟席(고운 삿자리)을 위에 깐다.

商祝이 그 자리 위에 絞·衾·散衣·祭服을 차례로 포개어 펴놓는다.

이때 祭服(爵弁服과 皮弁服)은 거꾸로 놓아서는 안 되며 좋은 옷(祭服)을 가장 안쪽에 둔다.

士가 시신을 襲牀에서 들어 商祝이 絞 등을 펴놓은 소렴 자리 위로 옮기고 서쪽 계단 아래 원래 자리로 돌아간다.
西坫 남쪽에 있던 小斂牀과 第(대자리)를 당 위의 두 기둥 사이에 옮겨놓고 그 위에 衽(莞席과 簟席)을 室 안에서와 같이 펴고 베개도 놓아둔다.

斂을 마치고 나면 휘장을 걷어 올린다.
주인이 서향하고 憑尸한 뒤에 일어나 踊을 한정 없이 한다.
주부가 동향하고 憑尸한 뒤에 일어나 주인과 똑같이 踊을 한정 없이 한다.
주인이 東房에서 비녀와 纚(머리싸개)를 제거하고 麻로 髺髮한 뒤에 袒을 하며, 衆主人은 東房에서 冠을 벗고 免을 한 뒤에 袒을 한다.
앞으로 참최복과 자최복을 입을 부인들이 室에서 麻나 布로 髽(북상투. 묶기만 하고 싸개를 하지 않는 상투) 또는 髺을 한다.
士가 시신을 좌우에서 들고 남녀(주인들과 부인들)는 시신의 머리와 발을 받쳐 들고 당의 小斂牀으로 옮겨 모셔온 뒤에 夷衾으로 덮는다.
남녀는 室에서와 같은 자리(주인들은 小斂牀 동쪽에서 서향하고 부인들은 소렴상 서쪽에서 동향하는 자리)에 서서 踊을 한정 없이 한다.

주인이 시신의 발쪽(북쪽)으로 돌아 나와 서쪽 계단으로 당을 내려온다.
衆主人도 주인을 따라 내려와 동쪽으로 가서 동쪽 계단 아래 자기 자리로 나아간다.
부인이 동쪽 계단 위에서 서향하고 선다.
주인이 서쪽 계단 아래에서 賓에게 절하는데, 대부에게는 特拜(한 사람씩 일일이 한 번 절하는 것)하고 여러 士에게는 旅拜(한꺼번에 세 번 절하는 것)한다.
주인이 동쪽 계단 아래 자리에 나아가 서향하고 踊을 한 뒤, 東序의 동쪽(東夾 앞)에서 首絰과 腰絰을 착용하고 동쪽 계단 아래 서향하는 자리로 돌아온다.

① 士盥, 二人以竝

'士'는 아직 爵命을 얻지 못한 士로서 주인의 屬吏가 된 사람이다. 정현의 주에 따르면 "正祿을 아직 얻지 못한 자로, 이른바 '庶人으로서 관직에 있는 자'이다.〔未得正祿, 所謂庶人在官者也.〕" 胡匡衷의 《儀禮釋官》에 따르면 이른바 '未得正祿'은 즉 아직 爵命을 받지 못한 士이다. 士 중에서 우수한 자는 위로 왕에게 보고되고 "그런 뒤에 관직을 주며, 관리에 임명된 뒤에 관작을 주며, 지위가 정해진 뒤에 녹봉을 준다.〔然後官之, 任官然後爵之, 位定然後祿之.〕" 만약 이미 관리에 임명되었는데도 아직 正爵과 正祿을 얻지 못했다면 그 지위는 庶人과 같기 같기 때문에 '庶人으로서 관직에 있는 자〔庶人在官者〕'라고 한 것이다. 이러한 士의 지위는 庶人보다는 조금 높지만 命士보다는 낮기 때문에 王闓運은 "庶人인데 士라고 말한 것은 높인 것이다.〔庶人而曰士, 進之也.〕"라고 하였다. '進之'는 즉 庶人보다 조금 높인다는 뜻이다. '盥'은 여기에서는 西堂 아래에서 손을 씻는 것으로, 시신을 들기 위하여 준비하는 것이다. '二人以竝'은 褚寅亮에 따르면 "두 사람씩 짝을 이루는 것으로, 실제로는 두 사람 뿐이 아니다.〔每二人爲偶也, 實不止二人.〕"

【按】《예기》 경문과 공영달의 정의에 따르면 일반적으로 斂을 하는 사람은 귀천에 상관없이 양쪽에서 각각 3명씩 모두 6명이다.[156)]

② 下莞, 上簟

'莞'은 음이 '완'이다. 왕골로 짠 자리이다. 《說文解字》에 "莞은 풀이니, 자리를 짤 수 있다.〔莞, 艸也, 可以作席.〕"라고 하였는데, 段玉裁의 注에 "莞은 즉 지금의 자리 짜는 풀인 듯하다. 줄기가 가늘고 둥글며 속이 비어 있다. 鄭玄은 이것을 小蒲라고 하였는데, 실은 蒲가 아니다. 《廣雅》에서는 이것을 蔥蒲라고 하였다.〔莞, 蓋卽今席子艸, 細莖圓而中空, 鄭謂之小蒲, 實非蒲也. 《廣雅》謂之蔥蒲.〕"라고 하였다.

【按】 정현에 따르면 '簟'은 '고운 삿자리'이다.[157)]

③ 商祝布絞、衾、散衣、祭服

胡培翬에 따르면 "앞에서는 바닥에 자리를 편 것이고 여기에서는 그 자리 위에 펴는 것이다. 먼저 絞를 펴고 나머지를 차례대로 포개어 편다. 즉 簟席(고운 삿자리) 위에 絞를 펴고, 絞 위에 衾을 펴고, 衾 위에 散衣를 펴고, 散衣 위에 祭服을 편다.〔上布席於地, 此布在席上. 先布絞, 餘依次布之: 絞

156) 《禮記》〈喪大記〉: "凡斂者六人." 孔穎達正義: "'凡斂者六人'者, 凡者, 貴賤同也. 兩邊各三人, 故用六人."

157) 《禮記》〈喪大記〉鄭玄注: "簟, 細葦席也."

在簟上, 衾在絞上, 散衣在衾上, 祭服在散衣上.〕"

【按】胡培翬에 따르면 여기의 衾은 "겉이 검은색인 이불이다.[衾, 緇衾也.]"

④ 祭服不倒, 美者在中

'倒'는 의복의 위와 아래를 거꾸로 놓는 것을 이른다. 胡培翬에 따르면 散衣를 놓을 때 거꾸로 놓는 경우가 있는데, 그 목적은 놓는 의복의 위와 아래의 두께를 고르게 하는데 있다.[158] 그러나 祭服은 존귀하기 때문에 놓을 때 거꾸로 놓아서는 안 된다. '美'는 '좋다'는 뜻이다. 여기에서는 善衣, 즉 祭服을 가리킨다. '美者在中'은 정현의 주에 따르면 祭服은 가장 뒤에 펴지만 염할 때는 먼저 祭服을 사용하여 몸에 가깝다. 이 때문에 '在中'이라고 한 것이니, 즉 안에 입는다는 뜻이다.[159]

【按】徐乾學에 따르면 소렴 때 사용하는 19벌은 모두 다 입히는 것은 아니며 시신을 싸는 데 사용하기도 한다. 다만 이때 방정하게 하기 위하여 옷깃[領]이 발쪽으로 가도록 거꾸로 두기도 하는데, 祭服만은 존귀하기 때문에 거꾸로 두지 않는 것이다.[160] '祭服'은 사상례〉12. 주① 참조.

⑤ 士擧遷尸, 反位

'士擧遷尸'는 정현의 주에 따르면 襲牀 위에서 시신을 들어 商祝이 펴놓은 옷 위로 옮기는 것이다.[161] '反位'는 원래 서있던 서쪽 계단 아래의 자리로 돌아가는 것이다.

⑥ 衽如初

정현의 주에 따르면 "衽은 누워 자는 자리이다. 마찬가지로 莞席(왕골자리)은 바닥에 깔고 簟席(고운 삿자리)은 위에 깐다.〔衽, 寢臥之席也. 亦下莞, 上簟.〕"

【按】소렴은 室戶 안에서 하고 대렴은 당 위 동쪽 계단 위쪽에서 한다. 이때 임금은 簟席, 대부는 蒲席, 士는 葦席을 사용하며, 세 등급 모두 바닥에는 莞席을 깐다. 《예기》注疏에 따르면 簟은 細葦席(고운 삿자리)으로, 士가 임금과 똑같이 葦席을 사용하는 것은 신분이 낮아서 혐의가 없기 때문이다.[162]

⑦ 斂

胡培翬에 따르면 "斂과 襲은 다르다. 襲할 때는 옷이 적고 斂할 때는 옷이 많다. 襲은 시신에 옷을 입히는 것이고 斂은 시신을 싸는 것이다.〔斂與襲殊: 襲時衣少, 斂時衣多; 襲則衣之, 斂則包之.〕" 또 호배휘에 따르면 斂하는 법은 먼저 祭服으로 싸고 다음에는 散衣로 싼다. 그 다음에는 衾으로 散衣의 바깥을 싸고 가장 나중에는 絞로 묶는다.[163]

158) 《儀禮正義》卷27 : "斂者要方, 散衣有倒, 蓋倒之取其前後厚薄均也."

159) 鄭玄注 : "美, 善也. 善衣後布, 於斂則在中也."

160) 《讀禮通考》卷42 : "小斂十九稱, 不悉著之, 但用裹尸, 要取其方, 有倒領在足間者, 唯祭服尊, 雖散不著, 而領不倒在足也."

161) 鄭玄注 : "遷尸於服上."

162) 《禮記》〈喪大記〉: "小斂於戶內, 大斂於阼. 君以簟席, 大夫以蒲席, 士以葦席." 鄭玄注: "簟, 細葦席也. 三者下皆有莞." 孔穎達正義 : "士以葦席與君同者, 士卑不嫌, 故得與君同用簟也."

163) 《儀禮正義》卷27 : "至斂時, 祭服近身, 散衣次之, 乃以衾裹於外, 而用絞束結之也."

⑧ 馮尸

【按】《예기》 경문과 注疏에 따르면 馮尸는 반드시 시신의 심장 부분에 한다. 임금과 대부는 아버지·어머니·처·장자에게 馮尸하고 서자에게는 馮尸하지 않는다. 士는 아버지·어머니·처·장자·서자에게 馮尸한다. 그러나 서자에게 아들이 있으면 부모는 그 서자에게는 馮尸하지 않는다. 馮尸는 임금은 신하에게 撫(손으로 어루만지는 것)한다. 부모는 아들에게 執(시신의 옷을 잡는 것)하며 아들은 부모에게 馮(시신을 안고 엎드려 우는 것)한다. 며느리는 시부모에게 奉(두 손으로 받쳐드는 것)하며 시부모는 며느리에게 撫한다. 처는 남편에게 拘(시신의 옷을 당기는 것)하며 남편은 처와 형제에게 執한다. 일반적으로 馮尸는 아버지와 어머니가 먼저 하고 처와 아들이 뒤에 하며, 임금이 馮尸한 곳에 신하가 馮尸하지 못한다. 또한 馮尸가 끝나면 귀천의 구분 없이 모두 일어나 踊을 해야 하는데, 이는 지나친 슬픔으로 혼절할까 염려되어 일으켜 세워서 슬픔을 누설시키기 위한 것이다. 馮尸는 馮-奉-拘-執 순으로 중하며, 尊者에게는 馮·奉을 하며 卑者에게는 撫·執을 한다.[164]

'馮'은 '憑(기대다)'과 통한다.

⑨ 主人髻髮袒, 衆主人免于房

이 두 구는 互文이다. 胡培翬에 따르면 "경문에서 주인이 髻髮하고 袒을 한다고 말했으니 衆主人이 免(문)을 할 때에도 袒을 하는 것이며, 중주인이 免을 東房에서 한다고 말했으니 주인이 髻髮을 하는 것도 東房에서 하는 것이다. 글을 생략하여 互文으로 보인 것이다.[經言主人髻髮袒, 則衆主人免亦袒; 衆主人免於房, 則主人髻髮亦房; 省文互見也.]" '髻髮'은 정현의 주에 따르면 원래 상투 위에 꽂았던 비녀와 纚(사. 머리싸개)를 제거하고 다시 麻로 머리카락을 묶는 것을 이른다.[165] 또 麻로 髻髮하는 법을 다음과 같이 기록하고 있다. "뒷목 가운데에서 앞으로 와 이마 위에서 교차한 뒤 뒤로 돌려 묶는다.[自項中而前, 交於額上, 卻繞紒也.]" '袒'은 마찬가지로 左袒인 듯하다. '免'은 〈상복〉23. 주⑭ 참조.

【按】 일반적으로 斂을 하는 사람은 袒을 하고 시신을 옮기는 사람은 襲을 한다.[166] '于房'은 정현의 주에 따르면 "房에서 하고 室에서 하는 것은, 비녀와 纚를 제거하고 髻髮을 하는 것은 가려진 곳에서 하는 것이 마땅하기 때문이다.[于房于室, 釋髻髮宜於隱者.]" 가공언의 소에 "정현의 주에 '于房于室, 釋髻髮宜于隱者'라고 한 것은 다음에 나오는 '婦人髽于室'과 함께 겸하여 말한 것이다.[云'于房于室, 釋髻髮宜于隱'者, 並下文婦人髽于室, 兼言之也.]"라고 하였다.

⑩ 婦人髽于室

164) 《禮記》〈喪大記〉: "君、大夫馮父、母、妻、長子, 不馮庶子. 士馮父、母、妻、長子、庶子. 庶子有子, 則父母不馮其尸. 凡馮尸者, 父、母先, 妻、子後. 君於臣撫之. 父母於子執之, 子於父母馮之. 婦於舅姑奉之, 舅姑於婦撫之. 妻於夫拘之, 夫於妻、於昆弟執之. 馮尸不當君所. 凡馮尸, 興必踊."
鄭玄注: "撫, 以手案之也.……馮之類, 必當心.……悲哀之至, 馮尸必坐."
孔穎達正義 : "'凡馮尸, 興必踊'者, 凡者, 貴賤同然也. 馮尸竟則起, 但馮必哀殞, 故起必踊, 泄之也.……馮者爲重, 奉次之, 拘次之, 執次之. 尊者則馮、奉, 卑者則撫、執. 執雖輕於撫而恩深, 故君於臣撫, 父母於子執, 是兼有尊卑深淺."

165) 鄭玄注 : "髻髮者, 去笄、纚而紒."

166) 《禮記》〈喪大記〉: "凡斂者袒, 遷尸者襲."

여기의 '婦人'은 앞으로 참최복과 자최복을 입을 사람, 즉 室 안에 있는 사람을 가리킨다. 《예기》〈喪服小記〉 孔穎達의 正義에 "부인으로 참최복을 입을 사람은 남자가 髻髮할 때 麻로 髽를 하며, 자최복을 입을 사람은 남자가 免을 할 때 布로 髻을 한다. 대공친 이하의 사람은 髻이 없다.〔婦人將斬衰者, 於男子括(卽髻)髮之時, 則以麻爲髽. 齊衰者, 於男子免時, 則以布爲髻. 其大功以下無髻.〕"라고 하였다. '髽'는 露紒(상투를 드러내는 것)이다. 〈상복〉2. 주⑫ 참조.

【按】 이때 부인은 동시에 요질도 室에서 착용한다. 《예기》〈喪大記〉에 따르면 소렴을 마치고 馮尸한 뒤에 東房에서 주인은 括髮·袒을 하고 중주인은 免을 할 때 부인들은 西房에서 髽를 하고 주인보다 먼저 腰絰을 착용한다.[167] 衛湜에 따르면 이때 이미 주인은 絞帶를 하고 중주인은 布帶를 착용하고 부인들은 요질을 착용하며 단지 주인만이 아직 수질과 요질을 착용하지 않은 것이다.[168] (〈기석례〉24. 주⑭ 참조) 《예기》〈喪大記〉 注疏에 따르면 이것은 東房과 西房이 있는 제후의 禮이다. 따라서 여기 士의 禮에서 부인들이 室에서 髽를 했다면 요질 역시 室에서 해야 한다.[169] 張惠言의 〈小斂〉圖에는 東房의 서쪽 벽 아래 동향으로 '婦人之帶牡麻絰'이라는 구절이 들어 있고, 이에 대해 衣가 戶의 동쪽에 있기 때문에 요질은 戶의 서쪽에 두어야 할 것이라고 추정하였다. 황이주의 〈小斂〉圖에도 이와 같이 되어 있다. 정현의 주에 따르면 여자의 髽는 "남자의 髻髮과 같다.〔猶男子之括髮.〕"

⑪ 士擧, 男女奉尸

胡培翬에 따르면 士는 시신의 좌우에서 들고 男女는 시신의 머리와 발을 받쳐 든다.[170] '男女'는 즉 위의 주인과 衆主人 및 부인들을 가리킨다.

⑫ 侇

'늘어놓다〔陳〕'라는 뜻이다. 胡承珙에 따르면 "정현의 《禮》注에서는 '夷'와 '侇'를 모두 '시신을 모시다'라는 뜻으로 보았다.〔鄭君注《禮》則, '夷'與'侇'皆爲尸陳之義.〕"

⑬ 男女如室位

【按】 《예기》〈喪大記〉에 따르면 시신을 小斂牀 위로 옮긴 뒤에 당 위에서 곡을 하는데, 주인은 동쪽에서 하고 문상 온 사람은 서쪽에서 하며 부인들은 남향하고 한다. 정현의 주에 따르면 문상 온 사람이 없으면 부인들은 동향한다.[171] 장혜언의 〈小斂〉圖 참조.

⑭ 主人出于足

胡培翬에 따르면 "시신은 머리를 남쪽으로 하고 발을 북쪽으로 두고 있다.

167) 《禮記》〈喪大記〉: "小斂之後……主人馮之踊, 主婦亦如之. 主人袒, 說髦, 括髮以麻, 婦人髽, 帶麻于房中."

168) 《禮記集說》卷105 : "以此觀之, 則知小斂馮尸之後、括髮免髽之時, 主人已絞帶, 衆主人已布帶, 婦人已帶麻, 特主人未襲絰爾."

169) 鄭玄注 : "士旣殯, 說髦, 此云小斂, 蓋諸侯禮也. 士之旣殯, 諸侯之小斂, 於死者俱三日也. 婦人之髽、帶麻於房中則西房也."
孔穎達正義 : "帶麻, 麻帶也, 謂婦人要絰也. 男子說髦、括髮在東房, 婦人髽、帶麻于西房, 與男子異處."

170) 《儀禮正義》卷27 : "士擧者, 當在尸之左右擧之, 男女則奉其首足耳."

171) 《禮記》〈喪大記〉: "哭尸于堂上. 主人在東方, 由外來者在西方, 諸婦南鄕." 鄭玄注: "由外來, 謂奔喪者也. 無奔喪者, 婦人猶東面."

주인은 시신의 동쪽에 있기 때문에 시신의 발 북쪽으로 돌아 서쪽으로 가서 서쪽 계단으로 내려간다.〔尸南首, 北趾, 主人在東, 故由足北轉而西, 降自西階也.〕" 장혜언의 〈小斂〉圖 참조.

⑮ 衆主人東卽位

胡培翬에 따르면 "이때 衆主人도 주인을 따라 서쪽 계단으로 내려간다. 마침내 동쪽으로 가서 동쪽 계단 아래 자기 자리로 나아간다.〔斯時衆主人, 亦隨主人降自西階, 遂東, 卽位於阼階下.〕"

⑯ 婦人阼階上, 西面

胡培翬에 따르면 "부인은 본래 서쪽에 있으니, 마찬가지로 시신의 발 북쪽으로 돌아 동쪽으로 가서 동쪽 계단 위에 선다. 부인은 당을 내려가지 않는다.〔婦人本在西, 亦由足北轉而東, 至阼階上. 婦人不下堂.〕"

【按】 張惠言에 따르면 女賓은 부인의 북쪽에 위치한다. 장혜언은 《예기》〈喪大記〉 정현의 주에 "命婦는 소렴한 뒤에 시신의 서쪽에서 동향한다."라고 한 것을 근거로 女賓은 이때에도 부인을 따라 부인의 북쪽에서 서향한다고 하였다.[172]

⑰ 主人拜賓

【按】 張惠言의 〈小斂〉圖에는 주인이 서쪽 계단 동쪽에서 동향하고 절하도록 되어 있고, 黃以周의 〈小斂〉圖에는 주인이 서쪽 계단 동쪽에서 남향하고 절하도록 되어 있다. 황이주는 정현의 주에 "賓의 자리를 향하여 절한다."라는 구절을 근거로 장혜언의 圖를 오류라고 하였다.[173] 〈사상례〉 제3절 '有賓則拜之'에 대한 가공언의 소에 따르면 빈이 조문하는 자리는 빈이 조석곡 할 때의 자리와 같으나 주인의 자리는 조석곡 때와 달리 서쪽 계단 동쪽에서 남향하고 절을 한 뒤에 동향한다.[174]

⑱ 大夫特拜, 士旅之

敖繼公에 따르면 "賓이 대부면 사람마다 각각 한 번씩 절하고, 士는 비록 많다 하더라도 한꺼번에 세 번만 절하는 것을 이른다.〔謂大夫人各一拜, 士雖衆, 惟三拜之而已.〕"[175]

⑲ 卽位

'位'는 정현의 주에 따르면 "동쪽에 있는 자리이다.〔東方位.〕" 胡培翬에 따르면 동쪽 계단 아래 서향하는 자리를 이른다.[176]

【按】 胡培翬에 따르면 남녀의 위치는, 소렴전에는 대공복 이상의 親者는 室에서 시신의 동쪽과 서쪽으로 나누어 서며, 소공복 이하는 각각 室戶 밖과 당 아래에 나누어 선다. 소렴한 뒤에는 당 위 동쪽 계단 위쪽과 당 아래 동쪽 계단 아래에 나누어 선다. 殯을 한 뒤

172) 《儀禮圖》卷5〈小斂〉: "女賓在北. 《大記》注云"命婦小斂之後, 尸西東面", 則亦從婦人, 卽西面位."

173) 《禮書通故》卷48〈小斂〉: "注云'向賓位拜之', 張圖誤."

174) 賈公彦疏 : "謂賓弔位猶如賓朝夕哭位. 其主人之位, 則異於朝夕, 而在西階東, 南面拜之, 拜訖, 西階下東面, 下經所云'拜大夫之位'是也."

175) 《儀禮集說》卷12 : "特拜者, 每人各一拜之也. 旅之者, 其人雖衆, 惟三拜之而已."

176) 《儀禮正義》卷27 : "復位, 復阼階下西面位."

177) 《儀禮正義》卷27 : "考男女之位: 小斂前, 親者在室, 以尸東、尸西爲別; 小功以下, 以戶外、堂下爲別. 小斂後, 以阼階上、阼階下爲別. 旣殯, 無事則主人入于次, 婦人無事, 或退處于房中歟!"

에는 일이 없으면 주인은 次로 들어가고 부인은 東房 안으로 물러가 거처한다.[177]

⑳ 襲絰于序東

'襲'은 착용하는 것이다. 胡培翬에 따르면 "序東에서 帶을 착용하는 것이다.〔著絰於序東也.〕"

【按】 注疏에 따르면 '序東'은 당 아래 東夾 앞을 이른다. 즉 주인은 당을 내려와 동쪽 계단 아래 서향하는 자리로 가서 踊을 한 뒤에 東序의 동쪽, 東夾의 앞쪽에서 絰을 착용하는 것이다.[178] 주인이 絰을 착용하는 위치는 張惠言의 〈小斂〉圖에는 東堂 동쪽에 동향으로 되어 있고 黃以周의 〈小斂〉圖에는 東坫 아래 남향으로 되어 있다.

구분	참최		자최	
	丈夫	婦人	丈夫	婦人
始死	玄冠을 벗고 笄·纚	笄를 제거하고 纚	素冠	骨笄纚
小斂後	笄·纚를 제거 主人: 髺髮(麻), 袒, 首絰·腰絰 衆主人: 免, 袒	纚를 제거하고 髽(麻), 首絰·腰絰	冠을 벗고 免(布)	笄·纚를 제거하고 髽(布)

喪禮의 成服 前 남녀 차림
池田末利 《儀禮Ⅳ》 131쪽 참조

21. 小斂奠과 代哭

乃奠①。舉者盥②, 右執匕卻之③, 左執俎橫攝之④, 入, 阼階前西面錯⑤。錯俎⑥, 北面。右人左執匕, 抽扃(경)予左手兼執之, 取鼏(멱)委于鼎北, 加扃。不坐。乃朼載⑦, 載兩髀于兩端, 兩肩亞⑧, 兩胉(박)亞, 脊肺在于中, 皆覆⑨, 進柢(저)⑩。執而俟⑪。
夏祝及執事盥⑫。執醴先, 酒、脯、醢、俎從, 升自阼階。丈夫踊⑬。甸人徹鼎⑭。巾待于阼階下⑮。奠于尸東。執醴、酒北

178) 鄭玄注 : "襲絰于序東, 東夾前."
賈公彦疏 : "云'襲絰于序東, 東夾前'者, 經云主人降自西階, 更無升降之文, 而云序東東夾前者, 主人卽位, 踊訖而去襲絰于序東, 謂鄕堂東, 東當序牆之東. 又當東夾之前, 非謂就堂上東夾前也."

面，西上⑯。豆錯⑰，俎錯于豆東，立于俎北，西上⑱。醴、酒錯于豆南⑲。祝受巾巾之，由足降自西階⑳。婦人踊。奠者由重南東㉑。丈夫踊。賓出㉒，主人拜送于門外㉓。乃代哭，不以官㉔。

이어서 奠을 진설한다.

擧者(鼎을 드는 사람)가 東堂 아래에서 손을 씻은 뒤에 寢門을 나가 鼎을 들고 다시 침문 안으로 들어온다. 이때 右人(鼎의 오른쪽에서 왼손으로 鼎을 드는 사람)은 오른손으로 匕를 위로 향하게 잡고 左人(鼎의 왼쪽에서 오른손으로 鼎을 드는 사람)은 왼손으로 俎를 가로로 들고 들어와 鼎을 동쪽 계단 앞에 서향하도록 놓는다.

左人이 俎를 鼎의 서쪽에 북향하도록 놓는다.

右人이 왼손으로 匕를 잡고, 오른손으로 扃(鼎을 드는 막대)을 뽑아 왼손으로 건네어 匕와 함께 잡는다. 오른손으로 鼏(鼎의 덮개)을 벗겨서 鼎의 북쪽에 놓고 扃을 鼏 위에 놓는다.

擧者는 모두 앉지 않고 선다.

이어 朼者(右人)가 匕로 鼎에서 牲體를 꺼내면 左人이 俎에 이를 받아 담는다. 담는 법은 俎의 양 끝에 두 개의 髀를 놓고, 두 개의 肩을 그 다음 안쪽에, 두 개의 胉을 그 다음 안쪽에, 脊과 肺를 한가운데에 놓는데, 모두 엎어놓으며 뼈의 뿌리 부분이 앞으로 가게 놓는다.

左人이 俎를 들고 올리기를 기다린다.

夏祝과 집사자들이 東堂 아래에서 손을 씻는다.

夏祝이 醴를 가지고 앞서서 가고, 집사들이 酒·脯·醢·俎를 가지고 뒤따라서 동쪽 계단으로 당에 오른다. 이때 丈夫들(주인·衆主人)이 踊을 한다.

甸人이 빈 鼎을 거두어 침문 밖으로 나간다.

有司가 布巾(소공포)을 들고 동쪽 계단 아래에서 夏祝에게 주기 위해 기다린다.

시신의 동쪽에 다음과 같이 奠을 올린다.

醴를 든 사람과 酒를 든 사람이 북향하고 서는데, 서쪽을 상위로 하여 醴를 든 사람이 서쪽에 선다.
籩豆를 시신의 동쪽에 놓고 俎를 籩豆의 동쪽에 놓은 뒤 俎의 북쪽에 서는데, 서쪽을 상위로 하여 脯籩을 들었던 사람이 서쪽에 선다.
醴와 酒를 籩豆의 남쪽에 놓는다.

夏祝이 有司에게서 布巾을 받아 奠物을 덮은 뒤에 시신의 발쪽으로 돌아서 서쪽 계단으로 당을 내려온다. 이때 부인들이 踊을 한다.
奠을 올린 사람들이 重의 남쪽으로 돌아 침문 동쪽의 원래 자리로 돌아간다. 이때 丈夫들이 재차 踊을 한다.
賓이 나가면 주인이 침문 밖에서 절하여 전송한다.
이어 주인과 친속들이 代哭(돌아가며 곡하는 것)을 하는데, 관원에게는 대곡하게 하지 않는다.

① 奠

奠을 진설하는 것을 이른다. (〈사상례〉2. 주③ 참조) 정현의 주에 따르면 "祝과 집사자가 진설한다.〔祝與執事爲之.〕"

② 舉者盥

'舉者'는 鼎을 드는 사람이다. 胡培翬는 "여기의 舉者는 東堂 아래에서 손을 씻는 듯하다.〔此擧者蓋盥於東堂下.〕"라고 하였고, 정현의 주에서는 "舉者가 손을 씻고서 침문을 나가 鼎을 드는 것이다.〔舉者盥, 出門擧鼎.〕"라고 하였다. '出門'은 寢門을 나가는 것을 이른다. 鼎은 침문 밖, 東塾의 남쪽에 있다. 〈사상례〉19. 참조.

③ 卻

胡培翬에 따르면 "匕를 위로 향하게 하는 것이다.〔仰其匕也.〕"

④ 攝

정현의 주에 따르면 "잡는다는 뜻이다.〔持也.〕"

⑤ 錯

'措'와 통한다. '두다〔置〕'라는 뜻이다.

⑥ 錯俎

鼎은 서향하고 있고 俎는 左人이 들고 있으니 俎는 鼎의 남쪽에 두어야 한다. 장혜언의 〈小斂奠〉圖 참조.

【按】 張惠言의 〈小斂奠〉圖에는 俎가 鼎의 남쪽에 북향하도록 되어 있다. 盛世佐 역시 左人이 俎를 鼎의 남쪽에 둔다고 보았다.[179] 그러나 黃以周의 〈小斂奠〉圖에는 俎가 鼎의 서쪽에 북향하도록 되어 있으며, 그 근거로 정현의 주에 "俎는 머리가 동쪽으로 가도록 두어야 한다.[俎宜西順之.]"라는 구절을 들고 있다. 敖繼公과 郝敬 역시 俎를 鼎의 서쪽에 둔다고 하였다.[180] 여기에서는 황이주의 설을 따르기로 한다.

⑦ 朼載

'朼'는 匕로 鼎 안에서 牲體를 꺼내는 것이다. '載'는 俎에 담는 것을 이른다. 胡培翬에 따르면 牲體를 꺼내는 사람은 右人이니 鼎의 동쪽에서 서향하고 꺼내는 것이며, 받아서 俎에 담는 사람은 左人이니 俎의 남쪽에서 북향하고 담는 것이다.[181]

⑧ 亞

'次(그 다음)'라는 뜻이다. 胡培翬에 따르면 "俎의 양 끝에서부터 시작하여 안쪽으로 차례차례 놓는 것이다.〔自兩旁至中爲次.〕"

⑨ 皆覆

胡培翬가 張稷若의 설을 인용한 것에 따르면 "牲體를 모두 엎어서 진설하는 것을 이른다.〔謂牲體皆覆設之.〕"

【按】 注疏에 따르면 이때 牲體를 모두 엎어서 진설하는 이유는 이 음식을 먹을 시동이 없어 먼지만 들어가기 때문이다.[182]

⑩ 進柢

'進'은 '前(앞)'이라는 뜻이다. '柢'는 정현의 주에 따르면 "뿌리부분이다.〔本也.〕" 정현은 또 "뼈에는 뿌리부분과 끝부분이 있다.〔骨有本末.〕"라고 하였다.

【按】 가공언의 소에 따르면 뼈의 뿌리 부분이 앞쪽으로 가도록 담아서 음식을 내가는 것은 살아있을 때의 법으로, 이때는 始死이기 때문에 生前의 禮와 다르게 하지 않은 것이다.[183]

⑪ 執而俟

胡培翬에 따르면 "左人이 俎를 들고 올리기를 기다리는 것이다.〔左人執以俟奠也.〕"

⑫ 夏祝及執事盥

'執事'는 주인의 下屬으로 喪事를 돕는 사람들이다. '盥'은 胡培翬에 따르

179) 《儀禮集編》卷27 : "錯俎北面, 左人錯之於鼎南也."

180) 《儀禮集說》卷12 : "俎錯於鼎西."
《儀禮節解》卷12 : "置俎鼎西, 北向橫設."

181) 《儀禮正義》卷27 : "朼, 謂以朼出牲體於鼎也. 載, 謂載牲體於俎也. 朼者在鼎東, 西面; 載者在俎南, 北面."

182) 鄭玄注 : "凡七體皆覆, 爲塵."
賈公彦疏 : "云'皆覆爲塵'者, 諸進體皆不言覆, 此言覆者, 由無尸而不食, 故覆之也."

183) 賈公彦疏 : "《公食大夫》亦進本, 是生人法, 今以始死, 故未異於生也."

면 "東堂 아래에서 씻는 것이다.〔盥於東堂下也.〕"

⑬ 丈夫

胡培翬에 따르면 주인과 衆主人을 아울러 말한 것이다.[184]

⑭ 甸人徹鼎

郝敬에 따르면 甸人은 빈 鼎을 거두어 寢門 밖으로 나가서 원래 있던 곳에 되돌려 놓는다.[185]

⑮ 巾待于阼階下

'巾'은 醴·酒·脯·醢를 덮는 小功布로 만든 巾이다. 정현의 주에 따르면 "巾은 功布이다.〔巾, 功布也.〕" 胡培翬에 따르면 有司가 巾을 가지고 동쪽 계단 아래에서 夏祝에게 주려고 기다리는 것이다.[186]

⑯ 奠于尸東, 執醴、酒北面, 西上

정현의 주에 따르면 이 구는 醴와 酒를 든 사람이 먼저 당에 올라가 북향하고 서쪽을 상위로 하여 서는데, 이는 시신의 동쪽에 奠을 올리기 위한 것으로 실제로는 아직 올리지 않으며 脯와 醢(즉 籩豆)를 올리기를 기다렸다가 醴와 酒를 올리는 것을 말한다.[187]

⑰ 豆錯

'豆'는 醢(豆에 담는다)를 이른다. 李如圭에 따르면 '豆'라고 한 것은 바로 籩(脯는 籩에 담는다)을 포함한 것으로, 籩을 말하지 않은 것은 글을 생략한 것이다.[188] 籩과 豆는 시신의 동쪽, 조금 북쪽 지점에 놓는데, 醢는 북쪽에, 脯는 남쪽에 놓는다. 장혜언의 〈小斂奠〉圖 참조.

⑱ 立于俎北, 西上

胡培翬에 따르면 "籩豆와 俎를 올린 사람이 이곳에 서서 祝이 일을 마친 뒤에 祝과 함께 내려가기를 기다리는 것을 이른다.〔謂奠豆、俎之人立於此, 俟祝畢事同降也.〕"

【按】 '西上'은 敖繼公에 따르면 脯籩을 들었던 사람이 서쪽에 서는 것이다.[189]

⑲ 醴、酒錯于豆南

胡培翬에 따르면 "酒는 豆의 남쪽에 있고 醴는 酒의 남쪽에 있다.〔酒在豆南, 醴在酒南.〕" 豆는 籩을 아울러 말한 것이다. 豆는 북쪽에 있고 籩은 남쪽에 있으니, 그렇다면 호배휘가 말한 '酒는 豆의 남쪽에 있다'는 것은 실제로는 酒가 籩의 남쪽에 있는 것이다.

【按】 敖繼公은 〈旣夕禮 記〉의 "兩甒醴, 酒, 酒在南."이라는 구절을 근거로 酒가 醴의 남

184) 《儀禮正義》卷27 : "經不言主人踊而云丈夫踊, 兼衆主人言. 丈夫, 即男子之稱, 對婦人言之也."

185) 《儀禮節解》卷12 : "甸人徹空鼎出, 反門外故處."

186) 《儀禮正義》卷27 : "有司執巾, 以待祝于阼階下, 親授之."

187) 鄭玄注 : "執醴、酒者先升, 尊也. 立而俟, 後錯, 要成也."

188) 《儀禮集釋》卷21 : "言豆, 不言籩, 省文."

189) 《儀禮集說》卷12 : "俎北之位, 執脯者在西."

190) 《儀禮集說》卷12 : "醴在北也. 《記》曰: '兩甒醴、酒, 酒在南.' 此位亦當如之. 《旣夕禮》曰: '醴、酒在籩西, 北上.'"

쪽에 있어야 한다고 보았으며,[190] 張惠言의 〈小斂奠〉圖에도 酒가 醴의 남쪽에 진설되어 있다. 그러나 호배휘는 〈旣夕禮 記〉 제24절의 글은 東堂 아래에 진열해둘 때의 위치이며 奠을 올릴 때의 위치와는 다르다고 보았다. 즉 奠物은 시동의 동쪽에 두는데 이때 시동의 머리가 남향하고 있으니 奠物 역시 남쪽을 상위로 보아 醴를 酒의 남쪽에 진설해야 한다는 것이다.[191] 黃以周의 〈小斂奠〉圖에도 醴가 남쪽에 진설되어 있다. 황이주는 경문에서 醴를 든 사람이 먼저 당에 올라가고 酒·脯·醢·俎가 뒤따라갔으니 이것은 醴를 가장 높게 여긴 것이며,

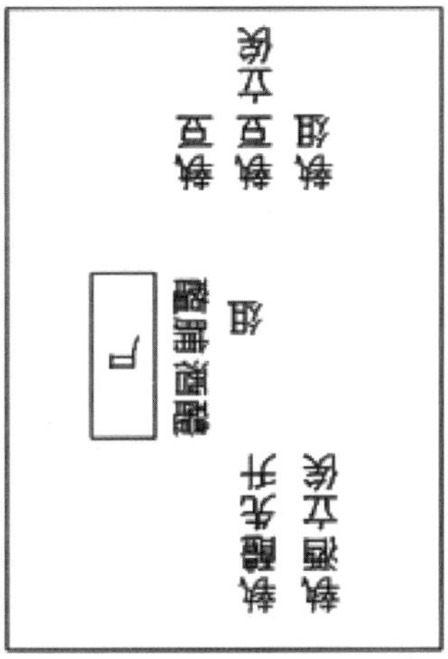

• 그림 26 • 小斂奠
黃以周《禮書通故》

또 경문에서 俎를 豆의 동쪽에 두었으니 俎를 脯와 醢 사이 부분에 두어야 한다고 하였다. 황이주는 이를 근거로 장혜언의 圖에서 酒가 醴의 남쪽에 있고 俎가 醴와 脯의 사이 부분에 있는 것이 모두 틀렸다고 하였다.[192] 〈그림 26〉 참조.

⑳ 祝受巾巾之, 由足降自西階

【案】 다음 경문 '奠者由重南東'을 살펴보면 이때 奠物을 올린 집사자들도 祝을 뒤따라 함께 내려온다.

㉑ 由重南東

'重'은 뜰을 3등분했을 때 남쪽 3분의 1되는 곳에 설치한 重을 가리킨다. 〈사상례〉14. 주⑩ 참조. '東'은 胡培翬에 따르면 침문 동쪽의 자리로 돌아가는 것이다.[193]

【案】 정현에 따르면 '東'은 자기 자리로 돌아가는 것이다.[194] 가공언은 이에 대해 奠物을 올린 사람들의 자리는 盆盥의 동쪽에 남쪽을 상위로 하는 자리일 것이라고 추정하였다.[195] 張惠言의 〈小斂奠〉圖에는 가공언의 소를 따라 奠物을 올린 사람들의 자리가 盆盥의 동쪽에 그려져 있으나, 黃以周는 전물을 올린 사람들이 盆盥의 동쪽 자리로 돌아간다면 굳이 重의 남쪽으로 돌아갈 필요가 있겠느냐고 의문을 제기한 뒤 敖繼公의 설을 따라 침문 동쪽으로 돌아간다고 하였다.[196]

㉒ 賓出

敖繼公에 따르면 "일반적으로 喪禮에서 賓은 모두 奠을 올리는 의식을 마치고 나면 나간다.〔凡喪, 賓皆于旣奠乃出.〕"

191) 《儀禮正義》卷27 : "醴、酒錯于豆南, 其次酒在豆南, 醴在酒南. 總言之, 皆在豆南也. 楊圖如是. 張圖酒在醴南, 非矣. 《記》云'兩甒醴、酒, 酒在南', 此陳之序, 與奠異. 奠在尸東, 尸南首, 當以南爲上也."

192) 《禮書通故》卷48〈小斂奠〉: "經云執醴先酒、脯、醢, 俎從, 明以醴爲上也. 又云俎錯于豆東, 明俎當脯、醢也. 張圖酒在醴南, 俎當醴、脯之間, 竝非."

193) 《儀禮正義》卷27 : "奠者由重南東, 敖云'由重南而東, 復其門東之位也'."

194) 鄭玄注 : "東, 反其位."

195) 賈公彦疏 : "其位蓋在盆盥之東, 南上."

196) 《禮書通故》卷48〈小斂奠〉: "張圖從疏, 奠者位在盆盥之東, 果爾, 奠者降階復位, 何必由重南東? 今從敖說." 《儀禮集說》卷12 : "奠者由重南而東, 復其門東之位也."

㉓ 拜送于門外

'門外'는 정현의 주에 따르면 "廟門 밖이다.〔廟門外也.〕" 가공언의 소에 따르면 여기에서 말하는 '廟'는 즉 適寢을 가리킨다. 神이 있는 곳이기 때문에 '廟'라고 말한 것이다.[197]

【按】 '拜送'은 〈사상례〉3. 주③ 참조.

㉔ 代哭, 不以官

'代哭'은 정현의 주에 따르면 지나친 슬픔과 애통함으로 孝子의 몸이 상하는 것을 방지하기 위해 교대로 곡하는 禮를 만든 것이다.[198] 이른바 '代'라는 것은 여기에서는 '교대로 하다'라는 뜻이다. 즉 사람들이 번갈아가며 효자를 대신해서 곡하여 곡하는 소리가 끊어지지 않게 하는 것이다. '以'는 '用(쓰다)'이라는 뜻이다. 정현의 주에 따르면 士는 지위가 비천하기 때문에 관원에게 代哭하게 하지 못하고 멀고 가까운 친속들로 하여금 대신하게 할 수 있을 뿐이다.[199] 가공언의 소에 따르면 만약 대부 이상이면 관원에게 대곡하게 할 수 있다.[200]

22. 소렴 뒤에 襚를 올림

有襚(수)者①, 則將命。擯者出請②, 入告。主人待于位③。擯者出告須④, 以賓入。賓入中庭, 北面致命⑤。主人拜稽顙⑥。賓升自西階, 出于足, 西面⑦, 委衣, 如於室禮, 降, 出。主人出, 拜送⑧。
朋友親襚, 如初儀⑨, 西階東, 北面哭, 踊三, 降。主人不踊。襚者以褶(습)⑩, 則必有裳, 執衣如初⑪。徹衣者亦如之⑫, 升降自西階, 以東⑬。

소렴한 뒤에 襚者(襚를 가져온 賓)가 있으면 擯者(주인 쪽의 인도하는 사람)가

197) 賈公彦疏 : "廟門者, 士死于適室, 以鬼神所在則曰廟, 故名適寢爲廟也."

198) 鄭玄注 : "代, 更也. 孝子始有親喪, 悲哀憔悴, 禮防其以死傷生, 使之更哭, 不絶聲而已."

199) 鄭玄注 : "人君以官尊卑, 士賤以親疏爲之."

200) 賈公彦疏 : "案《喪大記》云君喪, 縣壺, 乃官代哭; 大夫官代哭, 不縣壺; 士代哭, 不以官. 注云: '自以親疏哭也.' 此注不言大夫, 擧人君與士, 其大夫有《大記》可參, 以官可知, 故不言也."

命을 전한다.
擯者가 먼저 寢門을 나가서 賓에게 온 이유를 묻고 다시 들어와서 주인에게 고한다.
주인이 동쪽 계단 아래의 자리에서 기다린다.
擯者가 나가서 주인이 기다린다고 고한 뒤에 賓을 인도하여 들어온다.
賓이 들어가 中庭에서 북향하고 命(위로의 말)을 전한다.
주인이 拜手한 뒤에 稽顙한다.
賓이 서쪽 계단으로 올라가서 시신의 발쪽(북쪽)으로 돌아 동쪽으로 가서 서향하고 襚를 올리는데, 室 안에서의 禮와 같이 왼손으로는 襚의 領(옷깃)을 잡고 오른손으로는 허리 부분을 잡고 올린다. 당을 내려와 침문을 나간다.
주인이 침문을 나와 절하여 전송한다.

붕우는 襚를 직접 올리는데, 室 안에서의 禮와 똑같이 尸牀 위, 시신의 동쪽에 올린다. 襚를 올린 뒤 서쪽 계단 위 동쪽에서 북쪽을 향하여 곡하고 세 번 踊을 한 뒤에 당을 내려온다. 이때 주인은 踊을 하지 않는다.
襚者가 가져온 것이 만일 褶衣면 반드시 裳이 있어야 한다. 襚를 잡는 방법은 처음과 같이 왼손으로 領을 잡고 오른손으로 허리 부분을 잡는다.
徹衣者(襚를 거두는 사람)도 襚者가 올릴 때처럼 襚를 든다. 徹衣者는 오르고 내리기를 모두 서쪽 계단으로 하며 거둔 襚를 동쪽에 보관한다.

① 有襚者

胡培翬에 따르면 거리가 먼 사람은 소렴을 한 뒤에 도착하는 경우도 있기 때문에 이때서야 襚를 올리는 것이다.[201]

② 擯者出請

【按】 정현의 주에 따르면 이때 擯者는 "孤 아무(주인)가 아무개(擯者)를 시켜 무슨 일로 오셨는지 여쭙도록 하셨습니다."라고 한다.[202]

201) 《儀禮正義》卷27 : "遠者或至, 小斂後乃襚. 云'有'者, 不定之辭."

202) 鄭玄注 : "出請之辭曰: '孤某使某請事.'"

③ 待于位

'位'는 즉 동쪽 계단 아래의 자리이다.

④ 出告須

정현의 주에 따르면 "須 역시 '待(기다리다)'의 뜻이다.〔須, 亦待也.〕" 여기에서는 擯者가 주인이 기다린다고 賓에게 알리는 것이다.[203]

⑤ 中庭, 北面致命

시신이 堂 위의 두 기둥 사이에 있기 때문에 북향하고 명을 전하는 것이다. 명을 전하는 곳은 碑의 북쪽에 있다. '中庭'은 〈사상례〉5. 주⑤ 참조.

⑥ 拜稽顙

【按】〈사상례〉5. 주⑦ 참조.

⑦ 出于足, 西面

胡培翬에 따르면 "시신의 발 북쪽으로 돌아 동쪽으로 가서 서향하는 것을 이른다.〔謂由尸足之北, 轉而東, 而西面也.〕"

⑧ 拜送

【按】〈사상례〉3. 주③ 참조.

⑨ 朋友親襚, 如初儀

【按】〈사상례〉6. 참조. 이에 따르면 붕우는 庶兄弟가 올린 襚를 진열할 때처럼 襚를 尸牀 위, 시신의 동쪽에 올린다.

⑩ 褶

吳廷華에 따르면 이것은 비단으로 만든 겹옷으로, 겉감과 안감이 있지만 그 사이에 솜을 두지는 않는다. 그 上衣가 袍와 같지만 짧기 때문에 반드시 下裳이 있어야만 한 벌이 된다.[204]

⑪ 執衣如初

왼손으로 領(옷깃)을 잡고 오른손으로 옷의 허리 부분을 잡아서 임금이 使者를 시켜 襚를 보냈을 때와 같이 하는 것을 이른다. 〈사상례〉5. 참조.

⑫ 徹衣者亦如之

【按】〈사상례〉6. 참조.

⑬ 以東

가공언의 소에 따르면 이것은 徹衣者가 襚를 거두어 동쪽으로 가서 보관해 두었다가 대렴할 때 쓰기를 기다리는 것을 가리킨다.[205]

203) 鄭玄注 : "出告之辭曰: '孤某須矣.'"

204) 《儀禮章句》卷12 : "帛爲褶, 有表裏而無著, 形如袍, 短身而廣袖, 故必有裳, 乃成稱而可用."

205) 鄭玄注 : "以東, 藏以待事也." 賈公彦疏 : "云'藏以待事也'者, 以待大斂事而陳之也."

23. 소렴한 날 저녁의 庭燎 진열

宵, 爲燎于中庭①。

밤이 되면 中庭에 화톳불을 놓는다.

① 宵爲燎于中庭

정현의 주에 따르면 "宵는 밤이라는 뜻이다. 燎는 화톳불이다.〔宵, 夜也. 燎, 大燋.〕"

대렴大斂(3일째)

24. 대렴을 위한 의복과 奠物 진열 및 殯具 준비

厥明, 滅燎①。陳衣于房②, 南領, 西上, 綪(쟁)③。絞、紟、衾二④, 君襚、祭服、散衣、庶襚⑤, 凡三十稱, 紟不在筭⑥, 不必盡用。

東方之饌⑦: 兩瓦甒, 其實醴、酒; 角觶; 木柶⑧; 毼(할)豆兩⑨, 其實葵菹芋⑩, 蠃醢⑪; 兩籩, 無縢(등)⑫, 布巾⑬, 其實栗不擇⑭, 脯四脡⑮。

奠席在饌北⑯, 斂席在其東⑰。掘肂見(현)衽⑱。棺入, 主人不哭。升棺用軸⑲, 蓋在下。熬黍、稷各二筐⑳, 有魚、腊㉑, 饌于西坫南。

陳三鼎于門外, 北上: 豚合升㉒; 魚, 鱄、鮒九㉓; 腊左胖, 髀不升㉔。其他皆如初㉕。燭俟于饌東㉖。

소렴한 다음날 날이 밝으면 화톳불을 끈다.

대렴에 필요한 衣物을 東房에 진열하는데, 옷은 領(옷깃)을 남쪽으로 향하게 하고 서쪽을 상위로 하여 서쪽부터 동쪽으로 진열한다. 이때 동쪽 끝까지 진열하면 다시 서쪽으로 구부려 진열한다.

絞(옷을 묶는 布帶 8가닥)·紟(홑이불)과 2장의 斂衾을 진열하고 이어서 임금이 보낸 襚와 祭服·散衣·庶襚를 차례로 진열하는데 모두 30벌이다. 이때 絞·紟·衾은 이 30벌에 들어가지 않는다. 이 옷들을 반드시 다 쓰는 것은 아니다.

東方(東堂 아래)에 진열하는 것들은 다음과 같다.

瓦甒(와기로 된 술단지) 2개이니, 여기에 담는 것은 하나는 醴이며 하나는 酒이다. 角觶(뿔잔) 4개, 木柶(나무숟가락) 2개이다. 毼豆(백색 豆) 2개이니, 여기에 담는 것은 하나는 葵菹芋(자르지 않은 아욱 초절임)이며 하나는 蠃醢(달팽이 젓갈)이다. 籩 2개이니, 입구에 테두리를 두르지 않았으며 앞에 진열한 奠物과 함께 布巾(소공포)으로 덮어둔다. 담는 것은 하나는 선별하지 않은 밤이며 하나는 말린 육포 4개이다.

奠席(대렴전에 쓸 돗자리)을 東堂 아래 진열한 奠物의 북쪽에 두고, 斂席(대렴에 쓸 莞席과 簟席)을 奠席의 동쪽에 둔다.
당의 서쪽 계단 위쪽에 殯을 하기 위하여 肂(관을 묻을 구덩이)를 파는데, 그 깊이는 관을 넣었을 때 棺의 衽(小要)이 보일 정도로 판다.
관이 寢門으로 들어올 때 주인은 곡하지 않는다.
관을 당 위로 올리는데 軼軸을 사용하며 관 뚜껑은 당 아래에 둔다.
볶은 黍(찰기장)와 稷(메기장)을 각각 두 광주리씩 담고, 물고기와 腊(갓 잡아 말린 들짐승)도 이 광주리에 담아 西坫의 남쪽에 진열한다.
3개의 鼎을 침문 밖에 진열하는데, 북쪽을 상위로 하여 북쪽부터 豚鼎-魚鼎-腊鼎 순으로 진열한다. 豚(새끼돼지고기)은 左胖과 右胖을 합쳐 鼎에 담고, 물고기는 전어나 붕어로 9마리를 담으며, 腊(토끼를 통째로 말린 것)은 左胖만 담는데 이때 髀는 담지 않는다. 나머지는 모두 처음(소렴 때)과 같이 한다.
횃불은 東堂 아래 진열한 奠物의 동쪽에 준비해둔다.

① 厥明滅燎

'厥明'은 소렴한 이튿날이고 사람이 죽은 지 셋째 날이다.

【按】《예기》〈喪大記〉에 따르면 화톳불을 끈 뒤에는 횃불을 설치하는데, 士의 경우 당 위와 당 아래에 각각 하나씩 설치한다. 임금은 당 위와 당 아래에 각각 두 개씩이며, 대부는 당 위에 한 개 당 아래에 두 개 설치한다.[206]

② 陳衣于房

여기에서 진열하는 옷과 이하의 진열하는 물건들은 모두 대렴을 위해 준비하는 것이다.

③ 緒

〈사상례〉9. 주②, 〈사상례〉15. 주③ 참조.

④ 絞、紟、衾二

'絞'는 정현의 주에서 《예기》〈喪大記〉를 인용하여 "대렴에 쓰는 布絞는

206) 《禮記》〈喪大記〉: "君, 堂上二燭, 下二燭. 大夫, 堂上一燭, 下二燭. 士, 堂上一燭, 下一燭."

세로로 3가닥 가로로 5가닥을 깐다.〔大斂, 布絞, 縮(縱)者三, 横者五.〕"라고 하였다. 이에 따르면 대렴에 쓰는 絞는 모두 8가닥으로 소렴에 쓰는 絞보다 4가닥이 많다. (〈사상례〉15. 참조) '紟'은 정현의 주에 따르면 "홑이불이다.〔單被也.〕" 胡培翬는 紟은 한 장 뿐이라고 하였다.[207] '衾二'는 정현의 주에 따르면 始死 때 斂衾으로 시신을 덮었는데 지금 또 1장의 斂衾이 있으니 모두 2장이 된다.[208]

⑤ 祭服、散衣、庶襚

모두 〈사상례〉15. 참조.

⑥ 紟不在筭

30벌의 숫자에 들어가지 않은 것을 이른다. 胡培翬에 따르면 '紟'이라고 말했으면 絞와 衾도 이 30벌의 숫자에 들어가지 않은 것을 알 수 있다.[209]

⑦ 東方之饌

정현의 주에 따르면 東堂 아래에 진열하는 것들을 이른다.[210] 이는 대렴전을 위하여 준비하는 奠物이다.

【按】 東堂 아래 奠物을 진열해두는 위치가 張惠言의 圖(〈그림 27〉)와 黃以周의 圖(〈그림 28〉)가 다르다. 〈記〉의 "豆는 甒의 북쪽에 둔다.[豆在甒北.]"라는 구절에 근거하면 장혜언의 圖가 옳다. 〈기석례〉24. 참조.

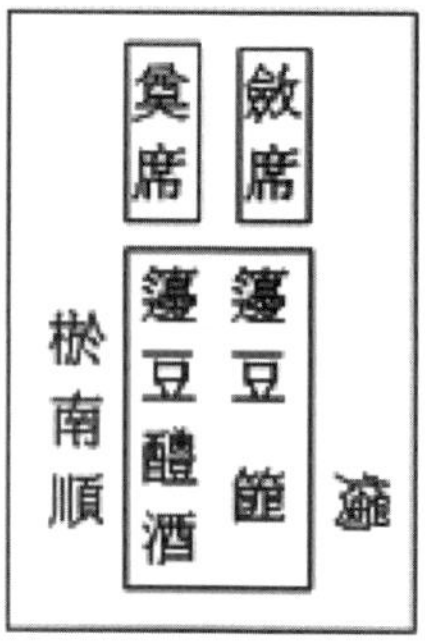

• 그림 27 •
陳大斂
張惠言《儀禮圖》

• 그림 28 •
陳大斂
黃以周《禮書通故》

⑧ 角觶; 木柶

【按】 〈기석례〉24. 참조.

⑨ 毼豆

'毼'은 음이 '할'이다. 정현의 주에 따르면 "희다는 뜻이다.〔白也.〕" 胡培翬는 "毼은 백색 모포이다. 여기의 豆도 백색이기 때문에 그 뜻을 취하여 이름으로 삼은 것이다.〔毼是毛布色白, 此豆亦白, 故取以爲名.〕"라고 하였다.

⑩ 葵菹芋

'葵'는 채소 이름이다. '菹'는 음이 '저'로, 식초를 사용하여 담근 채소이다. 《說文解字》에 "菹는 초절임 채소이다.〔菹, 酢菜也.〕"라고 하였는데, 段玉裁의 주에 "酢는 지금의 醋자이다. 菹는 반드시 식초가 있어야 맛을 낼 수 있다.〔酢, 今之醋字. 菹

207) 《儀禮正義》卷27 : "言衾二, 則紟止一矣."

208) 鄭玄注 : "衾二者, 始死斂衾, 今又復制也."

209) 《儀禮正義》卷27 : "但言紟者, 絞在紟外, 衾亦紟類, 言紟而絞與衾亦不在算可知矣."

210) 鄭玄注 : "此饌但言東方, 則亦在東堂下也."

須醯(亦醋)成味.〕"라고 하였다. 葵苴는 즉 葵菜로 만든 苴이다. 葵菹와 다른 것은 여기의 葵菜는 자르지 않고 葵菜 전체를 통째로 절여서 만든 菹菜라는 것이다. 賈公彦에 따르면 채소를 절일 때는 채소의 길이를 4寸으로 자르는데, 喪에 쓰는 葵菹는 아무리 길더라도 자르지 않기 때문에 이를 '葵菹芋'라고 이름붙인 것이다. '芋'는 정현의 주에 따르면 齊나라 지역 방언에 자르지 않은 온전한 채소로 만든 절임을 '芋'라고 불렀기 때문에 이를 인용하여 이름으로 삼은 것이다.[211]

⑪ 蠃醢

달팽이 살로 만든 醬이다. '蠃'는 음이 '라'이다. 정현의 주에 따르면 "蜓蝓(이유)이다.〔蜓蝓也.〕"《爾雅》〈釋魚〉에 '蜓蝓'라는 것이 있는데, 郭璞의 주에 "즉 달팽이이다.〔即蝸牛也.〕"라고 하였다. 이에 따르면 '蠃醢'는 즉 달팽이 살로 만든 醬이다.

⑫ 縢

정현의 주에 따르면 "테두리이다.〔緣也.〕" 대나무로 籩이나 筐 등을 짤 때 보통은 입구 가장자리에 대나무 가닥으로 비교적 굵은 테두리를 하나 만들어 마무리 하지만 이 喪籩은 테두리를 만들지 않는다.

⑬ 布巾

【按】 注疏에 따르면 여기에서 籩에는 巾을 언급하고 豆에는 巾을 언급하지 않은 것은 豆는 菹·醢와 같은 젖은 음식을 담는 것이어서 굳이 巾을 언급하지 않아도 되기 때문이니, 사실은 豆에 담은 음식도 巾으로 덮어둔다.[212] 敖繼公은 이때 籩에만 巾을 언급한 것은 마른 음식은 혹여 巾을 덮어둘 필요가 없다고 여길까 해서이다.[213] 〈기석례〉24. 주 ⑩ 참조.

⑭ 不擇

喪事는 황망하고 갑작스러운 일이기 때문에 간략함을 따르는 것이다.

⑮ 脡

육포이다. '脡'은 〈鄕飮酒禮 記〉에는 '挺'으로 되어 있다. '挺'은 정현의 주에 따르면 "膱과 같다.〔猶膱也.〕" '膱'은 음이 '직'으로, 즉 육포〔乾肉條〕이다. '膱'은 정현의 주에 따르면 "脡과 같다.〔猶脡也.〕"

⑯ 奠席

奠祭를 위해 준비해둔 자리이다.

⑰ 斂席

211) 鄭玄注 : "齊人或名全菹爲芋."
賈公彦疏 : "云'齊人或名全菹爲芋'者, 案鄭於《周禮 · 醢人》注云: '細切爲齏, 全物若牒爲菹.' 若然, 凡菹者, 全物不得芋名. 此云齊人名全菹爲芋者, 菹法, 舊短四寸者全之, 若長於四寸者, 亦切之, 則葵長者自然切乃爲菹. 但喪中之菹葵, 雖長而不切, 取齊人全菹爲芋之解也."

212) 鄭玄注 : "布巾, 籩巾也. 籩豆具而有巾, 盛之也."
賈公彦疏 : "使小斂一豆一籩, 籩豆不具, 故無巾. 若然, 籩有巾, 豆無巾者, 以豆盛菹醢, 濕物不嫌無巾, 故不言, 其實有巾矣."

213) 《儀禮集說》卷12 : "《記》曰'凡籩豆, 實具設, 皆巾之', 亦指此時也. 乃獨於籩見之者, 嫌乾物或可不必巾也."

대렴 때 쓸 자리이다. 胡培翬에 따르면 "마찬가지로 莞席(왕골자리)을 바닥에 깔고 簟席(대자리)을 위에 깐다.〔亦下莞上簟.〕"

【按】〈사상례〉20. 주② 참조.

⑱ 掘肂見衽

'肂'는 음이 '사'이다. 정현의 주에 따르면 "관을 묻을 구덩이이다. 당의 서쪽 계단 위쪽에 판다.〔埋棺之坎也, 屈之於西階上.〕" '衽'은 정현의 주에 따르면 "小要이다.〔小要(腰)也.〕" 이른바 '小要'라는 것은 《예기》〈檀弓 上〉 孔穎達의 正義에 따르면 "그 모양은 양쪽 끝은 넓고 중앙은 좁다. 관에 못을 사용하지 않고 단지 관의 옆과 양쪽 끝이 만나는 곳을 먼저 오목한 모양으로 판 뒤에 小要로 연결하여 관을 고정시킨다.〔其形兩頭廣, 中央小也. 旣不用釘棺, 但先鑿棺邊及兩頭合際處作坎形, 以小要連之, 令固棺.〕" 이에 따르면 小要는 지금의 이른바 '장부〔榫〕'와 같은 것인 듯하다.

【按】《예기》〈喪大記〉에 따르면 제후의 殯은 棺柩를 輴車에 놓고 그 주위 사방을 欑(찬. 휘추리나무)으로 棺柩의 높이까지 쌓은 뒤 그 위를 지붕 모양으로 만들고 진흙으로 바른다. 대부의 殯은 관구를 西序 아래에 놓고 幬(주. 모기장처럼 생긴 棺衣)를 덮어씌운 뒤 3면을 欑으로 쌓는데 그 윗부분이 西序로 기울어지도록 하고 진흙을 棺柩 위쪽으로만 바른다. 士의 殯은 관구를 땅 속에 얕게 묻어서 지상 위로 小要가 보이도록 한 뒤 관구 위에 나무를 펴고 진흙으로 바른다. 이 3종의 殯은 모두 帷로 에워싼다.[214] 가공언은 《예기》〈檀弓〉의 "殯을 夏나라는 당 위 동쪽 계단 위쪽에 하고, 殷나라는 두 기둥 사이에 하고, 周나라는 서쪽 계단 위쪽에 한다."라는 구절을 근거로 여기의 士 역시 서쪽 계단 위쪽에 한다는 것을 알 수 있다고 하였다. 또한 《예기》〈禮運〉의 "죽었을 때는 머리를 북쪽으로 두고 살아 있을 때는 머리를 남쪽으로 한다."라는 구절을 근거로, 이때는 아직 장례하기 전이어서 生時의 예와 차마 다르게 할 수 없기 때문에 머리를 남쪽으로 둔다고 하였다.[215] 張惠言의 〈陳大斂衣徹奠〉圖에는 肂가 남향으로 되어 있고, 黃以周의 〈陳大斂衣徹奠〉圖에는 肂가 북향으로 되어 있는데, 가공언의 소에 따르면 황이주의 圖가 옳다. '衽'은 陳澔에 따르면 小要라고도 하며 관과 관 뚜껑을 연결시키는 것이다.[216] 〈상대기〉 注疏에 따르면 제후는 관 양쪽에 衽을 각각 3개씩 쓰고 이곳을 지나가도록 세 가닥 소가죽 끈으로 관을 묶으며, 대부와 士는 관 양쪽에 각각 2개의 衽을 쓰고 두 가닥 끈으로 묶는다. 제후와 대부는 관에 칠을 하고 士는 칠을 하지 않는다.[217]

⑲ 升棺用軸

'軸'은 정현의 주에 따르면 즉 輁軸이다. 그 모양은 牀과 같은데 앞쪽과 뒤

214) 《禮記》〈喪大記〉: "君殯用輴, 欑至于上, 畢塗屋. 大夫殯以幬, 欑置于西序, 塗不暨于棺. 士殯見衽, 塗上. 帷之."

215) 賈公彦疏 : "《檀弓》孔子云: '夏后氏殯於東階, 殷人殯於兩楹之間, 周人殯於西階之上.' 故知士亦殯於西階之上. 此殯時, 雖不言南首, 南首可知.……《禮運》云: '故死者北首, 生者南鄉.' 亦據葬後而言, 則未葬已前, 不忍異於生, 皆南首."

216) 《陳氏禮記集說》〈檀弓上〉陳澔注: "衣之縫合處曰衽, 以小要連合棺與蓋之際, 故亦名衽."

217) 《禮記》〈喪大記〉: "君蓋用漆, 三衽三束. 大夫蓋用漆, 二衽二束. 士蓋不用漆, 二衽二束."
鄭玄注: "衽, 小要也." 孔穎達正義 : "此一經明衽束之數. 君蓋用漆者, 蓋, 棺上蓋, 用漆, 謂漆其衽合縫處也. 三衽三束者, 衽, 謂燕尾合棺縫際也. 束, 謂以皮束棺也. 棺兩邊各三衽, 每當衽上, 輒以牛皮束之, 故云'三衽三束'也."

쪽에 각각 구르는 축이 하나씩 있다.[218] 〈기석례〉4. 주① 참조.

【按】 이때 棺을 肂에 넣으며 시신은 대렴이 끝난 뒤에 肂 안의 棺에 모신다. 〈사상례〉27. 주① 참조. '輁軸'은 〈기석례〉4. 〈그림 34〉 참조.

⑳ 熬黍、稷

'熬'는 《說文解字》에 따르면 "볶아서 말리는 것이다.〔乾煎也.〕" 段玉裁의 注에 《方言》을 인용하여 "熬는 불로 건조시키는 것이다. 무릇 불로 오곡 종류를 말리는 것을 齊나라·楚나라 밖의 山東 지역에서는 '熬'라고 이른다.〔《方言》: '熬, 火幹也. 凡以火而幹五穀之類, 自山而東, 齊、楚以往, 謂之熬.'〕"라고 하였다. 이에 따르면 熬는 즉 지금의 이른바 '焙炒(볶다)'이다. 黍稷을 볶는 목적은 정현의 주에 따르면 "왕개미들을 유인하여 棺 근처에 접근하지 못하도록 하기 위해서이다.〔所以惑蚍蜉, 令不至棺旁也.〕" '蚍蜉'는 개미 종류이다. 이것은 구덩이를 파고 殯을 하려고 할 때 고소하게 볶은 黍稷으로 개미들을 유인하여 관과 시신이 侵食되지 않도록 하는 것이다.

【按】 《예기》〈喪大記〉에 따르면 볶은 곡식을 임금은 4種 8筐을 쓰고, 대부는 3種 6筐, 士는 2種 4筐을 쓴다.[219]

㉑ 有魚、腊

胡培翬에 따르면 "魚·腊과 黍·稷을 같은 광주리에 담는 것이다.〔魚、腊與黍、稷共筐.〕" '腊'은 음이 '석'이다. 《說文解字》에 따르면 "말린 고기이다.〔乾肉也.〕" 《주례》〈天官 腊人〉 정현의 주에 "腊은 작은 동물을 통째로 말린 것이다.〔腊, 小物全乾.〕"라고 하였다. 魚·腊도 왕개미를 유인하기 위해 마련하는 것이다.

【按】 蔡德晉에 따르면 魚·腊은 黍·稷을 담은 광주리마다 함께 담아 肂 안에 넣는 것이다.[220]

㉒ 豚合升

정현의 주에 따르면 "合升은 좌우 牲體를 합하여 鼎에 담는 것이다.〔合左右體升於鼎.〕" 또 정현의 주에 따르면 "鑊(확)에서 끓이는 것을 亨(烹), 鼎에 담는 것을 升, 俎에 담는 것을 載라고 한다.〔煮於鑊曰亨, 在鼎曰升, 在俎曰載.〕" 일반적으로 희생을 잡으면 모두 양쪽으로 잘라 鑊에서 끓인 뒤에 鼎에 담는데 이것을 '升'(즉 升鼎)이라고 한다. 그런 뒤에는 鼎에서 꺼내어 俎에 올려놓는데 이것을 '載'라고 한다. '合'은 左胖과 右胖 양쪽을 합한 것을

218) 鄭玄注 : "軸, 輁軸也. 輁狀如牀, 軸其輪, 輓而行."

219) 賈公彦疏 : "《喪大記》云: '熬, 君四種八筐, 大夫三種六筐, 士二種四筐. 加魚、腊焉.'"

220) 《禮經本義》卷12〈兇禮〉: "有魚、腊, 每筐皆有之也. 此四物者, 擬用於肂中, 故置於此."

이른다. '載合升'은 鼎에 담을 때와 俎에 담을 때 모두 좌반과 우반을 합쳐 담는 것이다. 吳廷華는 "길사에는 희생의 우반을 쓰고 흉사에는 좌반을 쓴다. 豚은 작기 때문에 합쳐서 사용하는 것이다.〔吉事牲用右, 凶事用左. 豚小, 故合用之.〕"라고 하였다.

㉓ 魚, 鱄、鮒九

'鱄'은 일종의 담수어이다. 王引之의 《經義述聞》에 따르면 전어를 쓰기도 하고 붕어를 쓰기도 하는데 그 수는 모두 9마리이다.[221]

【按】 왕인지에 따르면 전어를 쓸 때는 붕어를 쓰지 않고 붕어를 쓸 때는 전어를 쓰지 않는다. 전어나 붕어를 합쳐서 9마리를 쓴다면 반반씩 나누기가 힘들기 때문이다.

㉔ 腊左胖, 髀不升

'腊'은 孔穎達의 正義에 따르면 여기에서는 兎腊(말린 토끼고기)이 되어야 한다.[222] '髀'는 牲體의 뒷다리뼈〔後脛骨〕 가장 윗부분이다.(〈그림 25〉) 이 부분을 鼎에 담지 않는 이유는 정현의 주에 따르면 "항문에 가까워 천하기 때문이다.〔近竅(肛門), 賤也.〕"

㉕ 其他皆如初

정현의 주에 따르면 이것은 豚體를 자르는 것과 匕·俎등을 진열하는 것을 모두 소렴 때와 똑같이 하는 것을 말한다.[223]

㉖ 饌

즉 이전에 東堂 아래에 진열해둔 饌이다.

25. 소렴전을 치움

祝徹盥于門外①, 入, 升自阼階。丈夫踊。祝徹巾②, 授執事者以待③。徹饌, 先取醴、酒, 北面④。其餘⑤, 取先設者, 出于足, 降自西階⑥。婦人踊。設于序西南, 當西榮⑦, 如設于堂。醴、酒位如初。執事豆北, 南面, 東上⑧。乃適饌⑨。

221) 《經義述聞》第10 : "當其用鱄則不用鮒, 當其用鮒則不用鱄矣. 否則鱄、鮒竝用於一時, 而欲合其數爲九, 孰多孰少, 安所得而中分之乎? 鄭注、賈疏皆未之及, 故略言之."

222) 《儀禮正義》卷27 : "《喪大記》孔疏云: '《特牲》士腊用兎, 《少牢》大夫腊用麋. 天子諸侯無文, 當用六獸之屬.'"

223) 鄭玄注 : "其他皆如初, 謂豚體及匕、俎之陳, 如小斂時, 合升四鬄, 亦相互耳."

소렴전을 치우기 위해 夏祝(집사자 포함)이 寢門 밖에서 손을 씻고 들어와 동쪽 계단으로 堂에 올라간다. 이때 장부들(주인과 衆主人)이 踊을 한다.
하축이 소렴전을 덮었던 布巾(소공포)을 걷어서 집사자에게 주고 동쪽 계단 아래에서 기다리게 한다. 하축과 집사자가 奠物을 치우는데, 먼저 醴와 酒를 들고 북향하여 선다. 그 나머지(籩·豆·俎)는 먼저 진설한 것부터 들고 醴와 酒를 든 사람들을 따라 시신의 발쪽(북쪽)으로 돌아 서쪽 계단으로 내려온다. 이때 부인들이 踊을 한다.
거둔 奠物을 당 아래 西序의 남쪽 西榮에 해당되는 곳에 진설하는데 당 위에 진설했던 것처럼 진설한다. 醴와 酒를 든 집사자들의 위치도 소렴전을 올릴 때와 똑같이 북향하고 서쪽을 상위로 하여 醴를 든 집사자가 서쪽에 선다.
다른 집사자들은 籩·豆와 俎를 진설한 뒤 변·두의 북쪽에서 남향하여 서는데 동쪽을 상위로 하여 선다.
진설이 끝나면 이에 夏祝과 집사자들이 東堂 아래 대렴전을 진열한 곳으로 간다.

① 祝徹盥于門外

'祝'은 胡匡衷의 《儀禮釋官》에 따르면 夏祝이다.[224] 정현의 주에 따르면 奠物을 치우는 사람은 祝 한 사람이 아니고 有司(執事者)들도 있다.[225] '于門外'는 張惠言의 〈陳大斂衣徹奠〉圖에 따르면 침문 밖 동쪽으로 약간 치우친 곳이다.

【按】 호광충에 따르면 〈사상례〉와 〈기석례〉에서 쌀을 씻고, 반함하고 남은 쌀로 죽을 끓이고, 奠을 올리고, 奠을 거두는 사람은 夏祝이며, 襲·반함·소렴·대렴을 하고, 대공포로 널을 털고, 널을 꾸미고, 柩車를 지휘하는 사람은 商祝이며, 銘을 가지고 와 뜰의 重이 있는 곳에 두는 사람은 周祝이다. (〈사상례〉11. 주② 참조) 정현의 주 및 敖繼公과 胡培翬에 따르면 여기의 '祝'은 축 한 사람이 아닌 소렴전을 치워야 하는 有司(집사자)를 포함하는 말로, 이때 祝만 언급한 것은 이들 가운데 尊者만 드러낸 것이다. '祝徹'은 다음에 나오는 일, 즉 巾과 奠物을 치우는 일을 기록한 것이다. 대렴전을 올릴 때는 동당 아래에 盆盥이 없기 때문에 침문 밖에서 손을 씻는다.[226] 양천우의 주에서는 여기의 '盥'을 '盆과 巾'으로 보았으나 여기에서는 통설에 따라 '손을 씻는 것'으로 해석하였다. 정현에 따르

224) 《儀禮釋官》卷5 :"據此篇及下篇, 則掌淅米、鬻餘飯、進奠、徹奠者, 夏祝也; 掌襲、含、小、大斂、拂柩、飾柩、御柩者, 商祝也; 掌取銘者, 周祝也."

225) 鄭玄注 :"祝徹, 祝與有司當徹小斂之奠者."

226) 《儀禮集說》卷12 :"祝徹者, 題下事也. 此徹者多矣, 惟言祝, 見其尊者耳. 是時, 無東堂下之盆盥, 故盥于門外."
《儀禮正義》卷27 :"有司, 謂執事者. 注以經但言'祝徹', 故特明之, 見徹者非祝一人也. 敖氏云: '祝徹, 題下事也, 唯言祝, 見其尊者耳.' 是也."

면 소렴 때에는 盆盥을 東堂 아래 소렴전을 진열해두었던 곳 동쪽에 진열하고 (장혜언의 〈小斂〉圖 참조) 손을 닦는 수건을 둔다. 대렴 때에는 盆盥을 寢門 밖 東塾 앞에 진열하는데, 이는 더욱 威儀를 갖춘 것이다.[227] 張惠言에 따르면 이때에도 손을 닦는 수건이 있다.[228]

② 巾

시신의 동쪽에 올린 소렴전을 덮었던 布巾을 가리킨다.

③ 待

정현의 주에 따르면 동쪽 계단 아래에서 기다렸다가 대렴전을 올린 뒤에 이 布巾으로 덮으려는 것이다.[229]

④ 先取醴、酒, 北面

정현의 주에 따르면 이것은 북향하고 서서 소렴전을 치우는 다른 집사자들을 기다렸다가 함께 당 아래로 내려오려는 것이다.[230]

【按】 張惠言의 〈陳大斂衣徹奠〉圖에는 집사자가 醴와 酒를 들고 시신의 북쪽에서 북향하여 서있고, 黃以周의 〈陳大斂衣徹奠〉圖에는 집사자가 시신의 동남쪽 堂廉에서 북향하여 서있다. 자세하지 않다.

⑤ 其餘

籩·豆와 俎를 이른다.

⑥ 降自西階

胡培翬에 따르면 "奠物을 들고서 醴와 酒를 든 사람이 가기를 기다렸다가 뒤따라 함께 내려온다.〔既取, 俟執醴、酒者行而從之俱降.〕"

⑦ 設于序西南, 當西榮

소렴전을 치운 뒤에 또 다시 여기에 진설하는 이유는 정현의 주에 따르면 "뜰에서 神을 찾기 위해서이다. 즉 孝子가 차마 어버이로 하여금 잠시라도 의지할 곳이 없게 할 수 없어서이다.〔爲求神於庭, 孝子不忍使其親須臾無所馮依也.〕"

【按】 정현의 주에 따르면 일반적으로 奠物을 西序의 남쪽에 진설하는 것은 다음 전물을 올리는 일이 끝나면 치운다. 가공언은 "여기에서 말하는 奠物은 小斂奠、大斂奠、遷祖奠·祖奠을 말한다. 다만 그 다음 전물을 진설하려면 이전에 진설했던 전물을 먼저 西序의 남쪽으로 거두어두었다가 다음 전물의 진설이 끝나면 치운다. 이 때문에 소렴전을 西序 남쪽으로 거두어 진설할 때 布巾을 덮어두지 않는 것이니, 이것은 오랫동안 진설해두지 않기 때문이다."라고 하였다.[231]

⑧ 醴、酒……東上

227) 鄭玄注："小斂, 設盥于饌東, 有巾. 大斂, 設盥于門外, 彌有威儀."

228) 《儀禮圖》卷5〈陳大斂衣徹奠〉: "亦盆盥布巾."

229) 鄭玄注："授執巾者於尸東, 使先待於阼階下, 爲大斂奠又將巾之. 祝還徹醴也."

230) 鄭玄注："北面立, 相待俱降."

231) 鄭玄注："凡奠, 設于序西南者, 畢事而去之."
賈公彥疏："言'凡奠', 謂小斂奠、大斂奠、遷柩奠、祖奠. 但將設後奠, 則徹先奠於西序南, 待後奠事畢則去之, 故小斂奠設之於此不巾, 以不久設故也."

'醴酒'는 醴를 든 사람과 酒를 든 사람을 가리킨다. '執事'는 籩·豆와 俎를 든 사람을 가리킨다. 여기에서 거둔 대렴전을 당 아래에 진설할 때의 의절은 처음에 당 위에 진설할 때와 똑같으며 오직 '東上'만이 소렴전을 진설할 때의 '西上'과 다를 뿐이다. 그러나 모두 시신이 있는 쪽을 기준으로 시신과 가까운 쪽을 상위로 삼는 것이어서 실제로는 다른 것이 아니다. 〈사상례〉21. '奠于尸東'부터 '立于俎北, 西上'까지 참조.

【按】 정현의 주에 따르면 '如初'는 醴와 酒를 들고 서쪽을 상위로 하여 북향하고 서는 것을 이른다.[232] 〈사상례〉21. 참조.

⑨ 適饌

'饌'은 정현의 주에 따르면 "동쪽의 새로운 奠物이다.〔東方之新饌.〕" 즉 東堂 아래 새로 대렴전을 진열해둔 곳을 가리킨다.

【案】 張惠言에 따르면 조석곡 때 집사자가 奠物을 거둔 뒤 주인의 북쪽을 지나 東堂 아래 奠物을 진열한 곳으로 가는 것처럼 여기에서도 주인의 북쪽을 지나서 간다.[233]

26. 大斂(3일째)

帷堂①。婦人尸西, 東面②。主人及親者升自西階③, 出于足, 西面, 袒④。士盥, 位如初⑤。布席如初⑥。商祝布絞、紟、衾、衣, 美者在外⑦。君襚不倒。有大夫則告⑧。士舉遷尸, 復位。主人踊無算。卒斂, 徹帷。主人馮如初, 主婦亦如之⑨。

당에 휘장을 친다.

당위 동쪽 계단 위쪽에 있던 부인들이 시신의 서쪽에서 동향하고 선다.

주인과 親者(대공친 이상의 남자)가 서쪽 계단으로 당에 올라 시신의 발쪽(북쪽)으로 돌아 동쪽으로 가서 서향하고 左袒한다.

232) 鄭玄注 : "如初者, 如其醴、酒, 北面, 西上也."

233) 《儀禮圖》卷5〈陳大斂衣徹奠〉: "案經朝夕哭徹奠, 由主人之北適饌, 此亦然也."

士가 소렴 때와 같이 西堂 아래에서 손을 씻고 서쪽 계단 아래에 두 사람씩 나란히 동향하고 선다.

有司가 동쪽 계단 위쪽에 소렴 때와 같이 莞席(왕골자리)을 바닥에 깔고 簟席(고운 삿자리)을 그 위에 깐다.
商祝이 簟席 위에 絞·紟(홑이불)·衾·襚를 펴는데 임금이 보낸 옷이 가장 겉에 나오도록 먼저 편다. 이때 임금이 보낸 옷은 상하가 거꾸로 되게 하지 않는다.
대렴을 하는 중에 대부가 오면 주인이 대렴하는 중이어서 맞이하지 못한다고 고한다.
士가 시신을 당 위 두 기둥 사이에 있는 小斂牀에서 들어 商祝이 동쪽 계단 위쪽 襚 등을 펴놓은 대렴 자리 위로 옮기고 서쪽 계단 아래 원래 자리로 돌아간다. 이때 주인이 踊을 한정 없이 한다.

대렴이 끝나면 휘장을 걷어 올린다.
주인이 소렴 때와 같이 馮尸한 뒤에 일어나 踊을 한정 없이 한다.
주부도 시신의 서쪽에서 소렴 때와 같이 馮尸한 뒤에 일어나 踊을 한정 없이 한다.

① 帷堂

소렴을 마치고 휘장을 걷었는데 (〈사상례〉20. 참조) 지금 대렴을 하려고 하기 때문에 또 휘장을 치는 것이다.

② 婦人尸西, 東面

소렴한 뒤에 부인의 자리는 동쪽 계단 위쪽이었는데 (〈사상례〉20. 주⑯ 참조) 지금 다시 또 시신의 서쪽으로 와서 동향하고 서는 것이다.

③ 親者

이는 大功 이상의 친속 중 남자를 이른다. 〈사상례〉4. 주④ 참조.

④ 西面, 袒

'袒'은 마찬가지로 左袒하는 것이다. 〈사상례〉12. 주② 참조.

【按】《예기》〈喪大記〉에 따르면 일반적으로 염을 할 때는 左袒하고 시신을 옮길 때는 다시 襲을 한다.[234] 또 〈상대기〉에 따르면 死者의 아들, 즉 주인은 東序 끝에서 서향하고

234) 《禮記》〈喪大記〉: "凡斂者袒, 遷尸者襲."

대렴하는 것을 본다.[235]

⑤ 士盥, 位如初

정현의 주에 따르면 "소렴 때와 마찬가지로 손을 씻고 나서 서쪽 계단 아래에 나란히 서는 것이다.〔亦既盥, 竝立西階下.〕" 〈사상례〉20. 주① 참조.

⑥ 布席如初

정현의 주에 따르면 여기에서 자리를 까는 것도 莞席(왕골자리)은 밑에 깔고 簟席(고운 삿자리)은 위에 깔기 때문에 '如初'라고 말한 것이다. 그러나 자리를 까는 곳은 당 위 동쪽 계단 위쪽에 있어서 (〈既夕禮 記〉24. 주 ⑮ 참조) 두 기둥 사이에 자리를 깔았던 소렴 때와는 다르다.[236]

【按】 張惠言의 〈大斂殯〉圖 참조.

⑦ 美者在外

'美者'는 여기에서는 임금이 보낸 襚를 이른다. 임금이 보낸 襚는 가장 먼저 펴놓아야 한다. 먼저 펴놓은 의복이 염할 때에는 나중에 사용되기 때문에 겉에 있게 된다. 秦蕙田의 《五禮通考》 권260에 "의복 중에 좋은 것은 임금이 보낸 襚만한 것이 없기 때문에 대렴 때 쓴다. 이것은 임금의 은혜를 빛내는 것이어서 밖으로 나오게 하고 안으로 들어가지 않게 한다.〔服之美者, 莫如君襚, 大斂用之, 所以章君之賜也, 故在外而不在內.〕"라고 하였다.

⑧ 有大夫則告

정현의 주에 따르면 이것은 주인이 한창 대렴하고 있을 때 조문하러 온 대부가 있으면 대부에게 사람을 보내 주인이 지금 대렴을 하고 있어서 당을 내려가 拜賓할 수 없다고 고하는 것을 말한다. 대렴하고 있는 때가 아니라면 당연히 "당에서 내려가 절해야 한다.〔當降拜之.〕"[237]

⑨ 主人馮如初, 主婦亦如之

〈사상례〉20. 참조.

235) 《禮記》〈喪大記〉: "君將大斂, 子弁絰, 即位于序端." 《儀禮圖》卷5〈大斂殯〉: "依《大記》, 主人視斂在序端."

236) 鄭玄注 : "亦下莞上簟, 鋪於阼階上, 於楹間爲少南." 賈公彦疏 : "云'於楹間爲少南'者, 取南北節, 以其言阼階上, 故知於楹間爲少南, 近阼階也."

237) 鄭玄注 : "後來者則告以方斂. 非斂時, 則當降拜之."

27. 殯棺

主人奉尸斂于棺①, 踊如初②, 乃蓋。主人降, 拜大夫之後至者③, 北面視肂④。衆主人復位。婦人東復位。設熬, 旁一筐⑤, 乃塗⑥。踊無筭。卒塗, 祝取銘置于肂⑦。主人復位, 踊, 襲。

주인(주인들과 부인들 포함)이 시신을 받들어 肂(당 위 서쪽 계단 위쪽에 판 구덩이)에 안치한 棺 안에 모신 뒤에 동쪽 계단 위에서 대렴할 때 처럼 踊을 한정 없이 하고 이어 관 뚜껑을 덮는다.
주인이 서쪽 계단으로 당을 내려가 대렴하고 있을 때 뒤늦게 왔던 대부에게 特拜(한사람씩 일일이 한 번 절하는 것)한 뒤 다시 계단을 올라와 서쪽 계단 동쪽에서 북향하고 肂를 살핀다.
衆主人이 동쪽 계단 아래 원래 자리로 돌아간다.
부인들도 동쪽으로 가서 동쪽 계단 위쪽 원래 자리로 돌아간다.
볶은 黍(찰기장)·稷(메기장)을 肂안의 관 사방에 한 광주리씩 놓고 관 위에 木版을 덮은 뒤 흙을 바른다. 이 때 踊을 한정 없이 한다.
흙을 다 바른 뒤에 周祝이 重이 있는 中庭에서 銘을 가져다가 肂 동쪽에 세워둔다.
주인이 동쪽 계단 아래 원래 자리로 가서 踊을 하고 왼쪽 소매를 다시 입는다.

① 主人奉尸斂于棺

吳廷華에 따르면 "소렴 때와 같이 士가 시신을 좌우에서 들고 남녀(주인들과 부인들)가 시신의 머리와 발을 받쳐 든다. '主人'이라고 말한 것은 통솔하는 대상을 밝힌 것이다.〔亦士擧, 男女奉之. 言主人者, 明所統也.〕" 정현의 주에 따르면 관이 肂 안에 있고 시신을 관에 모시는 것을 '殯'이라고 한다.[238]

【按】〈사상례〉20. 주⑪ 참조.

238) 鄭玄注 : "棺在肂中, 斂尸焉, 所謂殯也."

② 踊如初

胡培翬에 따르면 "이때에도 踊을 한정 없이 하는 것이다.〔亦踊無筭也.〕"

③ 主人降, 拜大夫之後至者

주인은 이번에도 서쪽 계단으로 당을 내려가 절을 한다. (〈사상례〉20. 참조) '大夫之後至者'는 바로 〈사상례〉 제26절에서 말한 '有大夫則告'의 그 대부이다.

④ 北面視肂

【按】 吳廷華는 관에 흙을 바를 때 반드시 주인이 직접 보아야하기 때문에 이때 주인은 계단을 올라가 살펴본다고 하였으며[239] 양천우의 주에서도 이 설을 취하였다. 정현의 주에 따르면 주인은 이때 서쪽 계단 동쪽에서 북향을 하고 殯하는 것을 바라본다.[240] 張惠言의 〈大斂殯〉圖에는 주인이 서쪽 계단 서쪽에서 殯하는 것을 보도록 하고 있으나, 黃以周의 〈大斂奠〉圖에서는 정현의 주를 근거로 장혜언의 圖를 틀렸다고 보았다.[241] 胡培翬는 오정화의 설을 옳게 보았다. 즉 경문에서 계단을 올라간다고 하지 않은 것은 글을 생략했을 뿐이라는 것이다. 호배휘에 따르면 이때 주인은 서쪽 계단을 올라가서 당은 오르지 않은 채 서쪽 계단 동쪽에서 殯하는 것을 본다.[242]

⑤ 旁一筐

胡培翬에 따르면 "관의 머리 쪽·발쪽·왼쪽·오른쪽 사방에 각각 1광주리씩 놓는 것을 이른다.〔謂首足左右四旁, 每旁一筐也.〕"

⑥ 乃塗

정현의 주에 따르면 "木版으로 관 위를 덮은 뒤에 흙을 바르는데, 이는 화재에 대비하기 위해서이다.〔以木覆棺上而塗之, 爲火備.〕"

⑦ 祝取銘置于肂

胡匡衷의 《儀禮釋官》에 따르면 여기의 '祝'은 周祝이다.[243]

【按】 '祝'은 〈사상례〉11. 주②, 〈사상례〉14. 주⑩ 〈사상례〉25. 주① 참조. 정현의 주에 따르면 周祝은 이때 銘을 가져다가 받침대를 마련하여 肂의 동쪽에 세워둔다.[244]

239) 《儀禮章句》卷12 : "升階視之, 塗必親蒞之也."

240) 鄭玄注 : "北面於西階東."

241) 《禮書通故》卷48〈大斂殯〉: "注: '視肂北面于西階東.' 張氏非."

242) 《儀禮正義》卷28 : "注云'北面於西階東', 謂主人降拜賓後, 卽在堂下西階東視肂也. 吳氏廷華則謂'升階視之, 塗必親涖之也', 今案吳氏之說似長. 經不言'升階', 文省耳."

243) 《儀禮釋官》卷5〈士喪禮祝〉: "案此周祝."

244) 鄭玄注 : "爲銘設柎, 樹之肂東."

28. 大斂奠

乃奠。燭升自阼階①。祝執巾, 席從②, 設于奧③, 東面。祝反降, 及執事執饌。士盥④, 擧鼎入, 西面, 北上, 如初⑤。載魚左首, 進鬐(기)⑥, 三列。腊進柢(저)。祝執醴如初⑦。酒、豆、籩、俎從, 升自阼階。丈夫踊。甸人徹鼎。奠由楹內入于室⑧。醴、酒北面⑨。設豆, 右菹⑩。菹南栗。栗東脯。豚當豆⑪, 魚次⑫, 腊特于俎北⑬。醴、酒在籩南⑭。巾如初。既錯者出, 立于戶西, 西上⑮。祝後, 闔戶, 先由楹西降自西階。婦人踊。奠者由重南東⑯。丈夫踊。

이어서 奠을 올린다.
횃불을 든 執事者가 동쪽 계단으로 올라간다.
夏祝이 布巾(소공포)을 들고 집사자가 奠席을 들고 횃불을 든 집사자를 뒤따라 올라가 室의 奧(서남쪽 모퉁이)에 자리를 동향으로 편다. (巾을 자리 오른쪽에 놓는다)
夏祝이 되돌아 당을 내려와 집사자들과 함께 東堂 아래에 진열해둔 奠物을 든다.
士가 寢門 밖에서 손을 씻은 뒤에 鼎을 들고 침문 안으로 들어와 뜰 동쪽에 서향으로 놓는데, 북쪽을 상위로 삼아 豚鼎─魚鼎─腊鼎 순으로 놓고 나머지 의절들도 소렴 때와 같이 한다.

魚(민물고기 9마리)는 머리가 왼쪽으로 가고 등뼈가 앞을 향하도록 하여 俎에 세 줄로 담는다.
兎腊(말린 토끼고기)은 뼈의 뿌리 부분이 앞을 향하도록 하여 俎에 담는다.
夏祝이 醴를 들고 소렴 때처럼 앞장서서 당에 올라가고 집사자들이 酒·豆·籩·俎를 가지고 夏祝을 뒤따라서 동쪽 계단으로 당에 올라간다. 이때 丈夫들(주인·衆主人)이 踊을 한다.

甸人이 鼎을 거두어 寢門 밖으로 나간다.
奠物을 든 사람들이 楹內(동쪽 기둥의 북쪽)를 지나서 室로 들어간다.
醴를 든 夏祝과 酒를 든 집사자가 북향하고 선다.
豆를 먼저 진열하는데 菹豆를 醢豆의 오른쪽에 놓는다.
菹豆의 남쪽에 栗籩을 놓고 栗籩의 동쪽에 脯籩을 놓는다.
豚俎는 菹豆와 醢豆의 동쪽에 놓고 魚俎는 豚俎의 동쪽에 놓으며 腊俎는 단독으로 魚俎와 豚俎의 북쪽에 놓는다.
醴는 栗籩의 남쪽에 놓고 酒는 脯籩의 남쪽에 놓는다.
夏祝이 布巾으로 소렴 때와 같이 奠物을 덮는다.

奠物 진설을 마친 집사자들이 室을 나와 室戶 서쪽에 서쪽을 상위로 하여 남향하고 서서 夏祝이 나오기를 기다린다.
夏祝이 가장 나중에 나와 室戶를 닫고 앞장서서 서쪽 기둥의 서쪽을 지나서 서쪽 계단으로 내려간다. 室戶 서쪽에 있던 집사자들이 따라 내려간다. 이때 부인들이 踊을 한다.
奠物을 진설한 집사자들이 中庭에 있는 重의 남쪽을 지나 寢門 동쪽의 원래 자리로 돌아간다. 이때 장부들이 또 踊을 한다.

① 燭升自阼階

'燭'은 즉 '진열한 奠物의 동쪽에 준비해둔[俟於饌東]' 횃불이다. (〈사상례〉24. 참조) 정현의 주에 따르면 "횃불을 든 사람이 먼저 당에 올라가 室을 밝히는 것이다.[執燭者先升堂照室.]"

② 祝執巾, 席從

'巾'은 즉 앞에서 祝이 걷어서 집사자에게 주어 집사자가 들고 동쪽 계단 아래에서 기다리고 있던 巾으로, (〈사상례〉25. 주②③ 참조) 지금은 祝이 다시 이것을 받아서 드는 것이다. '席'은 奠席을 이른다. 정현의 주에 따르면 자리를 들고 室 안으로 들어가는 것은 死者를 위하여 신의 자리를 마련해주기 위한 것이다.[245] 정현은 또 巾을 자리의 오른쪽에 놓는다고 하였다.[246] 胡匡衷의《儀禮釋官》에서는 여기의 祝을 '夏祝'이라고 하였다.[247]

【按】 '祝'은 〈사상례〉11. 주②, 〈사상례〉25. 주① 참조. '從'은 정현의 주에 따르면 祝이 奠席을 든 집사자와 함께 횃불을 든 집사자를 뒤따라 들어가는 것이다.[248]

245) 鄭玄注："祝執巾, 與執席者從, 入, 爲安神位."
246) 鄭玄注："巾委於席右."
247)《儀禮釋官》卷5："以上皆夏祝."
248) 鄭玄注："祝執巾, 與執席者從."

③ 奧

室 안의 서남쪽 모퉁이이다.

④ 士盥

寢門 밖에서 손을 씻는 듯하다.

⑤ 如初

정현의 주에 따르면 "소렴 때 鼎을 들고, 匕를 들고, 俎를 들고, 扃을 뽑고, 鼏을 벗기고, 牲體를 鼎에서 꺼내어 俎에 담았던 의절과 같이 한다는 것이다.〔如小斂擧鼎, 執匕·俎·扃·鼏·朼載之儀.〕" 〈사상례〉21. 참조.

⑥ 載魚左首, 進鬐

정현의 주에 따르면 "물고기는 머리가 왼쪽으로 가도록 진설하여 머리가 남쪽에 있도록 한다.〔魚左首設而在南.〕" 室의 서남쪽 모퉁이에 펴놓은 자리는 동향하도록 한다. 魚俎를 든 자가 서향하고 진설하는데 머리를 왼쪽으로 두었다면 물고기의 머리 부분은 남쪽에 있게 된다. '進'은 '前(앞)'이라는 뜻이다. '鬐'는 음이 '기'이다. 정현의 주에 따르면 "등뼈이다.〔脊也.〕"

【按】 정현의 주에 따르면 "물고기의 머리를 왼쪽으로 하고 등뼈가 앞쪽으로 가도록 한 것은 마찬가지로 살아있을 때와 달리 하지 않은 것이다.[左首進鬐, 亦未異於生也.]"

⑦ 祝執醴如初

정현의 주에 따르면 "如初는 소렴 때처럼 祝이 먼저 당에 오르는 것이다.〔如初, 祝先升.〕"

【按】 〈사상례〉21. 참조.

⑧ 奠由楹內入

'奠'은 여기에서는 奠物을 가리킨다.

【按】 張惠言의 〈大斂殯〉圖에도 동쪽 기둥의 서쪽을 통하여 가도록 되어 있다. 胡培翬 역시 '楹內'를 '동쪽 기둥의 서쪽[東楹之西]'으로 보았다.[249] 그러나 黃以周의 〈大斂奠〉圖에는 동쪽 기둥의 동쪽과 북쪽을 통하여 가도록 되어 있다. 황이주는 이에 대해 "일반적으로 경문에서 楹外라고 한 것은 모두 기둥의 남쪽을 말하고, 楹內라고 한 것은 모두 기둥 북쪽을 말한다. 동쪽 기둥의 서쪽을 楹內라고 이름 붙인 경우가 없으니 장혜언의 圖는 오류이다."라고 하였다.[250] 敖繼公·盛世佐·吳廷華 역시 楹內를 동쪽 기둥의 북쪽으로 보았다.[251]

⑨ 醴, 酒北面

【按】 醴를 든 집사자와 酒를 든 집사자가 북향하고 서서 다른 집사자들이 각각 奠物을

249) 《儀禮正義》卷28 : "楹內, 東楹之西, 謂執醴及執酒豆籩俎者, 升自阼階, 皆由東楹之西入於室也. 敖氏以楹內爲東楹北, 非."

250) 《禮書通故》卷48〈大斂奠〉: "凡經曰楹外者, 竝楹南; 曰楹內者, 竝楹北. 若東楹西, 無楹內之名也. 張圖誤."

251) 《儀禮集說》卷12 : "楹內, 東楹北也."
《儀禮集編》卷8 : "楹內, 楹北."
《儀禮章句》卷12 : "楹內, 東楹之北."

놓기를 기다렸다가 뒤에 酒와 醴를 놓는 것이다.

⑩ 右菹

정현의 주에 따르면 "菹를 醢의 남쪽에 놓는 것이다.〔菹在醢南也.〕" 豆에 담은 것은 菹와 醢 뿐이니 菹가 오른쪽에 있으면 醢는 왼쪽에 있음을 알 수 있다. 또 奠席이 동향하고 있으니 남쪽이 오른쪽이 된다.

⑪ 豚當豆

胡培翬에 따르면 "菹豆와 醢豆의 동쪽 자리에 해당한다.〔當兩豆之東也.〕"

⑫ 魚次

胡培翬에 따르면 "豚俎의 동쪽에 놓는 것이다.〔在豚俎之東也.〕"

⑬ 腊特于俎北

胡培翬에 따르면 "豚俎와 魚俎의 북쪽에 놓는 것이다.〔在豚、魚兩俎之北也.〕" '特'은 단독으로 진설하는 것을 이른다. 豚俎·魚俎와 나란히 두지 않고 단독으로 이 두 俎의 북쪽에 가로로 진설하는 것이다. '俎北'은 豚俎와 魚俎의 북쪽을 이른다. 吳廷華에 따르면 腊俎는 "두 俎의 북쪽, 醢의 동쪽에〔兩俎之北, 醢之東〕"에 둔다.

【按】〈그림 29〉는 張惠言의 〈大斂殯〉圖에는 豚俎·魚俎·腊俎의 방향이 북향으로 되어 있으나 席을 기준으로 볼 때 특별히 북향할 이유가 없기 때문에 黃以周의 〈大斂奠〉圖를 따른 것이다.

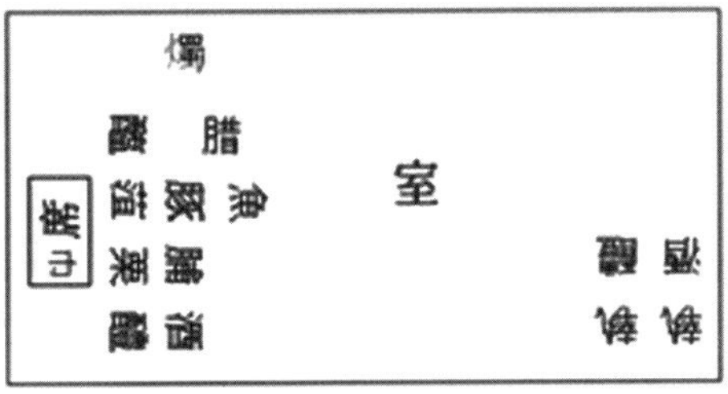

• 그림 29 • 大斂奠
黃以周《禮書通故》

⑭ 籩

밤과 포를 이른다.

⑮ 立于戶西, 西上

胡培翬에 따르면 "남향했을 때에는 서쪽을 상위로 삼는다.〔當南面, 以西爲上.〕"

【按】 祝이 室에서 나오기를 기다리는 것이다. 張惠言의 〈大斂殯〉圖 참조.

⑯ 由重南東

〈사상례〉21. 주㉑ 참조.

29. 대렴한 뒤 賓과 형제를 전송하고 喪次로 나아감

賓出。婦人踊。主人拜送于門外，入，及兄弟北面哭殯①。兄弟出②，主人拜送于門外。衆主人出門，哭止，皆西面于東方。闔門。主人揖就次③。

賓이 물러나온다. 이때 부인들이 踊을 한다.
주인이 寢門 밖에서 절하여 전송한 뒤 다시 들어와 형제들(소공친 이하)과 북향하고 殯을 향하여 곡한다. 이때 喪杖을 짚는다.
형제들이 물러나오면 주인이 침문 밖에서 절하여 전송한다.
衆主人(대공친 이상)이 침문을 나오면 곡을 그치고 모두 寢門 밖 동쪽에서 서향하고 선다.
有司가 침문을 닫는다.
주인이 읍하여 사람들에게 喪次로 나아갈 것을 청한다.

① 哭殯

【按】《예기》〈喪大記〉에 "대부와 士의 適子는 殯을 향하여 곡할 때 喪杖을 짚고 널[柩]을 향하여 곡할 때에는 喪杖을 들어 땅에 닿지 않게 한다."라는 내용이 보인다.[252] 注疏에 따르면 '殯을 향하여 곡한다'는 것은 이미 대렴을 마치고 널을 肂에 안치한 뒤 흙을 발랐다는 것을 말하며, '널을 향하여 곡한다[哭柩]'는 것은 장례를 행하기 위하여 啓殯한 뒤라는 말이다. 여기에서 喪杖을 언급하지 않은 것은 문장을 생략한 것이다.[253]

② 兄弟出

'兄弟'는 정현의 주에 따르면 소공 이하의 친속으로 관계가 비교적 소원한 자를 가리킨다. 즉 "소공 이하의 친속은 이때가 되면 돌아가도 된다.[小功以下, 至此可以歸.]"라고 여긴 것이다.[254] '可以歸'는 반드시 모두 다 돌아가는 것은 아니다. 胡培翬에 따르면 그들 중 情義가 重하여 喪次에 남아서 喪을 지키기를 원하는 자가 있으면 禮에서도 금하지 않는다.[255]

【按】郝敬에 따르면 여기의 '兄弟'는 소공친 이하의 친속으로, 떠나기 전에 殯을 향하여 곡하여 작별 인사를 하는 것이다.[256]

252) 《禮記》〈喪大記〉："大夫、士哭殯則杖，哭柩則輯杖."

253) 鄭玄注："哭殯，謂旣塗也. 哭柩，謂啓後也. 大夫、士之子於父，父也，尊近，哭殯可以杖."
孔穎達正義："大夫、士，謂大夫、士之適子. 哭殯則杖者，旣攢塗之後，於父，父也，其尊偪近，故哭殯可以杖也. 哭柩則輯杖者，謂將葬，旣啟之後，對柩爲尊，則斂去其杖."

254) 鄭玄注："小功以下，至此可以歸，異門大功亦存焉."

255) 《儀禮正義》卷28："鄭云'可以歸'，言'可'，原屬權許之辭，其有誼重而願居於次者，禮亦不禁之也."

256) 《儀禮節解》卷12："兄弟，小功以下之親，將去，哭辭殯."

③ 次

여기에서는 거상하는 장소의 총칭이다. 정현의 주에 따르면 상복의 輕重이 다르면 거처하는 喪次도 달라진다. 참최복을 입는 사람은 倚廬(形制는 〈상복〉1. 주㉖㉚ 참조)에 거하고, 자최복을 입는 사람은 堊室(〈상복〉1. 주㉜ 참조)에 거하며, 대공복을 입는 사람은 휘장을 치고 거한다. 소공복과 시마복을 입는 사람은 휘장도 치지만 牀과 笫(대자리)도 둔다.

【按】 가공언의 소에 따르면 '次'는 참최상에 거하는 倚廬나 자최상에 거하는 堊室 등 거상하는 장소를 총칭하는 말이며, 빈객이 머무는 곳도 次라고 한다.[257] 또 가공언의 소에 따르면 참최상에는 의려에 거하고 거적자리에 눕고 흙덩이를 베며 絰帶를 풀지 않는다. 자최상에는 악실에 거하고 가장자리를 자르기만 하고 안으로 접지 않은 부들자리에 눕는다. 대공상에는 평소 사용하는 자리에 눕는다. 소공상과 시마상에는 침상을 사용할 수 있다. 대공 이하의 상에는 휘장을 친다.[258] 〈사상례〉18. 참조. 張惠言은 정현의 주에 "의려는 中門 밖 동쪽에 있으며 북쪽으로 문을 낸다."라는 구절을 근거로 衆主人의 악실 역시 주인의 의려 동쪽에 있다고 보고 악실의 문을 서쪽으로 낸다는 가공언의 소를 옳지 않게 보았다.[259] 黃以周는 장혜언의 설을 따라 악실의 문을 북쪽으로 낸다고 하였다. 다만 장혜언이 악실을 의려 동쪽에 둔 것에 대해 의려 동쪽에는 악실을 둘 땅이 없다고 하여 악실을 의려 남쪽에 배치하도록 하였다.[260] '倚廬'는 〈상복〉1. 주㉖ 참조. '堊室'은 〈상복〉1. 주㉜ 참조.

257) 賈公彦疏 : "凡言'次'者, 廬、堊室以下總名, 是賓客所在, 亦名次也."

258) 鄭玄注 : "次, 謂斬衰倚廬, 齊衰堊室也. 大功有帷帳, 小功、緦麻有牀、笫可也."
賈公彦疏 : "《間傳》云: '父母之喪, 居倚廬, 寢苫枕凷, 不說絰帶. 齊衰居堊室, 芐翦不納. 大功寢有席, 小功、緦麻, 牀可也.' 齊衰旣居堊室, 故大功以下有帷帳也."

259) 《儀禮圖》卷5〈大斂殯〉: "注云: '倚廬在中門外東方, 北戶.' 案倚廬北戶, 則衆主人堊室宜在其東. 疏以爲西鄉, 未然."

260) 《禮書通故》卷48〈朝夕奠〉: "張云堊室在廬東, 非. 廬, 倚廬, 無其地." "堊室【北戶從張. 疏西戶.】"

30. 國君이 대렴에 親臨했을 때의 禮

君若有賜焉, 則視斂①。旣布衣②, 君至。主人出迎于外門外, 見馬首不哭③, 還(선)入門右, 北面④, 及衆主人袒⑤。巫止于廟門外⑥, 祝代之⑦。小臣二人執戈先, 二人後⑧。君釋采⑨, 入門。主人辟(피)⑩。君升自阼階, 西鄉⑪。祝負墉⑫, 南面。主人中庭。君哭。主人哭, 拜稽顙, 成踊, 出⑬。

君命反行事, 主人復位⑭。君升主人, 主人西楹東, 北面⑮。升公卿大夫, 繼主人⑯, 東上。乃斂。卒, 公卿大夫逆降, 復位⑰。主人降, 出。
君反主人, 主人中庭。君坐, 撫當心⑱。主人拜稽顙, 成踊, 出。
君反之, 復初位⑲。衆主人辟(피)于東壁⑳, 南面。君降, 西鄉命主人馮尸㉑。主人升自西階, 由足, 西面馮尸, 不當君所㉒, 踊。主婦東面馮㉓, 亦如之。奉尸斂于棺㉔, 乃蓋。主人降, 出。
君反之。入門左, 視塗㉕。君升卽位。衆主人復位。卒塗, 主人出。
君命之反奠。入門右㉖, 乃奠, 升自西階㉗。君要節而踊㉘。主人從踊。
卒奠, 主人出。哭者止㉙。君出門, 廟中哭。主人不哭, 辟㉚。君式之㉛, 貳車畢乘㉜。主人哭, 拜送㉝。襲, 入卽位㉞。衆主人襲。拜大夫之後至者㉟。成踊。賓出, 主人拜送。

임금이 만약 士에게 은혜를 더 내릴 경우에는 직접 와서 대렴을 살핀다.
商祝이 衣衾등을 펴 놓은 뒤에 임금이 도착한다.
주인이 外門(대문) 밖에 나가 맞이하는데, 임금이 탄 수레의 말 머리가 보이면 곡을 하지 않고 곧장 몸을 돌려 寢門을 들어와서 침문 오른쪽에서 북향하고 衆主人과 左袒을 한다.
임금을 따라온 巫는 침문 밖에서 멈추고 임금을 따라온 喪祝이 대신하여 임금을 인도한다.
임금을 따라온 小臣(호위무사) 두 명이 창을 잡고 앞장서고 다른 두 명은 창을 잡고 임금을 뒤따른다.
임금이 釋菜를 하고 침문 안으로 들어온다. 이때 주인이 감히 상복 차림으로 임금을 가까이 할 수 없어서 동쪽으로 조금 이동하여 임금을 피한다.
임금이 동쪽 계단으로 당에 올라가 서향하고 선다.

喪祝이 東房의 남쪽 벽을 등지고 남향하고 선다.
주인이 中庭으로 나아간다.
임금이 곡을 한다.
주인이 곡을 하고, 임금에게 拜手한 뒤에 稽顙하고, 成踊을 한 뒤에 침문을 나간다.(1出)

임금이 침문 밖으로 나간 주인에게 돌아와 대렴을 진행하라고 명하면 주인이 中庭의 자리로 돌아온다.
임금이 주인에게 당에 올라오라고 명하면 주인이 당에 올라와 서쪽 기둥의 동쪽에서 북향하고 선다.
임금이 공경대부들에게 당에 올라오라고 명하면 공경대부들이 차례로 당에 올라와 주인의 서쪽에 잇대어 서는데, 동쪽을 상위로 하여 선다.
이어 대렴을 한다.
대렴이 끝나면 공경대부들이 올라올 때의 차례와 반대로 당을 내려가 諸公은 침문 동쪽의 북향하는 자기 자리로 돌아가고 경대부는 침문 동쪽의 서향하는 자기 자리로 돌아간다.
주인이 당을 내려가 침문을 나간다.(2出)

임금이 침문 밖으로 나간 주인에게 돌아오라고 명하면 주인이 中庭의 자리로 돌아온다.
임금이 시신의 동쪽에 앉아서 馮尸(시신의 심장 부분을 어루만짐)한다.
주인이 임금에게 拜手한 뒤에 稽顙하고 成踊하고 침문 밖으로 나간다.(3出)

임금이 침문 밖으로 나간 주인에게 돌아오라고 명하면 주인이 침문 안으로 들어와 침문 동쪽 북향하던 자리로 돌아온다.
동쪽 계단에 있던 衆主人이 임금을 피하여 동쪽 담장 앞으로 물러나서 남향한다.
임금이 당을 내려가 서향하고서 주인에게 馮尸하도록 명한다.
주인이 서쪽 계단으로 당에 올라가 시신의 발쪽(북쪽)으로 돌아 시신의 동쪽으로 가서 서향하고 馮尸(시신을 안고 엎드려 울)하는데, 임금이 어루만졌던 자리에 馮尸하지 않는다. 馮尸한 뒤에 일어나 踊을 한다.
주부가 시신의 서쪽에서 동향하고 馮尸(시신의 심장 부분의 옷을 두 손으로 받쳐듦)하는데, 주인과 똑같이 한다.
이어 시신을 받들어 관 속에 모시고 마침내 관 뚜껑을 덮는다.
주인이 당을 내려가 침문을 나간다.(4出)

임금이 침문 밖으로 나간 주인에게 돌아오라고 명한다.
주인이 침문 왼쪽(서쪽)으로 들어와 서쪽 계단 서쪽에서 有司가 관 위에 흙 바르는 것을 살핀다.
임금이 당에 올라가 동쪽 계단 위 東序 序端의 서향하는 자리로 나아간다.
衆主人이 동쪽 계단 아래 서향하던 자기 자리로 돌아간다.
관에 흙 바르는 일이 끝나면 주인이 침문을 나간다.(5出)

임금이 침문 밖으로 나간 주인에게 돌아와 奠을 올리라고 명한다.
주인이 침문 오른쪽으로 들어와 中庭에 선다.
이어 奠을 진설한다.
집사자들이 奠物을 가지고 서쪽 계단으로 당에 올라간다.
임금이 踊을 해야 하는 순서가 되면 踊을 한다. 이때 주인이 따라서 踊을 한다.

奠을 모두 올리고 나면 주인이 침문을 나간다.(6出)
이때 곡하던 사람들이 곡을 멈춘다.
임금이 침문을 나가면 침문 안에서는 다시 곡을 한다.
침문 밖에 나가 있는 주인은 곡을 하지 않고 임금을 피하여 선다.
임금이 수레 위에서 式禮(몸을 굽혀 공경을 표하는 禮)를 행하고 임금을 수종했던 사람들이 貳車에 모두 타면 주인이 곡을 하고 절하여 전송한다.
주인이 왼쪽 소매를 다시 입고 침문을 들어와 동쪽 계단 아래 서향하던 자기 자리로 나아간다. 衆主人도 왼쪽 소매를 다시 입는다.

주인이 임금보다 뒤늦게 온 대부에게 特拜(한 사람씩 일일이 한 번 절하는 것)하고 成踊을 한다.
賓이 침문을 나가면 주인이 절하여 전송한다.

① 君若有賜焉, 則視斂

정현의 주에 따르면 "賜는 은혜라는 뜻이다. 斂은 대렴이다.〔賜, 恩惠也. 斂, 大斂.〕" 즉 정현은 임금이 대렴에 직접 와서 살피는 것을 은혜를 더 내린 것이라고 생각한 것이다. 胡培翬에 따르면 常禮에 임금은 士의 喪에 대해 殯이 다 끝난 뒤에 조문을 가야 하며, 만약 은혜를 더 내리고자 하면 직접 가서 대렴을 살핀다.[261] 또 敖繼公에 따르면 임금이 대렴을 보고자 하면 먼저 사람을 보내 喪家에 알린다.[262]

【按】 오계공에 따르면 이때 주인은 임금이 대렴에 온다고 미리 알렸기 때문에 감히 당에 올라가지 못하고 먼저 衣衾 등을 펴놓고 기다린다.

② 布衣

商祝이 대렴에 쓰는 衣衾 등을 펴놓는 것을 이른다. 〈사상례〉26. 참조.

③ 見馬首不哭

정현의 주에 따르면 "주인이 임금에게 압존되어 감히 자기의 사사로운 정을 펴지 못하는 것이다.〔厭於君, 不敢伸其私恩.〕"

④ 入門右, 北面

張惠言의 〈君視大斂〉圖에 따르면 주인은 침문을 들어온 뒤에 문의 동쪽에서 東塾을 등지고 선다.

⑤ 及衆主人袒

胡培翬는 "이때 주인과 衆主人은 모두 中庭 남쪽의 침문과 가까운 곳에서 북향하고 서서 임금이 들어오기를 기다리고 있는 것인 듯하다.〔斯時主人及衆主人, 蓋皆北面在中庭以南近門, 俟君之入也.〕"라고 하였다. 褚寅亮에 따르면 만약 임금이 대렴을 직접 보러 오지 않으면 주인이 먼저 左袒을 한 뒤에 商祝이 衣衾 등을 펴놓아야 한다. (〈사상례〉26. 참조) 그런데 지금은 임금이 직접 와서 대렴을 보기 때문에 그 禮를 변경하여 먼저 衣衾 등을 펴놓고 임금을 기다렸다가 나가서 임금을 맞이한 뒤에 비로소 침문을 들어와 左袒을 하는 것이다.[263]

⑥ 巫止于廟門外

261) 《儀禮正義》卷28 : "案君於士, 禮宜旣殯而往弔, 其有加恩賜者, 則視大斂. 故云'君若有賜焉, 則視斂'也. 言若'有', 則不有者, 其常也."

262) 《儀禮集說》卷12 : "君欲視斂, 則使人告喪家. 故主人不敢升堂, 而先布絞、紟、衾、衣, 以待其來."

263) 《儀禮管見》卷下1 : "君不視斂, 主人先袒而後布絞、紟、衾、衣等. 今因君親來, 故先布衣以俟, 至出迎君後, 始入而袒也."

'巫'는 胡匡衷의 《儀禮釋官》에 따르면 男巫이다. 제후의 男巫는 下士가 담당한다.[264] 정현의 주에 "巫는 복을 부르고 재앙을 막아서 질병을 없애는 일을 관장한다.〔巫, 掌招弭(卽招福弭災之意)以除疾病.〕"라고 하였다. 여기의 巫 및 다음에 나오는 祝과 小臣은 모두 임금을 따라온 사람들이다. '廟'는 寢, 즉 殯宮이다.

【按】〈사상례〉21. 주㉓ 참조.

⑦ 祝代之

'祝'은 胡匡衷의《儀禮釋官》에 따르면 喪祝이다. 제후를 위하여 神의 일을 관장하며 中士가 담당한다.[265] '代之'는 胡培翬에 따르면 巫를 대신하여 임금을 앞에서 인도하는 것이다.[266]

【按】'喪祝'은 관직 이름이다. 정현의 주에 따르면 大喪 때 柩車 앞에서 引을 잡고 구거 옆에서 披를 잡은 사람들을 지휘하여 널이 기울어지지 않도록 방비하는 일을 관장한다.[267] 호광충의《의례석관》에 따르면 천자가 신하의 喪에 조문가면 男巫와 喪祝이 모두 앞에서 길을 인도하는 것과 달리, 제후가 조문하면 침문 밖에서는 男巫가 인도하고 침문에 이르면 喪祝이 인도하여 禮를 천자보다 낮춘다.

⑧ 小臣二人執戈先, 二人後

'小臣'은 胡匡衷의 《儀禮釋官》에 따르면 임금의 호위무사이다.[268] 胡培翬에 따르면 "임금을 뒤따르는 다른 두 명의 小臣도 창을 잡고 가는데 경문에서 이를 말하지 않은 것은 글을 생략한 것이다.〔二人後亦執戈, 經不言者, 省文.〕"

⑨ 君釋采

'采'는 '菜'와 통용된다. 《주례》〈春官 大胥〉에 "大胥는 學士가 처음 學宮에 입학하면 學士들이 先師에게 釋菜를 하고 춤을 익혀서 그 나아가고 물러남이 모두 박자에 맞도록 인도한다.〔舍采, 合舞.〕"라고 하였는데, 정현의 주에 "舍는 놓는다는 뜻이다. 采는 菜로 읽어야 한다.〔舍, 卽釋也. 采, 讀爲菜.〕"라고 하였다. 또 《예기》〈喪大記〉에는 '君釋采'를 두 번 말하였는데 '采'가 모두 '菜'로 되어 있다. 이것은 商祝이 임금을 위하여 釋菜를 하는 것이고 임금이 직접 釋菜를 하는 것은 아니다. 정현의 주에 따르면 "釋采는 祝이 임금을 위하여 門의 神에게 禮를 올리는 것이다. 반드시 문의 신에게 예를 올리는 것은 임금이 이유 없이 오지 않았다는 것을 밝힌 것이다.〔釋采者, 祝爲君禮門神也. 必禮神者, 明君無故不來也.〕" '禮門神'은 즉

264) 《儀禮釋官》卷5 : "巫, 男巫.……諸侯男巫當下士."

265) 《儀禮釋官》卷5 : "祝, 喪祝.……諸侯男巫當下士, 喪祝當中士爲之."

266) 《儀禮正義》卷28 : "《儀禮釋官》云: '《周禮》王弔, 男巫、喪祝俱前. 諸侯弔, 廟門外則巫前, 至廟門, 則祝代之前, 是下天子也.'"

267) 《周禮》〈春官 喪祝〉: "喪祝, 掌大喪勸防之事." 鄭玄注 : "勸, 猶倡帥前引者. 防, 謂執披, 備傾戱."

268) 《儀禮釋官》卷5 : "小臣亦君之臣.……小臣執戈, 蓋君之常衛."

釋菜를 하여 門의 神에게 제사하는 것이다. 구체적인 의식절차는 자세하지 않으나 張惠言의 〈君視大斂〉圖에 따르면 침문 밖, 문의 闑(얼)과 똑바로 마주보는 곳에서 釋菜한다.

【按】萬斯大는 여기의 '釋采'를 吉服을 벗는다는 뜻으로 보았다. 즉 제례 중에서도 간소한 제사인 釋奠·釋菜의 의미로 본 정현 이하 先儒들의 설에 반대하였다. 만사대에 따르면 《예기》〈服問〉에 "임금은 경대부의 喪에 錫衰를 입고 거한다."라는 내용이 있는데, 이것은 成服한 뒤의 이야기이다. 대렴 때는 성복하기 전이기 때문에 임금은 錫衰를 입을 수 없어 길복을 입고 오지만 이 길복 차림으로 곧장 들어갈 수 없기 때문에 길복을 벗음으로써 슬픔을 표시하는 것이다. 胡培翬 역시 길복을 벗는다는 뜻으로 보았다.[269] '錫衰'는 〈상복〉23. 주㉖ 참조. 장혜언에 따르면 가공언은 《예기》〈喪大記〉에 "釋采는 문 안에서 한다.[釋菜于門內.]"라는 구절이 있다고 하였으나 통행본 《예기》에는 이 구절이 없으니 마땅히 문에 들어가기 전에 행해야 한다.[270]

⑩ 主人辟

方苞에 따르면 "임금이 침문을 들어서면 주인은 피하는데, 이것은 감히 상복 차림으로 임금을 가까이 하지 못하기 때문이다.〔君入門而辟, 不敢以凶服(卽喪服)近君也.〕"

⑪ 君升自阼階, 西向

胡培翬에 따르면 "임금은 동쪽 계단으로 당에 올라가 東序의 끝에서 가까운 곳에 자리한다.〔升阼階而位近序端也.〕"

【按】《예기》〈喪大記〉에 따르면 이때 임금은 당에 올라 序端에 선다.[271] 또 〈雜記上〉에 따르면 이때 임금이 당에 올라오면 대렴하기 전에 商祝이 깔아놓았던 자리를 다시 조금 고쳐놓는다.[272] 〈사상례〉26, 장혜언의 〈君視大斂〉圖 참조.

⑫ 祝負墉

胡培翬에 따르면 '墉'은 여기에서는 東房의 벽을 가리킨다. 喪祝이 東房 문의 동쪽에서 東房의 남쪽 벽을 등지고 남향하여 서있는 것이다.[273]

【按】정현에 따르면 이때 祝은 房戶 동쪽에서 임금을 향하여 남향하고 선다.[274] 黃以周는 이 정현의 주가 바로 士에게는 西房이 없다는 증거 중 하나라고 하며, 장혜언의 《儀禮圖》에서 방을 크게 그리고 室을 좁게 그린 것에 찬성하지 않았다. 장혜언의 그림대로라면 좁은 室에서 무슨 禮를 행할 수 있겠느냐는 것이다. 황이주의 《禮書通故》에는 모두 東房西室의 형태로 房이 하나만 있다.[275]

⑬ 主人哭, 拜稽顙, 成踊, 出

269) 《儀禮商》卷2 : "'君視大斂, 釋采入門', 說者曰'釋采, 禮門神也. 夫以君之尊而下臨臣喪, 必禮其門神而後入', 竊疑于禮未安. 深求其故, 蓋先儒緣《喪大記》'君視大斂'條訛釋采爲釋菜, 遂以爲禮門神. 《喪大記》後人所述, 則因古有釋奠、釋菜之禮, 遂訛釋采爲釋菜, 不知采與菜不同. 釋菜者, 祭禮之細, 釋采者, 釋去吉衣也. 《服問》云'公爲卿大夫, 錫衰以居', 此指成服後言. 大斂時, 未成服, 君未錫衰, 吉服而來, 不可即以吉服入, 故釋而去之, 以著其哀也. 豈禮門神之謂哉?"

270) 《儀禮圖》卷5〈君視大斂〉: "疏引《喪大記》云: '釋不(菜)于門內.' 案《大記》無門內之文, 釋采在入門之先, 當在門外."
賈公彦疏 : "此據《喪大記》而言. 案彼云: '大夫旣殯而君往焉. 巫止於門外, 祝代之先, 君釋菜于門內, 祝先升自阼階, 負墉南面, 君卽位于阼, 小臣二人執戈立于前, 二人立于後.'"

271) 《禮記》〈喪大記〉: "君釋菜, 祝先入升堂. 君即位于序端."

272) 《禮記》〈雜記上〉: "公視大斂, 公升, 商祝鋪席, 乃斂." 鄭玄注: "《喪大記》曰: '大夫之喪, 將大斂, 旣鋪絞、紟、衾, 君至'. 此君升乃鋪席, 則君至爲之改, 始新之也."

273) 《儀禮正義》卷28 : "祝負墉南面, 謂在房外堂上, 背東房之牆而南面也."

274) 鄭玄注 : "祝南面房戶東鄉君."

275) 《禮書通故》卷48〈君視大斂〉: "'祝負墉'注云: '南面房戶東鄉君.' 此亦士無西房之一證, 張圖大其房, 隘其室, 室中又何以行禮?"

'拜稽顙, 成踊'은 凌廷堪의 《禮經釋例》 권8에 따르면 "일반적으로 임금이 대렴에 친림할 경우에는 주인은 拜手한 뒤에 稽顙하고 成踊을 한다.〔凡君臨大斂, 則主人拜稽顙, 成踊.〕" '出'은 정현의 주에 따르면 "감히 임금에게 대렴이 끝날 때까지 머물러주기를 기필하지 못하는 것이다.〔不敢必君卒斂事.〕" 敖繼公은 "여기부터 이하 6차례의 절차가 끝날 때마다 주인이 침문을 나가는 것은 모두 감히 임금을 오랫동안 머무르게 하지 못하기 때문이다. 《예기》〈喪大記〉에 따르면 '주인이 침문을 나가 문 밖에서 임금이 나오기를 기다린다.'〔自此以下六節, 每節之畢, 主人輒出, 皆爲不敢久留君也. 《喪大記》曰: '出俟于門外.'〕"라고 하였다.[276]

【按】 '成踊'은 〈사상례〉5. 주⑧ 참조.

⑭ 君命反行事, 主人復位

'行事'는 정현의 주에 따르면 "대렴의 일이다.〔大斂事.〕" '復位'는 胡培翬에 따르면 "中庭의 자리로 돌아가는 것이다.〔復中庭之位.〕"

【按】 張惠言의 〈君視大斂〉圖에는 重의 동북쪽에 주인의 中庭 자리가 그려져 있다. 그러나 黃以周는 두 계단 사이 碑의 북쪽에 주인의 中庭 자리를 그려넣고, "中庭은 동서를 기준으로 말한 것이다."라고 한 경문과 이에 대한 정현의 주에 "主人中庭은 나아가 더욱 북쪽으로 간 것이다."라는 구절을 그 근거로 들었다.[277] 또한 주인이 돌아오는 자리는 모두 이곳이라고 하였다.[278] 〈사상례〉5. 주⑤ 참조.

⑮ 主人西楹東, 北面

胡培翬에 따르면 '西楹東'은 동서를 구분하는 것일 뿐 정확히 서쪽 기둥의 동쪽에 해당되는 것은 결코 아니다.[279]

【按】 '堂廉'은 당의 남쪽 가장자리를 이른다.[280] 張惠言의 〈君視大斂〉圖에는 주인이 서쪽 기둥의 동쪽, 肂보다 북쪽에 북향하고 있는데, 黃以周는 肂보다 남쪽, 堂廉에 가까운 곳에서 북향하도록 하였다. 황이주는 경문에서 공경대부가 주인의 서쪽에 잇대어 선다고 하였고 〈記〉에서 공경대부가 대렴을 직접 살필 경우에 서쪽 계단 동쪽에서 북향하여 선다고 하였으니, 주인이 서쪽 계단에서 가까이 있다는 것을 알 수 있다는 것이다. 또 장혜언의 圖대로 기둥 바로 남쪽에 서있다면 대렴하는 것이 보이지 않는다고 하였다. 또한 이 때문에 "이때 시신은 두 기둥 사이에 있다."라고 한 胡培翬의 말은 대렴을 동쪽 계단 위쪽에서 한다는 경문과 더욱 어긋난다고 하였다.[281] 〈기석례〉24. 주⑮⑯ 참조.

⑯ 升公卿大夫, 繼主人

'公卿大夫'는 마찬가지로 대렴을 살피러 온 사람이니, 임금이 당에 오르라

276) 《禮記》〈喪大記〉: "士則出俟于門外, 命之反奠, 乃反奠. 卒奠, 主人先俟于門外. 君退, 主人送于門外, 拜稽顙."

277) 《禮書通故》卷48〈君視大斂〉: "經'中庭以東西言'. 注'進益北', 以南北言. 位應在此."

278) 《禮書通故》卷48〈君視大斂〉: "主人中庭【每復位在此處.】"

279) 《儀禮正義》卷3 : "蓋楹內、楹外, 著南北之節; 楹間, 著東西之節. 不知者乃謂楹內、楹外、楹間是三處, 其故在誤解楹間爲南北之節, 謂其處必正當兩楹."

280) 《禮記正義》〈喪大記〉孔穎達正義 : "堂廉, 謂堂基南畔, 廉陵之上."

281) 《禮書通故》卷48〈君視大斂〉: "主人西楹東, 以東西之節言. 若其南, 當近階. 公卿大夫繼主人, 《記》云'大夫繼東, 北面', 則主人近階可知. 張圖正當楹, 視斂不見. 胡《正義》因謂'時尸在兩楹間', 與大斂于阼文尤違." 《儀禮正義》卷28 : "今案此時尸在兩楹間少北, 故主人升自西階, 立於堂中西, 北面視之也."

고 명한다. 공경대부는 당에 올라온 뒤에 주인의 서쪽에 잇대어 북향하고 선다.

⑰ 復位

張惠言의 〈君視大斂〉圖에 따르면 諸公의 원래 자리는 뜰의 남쪽, 동쪽 계단 선상의 자리에서 북향하는 곳이며, 경대부의 원래 자리는 뜰의 동쪽에서 서향하는 곳이다.

⑱ 君坐, 撫當心

정현의 주와 가공언의 소에 따르면 자식은 부모에 대해 馮尸를 해야 하는데, 馮尸를 할 때는 몸을 시신의 가슴 부분에 엎드린다. 임금은 손으로 시신의 가슴 부분을 어루만져서 馮尸하는 뜻을 보인다. 또 정현의 주에 따르면 "일반적으로 馮尸하고 일어나면 반드시 踊을 해야 한다.〔凡馮尸, 興必踊.〕" 즉 임금도 앉아서 시신을 어루만지고 일어난 뒤에는 踊을 해야 한다는 것을 이른다.[282)]

【按】 '馮尸'는 〈사상례〉20. 주⑧ 참조.

⑲ 復初位

【按】 胡培翬는 "처음에 침문을 들어가 침문 오른쪽에 서있던 곳을 이른다.〔謂初入門右也.〕"라고 하였으나, 黃以周에 따르면 碑의 북쪽인 中庭의 자리로 돌아가는 것이다. 위 주⑭ 참조.

⑳ 衆主人辟于東壁

張惠言의 〈君視大斂〉圖에 따르면 衆主人의 자리는 동쪽 계단 아래에서 서향하고 서있었는데 이때는 뜰의 동쪽 담장 앞으로 피하는 것이다. 이렇게 임금을 피하는 이유는 정현의 주에 따르면 "임금이 당을 내려오려고 하기 때문이다.〔以君將降也.〕"

㉑ 君降, 西鄉命主人馮尸

張惠言의 〈君視大斂〉圖에 따르면 임금이 동쪽 계단 아래로 내려가 서향하고 선다. 이때 주인은 뜰의 남쪽, 침문의 동쪽에서 북향하고 있는데, 임금이 주인에게 서향하고 命하니 이것은 임금이 신하가 있는 자리 때문에 그 바라보는 방향과 위치를 변경하지 않은 것이다. (즉 주인을 향하여 남향하지 않은 것이다) 임금이 주인에게 馮尸하라고 명하는 이유는 정현의 주에 따르면 "효자로 하여금 자식으로서의 정을 다하게 하기 위해서이다.〔欲孝子盡其情.〕"

282) 鄭玄注 : "撫, 手案之. 凡馮尸, 興必踊."
賈公彦疏 : "馮爲總名, 故君撫之, 亦踊也."

㉒ 不當君所

'君所'는 시신의 몸 중 임금이 어루만졌던 곳을 이른다. 《예기》〈喪大記〉 정현의 주에 따르면 "감히 尊者가 馮尸했던 곳과 같은 곳에 馮尸하지 못한다.〔不敢與尊者所馮同處.〕"

㉓ 東面馮

胡培翬에 따르면 임금이 당에 오를 때 衆婦人은 모두 東房으로 피했었는데 이때 임금이 그들에게도 나와서 馮尸하라고 명한 듯하다.[283]

㉔ 奉尸斂于棺

〈사상례〉27. 주① 참조.

㉕ 入門左, 視塗

〈사상례〉27. 주⑥ 참조.

【按】 이때 주인이 침문 왼쪽으로 들어오는 것은, 정현의 주에 따르면 서쪽 계단 위쪽에 있는 肂에 빨리 가서 임금을 감히 오랫동안 머물지 않게 하기 위해서이다.[284] '視塗'는 張惠言의 〈君視大斂〉圖에는 주인이 서쪽 계단 서쪽에서 북향하도록 되어 있다. 그러나 黃以周의 〈君視大斂〉圖에는 주인이 서쪽 계단 서쪽에서 동북향 하도록 되어있다. 황이주는 경문에 주인이 흙 바르는 것을 보는 위치가 기록되어 있지는 않으나 胡培翬의 설을 따라 동북향을 옳게 보고, 이것은 임금이 동쪽 계단 위에 있기 때문이라고 하였다.[285]

㉖ 入門右

정현의 주에 따르면 "이때에도 中庭의 자리로 돌아가는 것이다.〔亦復中庭位.〕"

㉗ 乃奠, 升自西階

가공언의 소에 따르면 일반적으로 奠物은 모두 동쪽 계단으로 올라가는데, 지금은 임금이 동쪽 계단 위에 있기 때문에 이를 피하여 서쪽 계단으로 올라가는 것이다.[286]

㉘ 君要節而踊

'要'는 胡培翬는 '會'로 해석하였다. 踊을 해야 할 때가 되면 踊을 하는 것을 이른다.[287] 정현의 주에 따르면 踊을 하는 절차는 두 번이다. 한 번은 奠物을 들고 계단을 오르기 시작할 때이고, 다른 한 번은 奠이 끝나 奠物을 든 사람들이 重의 남쪽으로 돌아 동쪽으로 갈 때이다.[288]

【按】 정현 역시 '要'를 '會'로 해석하였다. 〈사상례〉33. 주⑮ 참조.

283) 《儀禮正義》卷28 : "君降自阼階, 在主人之東, 西鄉, 命之也. 君升時, 主婦及衆婦人當皆闢於房, 此云'主婦馮', 蓋亦君命之也."

284) 鄭玄注 : "肂在西階上, '入門左', 由便趨疾, 不敢久留君."

285) 《禮書通故》卷48〈君視大斂〉: "主人視塗, 經不言處. 張圖北面, 玆從胡《正義》東北面, 爲君在阼也."
《儀禮正義》卷28 : "入門左, 不言升, 蓋在西階東北面視也."

286) 賈公彦疏 : "以其凡奠皆升自阼階, 是爲君在阼, 故辟之而升西階也."

287) 《儀禮正義》卷28 : "據《樂記》'要其節奏', 鄭注: '要, 猶會也.'……要節而踊, 謂會遇當踊之節而踊也."

288) 鄭玄注 : "節, 謂執奠始升階及旣奠由重南東時也."

㉙ 哭者止

정현의 주에 따르면 임금이 침문을 나가려고 하므로 모두 곡을 그치고 감히 시끄럽게 하지 않는 것으로,[289] 이것은 임금을 높이기 위한 것이다.

㉚ 主人不哭, 辟

胡培翬에 따르면 "주인은 이때 침문 밖에 있는데 임금이 나오면 응당 피해야 하기 때문에 감히 곡하지 못하는 것이다.〔主人時在門外, 以君出宜辟, 故不敢哭也.〕" 이른바 '辟'라는 것은 정현의 주에 따르면 그 자리에서 조금 물러나 피하는 모습을 보이는 것이다.[290]

㉛ 式

정현의 주에 따르면 "옛날에는 서서 수레를 탔다. '式'은 몸을 조금 구부려 주인에게 禮를 행하는 것을 이른다.〔古者立乘, 式謂小俛(俯)以禮主人也.〕"

㉜ 貳車

정현의 주에 따르면 임금의 副車로, 副車의 많고 적음은 제후의 命數(즉 級別)와 같으며 제후가 외출할 때는 異姓의 士가 副車를 타고 그 뒤를 따른다.[291] 《주례》〈春官 典命〉에 따르면 上公은 9命, 侯·伯은 7命, 子·男은 5命이다.[292] 또 《주례》〈秋官 大行人〉에 따르면 상공은 貳車가 9대, 후·백은 7대, 자·남은 5대이다.[293] 이것은 貳車의 수가 제후의 命數와 같은 것이다.

㉝ 主人哭, 拜送

褚寅亮에 따르면 대문 밖에서 절하여 전송한다.[294]

㉞ 即位

胡培翬에 따르면 "동쪽 계단 아래의 자리로 나아가는 것이다.〔即阼階下位.〕"

㉟ 大夫之後至者

敖繼公에 따르면 여기에서는 임금보다 뒤늦게 온 대부를 가리킨다.[295]

289) 鄭玄注 : "以君將出, 不敢讙囂聒尊者也."

290) 鄭玄注 : "辟, 逡遁辟位也."

291) 鄭玄注 : "貳, 車副車也. 其數各視其命之等. 君出, 使異姓之士乘之, 在後."

292) 《周禮》〈春官 典命〉: "上公九命爲伯, 其國家、宮室、車旗、衣服、禮儀, 皆以九爲節; 侯、伯七命, 其國家、宮室、車旗、衣服、禮儀, 皆以七爲節; 子、男五命, 其國家、宮室、車旗、衣服、禮儀, 皆以五爲節."

293) 《周禮》〈秋官 大行人〉: "上公之禮, ……貳車九乘…… 諸侯之禮, ……貳車七乘…… 諸伯執躬圭, 其他皆如諸侯之禮. 諸子執穀璧五寸, ……貳車五乘……諸男執蒲璧, 其他皆如諸子之禮."

294) 《儀禮管見》卷下1 : "主人乃哭拜送, 送在大門外, 明甚."

295) 《儀禮集說》卷12 : "此後至, 謂君既至而後來者."

성복成服(4일째)·조석곡朝夕哭·삭망전朔望奠·천신薦新

31. 成服

三日成服杖①。拜君命及衆賓②, 不拜棺中之賜③。

셋째 날(사람이 죽은 지 넷째 날)이 되면 모두 상복을 갖추어 입고 喪杖을 짚어야 할 사람은 상장을 짚는다.
주인은 朝奠을 올린 뒤에 가서 임금의 조문과 여러 賓의 조문에 사례하는 절을 한다. 그러나 관속에 넣는 衣物을 보내온 사람들에게는 가서 절하지 않는다.

① 三日成服杖

'三日'은 정현의 주에 따르면 "殯을 하고 난 다음날이다.〔旣殯之明日.〕" 張爾岐에 따르면 '三日'은 죽은 당일은 제외하고 말한 것으로, 실제로는 이미 넷째 날이 된다.[296] '成服杖'은 胡培翬가 吳紱의 설을 인용한 것에 따르면 "成服은 오복의 친속을 통틀어 말한 것이다. '杖'은 오로지 喪杖을 짚어야 하는 사람만을 가리킨 것이다.〔成服, 通五服之親而言, 杖則專指當杖者.〕" 소렴 때 이미 首絰과 腰絰을 착용하였는데 (〈사상례〉20. 참조) 이때가 되면 冠·衰·屨 등을 모두 착용하여 상복을 완전하게 갖춰 입는다.

【按】《예기》에 따르면 성복을 하고 喪杖을 짚는 것과 같이 살아있는 사람에게 행해지는 의절은 사람이 죽은 다음 날부터 날을 계산하고, 殯을 하거나 斂을 하는 것과 같이 죽은 사람에게 행하는 의절은 죽은 당일부터 날을 계산한다. 즉 經文의 '三日成服'은 살아있는 사람에게 행해지는 의절이기 때문에 죽은 다음 날부터 계산하여 3일이라고 말한 것이니, 죽은 날로부터 계산하면 4일이 된다. 그러나 이것은 士의 禮이며, 대부 이상은 죽은 사람에게 행하는 의절도 죽은 다음 날부터 날을 계산한다. 4일째에 성복을 한 뒤에는 죽을 먹기 시작한다.[297]

② 拜君命及衆賓

296) 《儀禮鄭注句讀》卷12 : "經云'三日', 除死日數之, 實則喪之第四日."

297) 《禮記》〈曲禮上〉: "生與來日, 死與往日." 鄭玄注: "與, 猶數也. '生數來日', 謂成服、杖以死明日數也. '死數往日', 謂殯、斂以死日數也. 此士禮貶於大夫者, 大夫以上皆以來日數. 《士喪禮》曰'死日而襲, 厥明而小斂, 又厥明大斂而殯', 則死三日, 而更言三日成服杖, 似異日矣. 《喪大記》曰'士之喪, 二日而殯, 三日之朝, 主人杖', 二者相推, 其然明矣."

吳廷華에 따르면 "拜君命은 임금의 조문에 감사의 절을 하는 것이다. 아래도 같다.〔拜君命, 拜其弔也. 下同.〕" 敖繼公은 "君命과 衆賓은 조문 온 사람들을 이른다. 그들에게 절하는 것은 그들이 자신에게 조문을 와준 것에 대해 사례하는 것이다.〔君命及衆賓, 謂弔者也. 拜之者, 謝其弔己也.〕"라고 하였다. '임금의 조문'이란 常禮에서 士가 殯을 한 뒤에 임금이 가서 조문하는 것과 은혜를 더하여 殯을 하기 전에 임금이 직접 와서 대렴을 보는 것을 겸하여 말한 것이다. (〈사상례〉30. 주① 참조) 또한 임금의 조문〔君弔〕에 拜謝하면서 "임금의 명에 절한다.〔拜君命〕"라고 말한 것은 임금을 높여서 한 말이다.

③ 不拜棺中之賜

敖繼公에 따르면 "棺中之賜는 襚를 이른다.〔棺中之賜謂襚也.〕" 吳廷華에 따르면 이것은 禮를 중히 여기고 재물을 가볍게 여기는 의리를 드러낸 것이다.[298]

【按】 오정화에 따르면 拜謝하러 가는 시간은 朝奠을 올린 뒤이다. 또한 관속에 넣는 옷을 보내온 사람들에게는 가서 절하지 않는 것은, 정현의 주에 따르면 "이 옷들은 살아있는 자신을 위해 보내온 것이 아니기 때문이다.〔棺中之賜, 不施己也.〕"

32. 朝夕哭과 朝夕奠

朝夕哭, 不辟子卯①。婦人卽位于堂②, 南上, 哭。丈夫卽位于門外③, 西面, 北上。外兄弟在其南④, 南上。賓繼之⑤, 北上。門東⑥, 北面, 西上。門西⑦, 北面, 東上。西方⑧, 東面, 北上。主人卽位。辟(벽)門⑨。
婦人拊心⑩, 不哭。主人拜賓, 旁三⑪, 右還(선)入門哭。婦人踊。主人堂下直東序, 西面。兄弟皆卽位⑫, 如外位。卿大夫在主人之南⑬。諸公門東, 少進⑭。他國之異爵者門西, 少

298) 《儀禮章句》卷12 : "不拜棺中之賜, 重禮而輕財也. 拜在朝奠之後."

進⑮。敵則先拜他國之賓。凡異爵者拜諸其位⑯。
徹者盥于門外⑰。燭先入⑱，升自阼階。丈夫踊。祝取醴⑲，北面。取酒立于其東。取豆、籩、俎南面，西上。祝先出，酒、豆、籩、俎序從，降自西階。婦人踊。
設于序西南，直西榮⑳。醴、酒北面，西上。豆西面錯，立于豆北，南面。籩俎既錯，立于執豆之西，東上。酒錯，復位。醴錯于西，遂先，由主人之北適饌㉑。
乃奠㉒。醴、酒、脯、醢升㉓。丈夫踊。入，如初設㉔，不巾。錯者出，立于戶西，西上。滅燭，出。祝闔戶，先降自西階。婦人踊。奠者由重南東。丈夫踊。
賓出。婦人踊。主人拜送㉕。衆主人出。婦人踊。出門㉖，哭止。皆復位，闔門㉗。主人卒拜送賓，揖衆主人，乃就次。

朝夕으로 곡을 하는데 子日과 卯日도 피하지 않는다.
부인들이 당에서 동쪽 계단 위쪽 자리로 나아가 서향하고 남쪽을 상위로 하여 서서 곡을 한다.
장부들(衆主人)은 寢門 밖에서 자리로 나아가 서향하는데 북쪽을 상위로 하여 선다.
外兄弟(異姓有服者)는 衆主人의 남쪽에서 남쪽을 상위로 하여 선다.
賓(卿大夫)은 外兄弟를 잇대어 남쪽에 서는데 북쪽을 상위로 하여 선다.
諸公은 침문 밖 동쪽에서 북향하여 서는데 서쪽을 상위로 하여 선다.
타국의 異爵者(경대부)는 침문 밖 서쪽에서 북향하고 서는데 동쪽을 상위로 하여 선다.
타국의 士는 침문 밖 서쪽에서 동향하고 서는데 북쪽을 상위로 하여 선다.
주인이 衆主人의 북쪽 자기 자리로 나아간다.
이때 침문을 연다.

부인들이 손으로 가슴을 친다. 곡은 하지 않는다.

주인이 賓들에게 절하는데, 賓이 있는 방향마다 모두 세 번씩 절하고 오른쪽으로 몸을 돌려 침문으로 들어가 곡한다. 이때 부인들이 踊을 한다.
주인이 당 아래 東序와 일직선상의 지점에서 서향하고 선다.
형제들(衆主人·外兄弟)이 모두 자기 자리로 나아가 침문 밖에서와 같이 선다.
경대부가 주인의 남쪽에 서향하고 선다.
諸公이 침문 동쪽에서 士의 私臣보다 조금 앞자리에 북향하고 선다.
타국의 異爵者는 침문 서쪽에서 諸公의 有司보다 조금 앞자리에 북향하고 선다.
賓들이 모두 자기 자리에 나아가서 곡하여 슬픔을 다한 뒤에 주인이 침문 밖에서처럼 두루 절을 하는데, 본국과 타국의 賓의 지위가 같으면 타국의 賓에게 먼저 절을 한다. 일반적으로 賓이 경대부인 경우에는 그들의 자리로 나아가 特拜(한사람씩 일일이 한 번 절하는 것)한다.

대렴전을 거둘 執事者들이 침문 밖에서 손을 씻는다.
횃불을 든 집사자가 앞장서서 침문을 들어가 동쪽 계단으로 당에 올라간다. 이때 丈夫들(주인과 衆主人)이 踊을 한다.
夏祝이 室에서 醴를 거두어 들고 북향하여 선다.
집사자가 酒를 거두어 들고 夏祝의 동쪽에 선다.
집사자가 豆·籩·俎를 거두어 들고 남향하여 서는데 서쪽을 상위로 하여 선다.
夏祝이 앞장서서 室을 나가고 酒·豆·籩·俎를 든 집사자들이 순서대로 그 뒤를 따라 서쪽 계단으로 내려간다. 이때 부인들이 踊을 한다.

거두어 온 대렴전을 당 아래 西序의 남쪽, 西榮과 일직선상에 진설한다.
夏祝이 醴를 들고 집사자가 酒를 들고서 북향하고 서는데 서쪽을 상위로 하여 醴를 든 夏祝이 서쪽에 선다.
집사자가 豆를 서향으로 놓고 豆의 북쪽으로 가서 남향하고 선다.

집사자가 籩과 俎를 室 안에서와 같이 놓은 뒤에 豆를 들었던 집사자의 서쪽으로 가서 동쪽을 상위로 하여 선다.
집사자가 酒를 놓고 夏祝의 동쪽 원래 자리로 돌아간다.
夏祝이 酒의 서쪽에 醴를 놓고, 이어서 앞장서서 주인의 북쪽으로 돌아 東堂 아래 朝奠物을 진열해둔 곳으로 간다.

이어서 朝奠을 올린다.
夏祝과 執事者들이 醴·酒·脯·醢를 들고 동쪽 계단으로 당에 오른다. 이때 장부들이 踊을 한다.
室 안으로 들어가 大斂奠을 올릴 때와 같이 豆·籩·酒·醴 순으로 진설하는데 布巾으로 덮지는 않는다.
진설을 마친 집사자들이 室에서 나와 室戶 서쪽에 서쪽을 상위로 하여 선다.
집사자가 횃불을 끄고 室을 나온다.
夏祝이 室戶를 닫고 앞장서서 서쪽 계단으로 당을 내려간다. 이때 부인들이 踊을 한다.
奠을 올렸던 夏祝과 집사자들이 重의 남쪽을 지나 침문 동쪽 북향하는 원래 자리로 돌아간다. 이때 장부들이 踊을 한다.

賓이 침문을 나간다. 이때 부인들이 踊을 한다.
주인이 침문 밖에서 賓에게 절하여 전송한다.
衆主人이 침문을 나간다. 이때 부인들이 踊을 한다.
부인들을 제외한 나머지 사람들이 침문을 나가면 곡을 그친다. 모두 침문 밖의 원래 자리로 돌아가면 침문을 닫는다.
주인이 賓에게 절하여 전송한 뒤에 중주인에게 읍하면 이어 각자의 喪次로 나아간다.

① 朝夕哭, 不辟子卯

'朝夕哭'은 殯을 마치고 나면 매일 이른 아침과 해질녘에 모두 殯宮에 들어가 곡을 해야 하는데 이 禮를 '朝夕哭'이라고 한다. 그러나 조석곡 기간 중 아침과 저녁에 각 한 번씩만 곡하는 것은 결코 아니다. 정현의 주에 따르면 殯을 한 뒤에 슬퍼지면 그때마다 곡을 할 뿐 아니라 또 다른 사람이 代哭을 해서도 안 된다.[299] 조석곡을 할 때에는 또 死者를 위하여 奠을 올리는데 이를 '朝奠'과 '夕奠'이라고 한다. 여기에서는 朝哭과 朝奠의 의절만을 기록하고 있는데, 그렇다면 夕哭과 夕奠의 의절도 알 수 있다. 張爾岐에 따르면 "4일째부터 장례 전까지는 모두 이 禮를 쓴다.〔自第四日至葬前, 竝用此禮.〕" '子卯'는 子日과 卯日을 이른다. 정현의 주에 따르면 이 두 날은 각각 夏나라의 桀王과 商나라의 紂王이 죽은 날로 옛 사람들은 이날을 꺼렸기 때문이다. 吉事에는 이날을 피하지만 凶事에는 피하지 않는다.[300]

【按】 여기에서 말한 '4일째'를 각종 禮書에서는 모두 殯을 행하고 난 다음날인 4일째 成服을 하는 날로 말하고 있다. 吳廷華 역시 朝奠을 올린 뒤에 拜謝하러 간다고 하고 있으며, 다음에 나오는 《의례》 경문에 대한 정현의 주에서도 朝夕奠을 올리기 전에 먼저 치우는 음식을 大斂奠이라고 하고 있는 것을 근거할 때, 조석전은 4일째 성복을 한 당일부터 올리는 듯하다. 가공언의 소에 따르면 夏나라의 桀王은 을묘일에 죽었고 商나라의 紂王은 갑자일에 죽었다.[301]

② 婦人卽位于堂

胡培翬에 따르면 부인들은 원래 寢廟 안에 있었기 때문에 먼저 당에서 자리로 나아간 것이니, 그 자리는 동쪽 계단 위쪽에 있다.[302]

③ 丈夫

주인과 衆主人을 가리키나 여기에서는 衆主人만을 가리킨다.

④ 外兄弟

정현의 주에 따르면 "異姓으로 복을 입는 자이다.〔異姓有服者也.〕" 胡培翬에 따르면 이른바 '異姓有服者'는 생질·사위·외손·이모의 아들 등이 모두 그 안에 포함된다.[303]

⑤ 賓繼之

다음 경문에 따르면 이 賓은 경대부이다.

⑥ 門東

다음 경문에 따르면 諸公의 자리이다.

⑦ 門西

다음 경문에 따르면 타국의 異爵者(경대부)의 자리이다.

⑧ 西方

敖繼公에 따르면 士의 자리이다.[304]

299) 鄭玄注 : "旣殯之後, 朝夕及哀至, 乃哭, 不代哭也."

300) 鄭玄注 : "子卯, 桀、紂亡日, 凶事不辟, 吉事闕焉."

301) 賈公彦疏 : "云'子卯, 桀、紂亡日'者, 《詩》云: '韋顧旣伐, 昆吾、夏桀.' 《左傳》云乙卯, '昆吾稔之日', 昆吾與夏桀同時誅, 則桀以乙卯亡. 案《尙書·牧誓》序云: '時甲子昧爽.' 武王伐紂之日, 是紂以甲子日死, 王者以爲忌日."

302) 《儀禮正義》卷28 : "婦人在內近殯, 故先哭即位於堂, 阼階上也."

303) 《儀禮正義》卷28 : "此統言異姓有服之親, 則甥、壻、外孫、從母之子, 皆在其內矣."

304) 《儀禮集說》卷12 : "門西北面東上與東面北上者, 相變也. 以下文攷之, 則此東方之賓, 卿大夫也. 門 東, 諸公也. 門西, 他國之異爵者也. 然則西方者, 其士與!"

⑨ 辟門

'辟'은 '闢(열다)'과 통한다. 정현의 주에 따르면 "辟은 연다는 뜻이다. 일반적으로 廟門은 일이 있으면 열고 일이 없으면 닫는다.〔辟, 開也. 凡廟門有事則開, 無事則閉.〕"

【按】 가공언의 소에 따르면 여기에서 '일이 있다[有事]'는 것은 朝夕哭과 朝夕奠을 올릴 때를 말한다. 이런 일들이 없을 때에는 문을 닫아두는데, 神은 幽闇을 숭상하기 때문이다.[305] 池田末利와 《儀禮直解》에서는 여기의 '辟門'에 대해 앞에서와 같이 사람들의 자리가 정해지면 주인이 침문 동쪽의 북쪽 자리에서 나아가 직접 침문을 연다고 보았다.[306] 그러나 《儀禮讀本》에서는 주인이 침문 밖 동쪽의 북쪽 자리로 나아가면 다른 사람이 침문을 연다고 보았다.[307]

⑩ 拊心

손으로 가슴을 치는 것이다. 《爾雅》〈釋訓〉에 따르면 "擗은 가슴을 拊하는 것이다.〔擗, 拊心也.〕" 郭璞의 注에 '拊'는 "가슴을 친다는 말이다.〔謂椎胸也.〕"라고 하였다.

⑪ 旁三

'旁'은 '邊'의 뜻이다. 각 방향마다 서 있는 賓들에게 한꺼번에 세 번씩 절하기 때문에 '旁三'이라고 한다. 정현의 주에 따르면 주인은 먼저 서향하고 서쪽에 있는 빈에게 절하고 이어서 남향하고 남쪽에 있는 빈에게 절하며 (문의 동쪽과 문의 서쪽에 있는 賓은 모두 주인의 남쪽에 있다. 장혜언의 〈朝夕哭〉圖 참조) 마지막으로 동향하고 동쪽에 있는 賓에게 절한다.[308] 胡培翬에 따르면 이때 주인은 침문 안으로 들어가 곡하는 것이 급하기 때문에 賓의 지위가 높고 낮은 것에 관계없이 각 방향마다 한꺼번에 세 번씩 절하는데, 이는 두루 절하는 것을 보이는 것뿐 特拜(한사람씩 일일이 한 번 절하는 것)하지는 않는다.[309]

⑫ 兄弟皆卽位

胡培翬에 따르면 "丈夫를 말하지 않고 外兄弟를 말하지 않은 것은 '兄弟' 안에 이들을 모두 포함시킨 것이다.〔不言丈夫, 不言外兄弟, 於兄弟中該之矣.〕"

【按】 정현의 주에 따르면 여기의 '兄弟'는 자최복과 대공복을 입는 사람들로, 주인이 곡하면 함께 곡한다. 소공복과 시마복을 입는 사람들도 자기 자리에 나아간 뒤에 곡한다.[310]

305) 賈公彦疏："有事, 謂朝夕哭及設奠之時. 無此事等則閉之, 鬼神尙幽闇故也."

306) 池田末利, 訳註《儀禮 Ⅳ》, 200쪽.

羅宗陽等, 《十三經直解》 卷2上, 《儀禮直解》, 813쪽.

307) 顧寶田·鄭淑媛, 《新譯儀禮讀本》, 426쪽.

308) 鄭玄注："先西面拜, 乃南面拜, 東面拜也."

309) 《儀禮正義》卷28 ："此主人即位見賓, 先拜之而後入也. 意不主爲賓, 急於入哭, 故不論尊卑, 每面皆三拜, 示徧而已, 不特拜也."

310) 鄭玄注："兄弟, 齊衰、大功者, 主人哭則哭. 小功、緦麻, 亦卽位乃哭."

⑬ 卿大夫在主人之南

【按】 가공언의 소에 따르면 주인의 남쪽에 경대부가 있으며, 여기에서 형제라고 말하지 않은 것은 외형제가 비록 주인의 남쪽에 있기는 하지만 조금 물러나 있기 때문이다.[311] 張惠言은 〈朝夕哭〉圖에서 이 가공언의 소를 틀린 것으로 보고 주인-중주인-외형제-경대부를 일렬로 배치하였다.[312] 黃以周는 경문에서 丈夫는 북쪽을 상위로 한다고 하면서 外兄弟만은 유독 남쪽을 상위로 한다고 했다는 점, 또 경대부의 위치를 말하면서 주인의 남쪽에 있다고 하고 외형제의 남쪽에 있다고 하지 않았다는 점 등을 근거로 외형제는 주인과 중주인보다 조금 뒤로 물러나 있다고 하여 가공언의 소를 따랐다.[313] 자세하지 않다.

⑭ 諸公門東, 少進

정현의 주에 따르면 "少進은 열보다 앞에 서는 것이다.〔少進, 前於列.〕" 胡培翬에 따르면 침문 동쪽은 본래 士의 私臣 자리인데, 諸公이 있을 경우에는 私臣의 앞에 자리한다. 이것이 이른바 '前於列'이다.[314]

【按】 '諸公'은 정현의 주에 "大國의 孤이다."라고 하였다.[315] 가공언의 소에 따르면 '孤'는 작위 이름이다. 上公의 작위를 가진 제후국만이 한 사람을 둘 수 있으며 侯爵과 伯爵 이하의 제후국은 孤를 두지 못한다.[316] 《주례》〈春官 典命〉에 따르면 周代의 작위 등급은 다음과 같다.[317]

命數	9	8	7	6	5	4	3	2	1	0
王		三公		卿		大夫				
公	上公					孤	卿	大夫	士	
侯, 伯			侯, 伯				卿	大夫	士	
子, 男					子, 男			卿	大夫	士

⑮ 他國之異爵者門西, 少進

'異爵者'는 정현의 주에 따르면 "경대부이다.〔卿大夫也.〕" '異爵'은 즉 작위가 주인과 다른 것이다. 주인이 士면 異爵者는 당연히 경대부가 된다. 胡培翬에 따르면 침문 서쪽은 본래 公의 有司 자리인데, 타국의 경대부는 公의 有司 앞에 자리하니 이 또한 '前於列'이다.[318]

【按】 張惠言의 〈君視大斂〉圖에는 침문 안 서쪽에 他國賓과 그 북쪽에 他國之異爵者가 있으며, 黃以周의 〈君視大斂〉圖에는 침문 안 서쪽의 오른쪽에 他國士가 있고 그 왼쪽에 公有司, 他國士 북쪽에 他國之異爵者가 있다. 즉 장혜언의 他國賓을 他國士와 公有司

311) 賈公彦疏 : "主人之南卽有卿大夫, 不言兄弟者, 以外兄弟雖在主人之南, 以少退, 故卿大夫繼主人而言也."

312) 《儀禮圖》卷5〈朝夕哭〉: "疏云'外兄弟少退', 未然."

313) 《禮書通故》卷48〈朝夕奠〉: "經丈夫北上, 外兄弟獨南上. 又云卿大夫在主人之南, 不云外兄弟之南. 皆外兄弟少退之證, 故從疏."

314) 《儀禮正義》卷28 : "門東, 本爲私臣之位, 如有諸公, 則在私臣之前."

315) 《儀禮》〈鄕射禮〉鄭玄注: "諸公, 大國之孤也."

316) 《周禮》〈秋官 大行人〉賈公彦疏 : "按《典命》上公之國, 立孤一人, 侯、伯已下則無', 故云'大國之孤也."

317) 常金倉, 《周代禮俗硏究》, 哈爾濱:黑龍江人民出版社, 2005, 26쪽.

318) 《儀禮正義》卷28 : "門西, 爲公有司之位, 如有他國卿大夫, 則在公有司之前, 是爲前於列. 前於列, 是尊之也."

로 구분하여 그린 것이다. 황이주는 〈特牲饋食禮 記〉에 근거하여 침문 안 서쪽에는 公有司를 그리고 침문 안 동쪽에는 私臣을 위치해 넣었다.[319] 가공언은 他國之異爵者가 士의 앞에 위치한다고 하였는데,[320] 이에 따르면 황이주와 같이 他國士와 公有司로 구분을 할 경우 他國之異爵者가 公의 有司 앞에 위치한다는 호배휘의 말은 틀리게 된다. 장혜언의 〈君視大斂〉圖에는 私臣이 그려져 있지 않다.

⑯ 凡異爵者拜諸其位

【按】 정현의 주에 따르면 賓들이 모두 자기 자리에 나아가서 곡하여 슬픔을 다한 뒤에 주인이 비로소 外位(침문 밖의 자리)에서와 같이 오른쪽으로 돌아 그들에게 두루 절을 한다.[321] 가공언의 소에 따르면 外位에서는 주인의 남쪽에 外兄弟가 있고 그 남쪽에 賓이 있었는데, 여기 內位(침문 안의 자리)에서는 주인의 남쪽에 바로 경대부가 있다. 여기에서 형제를 언급하지 않은 것은 외형제는 비록 주인의 남쪽에 있더라도 조금 물러나 있기 때문에 경대부를 주인 바로 뒤에 이어서 말한 것이다.[322]

⑰ 徹者盥于門外

'徹'은 대렴전을 거두는 것을 이른다. 이것은 朝奠을 올리기 위해 준비하는 것이다. 또 침문 밖에서 손을 씻으니 문 밖에 손 씻는 곳이 마련되어 있음을 알 수 있다. 그 의절은 대렴 때의 의절과 같다.

⑱ 燭先入

【按】 吳廷華에 따르면 《예기》〈檀弓〉에 "朝奠은 해가 나올 때 올리고 夕奠은 해가 들어갈 때 올린다."라는 글이 있는데, 室 안은 어두운 것을 높이 여기기 때문에 횃불을 사용하는 것이다.[323]

⑲ 祝

胡匡衷의 《儀禮釋官》에 따르면 여기에서는 夏祝을 이른다.[324]

【按】 〈사상례〉11. 주②, 〈사상례〉25. 주① 참조.

⑳ 設于序西南, 直西榮

이곳에 진설하는 것은 거두어 온 대렴전이다. 胡培翬에 따르면 "이것은 소렴전을 거두어 다시 西序의 남쪽, 西榮과 일직선상에 놓았던 것과 똑같으며 글이 더 자세할 뿐이다. 뜻은 앞의 경문과 보충하여 볼 수 있다.〔此與徹小斂奠改設于序西南、當西榮同, 而文加詳耳, 義互見前.〕" (〈사상례〉25. 주⑦ 참조) 西序의 서남쪽에 놓는 여러 奠物의 위치도 室의 서남쪽 모퉁이에 놓았을 때와 같다. 〈사상례〉28. 참조.

㉑ 由主人之北適饌

319) 《禮書通故》卷48〈君視大斂〉: "門西公有司, 門東私臣, 據《特牲·記》."

320) 賈公彦疏 : "經云'他國之異爵者門西少進', 亦當前於士之位也."

321) 鄭玄注 : "賓皆卽此位, 乃哭盡哀止, 主人乃右還拜之, 如外位矣."

322) 賈公彦疏 : "外位, 主人之南有外兄弟, 其南乃有賓. 此內位, 主人之南卽有卿大夫, 不言兄弟者, 以外兄弟雖在主人之南, 以少退, 故卿大夫繼主人而言也."

323) 《儀禮章句》卷12 : "燭先入, 《檀弓》'朝奠日出, 夕奠日入', 室中尙闇, 故竝用燭也."

324) 《儀禮釋官》卷5〈士喪禮祝〉: "案以上皆夏祝."

吳廷華에 따르면 이 奠物도 東堂 아래에 미리 진열해둔 것이다.[325]

㉒ 乃奠

胡培翬에 따르면 "朝奠을 진설하는 것을 이른다.〔謂設朝奠也.〕" 朝奠과 大斂奠은 다르다. 대렴전에는 鼎俎와 栗이 있으나 조전에는 없다.

【案】 張惠言의 〈朝夕哭〉圖(〈그림 31〉)에는 席을 북향으로 두고 奠物 중에 俎와 栗이 있는데, 黃以周의 〈朝夕奠〉圖(〈그림 30〉)에는 席을 동향으로 두고 奠物은 醴·酒·脯·醢만 두고 있다. 황이주는 "朔月奠·薦新·大斂奠에는 모두 鼎俎가 있으나 이 朝夕奠에는 鼎俎가 없고 醴·酒·脯·醢 뿐이니 장혜언의 圖는 매우 틀린 것이다."라고 하였다.[326] 〈사상례〉 제33절 경문에 근거하면 席의 방향 역시 황이주의 圖가 옳다.

• 그림 30 • 朝夕奠
黃以周《禮書通故》

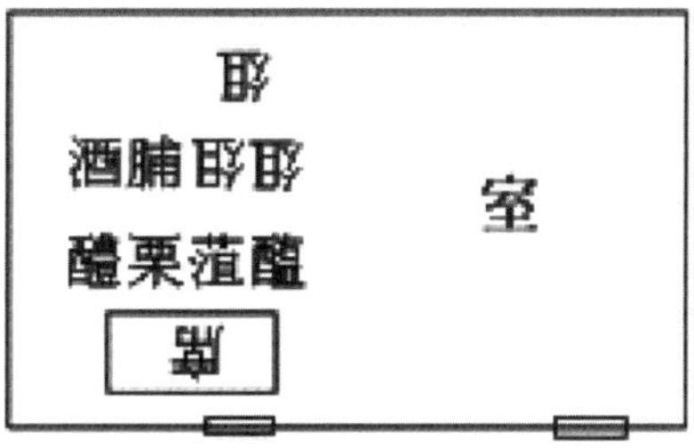

• 그림 31 • 朝夕奠
張惠言《儀禮圖》

㉓ 醴、酒、脯、醢升

【按】 胡培翬에 따르면 여기의 '升'은 마찬가지로 동쪽 계단으로 오르는 것이다.[327]

㉔ 如初設

정현의 주에 따르면 "如初設은 젓갈을 담은 豆를 먼저 놓고 脯를 담은 籩을 그 다음에, 酒를 그 다음에, 醴를 그 다음에 놓는 것이다.〔如初設者, 豆(醢)先, 次籩(脯), 次酒, 次醴也.〕" 이것은 진설하는 奠物의 전후 순서가 대렴전을 진설했을 때와 같음을 이른다.

㉕ 主人拜送

마찬가지로 寢門 밖에서 절하고 전송한다.

㉖ 出門

胡培翬에 따르면 "賓과 주인·중주인·형제 등이 모두 침문을 나가는 것을 이른다.〔謂賓與主人及衆主人、兄弟等皆出也.〕"

㉗ 皆復位, 闔門

【按】 胡培翬에 따르면 이것은 衆主人이 침문 밖 동쪽의 서향하는 자리로 돌아가면 침

325) 《儀禮章句》卷12 : "朝奠之饌在東堂下."

326) 《禮書通故》卷48〈朝夕奠〉: "朔月、薦新與大斂奠同有鼎俎, 此無鼎俎, 唯醴、酒、脯、醢而已. 張圖大誤."

327) 《儀禮正義》卷28 : "升, 亦升自阼階也."

문을 닫는다는 말이다.[328] 張惠言은 《예기》〈喪大記〉 注疏에서 夫人과 世婦는 西房에 머문다는 구절을 근거로 여기 士禮에서는 부인들이 東房에 머문다고 하였다.[329] 黃以周 역시 士는 西房이 없기 때문에 부인들은 東房에 머물러야 한다고 하였다.[330]

33. 朔望奠과 薦新

朔月奠①, 用特豚、魚、腊, 陳三鼎如初②。東方之饌亦如之。無籩, 有黍、稷, 用瓦敦(대), 有蓋, 當籩位③。主人拜賓, 如朝夕哭④。卒徹⑤。舉鼎入、升⑥, 皆如初奠之儀⑦。卒杝, 釋匕于鼎。俎行⑧, 杝者逆出⑨, 甸人徹鼎。

其序⑩, 醴、酒、菹、醢、黍、稷、俎。其設于室, 豆錯⑪, 俎錯, 腊特⑫, 黍、稷當籩位⑬, 敦啓會, 卻諸其南, 醴、酒位如初⑭。祝與執豆者巾, 乃出。

主人要節而踊⑮, 皆如朝夕哭之儀。月半不殷奠⑯。有薦新, 如朔奠⑰。徹朔奠⑱, 先取醴、酒, 其餘取先設者。敦啓會, 面足⑲。序出, 如入。其設于外⑳, 如于室。

매월 초하루에 奠을 올린다.

特豚(한 마리 새끼돼지고기)·魚(민물고기)·腊(말린 토끼고기)을 세 개의 鼎에 담아 대렴때와 같이 寢門 밖에 진열한다. 東堂 아래 진열하는 奠物도 대렴 때와 같이 진열한다.

朔月奠에는 籩(脯와 栗)이 없고 대신 黍와 稷이 있다. 黍와 稷을 뚜껑이 있는 瓦敦에 담아 籩을 놓았던 자리에 놓는다.

주인이 賓에게 朝夕哭 때와 같이 절한다.

전날 올렸던 夕奠을 모두 거둔다.

士들이 鼎을 들고 침문 안으로 들어오는 것과 俎에 奠物을 담는 등

328) 《儀禮正義》卷28 : "皆復位闔門, 謂衆主人復門外東方西面之位, 遂闔門也."

329) 《儀禮圖》卷5〈朝夕哭〉: "《大記》注云: '夫人、世婦次于房中.' 疏謂'西房', 以推士禮, 則婦人次, 當于東房."

330) 《禮書通故》卷48〈朝夕奠〉: "《大記》注'夫人、世婦次于房中', 疏謂西房. 士無西房, 自當次于東房. 張亦云然."

의 의절들을 모두 大斂奠을 올릴 때와 같이 한다.
右人(鼎의 오른쪽에서 왼손으로 鼎을 드는 사람)이 匕로 鼎에서 牲體를 꺼내는 일이 끝나면 匕를 鼎 안에 넣어 둔다.
左人(鼎의 왼쪽에서 오른손으로 鼎을 드는 사람)이 牲體를 담은 俎를 들고 당을 향해 가면 枇者(匕로 鼎 안에서 牲體를 꺼냈던 右人)가 들어올 때의 순서와 반대로 침문을 나간다.
甸人이 빈 鼎을 거두어 침문 밖으로 나간다.

奠物을 든 사람들이 당에 올라 室로 들어가는 순서는 醴·酒·菹·醢·黍·稷·俎를 든 순이다.
奠物을 室 안에 진설하는 순서는 맨 먼저 豆(菹와 醢)를 놓고 이어 俎(特豚과 魚)를 놓으며 腊俎는 단독으로 豚俎와 魚俎의 북쪽에 놓는다. 그 다음에 黍敦와 稷敦를 籩을 놓았던 자리에 놓는데, 敦의 뚜껑을 열어 敦의 남쪽에 뒤집어 놓는다. 마지막으로 醴와 酒를 놓는데, 그 위치 역시 大斂奠 때와 같이 籩의 남쪽에 놓는다.
진설이 끝나면 夏祝이 豆를 들고 왔던 사람과 함께 布巾으로 奠物을 덮은 뒤에 室을 나온다.

주인(장부들과 부인들 포함)이 踊을 해야 할 때가 되면 踊을 하는데 모두 朝夕哭 때의 의절과 같이 한다.
士는 보름(望奠)에 殷奠(牲俎가 있는 奠)을 올리지 못한다. 薦新을 올릴 경우에는 朔奠과 같이 殷奠을 올린다.
朔奠을 거둘 때는 먼저 醴와 酒를 거두고 나머지는 먼저 진설한 것을 먼저 거둔다. 이때 黍敦와 稷敦는 會(敦의 뚜껑)를 열어 놓은 채 거두는데, 뚜껑의 발이 앞을 향하도록 한다.
奠物을 들고 室에서 나오는 순서는 室로 들어갈 때와 같다. 밖(당 아래 西序의 서남쪽)에 진설하는 것도 室에 진설할 때와 같이 한다.

① 朔月
정현의 주에 따르면 "매달 초하루이다.〔月朔日也.〕"
② 如初

정현의 주에 따르면 "大斂 때를 이른다.〔謂大斂時.〕" 〈사상례〉24. 참조.

③ 無籩……當籩位

앞에서는 朔月奠 때 대렴전과 같은 것들을 기록하였고 여기에서는 대렴전과 다른 것들을 기록하였다. '無籩'은 즉 脯籩과 栗籩이 없는 것이다.

④ 主人拜賓, 如朝夕哭

蔡德晉에 따르면 "朝夕哭 때 賓에게 절하는 것은 모두 세 번 있다. 침문 안으로 들어오려고 할 때 각 방향마다 세 번씩 절하는 것이 첫 번째이고, 침문을 들어와서 곡하고 타국의 異爵者(경대부)에게는 그 자리에 나아가 일일이 절하는 것이 두 번째이고, 賓에게 절하여 전송하는 것이 세 번째이다. 이때에도 모두 조석곡 때와 같이 한다.〔朝夕哭拜賓有三: 將入廟門, 旁三拜, 一也; 旣入, 哭, 異爵者拜諸其位, 二也; 拜送, 三也. 此皆如之.〕"

⑤ 卒徹

어제의 夕奠을 모두 거두는 것을 이른다. 胡培翬에 따르면 "朔月奠도 동틀 녘에 奠物을 올리기 때문에 먼저 어제의 묵은 奠物을 거두는 것이다.〔朔月奠亦質明行事, 故先徹昨日之宿奠.〕"

⑥ 升

鼎에 든 음식을 俎에 담는 것을 이른다.

【按】 蔡德晋의 《禮經本義》, 敖繼公의 《儀禮集說》, 吳廷華의 《儀禮章句》에서는 모두 양천우의 주와 같이 '升'을 牲體를 꺼내어 俎에 담는 것으로 보았다. 그러나 胡培翬의 《儀禮正義》에서는 '升'을 "牲體를 鼎에 담는 것[升牲於鼎]"으로 보았는데, 일반적으로 '升'은 鼎에 담는 것을 말하는 것에 근거한다면 (〈사상례〉24. 주㉒ 참조) 호배휘의 설이 일리가 있다. 다만 여기에서는 다수설에 따라 양천우의 주석을 그대로 채택하였다.

⑦ 初奠之儀

胡培翬에 따르면 "大斂奠을 이른다.〔謂大斂奠也.〕"

⑧ 俎行

牲體를 담은 俎를 든 사람이 당에 올라가 奠을 올리려는 것을 이른다. 俎를 든 사람은 左人이다. 즉 鼎을 들 때 鼎의 왼쪽에 있던 사람이다.

【按】 '左人'은 〈사상례〉21. 참조.

⑨ 杫者

匕로 鼎 안에서 牲體를 꺼내는 사람이다. 이는 右人이니, 즉 鼎을 들 때 鼎의 오른쪽에 있던 사람이다.

【按】'右人'은 〈사상례〉21. 참조.

⑩ 其序

당에 올라 室로 들어가는 순서를 이른다.

【按】 이하의 경문에 근거하면 이것은 室에 들어가는 차례일 뿐 진설하는 순서는 醴가 가장 마지막이다.

⑪ 豆錯

이때에도 醢豆는 북쪽에 두고 菹豆는 남쪽에 둔다.

⑫ 腊特

이때에도 豚俎는 菹豆의 동쪽에 두고 魚俎는 豚俎의 동쪽에 두며 腊俎는 단독으로 魚俎와 豚俎의 북쪽에 가로로 둔다. 장혜언의 〈大斂奠〉圖 참조.

⑬ 黍、稷當籩位

籩의 자리는 원래 豆의 남쪽으로, 栗籩은 서쪽에 있고 脯籩은 동쪽에 있었다. 지금은 栗籩을 놓았던 자리에 黍敦를 놓고 脯籩을 놓았던 자리에 稷敦를 놓는 것이다.

⑭ 醴、酒位如初

敖繼公에 따르면 "醴는 黍敦의 남쪽에 있고 酒는 稷敦의 남쪽에 있는 것을 이른다.〔謂醴在黍南, 酒在稷南.〕"

⑮ 要節而踊

胡培翬에 따르면 "奠物을 들고 당에 올라갈 때 장부들이 踊을 하고, 당을 내려갈 때 부인들이 踊을 하고, 奠을 진설한 사람들이 뜰에 있는 重의 남쪽을 지나 동쪽의 원래 자리로 돌아갈 때 장부들이 踊을 하는데, 이때에도 모두 朝夕哭·朝夕奠을 올릴 때의 의절과 같이 하는 것을 이른다. '丈夫'와 '婦人'을 말하지 않은 것은 주인에게 통섭되기 때문이다.〔亦謂奠升時丈夫踊, 降時婦人踊, 奠者由重南而東丈夫踊, 皆如朝夕哭奠之儀也. 不云丈夫、婦人, 以主人統之也.〕"

【按】〈사상례〉30. 주㉘ 참조.

⑯ 月半不殷奠

'月半'은 즉 한 달의 중간으로 보름을 이른다. '殷奠'은 정현의 주에 따르면 "殷은 성대하다는 뜻이다. 士는 보름에는 다시 초하루 때처럼 盛奠을 올리지 못하는데, 尊者보다 낮추기 때문이다.〔殷, 盛也. 士月半不復如朔盛奠, 下尊者.〕" 胡培翬에 따르면 奠은 牲俎가 있는 것을 성대하게 여기는데, 朔

月奠(朔奠)에는 牲俎가 있어서 朝夕奠보다 성대하기 때문에 '殷奠'이라고 이름을 붙인 것이다.[331] 또 胡培翬에 따르면 대부 이상은 보름에도 朔月奠과 같이 盛奠을 올리지만 士는 보름에는 盛奠을 올리지 못하는데, 그 禮를 대부 이상인 尊者보다 낮추기 때문이다.[332]

【按】 '月半'은 보름에 올리는 奠을 가리키며 '望奠'이라고 한다.

⑰ 有薦新, 如朔奠

'薦'은 '獻(올리다)'의 뜻이다. '新'은 오곡이나 과일 등 제 철에 새로 나는 음식을 이른다. '薦新'도 제사 이름이다. '如朔奠'은 胡培翬에 따르면 "그 의절은 모두 朔月奠을 올릴 때와 같으며 마찬가지로 牲俎가 있다.〔其儀節皆如朔奠, 亦有牲俎也.〕"

【按】 薦新은 祭보다 가벼운 제사로, 제철에 나는 음식을 종묘에 올리는 것을 이른다. 祿田이 있으면 祭와 천신을 지내고 녹전이 없으면 천신만 지낸다.[333] 또한 祭는 원래의 의미로는 卜日, 尸, 犧牲, 음악이 있지만 천신은 모두 없다. 祭와 천신은 상대적으로 쓸 경우에는 이렇게 다르지만 독립적으로 쓸 때에는 모두 제사의 의미로 사용할 수 있다.[334]

⑱ 徹朔奠

胡培翬에 따르면 "夕奠을 올리려고 해서이다.〔爲將夕奠也.〕"

⑲ 啓會, 面足

'啓會'는 정현의 주에 따르면 黍敦와 稷敦를 진설할 때 敦의 뚜껑을 열어놓았으니 黍敦와 稷敦를 거둘 때도 다시 덮지 않고 열어둔 채로 거둔다는 말이다. '面足'은 敦의 뚜껑 위에 있는 발이 앞쪽으로 향하게 하는 것이다. 敦는 청동으로 만들었는데, 위의 뚜껑과 몸체가 모두 半球形으로 되어 있으며, 각각 3개의 다리가 있어서 뚜껑을 바닥에 뒤집어 놓을 수 있다. 뚜껑과 몸체를 합치면 완전한 球形이 된다.

⑳ 外

정현의 주에 따르면 "序의 서남쪽이다.〔序西南.〕"

331)《儀禮正義》卷28 : "朝夕奠無牲俎, 朔月奠有牲俎, 盛於朝夕, 故名'殷奠'."

332)《儀禮正義》卷28 : "大夫以上, 月半亦如朔月盛奠, 士月半不盛奠, 是下於大夫以下也."

333)《禮記》〈王制〉: "有田則祭, 無田則薦." 鄭玄注 : "有田, 旣祭又薦新."

334) 錢玄, 《三禮辭典》, 1178쪽

서택筮宅 · 시곽視椁 · 복장일卜葬日

34. 묘지를 점쳐 정함

筮宅①。冢人營之②, 掘四隅, 外其壤。掘中, 南其壤③。既朝哭, 主人皆往, 兆南④, 北面, 免(면)絰⑤。
命筮者在主人之右⑥。筮者東面抽上韇(독), 兼執之⑦, 南面受命。命曰: "哀子某, 爲其父某甫筮宅⑧, 度(탁)茲幽宅⑨, 兆基, 無有後艱⑩。" 筮人許諾, 不述命⑪, 右還(선), 北面, 指中封而筮⑫。卦者在左⑬。
卒筮, 執卦以示命筮者。命筮者受視, 反之。東面, 旅占卒⑭, 進告于命筮者與主人: "占之曰從⑮。" 主人絰, 哭, 不踊。若不從, 筮擇如初儀⑯。歸, 殯前北面哭, 不踊。

시초점을 쳐서 묘지를 정한다.
冢人(묘역을 관장하는 有司)이 먼저 한 장소를 묘지로 잡아 그 곳의 네 귀퉁이를 파서 파낸 흙을 네 귀퉁이 바깥쪽에 두고, 중앙을 파서 파낸 흙을 중앙의 남쪽에 둔다.
朝哭을 마친 뒤에 주인과 衆主人이 모두 冢人이 잡아 놓은 묘지로 가서 묘지 남쪽에서 북향하고 首絰과 腰絰을 벗는다.

命筮者(시초점을 명하는 사람, 宰)가 주인의 오른쪽에 선다.
筮者(시초점을 치는 사람)가 동향하고 오른손으로 시초를 담은 上韇을 열어 왼손에 下韇과 함께 잡은 뒤 몸을 돌려 남향하고 명을 받는다.
命筮者가 주인을 대신하여 명하기를 "哀子 아무개가 아버지 아무甫를 위하여 묘지를 점쳐서 이곳을 幽宅으로 잡아 묘역을 조성하려고 하는데 훗날 어려운 문제가 생기지는 않겠지요?"라고 한다.
筮人이 허락한 뒤 이 명하는 말을 되풀이 하지 않고 몸을 오른쪽으로 돌려 북향하고서 중앙 남쪽에 파서 쌓아놓은 흙을 가리키면서 점을 친다.
卦者(괘를 기록하는 사람)가 筮人의 왼쪽에 선다.

점치는 일이 끝나면 筮人이 괘가 그려진 판을 들어 命筮者에게 보인다.
命筮者가 받아서 살핀 뒤에 筮人에게 돌려준다.
筮人이 동향하고 여러 筮人들과 나온 괘를 가지고 길흉을 묻는다.
길흉의 결과가 나오면 命筮者와 주인에게 나아가 고하기를 "점을 쳐보니 길하다고 나왔습니다."라고 한다.
이때 주인이 수질과 요질를 착용하고 곡을 한다. 踊은 하지 않는다.
만약 길하지 않으면 다른 곳을 골라 점쳐서 묘지 잡기를 앞의 의절과 같이 한다.
주인과 衆主人이 묘지에서 돌아와 殯宮의 서쪽 계단 아래에서 殯을 향해 북향하고 곡을 한다. 踊은 하지 않는다.

① 筮宅

정현의 주에 따르면 "宅은 매장하는 자리이다.〔宅, 葬居也.〕" 胡培翬에 따르면 시초점을 쳐서 묘지를 정하는 것은 묘지의 남쪽에서 행한다.[335]

② 冢人營之

정현의 주에 따르면 "冢人은 묘지의 묘역을 관장하는 有司이다. 營은 度(헤아리다)과 같다.〔冢人, 有司掌墓地兆域者. 營, 猶度也.〕" '兆域'은 즉 塋域이니, 묘지이다.

③ 掘四隅……南其壤

敖繼公에 따르면 땅을 파는 목적은 우선 한번 토양을 알아보기 위한 것이다.[336] 마지막에는 시초점을 통해 선택한 묘지의 可否를 神의 뜻으로 결정해야 한다.

④ 兆

정현의 주에 따르면 "묘역이니, 잡아놓은 곳이다.〔域也, 所營之處.〕"

⑤ 北面, 免絰

정현의 주에 따르면 '免絰'은 시초점을 쳐서 묘지를 정하는 것은 길함을

335) 《儀禮正義》卷28 : "兆南, 即所掘壤之南, 此筮禮與《士冠》、《特牲》二篇略同, 惟彼筮於廟門, 此筮於兆南爲異耳."

336) 《儀禮集說》卷12 : "於將爲壙之處, 掘其四隅與中央, 略以識之而已, 以神之從違, 未可必也."

구하기 위한 것이어서 감히 온전한 상복을 입지 못하기 때문에 수질과 요질을 벗는 것이다.[337]

【按】 敖繼公에 따르면 일반적으로 문에서 시초점을 치는 경우에는 모두 서향하고, 묘역의 남쪽에서 시초점을 칠 때는 북향한다. 서쪽과 북쪽은 陰方이기 때문에 이쪽을 향하여 신을 구하는 것이다.[338]

⑥ 命筮者在主人之右

盛世佐에 따르면 '命筮者'는 "宰이다.〔宰也.〕" 즉 주인의 家臣 중 우두머리이다.

【按】 정현의 주에 따르면 여기에서 命筮者가 주인의 오른쪽에서 명한 것은 尊者를 도와 명할 때는 尊者의 오른쪽에서 해야 하기 때문이다. 《예기》〈喪服小記〉에 "임금을 도와 예물을 받을 때에는 임금의 왼쪽에서 하고, 임금을 도와 명을 고할 때에는 임금의 오른쪽에서 한다."라는 내용이 보인다.[339]

⑦ 抽上韇, 兼執之

'韇'은 蓍草를 담은 그릇이다. '兼'은 '아우르다〔竝〕'라는 뜻이다. '韇'은 시초를 담는 그릇으로, 상하 두 부분으로 나뉘어 있다. 下韇은 위로 上韇을 받고, 上韇은 아래로 下韇을 덮고 있는 형태이다. 사용할 때는 먼저 上韇을 뽑아서 열어야 한다. 筮人은 왼손으로 下韇을 잡고 오른손으로 上韇을 뽑은 뒤에 또 上韇을 왼손에 건네어서 함께 잡기 때문에 '兼執之'라고 한 것이다. 胡培翬는 "右抽上韇은 왼손으로 下韇을 잡고 오른손으로 上韇을 뽑는 것을 이른다. '執下韇'이라 하지 않고 '執筮'라고 말한 것은 시초가 下韇 안에 있기 때문에 '執筮〔시초를 잡는다〕'라고 말한 것이다. 또 '兼執之'라고 한 것은 왼손으로 시초를 잡고 아울러 上韇까지 함께 잡는 것을 이른다. 오른손으로 上韇을 잡지 않는 것은 下韇에서 시초를 뽑을 때 편리하게 하기 위해서이다.〔右抽上韇, 謂以左手執下韇, 以右手抽上韇也. 不云'執下韇'而云'執筮'者, 以筮在下韇中, 故以'執筮'言之. 又云'兼執之'者, 謂左手執筮, 兼執上韇也. 右手不執上韇者, 便其抽下韇也.〕"라고 하였다. 호배휘는 또 "抽下韇은 오른손으로 뽑는다고 하지 않았지만 마찬가지로 오른손으로 뽑는다는 것을 알 수 있다. '左執筮'는 왼손으로는 오로지 시초만을 잡는 것을 이른다. '右兼執韇以擊筮'는, 오른손으로 下韇을 뽑아서 잡고 아울러 上韇까지 함께 잡아서 두 개의 韇으로 시초를 치는 것을 이른다.〔抽下韇, 不云右, 亦右手可知. 左執筮, 謂以左手專執筮草也. 右兼

337) 鄭玄注 : "免絰者, 求吉, 不敢純凶."

338) 《儀禮集說》卷1 : "凡卜筮于門者, 皆西面. 筮宅於兆南, 則北面. 蓋以西北陰方, 故鄕之以求諸鬼神也."

339) 鄭玄注 : "命尊者, 宜由右出也. 《少儀》曰: '贊幣自左, 詔辭自右.'"

執韇以擊筮, 謂右手抽下韇執之, 並執上韇, 以二韇擊筮也.〕"라고 하였다.

⑧ 某甫

'某'는 아버지의 字이다. '甫'는 남자의 미칭으로, '父'(보)로 쓰기도 한다. '伯(또는 仲, 叔, 季)某甫'는 고대 남자의 字를 구성하는 완전한 칭호이다. 예를 들면 伯禽父, 仲山甫, 叔興父 등등이다.

⑨ 度玆幽宅

정현의 주에 따르면 "度은 '헤아리다'라는 뜻이다. '玆'는 '이곳'이다.〔度, 謀也. 玆, 此也.〕"

⑩ 兆基, 無有後艱

'基'는 정현의 주에 따르면 "시작한다는 뜻이다.〔始也.〕" '艱'은 '艱難'이라는 뜻이다. 정현의 주에 따르면 "艱難은 묘소가 무너지는 것과 같은 非常한 일이 발생하는 것을 이른다.〔艱難, 謂有非常若崩壞也.〕"

⑪ 述

정현의 주에 따르면 "명을 받고 이것을 다시 말하는 것을 '述'이라고 한다.〔既受命而申言之曰述.〕"

【按】〈사상례〉36. 주⑭ 참조.

⑫ 中封

정현의 주에 따르면 "파서 쌓아놓은 중앙의 흙이다.〔中央壤也.〕"

⑬ 卦者

괘를 기록하는 일을 책임진 사람이다.

⑭ 旅占卒

'旅'는 '무리〔衆〕'라는 뜻이다. '旅'는 여러 筮人을 가리킨다.

【按】점친 결과에 대해 여러 사람이 그 길흉을 판단하는데, 정현의 주에 따르면 연장자부터 그 길흉을 판단한다.[340] 《서경》〈洪範〉에 "세 사람이 점을 치면 두 사람의 말을 따른다."라는 구절이 보인다.[341]

⑮ 從

정현의 주에 따르면 "吉과 같다.〔猶吉也.〕"

⑯ 筮擇

정현의 주에 따르면 "다시 땅을 물색해서 시초점을 치는 것이다.〔更擇地而筮之.〕"

340) 《儀禮》〈特牲饋食禮〉: "長占卒, 告于主人占曰吉."
鄭玄注 : "長占, 以其年之長幼旅占之."
賈公彦疏 : "經直云'長占', 知非長者一人而云.……經直云長者, 見從長者爲始也."

341) 《書》〈洪範〉: "三人占, 則從二人之言."
孔穎達正義: "從二人之言者, 二人爲善既鈞, 故從衆也."

35. 椁·明器 재료·明器를 살핌

既井椁①, 主人西面拜工, 左還(선)椁, 反位哭②, 不踊。婦人哭于堂。獻材于殯門外③, 西面, 北上, 綪(쟁)④。主人徧視之⑤, 如哭椁⑥。獻素、獻成亦如之⑦。

井椁(덧널)이 만들어지면 주인이 서향하고 工人에게 절을 한 뒤에 椁을 왼쪽(椁의 남쪽)으로 돌면서 살펴본다. 한 바퀴 돌아 절했던 자리로 돌아오면 곡을 한다. 踊은 하지 않는다. 이때 부인들도 당에서 곡한다.

明器를 만들 재료들을 殯門(寢門) 밖에 進獻하는데, 서쪽을 향하게 하고 북쪽을 상위로 하여 북쪽에서부터 남쪽 끝까지 진열하고 다시 북쪽으로 구부려 진열한다. 주인이 이 재료들을 두루 살피고 자리로 돌아와 椁을 살핀 뒤와 같이 곡을 하고 踊은 하지 않는다.

아직 칠을 하지 않은 기물을 진헌했을 때와 칠이 다 끝난 기물을 진헌했을 때에도 明器를 만들 재료들을 살필 때와 같이 한다.

① 井椁

'椁'은 棺의 덧널이다. '井椁'이라고 하는 이유는 胡培翬에 따르면 "椁은 棺과 같이 그 모양이 사각인데다 또 그 가운데를 비워서 下棺을 기다리는 것이 우물과 유사하기 때문에 '井椁'이라고 한 것이다.〔蓋椁同於棺, 其形方, 又空其中以俟下棺, 有似於井, 故云井椁.〕" 정현의 주에 따르면 椁은 殯宮 문 밖에서 만든다.[342]

② 左還椁, 反位哭

앞에서 "서향하고 工人에게 절한다.〔西面拜工〕"라고 하였으니, 이것은 남쪽을 왼쪽으로 삼은 것이다. 胡培翬에 따르면 "左還椁은 井椁의 남쪽을 따라 서쪽, 북쪽, 동쪽의 차례로 곽을 한 바퀴 돌면서 자세히 살펴보고 마침내 절한 자리로 되돌아오는 것을 이른다. 곡하는 것은 완성된 곽의 형태를 보고서 곡하는 것이다.〔左還椁, 謂循井椁之南而西, 而北, 而東, 周繞

342) 鄭玄注 : "匠人爲椁, 刊治其材, 以井構於殯門外也."

(卽繞椁一周)而祥視之, 乃反於拜位也. 哭者, 見其成椁之形而哭也.〕"

③ 獻材于殯門外

'材'는 정현의 주에 따르면 "明器를 만드는 재료이다.〔明器之材.〕" '明器'는 즉 부장하는 기물이다. '殯門外'는 즉 殯宮의 문 밖이다. 胡培翬에 따르면 "適寢의 문 밖을 이른다.〔謂適寢門外也.〕"

④ 北上, 綪

胡培翬에 따르면 "북쪽에서부터 남쪽 끝까지 진열하고 다시 북쪽으로 구부려 진열하는 것을 이른다.〔謂自北至南, 屈而陳之也.〕" 또 호배휘에 따르면 "明器는 매우 많아서 그 재료가 한두 가지가 아니기 때문에 반드시 굽혀서 진열해야 한다. 《예기》〈檀弓〉에 '竹器는 가장자리에 테두리를 두르지 않음으로써 사용하기에 좋지 않게 하고, 瓦器는 광택이 나게 만들지 않으며, 木器는 아로새긴 무늬를 넣지 않는다. 琴과 瑟은 줄을 풀어 놓고 조율하지 않으며, 竽와 笙은 갖추기만 하고 조율하지 않으며, 종과 경쇠를 두기는 하지만 이것들을 거는 틀은 두지 않는다.'라고 하였으니, 명기는 매우 많아서 재료가 한둘이 아니라는 것이다.〔明器甚多, 其材不一, 故須屈陳之.《檀弓》曰: '竹不成用, 瓦不成味(沫), 木不成斲, 琴瑟張而不平, 竽笙備而不和, 有鐘磬而無簨虡.' 是明器甚多, 材非一也.〕" 또 吳廷華에 따르면 진헌하는 명기의 재료들은 이것으로 아직 명기를 만들지는 않았지만 어떤 재료로 어떤 明器를 만들어야 하는지는 이미 확정되었기 때문에 어떤 재료를 북쪽의 상위에 두어야 하고 어떤 재료를 구부려서 진열해야 하는지는 알 수 있다.343)

⑤ 主人徧視之

【按】 정현의 주에 따르면 "마찬가지로 工人에게 절하고 왼쪽으로 돌면서 살펴본다.〔亦拜工左還.〕"

⑥ 如哭椁

胡培翬에 따르면 "자리로 되돌아와 곡하고 踊은 하지 않는 것과 같이 하는 것이다.〔如其反位哭, 不踊也.〕"

⑦ 獻素、獻成

注疏에 따르면 기물을 이미 다 만들기는 하였으나 아직 칠을 하지 않은 것을 '素器'라고 한다. 칠을 한 뒤에는 '成器'라고 하니, 바로 완성품이다.344)

【按】 가공언의 소에 따르면 明器는 이처럼 세 차례의 진헌하는 법이 있는데 비해, 椁은

343)《儀禮章句》卷12 : "材雖未治, 而其用已定, 故有上及綪也."

344) 鄭玄注 : "形法定爲素, 飾治畢爲成."

賈公彦疏 : "云'形法定爲素, 飾治畢爲成', 知義然者, 以其言素, 素是未加飾名, 又經言獻材是斲治, 明素是形法定, 斲治訖可知. 又言成, 是成就之名, 明知飾治畢也. 此明器須好, 故有三時獻法. 上椁材既多, 故不須獻, 直還觀之而已."

들어가는 재료가 많기 때문에 그 재료는 굳이 진헌할 필요 없이 곧바로 완성된 곽을 진헌했을 때 이를 돌면서 살펴볼 뿐이다.

36. 장례일을 점쳐 정함

卜日。既朝哭，皆復外位。卜人先奠龜于西塾上①，南首，有席。楚焞(돈)置于燋②，在龜東。族長涖卜③，及宗人吉服立于門西④，東面，南上。占者三人在其南⑤，北上。卜人及執燋、席者在塾西⑥。闔東扉，主婦立于其內⑦。席于闑(얼)西、閾(역)外⑧。宗人告事具。

主人北面免絰，左擁之⑨。涖卜即位于門東⑩，西面。卜人抱龜、燋，先奠龜⑪，西首，燋在北。宗人受卜人龜，示高⑫。涖卜受視，反之。宗人還(선)，少退，受命。命曰："哀子某，來日某，卜葬其父某甫，考降無有近悔⑬。"許諾，不述命⑭，還(선)即席，西面坐，命龜⑮，興，授卜人龜，負東扉。卜人坐⑯，作龜⑰，興。宗人受龜示涖卜。涖卜受視，反之。宗人退，東面⑱，乃旅占。

卒，不釋龜⑲，告于涖卜與主人："占曰：某日從。"授卜人龜，告于主婦。主婦哭⑳。告于異爵者，使人告于衆賓㉑。卜人徹龜。宗人告事畢。主人絰，入，哭如筮宅㉒。賓出，拜送。若不從，卜宅(擇)如初儀㉓。

장례일을 거북점을 쳐서 정한다.

朝哭이 끝나면 모두 寢門 밖의 자리로 돌아간다.

卜人(점을 치는 사람)이 먼저 거북을 西塾에 놓는데, 거북의 머리를 남향하도록 한다. 자리가 있다.

楚焞(가시나무불)은 홰[燋]와 함께 거북의 동쪽에 둔다.
族長(종족의 사무를 관장하는 사람)이 거북점을 칠 때 와서 참석한다. 宗人과 함께 吉服을 입고 침문의 서쪽에 동향하고 남쪽을 상위로 하여 선다.
占者(길흉을 점치는 사람) 3명이 족장과 종인의 남쪽에 북쪽을 상위로 하여 선다.
卜人, 홰를 든 사람, 자리[席]를 든 사람이 西塾의 서쪽에 선다.
침문의 동쪽 문은 닫고 서쪽 문을 열어두고서 주부가 침문 안쪽에 선다.
자리를 闑(문 중앙에 세운 말뚝)의 서쪽, 閾(문지방)의 바깥쪽에 깐다.
宗人이 주인에게 일이 모두 구비되었다고 고한다.

주인이 북향하고 首絰과 腰絰을 벗어 왼쪽 팔에 걸쳐 든다.
涖卜(족장)이 침문의 동쪽 자리로 나아가 서향하고 선다.
卜人이 거북과 홰를 가져다 깔아놓은 자리에 먼저 거북을 놓는데, 거북의 머리를 서쪽으로 놓고 홰를 그 북쪽에 둔다.
宗人이 卜人에게서 거북을 받아 거북의 腹甲에서 볼록한 곳을 涖卜에게 보여 준다.
涖卜이 이를 받아서 보고 다시 宗人에게 돌려준다.
宗人이 몸을 돌려 조금 물러나서 명을 받는다.
涖卜이 주인을 대신하여 명하기를 "哀子 아무개가 오는 某日을 아버지 아무甫의 장례일로 잡으려고 합니다. 선친을 모신 뒤에 회한에 가까운 무슨 문제가 생기지는 않겠지요?"라고 한다.
宗人이 허락한 뒤에 이 명을 되풀이 하지 않고 몸을 돌려 깔아 놓은 자리로 나아가서 서향하고 앉는다. 거북에게 명하고 일어나서 卜人에게 거북을 준 뒤 동쪽 문을 등지고 선다.
卜人이 앉아서 거북을 가시나무불로 태워 균열이 생기도록 한 뒤에 일어난다.
宗人이 卜人에게서 거북을 받아 涖卜에게 보여준다.
涖卜이 받아서 본 뒤에 돌려준다.(涖卜이 宗人에게, 宗人이 卜人에게, 卜人이 占者에게 준다)

宗人이 침문 서쪽으로 물러나 동향하고 서서 길흉을 점치기를 기다린다.
이어 占者 3명이 거북의 균열을 보고 길흉을 점친다.

길흉을 점치는 일이 끝나면 宗人이 占者에게서 다시 받은 거북을 손에서 떼지 않고 계속 들고서 涖卜과 주인에게 고하기를 "점을 쳐보니 某日이 길하다고 나왔습니다."라고 한다.
宗人이 卜人에게 거북을 주고 점친 결과를 주부에게 고한다. 주부가 듣고 곡을 한다. 부인들도 곡을 한다.
宗人이 이 결과를 타국의 異爵者(경대부)에게 고하고, 사람을 보내 참석하지 않은 여러 賓들(僚友)에게도 고한다.
卜人이 거북을 치운다.
宗人이 주인에게 점치는 일이 끝났음을 고한다.
주인이 수질과 요질을 착용하고 침문 안으로 들어가 묘지를 점칠 때와 같이 殯 앞에서 북향하여 곡을 하고 踊은 하지 않는다.
賓이 침문을 나가면 주인이 절하여 전송한다.
만약 점친 결과가 길하지 않으면 다시 점쳐 날을 잡기를 처음의 의절과 같이 한다.

① 卜人

胡匡衷의 《儀禮釋官》에 따르면 대부와 士는 筮人만 있고 卜人은 없다. 따라서 여기의 卜人도 임금의 신하로서 士의 喪事를 도와주러 온 사람이다.[345]

② 楚焞置于燋

'楚'는 나무 이름으로, 정현의 주에 따르면 "가시나무이다.〔荊也.〕" '焞'은 음이 '돈'으로, 《說文解字》 段玉裁의 注에서는 明火라고 하였다. '楚焞'은 즉 가시나무에 붙이는 明火이다. '燋'는 정현의 주에 따르면 "홰이니, 불을 붙이는 것이다.〔炬也, 所以燃火者也.〕" '炬'는 《설문해자》에 '苣'로 되어 있는데, "갈대를 묶어 태우는 것이다.〔束葦燒.〕"라고 하였다. 사용하는 순서는, 胡培翬에 따르면 일반적으로 점을 칠 때에 먼저 陽燧를 가지고 햇빛에 나아가 불을 취한 뒤 홰〔燋〕에 점화하여 불씨를 보존한다. 다시 홰의 불을

345] 《儀禮釋官》卷5 : "大夫、士有筮人無卜人, 此亦公臣來給事者也."

붙어서 가시나무에 불을 붙인 뒤에 가시나무불로 龜甲을 태운다.[346] '陽燧'는 옛날에 햇빛에 나아가 불을 취하던 일종의 도구로, 금속으로 만든 밑이 뾰족한 잔이다. 잔 밑에 부드러운 쑥처럼 쉽게 타는 물질을 놓고 햇빛에 두면 햇빛을 모아서 태울 수가 있다. (이것은 《淮南子》〈天文訓〉의 말을 인용한 것이다)[347] 또 胡培翬에 따르면 "楚焞置于燋는 가시나무불과 홰를 한 곳에 두는 것을 이르니, 모두 거북의 동쪽에 두는 것이다.〔楚焞置于燋, 謂楚焞與燋置于一處, 皆在龜之東也.〕"

【按】'惇'은 《全韻玉篇》에 의하면 발음이 3개이다. '무성한 모습[盛貌]'을 나타낼 때는 '퇴', '밝다[明也]'의 뜻일 때는 '순', '거북을 굽는 횃불[灼龜炬]'의 뜻일 때는 '돈'이다. '明火'는 정현의 주에 따르면 "陽燧를 사용하여 태양에서 취하는 불[以陽燧取火於日]"이다.

③ 族長涖卜

'族長'은 정현의 주에 따르면 "有司로서 가깝고 먼 族人들을 관장하는 사람이다.〔有司掌族人親疏者也.〕" 즉 士를 위하여 종족의 사무를 관장하는 사람이다. '涖'는 '참석하다〔臨〕'라는 뜻이다.

④ 宗人吉服

'宗人'은 胡匡衷의 《儀禮釋官》에 따르면 주인을 위해 禮事와 宗廟를 관장하는 사람이다. '吉服'은 정현의 주에 따르면 "玄端服을 입는 것이다.〔服玄端也.〕" '玄端'은 緇布冠에 맞추어 입는 옷이다. 정현의 주에 따르면 "玄端은 朝服의 衣로, 그 裳만 바꾼다.〔玄端卽朝服之衣, 易其裳耳.〕" 즉 현단복의 상의는 朝服과 같이 모두 검은색이며 단지 下裳의 색깔만 다른 것이다. 현단복에 입는 裳은 玄裳·黃裳·雜裳의 3가지 색깔이 모두 가능하다. 이른바 '雜裳'이란 정현의 주에 따르면 "앞쪽은 검고 뒤쪽은 누런 裳이다.〔前玄後黃.〕"

⑤ 占者三人

'占者'는 거북을 태워서 생긴 균열〔兆〕에 의거하여 길흉을 판단하는 사람이다. 3명을 쓰는 이유는 3명이 각각 한 종류의 균열을 맡아 길흉을 판단하기 때문이다. 즉《尙書》〈洪範〉에서 말한 "세 사람이 길흉을 판단하면 두 사람의 말을 따른다.〔三人占則從二人之言.〕"라는 것이다.

【按】《주례》에 따르면 이때 생기는 균열에는 玉兆·瓦兆·原兆의 3종류가 있다.[348] 정현의 주에 따르면 玉兆는 그 균열이 옥의 균열과 같은 것이며, 瓦兆는 기와의 균열, 原兆는

346) 《儀禮正義》卷28 : "凡卜時, 先以明火爇燋, 乃吹燋之火以燃楚焞, 是其次第也."

347) 《淮南子》〈天文訓〉 : "陽燧見日, 則燃而爲火, 方諸見月, 則津而爲水."

348) 《周禮》〈春官 太卜〉: "掌三兆之法, 一曰玉兆, 二曰瓦兆, 三曰原兆."

들의 밭과 같은 균열이다.[349]

⑥ 在塾西

'塾'은 西塾이다. 정현의 주에 따르면 "西塾의 서쪽에 있는 사람은 남향하고 동쪽을 상위로 하여 선다.〔在塾西者, 南面, 東上.〕"

⑦ 闔東扉, 主婦立于其內

'扉'는 문이다. '闔扉'는 張惠言의 《儀禮圖》 권2 〈壻見外舅姑〉圖에 따르면 주부는 왼쪽 문을 닫고 寢門 안 정중앙의 闑(얼)이 있는 곳에 남향하고 서며, 신랑은 침문의 閾(역) 밖 서쪽에 동향하고 선다.

【按】 장혜언의 권2 〈壻見外舅姑〉圖에는 주부가 남향하고 있으나 권5 〈卜日〉圖에는 주부가 闑이 아닌 침문의 동쪽 문 안쪽에 서향하고 있다. 胡培翬에 따르면 〈사혼례〉에서는 신랑이 장인과 장모를 처음 찾아뵐 때 "신랑이 동향하면 주부는 남향하여 서로 마주대하지 않는다.[壻東面, 則主婦南面, 不相對]" 또 "서쪽 문을 닫고 그 안쪽에 서는 것은 주부의 正位로, 남자는 동쪽에 여자는 서쪽에 서는 뜻을 취한 것이다. 그러나 〈사상례〉에서는 동쪽 문을 닫고 주부가 그 안쪽에 서는데, 이것은 凶禮이기 때문에 吉禮와 다르게 한 것이다.[闔西扉, 立於其內, 主婦之正位也, 蓋取夫東婦西之義. 《士喪禮》'闔東扉, 主婦立于其內', 兇禮變於吉也.]" 朱熹는 《儀禮經傳通解》 권2에서 '동쪽 문'을 '왼쪽 문'으로 보았으나 호배휘의 이 설에 따르면 이는 오류이다. 혼례와 같은 길례에 주부의 正位를 말하면서 나온 '왼쪽 문'은 서쪽 문으로 보아야 하기 때문이다.

⑧ 席于闑西、閾外

'闑'은 고대의 문 중앙에 세운 짧은 나무이다. 王引之의 《經義述聞》 "闑西閾外" 조에 따르면 闑은 문 가운데에 있는 말뚝〔橛〕으로, 똑바로 세웠지만 짧아서 수레가 문을 들어올 때 수레의 軸이 그 위를 넘어서 지나갈 수 있다. '閾'은 즉 문지방〔門檻〕이다.

⑨ 左擁之

'擁'은 안아서 드는 것이다. 왼쪽 팔에 걸쳐서 드는 것인 듯하다.

⑩ 涖卜

정현의 주에 따르면 "족장이다.〔族長也.〕" 胡匡衷의 《儀禮釋官》에 "족장이 거북점을 칠 때 오니, 경문에서 곧바로 '涖卜'이라고 칭한 것은 일로 그 사람을 지칭한 것이다.〔族長涖卜, 經卽稱爲涖卜, 以事目其人.〕"라고 하였다.

⑪ 先奠龜

【按】 注疏에 따르면 卜人은 거북과 홰를 西塾에서 가지고 와 안고서 閾 밖에서 기다리

349) 《周禮》〈春官 太卜〉鄭玄注:"兆者, 灼龜發於火, 其形可占者, 其象似玉、瓦、原之璺罅, 是用名之焉. 原, 原田也."

고 있다가 거북을 먼저 자리에 내려 놓은 뒤에 거북의 북쪽에 홰를 내려놓고 다시 거북을 들고 宗人에게 줄 때까지 기다린다.[350]

⑫ 示高

정현의 주에 따르면 '示'는 涖卜에게 보여주는 것이며 '高'는 거북의 腹甲 중 볼록하게 솟아서 불로 태울 곳을 가리킨다.[351]

⑬ 考降無有近悔

張爾岐에 따르면 "考는 아버지이다. 降은 골육이 흙으로 돌아가는 것이다.〔考, 父也. 降, 骨肉歸復於土也.〕" '近悔'는 정현의 주에 따르면 "'어떤 허물이나 후회에 가까운 일이 생기지는 않겠지요?'라는 말이다.〔得無近於咎悔者乎?〕"

⑭ 不述命

【按】 注疏에 따르면 대부 이상일 경우에는 일반적으로 거북점을 칠 때 명을 되풀이하지만 여기에서는 士의 喪禮이기 때문에 간략하게 한 것이다.[352] 〈사상례〉34. 주 ⑪참조.

⑮ 命龜

《주례》〈春官 大卜〉의 '命龜'에 대한 정현의 주에 따르면 "거북에게 점칠 일을 고하는 것이다.〔告龜以所卜之事.〕"

⑯ 卜人坐

【按】 張惠言의 〈卜日〉圖에는 卜人이 서향하고 거북과 홰는 동향하도록 되어 있으며,[353] 黃以周의 〈卜日〉圖에는 卜人과 거북과 홰가 모두 동향하도록 되어 있다. 楊復은 장례일을 점칠 때 宗人이 서향하여 命龜하고 卜人이 서향하여 作龜하는 것을 근거로, 〈사관례〉에서 날을 점칠 때 거북과 시초점이 모두 서향하고 있다는 것을 알 수 있다고 하였다.[354] 여기에서 거북의 머리를 서쪽으로 하도록 하였으니 거북이 동향하는 것은 분명하나 나머지는 자세하지 않다.

⑰ 作龜

정현의 주에 따르면 "作은 灼(태우다)과 같다.〔作, 猶灼也.〕" 《주례》〈春官 大卜〉의 '作龜'에 대한 정현의 주에 따르면 "불로 거북을 태워서 균열을 만드는 것을 이른다.〔謂以火灼之, 以作其兆也.〕" 먼저 거북의 腹甲에 구멍을 뚫은 뒤에 불로 이 구멍을 태우면 구멍 있는 부분이 갈라져서 균열이 생긴다. 여기에서 귀갑에 구멍 뚫는 일을 말하지 않은 것은 글을 줄인 것이다.

【按】 최근의 연구에 따르면 龜甲에 길흉을 점치기 위한 균열을 만드는 방법은 다음과 같

350) 鄭玄注 : "既奠燋, 又執龜以待之."
賈公彦疏 : "云'卜人抱龜、燋'者, 謂從塾上抱, 鄉閾外待也. 先奠龜於席上, 乃復奠燋在龜北. 云'既奠燋, 又執龜以待之'者, 鄉時先奠龜, 次奠燋, 既奠燋, 又取龜執之以待, 待者, 下經授與宗人, 宗人受之是也."

351) 鄭玄注 : "以龜腹甲高起所當灼處, 示涖卜也."

352) 鄭玄注 : "宗人不述命, 亦士禮略. 凡卜, 述命, 命龜異, 龜重, 威儀多也."
賈公彦疏 : "大夫已上, 皆有述命, 述命與命龜異, 故知此不述, 而有即席西面命龜."

353) 《儀禮圖》卷5〈卜日〉: "卜人西面在席坐."

354) 《儀禮圖》卷1〈士冠禮〉: "筮人東面受命于主人, 右還即席, 西面坐, 筮. 《少牢禮》亦東面受命于主人, 西面立筮. 又《士喪》卜葬日, 宗人西面命龜, 退負東扉, 卜人西面作龜, 以此知龜、筮皆西面."

다. 먼저 거북을 잡은 뒤에 腹甲과 背甲을 분리하여 내장을 제거한다. 이때 복갑과 배갑을 연결하는 뼈인 甲橋는 복갑에 연결시켜 양옆이 볼록하게 나오도록 다듬는다. 복갑은 상하로 관통한 중앙선인 千里路를 중심으로 12개의 아교질 비늘이 덮여 있는데 이 비늘을 걷어내면 복갑의 정면에 다시 9조각으로 된 골판이 나타난다. 背甲은 골판 자체가 불룩하여 글자 새기기에 적합하지 않으므로 중앙을 중심으로 반을 갈라 한 쌍의 좌우 背甲을 만들어 사용한다. 골판을 톱[鋸]이나 줄[錯]로 자른 뒤에 칼로 긁고 문질러 광택을 낸 뒤 反面에 청동 鑽(송곳)이나 鑿(끌)과 같은 공구로 홈을 판다. 이때 대추씨 형태의 타원형 홈인 鑿을 먼저 길게 파고 착 중간 부분 옆에 착과 겹치도록 원형의 홈인 鑽을 파는데 완전히 구멍을 내지 않고 바닥은 얇게 막을 남겨둔다. 나무 막대를 태워 불꽃을 낸 다음 불을 끄고 불이 달아 있는 상태에서 이 찬과 착을 지지는데 찬에 비중을 두고 지진다. 찬과 착이 열을 받아 터지면 골판 正面에는 타원형의 착 부위에는 상하의 세로선이 생기고 원형의 찬 부위에는 가로선이 생겨 卜자 형태의 무늬가 생긴다. 이 무늬를 보고 길흉을 점친다.[355]

• 그림 32 • 龜卜甲 反面

• 그림 33 • 龜卜甲 正面

⑱ 涖卜受視, 反之, 宗人退, 東面

'反之'는 涖卜이 다시 宗人에게 돌려주는 것이다. 胡培翬에 따르면 宗人은 거북을 받은 뒤에 다시 卜人에게 돌려주고, 卜人이 다시 占者에게 준 뒤에 宗人이 비로소 물러나 동향하고 서서 점치기를 기다린다.[356] 이 부분이 경문에는 생략되었다.

⑲ 不釋龜

이 문장의 주어는 宗人이다. 정현의 주에 따르면 "不釋龜는 거북을 다시

355) 梁東淑, 《갑골문字典 겸 甲骨文解讀》(월간 서예문인화, 2007) 92~102쪽.

356) 《儀禮正義》卷28 : "反之, 反龜於宗人也. 宗人又反之卜人以授占者, 乃退而東面以俟占."

드는 것이다.〔不釋龜, 復執之也.〕" '復執之'는 占者가 점을 치고 나서 거북을 다시 宗人에게 주기 때문에 宗人이 거북을 다시 들게 된 것이다. 吳廷華는 "不釋이라고 한 것은 거북을 다시 들게 되어 마치 놓지 않았던 것과 같다는 말이다.〔不釋者, 復執之如未釋也.〕"라고 하였다.

⑳ 主婦哭

【按】 이때 주부가 곡을 하면 부인들도 모두 곡을 하며, 주부가 동쪽 계단으로 당에 올라가면 모두 곡을 그친다. 〈기석례〉27. 참조.

㉑ 衆賓

정현의 주에 따르면 "동료 중에 이 자리에 오지 않은 사람이다.〔僚友不來者也.〕"

㉒ 入, 哭如筮宅

胡培翬에 따르면 "殯 앞에서 북향하여 곡하고 踊은 하지 않는 것과 같은 것이다.〔如其殯前北面哭, 不踊也.〕"

㉓ 卜宅

'宅'은 '擇'이 되어야 한다. 張淳의《儀禮識誤》에 따르면 "앞(〈사상례〉34)에서 '筮擇如初儀'라고 말했으니, 여기에서는 장례일을 점칠 뿐이고 묘지를 점치는 것은 아니다. 擇과 宅은 음이 같기 때문에 오류가 생긴 것이다.〔上文有云'筮擇如初儀', 此卜日爾, 非卜宅也. 擇、宅音同, 故誤.〕"

이편은 〈士喪禮〉의 하편으로 啓殯에서부터 장례까지의 禮를 기록하였다. 이른바 〈旣夕禮〉라는 것은 본편의 첫머리 두 글자를 잠시 취하여 편명으로 삼은 것 뿐이며 결코 깊은 뜻은 없다.

全文은 모두 35절로 이루어져 있으며 4개 부분으로 구분할 수 있다.

첫째 부분은 1절부터 5절까지이다. 殯을 열고 柩를 옮겨 祖廟에 알현하는 禮를 주로 기록하였다.

둘째 부분은 6절부터 10절까지이다. 장례 전의 준비, 예를 들면 柩를 싣고 柩車를 장식하며 明器를 진열하는 일 등을 기록하고 동시에 임금과 賓의 賵·奠·賻·贈 등의 禮를 기록하였다.

셋째 부분은 11절부터 17절까지이다. 祖廟에 알현한 다음날 大遣奠(葬奠)을 진설한 뒤 柩車의 出行부터 장례까지의 禮를 기록하고 동시에 장례 뒤의 여러 제사 이름에 대하여 대략 기록하였다.

넷째 부분은 18절부터 35절까지이다. 이 부분은 〈사상례〉상·하 두 편의 〈記〉이다. 士의 喪禮 때의 여러 의절과 기물 등을 잡다하게 기록하였는데, 경문에 미비한 부분을 보충한 것이 많다.

第十三 기석례 既夕禮

계빈啓殯

장전葬前

장葬

기記

계빈啓殯

1. 啓殯하는 날짜를 정함

既夕哭, 請啓期①, 告于賓。

夕哭을 한 뒤에 有司가 주인에게 啓殯(殯을 여는 것)할 날짜를 물어 賓에게 알린다.

① 既夕哭, 請啓期

'夕哭'은 朝夕哭의 夕哭을 가리킨다. '啓期'는 啓殯하는 날짜를 가리킨다. 장차 장례 하려면 먼저 널〔柩〕을 祖廟로 옮겨서 祖廟에 알현하는 禮를 행해야하기 때문에 (〈기석례〉4. 주 참조) 반드시 殯을 열어야 한다.

【按】 정현의 주에 따르면 이 〈기석례〉는 1廟인 제후의 下士를 위한 禮이기 때문에 장례 1일 전 夕哭을 마친 뒤에 啓殯하는 날을 묻는 예가 있는 것이다. 上士는 2廟이기 때문에 장례 2일 전에 이러한 禮가 있게 된다.[1] '請啓期'는 敖繼公과 郝敬에 따르면 지난번 장례일을 점칠 때 異爵者와 衆賓에게 이미 고했기 때문에 장례일을 알 터인데 有司가 반드시 그 기일을 주인에게 다시 물어서 賓에게 고하는 이유는 신중히 함을 지극히 하는 것이다. 이날의 夕哭 때 賓도 참석한다.[2]

1) 鄭玄注 : "此諸侯之下士一廟, 故既夕哭在葬前二日. 其上士二廟, 則既夕哭在葬前三日也."

2) 《儀禮集說》卷13 : "曏者既卜日, 即告于異爵者及衆賓, 則是賓固知其葬日矣. 知其葬日, 則啓之日不言可知, 而有司必請其期以告于賓者, 重愼之至也. 於夕哭而賓在焉, 則其朝夕哭之儀同矣. 此不載主人答辭者, 下文已明, 故略之." 《儀禮節解》卷13 : "始筮宅卜日, 既使人告, 至是賓集, 又請告, 審愼之至也."

2. 祖廟에 遷祖奠 준비

夙興①, 設盥于祖廟門外。陳鼎, 皆如殯②。東方之饌亦如之。夷牀饌于階間③。

이튿날 날이 밝기 전에 일어나 祖廟門 밖에 盆盥을 진열한다.
鼎을 진열하는데, 3개의 鼎 모두 대렴하고 殯을 한 뒤 대렴전을 올릴 때처럼 진열한다.
東堂 아래에 奠物을 진열해두는 것도 대렴전을 올릴 때와 같게 한다.
夷牀(堂에서 시신을 모셨던 小斂牀)을 동쪽 계단과 서쪽 계단 사이에 놓는다.

① 夙興

다음에 나오는 "동틀 무렵에 횃불을 끈다.〔質明滅燭〕"라는 구절 (〈기석례〉5. 참조) 에서 알 수 있듯 이때는 날이 아직 밝기 전이다.

② 皆如殯

'如殯'은 대렴하고 殯을 한 뒤에 대렴전을 진열했을 때처럼 하는 것을 이른다. 〈사상례〉24. 참조.

【按】'皆'는 정현의 주에 따르면 "세 개의 鼎 모두를 가리킨다.[皆三鼎也.]"

③ 夷牀

정현의 주에 따르면 "夷라는 말은 시신이라는 뜻이다.〔夷之言, 尸也.〕" 夷牀은 즉 尸牀이다. 敖繼公은 "이것은 바로 지난번에 당에서 시신을 모셨던 牀이다.〔此卽曏者承尸于堂之牀.〕"라고 하였다. (〈기석례〉19. 참조) 널을 조묘로 옮겼을 때 이 牀을 사용할 것이기 때문에 먼저 계단 사이에 놓아두는 것이다.

【按】이때 夷牀과 輁軸을 당 아래 서쪽 계단의 동쪽에 진열한다. 〈기석례〉28. 참조.

3. 啓殯

二燭俟于殯門外。丈夫髽(좌), 散帶垂, 卽位如初①。婦人不哭。主人拜賓, 入卽位②, 袒。商祝免(문), 袒, 執功布入③, 升自西階, 盡階, 不升堂, 聲三, 啓三④。命哭。燭入⑤。祝降, 與

夏祝交于階下, 取銘置于重⑥。踊無筭⑦。商祝拂柩用功布, 幠用夷衾⑧。

횃불을 든 두 명의 집사자가 殯宮(適寢) 門 밖에서 기다린다.
주인은 髻髮하고 중주인과 형제는 免을 하며 부인들은 髽(묶기만 하고 싸개를 하지 않은 상투)를 한다. 대공친 이상은 요질을 두른 뒤에 남은 부분을 꼬지 않은 채로 늘어뜨린다. 주인(중주인과 형제 포함)이 朝夕哭 때와 같이 빈궁 문 밖 동쪽에서 서향하는 자리로 나아간다. 이 때 부인들은 곡하지 않는다.
주인이 賓에게 절하고 빈궁 안으로 들어와 동쪽 계단 아래의 자리로 나아가 左袒한다.
商祝이 冠을 벗고 免을 하고 左袒한 뒤에 널의 먼지를 털기 위해 功布(잿물로 마전한 7승 이하의 포)를 가지고 빈궁으로 들어가 서쪽 계단으로 올라간다. 계단 끝까지 올라간 뒤 당에는 올라가지 않고 서서 '흠흠〔噫歆〕'하는 소리를 세 번 내고 '열겠습니다.〔啓〕'라고 세 번 말한다. 모두에게 곡하기를 명한다.
횃불을 든 집사자들이 빈궁으로 들어간다.
周祝이 銘을 가지고 당을 내려가 宿奠(어제의 夕奠)을 치우려고 오는 夏祝과 서쪽 계단 아래에서 교차하여 지나간다. 가지고 간 銘을 뜰의 남쪽에 있는 重이 있는 곳에 놓는다. 이때 주인이 踊을 한정 없이 한다.
商祝이 功布로 널을 털고 夷衾으로 널 위를 덮는다.

① 丈夫髽, 散帶垂, 卽位如初

'髽'는 상투를 노출한 것이다. (〈상복〉2. 주⑫ 참조) '散帶垂'는 腰絰을 허리에 두른 뒤에 남은 부분을 꼬지 않은 채로 늘어뜨리는 것을 이른다. (〈사상례〉17. 주④ 참조) 胡培翬에 따르면 요질은 처음 묶을 때는 꼬지 않은 채로 늘어뜨렸다가 成服 때가 되면 비로소 꼬아 허리에 두른다. 지금은 殯을 열어 장차 널을 알현할 것이기 때문에 다시 꼬지 않은 채로 늘어뜨리는 것이다.[3] '如初'는 정현의 주에 따르면 "조석곡 때와 같은 침문 밖의 자리이다.〔朝夕哭門外位.〕" 〈사상례〉32. 참조.

3) 《儀禮正義》卷29 : "散帶垂, 謂大功以上, 初時垂其帶不絞, 至成服乃絞之. 此免髽散帶, 皆在尸柩未殯之前, 今將啟殯見柩, 故變同小斂時, 故云'爲將啟變也'."

【按】 정현의 주에 따르면 '丈夫髽'는 互文으로 쓴 것이다. 髽는 부인의 喪禮 때 상투로, 남자가 免을 하면 부인은 髽하고 남자가 冠을 쓰면 부인은 笄를 한다.[4] 敖繼公과 胡培翬에 따르면 이때 주인은 髻髮하고 중주인과 형제는 免을 하며 대공친 이상은 모두 요질을 허리에 두른 뒤에 남은 부분을 꼬지 않은 채로 늘어뜨린다. 이것은 소렴 때의 옷을 成服 때 바꾸었다가 이때 殯을 곧 열 것이기 때문에 다시 소렴 때의 옷으로 바꾸어 입는 것이다.[5] 〈사상례〉20. 참조.

② 主人拜賓, 入卽位

'賓'은 여기에서는 오로지 啓殯의 禮에 참가하기 위하여 온 賓을 이른다. '卽位'는 동쪽 계단 아래 서향하는 자리로 나아가는 것이다.

③ 功布

〈기석례〉14. 주① 참조.

【按】 注疏에 따르면 '功布'는 잿물을 넣어 표백한 7升 이하의 布이다.[6] 또 《예기》〈喪大記〉 孔穎達의 正義에 따르면 棺을 지휘하는 功布는 대공포이다. 吳廷華는 "장대 끝에 매달아 이것으로 널을 터는데 사용하며, 柩車가 출행할 때에도 이것으로 披와 引을 잡은 자를 지휘한다.[綴于竿以拂柩, 且指麾執披引者.]"라고 하여 같은 功布로 보았다.

④ 聲三, 啓三

'聲三'은 정현의 주에 따르면 "세 번 소리를 내는 것이다.[三有聲.]" 정현은 또 舊說을 인용하여 '흠흠[噫興]'(의성어)하는 소리를 세 번 내는 것이라고 하였다. 이렇게 세 번 소리를 내는 목적은 정현의 주에 따르면 存神하기 위해서이다.[7] 胡培翬는 "存神도 신을 일깨운다는 뜻이다.[存神亦是警覺神之意.]"라고 하였다. 장차 殯을 열어야하기 때문에 먼저 소리를 내어 신을 일깨우는 것이다. '啓三'은 정현의 주에 따르면 "'열겠습니다.'라고 세 번 말하는 것이다.[三言啓]". 胡培翬에 따르면 이것은 신에게 殯을 열겠다고 고하는 것이다.[8]

⑤ 燭入

가공언의 소에 따르면 횃불 하나로는 室 안에 들어가 夕奠을 거두는 것을 비추고 또 하나의 횃불로는 당에서 殯을 여는 것을 비춘다.[9]

⑥ 祝降……置于重

'祝降與夏祝交于階下'는 周祝이 銘을 취하여 내려갈 때 宿奠(어제의 夕奠)을 거두기 위해 집사자와 함께 당으로 가는 夏祝과 서쪽 계단 아래에서 교차하는 것이다. '重'은 庭을 셋으로 나누었을 때 남쪽으로 3분의 1 되는

4) 鄭玄注 : "爲將啓變也. 此互文以相見耳. 髽, 婦人之變. 《喪服小記》曰: '男子免而婦人髽, 男子冠而婦人笄.'"

5) 《儀禮集說》卷14 : "葬服, 主人髻髮, 衆主人及兄弟免, 而大功以上者皆散帶垂也." 《儀禮正義》卷29 : "注云'爲將啟變也'者, 上篇小斂節云: '主人髻髮袒, 衆主人免于房, 婦人髽于室', 又陳小斂絰帶, 云'散帶垂', 謂大功以上, 初時垂其帶不絞, 至成服乃絞之, 此免髽散帶, 皆在尸柩未殯之前. 今將啟殯見柩, 故變同小斂時."

6) 鄭玄注 : "功布, 灰治之布也." 賈公彦疏 : "云'功布, 灰治之布也'者, 亦謂七升以下之布也."

7) 鄭玄注 : "聲三, 三有聲, 存神也. 啓三, 三言啓, 告神也."

8) 《儀禮正義》卷29 : "蓋先聲三以警之, 使神之存, 而後三言啟以告之也."

9) 賈公彦疏 : "一燭於室中, 炤徹奠; 一燭於堂, 照開殯肂也."

곳에 설치한다. 殯을 하기 전에는 周祝이 서쪽 계단 위쪽에 있는 銘을 가져다 重이 있는 곳에 놓으며 (〈사상례〉14. 참조) 殯을 한 뒤에는 다시 銘을 가져다 肂에 놓는다. (〈사상례〉 27. 참조) 지금은 肂를 열어야 하기 때문에 周祝이 다시 銘을 가져다 重이 있는 곳에 놓는 것이다.

【按】 '祝降與夏祝交于階下'는 注疏에 따르면 周祝은 서쪽 계단의 동쪽으로 내려오고 夏祝은 서쪽 계단의 서쪽으로 올라가서 서로 오른쪽 어깨가 교차하도록 하는데, 이것은 吉事에는 왼쪽이 교차하도록 한 것과 반대로 한 것이다.[10] 黃以周의 〈啓殯〉圖에는 周祝이 서쪽 계단의 서쪽, 夏祝이 서쪽 계단의 동쪽에 오도록 그렸는데, 오류로 보인다. 또한 이때 하축이 거둔 宿奠은 가공언의 소에 따르면 祖廟에 알현할 때 사용할 것으로, 앞의 대렴전이나 소렴전과 같이 우선 西序의 남쪽에 둔다.[11] 또한 주소에서는 夏祝이 銘을 취하여 重에 둔다고 하였으나[12] 敖繼公은 銘을 취하는 사람은 周祝이며 夏祝은 宿奠을 치우기 위하여 올라온다고 하였다.[13] 胡匡衷 역시 禮의 대체적인 범례는 奠物을 올리는 사람이 전물을 치우는데 〈記〉에서 夏祝이 전물을 치운다는 明文이 있는 것에 근거하면 오계공의 말이 옳다고 하였다.[14]

⑦ 踊無筭

【按】 정현의 주에 따르면 이때 한정 없이 踊을 하는 사람은 주인이다. 가공언은 널을 열 때 슬픔이 심하여 踊을 하는 것이라고 하였다.[15]

⑧ 夷衾

즉 소렴 때 시신을 덮었던 이불이다. 〈사상례〉18. 주① 참조.

10) 鄭玄注 : "吉事交相左, 凶事交相右." 賈公彦疏 : "此凶事不言交相左者, 以凶事反於吉, 明交相右可知. 交相右者, 周祝降階時當近東, 夏祝升階當近西 是交相右也."

11) 賈公彦疏 : "昨暮所設夕奠, 經宿故謂之宿奠也. 此宿奠擬朝廟所用, 即下云'重先奠從者'是也. 此奠所徹, 所置之處雖不言, 案上篇大斂遷, 小斂奠于序西南, 此亦序西南可知."

12) 鄭玄注 : "夏祝取銘置于重, 爲啓肂遷之."
賈公彦疏 : "此祝不言商、夏, 則周祝也. 燭旣入室時, 周祝從而入室, 徹宿奠降, 降時夏祝自下升取銘, 降置于重, 爲妨啓殯故也."

13) 《儀禮集說》卷13 : "祝降者, 周祝取銘而降也. 不言其升, 故以降見之, 與夏祝交事相接也.……夏祝與執事者, 升取宿奠也."

14) 《儀禮釋官》卷5 : "案此節注疏誤.……案禮之大例, 進奠者徹奠. 下《記》云夏祝徹餘飯, 夏祝之徹, 《記》有明文. 敖氏之說得之."

15) 鄭玄注 : "主人也." 賈公彦疏 : "下文云'商祝拂柩', 則踊無算, 當知開棺柩之時, 以其踊爲哀號之已甚, 故知主人也."

4. 널을 祖廟로 옮김

遷于祖用軸①。重先, 奠從②, 燭從, 柩從, 燭從, 主人從③。
升自西階④。
奠俟于下⑤, 東面, 北上。主人從升⑥, 婦人升⑦, 東面。衆(主)人東卽位⑧。

正柩于兩楹間⑨, 用夷牀⑩。主人柩東, 西面。置重如初⑪。席升, 設于柩西⑫。奠設如初⑬, 巾之。升降自西階。主人踊無筭, 降, 拜賓, 卽位踊⑭, 襲。主婦及親者由足, 西面⑮。

輁軸으로 널을 祖廟로 옮긴다.
祖廟에 들어가는 순서는 重을 든 사람이 앞장서고 다음에는 宿奠(어제의 夕奠. 從奠), 燭, 柩, 燭, 主人의 순서로 따라 들어간다.
널은 서쪽 계단으로 올라간다.

宿奠을 든 사람들이 서쪽 계단 아래에서 널을 바르게 놓기를 기다리는데, 동향하고 북쪽을 상위로 하여 선다.
주인이 널을 따라 서쪽 계단으로 당에 오르고 부인도 주인을 따라 당에 올라가 모두 서쪽 계단 위에서 동향하고 선다.
衆主人이 동쪽 계단 아래 서향하는 자리로 나아간다.

널을 두 기둥 사이에 머리가 북쪽으로 가도록 바르게 놓는데, 이때 夷牀(두 계단 사이에 두었던 小斂牀)을 사용한다.
주인이 널의 동쪽으로 가서 서향하고 선다.
重을 殯宮에서와 같이 뜰의 남쪽에 놓는다.
奠席을 든 사람이 당에 올라가 널의 서쪽에 편다.
從奠(宿奠)을 진설하는데 殯宮에서 室의 奧(서남쪽 모퉁이)에 진설했을 때처럼 하고 布巾으로 덮는다. 이때 서쪽 계단으로 오르내린다.
奠物 진설이 끝나면 주인이 踊을 한정 없이 한다. 踊을 마치면 당을 내려와 賓에게 절하고, 동쪽 계단 아래 서향하는 자리로 나아가 또 踊을 하고 왼쪽 소매를 다시 입는다.
주부와 親者(대공친 이상의 부인들)가 시신의 발쪽으로 돌아 널의 동쪽으로 가서 서향하고 선다.

① 遷于祖用軸

장례 전에 먼저 널을 祖廟로 옮기는데 이것을 '朝廟'라고 한다. 정현의 주에 따르면 사람이 살아있을 때와 똑같이 "외출하려면 반드시 어른에게 말쓸드려야하기 때문이다.〔將出, 必辭尊者.〕"[16]

'軸'은 즉 輁軸이다. 그 形制는 하나의 長牀과 같은 모양이며 桯(정, 牀幫에 해당함)의 앞뒤에 각각 軸(굴대. 잘 구를 수 있는 둥근 나무) 하나씩을 설치한다. 棺柩를 이러한 공축 위에 놓고 人力으로 굴대를 굴리면 棺柩를 옮길 수 있다. 이것은 마치 오늘날 사람들이 무거운 물건 아래에 둥근 나무를 놓아 무거운 물건을 옮기는 것과 같다. 〈그림 34〉 참조.

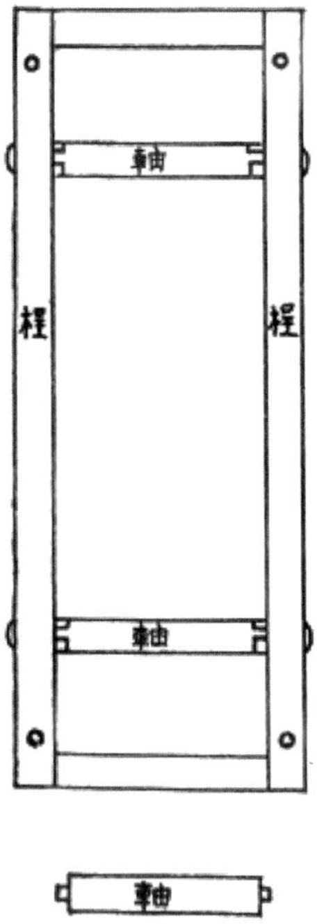

· 그림 34 ·
輁軸
張惠言《儀禮圖》 참조

② 奠從

【按】 奠物의 차례는 祝이 먼저 醴를 들고 들어가고 다음으로 酒, 脯, 醢, 俎가 순서대로 뒤따라가며 그 뒤를 巾과 席이 뒤따라간다.[17]

③ 主人從

주인과 衆主人 이하의 사람들이 殯宮에서 나와 祖廟로 가는 순서는 여기에서는 생략하고 말하지 않았는데, 敖繼公에 따르면 "주인이 널을 따라가고, 중주인 이하가 따라가고, 부인이 따라가고, 女賓이 따라가고, 男賓이 맨 뒤에 따라간다. 경문에서 '주인이 따라간다.'라고만 말한 것은 그 나머지는 모두 알 수 있기 때문이다.〔主人從, 衆主人以下從, 婦人從, 女賓從, 男賓在後. 經但言主人從者, 以其餘皆從可知也.〕"

【按】 오계공에 따르면 "女賓 이상의 행렬은 모두 服의 親疏로 뒤따르는 순서를 삼은 것이다. 服이 같을 때에는 長幼의 순서대로 따라간다.[女賓以上, 其行皆以服之親疏爲序. 服同, 乃以長幼也.]" 정현의 주에 따르면 이때 "장부들은 앞에서 오른쪽으로 가고 부인들은 뒤에서 왼쪽으로 간다.[丈夫由右, 婦人由左.]" 장혜언의 〈行器行柩〉圖 참조.

④ 升自西階

이것은 널을 가리켜 말한 것이다.

⑤ 奠俟于下

'奠'은 吳廷華에 따르면 宿奠을 이른다. 즉 殯宮에서 거두어 온 夕奠이다. '俟于下'는 정현의 주에 따르면 "널을 바르게 놓기를 기다리는 것이다.〔俟正柩也.〕". 아래 주⑨ 참조.

16) 鄭玄注 : "蓋象平生, 將出必辭尊者."

17) 鄭玄注 : "此謂朝禰明日, 擧奠適祖之序也. 此祝執醴先, 酒, 脯、醢、俎從之, 巾、席爲後."

⑥ 主人從升

吳廷華에 따르면 주인이 당에 올라 서쪽 계단 위쪽에 서서 널이 바르게 놓이기를 살펴보는 것이다.[18]

⑦ 婦人升

吳廷華에 따르면 이것은 주인을 따라 올라가서 주인의 뒤에 서는 것이다.[19]

⑧ 衆人東卽位

'衆人'은 학자들 대부분 '衆' 다음에 '主'가 빠졌다고 한다. '東卽位'는 蔡德晉에 따르면 "衆主人이 널을 따라 오다가 서쪽 계단 아래에 이르면 동쪽 계단 아래 서향하는 자리로 나아가는 것을 이른다.〔謂衆主人從柩至西階下, 遂向東階下, 卽西面位也.〕"

⑨ 正柩

즉 널을 바르게 놓는 것이다. 정현의 주에 따르면 이 때 널은 머리를 북쪽으로 하여 놓는다.[20]

⑩ 夷牀

【按】 소렴할 때 당에서 사용했던 小斂牀이다. 〈사상례〉18·20, 〈기석례〉2. 참조.

⑪ 置重如初

'如初'는 정현의 주에 따르면 "殯宮에 있을 때와 같이 놓는 것이다.〔如殯宮時.〕" 즉 殯宮에 있을 때처럼 뜰을 셋으로 나누었을 때 남쪽으로 3분의1 되는 곳에 重을 두는 것이다.

⑫ 設于柩西

정현의 주에 따르면 자리를 당 위 널의 서쪽 계단 위쪽에 동향하도록 펴놓는 것이다.[21]

⑬ 奠設如初

殯宮에서 室의 奧(서남쪽 모퉁이)에 진설했던 것과 같이 하는 것을 이른다. (〈사상례〉32. 참조) 이때 진설한 奠을 정현의 주에서는 '從奠'이라고 하였는데,[22] 널을 따라 殯宮에서 옮겨온 것이기 때문이다.

⑭ 卽位

동쪽 계단 아래 서향하는 자리로 나아가는 것이다.

【按】 가공언의 소에 따르면 여기의 '位'는 序東이다. 襲을 하는 사람은 먼저 이 자리에 나아가 踊을 한 뒤 襲과 絰을 한다.[23] 〈사상례〉20. ⑳ 참조.

18) 《儀禮章句》卷13 : "立西階上, 視正柩, 畢乃東."

19) 《儀禮章句》卷13 : "從主人後, 立階上, 俟設奠, 乃東."

20) 鄭玄注 : "是時柩北首."

21) 鄭玄注 : "席設于柩之西, 直柩之西, 當西階也."

22) 鄭玄注 : "從奠設如初, 東面也."

23) 賈公彦疏 : "襲者先卽位踊, 踊訖乃襲絰于序東."

⑮ 主婦及親者由足, 西面

정현의 주에 따르면 從奠을 올릴 때 부인들은 물러나서 室戶의 서쪽으로 피하여 남향하고 서 있다가 奠物 진설이 끝난 뒤에 시신의 발쪽으로 돌아 동쪽으로 간다.[24] '親者'는 부인들 중 親者를 가리킨다. 즉 대공 이상의 服을 입는 부인들이다. 부인들 중 疏者, 즉 소공 이하의 복을 입는 부인들은 정현의 주에 따르면 당 위는 한계가 있기 때문에 "東房에 거한다."[25]

【按】 張惠言에 따르면 이때 부인들 중 疏者는 東房에서 서쪽을 상위로 하여 남향하고 선다.[26] 부인들의 위치에 대해 장혜언의 〈正柩〉圖에서 동쪽 기둥 서쪽의 주인 뒤에 오도록 한 것을 黃以周는 오류로 보고, 동쪽 계단 위쪽 서향하는 자리로 돌아간다고 하였다.[27] 또 從奠을 올릴 때 부인들이 室戶의 서쪽으로 피하여 남향하고 서 있는 위치를 柩의 정북쪽이 아닌 서북쪽에 오도록 하였다. 그 근거로 널이 있는 곳에 奠物을 진설할 때는 일반적으로 시신의 머리가 아닌 발쪽으로 돈다는 점, 이때 부인들은 자리를 피하는데 '시신의 발쪽'에 대한 정현의 주에 '室戶의 서쪽'이라고 한 점을 들었다.[28]

5. 車馬 진열과 遷祖奠 진설

薦車直東榮, 北輈(주)①。質明滅燭②。徹者升自阼階③, 降自西階。乃奠如初④, 升降自西階。主人要節而踊⑤。薦馬, 纓三就⑥, 入門, 北面, 交轡(비), 圉人夾牽之⑦。御者執策立於馬後⑧。哭, 成踊。右還(선)出⑨。賓出, 主人送於門外⑩。

死者가 살았을 때 쓰던 수레들(乘車·道車·槀車)을 祖廟의 東榮(동쪽 처마)과 일직선상에 진열하는데, 수레의 끌채를 북향하도록 놓는다.
동이 트면 횃불을 끈다.
徹者(從奠을 거두는 사람들)가 동쪽 계단으로 당에 올라가 奠物을 거두어서 서쪽 계단으로 내려온다. 이어 새로운 奠(遷祖奠)을 從奠을 진설

24) 鄭玄注 : "設奠時, 婦人皆室戶西, 南面, 奠畢, 乃得東也."

25) 鄭玄注 : "親者西面, 堂上迫, 疏者可以居房中."

26) 《儀禮圖》卷5〈正柩〉: "注云: '婦人疏者居房中.' 案其位蓋南面西上."

27) 《禮書通故》卷48〈朝祖一正柩〉: "婦人復西面位, 仍由足適東階上. 張圖其位在柩東, 又誤."

28) 《禮書通故》卷48〈朝祖一正柩〉: "凡尸柩所在, 升降皆由足設奠, 婦人辟位. 注云: '室戶西南面.' 經曰'由足', 注曰'戶西', 其位在柩之西北可知."

할 때와 같이 널의 서쪽에 자리를 펴고 그 앞에 동향하도록 진설하는데, 서쪽 계단으로 당을 오르내린다.
주인(장부들과 부인들 포함)이 踊을 해야 할 때가 되면 踊을 한다.

6필의 말을 늘어세우는데, 纓(말의 가슴걸이 끈)에 삼색(朱·白·蒼) 비단 끈을 각각 세 번씩 둘러서 장식한 말을 祖廟門 안으로 끌고 들어와 말 머리가 북향하도록 늘어세운다. 이때 3명의 圉人(말을 기르는 사람)이 각각 2필의 말고삐를 한손에 함께 잡고 말과 말 사이에서 끌고 들어온다.
御者(수레를 모는 사람)들이 채찍을 잡고 말 뒤에 선다. 이때 주인이 곡하고 成踊한다.

圉人이 다시 말을 끌고 오른쪽으로 몸을 돌려 조묘문을 나간다. 御者가 뒤따라간다.
賓이 나가면 주인이 조묘문 밖에서 전송한다.

(柩車를 祖廟 안으로 들여온다)

① 薦車直東榮, 北輈

'薦'은 吳廷華에 따르면 "진열한다는 뜻이다.〔陳也.〕" 진열하는 수레는 〈既夕禮 記〉에 따르면 乘車(棧車. 士가 평소에 타는 수레), 道車(아침저녁이나 한가할 때 출입하면서 타는 수레), 稾車(사냥이나 교외로 출행할 때 타는 수레) 3종으로 (〈기석례〉31. 참조) 모두 死者가 평소에 탔던 수레들이다. 장례하기 위하여 떠나려고 하기 때문에 수레들을 진열하여 死者가 평소에 수레를 몰아 出行했던 것을 형상하는 것이다. '輈'는 음이 '주'이다. 정현의 주에 따르면 "끌채이다.〔轅也.〕"

【按】 注疏에 따르면 中庭에 서쪽을 상위로 하여 乘車–道車–稾車 순으로 진열한다.[29]

② 質明滅燭

胡培翬에 따르면 "質明滅燭이라고 말했으니, 啓殯부터 遷車까지는 모두 날이 밝기 전에 하는 일이다.〔言質明滅燭, 則自啓殯至遷車, 皆未明時事.〕"

③ 徹者

從奠을 거두는 사람을 이른다. 이것은 새로운 奠(遷祖奠)을 진설하기 위해

29] 鄭玄注 : "車當東榮, 東陳西上於中庭."
賈公彦疏 : "下《記》云'薦乘車,道車,稾車', 以次言之, 則先陳乘車, 次陳道車, 次陳稾車."

준비하는 것이다.

【按】 張惠言은 이때 奠物을 거두는 徹者가 문 밖에서 손을 씻는 것으로 보인다고 하였다.[30]

④ 乃奠如初

정현의 주에 따르면 이 奠이 바로 '遷祖奠'이다.[31] 胡培翬에 따르면 "이 奠은 널을 옮겨 할아버지를 알현하게 하기 위해서 진설하기 때문에 遷祖奠이라고 이르는 것이다.〔此奠爲遷柩朝祖而設, 故謂爲遷祖奠.〕" 호배휘는 또 "如初는 이때에도 널의 서쪽에 자리를 펴고 그 앞에 동향으로 진설하여 從奠을 진설할 때[32]와 같이 하는 것을 이른다. 그러나 從奠에는 醴·酒·脯·醢만 있는 반면 이 천조전에는 牲肉등의 奠物이 있다.〔如初, 謂亦柩西、席前、東面設之, 如從奠也. 但從奠止醴、酒、脯、醢, 此奠則有牲肉等物.〕"라고 하였다. 장혜언의 〈載柩陳器〉圖 참조.

⑤ 主人要節而踊

정현의 주에 따르면 집사자들이 奠物을 올리거나 치우기 위하여 계단을 오르고 내리는 때를 그 節로 삼는다.[33]

【按】 '要節而踊'은 〈사상례〉30. 주㉘, 〈사상례〉33. 주⑮ 참조.

⑥ 薦馬, 纓三就

이때 늘어세우는 것은 수레에 멜 말들이다. 정현의 주에 따르면 수레 1대마다 말 2필이 끄니, 수레가 3대면 말은 6필이다.[34] 또 정현의 주에 따르면 '纓'은 말의 가슴걸이 끈〔馬鞅〕이다.(纓은 말의 목에 묶는 革帶이다) 말의 가슴걸이 끈 위에 3가지 색깔의 비단 끈을 둘러서 장식으로 삼는데, 각 색깔마다 3번씩 두르는 것을 '三就'라고 한다.[35]

【按】《예기》〈雜記上〉의 孔穎達의 正義에 따르면 士의 喪禮에서 말을 祖廟의 뜰에 늘어세우는 것은 모두 세 번 있다. 첫 번째는 啓殯하고 널을 祖廟에 알현시킬 때 遷祖奠을 다 올리고 나면 말을 늘어세운다. 두 번째는 그날 해가 서쪽으로 기울어 祖奠을 올릴 때 다시 한 번 말을 늘어세운다. 세 번째는 다음날 葬地로 떠나기 전 遣奠을 진설할 때 다시 한 번 말을 늘어세운다.[36]

⑦ 交轡, 圉人夾牽之

'轡'는 말고삐이다. '圉人'은 말을 기르는 사람이다. 이 구절은 圉人 한 사람이 말 2필을 끄는데 말 2필의 고삐를 한 손에 함께 잡고 圉人이 말 2필 사이에 끼어서 말을 끈다는 뜻이다. 이 구절에 대해서는 지금까지 주석가

30) 《儀禮圖》卷5〈正柩〉: "徹者蓋盥于門外."

31) 鄭玄注 : "爲遷祖奠也."

32) 〈기석례〉4. 주⑫, 〈사상례〉28. 참조.

33) 鄭玄注 : "節, 升降."

34) 鄭玄注 : "駕車之馬, 每車二匹."

35) 鄭玄注 : "纓, 今馬鞅也. 就, 成也. 諸侯之臣, 飾纓以三色而三成. 此三色者, 蓋絛絲也."

36) 《禮記》〈雜記上〉孔穎達正義 : "《士喪禮》下篇云薦馬之節, 凡有三時. 一者, 柩初出, 至祖廟設奠, 爲遷祖之奠訖, 乃薦馬, 是其一也. 至日側祖奠之時, 又薦馬, 是其二也. 明日將行, 設遣奠之時, 又薦馬, 是其三也."

들의 說이 통일되어 있지 않다.

【按】 敖繼公을 비롯하여 褚寅亮·蔡德晉·王士讓·郝敬은 모두 말 왼쪽에 있는 左人은 말의 오른쪽 고삐를 끌고 말 오른쪽에 있는 右人은 말의 왼쪽 고삐를 끌고 간다고 해석하였다.[37] 이에 대해 胡培翬는 《주례》〈夏官 序官〉의 "말을 기르는 圉人은 좋은 말일 경우에는 1필에 한 사람이며 노둔한 말일 경우에는 두 필에 한 사람이다."라는 글을 근거로 하여 오계공 등의 설을 옳지 않다고 보았다.[38] 《新譯儀禮讀本》에서는 '交轡'에 대해 말의 좌우 고삐를 말의 가슴 앞에서 교차하여 다른 한쪽으로 끄는 것으로 풀이하였다.[39]

⑧ 御者

胡匡衷의 《儀禮釋官》에 따르면 '御者'는 士의 私臣으로 주인을 위해 수레를 모는 사람이다.[40]

⑨ 出

말이 祖廟門을 나가는 것을 이른다. 吳廷華에 따르면 "말은 뜰에 오랫동안 둘 수 없기 때문에 늘어세우는 일이 끝나면 바로 끌고 나가서 기다리는 것이다.〔馬不可久在庭, 故旣薦卽出而待.〕" 이때에도 圉人이 말을 끌고 御者는 뒤따라 나가는 듯하다.

⑩ 主人送於門外

【按】 敖繼公과 蔡德晉에 따르면 주인은 이때 祖廟門 밖에서 절하여 賓을 전송한다.[41] 〈記〉에 따르면 賓은 널이 조묘 안으로 들어와 당 위 두 기둥 사이에 놓이는 것을 본 뒤에 물러가며, 정현의 주에 따르면 빈을 전송하기 위해 주인이 조묘문을 나갈 때 柩車가 들어온다. 〈기석례〉6. 주②, 〈기석례〉34. 참조.

37) 《儀禮集說》卷13 : "每馬兩轡, 交轡而夾牽之, 謂左人牽右轡, 右人牽左轡也."

38) 《儀禮正義》卷29 : "今案《周禮·序官》'圉人, 良馬匹一人, 駑馬麗一人'. 若如敖說, 則一馬需二圉矣, 恐未然."

39) 顧寶田·鄭淑媛 注譯, 《新譯儀禮讀本》(三民書局, 2002), 440쪽.

40) 《儀禮釋官》卷5 : "御, 御車也. 士得乘兩馬車, 故有圉人與御者, 亦私人也."

41) 《儀禮集說》卷13 : "送亦拜之. 門, 廟門也."
《禮經本義》卷十三兇禮 : "送於門外, 謂拜送於祖廟門之外也."

장전葬前

6. 出行을 시작할 시간을 묻고, 柩車에 널을 싣고 장식하는 禮

有司請祖期①。曰: "日側。" 主人入, 袒。乃載②。踊無筭。卒束③, 襲。降奠, 當前束④。
商祝飾柩: 一池, 紐前經(정)後緇, 齊三采, 無貝⑤。設披⑥, 屬引⑦。

有司가 祖廟門 밖에서 주인에게 祖期(柩車의 出行 시작 시간)를 묻는다.
주인이 "해가 서쪽으로 기울면 출행을 시작한다."라고 한다.
주인이 묘문 안으로 들어가 左袒한다.
이어 널을 뜰에 있는 柩車에 싣는다. 주인이 踊을 한정 없이 한다.
널을 구거에 묶는 것이 끝나면 주인이 왼쪽 소매를 다시 입는다.
이때 遷祖奠을 당에서 거두어 구거의 서쪽, 널의 前束(시신의 어깨 부분)에 해당되는 곳에 진설한다.

商祝이 널을 꾸민다.
柳(바깥을 布로 에워싼 나무로 만든 상여틀)를 설치하고 柳 앞에는 대나무로 만든 池(낙숫물받이를 형상한 것) 1개를 매단다. 紐를 널 앞쪽의 것은 붉은색, 뒤쪽의 것은 검은색 비단 끈으로 만들어서 荒(柳의 윗부분을 에워싼 흰색 포)과 帷(柳의 아랫부분을 에워싼 흰색 포)를 연결해 묶는다. 齊(柳의 꼭대기 장식)를 세 가지 색깔(朱·白·蒼)로 만들어서 장식하고, 貝 장식은 없다. 披(널에 매어묶는 비단 끈)를 널 양 옆에 각각 2개씩 설치하고, 引(수레를 끄는 줄)을 輅(끌채 앞 횡목)에 동여맨다.

① 有司請祖期

정현의 주에 따르면 이것은 有司가 주인이 祖廟門을 나가 賓을 전송할 때를 틈타 묘문 밖에서 주인에게 묻는 것이다.[42] '祖期'는 즉 祖奠을 진설하는 시간이다. (〈기석례〉8. 참조) 사람이 살아있을 때 出行하게 되면 출발하기에 앞서 餞別하는 禮가 있는데, 이제 곧 장례하려고 떠나는 것이 마치 살아있을 때 출행하려는 것과 똑같기 때문에 奠을 진설하여 死者에게 전별연을 베풀어 주는 것을 형상한 것이다. 정현의 주에 따르면 사신이 임금의 命을 받고 출발하여 國都의 성문 밖을 나가면 수레를 멈춘다. 車馬를 늘어세운 뒤 술과 포를 진설하고 軷祭(발제)를 지내 路神에게 제사함으로써 길을 떠나는 시작으로 삼는다. 제사를 지낼 때는 먼저 자그마한 土山을 하나 쌓고 路神의 신위를 만든 뒤에 희생을 잡아서 토산 위에 놓는다. 제사가 끝나면 경대부들이 모두 사신에게 전별연을 베풀어주어 路神의 신위 옆에서 술을 마신다. 그런 뒤에 사신 일행의 車馬가 土山과 희생 위로 지나가면 정식으로 길을 떠나기 시작한 것으로 간주한다. 軷祭를 지내는 이유는, 옛날에는 길이 험하였기 때문에 路神에게 내내 평안하도록 보살펴 달라고 기원하기 위해서이다.

【按】 가공언의 소에 따르면 有司가 주인에게 시간을 묻는 禮는 모두 일이 끝나기를 기다렸다가 주인이 廟門을 나가 밖에 있을 때를 틈타 물어본다. 예를 들면 〈기석례〉 제1절에서 啓殯할 때를 물어보는 것, 여기에서 柩車의 出行 시작 시간을 묻는 것, 제8절에서 葬地로 떠날 시간을 묻는 것을 이른다.[43] 〈기석례〉8. 주⑤에 따르면 이때의 '祖'는 '시작하다'는 뜻으로, 柩車가 出行을 시작한다는 의미에서 북향하고 있는 수레의 방향을 남향하도록 돌려놓는 것을 이른다. 이렇게 수레를 돌려놓은 뒤에 祖奠을 올리기 때문에 양천우의 주에서는 여기의 '祖'를 祖奠을 올리는 뜻으로 본 것이다.

② 載

널을 柩車에 싣는 것이다. 柩車는 賓이 나갈 때 祖廟 안으로 들어온 것이다.[44]

【按】 〈기석례〉5. 주⑩, 〈기석례〉34. 참조.

③ 束

널을 柩車에 묶는 것을 이른다.

【按】 정현을 비롯하여 대부분의 학자들은 이때의 '束'을 柩車에 널을 묶어 단단히 고정하는 것으로 보았으나[45] 宋나라 魏了翁은 《儀禮要義》 권38 〈既夕禮1〉에서 "束은 관을 묶는 것이 아니다. 柩車에 널을 싣는 것이 끝나면 물건들을 관에 묶는 것이다.[束, 非棺束. 是載柩訖, 乃以物束棺.]"라고 하였다. 길이 험할 때 널의 평형을 잡아주는 披의 용도

42) 鄭玄注 : "亦因在外位請之, 當以告賓, 每事畢輒出."

43) 賈公彦疏 : "云'每事畢輒出'者, 有司請期之禮, 每皆待事事畢, 因主人出在外位, 乃請之. 言每事者, 篇首云'請期', 此云'請祖期', 下文'請葬期', 皆因出在外請之, 故云每事也."

44) 鄭玄注 : "賓出, 遂匠納車于階間, 謂此車."

45) 鄭玄注 : "束, 束棺於柩車."

를 생각하면 널을 柩車에 묶는다는 기존의 해석보다는 위료옹의 해석이 더욱 타당한 듯하다.

④ 降奠, 當前束

정현의 주에 따르면 당 아래로 내리는 奠은 즉 아침에 당 위에 진설했던 遷祖奠으로, 지금 당 아래로 옮겨 柩車의 서쪽에 진설하는 것이다. 널에는 前束과 後束이 있다.[46] 장혜언의 〈載柩陳器〉圖 참조.

⑤ 商祝……無貝

이것은 棺柩 위의 장식을 기록한 것이다. 정현의 주와 胡培翬에 따르면 널을 柩車에 실은 뒤에 널 주위에 꼭대기가 뾰족한 천막 모양의 나무틀을 설치하는데, 이것을 '柳'라고 한다. 柳의 바깥을 布로 에워싸는데, 천막의 꼭대기처럼 생긴 윗부분을 '荒'이라 하고 담장처럼 생긴 아래 부분을 '帷'라고 한다. 柳의 앞쪽에는 또 1개의 池를 매단다. '池'는 대나무로 만들며 池의 바깥쪽은 청색 천을 덮어씌운다. 그 모양이 지붕 처마 아래에 매달려 빗물을 받는 낙숫물받이와 같기 때문에 정현의 주에 "宮室의 낙숫물받이를 형상한 것이다.〔象宮室之承霤.〕"라고 한 것이다. 荒과 帷를 연결시켜주는 비단 끈이 있는데, '紐'라고 한다. 널의 앞쪽 양 옆에 있는 紐는 붉은색

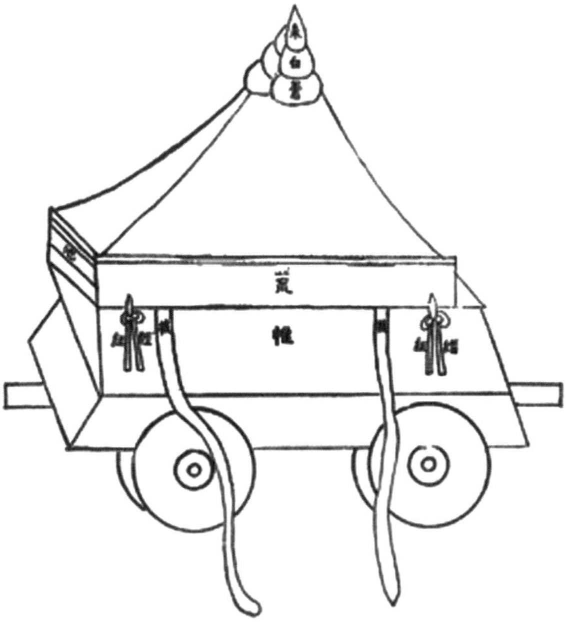

• 그림 35 • 柩車와 柩飾
張惠言《儀禮圖》

46) 鄭玄注："下遷祖之奠也. 當前束, 猶當尸腢也. 亦在柩車西, 束有前後也."

〔經〕이고 뒤쪽 양 옆에 있는 紐는 검은색〔緇〕이다. 柳의 뾰족한 꼭대기의 장식을 '齊'라고 하는데, 그 모양은 마치 점점 작아지는 球形物을 쌓아놓은 것과 같다. 이러한 구형물은 붉은색〔赤〕·흰색〔白〕·푸른색〔蒼〕의 3가지 비단으로 꿰매어 만들며 그 안에는 솜을 넣어 완성한다. (〈그림 35〉 참조) '貝'는 齊 위의 장식이다. 元士(上士) 이상만이 貝의 장식을 할 수 있는데 여기에 기록한 것은 下士의 喪禮이기 때문에 貝가 없는 것이다.[47]

【按】 注疏에 따르면 '棺柩를 장식한다'는 것은 牆과 柳를 설치한다는 말이다. 牆에는 布帷가 있고 柳에는 布荒이 있다. 棺柩 장식은 임금은 龍帷에 黼荒을, 대부는 畫帷에 畫荒을, 士는 布帷에 布荒을 쓴다.[48] '池'는 가공언의 소에 따르면 제후는 柳 3면에 하나씩 모두 3개의 池를 설치하며, 대부는 柳의 양쪽에 하나씩 모두 2개, 士는 柳의 앞쪽에 1개의 池를 설치한다.[49] '齊'는 가공언의 소에 따르면 제후는 齊가 5색 5貝이고, 대부는 3색 3貝, 士는 3색 1貝이다. 그러나 貝가 있는 士는 천자의 元士를 말하며, 제후의 士는 貝가 없다.[50]

⑥ 披

널 위에 매어서 묶어두는 비단 끈이다. 柩車가 길을 갈 때 사람들이 널의 양쪽에서 披를 끌어당김으로써 울퉁불퉁한 길로 인해 널이 기울어지는 것을 방지하는 것이다. 〈기석례〉14. 주② 참조.

⑦ 引

柩車를 끄는 줄이다. 吳廷華에 따르면 '引'은 輅(핵)에 매는 것이다. '輅'은 수레의 끌채 앞쪽 끝에 동여맨 橫木이다[51].

7. 葬具와 明器의 진열

陳明器于乘車之西①。折, 橫覆之②。抗木, 橫三縮二③。加抗席三④。加茵, 用疏布, 緇翦, 有幅, 亦縮二橫三⑤。器, 西南上, 綪(쟁)⑥。茵⑦。苞二⑧。筲三⑨, 黍、稷、麥。甕(옹)

47) 鄭玄注 : "飾柩, 爲設牆柳也. 巾奠乃牆, 謂此也. 牆有布帷, 柳有布荒. 池者, 象宮室之承霤, 以竹爲之, 狀如小車笭, 衣以青布. 一池縣於柳前. 士不揄絞. 紐, 所以聯帷、荒, 前赤後黑, 因以爲飾. 左右面各有前後, 齊居柳之中央, 若今小車蓋上蕤矣. 以三采繒爲之, 上朱, 中白, 下蒼. 著以絮, 元士以上有貝."

48) 鄭玄注 : "飾柩, 爲設牆、柳也.……牆有布帷, 柳有布荒."
賈公彦疏 : "案《喪大記》云飾棺, 君龍帷, 黼荒; 大夫畫帷, 畫荒' 士布帷, 布荒."

49) 賈公彦疏 : "案《喪大記》君三池, 大夫二池, 士一池. 君三池, 三面而有; 大夫二池, 縣於兩相; 士一池, 縣於柳前面而已."

50) 鄭玄注 : "元士以上有貝."
賈公彦疏 : "知'元士以上有貝'者, 案《喪大記》云: '君齊五采五貝, 大夫齊三采三貝, 士齊三采一貝.'……彼士爲天子元士, 元士已上皆有貝也. 此諸侯之士, 故云無貝也."

51) 《儀禮章句》卷13 : "引則在前也. 屬, 着也. 謂著于輅下. 下經'前輅'疏云'輅者, 用木縛柩車轅上, 以屬引于上而輓之是也.'"

三⑩, 醯、醢、屑⑪, 冪用疏布。甒二, 醴、酒, 冪(멱)用功布⑫。皆木桁(형)久之⑬。
用器, 弓、矢、耒耜、兩敦(대)、兩杅、槃、匜, 匜實于槃中, 南流⑭。無祭器, 有燕樂器可也⑮。役器, 甲、冑、干、笮(착)⑯。燕器, 杖、笠、翣⑰。

〈葬器의 진열〉

明器를 乘車의 서쪽에 진열한다.
折은 가로로 놓는데, 거친 면이 아래로 향하도록 엎어놓는다.
抗木은 가로로 3개, 세로로 2개를 진열한다.
抗席은 3장을 抗木 위에 올려놓는다.
茵을 抗席 위에 올려놓는다. 대공포로 만드는데, 옅은 검은색이며 가선을 두른다. 이것도 세로로 2개 가로로 3개를 올려놓는다.

〈食器의 진열〉

明器는 서남쪽을 상위로 하여 서쪽부터 동쪽으로 진열하고 다시 북쪽으로 굽혀서 동쪽에서 서쪽으로 진열한다.
서남쪽에 있는 茵을 기준으로 그 북쪽에 다음과 같이 진열한다.
먼저 苞(갈대로 만든 바구니. 葬奠을 거둘 때 羊牲과 豕牲의 뒷다리를 담음) 2개를 진열한다.
筲(왕골로 만든 바구니) 3개에 뜨거운 물에 담갔던 黍·稷·麥을 담아 苞의 동쪽에 진열한다.
북쪽으로 굽혀서 罋(瓦器) 3개에 醯·醢·屑(생강 가루와 계피 가루)을 담아 진열하고 疏布(대공포)로 덮는다.
甒(瓦器) 2개에 醴와 酒를 각각 담아 罋의 서쪽에 진열하고 功布(소공포)로 덮는다.
이상의 苞·筲·罋·甒 아래에는 모두 木桁(나무받침대)을 두어 받친다.

〈用器·役器·燕器의 진열〉

用器는 활, 화살, 보습과 보습자루, 2개의 敦, 2개의 杅(주발. 湯과 漿을 담음), 槃(얕은 대야), 匜(납작한 주전자 모양)를 진열하는데, 匜는 槃 안에 놓고 流(匜의 주둥이)가 남쪽을 향하게 한다.
祭器는 없고, 연회 때 쓰는 악기는 진열할 수 있다.
役器는 갑옷·투구·방패·화살 통을 진열한다.
燕器는 지팡이·삿갓·부채를 진열한다.

① 乘車之西

'乘車'는 진열한 3가지 수레 중 가장 서쪽에 있는 수레이다. 乘車의 서쪽은 정현의 주에 따르면 重의 북쪽에 해당한다.[52]

② 折, 橫覆之

'折'은 정현의 주에 따르면 牀과 같은 크기의 커다란 장방형 나무판자이다. 그 위에 격자 모양의 구멍을 뚫어서 완성하는데, 세로로 3줄 가로로 5줄이 되도록 하여 모두 8개의 격자무늬가 나오도록 만든다. 이것은 下棺한 뒤에 壙 입구를 봉할 때 쓰는 것이다.[53] '覆之'는 정현의 주에 따르면 折의 깨끗한 면이 위로 향하고 거친 면이 아래로 향하도록 엎어놓는 것이다.[54]

③ 抗木, 橫三縮二

'抗木'은 折과 같이 壙을 봉할 때 쓰는 것이다. 抗木의 가로와 세로의 길이는 정현의 주에 따르면 "각각 壙을 가리기에 충분할 정도이다.[各足掩壙.]"[55] 李如圭에 따르면 抗木은 折의 서쪽에 놓는다.[56]

【按】'抗'은 정현의 주에 따르면 '막는다[禦]'는 뜻으로, 흙을 막는다는 뜻이다.

④ 抗席

【按】정현의 주에 따르면 "席은 먼지를 막기 위한 것이다.[席, 所以禦塵.]"

⑤ 加茵……橫三

'茵'은 疏布로 만든 것이다. 매장할 때 널 아래에 받쳐 까는 것이다. 여기에서 말하는 疏布는 胡培翬에 따르면 즉 大功布이다.[57] '緇翦'은 즉 翦緇이다. 정현의 주에 따르면 "翦은 얕다는 뜻이다.[翦, 淺也.]" 정현은 또 "금문에는 翦이 淺으로 되어 있다.[今文翦作淺.]"라고 하였다. 이것은 疏布가 옅은 검은색이라는 말이다. '幅'은 정현의 주에 따르면 "가선을 두르는 것이다.[緣之.]" 즉 茵의 주위에 가선을 두르는 것이다. '縮二橫三'은 張爾岐에 따르면 '茵'은 壙 안에 설치하는데, 먼저 가로로 3개를 펴놓고 이어 세로로 2개를 펴놓는다.[茵設壙中, 先布橫三, 乃布縮二.] 이상은 葬器를 기

52) 鄭玄注 : "陳器於乘車之西, 則重之北也."

53) 鄭玄注 : "折, 猶庋也. 方鑿連木爲之. 蓋如牀, 而縮者三, 橫者五, 無簀. 窆事畢, 加之壙上, 以承 抗席."

54) 鄭玄注 : "覆之, 見善面也."

55) 鄭玄注 : "抗, 禦也, 所以禦止土者. 其橫與縮, 各足掩壙."

56) 《儀禮集釋》卷23 : "抗木陳于折西."

57) 《儀禮正義》卷29 : "茵用疏布, 謂用大功麤疏之布爲之."

록한 것이다.

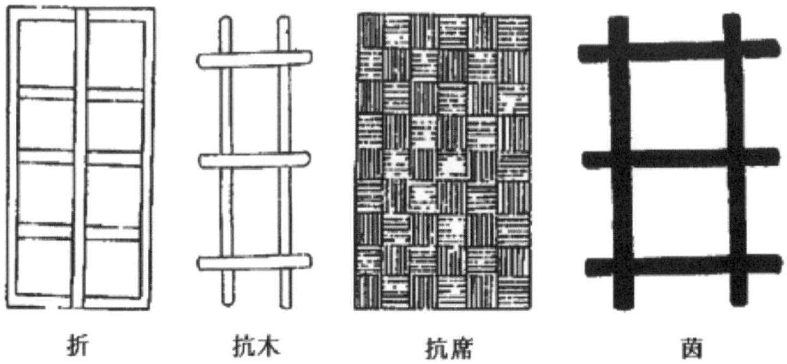

• 그림 36 • 葬器
《欽定儀禮義疏》, 聶崇義《三禮圖集注》

⑥ 器, 西南上, 綪

'器'는 明器를 이른다. '西南上'은 정현의 주에 따르면 明器를 진열할 때 가장 서쪽 줄의 가장 남쪽 끝을 맨 윗자리로 삼는다는 말이다.[58] '綪'은 서쪽에서부터 동쪽으로 진열하고 다시 꺾어서 동쪽에서부터 서쪽으로 진열하여 이와 같이 S자 형태로 구불구불하게 진열하는 것이다.

⑦ 茵

여기에서 '茵'을 말한 것은 이하의 明器를 진열하는 순서를 설명하기 위해

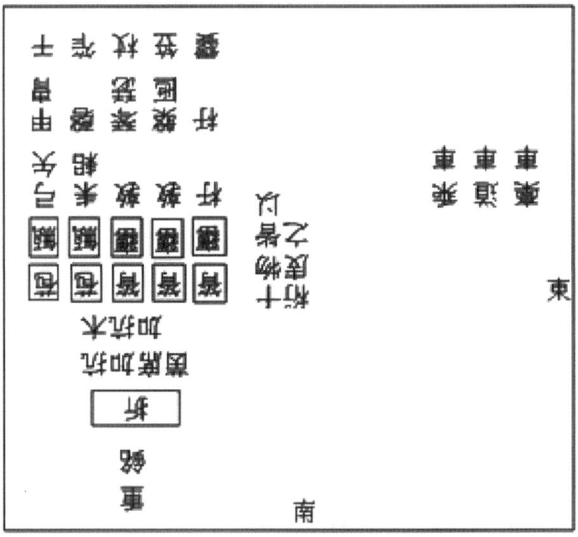

• 그림 37 • 陳器
張惠言《儀禮圖》

58) 鄭玄注 : "陳明器, 以西行南端爲上."

서이다. 抗木은 折의 서쪽에 놓고, 抗席은 抗木 위에 놓고, 茵은 또 抗席 위에 놓는다. 따라서 茵이 있는 위치는 바로 抗木이 있는 위치이며, 이것은 또 明器를 진열할 때 가장 서쪽부터 시작하는 위치의 표지이기도 하다. 즉 茵의 북쪽에서부터 시작하여 서쪽에서 동쪽으로 明器를 진열하기 때문에 특별히 여기에서 먼저 '茵'을 말한 것이다. 장혜언의 〈載柩陳器圖〉 참조.

⑧ 苞

〈既夕禮 記〉에 따르면 葦(갈대)로 짜서 만든 것이다. (〈기석례〉31. 참조) 聶崇義의 《三禮圖集注》 권18에 苞를 그려 넣었는데 둥근 광주리 모양이다. 이것은 장례를 앞두고 葬奠(遣奠)을 거둘 때 羊牲과 豕牲의 뒷다리를 싸서 담는 데 쓰는 것이다. 〈기석례〉12. 주⑦ 참조.

⑨ 筲

정현의 주에 따르면 種子를 담는 멱둥구미〔畚〕와 같은 것으로, 1觳을 담을 수 있다.[59] 胡培翬의 고증에 따르면 1觳은 1斗 2升이 들어간다. 호배휘는 또 筲는 黍·稷·麥을 담는데 쓰인다고 하였다.[60] 또 〈既夕禮 記〉에 따르면 筲는 골풀〔菅〕로 짜서 만든 것이다. 〈기석례〉31. 참조.

【按】 이때 筲에 담는 黍·稷·麥은 모두 뜨거운 물에 담근 것을 쓴다. 〈기석례〉31. 주⑮ 참조.

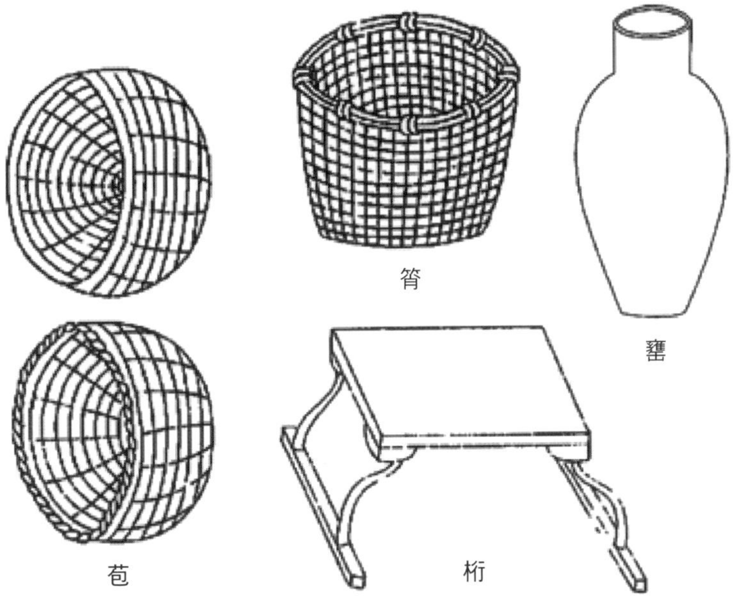

· 그림 38 · 食器
《欽定儀禮義疏》, 聶崇義《三禮圖集注》

59) 鄭玄注 : "筲, 畚種類也. 其容蓋與簋同一觳也."

60) 《儀禮正義》卷29 : "此筲以盛黍稷麥, 與畚盛種同, 故云'畚種類也'.……此茵與簋, 同鄭注《論語》'斗筲之人', 亦云: '筲, 容斗二升也.'"

⑩ 甕

정현의 주에 따르면 "瓦器이다. 그 용량은 筲와 마찬가지로 1觳인 듯하다.〔瓦器, 其容亦蓋一觳.〕"

⑪ 屑

정현의 주에 따르면 "생강과 계피 가루이다.〔薑、桂之屑也.〕"

⑫ 甕三……功布

【按】 蔡德晉에 따르면 여기의 '疏布'는 대공포, '功布'는 소공포이다.[61]

⑬ 皆木桁久之

'桁'은 음이 '형'이다.[62] 聶崇義의 《三禮圖集注》 권18에 阮諶과 梁正 등의 〈圖〉를 인용하여 "桁의 제도는 마치 지금의 几와 같아서 좁고 길다. 藏具(즉 明器)를 받치는 것이다.〔珩制若今之几, 狹而長, 以承藏具(卽明器).〕"라고 하였다. '久'는 吳廷華에 따르면 "《주례》〈冬官 廬人〉의 '灸諸牆(長兵器의 자루를 자루의 길이보다 짧은 거리의 두 담장 사이에 끼워 버티게 한다)'의 '灸'로 써야 한다. '灸'는 '버티다'라는 뜻이니, 받친다는 말이다.〔當作《廬人》'灸諸牆'之'灸', 灸, 柱也, 謂樹之.〕" 이상은 食器를 기록하였다.

【按】 오정화에 따르면 桁이 几와 같다면 다리[跗]가 있는 것이다. 또한 士는 坫(기물을 얹어두는 대)이 하나이기 때문에 여기에서 '皆'라고 한 것은 苞·筲·甕·甒를 하나의 桁 위에 올려둔 것이다.[63]

⑭ 用器……南流

정현의 주에 따르면 "이것은 모두 평소에 쓰는 기물들이다.〔此皆常用之器也.〕" '耒耜'는 敖繼公에 따르면 "농기구이다. 耜는 흙을 갈아 엎는 부분이고 '耒'는 耜의 자루이다.〔田器也, 耜以起土, 耒其柄也.〕" '敦'는 黍稷을 담는 그릇이다. 정현의 주에 따르면 "杅는 湯과 漿을 담는다. 槃과 匜는 손을 씻을 때 사용하는 그릇이다. 流는 匜의 주둥이이다.〔杅, 盛湯、漿. 槃、匜, 盥器也. 流, 匜口也.〕" '槃'은 물을 담는 그릇이다. 그 형태는 지금의 세수대야〔面盆〕와 비슷한데 깊이가 조금 얕다. 어떤 것은 두 개의 귀가 있으며 아래에 둥근 발이 있는 것도 있다. 여기에서는 손을 씻을 때 따라주는 匜의 물을 받는데 쓰는 것을 말하며 그 용도는 洗와 같다. '匜'는 음이 '이'이다. 옛날에 손을 씻을 때 쓰던 기물로 盥洗할 때 쓰는 물을 담는다. 표주박과 비슷한데 아래에 다리가 있다. 또한 한 쪽에 국자 모양의 기다란 구유 같은 것이 있는데 이것을 '流'라고 한다. 盥洗할 때 물이 바로 이 流

61) 《禮經本義》卷13 兇禮 : "疏布, 大功之布. 功布則小功之布也."

62) 《喪禮四箋》卷2 〈喪儀匡 8·葬4〉注 : "桁, 音衡."

63) 《儀禮章句》卷13 : "阮氏圖謂'桁制如几', 則有跗也, 故曰久之. 士坫惟一, '皆'者, 謂苞、筲、甕、甒, 置之一桁也."

의 입구를 통해 흘러나온다.

⑮ 燕樂器

정현의 주에 따르면 "빈객과 燕飮할 때 쓰는 악기이다.〔與賓客燕飮用樂之器也.〕" 즉 〈鄕飮酒禮〉와 〈鄕射禮〉에 기록된 瑟·笙·磬 등의 악기이다.

【按】 張惠言은 〈載〉圖에서 陳器 중 燕樂器의 배치가 의심스럽다고 하였으며, 황이주의 〈朝祖二 奠載〉圖와 배치가 다르다. 〈그림 37〉 참조.

⑯ 干、笮

'干'은 방패〔盾〕이다. '笮'은 음이 '착'이다. 대나무로 만든 화살을 담는 기물이다.

⑰ 燕器, 杖笠、翣

'燕器'는 정현의 주에 따르면 "燕居 때 몸을 편안하게 하는 기물이다.〔燕居安體之器也.〕" '翣'은 음이 '삽'이다. 정현의 주에 따르면 "부채이다.〔扇.〕" 가공언의 소에 "지팡이는 몸을 부축하는 것이고 삿갓은 더위를 막는 것이며 부채는 서늘함을 부르는 것이다.〔杖者, 所以扶身; 笠者, 所以禦暑; 翣者, 所以招涼.〕"라고 하였다.

8. 柩車를 돌려놓고 祖奠을 진설

徹奠①。巾、席俟于西方②。主人要節而踊③, 袒。商祝御柩④, 乃祖⑤。踊, 襲, 少南當前束⑥。婦人降, 卽位于階間。祖, 還(선)車⑦, 不還器。祝取銘置于茵⑧。二人還重, 左還(선)⑨。布席, 乃奠如初⑩。主人要節而踊。薦馬如初⑪。賓出, 主人送。有司請葬期⑫。入復位⑬。

柩車의 서쪽에 진설했던 遷祖奠을 거둔다.

집사자가 奠物을 덮을 布巾과 奠席을 들고 서쪽 계단 앞에서 기다린다.
주인이 踊을 해야 할 때를 만나면 踊을 하고 左袒한다.
商祝이 柩車(널을 실은 수레)를 지휘하면 이어 구거가 出行을 시작한다.(북향하던 柩車를 남향하도록 돌려놓는다)
주인이 踊을 한 뒤 왼쪽 소매를 다시 입고 조금 남쪽으로 널의 前束(시신의 어깨부분)에 해당하는 곳으로 간다.
이 때 부인들이 당을 내려와 양쪽 계단 사이의 자리로 나아간다.

출행이 시작되면 진열한 3대의 수레들(乘車·道車·槀車)을 남향하도록 돌려놓고 진열한 明器는 방향을 돌려놓지 않는다.
周祝이 뜰 남쪽의 重이 있는 곳에서 銘을 가지고 와 진열해둔 茵(광중에서 널 밑에 깔 자리) 위에 올려놓는다.
두 사람이 북향하고 있던 重을 왼쪽으로 돌려 남향하도록 한다.
奠席을 펴고 이어 구거의 동쪽에 祖奠을 올리는데 遷祖奠 때와 같이 한다.
주인(장부들과 부인들 포함)이 踊을 해야 할 때를 만나면 踊을 한다.
말을 늘어세우기를 처음 문에 들어와 늘어세웠을 때처럼 한다.

賓이 나가면 주인이 祖廟門 밖에서 전송한다.
이때 有司가 주인에게 葬地로 떠날 시간을 묻는다.
주인이 묘문 안으로 들어가 동쪽 계단 아래 널의 前束에 해당하는 자리로 돌아간다.

① 徹奠

당 위에 진설했다가 거두어서 당 아래 柩車의 서쪽, 널의 前束에 해당하는 곳에 다시 진설했던 遷祖奠을 거두는 것이다. (〈기석례〉6. 참조) 곧 새로운 奠(祖奠)을 올릴 것이기 때문에 천조전을 거두는 것이다.

【按】 정현의 주에 따르면 奠物을 거두는 사람은 明器의 북쪽으로 가서 서향하고 거둔다.[64] 가공언의 소에 따르면 일반적으로 奠物을 堂이나 室에 올리는 경우에는 동쪽 계단으로 올라가서 서쪽 계단으로 내려오며, 庭에 올리는 경우에는 重의 북쪽을 지나 동쪽으로 가서 진설했다가 重의 북쪽을 지나 서쪽으로 가며, 전물을 거둔 뒤에는 重의 남쪽

64) 鄭玄注 : "徹者, 由明器北, 西面. 旣徹, 由重南東."

을 지나 동쪽으로 간다. 이것은 동쪽 계단으로 올라갔다가 서쪽 계단으로 내려가는 것을 형상한 것이다. 다만 柩車 서쪽에 전물을 진설할 때는 거두는 사람이 전물의 동쪽에서 서향하고 거둔다.[65]

② 西方

서쪽 계단 앞이다.

③ 要節而踊

【按】〈사상례〉30. 주㉘, 〈사상례〉33. 주⑮ 참조.

④ 商祝御柩

정현의 주에 따르면 "啓殯하여 널을 祖廟로 옮길 때와 같이 商祝이 功布를 들고 앞에 서는데 이것은 柩車를 돌리기 위해 지휘하는 것이다.[亦執功布居前, 爲還柩車爲節.]" 여기의 '功布'는 대공포이다. '還柩車'는 柩車의 방향을 바꾸어 끌채가 밖으로 향하도록 돌려놓는 것이다. '節'은 즉 '지휘하다'라는 뜻이다.

【按】〈기석례〉3. 주③, 〈기석례〉14. 참조. 경문과 정현의 주에는 수레를 오른쪽이나 왼쪽 어느쪽으로 돌리는지 방향이 언급되어 있지 않다.

⑤ 祖

'시작하다[始]'라는 뜻이다. 정현의 주에 따르면 출행의 시작을 이른다.[66] 柩車를 밖으로 향하도록 돌려놓는 것은 출행을 시작하기 위해서이다.

⑥ 少南當前束

柩車를 돌려놓은 뒤에는 널의 前束이 남쪽에 있기 때문에 주인은 조금 남쪽으로 이동하여 柩車의 前束에 해당하는 곳으로 가야 한다.[67]

⑦ 祖, 還車

褚寅亮에 따르면 '祖'는 진열된 3대의 수레, 즉 乘車(士가 평소에 타는 수레. 棧車), 道車(아침저녁이나 한가할 때 출입하면서 타는 수레), 槀車(사냥이나 교외로 출행할 때 타는 수레)를 돌려놓는 것을 가리킨다.[68]

【按】저인량에 따르면 이 3종의 수레는 이때 사람들이 끌어서 돌려놓는 것이며 말은 아직 멍에 메지 않았다.

⑧ 祝取銘置于茵

'祝'은 胡匡衷의 《儀禮釋官》에 따르면 周祝이다.[69]

【按】정현의 주에 "重은 묘지에 함께 매장하지 않기 때문에 이때 銘을 옮겨서 茵 위에 올려놓는 것이다.[重不藏, 故於此移銘, 加於茵上.]"라고 하였다. 가공언의 소에 따르면

65) 賈公彦疏 : "凡奠於堂、室者, 皆升自阼階, 降自西階. 奠於庭者, 亦由重北, 東方來陳, 由重北而西, 徹訖, 由重南而東, 象升自阼階, 降自西階也. 但設奠於柩車西而東面, 則徹者由奠東而西面徹之也."

66) 鄭玄注 : "還柩鄕外, 爲行始."

67) 賈公彦疏 : "經云少南, 鄭云'則當前束南'者, 以其車未還之時, 當前束近北, 今還車, 亦當前束少南."

68) 《儀禮管見》卷下之二 : "此經之祖, 還三車也. 以人輓之, 馬尙未駕."

69) 《儀禮釋官》卷5 : "此祝, 周祝也."

重은 매장하지 않고 廟門 밖 왼쪽(동쪽)에 묻지만 茵과 銘은 모두 壙中에 들어가는 물건이기 때문에 茵 위에 銘을 올려놓는 것이다.

⑨ 還重

胡培翬에 따르면 "重은 본래 북향하고 있었는데, 이제 이것을 돌려 남향하게 하는 것은 출행하려 한다는 것을 보이는 것이다.〔重本面北, 今還之面南, 示將出也.〕"

⑩ 乃奠如初

'奠'은 즉 '祖奠'이다. 정현의 주에 따르면 이 奠은 柩車가 祖(출행을 시작함)한 뒤에 올리기 때문에 祖奠이라고 이름붙인 것이다.[70] '如初'는 遷祖奠을 올릴 때처럼 祖奠을 올리는 것을 이른다. 〈기석례〉34. 참조.

【按】 吳廷華에 따르면 '初'는 遷祖奠을 이른다.[71] 〈旣夕禮 記〉에 따르면 祖奠은 주인의 남쪽, 柩車의 前輅(끌채 앞 횡목)에 해당하는 곳에 진설한다. 이때 올리는 祖奠이 遷祖奠과 다른 점에 대해 張惠言의 〈祖〉圖에서는 출행을 시작한[祖] 뒤에는 牲鼎을 진열하지 않아 牲俎도 없다고 하였다. 즉 醴·酒·脯·醢만 있다고 하였다.[72] 또한 장혜언의 〈祖〉圖에는 祖奠이 柩車의 서쪽, 서쪽 계단 아래에 진설되어 있다. 그러나 黃以周의 〈祖〉圖에 따르면 장혜언의 〈祖〉圖에는 세 가지 오류가 있다. 첫째, 장혜언의 圖에는 3俎가 없이 醴·酒·脯·醢만 있으나 경문에서 분명히 祖奠을 遷祖奠과 같이 하라고 하였으니 3俎가 있어야 한다. 둘째, 奠은 일반적으로 모두 柩車의 오른쪽에 진설하는데, 이때 구거는 남향하고 있기 때문에 奠物 역시 구거의 동쪽, 前束 부분에 진설해야 한다. 따라서 장혜언의 圖에 祖奠이 柩車의 서쪽에 진설되어 있는 것은 오류이다. 셋째, 말은 祖廟에 진열해 놓은 음식들을 더럽힐 수 있기 때문에 의당 屋霤 부분에 늘어세워야 하는데 장혜언의 圖에는 重 앞으로 너무 가깝게 늘어세운 것이다. 황이주의 〈祖〉圖에는 祖奠이 구거의 동쪽 부분에 진설되어 있다.[73]

⑪ 薦馬如初

胡培翬는 "盛世佐는 '如初는 祖廟門을 들어와 북향할 때부터 오른쪽으로 돌아 묘문을 나갈 때까지의 의절을 이른다.'라고 하였다. (〈기석례〉5. 참조) 말은 수레에 메는 것이니, 이때는 널이 이미 움직이기 시작하였고 진열했던 수레들도 모두 방향을 돌려서 남향하도록 하여 출행하는 모양이기 때문에 다시 말을 늘어세워 새롭게 해야 한다.〔'如初, 謂自入門, 北面, 至右還出之儀也.' 馬以駕車, 此時柩已動, 薦車亦皆而還鄉南, 有行之象, 故須更薦馬新之也.〕"라고 하였다.

70) 鄭玄注 : "車已祖, 可以爲之奠也, 是之謂祖奠."

71) 《儀禮章句》卷13 : "初, 謂遷祖奠."

72) 《儀禮圖》 卷5 〈祖〉圖 自注 : "在旣祖之後, 不陳鼎, 則醴、酒、脯、醢而已, 奠之如徹奠."

73) 《禮書通故》 卷48 〈祖〉圖 自注 : "經'奠如初', 謂如朝祖奠, 是有三俎明矣. 張《圖》奠無三俎, 誤一. 凡奠皆在尸柩之右, 時柩南首, 奠宜在柩東當前束, 張《圖》奠在柩西, 誤二. 馬踐汚廟薦, 馬宜如敖說涉屋霤. 張《圖》進逼重前, 誤三."

⑫ 有司請葬期

啓殯 때와 같이 주인이 賓을 전송하려고 祖廟門 밖에 나왔을 때를 틈타 묻는 것이다. 胡培翬에 따르면 "葬地로 떠나는 시간을 물었으나 주인이 대답하는 말은 보이지 않으니, 역시 글이 갖추어지지 않은 것이다.〔請葬期, 不見主人對辭, 亦文不具也.〕"

⑬ 復位

주인이 동쪽 계단 아래, 널의 前束에 해당하는 자리로 돌아가는 것이다.

9. 國君의 賵

(祖 이후, 柩車는 남향, 시신의 머리는 남쪽에 있을 때)

公賵(봉): 玄纁束, 馬兩①。擯者出請, 入告。主人釋杖, 迎于廟門外, 不哭, 先入門右, 北面, 及衆主人袒②。馬入設③。賓奉幣由馬西當前輅(핵)④, 北面致命。主人哭, 拜稽顙⑤, 成踊。賓奠幣于棧左服⑥, 出。宰由主人之北擧幣以東⑦。士受馬以出⑧。主人送于外門外, 拜, 襲, 入復位, 杖。

임금이 賵物(送葬을 돕는 車馬)을 보낸다. 봉물은 玄色과 纁色 비단 1束(5필)과 말 2필이다.

擯者(주인 쪽의 인도하는 사람)가 祖廟門을 나가서 임금의 使者에게 무슨 일로 왔는지를 묻고 안으로 들어가 주인에게 고한다.

주인이 喪杖을 내려놓고 묘문 밖에서 賓(使者)을 맞이한다. 곡은 하지 않고 앞장서서 묘문의 오른쪽(동쪽)으로 들어가 북향하고 묘문 안에서 그대로 서향하고 있는 衆主人과 左袒한다.

2필의 말을 묘문 안으로 끌고 들어가 重의 남쪽 뜰에 늘어세운다.

賓이 폐백(束帛)을 받들고 말의 서쪽에서 북쪽으로 柩車의 前輅(끌채 앞 횡목)에 해당하는 곳에 가서 북향하고 위로의 말을 전한다.
주인이 묘문의 오른쪽에서 곡하고, 拜手한 뒤에 稽顙하고 成踊한다.
賓이 폐백을 棧車(구거)의 服(수레몸통) 왼쪽(동쪽)에 올리고 물러 나간다.
宰가 폐백을 들고 동쪽 계단 아래 원래 주인의 자리 북쪽을 지나 동쪽으로 가서 보관한다.
주인의 士(하급관리들 중 우두머리)가 말을 받아서 묘문 밖으로 끌고 나간다.
주인이 外門(대문) 밖에서 賓을 전송하고 절한 뒤에 외문을 들어와 왼쪽 소매를 다시 입고 묘문 안으로 들어와서 동쪽 계단 아래 서향하는 원래 자리로 돌아가 喪杖을 짚는다.

① 公賵 : 玄纁束, 馬兩

'賵'은 喪家에 보내는 것으로 送葬(영구를 묘지로 보내는 일)을 돕는 물건이다. 정현의 주에 따르면 "賵은 주인의 送葬을 돕는 것이다.〔賵, 所以助主人送葬也.〕" 임금이 말 2필을 내려 보내는 것은 그 뜻이 주인이 柩車를 끄는 것을 돕는 데에 있기 때문에 '送葬을 돕는 것이다'라고 말한 것이다. 또 束帛이 있는 것은 命을 전하는데 쓰기 위해서이다. 吳廷華는 "말은 送葬을 돕는 것이고, 폐백은 위로의 말을 전하는 것이다.〔馬以助葬, 帛以將命.〕"라고 하였다.[74]

【按】 '玄纁束'은 〈기석례〉15. 주⑤, 참조.

② 衆主人袒

【按】 注疏에 따르면 이때 중주인은 그대로 서향을 한다. 주인 혼자서 賓을 맞이하여 문 동쪽으로 들어와 오른쪽에 서고 나머지 중주인은 빈을 맞이하러 가지 않기 때문에 그대로 柩車의 동쪽에서 서향하고 있는 것이다.[75]

③ 馬入設

정현의 주에 따르면 "뜰에 늘어세우되 重의 남쪽에 늘어세우는 것이다.〔設於庭, 在重南.〕"

④ 輅

【按】 《全韻玉篇》에 따르면 '輅'는 '수레'의 뜻일 때는 음이 '로'이며, '끌채 앞 횡목'의 뜻일 때는 음이 '핵'이다.

⑤ 主人哭, 拜稽顙

74) 《儀禮章句》卷13 : "車馬曰賵, 以助葬. 束帛, 以將命者, 故第曰賵也."

75) 鄭玄注 : "衆主人自若西面." 賈公彦疏 : "以其主人一人迎賓入門, 門東而右, 其餘衆主人不迎賓, 明自若常位, 柩東西面可知也."

가공언의 소에 따르면 이 때 주인은 여전히 조묘문의 오른쪽(동쪽)에 서있다.[76]

⑥ 賓奠幣于棧左服

'幣'는 束帛이다. 정현의 주에 따르면 '棧'은 柩車를 이르며 '服'은 수레몸통〔車箱〕을 이른다.[77] '左'는 수레가 남향하고 있으니 동쪽을 왼쪽으로 삼는다.

【按】 盛世佐에 따르면 士가 타는 棧車는 車箱을 가죽으로 싸지 않고 칠을 하여 망가지기 쉬운데 이 구거 역시 이러한 가죽 장식이 없기 때문에 棧車라는 이름을 붙인 것이다.[78] 注疏에 따르면 폐백을 柩車의 服 왼쪽에 두는 것은 다른 사람에게 줄 때 그 오른쪽에 주는 것을 형상한 것이다. 이때 구거는 남향을 하고 있으니 동쪽이 왼쪽이 되고, 구거 안에 있는 시신의 입장에서는 동쪽이 오른쪽이 된다.[79]

⑦ 主人之北

이것은 주인이 원래 있던 자리의 북쪽을 말한다.(주인의 원래 자리는 동쪽 계단 아래 柩車의 동쪽에 있다) 주인은 현재 여전히 묘문의 동쪽에서 아직 자리에 돌아오지 않은 것이다.

⑧ 士

주인의 士이다. 정현의 주에 따르면 이 士는 주인의 하급관리들 중의 우두머리이다.[80] 命士 아래 府·史·胥·徒가 있는데 이 士는 그 우두머리이다. 胡匡衷의《儀禮釋官》고증에 따르면 府·史·胥·徒도 士라고 칭할 수 있으며 이 士는 廟가 없는 庶士이다.[81]

【按】 정현의 주에 따르면 '府'는 재화를 보관하는 창고를 관장하는 관리이며 '史'는 문서를 관장하는 관리로, 모두 그 長이 자체적으로 任免한다. '胥'와 '徒'는 徭役을 지는 백성으로 漢나라 때의 衛士와 같다. 특히 胥는 才知가 있는 자로 什長에 해당한다.[82]

〈상복〉10. 주⑦ 참조.

76) 賈公彦疏 : "'主人哭拜'者, 仍於門右北面, 以賓致命訖, 遂哭拜也."

77) 鄭玄注 : "棧, 謂柩車也.……服, 車箱."

78)《儀禮正義》卷29 : "凡士車制無漆飾者,《周禮·巾車》'士乘棧車', 鄭注: '棧車不革輓而漆之.'《考工記》'輿人棧車欲弇', 注: '爲其無革輓, 不堅, 易壞也.' 又'飾車欲侈', 注: '飾車, 謂革輓輿也.' 大夫以上革輓輿, 然則大夫以上之車有飾, 士車無飾, 故名爲棧. 此柩車亦然, 故謂柩車爲棧也."

79) 鄭玄注 : "左服, 象授人授其右也." 賈公彦疏 : "此車南鄕, 以東爲左, 尸在車上, 以東爲右, 故授左服, 容授尸之右也."

80) 鄭玄注 : "此士, 謂胥徒之長也. 有勇力者受馬."

81)《儀禮釋官》卷5 : "府、史、胥、徒亦稱士.《檀弓》曰'管庫之士',《祭法》曰'庶士無廟'."

82)《禮記》〈曲禮下〉鄭玄注 : "府, 謂寶藏貨賄之處也."《周禮》〈天官 序官〉鄭玄注 : "府, 治藏. 史, 掌書者. 凡府、史皆其官長所自辟除. (胥、徒)此民給徭役者, 若今衛士矣. 胥, 讀如如謂, 謂其有才知, 爲什長."

10. 賵·奠·賻·贈, 代哭, 爲燎

賓賵者①, 將命。擯者出請, 入告, 出告須②。馬入設。賓奉幣。擯者先入, 賓從。致命如初。主人拜于位, 不踊。賓奠幣如初。舉幣、受馬如初。擯者出請。若奠③。入告, 出, 以賓入。將命如初④。士受羊如受馬。

又請。若賻⑤, 入告。主人出門左, 西面。賓東面將命。主人拜。賓坐委之。宰由主人之北, 東面舉之, 反位⑥。若無器, 則捂(오)受之⑦。又請, 賓告事畢, 拜送, 入。

贈者⑧, 將命。擯者出請, 納賓如初。賓奠幣如初。若就器, 則坐奠于陳⑨。

凡將禮, 必請而後拜送⑩。兄弟賵⑪, 奠可也。所知⑫, 則賵而不奠。知死者贈, 知生者賻。書賵于方⑬, 若九, 若七, 若五。書遣于策⑭。乃代哭如初⑮。宵, 爲燎于門內之右⑯。

賓(경·대부·士의 使者)이 賵物(送葬을 돕는 車馬)을 가지고 온 경우에는 擯者(주인 쪽의 인도하는 사람)가 명을 전한다.

擯者가 먼저 祖廟門을 나가 賓에게 무슨 일로 왔는지를 물은 뒤에 묘문을 들어와 주인에게 고하고 다시 나가서 주인이 기다린다고 고한다.

말을 먼저 끌고 들어와 重의 남쪽 뜰에 늘어세운다.

賓이 폐백(玄纁束帛)을 받든다.

擯者가 앞장서서 묘문을 들어오고 賓이 뒤따라 들어온다.

賓이 위로의 말을 전하기를 임금의 使者가 왔을 때(《기석례》9)와 같이 한다.

주인이 자리에서 賓에게 절을 하고 踊은 하지 않는다.

賓이 폐백을 올리기를 임금의 使者가 왔을 때(《기석례》9)와 같이 한다.

宰(가신의 우두머리)가 폐백을 들고 가서 보관하는 것과 주인의 士가 말을 받아서 묘문 밖으로 끌고 나가기를 임금의 使者가 왔을 때(《기석례〉9)와 같이 한다.

擯者가 묘문을 나가 賻物을 올린 뒤에 나가 있는 賓에게 또 일이 더 있는지를 묻는다.
만약 奠物을 가지고 왔을 경우에는 묘문을 들어와 주인에게 고한 뒤에 擯者가 묘문을 나가 賓을 모시고 들어온다.
賓이 위로의 말을 전하기를 임금의 使者가 왔을 때(〈기석례〉9)와 같이 한다.
士가 羊을 받기를 말을 받을 때와 같이 한다.

또 擯者가 묘문을 나가 賓에게 다른 일이 있는지를 묻는다.
만약 賻物(주인을 위한 財貨)이 있을 경우에는 擯者가 묘문을 들어와 주인에게 고한다.
주인이 묘문을 나가 묘문 왼쪽(동쪽)에서 서향하고 선다.
賓이 동향하고 위로의 말을 전한다. 주인이 절을 한다.
賓이 자리에 앉아서 賻物을 땅에 놓는다.
주인의 뒤쪽에 있던 宰가 주인의 북쪽을 지나 서쪽으로 가서 동향하여 그 賻物을 받들고 묘문을 들어가 동쪽에 가서 보관한 뒤 묘문 동쪽의 자기 자리로 돌아간다. 賻物을 담을 그릇이 없을 경우에는 宰가 마주보고 賓의 손에서 직접 받는다.
또 擯者가 일이 더 있는지를 묻는다.
賓이 일이 모두 끝났다고 말하면 주인이 절하여 전송한 뒤에 묘문 안으로 들어온다.

贈物(死者를 위한 玩好物)을 보낸 경우에도 擯者가 명을 전한다.
擯者가 먼저 묘문을 나가 賓에게 무슨 일로 왔는지를 물은 뒤에 賓을 묘문 안으로 인도하기를 임금의 사신이 왔을 때(〈기석례〉9)와 같이 한다.
賓이 폐백을 들고 들어와 올리기를 임금의 사신이 왔을 때(〈기석례〉9)와 같이 柩車의 왼쪽(동쪽)에 올리고 물러간다. 만약 就器(완성된 기물. 완호품)일 경우에는 앉아서 陳(明器가 진열된 곳)에 올린다.

일반적으로 禮를 행할 때에는 반드시 賓에게 물은 뒤에 절하여 전송한다.
형제(五服之親)는 賵物을 보낼 수 있을 뿐 아니라 奠物도 보낼 수 있다.
평소 안부를 묻고 왕래하던 사람(붕우·동료·이웃)은 賵物만 보내고 奠物은 보내지 않는다.
死者와 알고 지내던 사람은 贈物을 보내고, 주인과 알고 지내던 사람은 賻物을 보낸다.
賵物(奠物·賻物·贈物 포함)과 보낸 사람의 성명을 方板에 기록하는데, 판마다 9줄이나 7줄 혹은 5줄로 적는다.
遣物(茵 이하 부장하는 물품)과 보낸 사람의 성명을 簡策에 적어서 附葬한다.
이어 代哭(번갈아 곡하는 것)하기를 소렴을 마친 뒤(〈사상례〉21)와 같이 한다.
밤이 되면 화톳불을 묘문 안 오른쪽(동쪽)에 놓는다.

① 賓

敖繼公에 따르면 "경·대부·士의 使者이다.〔卿大夫士之使者也.〕"

② 告須

정현의 주에 따르면 주인이 廟門을 나가서 맞이하지 않으니, 이것은 擯者가 賓에게 주인이 賓이 들어오기를 기다린다고 알리는 것이다.[83]

③ 若奠

여기의 '奠'은 祭奠을 돕는 물품을 보내온 것을 가리킨다. '若'이라고 말했으니 반드시 있는 것은 아니다. 그러므로 盛世佐가 "아마도 賵物은 보내지만 奠物은 보내지 않고, 賵物과 奠物은 보내지만 賻物은 보내지 않는 경우가 있는 듯하다.〔容有賵而不奠, 賵、奠而不賻者.〕"라고 한 것이다.[84]

④ 將命

敖繼公에 따르면 "여기의 將命은 致命(명을 전하다)과 같다.〔此將命猶致命也.〕"

⑤ 若賻

'賻'는 음이 '부'이다. 재물을 보내 喪家에서 喪을 치르는 것을 돕는 것이다. 정현의 주에 따르면 "賻는 補와 같다. 돕는다는 뜻이다. 재물을 賻라고

83) 鄭玄注 : "不迎, 告曰: '孤某須.'"

84) 《儀禮集編》卷30 : "'若'者, 不定之辭. 容有賵而不奠, 賵、奠而不賻者, 故每事皆云'若'."

한다.〔賻之言, 補也, 助也. 貨財曰賻.〕" '賵'이 死者에게 보내는 것을 위주로 했다면 '賻'는 살아있는 사람(주인)에게 베푸는 것을 위주로 한 것이니, 바로 이 점이 다르다.

⑥ 宰由主人之北, 東面擧之, 反位

'位'는 阮元의 교감본에는 '伐'로 잘못되어 있다. 吳廷華에 따르면 宰는 원래 주인의 뒤에 서있었는데, 지금 주인의 북쪽을 지나 묘문 서쪽으로 간 뒤에 몸을 돌려 동향하고서 賓이 바닥에 내려놓은 물품을 받들고 묘문을 들어와 동쪽으로 가서 보관한다. 그런 뒤에 동쪽의 자기 자리로 돌아가는 것이다. 宰가 일이 없을 때는 자리가 묘문의 동쪽에 있는 듯하다.[85]

⑦ 若無器, 則捂受之

吳廷華에 따르면 '器'는 물품을 담는 기물을 가리키니, 筐이나 篚 같은 것이다. '捂受'는 맞이하여 받는 것을 이르니, 즉 서로 마주보고 받는 것이다. 이것을 받는 사람도 宰이다.[86]

⑧ 贈

死者에게 보내는 부장품이다. 張爾岐에 따르면 "폐백이나 明器로 死者를 전송하는 것이다.〔以幣若器送死者也.〕" '幣'는 검은색과 분홍색 束帛을 이른다.

【按】〈기석례〉15. 주⑤ 참조.

⑨ 若就器, 則坐奠于陳

'就'는 '완성하다'라는 뜻이다. 吳廷華는 "《예기》〈檀弓〉에 따르면 明器는 모두 완성품으로 만들지 않는데 여기에서는 완성품을 보내는 것이다.〔《檀弓》明器皆不成, 此則共(供)成者.〕"라고 하였다. (〈사상례〉35. 주⑦ 참조) '器'는 정현의 주에 따르면 玩好品과 같은 것들이다.[87] '陳'은 明器를 진열한 곳을 이른다. 敖繼公에 따르면 "明器를 진열한 곳을 陳이라고 한 것은 일을 인하여 이름을 붙인 것이다.〔以陳明器之處爲陳者, 因事名之.〕"

【按】정현은 '就'를 '善(좋다)'과 같은 것으로 보아 '就器'를 '완호품'의 뜻으로 보았다.[88] 그러나 敖繼公 등은 《이아》를 근거로 '就'를 '완성하다[成]'의 뜻으로 보아 '就器'를 '이미 완성된 기물'의 뜻으로 보았다.[89]

⑩ 凡將禮, 必請而後拜送

'將'은 행함이다. 胡培翬에 따르면 "일반적으로 禮를 거행하는 사람은 모두 이렇게 한다.〔凡行禮者皆然.〕" '必請'은 정현의 주에 따르면 "비록 일이

85) 《儀禮章句》卷13 : "宰自主人之後, 出其北, 轉而東面鄕主人, 擧所委以入也. 由北者, 便于入. 鄕主人者, 若受命于主人. 反位, 入門而東, 藏之, 乃反位也. 有司位在東方."

86) 《儀禮章句》卷13 : "器, 筐、篚之屬, 以盛賻者. 此云'無器', 則委者有器也. 捂受, 逆受也, 謂相對受之, 亦宰也."

87) 鄭玄注 : "贈無常, 唯玩好所有. 陳, 明器之陳."

88) 鄭玄注 : "就, 猶善也. 贈無常, 惟翫好所有."

89) 《儀禮正義》卷29 : "《爾雅·釋詁》云'就, 成也', 敖氏據以易鄭, 謂就器爲已成之器, 其義較顯."

끝났다는 것을 알더라도 묻는 것은 군자는 남의 뜻을 기필하지 않기 때문이다.〔雖知事畢猶請, 君子不必人意.〕"

⑪ 兄弟

정현의 주에 따르면 "服이 있는 친속이다.〔有服親者.〕" 즉 五服 내에 들어가는 모든 親屬이다. 胡培翬는 "대공친 이상과 소공친 이하, 그리고 服이 있는 外戚과 姻戚이 모두 여기에 포함된다.〔大功以上, 小功以下, 及外姻有服者, 皆統之矣.〕"라고 하였다.

⑫ 所知

정현의 주에 따르면 "안부를 물으며 서로 알고 지내는 사이이다.〔通問相知也.〕" 즉 평소에 서로 안부를 묻고 왕래가 있던 사람을 이른다. 예를 들면 붕우·동료·이웃 등등으로, 그 관계가 服이 있는 자보다 소원한 사람이다.

⑬ 書賵于方

'方'은 정현의 주에 따르면 "판이다.〔板也.〕" 또 '版'으로도 쓰는데, 즉 木板이다. 張爾岐는 "글자가 많으면 策에 쓴다. 策은 여러 竹簡들을 묶어서 연결시킨 것이다. 글자가 적으면 方板에 쓴다. 方板에는 판 하나면 모두 쓸 수 있는 내용을 적는다.〔字多, 書於策, 策以衆簡編連也. 字少, 書於方, 一板可盡也.〕"라고 하였다. 정현의 주에 따르면 이때 기록하는 것은 賵物만이 아니라 奠物·賻物·贈物도 포함된다.[90]

【按】〈기석례〉13. 주⑥ 참조.

⑭ 書遣于策

'策'은 簡策이다. 簡은 대나무로 만드는데, 한 조각을 '簡'이라고 하며 簡을 묶어서 연결하고 나면 '策'이라고 한다. 정현의 주에 따르면 "遣은 送과 같다. 附葬해야 하는 것으로 茵 이하의 물품을 이른다.〔遣猶送也, 謂所當藏物茵以下.〕" '所當藏物'은 부장해야 하는 明器를 이르는데, 그 안에는 贈物도 포함된다.

⑮ 乃代哭如初

胡培翬는 王士讓을 인용하여 "啓殯을 한 때부터 遷廟·見柩에 이르기까지 곡소리는 참으로 끊어지지 않았는데, 이때에 이르면 번갈아서 곡을 한다. 이것은 柩車가 祖廟에 있을 때 남자들과 부인들이 모여 柩車를 지키면서 밤새도록 자지 않는데, 이때 곡소리가 끊어지면 슬픔을 잊을 뿐 아니라 태만해져서 喪禮가 엉망이 되어 진작되지 못할 것이기 때문이다. 그

90) 鄭玄注: "書賵、奠、賻、贈之人名與其物於板."

러나 또 대신해서 번갈아 곡하도록 하지 않는다면 비록 강건한 체력을 지닌 사람이라 할지라도 견디지 못할 것이니, 다음날 어떻게 장례를 치르겠는가.〔自啓殯遷廟見柩而哭固已不絶聲矣, 至是乃代哭焉. 蓋柩車在廟, 男婦群聚而受之, 徹夜不寐, 哭若絶聲, 不但忘哀, 且將懈怠, 倒廢而不振也, 若不代, 則雖强有力者亦弗勝, 明日何以將事乎!〕"라고 하였다.

⑯ 門內之右

胡培翬에 따르면 "즉 뜰의 동쪽이다.〔卽庭之東也.〕"

장 葬

11. 葬奠(장례일)

厥明, 陳鼎五于門外如初①。其實: 羊左胖, 髀(비)不升, 腸五, 胃五, 離肺②; 豕亦如之③, 豚解④, 無腸、胃。魚、腊、鮮獸⑤, 皆如初⑥。
東方之饌⑦: 四豆, 脾析⑧、蜱(비)醢⑨、葵菹、蠃醢⑩; 四籩, 棗、糗(구)⑪、栗、脯; 醴, 酒。陳器⑫。
滅燎⑬, 執燭俠輅(핵)⑭, 北面。賓入者, 拜之。徹者入⑮。丈夫踊。設于西北⑯。婦人踊。徹者東⑰。鼎入⑱。
乃奠⑲。豆南上, 綪(쟁)⑳。籩, 蠃醢南, 北上, 綪㉑。俎二以成, 南上㉒, 不綪, 特鮮獸㉓。醴、酒在籩西, 北上。奠者出。主人要節而踊㉔。

다음날 날이 밝으면 5개의 鼎을 祖廟門 밖에 대렴전 때와 같이 북쪽을 상위로 하여 북향하도록 진열한다.
鼎에 담는 것은 다음과 같다.
鼎 하나에는 羊의 牲體를 左胖만 담고 髀는 담지 않으며, 창자 5마디·밥통 5가닥·離肺를 함께 담는다.
鼎 하나에는 豕(큰 돼지)의 牲體를 담는데, 羊의 牲體와 마찬가지로 左胖만 담고 髀는 담지 않으며 離肺를 담는다. 豚(새끼 돼지)을 자를 때처럼 4덩어리로 나누고 창자와 밥통은 담지 않는다.
3개의 鼎에 각각 물고기(전어나 붕어)·兎腊(토끼를 통째로 말린 것)·鮮獸(갓 잡은 토끼)를 담는데, 대렴전 때와 같이 물고기는 9마리를 담으며 兎腊과 鮮獸는 左胖만 담고 髀는 담지 않는다.

뜰의 동쪽(주인의 남쪽)에 진열하는 奠物은 다음과 같다.
4개의 豆를 진열하는데, 각각 脾析(양의 밥통)·蜱醢(조개 젓갈)·葵菹(아욱 초절임)·嬴醢(달팽이 젓갈)를 담는다.
4개의 籩을 진열하는데, 각각 棗(대추)·糗餌(콩고물을 입힌 쌀기장떡)·栗(밤)·脯(육포)를 담는다.
醴와 酒도 진열한다.
전날 거두어두었던 明器를 重의 북쪽에 새로 진열한다.

이때 화톳불을 끄고 2명의 집사자가 횃불을 들고 柩車의 前輅(끌채 앞 횡목) 동쪽과 서쪽에서 북향하고 선다.
賓이 묘문 안으로 들어오면 주인이 자기 자리에서 賓에게 절한다.
徹者(祖奠을 거두는 사람들)가 묘문을 들어온다. 이때 장부들이 踊을 한다.
거둔 祖奠을 柩車의 서북쪽에 진설한다. 이때 부인들이 踊을 한다.
徹者가 새로운 奠物(葬奠)을 진열해둔 동쪽으로 간다.
이때 집사자들이 鼎을 들고 묘문 안으로 들어온다.

이어 柩車의 동쪽에 葬奠을 올린다.
豆는 남쪽을 상위로 하여 脾析-蜱醢-葵菹-嬴醢의 순으로 남쪽부터 진설하다가 북쪽 끝에서 굽혀서 진설한다.
籩은 嬴醢(달팽이 젓갈)의 남쪽에 진설하는데, 북쪽을 상위로 하여 棗-糗餌-栗-脯의 순으로 북쪽부터 진설하다가 남쪽 끝에서 굽혀서 진설한다.
俎는 둘씩 짝지어 진설하는데(羊俎·豕俎와 魚俎·腊俎), 남쪽을 상위로 하여 남쪽부터 진설한다. 이때 북쪽 끝에서 굽혀서 진설하지 않는다. 鮮獸는 豕俎와 腊俎의 북쪽에 단독으로 가로로 놓는다.
醴와 酒는 籩의 서쪽에 놓는데 북쪽을 상위로 하여 醴를 북쪽에 놓는다.
진설한 사람들이 묘문을 나간다.
주인(장부들과 부인들 포함)이 踊을 해야 할 때를 만나면 踊을 한다.

① 如初

정현의 주에 따르면 "대렴전 때와 같이 진열하는 것이다.[如大斂奠時.]" 〈사상례〉24. 참조.

② 腸五, 胃五, 離肺

창자의 단위는 '節'을 사용하고 밥통의 단위는 '條'를 사용한다. 창자는 잘라서 마디[節]가 되고 밥통은 그 둘레를 따라 잘라서 가닥[條]이 되기 때문에 〈公食大夫禮〉에서 "俎에 가로로 놓는데, 가로로 다 들어가지 않아 俎 밖으로 나오는 부분이 있으면 그 부분이 俎 양쪽으로 늘어지도록 한다.[橫諸俎垂之.]"라고 한 것이다. '離肺'는 즉 擧肺이니 먹는 데 쓰는 폐이다. '離'는 '자르다[割]'라는 뜻이다. '離肺'는 일종의 폐를 자르는 방식이다. 즉 폐를 자르기는 하지만 자른 부분이 폐 몸체와 분리되지는 않도록 폐의 중앙 부분을 조금 남겨놓고 자르는 것이다. 이것이 《예기》〈少儀〉에 이른바 "소와 양의 폐는 자르기는 하지만 중심까지 자르지는 않는다.[牛羊之肺, 離而不提(至)心(中央).]"라는 것이다. 폐는 자르는 방식과 용도에 따라 두 종류로 구분한다. 한 종류는 자르기는 하지만 조금 남겨놓아서 폐의 중앙과 분리되지 않도록 하는 것이다. 離肺 또는 擧肺라고도 하며 먹는데 쓰는 폐이다. 그러나 먹기 전에 마찬가지로 먼저 祭(이 음식을 최초로 만든 先人에게 고수레하는 것)를 해야 하는데, 자를 때 조금 남겨놓아 폐 몸체와 분리되지 않도록 하는 것은 바로 먹기 전에 잘라서 祭하는데 편리하게 하기 위해서이다. 여기에서 이른바 '먹다[食]'라는 말은 또한 맛을 한 번 보는 것뿐으로, 이것을 '嚌肺(제폐)'라고도 부른다. 다른 종류의 폐는 폐의 몸체까지 잘라서 분리한 것이다. 祭肺 또는 刌肺, 切肺라고도 한다. 이 祭肺는 오로지 祭할 때에만 쓰는 폐이다.

【按】《周禮》에 따르면 祭(고수레)에는 命祭, 衍祭, 炮祭, 周祭, 振祭, 擩祭, 絶祭, 繚祭, 共祭의 九祭가 있다.[91] 凌廷堪의 《禮經釋例》 권5 〈周官九祭解〉에 따르면 첫 번째 '命祭'는 墮祭, 즉 挼祭를 이른다. 시동이 밥을 먹기 전에 하는 祭로, 祭食 중 가장 重한 祭이다. 두 번째 '衍祭'는 술을 祭하는 것으로, 衍은 酳과 같다. 세 번째 '炮祭'는 籩豆에 祭하는 것이다. 炮는 정현에 따르면 包의 오류로, 겸한다는 뜻이다. 즉 앞에서 祭했던 곳에 함께 祭하는 兼祭를 말한다. 네 번째 '周祭'는 두루 祭하는 것을 이른다. 다섯 번째 '振祭'와 여섯 번째 '擩祭'는 모두 薦俎를 祭하는 것을 이른다. 먹지 않을 경우에는 擩祭를 하고 앞으로 먹을 경우에는 擩祭를 한 뒤 반드시 振祭를 한다. 일곱 번째 '絶祭'와 여덟 번째 '繚祭'는 모두 肺를 祭하는 것을 이른다. 絶祭는 그 뿌리부터 따라가지 않고 곧바로 폐를 잘라서 祭하는 것으로 예가 소략한 경우에 하는 祭이며, 繚祭는 손으로 폐의 뿌리부터 따라서 가다가 폐의 끝에 오면 비로소 끊어서 祭하는 것으로 예가 성대한 경우에

91) 《周禮》〈春官 大祝〉: "辨九祭: 一曰命祭, 二曰衍祭, 三曰炮祭, 四曰周祭, 五曰振祭, 六曰擩祭, 七曰絶祭, 八曰繚祭, 九曰共祭."

하는 祭이다. 아홉 번째 '共祭'는 授祭를 이른다. 祭物이 멀 경우에는 授하고 가까울 경우에는 授하지 않는데, 대체로 脯·醢·羹·酒는 모두 자리 앞에 있기 때문에 이 음식들을 祭할 때에는 授祭가 없고, 黍稷과 牲體를 祭할 때에는 授祭가 있다.

③ 豕亦如之

정현의 주에 따르면 "如之는 양처럼 左胖만 담고 髀는 담지 않으며 離肺를 담는 것이다.〔如之, 如羊左胖, 髀不升, 離肺也.〕"

④ 豚解

정현의 주에 따르면 "豕(큰 돼지)도 豚(새끼 돼지)을 자를 때처럼 前肩(앞다리)·後肫(뒷다리)·脊(등골)·脅(갈비)으로 4등분만 하는 것이다.〔解之如解豚, 亦前肩、後肫、脊、脅而已.〕" 胡培翬는 "肩을 말한 것은 臂와 臑(노)를 아울러 말한 것이고, 肫을 말한 것은 骼(격)을 아울러 말한 것으로, 脊·脅과 함께 4體로 자를 뿐이다.〔言肩兼臂、臑, 言肫兼骼, 竝脊與脅, 四體而已.〕"라고 하였다. 이것은 아무리 큰 희생을 쓰더라도 그 자르는 방법은 그대로 豚과 같이 4體로 자른다는 것을 말한다.

【按】〈사상례〉19. 주② 참조.

⑤ 鮮獸

정현의 주에 따르면 "鮮은 갓 잡은 것이다.〔鮮, 新殺者.〕"[92] 胡培翬에 따르면 여기의 '獸'는 토끼이다. 腊은 오랫동안 말린 토끼이고 鮮은 갓 잡은 신선한 토끼이다.[93]

⑥ 如初

敖繼公에 따르면 "殯奠 때처럼 물고기 9마리에 腊은 左胖을 쓰고 髀는 담지 않는 것이다.〔如殯奠, 魚九, 腊左胖, 髀不升也.〕" '殯奠'은 즉 대렴전이다. 〈사상례〉24. 주㉓㉔ 참조.

【按】盛世佐에 따르면 물고기와 腊은 모두 마른 것을 귀하게 여기고 갓 잡은 것을 천하게 여긴다. 그런데 여기 葬奠에서 小牢五鼎을 올리면서 膚를 쓰지 않고 鮮獸를 쓰는 것은 이때 쓰는 豕를 豚을 자르는 것과 같이 前肩·後肫·脊·脅의 4개로만 자르기 때문에 豚을 본떠 膚를 쓰지 않고 鮮獸를 쓴 것이다.[94]

⑦ 東方之饌

'東方'은 주인의 남쪽을 이른다. 이것은 새로운 奠(정현의 주에서 말한 '葬奠')을 진설하기 위해 미리 이곳에 진열하는 것이다. 〈기석례〉8. 주⑩ 참조.

【按】가공언의 소에 따르면 주인의 남쪽이자 前輅의 동쪽에 북쪽을 상위로 하여 두 개

92) 鄭玄注: "鮮, 新殺者, 士腊用兔."

93) 《儀禮正義》卷30 : "士腊用兔者, 以《少牢》大夫禮云'腊用麋'推之而知也. 腊用兔, 則鮮亦用兔矣."

94) 《儀禮集編》卷30 : "凡魚、腊皆貴稾而賤新. 此牲用少牢, 乃無膚而加鮮獸者, 凡牲用豚者, 例無膚. 此豕用豚解之法, 故亦放豚之不用膚, 而以鮮獸代之也."

의 甒를 북쪽에 두고, 그 남쪽에 4개의 豆를 두고, 그 남쪽에 4개의 籩을 둔다. 진열한 뒤에는 巾을 덮어둔다.[95]

⑧ 脾析

즉 양의 밥통이다. 胡承珙은 "《주례》〈醢人〉의 '脾析'에 대한 鄭衆의 注에 이르기를 '脾析은 소의 百葉이다.'라고 하였는데 '百葉'은 본래 금수의 밥통이다.〔《周官·醢人》'脾析'鄭衆注云: '脾析, 牛百葉也.' 百葉本爲禽獸之胃.〕"라고 하였다. 가공언의 소에서는 소의 백엽을 사용하는 것은 천자의 禮이니, 여기의 士禮에는 양의 백엽, 즉 양의 밥통을 쓴다고 하였다. 또 여기의 양의 밥통은 가늘게 채를 썬 모양이라고 하였다.[96]

⑨ 蜱醢

'蜱'는 음이 '비'이다. 정현의 주에 따르면 "蜱는 조개이다.〔蜯也.〕" '蜯(방)'은 즉 蚌(방)이다. '蜱醢'는 즉 조갯살로 만든 醬이다.

⑩ 葵菹、蠃醢

'葵'는 채소 이름이다. '菹'는 음이 '저'이다. 일종의 식초에 담가서 만든 채소이다. 《說文解字》에 "菹는 초절임 채소이다.〔菹, 酢菜也.〕"라고 하였는데, 段玉裁의 주에 "酢는 지금의 醋자이다. 菹는 초를 더해야 맛이 이루어진다.〔酢, 今之醋字. 菹須醯(亦醋)成味.〕"라고 하였다. '葵菹'는 즉 아욱〔葵菜〕으로 만든 초절임〔菹〕이다. '蠃'는 음이 '라'이다. 정현의 주에 따르면 "달팽이이다.〔蜬蝓也.〕" 《爾雅》〈釋魚〉에 '蜬蝓'가 있는데, 郭璞의 注에 "즉 달팽이이다.〔蝸牛也.〕"라고 하였다. 이 설들에 근거한다면 '蠃醢'는 즉 달팽이 살로 만든 醬이다.

⑪ 糗

'糗'는 음이 '구'이다. 糗餌(콩고물을 입힌 쌀기장떡)이다. 정현의 주에 따르면 "糗는 볶은 콩가루를 餌(떡)에 뿌리는 것이다.〔糗, 以豆糗粉餌.〕" 《주례》〈天官 籩人〉의 정현의 주에 따르면 쌀가루〔稻米粉〕와 기장가루〔黍粉〕를 혼합하여 쪄서 만든 떡을 '餌'라 하고, 콩을 볶은 뒤에 빻아서 가루로 만든 것을 '糗'라고 한다. 餌는 끈끈한 성질이 있기 때문에 가루를 묻혀서 끈적하게 달라붙는 것을 방지하는데, 이것을 '糗餌'라고 한다.[97] 胡培翬에 따르면 "여기에서 '餌'를 말하지 않은 것은 글을 생략한 것이다.〔此不言餌, 省文.〕"[98]

⑫ 陳器

95) 賈公彦疏 : "蓋兩甒在北, 次南饌四豆, 豆南饌四籩也."

96) 賈公彦疏 : "《周禮》鄭注《醢人》云: '細切爲齏(제), 全物若牒(접)爲菹.' 又云: '齏菹之稱, 菜肉通.' 又經不云菹者, 類皆是齏, 則此經云'脾析'者, 即齏也.……《醢人》注云: '脾析, 牛百葉也.' 此不云牛者, 彼天子禮, 容有牛, 此用少牢無牛, 當是羊百葉, 故不云牛也."

97) 鄭玄注 : "此二物皆粉稻米黍米所爲也. 合蒸曰餌, 餅之曰餈. 糗者, 擣粉熬大豆, 爲餌餈之黏著, 以粉之耳. 餌言糗, 餈言粉, 互相足."

98) 《儀禮正義》卷30 : "李氏云: '粉稻米黍米, 合蒸之, 以爲餌. 擣熬大豆爲糗, 以粉之. 《籩人》謂之糗餌.' 此不言餌, 省文."

明器를 진열하는 것을 이른다. 정현의 주에 따르면 明器는 장례하기 전날 대낮에 진열하였다가 밤이 되면 거두어들이기 때문에 지금 다시 진열하는 것이다.[99]

⑬ 滅燎

【按】 張惠言에 따르면 이 화톳불은 기물을 진열한 뒤에 끈다.[100]

⑭ 執燭俠輅

'俠輅'은 胡培翬에 따르면 "柩車의 前輅 양편에 서 있는 것을 이른다.〔謂俠柩車之前輅也.〕" '輅(핵)'은 수레의 끌채〔輈〕 위에 引을 묶는 횡목이니, '俠輅'은 輅의 동서 양쪽에 서있는 것이다.

【按】 '燭'은 注疏에 따르면 뜰의 화톳불을 끈뒤에 2개의 횃불을 밝힌다. 하나는 柩車의 동쪽에서 葬奠의 진설을 비추고 다른 하나는 구거의 서쪽에서 祖奠을 거두는 것을 비춘다.[101] 張惠言의 〈陳遣奠徹祖奠〉圖에는 두 개의 횃불이 모두 북향하고 있는데, 黃以周의 〈陳遣奠徹祖奠〉圖에는 구거 서쪽의 횃불은 남향하고 있다. 북향한다는 바로 뒤의 경문에 근거하면 장혜언의 圖가 옳다.

⑮ 徹者入

'徹者'는 祖奠을 거두는 사람도 祝과 집사자이다. 새로운 전(葬奠)을 진설하려고 하기 때문에 먼저 어제 진설한 祖奠을 거두어야 한다.

【按】 注疏에 따르면 徹者는 이때에도 廟門 밖에서 손을 씻고 들어와 소렴전을 거둘 때 동쪽 계단을 오르는 것처럼 重의 동쪽을 지나 重의 북쪽에서 서향하고 祖奠을 거두어서 柩車의 소렴전·대렴전·삭월전을 옮겨 진설했을 때처럼 西序의 서남쪽에 진설한다.[102]

⑯ 設于西北.

정현의 주에 따르면 柩車의 서북쪽, 즉 西序의 서남쪽에 해당하는 곳에 진설한다.[103]

【按】 張惠言에 따르면 이때의 진설은 소렴전을 거두어 옮겨 진설할 때와 같다.[104] 〈사상례〉25. 주⑦ 참조.

⑰ 徹者東

정현의 주에 따르면 "柩車의 북쪽을 지나 葬奠이 진열된 동쪽으로 가는 것이다.〔由柩車北, 東適葬奠之饌.〕" 가공언의 소에 "柩車의 북쪽을 지나 葬奠이 진열된 동쪽으로 가서 葬奠을 취하여 柩車의 서쪽에 진설한다.〔由柩車北, 東適葬奠之饌, 取而設於柩車西也.〕"라고 하였다. 이때의 奠은 구거가 곧 떠나서 장사지낼 것이기 때문에 진설하는 것이므로 '葬奠'이라고

99) 鄭玄注 : "明器也. 夜斂藏之."
賈公彦疏 : "以其上朝祖之日, 已陳明器, 此復陳之者, 由朝祖至夜斂藏之, 至此厥明, 更陳之也."

100) 《儀禮圖》卷5〈進遣奠徹祖奠〉: "進器後滅之."

101) 鄭玄注 : "炤徹與葬奠也."
賈公彦疏 : "旣滅, 二人執燭俠輅北面, 一人在輅東, 一人在輅西, 輅西者炤徹祖奠, 輅東者炤葬奠之饌."

102) 鄭玄注 : "亦旣盥乃入, 入由重東, 而主人踊, 猶其升也. 自重北西面而徹, 設于柩車西北, 亦猶序西南."
賈公彦疏 : "云'猶阼階升'者, 謂徹小斂奠者, 門外盥訖, 入升自阼階, 丈夫踊. 今徹者亦門外盥訖, 入由重東, 主人踊, 故云'猶其升'也. 云'自重北西面而徹, 設於柩車西北, 亦猶序西南'者, 此徹祖奠, 設于柩車西北, 亦猶小斂、大斂、朔月奠設于序西南也."

103) 鄭玄注 : "自重北西面而徹, 設于柩車西北, 亦猶序西南."

104) 《儀禮圖》卷5〈陳遣奠徹祖奠〉: "其設蓋如小斂."

한다.

【按】 양천우의 주에서는 가공언의 설을 인용하여 **葬奠**을 구거의 서쪽에 진설한다고 하였으나, 여기에서는 **黃以周**의 설을 따라 **祖奠**과 같이 구거의 동쪽에 진설하는 것으로 해석하였다. 〈기석례〉8. 주⑩ 참조.

⑱ 鼎入

정현의 주에 따르면 鼎을 祖廟門 안으로 들고 들어온 뒤에는 重의 동북쪽에 진열하는데, 鼎을 서향하도록 놓고 북쪽을 상위로 삼는다.[105]

⑲ 乃奠

胡培翬에 따르면 "祖奠과 같은 곳에 진설한다.〔設之與祖奠同處.〕"

【按】 **張惠言**의 〈**遣奠出重出車**〉**圖**에서는 **葬奠**을 **柩車**의 서쪽에 진설하고 있는데, 이에 따르면 〈그림 39〉와 같은 모양이 된다. 그러나 여기에서는 **黃以周**의 **圖**를 따라 구거의 동

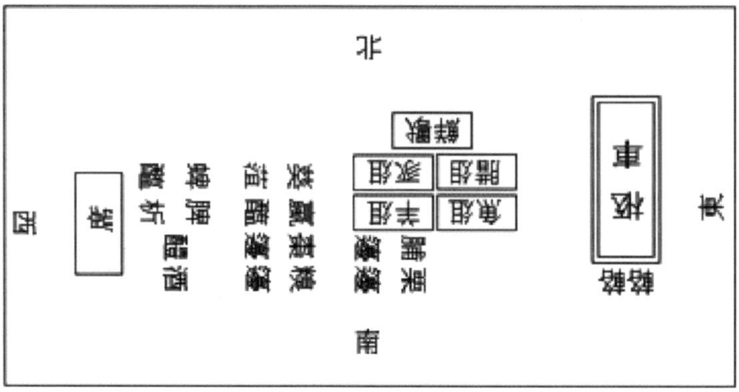

· 그림 39 · 葬奠
張惠言《儀禮圖》

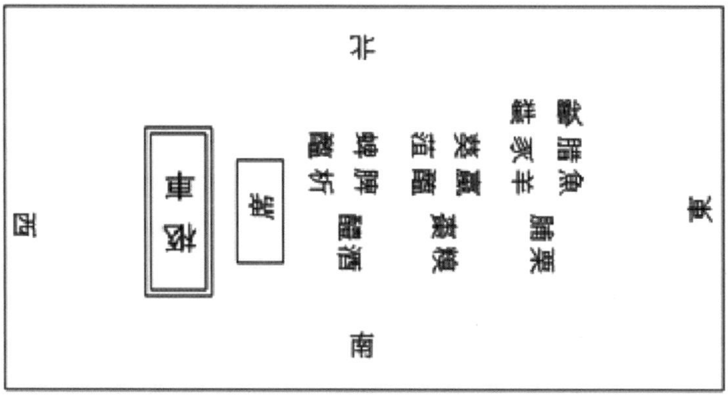

· 그림 40 · 葬奠
黃以周《禮書通故》 수정圖

105) 鄭玄注 : "陳之蓋於重東北, 西面北上如初."

쪽에 진설하는 것으로 해석하였다. 다만 황이주의 圖에는 酒가 북쪽, 醴가 남쪽에 오도록 그려져 있으나 경문의 "醴, 酒在籩西, 北上"이라는 글에 근거하여 〈그림 40〉과 같이 그 위치를 바꾸었다. 〈기석례〉8. 주⑩ 참조.

⑳ 豆南上, 綪

'南'은 阮元의 교감본에는 '西'로 잘못되어 있다. 정현의 주와 가공언의 소에서 해석한 것과 各本에는 '南'으로 되어 있다. 胡培翬가 王士讓의 설을 인용한 말에 따르면 "일반적으로 豆가 4개일 경우에는 먼저 脾析을 놓고, 脾析의 북쪽에 蜱醢를 놓고, 蜱醢의 동쪽에 葵菹를 놓고, 葵菹의 남쪽에 蠃醢를 놓는다. 이렇게 굽혀서 사각형이 되도록 진설하여 2개의 豆는 남쪽에 놓고 2개의 豆는 북쪽에 놓는데, 맨 먼저 남쪽에 진설한 脾析이 놓인 자리를 상위로 삼는다.〔凡四豆, 先放脾析, 脾析之北放蜱醢, 蜱醢之東放葵菹, 葵菹之南放蠃醢, 這樣屈繞而設成一四方形, 南邊兩豆, 北邊兩豆, 而以最先設在南邊的脾析所在的位置爲上位.〕"[106] 〈그림 40〉 참조.

㉑ 籩, 蠃醢南, 北上, 綪

胡培翬가 王士讓의 설을 인용한 말에 따르면 "일반적으로 籩이 4개일 경우에는 蠃醢의 남쪽에 먼저 棗籩을 놓고, 棗籩의 남쪽에 糗籩을 놓고, 糗籩의 동쪽에 栗籩을 놓고, 栗籩의 북쪽에 脯籩을 놓는다. 이때에도 굽혀서 사각형이 되도록 진설하여 2개의 籩은 북쪽에, 2개의 籩은 남쪽에 놓는데, 가장 먼저 북쪽에 진설한 棗籩이 놓인 자리를 상위로 삼는다.〔凡四籩, 在蠃醢之南先放棗籩, 棗籩南放糗籩, 糗籩東放栗籩, 栗籩北放脯籩, 亦屈繞而成一四方形, 北邊兩籩, 南邊兩籩, 而以最先放在北邊的棗所在的位置爲上位.〕"[107]

㉒ 俎二以成, 南上

정현의 주에 따르면 "成은 併(나란히 하다)과 같다.〔成猶併也.〕" 즉 俎를 둘씩 나란히 진설하는 것이다. 胡培翬는 "羊俎와 豕俎를 나란히 진설하고 魚俎와 腊俎를 나란히 진설하는 것을 이른다. 2줄은 모두 남쪽이 상위이다.〔蓋謂羊與豕併, 魚與腊併. 二列皆南上也.〕"라고 하였다.

㉓ 特

다른 俎들과 나란히 놓지 않고 단독으로 가로로 진설하는 것이다.

㉔ 要節而踊

【按】 〈사상례〉30. 주㉘, 〈사상례〉33. 주⑮, 〈기석례〉5. 주⑤ 참조.

106) 《儀禮紃解》卷13 : "四豆, 先饌脾析於西南, 次北蜱醢, 蜱醢東葵菹, 葵菹南蠃醢, 是謂'豆, 南上, 綪', 其設之形, 四方也."

107) 《儀禮紃解》卷13 : "四籩則於蠃醢之南, 先設棗, 棗南設糗, 糗東設栗, 栗北設脯, 是謂'籩, 北上, 綪', 亦因綪而得形四方也."

12. 重과 奠을 거둔 뒤에 明器와 車馬 등이 柩車에 앞서 떠나는 의식

甸人抗重出自道①, 道左倚之②。薦馬, 馬出自道。車各從其馬③, 駕于門外, 西面而俟, 南上④。徹者入⑤。踊如初⑥。徹巾, 苞牲, 取下體⑦, 不以魚、腊⑧。行器⑨, 茵、苞、器序從⑩, 車從。徹者出。踊如初。

甸人이 重을 들고 祖廟門의 중앙으로 나와 묘문 동쪽에 重을 기대어 놓는다. (重은 柩車를 따라가지 않는다)
말을 조묘 안에 늘어 세웠다가 묘문의 중앙으로 끌고 나온다.
3종의 수레(乘車·道車·稾車)는 각각 사람이 끌고 말의 뒤를 따라 묘문을 나와 묘문 밖에서 말을 메우고 묘문 동쪽에서 서향하고 출행을 기다리는데, 남쪽을 상위로 하여 승거·도거·고거의 순서로 늘어세운다.
徹者(葬奠을 거두는 사람들)가 조묘 안으로 들어간다. 이때 장부들이 踊을 하기를 祖奠을 거둘 때와 같이한다.
徹者가 奠物에 덮어두었던 布巾을 벗기고 2개의 苞로 희생(羊牲·豕牲)을 각각 싸넣는데, 그 뒷다리를 넣는다. 魚와 腊은 苞에 담지 않는다.
진열한 明器를 들고 나가는데 茵(折·抗木·抗席 포함)·苞(筲·甕·甒 포함)·用器(役器·燕器 포함)의 순서대로 가고 車馬가 뒤따라간다.
徹者가 묘문을 나간다. 이때에도 祖奠 때와 같이 踊을 한다.

① 抗重出自道

정현의 주에 따르면 "抗은 든다는 뜻이다.〔抗, 擧也.〕" 또 정현의 주에 따르면 "出自道는 문의 중앙으로 나오는 것이니, 闑의 동쪽이나 서쪽으로 나오지 않는 것이다.〔出自道, 出從門中央也, 不由闑東、西.〕"

【按】 정현의 주에 따르면 重을 闑의 동쪽이나 서쪽이 아닌 문 중앙으로 가지고 나오는 것은 "重이 다시는 되돌아가지 않기 때문에 평소의 출입 방식과 다르게 하는 것이다.〔重

不反, 變於恒出入.〕"

② 道左

胡培翬에 따르면 "즉 묘문의 동쪽이니, 주인이 묘문을 나와 賓을 맞이하는 자리이다.〔卽門東, 主人出門接賓之位.〕"

【按】 注疏에 따르면 重은 虞祭를 지낸 뒤에 주인의 자리인 이곳에 묻는다.[108]

③ 車各從其馬

胡培翬에 따르면 이때 사람이 수레를 끌고 그 말을 따라 나가서 묘문을 나간 뒤에 말을 수레에 메우는 것이다.[109]

④ 南上

정현의 주에 따르면 乘車가 남쪽에 있고, 그 북쪽에 道車, 道車의 북쪽에 槀車가 있게 된다.[110]

⑤ 徹者

葬奠을 거두는 사람이다.

⑥ 踊如初

盛世佐에 따르면 "初는 祖奠을 거두었을 때를 이른다.〔初, 謂徹祖奠.〕"

【按】 郝敬에 따르면 '如初'는 奠物을 거두는 사람들이 廟門을 들어오면 장부들이 踊을 하는 것이다.[111]

⑦ 苞牲, 取下體

'苞牲'은 苞(갈대로 짠 둥근 광주리)에 희생의 뒷다리를 취해 담는 것이다. 앞 경문에서 진열한 明器 중 두 개의 苞가 있다고 기록하였는데, 지금 바로 그 苞에 싸서 담는 奠物 중 羊牲과 豕牲의 뒷다리만을 취해 담는 것이다. 이른바 '下體'란 牲體의 뒷다리 부분을 가리키니, 출행을 상징하는 뜻이 있다. 나머지 奠物은 모두 거두고 희생의 뒷다리만을 취해 苞에 담아 같이 附葬하려는 것이다. 그 뜻은, 정현의 주에 따르면 '연향을 베푼 뒤에 賓에게 俎를 나누어 보내는 것〔旣饗而歸牲俎〕'을 형상한다.

【按】 〈기석례〉7. 참조.

⑧ 不以魚、腊

정현의 주에 따르면 魚와 腊은 正牲에 들어가지 않기 때문이다.[112] 胡培翬는 "腊이라고 말했다면 鮮獸(갓 잡은 토끼)도 쓰지 않음을 알 수 있다.〔言腊, 則鮮獸亦不用可知.〕"라고 하였다.

⑨ 行器

108) 鄭玄注 : "重, 旣虞, 將埋之."
賈公彦疏 : "重主死者, 故於主人之位埋之也."

109) 《儀禮正義》卷30 : "車各從其馬, 每車二馬, 馬前車後, 至門外, 始駕馬, 則自廟中出門, 皆人輓也. 前薦車時, 蓋亦人輓之."

110) 鄭玄注 : "行者乘車在前, 道、槀序從."

111) 《儀禮節解》卷13 : "徹遣奠者門外入, 主人要節踊. 如初, 所謂入則丈夫踊也."

112) 鄭玄注 : "非正牲也."

'器'는 明器이다. 吳廷華에 따르면 "折과 抗木 이하의 것들을 사람들이 들고 가는 것이다.〔折、抗木以下, 人執之以行也.〕"

【按】 張惠言에 따르면 경문에서 折을 말하지 않았으나 의당 折이 가장 앞에 가야 한다.[113]

⑩ 茵、苞、器序從

정현의 주에 따르면 "진열한 순서처럼 간다.〔如其陳之先後.〕" 즉 먼저 진열한 것은 역시 먼저 들고 가는 것이다. 李如圭는 "茵을 들어서 折·抗木·抗席을 아울러 말하였고, 苞를 들어서 筲·罋·甒를 아울러 말하였다. 器는 用器 이하를 이른 것이다.〔擧茵以兼折與抗木、抗席, 擧苞以兼筲、罋、甒, 器謂用器以下.〕"라고 하였다.

13. 賵書와 遣策 낭독

主人之史請讀賵(봉)①。執筭從②, 柩東, 當前束, 西面。不命毋哭③, 哭者相止也④, 唯主人、主婦哭。燭在右⑤, 南面。讀書⑥, 釋筭則坐⑦。卒, 命哭。滅燭。書與筭執之以逆出⑧。公史自西方東面⑨。命毋哭⑩。主人、主婦皆不哭。讀遣⑪。卒, 命哭。滅燭⑫, 出。

주인의 史(私臣)가 북향하고 주인에게 方板에 쓴 賵書(賵物·奠物·賻物·贈物 포함)를 읽을 것인가를 묻는다.

산가지를 든 사람(副史)이 史를 따라 가서 柩車의 동쪽, 前束(시신의 어깨 부분)에 해당하는 곳에서 서향하고 선다.

宰가 곡하지 말라고 명하지는 않지만 곡하는 사람들이 서로 경계하여 곡을 그치고, 주인과 주부만 곡을 한다.

구거의 동쪽에서 횃불을 든 집사자가 주인의 史의 오른쪽(북쪽)에서

113) 《儀禮圖》卷5〈行器行柩〉: "行器不言折, 亦當以折爲先.".

남향하고 선다.
주인의 史가 봉서를 낭독하면, 副史는 산가지를 바닥에 놓아 계산하는데 앉아서한다.
주인의 史가 낭독을 마치면 宰가 곡할 것을 명한다.
횃불을 끈다.
봉서를 가진 주인의 史와 산가지를 든 副史가 들어왔던 순서와 반대로 副史가 먼저 祖廟門을 나간다.
임금의 史(임금의 禮書 담당자)가 柩車의 서쪽에서 동향하고 선다.
이때 宰가 사람들에게 곡하지 말 것을 명하면 주인과 주부도 모두 곡하지 않는다.
임금의 史가 遣策(簡策에 적힌 물품 목록)을 낭독한다.
임금의 史가 낭독을 마치면 宰가 곡할 것을 명한다.
구거의 서쪽에서 북향하던 횃불을 끈다.
임금의 史가 묘문을 나간다.

① 主人之史請讀賵

'史'는 胡匡衷의 《儀禮釋官》에 따르면 "士의 私臣으로 문서를 담당하는 사람이다.〔士私臣, 掌文書者.〕" '賵'은 즉 '賵書'이다. 바로 앞에서 方板에 썼던 것이다.(〈기석례〉10. 주⑬ 참조) 吳廷華에 따르면 이것은 死者에게 읽어주는 동시에 주인에게도 알게 하기 위한 것이다.[114]

② 執筭

'筭'은 《說文解字》에 따르면 "길이가 6촌이다. 수를 세는 데 쓰는 것이다.〔長六寸, 計歷數者.〕" 筭을 든 자는 吳廷華에 따르면 "史의 다음 가는 자이다.〔史之貳〕" 즉 副史이다.

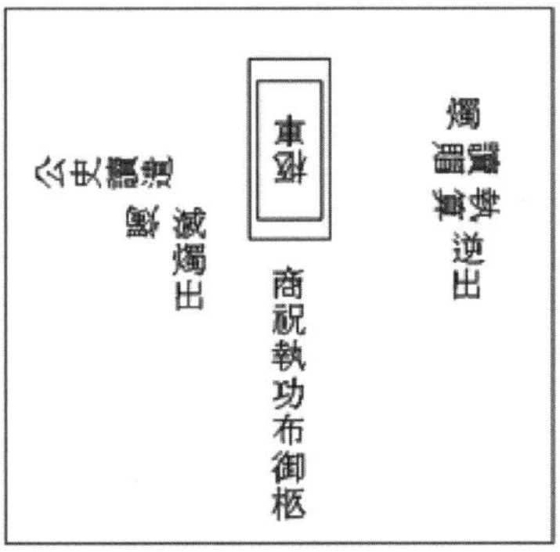

• 그림 41 • 讀遣讀賵
黃以周《禮書通故》

③ 不命毋哭

吳廷華에 따르면 "일이 경미하면 감히 곡을 금하지 못한다.〔事輕, 不敢禁哭者.〕" 이때 命하는 사람은 주인의 宰인 듯하다.

114) 《儀禮章句》卷13 : "讀之, 聞于死者, 主人亦宜知之也."

④ 相止

胡培翬에 따르면 “서로 경계하여 곡을 그치게 하는 것이다. 史가 이제 곧 死者에게 고하려고 하기 때문에 어지럽히지 않으려는 것이다.〔自相戒止也. 以史方有事於死者, 不擾之.〕”

⑤ 燭在右

史의 오른쪽에 있는 것이다. 史는 서향하고 있으니 북쪽이 오른쪽이 된다. 이것은 원래 輅의 동쪽에 있던 횃불이다.

⑥ 讀書

앞의 글에서 ‘讀賵’이라고만 했지만 奠物·賻物·贈物도 方版에 썼으니 (〈기석례〉10. 주⑬ 참조) 실제로는 이것도 함께 읽기 때문에 여기에서는 ‘讀書’라고 바꾸어 말한 것이다.

⑦ 釋筭

땅에다 산가지를 놓아 수를 세는 것이다. 정현의 주에 따르면 “산가지를 놓는 것은 賵書에 쓴 물품들이 많은 것을 영화롭게 여기기 때문이다.〔釋筭者, 榮其多.〕”

⑧ 逆出

胡培翬에 따르면 “들어갈 때는 史가 앞장서고 산가지를 든 副史가 뒤따라가며, 나올 때는 산가지를 든 副史가 먼저 나오고 史가 賵書를 들고 그 뒤를 따른다.〔入則史先而執筭者從, 出則執筭者先而史執書從之.〕”

⑨ 公史

정현의 주에 따르면 “임금의 禮書를 담당하는 사람이다.〔君之典禮書者.〕” 이 사람도 임금의 신하로 喪事를 도우러 온 자이다. 이 임금의 史가 주인을 위하여 遣策을 낭독하는 것이다.

⑩ 命毋哭

李如圭에 따르면 “임금의 史는 신분이 높기 때문에 곡하지 말 것을 명하는 것이다.〔公史尊, 故命毋哭.〕”

⑪ 遣

즉 遣策이다. 〈기석례〉10. 주⑭ 참조.

⑫ 滅燭

이것은 임금의 史를 위하여 밝혔던 횃불로 원래는 輅의 서쪽에 있던 것이다.

14. 柩車의 출행과 임금의 賵幣

商祝執功布以御柩①。執披②。主人袒, 乃行③, 踊無筭。出宮, 踊, 襲。至于邦門④, 公使宰夫贈玄纁束⑤。主人去杖, 不哭, 由左聽命⑥。賓由右致命。主人哭拜稽顙⑦。賓升, 實幣于蓋⑧, 降。主人拜送, 復位⑨, 杖, 乃行。

商祝이 功布(대공포)를 들고 柩車를 지휘한다.
士 여덟 명이 披를 잡는다.
주인이 左袒하면 이어 구거가 출행을 시작한다. 이 때 주인이 踊을 한정 없이 한다.
구거가 宮(집)을 나가면 踊을 하고 왼쪽 소매를 다시 입는다.
구거가 도성 북문에 이르렀을 때 임금이 宰夫를 시켜 玄色과 纁色의 비단 1束(5필)을 보낸다.
주인이 喪杖을 내려놓고 곡은 하지 않으며 前輅(끌채 앞 횡목)의 왼쪽에서 임금의 명을 듣는다.
賓(宰夫)이 前輅의 오른쪽에서 임금의 명을 전한다.
주인이 곡하고 拜手한 뒤에 稽顙한다.
賓이 구거에 올라가 폐백을 柳(바깥을 布로 에워 싼 나무로 만든 상여틀) 안의 관 뚜껑 위에 놓고 내려온다.
주인이 賓에게 절하여 전송한 뒤에 구거의 뒤쪽 자리로 돌아와 다시 喪杖을 짚으면 이어 구거가 다시 떠난다.

① 商祝執功布以御柩

'功布'는 大功布이다. 《예기》〈喪大記〉에 士는 "功布로 棺을 지휘한다.[御棺用功布.]"라고 하였는데, 공영달의 소에 "大功布이다.[大功布也.]"라고 하였다. '御柩'는 柩車가 전진하도록 지휘하는 것이다. 정현의 주에 따르면 "柩車의 앞에 서서 길이 낮거나 높거나 기울거나 파인 곳이 있으면 功布로 抑揚左右를 지시하여 引을 잡은 사람과 披를 잡은 사람들에게 알게 하는 것이다.〔居柩車之前, 若道有低仰傾虧, 則以布爲抑揚左右之節, 使引者、執披者知之.〕"

【按】 '大功布'는 〈상복〉13. 주④ 참조. 功布의 용도는 〈기석례〉3. 주③ 참조.

② 執披

'披'는 〈기석례〉6. 주⑥ 참조. 정현의 주에 따르면 披를 잡는 사람은 士로, 8명이다.[115] 士의 널에는 披가 4개인데 披 하나에 두 사람씩 잡는다.

③ 主人袒, 乃行

【按】 정현의 주에 따르면 널을 뒤따라가는 순서는 啓殯한 뒤 祖廟에 알현하러 갈 때의 순서를 따른다.[116] 〈기석례〉4. 주③ 참조.

④ 邦門

【按】 注疏에 따르면 '邦門'은 도성의 북문이다.[117]

⑤ 宰夫

《주례》〈天官 宰夫〉에 "일반적으로 제후나 신하들의 弔事에 그 戒令과 이때 보내는 폐백·明器·財用을 관장한다.〔凡邦之弔事, 掌其戒令, 與其幣、器、財用凡所共者.〕"라고 하였는데, 정현의 주에 "弔事는 제후와 신하들을 조문하는 것이다. 幣는 賻에 쓰는 것이다. 器는 보내는 明器이다.〔弔事, 弔諸侯、諸臣. 幣, 所用賻也. 器, 所致明器也.〕"라고 하였다. 여기에서 기록한 것은 천자의 宰夫이니, 제후의 재부의 직무도 이와 비슷할 것이다.

⑥ 左

정현의 주에 따르면 柩車 前輅(끌채 앞 횡목)의 왼쪽이다. 다음 문장의 '右'는 前輅의 오른쪽이다.[118]

⑦ 拜稽顙

【按】 〈사상례〉5. 주⑦ 참조.

⑧ 賓升; 實幣于蓋

정현의 주에 따르면 "구거 앞쪽에 올라가 폐백을 柳 안의 관 뚜껑 위에 넣어서 마치 死者에게 직접 주는 것과 같이 하는 것이다.〔升柩車之前, 實其幣於棺蓋之柳中, 若親授之然.〕" 〈旣夕禮〉6. 주⑤ 참조.

⑨ 復位

정현의 주에 따르면 "구거의 뒤쪽으로 돌아가는 것이다.〔反柩車後.〕"

115) 鄭玄注 : "士執披八人."

116) 鄭玄注 : "凡從柩者, 先後左右如遷于祖之序."

117) 鄭玄注 : "邦門, 城門也." 賈公彦疏 : "云'邦門'者, 案《檀弓》云: '葬于北方北首, 三代之達禮也.' 此邦門者, 國城北門也."

118) 鄭玄注 : "柩車前輅之左右也."

15. 下棺

至于壙①。陳器于道東, 西北上②。茵(인)先入, 屬引③。主人袒。衆主人西面, 北上。婦人東面。皆不哭。
乃窆(폄)④。主人哭, 踊無筭, 襲, 贈用制幣玄纁束⑤, 拜稽顙, 踊如初⑥。卒, 袒, 拜賓。主婦亦拜賓。卽位⑦。拾(겁)踊三⑧。襲。賓出則拜送⑨。
藏器于旁, 加見(현)⑩, 藏苞(포)、筲(소)于旁⑪。加折卻之⑫。加抗席覆之⑬。加抗木。實土三⑭。主人拜鄕人⑮, 卽位, 踊, 襲, 如初⑯。

壙中에 이른다.
明器를 墓道의 동쪽에 진열하는데, 서북쪽을 상위로 한다.
茵을 먼저 광중 안에 넣고 引을 널에 묶는다.
주인이 묘도의 동쪽에서 左袒한다.
衆主人은 墓道의 동쪽에서 서향하고 북쪽을 상위로 하여 서며, 부인들은 묘도의 서쪽에서 동향하고 선다. 이때 모두 곡을 하지 않는다.

이어서 하관한다.
이 때 주인이 곡하고 踊을 한정 없이 한다. 왼쪽 소매를 다시 입고, 검은색(3필)과 분홍색(2필) 制幣(1丈 8尺의 비단) 1束(5필)을 묘혈에 바친다. 拜手한 뒤에 稽顙하고, 다시 踊을 한정 없이 한다.
폐백을 바치는 일이 끝나면 左袒하고 賓에게 절한다. 주부도 女賓에게 절한다.
각각 墓道의 동쪽과 서쪽 자기 자리로 나아간다.
주인·주부·賓이 번갈아 세 차례씩 踊을 하고 주인이 왼쪽 소매를 다시 입는다.
賓이 墓域에서 나가면 절하여 전송한다.

用器와 役器를 널 옆에 넣고 널 위에 見(池·紐·荒·帷 등 널장식)을 올려 놓는다. 罋·甒·苞·筲를 또 다른 옆에 넣는다.
묘혈 위에 折을 거친 면이 위로 가도록 뒤집어 놓는다.
折 위에 抗席을 거친 면이 아래로 가도록 덮는다.
抗席 위에 抗木을 놓는다.
세 차례 흙을 떠서 壙中 안에 넣는다.
주인이 鄕人에게 절하고 묘도의 동쪽 원래 자리로 나아간다. 한정 없이 踊을 하고 왼쪽 소매를 다시 입는 것을 下棺을 마쳤을 때와 같이 한다.

① 壙

墓穴이다.

② 陳器于道東, 西北上

'道'는 羨(연)道, 즉 墓道이다.

【按】 대부분의 통행본 《의례》 표점은 모두 "陳器于道東西, 北上"과 같이 되어 있다. 그러나 張惠言의 〈至壙〉圖 와 黃以周의 〈至壙〉圖(《그림 42》)에는 明器가 모두 墓道의 동쪽에 서북쪽을 상위로 하여 진열되어 있다. 이에 따른다면 표점은 '陳器于道東, 西北上'으로 되어야 하며 번역 역시 "明器를 墓道의 동쪽에 진열하는데 서북쪽을 상위로 한다."라고 해야 한다. 敖繼公의 《儀禮集說》 권13에서도 "서북쪽을 상위로 한다는 것은 서쪽 줄 북쪽 끝을 상위로 한다는 말로, 苞·筲부터 놓아서 그 아래로 놓는 것을 이른다.[謂西北上, 以西行北端爲上, 謂苞筲而下者也.]"라고 하여 서북쪽을 상위로 하는 것으로 보았다. 그러나 方苞는 《儀禮析疑》 권1에서 墓道 동쪽에만 明器를 진설한다면 매장할 때 墓道를 넘어서 서쪽으로 갈 것인지 아니면 남쪽으로 돌아서 갈 것인지를 물은 뒤, 廟에서 明器를 진열할 때 남쪽을 상위로 한 것은 장차 묘문을 나갈 것이기 때문이며, 묘혈에 와서 북쪽을 상위로 삼는 것은 장차 묘혈 안으로 들어갈 것이기 때문이라고 하여 오계공의 설을 틀린 것으로 보았다. 胡培翬도 《儀禮正義》 권30에서 이 구절에 대한 정현의 주에 '統於壙'이라고 한 것은 바로 경문의 '北上' 두 글자를 해석한 것으로, 묘혈은 북쪽에 있으니 明器의 진설 때 북쪽을 상위로 하는 것을 말한다고 하여 방포의 설이 옳다고 하였다. 가공언의 소에서도 정현이 '統於壙'이라고 한 것은 廟 안에서의 南上과 상대적으로 여기에서는 北上임을 말한 것으로 해석하였다. 이는 경문에 明器 중 어느 것을 동쪽 또는 서쪽에 놓는다는 구절이 없기 때문에 이 두 가지 설이 나오게 된 것으로 어느 설도

모두 일리가 있어 보인다. 여기에서는 〈기석례〉 제7절의 "器, 西南上, 績."과 상대적인 것으로 보아 장혜언·황이주의 圖를 따라 해석하기로 한다. 다만 장혜언의 圖는 3종의 수레 방향이 남향으로 되어 있는데, 이는 〈기석례〉 제32절의 "車至, 道左北面立, 東上."에 근거하면 오류이다. 또한 明器의 배치가 황이주의 圖와 다르다.

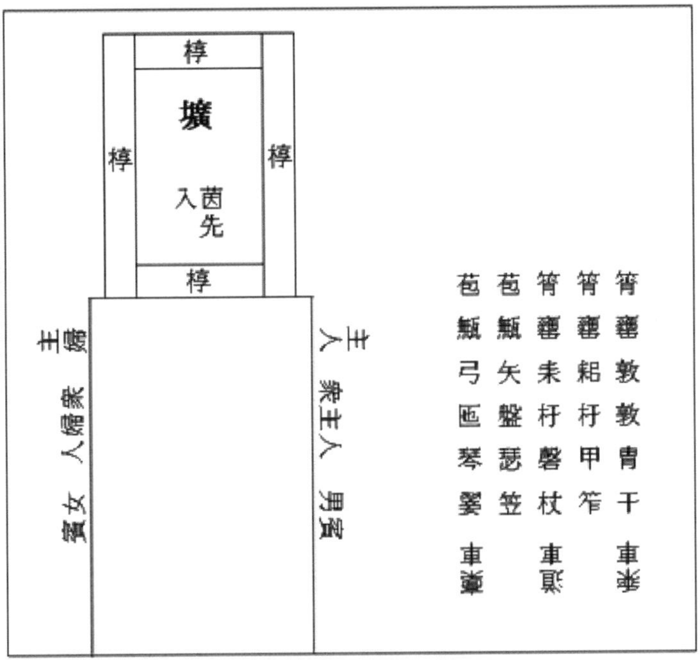

• 그림 42 • 至壙
黃以周《禮書通故》

③ 屬引

胡培翬에 따르면 "引을 관에 연결하여 관을 매달아서 下棺하는 것을 이른다.〔謂屬引於棺而縣之以窆也.〕" 이때 널은 이미 柩車에서 내려놓았는데 경문에서는 글을 생략하고 말하지 않았다.

④ 窆

음은 '폄'이다. '下棺하다'라는 뜻이다.

⑤ 贈用制幣玄纁束

'贈'은 敖繼公에 따르면 "주인이 壙中의 死者에게 폐백을 바치는 것을 이른다.〔謂主人以幣贈死者於壙中也.〕" '制玄纁束'은 즉 玄纁束帛이다. '制'라고 한 것은 여기에 쓰인 비단의 길이가 常禮와 다르지 않음을 밝힌 것이다. 정현의 주에 따르면 "1丈 8尺을 制라고 한다.〔丈八尺曰制.〕" 또 정현의 주에 따르면 "1束은 10制(5필)이다.〔束, 十制.〕" 束帛은 18丈이니, 常禮의 束帛과 같다. 胡培翬에 따르면 帛의 길이가 1丈 8尺인 것을 制라 한다. 1制는 1端이며, 10端(5필)은 1束이어서 〈士昏禮〉의 玄纁束帛이 2丈을 1端으로 한 것과는 다르다. 또 이 비단은 폭이 2尺 4寸이어서 〈士昏禮〉에서 쓰는 비단의 폭이 2척 2촌인 것과도 다르다. 호배휘에 따르면 "혼례 때 반드시 2丈인 것을 쓰는 이유는 成數를 취한 것이다. 다른 禮幣는 모두 1丈 8尺을 표준으로 삼으며 이것을 '制'라고 한다. 그리고 그 폭도 2척 4촌이어서 2척 2촌인 것과 다르다.〔昏禮所以必用二丈者, 取成數. 其他禮幣則皆以丈八尺爲節, 謂之制; 其幅廣二尺四寸, 亦與布幅廣二尺二寸者異也.〕" '玄纁'은 검은색과 분홍색이다. '束帛'은 호배휘에 따르면 혼례 때 쓰는 비단은 2丈을 1端으로 삼는데, 두 끝〔端〕을 서로를 향하도록 하여 말면 1兩(필)이 되며, 5兩이면 1束이 된다. 또 李如圭에 따르면 5兩 중 玄色 비단은 3兩이고 纁色 비단은 2兩으로, 5兩인데 현색과 훈색 두 가지 색이 있기 때문에 '玄纁束帛'이라고 한다.

【按】 가공언의 소에 따르면 일반적으로 禮幣에 모두 制幣를 쓰는 것은 검소함을 표준으로 삼는 뜻을 취한 것이다. 일반적으로 물건은 10개를 '束'이라고 한다. 1端은 1丈 8尺이며 2端이 1필, 5필이 10制가 된다.[119]

⑥ 踊如初

胡培翬에 따르면 "下棺할 때와 같이 踊을 한정 없이 한다는 것이다.〔亦無筭也.〕"

⑦ 卽位

가공언의 소에 따르면 주인의 자리는 墓道의 동쪽에 있으며 이곳에서 서향한다. 주부의 자리는 묘도의 서쪽에 있으며 이곳에서 동향한다. 衆主人은 주인의 남쪽에 자리하고 男賓은 衆主人의 남쪽에 자리한다. 衆婦人은 주부의 남쪽에 자리하고 女賓은 衆婦人의 남쪽에 자리한다.[120]

⑧ 拾踊三

'拾'은 盛世佐에 따르면 "주인이 부인 및 賓과 번갈아서 한차례에 3번 踊을 하는 것이다. 세 사람이 3차례를 돌아가며 하여 한 사람이 각각 9번 踊을 한다.〔主人與婦人, 與賓更迭而踊也. 三者三, 人各九踊也.〕" 〈사상례〉5. 주⑧ 참조.

【按】 일반적으로 '번갈아서 踊을 한다'는 것은 주인이 踊을 하고 주부가 踊을 하고 賓이

119) 賈公彦疏 : "云'丈八尺曰制'者, 朝貢禮及巡狩禮皆有此文, 以丈八尺名爲制. 《昏禮》幣用二丈, 取成數. 凡禮幣, 皆用制者, 取以儉爲節. 《聘禮》云: '釋幣制玄纁束.' 注云: '凡物, 十曰束. 玄纁之率, 玄居三, 纁居二.' 此注云'二制合之, 束, 十制五合'者, 則每一端丈八尺, 二端爲一匹, 五匹合爲十制也."

120) 賈公彦疏 : "各反羨道東西位, 其男賓在衆主人之南, 女賓在衆婦之南."

踊을 하여 세 사람이 이렇게 3차례 돌아가며 하는 것으로, 이것이 '拾'이다.[121]

⑨ 賓出

方苞에 따르면 "墓에는 문이나 계단이 없지만 묘역은 있기 때문에 역시 나간다〔出〕고 말할 수 있다.〔墓無門、階而有塋域, 故亦可言出.〕"

⑩ 藏器于旁, 加見

정현의 주에 따르면 "器는 用器와 役器이다. 見은 棺의 장식이다.〔器, 用器、役器也. 見, 棺飾也.〕" 胡培翬에 따르면 "棺의 장식은 즉 池·紐·荒·帷와 같은 것들을 이른다. 이것들을 관 밖에 올려두면 棺柩는 보이지 않고 관의 장식만 보이기 때문에 관의 장식을 見이라고 말한 것이다.〔棺飾卽池、紐、荒、帷之屬, 以加此於棺外, 則不見棺柩, 而但見棺飾, 故謂棺飾爲見也.〕"

⑪ 藏苞、筲于旁

정현의 주에 따르면 "甕과 甒를 말하지 않았지만 차례로 진열한다는 것을 알 수 있다.〔不言甕、甒, 饌相次可知.〕"

【按】 注疏에 따르면 '於旁'은 見(널장식) 밖에 있다. 일반적으로 明器를 진열하는 법에 의하면 뒤에 진열하는 것을 먼저 쓴다. '차례로 진열한다는 것을 알 수 있다.'는 것은 甕과 甒를 먼저 쓰고 苞와 筲를 뒤에 쓰기 때문에 苞와 筲를 넣었다고 하면 甕과 甒를 먼저 넣었다는 것을 알 수 있다는 것이다.[122]

⑫ 加折卻之

折의 매끄러운 면을 아래로 가게 하고 거친 면을 위로 가게 하는 것을 이른다. 〈기석례〉7. 주② 참조.

⑬ 覆之

抗席의 매끄러운 면을 위로 가게 하고 거친 면을 아래로 가도록 덮는 것을 이른다.

【按】〈기석례〉7. 주② 참조.

⑭ 實土三

이 구절은 매우 알기가 어렵다. 胡培翬는 "三은 세 차례 도는 것을 이른다.〔三謂三匝.〕"라고 하였고, 魏了翁은 "흙을 세 차례 채운다.〔實土三徧.〕"라고 하였는데, 뜻이 모두 분명하지 않다. 다른 주석들은 대부분 해석하지 않았고, 吳廷華만이 "흙을 채우는 것을 三이라고 했으니, 주인이 솔선하고 인부들이 이어서 이 일을 완성하는 것이다.〔實土曰三, 則主人率之, 工乃成之也.〕"라고 하였다. 이 설은 취할 만한듯하지만 뜻은 마찬가지로 분

121) 《儀禮集編》卷33 : "凡言更踊者, 主人踊, 主婦踊, 賓乃踊, 三者三爲拾也."

122) 鄭玄注 : "於旁者, 在見外也. 不言甕、甒, 饌相次可知. 四者兩兩而居."
賈公彦疏 : "云'於旁者, 在見外也'者, 以其加見, 乃云'藏苞、筲', 故知見外也. 云'不言甕、甒, 饌相次可知'者, 以其陳器之法, 後陳者先用; 先用甕、甒後用苞、筲, 苞、筲藏, 明甕、甒先藏可知, 故云'相次可知'."

명하지 않다. 살펴보면 '實土三'은 주인이 상징적으로 흙을 세 차례 떠서 광중 안에 메워 넣는 것을 이른다. 즉 이른바 '主人率之' 이하는 고을 사람들이 흙을 메워 봉분을 만드는 일을 완성하는 것이다. 이 때문에 주인이 흙을 채워 넣고 나서 바로 고을 사람들에게 拜謝한 것이다.

⑮ 鄕人

胡培翬에 따르면 "주인과 같은 고을 사람으로 장례를 도우러 온 사람들이다.〔與主人同鄕里來助葬者.〕"

⑯ 如初

【按】 胡培翬는 "앞에서 하관을 마쳤을 때처럼 번갈아 踊을 세 차례 하고 왼쪽 소매를 입는 것을 이른다.[謂如上旣窆時, 拾踊三而襲也.]"라고 하였는데, 이렇게 보면 주체는 주인·주부·賓이 되어야 한다. 그러나 여기에서는 위 주⑭와 같이 주체를 주인으로 보아 가공언의 소에 근거하여 한정 없이 踊을 하는 것으로 해석하였다.[123]

16. 反哭

乃反哭。入, 升自西階, 東面。衆主人堂下, 東面, 北上。婦人入, 大(丈)夫踊①, 升自阼階, 主婦入于室, 踊, 出, 卽位, 及丈夫拾(겁)踊三②。賓弔者升自西階③, 曰: "如之何④!" 主人拜稽顙。賓降出, 主人送于門外⑤, 拜稽顙。

遂適殯宮⑥, 皆如啓位⑦。拾踊三。兄弟出⑧, 主人拜送。衆主人出門, 哭止。闔門。主人揖, 衆主人乃就次。

이어 祖廟로 돌아와 곡한다.

주인이 조묘로 들어가 서쪽 계단으로 당에 올라 동향하고 선다.

衆主人이 당 아래에서 동향하고 북쪽을 상위로 하여 선다.

부인들이 조묘로 들어오면 장부들이 踊을 한다. 부인들이 동쪽 계

123) 賈公彦疏 : "謂旣拜鄕人, 乃於羨道東卽位, 踊無算, 如初也."

단으로 당에 오른다.
주부가 室 안으로 들어가 踊을 한 뒤에 室을 나와 동쪽 계단 위 자리로 나아가 장부(주인)와 번갈아 세 차례씩 踊을 한다.
조문 온 賓(衆賓長)이 서쪽 계단으로 당에 올라 북향하고 말하기를 "다시는 뵐 수 없다니 이일을 어찌합니까?"라고 한다.
이에 주인이 拜手하고 稽顙한다.
賓長이 당을 내려와 나가면 주인이 묘문 밖에서 전송하는데, 또 拜手하고 稽顙한다.

마침내 조묘에서 殯宮(適寢)으로 가서 모두 啓殯할 때와 같은 자리로 나아가 번갈아 세 차례씩 踊을 한다.
형제(小功親 이하)가 殯門(침문)을 나가면 주인이 절하여 전송한다.
衆主人이 빈문을 나가면 곡을 그친다.
빈문을 닫는다.
주인이 읍하면 衆主人이 이에 喪次로 나아간다.

① 婦人入, 大夫踊

阮元의 교감본에 따르면 '大'는 '丈'이 되어야한다.

【按】 가공언의 소에 따르면 反哭의 禮는 주인과 남자들이 먼저 들어오고 주부와 부인들이 뒤에 들어오기 때문에 부인들이 들어오면 자리에 있던 장부들이 모두 踊을 하는 것이다.[124] 張惠言은 이때 주부가 室에 들어와서 여전히 盥饋를 한다면 서향을 해야 할 것이나 서쪽에 祖의 신주가 있으니 북향을 할 수도 있다고 하였다.[125]

② 及丈夫拾踊三

'丈夫'는 敖繼公에 따르면 여기에서는 주인을 이른다.[126]

【按】 오계공에 따르면 이때 주부만 室에 들어가고 다른 사람들은 먼저 동쪽 계단의 자기 자리로 나아간다.

③ 賓弔者

정현의 주에 따르면 "여러 賓 중의 長이다.〔衆賓之長也.〕" 또 정현의 주에 따르면 "위문하러 온 사람은 북향한다.〔弔者北面.〕"

④ 如之何

胡培翬에 따르면 "어버이가 보이지 않음을 애통해하는 말이다.〔痛其不見

124) 賈公彦疏 : "反哭之禮, 主人、男子等先入, 主婦、婦人等後入, 故婦人入, 丈夫在位者皆踊."

125) 《儀禮圖》卷5〈反哭於祖〉: "主婦入室依盥饋, 則宜西面. 然西有祖主, 或北面."

126) 《儀禮集說》卷13 : "惟主婦入于室, 則餘人先即位于阼矣. 必入于室者, 以其生時於此共祭祀也. 入室又不見矣, 故出而與主人相鄉而哭踊, 同其哀也."

之辭.〕"

【按】 賓이 조문을 할 경우, 殷나라는 장례 한 뒤에 묘소에서 조문하고, 周나라는 장례한 뒤에 묘소에서 돌아와 反哭할 때 조문하였다. 공자는 은나라의 禮가 너무 질박하다고 하여 周나라의 禮를 따른다고 하였는데, 이것은 묘소에 어버이를 매장했을 때보다는 매장한 뒤에 어버이가 평소 생활하던 곳으로 돌아와서 어버이를 찾아도 어버이가 없을 때 그 슬픔이 더욱 심하기 때문이다.[127]

⑤ 賓降出, 主人送于門外

【按】《예기》〈雜記下〉에 따르면 조문 온 賓은 상가에 머무는 시간에 따라 5등급으로 분류할 수 있다. 왕래는 없고 이름만 들은 사이면 영구가 廟門을 나가면 물러가고, 만나서 서로 읍을 한 적이 있으면 묘문 밖의 倚廬나 堊室을 지난 뒤에 물러가며, 서로 물건을 주고받으며 안부를 묻고 지냈다면 장례 한 뒤에 물러가고, 예물을 들고 찾아뵈었던 사이라면 장례한 당일 反哭한 뒤에 물러가며, 친분이 깊은 붕우 사이라면 虞祭·祔祭가 끝난 뒤에 물러간다.[128] 따라서 여기의 '賓'은 가공언의 소에 따르면 예물을 들고 찾아뵈었던 사이의 賓이다.[129]

⑥ 遂適殯宮

吳廷華에 따르면 "殯이 이미 열렸는데도 殯宮이라고 한 것은 마치 어버이가 아직도 殯에 있는 것과 같이 여기는 것이다.〔殯已啓矣, 曰殯宮, 如親尙在殯也.〕" 이것은 祖廟에서 곡을 마치고 나서 殯宮으로 돌아와 또 곡하는 것이다.

⑦ 啓位

즉 啓殯할 때 서있던 자리이다. 胡培翬에 따르면 "啓殯할 때의 자리는 朝夕哭 할 때의 자리와 같다.〔啓位與朝夕哭位同.〕" 〈사상례〉32. "主人堂下直東序" 및 〈朝夕哭〉圖 참조.

⑧ 兄弟

정현의 주에 따르면 소공 이하의 복을 입는 사람을 가리킨다. 이들은 이때 '同姓이지만 재물과 주거를 함께 하지 않는〔異門〕' 대공복을 입는 사람들과 함께 자신의 집으로 돌아갈 수 있다.[130]

127) 《禮記大全》〈檀弓下〉: "殷既封而弔, 周反哭而弔. 孔子曰: '殷已慤, 吾從周.'" 注: "殷之禮, 窆畢, 賓就墓所弔主人, 周禮則俟主人反哭而後弔. 孔子謂殷禮太質慤者, 蓋親之在土, 固爲可哀, 不若求親於平生居止之所而不得其哀爲尤甚也, 故弔於墓者, 不如弔於家者之情文爲兼盡, 故欲從周也."

128) 《禮記》〈雜記下〉: "相趨也, 出宮而退. 相揖也, 哀次而退. 相問也, 既封而退. 相見也, 反哭而退. 朋友, 虞、附而退."

129) 賈公彦疏 : "此於《雜記》五賓, 當相見之賓."

130) 鄭玄注 : "兄弟, 小功以下也. 異門大功, 亦可以歸."

17. 朝夕哭, 三虞, 卒哭, 祔祭

猶朝夕哭, 不奠。三虞①。卒哭②。明日以其班祔③。

장례하고 돌아와서도 여전히 조석곡을 하지만 奠은 올리지 않는다.
이어서 세 차례의 虞祭를 지낸다.
虞祭를 지낸 뒤에는 卒哭祭를 지낸다.
졸곡제를 지낸 다음날 昭穆의 항렬에 따라 祔祭를 지낸다.

① 三虞

'虞'는 제사 이름이다. 정현의 주에 따르면 "虞는 편안하다는 뜻이다. 골육은 흙으로 돌아갔지만 精氣는 가지 않는 곳이 없으니, 효자가 그 정기가 방황하는 것을 방지하기 위하여 祭를 세 번 올려 안정시키는 것이다. 아침에 장례하고 당일 정오에 初虞祭를 지내는데, 이것은 차마 하루라도 떨어지게 할 수 없어서이다.〔虞, 安也. 骨肉歸於土, 精氣無所不之, 孝子爲防其彷徨, 三祭以安之. 朝葬, 日中而虞, 不忍一日離.〕"

【按】〈사우례〉12. 주④ 참조.

② 卒哭

三虞祭를 지낸 뒤에 지내는 제사 이름이다. 정현의 주에 따르면 "처음에는 조석 간에 슬퍼지면 수시로 곡을 하였는데, 이 제사를 지낸 뒤에는 수시로 곡하는 것을 그치고 아침과 저녁에만 곡하는 것이다.〔始朝夕之間, 哀至則哭. 至此祭, 止也, 朝夕哭而矣.〕"

③ 以其班祔

'班'은 항렬〔輩〕이다. 정현의 주에 따르면 死者를 昭穆에 따라 그 先祖의 항렬과 함께 하도록 하는 것을 말한다.[131] 고대의 宗法 제도는 시조 이하의 자손들이 아버지와 아들이 번갈아 昭와 穆이 되었다. 즉 아버지가 昭가 되면 아들은 穆이 되고, 아들의 아들(즉 손자)은 昭가 되며 손자의 아들은 또 穆이 되어 이러한 방법으로 미루어 나가는 것이다. 종묘의 배치는 始祖廟가 중앙에 위치하고 이하의 廟는 왼쪽이 昭가 되고 오른쪽이 穆이

131) 鄭玄注 : "班, 次也. 祔, 卒哭之明日祭名. 祔, 猶屬也. 祭昭穆之次而屬之."

되도록 배치한다. 墓葬의 배치도 이와 같다. '祔'는 음이 '부'이다. 졸곡제 이튿날 지내는 제사 이름이다. 《說文解字》에 따르면 "祔는 나중에 죽은 자를 선조에 합쳐서 함께 먹도록 하는 것이다.〔祔, 後死者合食於先祖.〕" 《爾雅》〈釋詁〉의 '祔'에 대한 郭璞의 注에 "祔는 붙인다는 뜻이다. 새로 죽은 사람을 祖廟에 붙이는 것이다.〔祔, 付也, 付新死者於祖廟.〕"라고 하였다. 이상의 설에 따르면 이른바 '祔祭'는 죽은 자를 祖廟에 붙여 선조에 합쳐서 제사를 지내는 것이다. 〈士虞禮 記〉21, 22. 참조.

기記

18. 임종(適室)

《記》①。
士處適寢②, 寢東首于北墉下③。有疾, 疾者齊④。養者皆齊⑤, 徹琴瑟⑥。疾病, 外內皆掃⑦, 徹褻(설)衣, 加新衣。御者四人皆坐持體⑧。屬纊以俟(候)絕氣⑨。男子不絕于婦人之手, 婦人不絕于男子之手。乃行禱于五祀⑩。乃卒, 主人啼, 兄弟哭。

〈記〉이다.
士가 병이 들면 適寢에 가서 거처하는데, 이때 適室의 북쪽 벽 아래에 머리를 동쪽으로 하여 눕힌다.
병이 들면 병자는 適室에서 齋戒한다.
병자를 시중드는 사람들도 모두 재계하고 琴瑟을 치운다.
병자의 병이 깊어지면 適室 안팎을 모두 깨끗하게 청소하고 입고 있던 병자의 옷을 벗기고 새 옷으로 갈아입힌다. 이때 御者(시중드는 사람) 네 사람이 모두 곁에 앉아서 병자의 팔다리를 잡아준다.
병자의 臨終 때 새 솜을 입과 코 근처(인중)에 놓아 숨이 끊어지는지를 살핀다.
남자는 부인의 손에서 죽지 않고 부인은 남자의 손에서 죽지 않는다.
이때 주인이 五祀에 기도를 한다.
끝내 죽으면 주인은 啼(소리 없이 통곡함)하고 형제는 哭한다.

① 記

이 〈記〉는 〈사상례〉와 〈기석례〉 두 편을 총괄한 〈記〉이기 때문에 士가 처음 죽었던 때로부터 시작하는 것이다.

② 適寢

즉 士의 正寢이다. 〈사상례〉1. 주① 참조.

③ 寢

'눕다'라는 뜻이다. 適寢의 適室에 눕히는 것을 이른다.

【按】 張惠言에 따르면 士는 병이 위중해지면 임종 때까지 室의 북쪽 벽 아래에 다리가 없는 牀 위에 머리를 동쪽으로 하여 눕힌다.[132]

④ 疾者齊

'齊'는 '齋(재계하다)'와 통한다. 정현의 주에 따르면 "適寢은 재계하지 않으면 그 室에 거처하지 않는다.〔適寢者, 不齊不居其室.〕"

⑤ 養者

병자가 요양하는 것을 시중드는 사람이니, 士의 아들·손자·처·첩을 이른다.

⑥ 徹琴瑟

盧文弨는 黃榦의 설을 인용하여 "병자가 재계하고 있기 때문에 악기를 치우는 것이다.〔以病者齊, 故去樂.〕"라고 하였다.

【案】 정현의 주에 따르면 악기를 치우는 이유는 병이 위중한 경우 조용히 있기를 원하기 때문이다. 일반적으로 악기는, 천자는 악기를 사면에 걸고, 제후는 삼면에 걸고, 대부는 두 면에 걸고, 士는 한 면에만 건다. 여기에서처럼 琴과 瑟을 치우는 사람은 不命之士이다.[133] '不命之士'는 〈사상례〉20. 주 참조.

⑦ 疾病, 外內皆掃

정현의 주에 따르면 "빈객이 와서 위문하는 경우가 있기 때문이다. 疾이 심한 것을 病이라고 한다.〔爲有賓客來問也. 疾甚曰病.〕"

【案】 茶山 丁若鏞은 '疾病'에 대해 이미 죽은 것을 완곡하게 표현한 것으로 보고 정현의 해석을 잘못이라고 하였다. 그 근거로 《예기》 등에서 숨이 끊어진 것을 '大病'으로 표현했다는 점, 만일 여전히 숨을 쉬고 있다면 다음에 이어지는 '廢牀', '加新衣', '屬纊', '男女改服' 등의 의절은 자식으로서 차마 할 수 없다는 점, 始死에 살아나기를 바라는 마음에 임시방편으로 '病'이라는 표현을 쓴 것뿐이라는 점 등을 들었다.[134]

⑧ 徹褻衣……皆坐持體

'御者'는 정현의 주에 따르면 "지금의 시중드는 사람이다.〔今時侍從之人.〕"

【案】 《예기》〈喪大記〉에 "병자가 위중해지면 침상을 치우고 입던 옷을 벗기고 새 옷으로

132) 《儀禮圖》卷5〈始死陳襲事〉: "病、卒之間, 廢牀東首于北墉下."

133) 《禮記》〈喪大記〉 : "君、大夫徹縣, 士去琴瑟."

鄭玄注 : "聲音動人, 病者欲静也. 凡樂器, 天子宮縣, 諸侯軒縣, 大夫判縣, 士特縣. 去琴瑟者, 不命之士."

134) 《喪禮四箋》卷1〈喪儀匡1 始死1〉: "疾病云者, 此時未及發喪, 權以疾病立名, 以寓其徼幸惻怛不忍遽死之意, 若其人則已死矣. 如其一縷猶存, 廢牀、加新衣、屬纊、男女改服等禮節, 皆非人子之所忍爲也. 緣鄭誤解, 遂使後世疑.……成子疾, 慶遺入請曰: '子之病革矣. 如至乎大病, 則如之何?' 此亦以殞絶爲大病."

135) 《禮記》〈喪大記〉 : "廢牀, 徹褻衣, 加新衣, 體一人. 男女改服."

136) 鄭玄注 : "廢, 去也. 人始生在地, 去牀, 庶其生氣反. 徹褻衣, 則所加者新朝服矣, 互言之也. 加朝服者, 明其終於正也. 體, 手足也. 四人持之, 爲其不能自屈伸也. (男女改服) 爲賓客來問病, 亦朝服也. 庶人深衣."

갈아입히는데, 이때 병자의 팔다리를 네 사람이 각각 잡아준다. 남녀는 모두 옷을 갈아입는다."라는 내용이 있다.[135] 정현의 주에 따르면, 침상을 치우는 것은 사람이 처음 태어날 때 바닥에서 태어났기 때문에 그 生氣가 돌아오기를 바라기 때문이다. 이때 병자와 남녀 모두 朝服으로 갈아입는데, 병자는 임종을 올바른 데서 한다는 것을 밝히기 위한 것이며, 남녀는 빈객의 문병을 맞이하기 위해서이다. 朝服이 없는 庶人은 深衣를 입는다.[136]

⑨ 屬纊以俟絕氣

정현의 주에 따르면 사람이 곧 죽으려 할 때는 호흡이 미약하여 언제 숨이 끊어지는지 확실하게 알기 어렵기 때문에 새 솜을 病者의 인중에 놓아서 언제 숨이 끊어지는지를 살핀다.[137]

【案】 胡培翬는 《예기》〈喪大記〉의 정현의 주[138]를 근거로 여기의 '俟(기다리다)'는 '候(살피다)'의 오자로, 형태가 비슷하여 생긴 것이라고 하였다.[139]

⑩ 乃行禱于五祀

가공언의 소에 따르면 "죽을 때가 이미 이르렀다면 살아나기를 구하는 것은 분명 불가하다. 그러나 효자는 마음을 다하기 때문에 五祀에 기도를 올려 병자가 죽지 않도록 도와달라고 비는 것이다.〔死期已至, 必不可求生, 但盡孝子之情, 故乃行禱五祀, 望佑助病者, 使之不死也.〕" '五祀'는 다섯 가지 일상생활과 관계가 있는 다섯 종류의 神을 이른다. 《예기》〈祭法〉에 따르면 五祀는 첫째 司命, 둘째 中霤, 셋째 國門, 넷째 國行, 다섯째 公厲이다.[140] 정현의 주에 따르면 여기의 五祀는 총괄하여 가리킨 것으로, 실제로는 제후여야 五祀에 제사를 지낼 수 있으며 士는 二祀, 즉 門(門神)과 行(路神)에만 제사를 지낼 수 있다.[141]

【按】 '司命'은 受命·遭命·隨命 등 세 종류의 命을 감독하고 관찰하는 것을 주관한다. 여기에서 受命은 壽命을 말하며, 遭命은 善을 행하였으나 재액을 만나는 것을 말하며, 隨命은 선악에 따라 갚는 것을 이른다.[142] '中霤'는 堂室을 주관하는 신이다. 門과 戶를 주관하는 신은 별도의 다른 신이 있으며 戶는 七祀의 하나이다.[143] '國門'은 國都의 城門을 주관하는 신이다.[144] '國行'은 路神으로, 도로에서 다니는 것을 주관한다. 공영달의 정의에 따르면 行神, 즉 路神은 國門 밖 서쪽에 있다.[145] '公厲'는 고대의 公侯로서 죽어서 후사가 없어 厲鬼가 된 자이다. '公'은 제후를 이른다.[146]

137) 鄭玄注 : "爲其氣微難節也. 纊, 新絮."

138) 《禮記》〈喪大記〉 : "屬纊以俟絕氣." 鄭玄注 : "纊, 今之新綿, 易動搖, 置口鼻之上以爲候."

139) 《儀禮正義》卷31 : "俟字, 據鄭注, 當爲候之誤, 二字形相似故也."

140) 《禮記》〈祭法〉 : "王爲群姓立七祀, 曰司命, 曰中霤, 曰國門, 曰國行, 曰泰厲, 曰戶, 曰竈. 王自爲立七祀. 諸侯爲國立五祀, 曰司命, 曰中霤, 曰國門, 曰國行, 曰公厲. 諸侯自爲立五祀. 大夫立三祀, 曰族厲, 曰門, 曰行. 適士立二祀, 曰門, 曰行. 庶士.庶人立一祀, 或立戶, 或立竈."

141) 鄭玄注 : "五祀, 博言之. 士二祀, 曰門, 曰行."

142) 鄭玄注 : "此非大神所祈報大事者也. 小神居人之間, 司察小過, 作譴告者爾.……司命, 主督察三命." 孔穎達正義 : "宮中小神.……案《援神契》云: '命有三科, 有受命以保慶, 有遭命以謫暴, 有隨命以督行. 受命, 謂年壽也. 遭命, 謂行善而遇凶也. 隨命, 謂隨其善惡而報之.'"

143) 鄭玄注 : "中霤, 主堂室居處. 門、戶, 主出入." 孔穎達正義 : "主堂室神."

144) 鄭玄注 : "門、戶, 主出入." 孔穎達正義 : "國門, 謂城門也."

145 鄭玄注 : "行, 主道路行作." 孔穎達正義 : "謂行神在國門外之西."

146) 鄭玄注 : "厲, 主殺罰." 孔穎達正義 : "'曰公厲'者, 謂古諸侯無後者. 諸侯稱公, 其鬼爲厲, 故曰'公厲'."

19. 始死(設牀, 遷尸, 招魂, 楔齒, 綴足, 設奠)

設牀、第(자)當牖①, 衽下莞(완)上簟(점)②, 設枕。遷尸。復者朝服, 左執領, 右執要③, 招而左④。楔(설)貌如軛(액), 上兩末⑤。綴足用燕几, 校在南⑥, 御者坐持之。卽牀而奠當腢(우)⑦, 用吉器⑧, 若醴若酒⑨, 無巾、柶⑩。

適室 안 남쪽 창 아래에 牀을 놓고 牀 위에 第를 편다. 第 위에 자리를 펴는데, 莞席(왕골자리)을 아래에 펴고 簟席(고운 삿자리)을 완석 위에 펴놓으며 베개를 점석 위에 놓는다.
시신을 북쪽 벽 아래에서 남쪽 창 아래의 牀 위로 옮긴다.
復者(혼을 부르는 사람)가 朝服을 입고 왼손으로는 死者의 爵弁服의 領(옷깃)을 잡고 오른손으로는 작변복의 허리 부분을 받쳐 들고서 초혼한 뒤에 몸을 왼쪽으로 돌려 내려온다.
楔의 모양은 軛(멍에)과 비슷한데 양쪽 끝 부분을 위로 향하게 한다.
燕几로 死者의 발을 고정시키는데 연궤의 다리가 남쪽을 향하게 한다. 御者(시중드는 사람)가 옆에 앉아서 연궤를 잡아준다.
尸牀에 나아가 奠을 올리는데 腢(시신의 오른쪽 어깨)에 해당하는 곳에 올린다. 이때 吉器(吉事에 쓰는 기물)를 사용하며 醴나 새로 담근 酒를 脯·醢와 함께 올린다. 奠物을 덮는 巾과 醴를 뜨는 柶는 없다.

① 設牀第

胡培翬에 따르면 "牀을 진설하고 第도 그 위에 펴놓아서 시신을 그 위로 옮기기에 편하도록 하는 것을 이른다.〔謂設牀, 竝設第, 以便遷尸於上.〕" 〈사상례〉18. 주① 참조.

② 衽下莞上簟

〈사상례〉20. 주 ②⑥ 참조.

③ 左執領, 右執要

이것은 혼을 부를 때 쓰는 爵弁服을 잡는 법을 가리킨다. 〈사상례〉1. 참조.

④ 招而左

【按】'招而左'에 대해서는 크게 두 가지 설로 구분할 수 있다. 첫째는 초혼하는 방법을 가리킨다는 설이다. 즉 초혼할 때 '왼쪽 방향으로 한다' 또는 '왼손으로 한다'라는 뜻으로 본 것이다. 賈公彦·敖繼公·盛世佐 등의 설이다. 가공언은 왼손으로 옷의 領을 잡고 부른다는 뜻으로, 왼쪽은 陽이고 陽은 生을 주관하는데, 招魂은 生을 구하는 것이기 때문이라고 보았다. 오계공은 초혼할 때 두 손으로 오른쪽에서 왼쪽으로 부르는 것으로 보았다. 성세좌는 초혼할 때 두 손으로 동쪽을 향해 부르다가 왼쪽으로 끌어 부르는 것으로 보았다. 둘째는 초혼을 마친 뒤에 '서쪽으로 내려온다' 또는 '서쪽으로 몸을 돌린다'라는 뜻으로 본 것이다. 吳廷華·張惠言·胡培翬 등의 설이다. 오정화는 초혼이 끝난 뒤 왼쪽(서쪽), 즉 경문에서 말한 것처럼 뒤쪽 西榮으로 내려오는 것으로 보았다. 장혜언은 왼쪽으로 약간 돌린다는 뜻으로 보았다. 호배휘는 북향하고 초혼한 뒤 옷을 앞쪽으로 던졌으니 이것은 몸을 돌려 남향했다는 것이고, 따라서 장혜언의 말처럼 왼쪽으로 돌린다는 뜻이라고 하였다. 즉 가공언의 설대로라면 '招而左'가 아닌 '招以左'가 되어야 한다고 하였다.[147]

⑤ 楔貌如軛, 上兩末

'楔'은 즉 角柶(뿔로 만든 숟가락)이다. (〈사상례〉2. 주① 참조) '上兩末'은 멍에〔軛〕의 끝 부분이 모두 아래로 향하게 하여 말의 목에 채우는 반면, '柶'는 이에 끼울 때 끝이 위로 향하게 하기 때문에 "양끝이 위로 향하게 한다.〔上兩末.〕"라고 한 것이다. 〈그림 10〉 참조.

⑥ 綴足用燕几, 校在南

'綴'은 '拘(고정시키다)'와 같다. '校'는 정현의 주에 따르면 '다리〔脛也〕'이니, '脛'은 즉 几足이다. 燕几로 死者의 발을 고정시키는 법은, 盛世佐에 따르면 死者의 머리가 남향하고 있기 때문에 几足은 남향하고 几板은 북향하도록 한다. 几足 사이에 死者의 두 발을 끼워놓고 사자의 발바닥이 几板에 닿도록 한다. 이렇게 사자의 발을 고정시킴으로써 사자의 발이 변형되지 않게 하여 신을 신기기에 편리하게 한다. 〈사상례〉2. 주② 참조.

⑦ 奠當腢

'腢'는 정현의 주에 따르면 "어깻죽지이다.〔肩頭也.〕" 〈사상례〉에 "시신의 동쪽에 진설한다.〔奠於尸東.〕"라고 하였으니 (〈사상례〉2. 참조) 이는 시신의 오른쪽 어깨 부분에 해당되는 곳이다.

【按】張惠言의 〈始死陳襲事〉圖에 따르면 여기에서 말하는 동쪽은 시신의 오른쪽이다.

147) 賈公彦疏 : "云'招而左'者, 以左手執領, 還以左手以領招之. 必用左者, 招魂所以求生, 左陽, 陽主生, 故用左也."
《儀禮集說》卷13 : "招而左, 謂招時兩手自右而左也."
《儀禮集編》卷31 : "招而左者, 兩手鄉東招之, 引而左也. 疏說非."
《儀禮章句》卷13 : "招而左, 旣招, 由左下也. 招時北面, 以西爲左, 故經言降自後西榮."
《讀儀禮記》卷下 : "招而左, 謂招之向左, 謂微左還也."
《儀禮正義》卷31 : "今案經云北面招以衣, 又云降衣于前, 是初時北面, 旣則轉而南面, 乃得降衣于前也. 當以張氏左還之說爲是. 若如賈說, 則是招以左, 非招而左矣."

⑧ 用吉器

吉事에 쓰는 기물을 '吉器'라고 하고 喪事에 쓰는 기물을 '凶器'라고 한다. 지금 凶器를 쓰지 않는 이유는, 胡培翬에 따르면 "이제 막 죽었기 때문에 차마 살아있을 때와 다르게 하지 못해서이다.[以始死, 未忍異於生.]"

【按】 호배휘에 따르면 吉器는 소렴 때가 되면 素器로 바꾸어 사용한다.[148] 〈사상례〉19. 주⑤ 참조.

⑨ 若醴若酒

이것은 두 가지 중에 한 가지만 사용한다는 말이다. 정현의 주에 따르면 만일 醴가 없어서 酒를 사용하게 되면 新酒(새로 담근 술)를 사용해야 한다.[149] 이때의 奠物에는 脯와 醢도 있는데 經에서는 글을 생략하여 말하지 않았다. 〈사상례〉2. 참조.

【按】 가공언에 따르면 始死에는 다 갖추지 않기 때문에 설령 醴와 酒가 모두 있다 하더라도 醴만 쓰고 酒는 쓰지 않는다.[150] 즉 始死奠의 원칙은 醴·脯·醢이고 醴가 없을 때 酒·脯·醢를 올린다는 말이다. 그러나 敖繼公은 醴만 있으면 두 개의 술잔을 모두 醴를 쓰고, 醴가 없으면 두 개의 술잔을 모두 酒를 쓴다고 하였는데,[151] 이는 始死에 4가지를 갖추어서 醴·醴·脯·醢나 酒·酒·脯·醢를 올린다는 말이다. 蔡德晋 역시 오계공과 같이 보았다. 胡培翬는 始死에 4가지를 갖추는 것을 〈記〉와 부합하지 않는다고 하여 오계공의 설을 틀리다고 보았다.[152] 盛世佐와 秦蕙田 역시 3가지를 올리는 것으로 보았다. 〈사상례〉2. 주③ 참조.

⑩ 無巾柶

'巾'은 奠物을 덮는 것이고 '柶'는 醴를 뜨는 것이다. 巾과 柶를 놓지 않는 이유는 사람이 막 죽었을 때에는 황망할 뿐만 아니라 또 盛饌도 아니기 때문이다.

【按】 敖繼公에 따르면 奠物을 덮는 巾을 쓰지 않는 것은 盛饌이 아니기 때문이며, 柶를 쓰지 않는 것은 대렴 이후의 奠과 다르게 하는 것이다.[153] '盛饌'은 殷奠이라는 뜻으로, 牲俎가 있는 것을 이른다. 〈사상례〉33. 주⑯ 참조.

148) 《儀禮正義》卷31 : "至小斂, 則變用素器矣."

149) 鄭玄注 : "或卒無醴, 用新酒."

150) 賈公彦疏 : "云'或卒無醴, 用新酒'者, 釋經'若醴若酒', 科有其一, 不得竝有之事. 以其始死, 卒未有醴, 則用新酒. 若然, 醴、酒俱有, 容有醴則用之, 不更用酒, 以其始死不備故也. 若小斂以後, 則酒、醴具設, 甒二, 醴、酒是也."

151) 《儀禮集說》卷13 : "若醴若酒, 謂無酒則二觶皆醴, 無醴則皆酒."

152) 《儀禮正義》卷26 : "注云'或卒無醴, 用新酒', 是醴、酒止用其一, 爲始死促急不備. 敖氏以醴、酒具有爲四物, 與《記》不合, 盛氏世佐、秦氏蕙田皆辨之."

153) 《儀禮集說》卷13 : "無巾者, 非盛饌. 無柶者, 異於大斂以後之奠也."

20. 赴告

赴曰: "君之臣某死①。" 赴母、妻、長子則曰: "君之臣某之某死②。"

임금에게 다음과 같이 부고한다.
"임금님의 신 아무개(士의 이름)가 죽었습니다."
士의 어머니·처·장자가 죽은 경우에는 다음과 같이 부고한다.
"임금님의 신 아무개(士의 이름)의 아무개(死者)가 죽었습니다."

① 某

죽은 士의 이름이다.

② 某之某

앞의 '某'는 士의 이름이고 뒤의 '某'는 死者이다.

【按】 가공언의 소에 따르면 長子가 죽었을 경우에는 '장자 아무개[長子某]'라고 하고, 어머니와 처가 죽었을 경우에는 부인은 이름을 부르지 않기 때문에 단지 '어머니[母]'나 '처(妻)'라고만 한다.[154]

21. 室中 哭位

室中唯主人、主婦坐。兄弟有命夫、命婦在焉①, 亦坐。

室 안에서는 주인과 주부만이 앉는다.
형제(대공친 이상) 중에 命夫와 命婦가 있으면 이들 역시 室 안에서 앉

154) 賈公彦疏 : "假令長子, 則云長子某甲, 若母、妻則婦人不以名行, 直云母與妻也."

는다.

① 兄弟有命夫、命婦

胡培翬에 따르면 "여기의 兄弟는 대공친 이상으로 室에 있는 사람을 이른다.〔此兄弟, 謂大功以上在室者.〕" 남자가 조정에서 정식으로 봉작을 받으면 '命夫'라고 한다. 그 처도 남편을 따라서 똑같은 등급의 爵命을 받으며 '命婦'라고 한다.

22. 시신이 室에 있을 때 衆主人의 不出과 襚者의 의절

尸在室, 有君命, 衆主人不出①。襚者委衣于牀②, 不坐。其襚于室, 戶西北面致命。

시신이 室에 있을 때 임금의 명으로 使者가 조문을 온 경우 주인은 室을 나가 맞이하지만 衆主人은 室을 나가서 맞이하지 않는다.
襚者(襚를 가지고 온 賓)는 衣物을 尸牀 위에 올려놓을 때 앉아서 놓지 않는다.
襚를 室 안에 놓는 사람은 먼저 室戶의 서쪽에서 북향하고 위로의 말을 전한다.

① 有君命, 衆主人不出

'君命'은 임금의 命으로 使者가 와서 조문하고 襚를 주는 것을 이른다. 〈사상례〉5. 참조. '衆主人不出'은 정현의 주에 따르면 "두 명의 상주를 두지 않기 때문이다.〔不二主〕"

② 襚者委衣于牀

〈사상례〉5, 〈사상례〉22. 참조.

23. 死者를 목욕시키고 飯含하는 禮

夏祝淅米差盛之①。御者四人抗衾而浴, 襢笫(단자)②。其母之喪, 則內御者浴③, 鬠(괄)無笄④。設明衣, 婦人則設中帶⑤。卒洗貝, 反于笲(번)⑥。實貝柱右顱(전)、左顱⑦。夏祝徹餘飯⑧。瑱塞耳⑨。掘坎南順⑩, 廣尺, 輪二尺⑪, 深三尺, 南其壤。垼(역)用塊⑫。

明衣裳用幕布⑬, 袂(메)屬(촉)幅⑭, 長下膝。有前後裳⑮, 不辟(벽), 長及轂(각)⑯, 縓緆緆(전비이)⑰。緇純(준)⑱。設握, 裏親膚⑲, 繫鉤中指, 結于掔(완)。甸人築坅(금)坎⑳。隸人涅(녈)厠㉑。既襲㉒, 宵爲燎于中庭。

夏祝이 쌀을 씻어 튼실한 낟알을 골라서 敦(대)에 담는다.

御者(시중드는 사람) 4명이 斂衾을 들어 시신을 가리고서 목욕시키는데, 이때 尸牀 위에 笫만 남겨 두고 그 위에 펴놓았던 자리(莞席과 簟席)는 걷어낸다.

士의 어머니 喪일 경우에는 內御者(여자 御者)가 목욕시키며 목욕시킨 뒤에는 鬠(死者의 상투)만 하고 비녀는 꽂지 않는다.

明衣裳을 입히는데, 부인은 中帶도 입힌다.

貝를 다 씻고 나면 도로 笲(대나무 그릇)에 담는다.

楔을 뺀 뒤에 쌀을 채운 貝를 먼저 오른쪽 어금니에 끼우고 다시 왼쪽 어금니에 끼워넣는다.

夏祝이 飯含하고 남은 쌀을 치운다.

瑱(명주실 풀솜으로 만듦)으로 귀를 막는다.

양쪽 계단 사이에 구덩이를 파는데 북쪽부터 남쪽으로 향하도록 하며, 너비는 1尺, 길이는 2尺, 깊이는 3尺이 되게 한다. 파낸 흙을 구덩이 남쪽에 쌓아 놓는다. 서쪽 담장 아래의 아궁이는 흙덩이를 쌓아 만든다.

明衣裳은 휘장을 만드는 布를 사용하는데, 袂(소매)는 上衣 몸판의 布幅과 통으로 이어져 있고, 상의의 길이는 무릎 아래까지 내려온다. 下裳은 보통의 裳처럼 前幅과 後幅이 있으며 주름을 잡지 않는다. 길이는 발등까지 오도록 하고, 분홍색으로 가장자리와 아랫단에 가선을 두른다. 上衣는 검은색으로 領(옷깃)과 袂(소매단)에 가선을 두른다.
握手를 맬 때 분홍색 안감이 피부에 직접 닿도록 하고 왼손 中指에 걸어 맨 후에 손목에 묶는다.
甸人(임금의 신하)이 파놓았던 구덩이에 또 흙을 메워 넣고 다진다.
隷人(노역을 하는 죄인)이 死者가 사용하던 측간을 막는다.
襲尸한 뒤에 밤이 되면 中庭에 화톳불을 놓는다.

① 差盛之

정현의 주에 따르면 "差는 고른다는 뜻이다.〔差, 擇之.〕" 盛世佐는 "쌀알 중에 튼실한 것을 골라서 시신에 반함을 하고, 남은 쌀로 죽을 만들어 重에 매단다. '盛'은 敦(대)에 담는 것이다.〔擇其粒之堅好者以飯尸, 而以其餘爲粥, 懸於重也. 盛, 盛於敦.〕"라고 하였다.

② 御者四人抗衾而浴, 襢笫

'抗'은 '들다〔擧〕'라는 뜻이다. 정현의 주에 따르면 목욕시킬 때 시신은 나체이기 때문에 衾을 들어서 시신을 가리는 것이다.[155] 胡培翬에 따르면 여기의 衾은 斂衾이다.[156] '襢'은 '袒'과 통용된다. '襢笫'는 정현의 주에 따르면 笫 위의 자리를 걷어내어 목욕시킬 때 물이 빠지기에 편리하도록 하는 것을 이른다.[157]

③ 內御

정현의 주에 따르면 "여자 御者이다.〔女御也.〕"

④ 鬠

〈사상례〉9. 주④ 참조.

⑤ 設明衣, 婦人則設中帶

胡培翬에 따르면 남자는 明衣를 입히고, 여자는 明衣를 입히고 나서 中帶도 입히는 것이다.[158]

【按】 '中帶'는 정현의 주에 따르면 당시의 '褌襂(단삼)'과 같은 것이다.[159] 호배휘에 따르면

155) 鄭玄注 : "抗衾, 爲其裸裎蔽之也."
156) 《儀禮正義》卷31 : "衾, 斂衾也."
157) 鄭玄注 : "襢, 袒也. 袒簀, 去席, 盝水便."
158) 《儀禮正義》卷31 : "玩文義, 似是男、婦皆設明衣, 而婦人又加以中帶也."
159) 鄭玄注 : "中帶, 若今之褌襂."

남자는 上衣와 下裳이 있으나 부인은 상의와 하상이 분리되어 있지 않기 때문에 안에 裈襂(곤삼)을 더 입는데, 이 옷이 위로 허리와 연결되어 있기 때문에 '帶'라는 이름이 붙은 것이다.[160]

⑥ 卒洗貝, 反于笲

貝는 본래 笲(번) 안에 들어 있던 것으로, 씻은 뒤에 다시 원래대로 笲 안에 담아 두는 것이다. 〈사상례〉에는 "貝를 씻어서 들고 室로 들어간다.[洗貝, 執以入.]"라고만 하였기 때문에 (〈사상례〉12. 참조) 여기〈記〉에서 〈사상례〉에 갖추지 못한 것을 보충한 것이다.

⑦ 實貝柱右齻、左齻

'柱'는 즉 柱入, 楔入(끼워넣다)이다. '齻'은 음이 '전'이다. 가공언의 소에 따르면 "양쪽 어금니 중에 가장 긴 것을 이르니, 살았을 때 치아가 튼튼함을 형상한 것이다.[謂牙兩畔最長者, 象生時齒堅.]" 〈사상례〉에서는 반함할 때 시신의 입 좌우와 중간에 채운다고만 하였는데,(〈사상례〉12. 참조) '좌우'라고만 하고 구체적으로 어떤 곳이라고는 말하지 않았기 때문에 여기에서 보충하여 기록한 것이다.

⑧ 餘飯

반함하고 남은 쌀이다.

⑨ 瑱塞耳

〈사상례〉9. 주⑨ 참조.

⑩ 掘坎

〈사상례〉8. 주① 참조.

⑪ 輪

정현의 주에 따르면 "세로이다.[從(縱)也.]"

⑫ 甓用塊

〈사상례〉8. 주② 참조.

⑬ 幕布

정현의 주에 "휘장을 만드는 布이다. 그 升數는 듣지 못하였다.[帷幕之布, 升數未聞.]"라고 하였다.

⑭ 袂屬幅

〈상복〉24. 주⑧ 참조.

⑮ 有前後裳

160) 《儀禮正義》卷31 : "明衣, 男子有衣有裳, 婦人衣不殊裳, 故內加裈襂. 據《釋名》云'上繫腰中', 所以有帶名. 《記》云'中帶, 亦謂在內親身'者, 未知是否."

胡培翬에 따르면 “일반적으로 裳은 앞판이 3폭 뒤판이 4폭으로 되어 있다. 明衣의 裳도 똑같기 때문에 有前後裳이라고 한 것이다.〔凡裳前三幅, 後四幅. 明衣之裳亦如之, 故云‘有前後裳’也.〕” 〈상복〉24. 주② 참조.

⑯ 𣪊

음은 ‘각’이다.[161] 정현의 주에 따르면 “발등이다.〔足跗也.〕”

⑰ 縓綼緆

‘縓’은 옅은 홍색이다. (〈상복〉23. 주⑤ 참조) ‘綼’는 음이 ‘비’이다.[162] ‘綼緆’는 胡培翬에 따르면 “裳의 가장자리를 꾸미는 것을 ‘綼’, 裳의 아랫단을 꾸미는 것을 ‘緆’라고 한다.〔飾裳之幅邊爲綼, 飾裳之下畔爲緆.〕”

⑱ 純

가선을 두르는 것이다. 정현의 주에 따르면 이것은 明衣의 領(옷깃)과 袂(소매단)에 장식으로 가선을 두르는 것을 가리킨다.[163]

⑲ 設握, 裏親膚

‘握’은 握手이다. ‘裏’는 握手의 분홍색 안감을 이른다. (〈사상례〉9. 참조) 이것은 死者의 왼손에 握手를 매는 것이다. 死者의 오른손에 握手를 매는 것은 〈사상례〉 제13절에 보인다.

⑳ 築坅坎

‘築’은 정현의 주에 따르면 “흙을 구덩이 속에 채워 넣고 견고하게 다지는 것이다.〔實土其中, 堅之.〕” ‘坅’은 음이 ‘금’이다. 구덩이를 파는 것이다. 구덩이는 본래 甸人이 파놓은 것인데,(〈사상례〉8. 참조) 여기〈記〉에서는 또 甸人이 그 구덩이를 메우기까지 해야 한다는 것을 설명한 것이다.

㉑ 隸人涅廁

정현의 주에 따르면 “隸人은 죄인이다. 지금(漢나라 때)의 徒이니, 노역을 하는 사람이다. 涅은 막는다는 뜻이다.〔隸人, 罪人也. 今之徒役作者也. 涅, 塞也.〕” 이것은 死者가 생전에 사용하던 측간이다. 이것을 막는 이유는, 정현의 주에 따르면 첫째는 다른 사람이 사용하여 더럽힐까 염려스럽기 때문이고, 두 번째는 사람이 죽어 신이 되면 측간이 필요 없어지기 때문이다.[164]

㉒ 襲

사람이 죽은 첫째 날 시신에게 襲하는 것이다. 〈사상례〉13. 참조.

161) 《常變通攷》卷7〈喪禮 襲 陳襲衣〉注 : “苦角反.”

162) 《喪禮四箋》卷6〈喪具訂1 明衣裳〉注: “綼音卑, 緆音易.”

163) 鄭玄注 : “飾衣曰純, 謂領與袂. 衣以緇, 裳以縓, 象天地也.”

164) 鄭玄注 : “涅, 塞也, 爲人復往褻之, 又亦鬼神不用.”

24. 소렴과 대렴 때의 제반 의절

厥明, 滅燎, 陳衣①。凡絞②、紟用布, 倫如朝服③。設桝(어)于東堂下④, 南順⑤, 齊于坫⑥。饌于其上⑦。兩甒: 醴、酒, 酒在南。篚在東, 南順, 實角觶(치)四, 木柶二, 素勺二⑧。豆在甒北, 二以竝, 籩亦如之⑨。凡籩豆, 實具設, 皆巾之⑩。觶俟時而酌⑪, 柶覆加之, 面枋(병), 及錯(조), 建之。

小斂, 辟(피)奠不出室⑫。無踊節⑬。旣馮尸, 主人袒, 髺(괄)髮, 絞帶, 衆主人布帶⑭。大斂于阼⑮。大夫升自西階, 階東北面, 東上⑯。旣馮尸, 大夫逆降, 復位⑰。巾奠⑱, 執燭者滅燭, 出, 降自阼階, 由主人之北, 東。

다음날 날이 밝으면 화톳불을 끄고 소렴에 필요한 衣物을 東房에 진열한다.

일반적으로 소렴과 대렴에 사용하는 絞와 紟은 布를 사용하는데, 포의 升數는 朝服을 만드는 포의 승수(15승)와 같다.

桝(나무받침대)를 東堂 아래에 진열하는데 북쪽을 상위로 삼아 남향하도록 하며, 桝의 남쪽 끝이 당의 東坫과 나란히 되도록 한다.

桝 위에 奠物(甒·篚·豆·籩)을 진열한다.

2개의 甒에는 각각 醴와 酒를 담는데, 酒甒를 醴甒의 남쪽에 놓는다.

篚(대광주리)를 甒의 동쪽에 진열하는데 북쪽을 상위로 삼아 남향하도록 놓고, 그 안에 角觶(뿔잔) 4개·木柶(나무 숟가락) 2개· 素勺(옻칠하지 않은 구기) 2개를 함께 담는다.

豆를 甒의 북쪽에 놓는데, 2개씩 짝지어 나란히 놓으며 籩도 2개씩 짝지어 나란히 놓는다. 일반적으로 籩과 豆는 음식을 담아 짝지어 진설하는데, 東堂 아래에 진열할 때나 室의 奧(서남쪽 모퉁이)에 진설할 때에 모두 布巾으로 덮어 놓는다.

觶에는 奠을 진설할 때를 기다려 醴와 酒를 따른다.

柶는 醴觶 위에 엎어서 놓고 자루가 앞쪽을 향하게 한다. 醴와 酒를 진설한 뒤에는 醴觶 안에 꽂아둔다.

소렴을 앞두고 尸牀 동쪽에 진설한 始死奠을 옮기는데, 室 밖으로는 내놓지 않는다. 이때 주인 이하가 踊을 하는 의절은 없다.
소렴이 끝나면 馮尸하고 일어나 踊을 한 뒤에 주인은 左袒하고 髻髮하고 絞帶를 착용하며, 衆主人은 布帶를 착용한다.
대렴은 동쪽 계단 위쪽에서 한다.
대부가 대렴을 직접 살필 경우에는 서쪽 계단으로 당에 올라가 서쪽 계단의 동쪽에서 북향하여 서는데 동쪽을 상위로 한다.
대부가 馮尸하고 일어나 踊을 한 뒤에는 당을 올라갈 때와 반대 순서로 내려와 동쪽 계단 아래 서향하는 자리로 돌아간다.
夏祝이 布巾으로 室의 奧에 진설한 대렴전을 덮고 나면 횃불을 든 집사자가 횃불을 끄고 室을 나와 동쪽 계단으로 내려와 주인의 북쪽을 지나 동쪽으로 가서 횃불을 東堂 아래에 놓는다.

① 陳衣

이것은 東房에 衣物을 진설하는 것으로 소렴 때 쓰기 위해 준비하는 것이다. 〈사상례〉15. 참조.

② 凡

정현의 주에 따르면 "凡은 소렴과 대렴을 할 때이다.〔凡, 小斂、大斂也.〕"

③ 倫如朝服

정현의 주에 따르면 "倫은 견준다는 뜻이다.〔倫, 比也.〕" 《예기》〈雜記〉에 "朝服은 15승으로 만든다.〔朝服十五升.〕"라고 하였다.

④ 棜

음은 '어'이다. 장방형의 나무로 만든 받침대이다. 吳廷華에 따르면 棜에는 3종류가 있다. 첫째는 〈特牲饋食禮〉에 기록된 것으로, 獸肉(腊)을 받치는데 쓰는 棜이다.[165] 두 번째는 〈少牢饋食禮〉에 기록된 棜로, 즉 斯禁이다. 세 번째는 여기에 기록한 것으로, 奠物을 진열하는 데 쓰는 棜이다. 또 吳廷華는 《三禮圖集注》를 인용하여 길이는 7尺, 너비는 2尺 4寸, 깊이(높이)는 1尺 5寸이라고 하였다.[166] '斯禁'은 禁의 이름으로, 일명 '棜'라고도

165) 《儀禮章句》卷13 : "棜有三. 《特牲》棜, 以實獸; 《少牢》棜, 即斯禁."

166) 《儀禮章句》卷13 : "此棜, 以陳饌禮圖, 長七尺, 廣二尺四寸, 深尺五寸." 《三禮圖集注》〈陳饌棜〉: "陳饌棜, 長七尺, 廣二尺四寸, 深尺五寸."

한다. 술 단지를 받치는 기물이다. 정현의 주에 "斯禁은 禁이 바닥에 닿아서 다리가 없는 것이다.〔斯禁, 禁切地無足者.〕"라고 하였다. 胡培翬는 吳澄의 설을 인용하여 "斯禁은 일명 棜라고도 한다. 길이는 4尺, 너비는 4尺 2寸, 깊이는 5寸이며, 다리가 없다. 대부는 棜를 사용하고, 士는 禁을 사용한다.〔斯禁, 一名棜. 長四尺, 廣四尺二寸, 深五寸, 無足. 大夫用棜, 士用禁.〕"라고 하였다.

【按】'禁'은 술단지를 올려두는 받침대로, 다리가 있다.

⑤ 南順

胡培翬에 따르면 "북쪽을 상위로 삼는 것이다.〔以北爲上也.〕"

⑥ 齊于坫

【按】정현의 주에 따르면 일반적으로 棜를 東堂이나 西堂 아래에 진열해둘 때에는 남쪽으로 坫과 나란히 진열해둔다.[167]

⑦ 饌于其上

【按】胡培翬에 따르면 이때 棜 위에 올려두는 것은 다음에 나오는 甒·篚·豆·籩 모두이다.[168]

⑧ 實角觶四, 木柶二, 素勺二

'素勺'은 술을 뜨는 도구이다. 흰 나무로 만들고 옻칠 장식을 하지 않기 때문에 '素勺'이라고 한 것이다.

【按】注疏에서는 朝奠과 夕奠에 각각 觶 2개(醴·酒), 柶 1개(醴), 勺 2개(醴·酒)를 사용한다고 보았으나,[169] 盛世佐는 해뜰 때 올리는 대렴전과 그날 저녁에 올리는 夕奠에 각각 角觶 2개, 木柶 1개, 素勺 1개를 사용한다고 보았다.[170]

⑨ 豆在甒北, 二以竝, 籩亦如之

정현의 주에 따르면 "豆와 籩을 둘씩 나란히 놓는 것은 대렴전의 진열이다. 여기에 기록한 이유는 나머지는 소렴전의 진열과 같다는 것을 밝힌 것이다.〔豆籩二以竝, 則是大斂饌也. 記於此者, 明其他與小斂同陳.〕" 이것은 여기에 기록한 진열하는 법이 소렴·대렴 때와 모두 똑같고 오직 소렴전의 진열은 籩과 豆가 각각 하나씩이고 대렴전의 진열은 籩과 豆가 각각 둘씩이라는 점만 다르다는 것을 말한 것이다.

【按】敖繼公에 따르면 이때 豆는 籩의 북쪽에 두어야 하는데 甒의 북쪽에 둔다고 한 것은 豆를 진열할 때 籩이 아직 없었기 때문이다.[171]

⑩ 凡籩豆, 實具設, 皆巾之

167) 《儀禮》〈士喪禮〉鄭玄注 : "凡在東、西堂下者, 南齊坫."

168) 《儀禮正義》卷31 : "饌于其上, 謂下甒、篚、豆、籩, 皆陳于棜上."

169) 鄭玄注 : "勺二, 醴、酒各一也."
賈公彦疏 : "醴一觶, 又用一柶, 酒用一觶, 計醴、酒但用二觶一柶矣, 而觶有四、柶有二者, 朝夕酒、醴及器別設, 不同器, 朝夕二奠各饌其器也."

170) 《儀禮集編》卷31 : "角觶四, 木柶二, 素勺二者, 以二觶、一柶、一勺爲大斂奠, 用其二觶、一柶、一勺, 則用之夕奠也. 周人斂用日出, 是日仍有夕奠, 以其同日所用, 故兼饌之. 敖云'爲明日朝奠', 非. 以此爲大斂奠則得之."

171) 《儀禮集說》卷13 : "豆當在籩北, 乃云甒北者, 設豆之時, 未有籩也, 故但取節於甒."

'實'은 胡培翬에 따르면 "菹(초절임 채소)나 밤 등을 豆와 籩에 담는 것을 이른다. 즉 진열하는 때이다.〔謂實菹、栗之屬於豆籩中, 卽饌時也.〕" '具'는 정현의 주에 따르면 "籩과 豆가 짝을 이루는 것이 具이다.〔籩豆偶而爲具.〕" 여기에서는 오로지 대렴전에 나아가 말한 것임을 알 수 있다. 張爾岐는 "皆는 東堂과 奠物을 올리는 곳 모두를 말한다. 2籩과 2豆는 東堂 아래에 진열했다가 奠物을 올리는 곳에 진설하는데, 두 곳 모두 布巾으로 덮어둔다. 소렴전에는 1籩 1豆를 尸牀의 동쪽에 진설하고서 바로 布巾으로 덮어두지만 東堂 아래에 진열할 때는 덮어두지 않는다.〔皆者, 皆東堂與奠所也. 二籩二豆者, 饌于東堂, 設于奠所, 二處皆巾之也. 小斂一籩一豆, 惟設于牀東, 乃巾之, 方其饌東堂時則不巾矣.〕"라고 하였다.

【按】〈사상례〉16, 21, 24, 28. 참조.

⑪ 觶俟時而酌

'俟'는 奠을 올릴 때를 기다리는 것을 이른다. 醴와 酒는 진열할 때 甒에 담아두었다가 奠을 올릴 때는 觶에 따라서 올린다.

⑫ 小斂, 辟奠不出室

'辟'는 胡培翬에 따르면 "奠物을 옮기는 것을 이른다.〔謂移易之也.〕" '奠'은 始死 때 尸牀에 나아가 시신의 오른쪽 어깨 부분에 올린 奠을 이른다. (〈기석례〉19. 참조) '不出室'은 敖繼公에 따르면 "구설에는 옮겨서 室의 서남쪽 모퉁이에 진설하는 것을 이른다고 한다.〔舊說謂辟之設於室西南隅.〕"

【按】정현의 주에 따르면 이것은 **襲奠**을 가리킨다.[172] 다만 이 **襲奠**이 바로 **始死奠**인지는 자세하지 않다. 茶山 丁若鏞은 정현의 이 주를 근거로 **始死奠**과 별도로 **襲奠**이 있었다고 본다.[173]

⑬ 無踊節

즉 踊을 하지 않는 것이다. '踊節'은 즉 이른바 '要節而踊'이라는 것이다. 要節而踊은 奠物을 거두는 사람이 진설하기 위해 당을 오르내리고 오고 갈 때를 절차로 삼는데, 이때는 奠物을 室 안에서 옮기기만 하는 것이기 때문에 踊節, 즉 踊을 해야 하는 절차도 없는 것이다.

【按】〈사상례〉30. 주㉘, 〈사상례〉33. 주⑮ 참조.

⑭ 旣馮尸……衆主人布帶

〈사상례〉에는 소렴하기 전에 首絰과 腰絰을 진열한다고 되어 있다. (〈사상례〉17. 참조) 또 소렴한 뒤에는 "東序의 동쪽에서 수질과 요질을 착용한

172) 鄭玄注 : "辟襲奠以辟斂."

173) 《喪儀節要》卷1〈讀禮書剳記 襲有奠〉: "襲奠, 在經無明文, 唯《士禮》'陳一鼎'之註曰: '將小斂則辟襲奠.' 又《士喪·記》'小斂辟奠'之註曰: '辟襲奠.' 鄭之意, 蓋以小斂、大斂皆有奠."

다.〔襲絰于序東〕" (《사상례》20. 참조)라고 하였다. 그러나 帶는 말하지 않았기 때문에 여기에 보충하여 기록한 것이다. '馮尸, 袒, 髻髮'은 《사상례》20. 주⑧⑨ 참조. 斬衰의 絞帶는《상복》1. 주② 참조. 齊衰의 布帶는 《상복》3. 주④ 참조.

⑮ 大斂于阼

《사상례》에서는 대렴 때 "자리를 소렴 때처럼 편다.〔布席如初.〕"라고만 하고 (《사상례》26. 참조) 어느 곳에 펴놓는다고는 하지 않았기 때문에 여기에 보충하여 기록한 것이다.

⑯ 大夫……東上

이것은 대부가 당에 올라가 대렴을 살피는 것이다. 《사상례》에서는 임금이 와서 대렴을 살필 때를 기록하면서 공경대부는 "당에 올라와 주인을 잇대어 서쪽에 서는데 동쪽을 상위로 삼는다.〔繼主人, 東上.〕"라고만 하였는데, (《사상례》30. 참조) 여기의 〈記〉에서는 한걸음 더 나아가 대부의 위치를 명확하게 밝혔다.

⑰ 旣馮尸, 大夫逆降, 復位

'馮尸'는 대부가 馮尸하는 것을 이른다. 《사상례》에서는 임금이 대렴을 살필 때 임금이 시신의 가슴에 해당되는 곳을 어루만진다고 기록하고, 또 임금이 주인에게 馮尸하도록 명한다고 기록하였다. 그러나 대부가 馮尸하는 것은 기록하지 않았기 때문에 여기에서 보충하여 기록한 것이다. '復位'는 동쪽 계단 아래의 서향하는 자리로 돌아가는 것이다. 李如圭에 따르면 朝夕哭을 하는 자리와 같은 곳이다. 장혜언의 〈朝夕哭〉圖 참조.

【按】 《사상례》20. 주⑧ 참조.

⑱ 巾奠

'巾'은 동사로 쓰여서 布巾으로 덮는 것을 이른다. '奠'은 室의 奧(서남쪽 모퉁이)에 진설하는 대렴전을 이른다. 《사상례》28. 참조.

25. 殯을 한 뒤 居喪 중의 冠·服·음식·거처·車馬의 제도

既殯, 主人說(탈)髦①。三日絞垂②。冠六升, 外縪(필), 纓條屬(촉)厭(압)③。衰三升。屨外納④。杖下本, 竹、桐一也。居倚廬, 寢苫枕塊⑤, 不說(탈)絰帶, 哭晝夜無時, 非喪事不言。歠粥, 朝一溢米⑥, 夕一溢米, 不食菜果。

主人乘惡車, 白狗幦(멱)⑦, 蒲蔽⑧, 御以蒲菆(추)⑨, 犬服⑩, 木錧⑪, 約綏(수), 約轡⑫, 木鑣(표)⑬, 馬不齊髦⑭。主婦之車亦如之, 疏布裧(첨)⑮。貳車白狗攝服⑯, 其他皆如乘車⑰。

殯을 한 뒤에 주인은 髦(다방머리)를 떼어낸다.

셋째 날(사람이 죽은 지 넷째 날)이 되면 늘어뜨린 腰絰을 꼰다.

주인의 喪冠의 冠梁은 6승포로 만들고 武(冠圈)의 밖으로 접어 武에 꿰맨다. 纓(관끈)은 麻를 꼬아 만드는데 武와 하나의 끈으로 만든다. 이때 冠梁을 武를 누르는 것처럼 武 바깥쪽으로 붙여 꿰맨다.

주인의 衰裳은 3승포로 만든다.

喪屨는 풀을 엮어 만드는데, 다 짜고 남은 것이 밖에 오도록 마무리한다.

喪杖은 뿌리 쪽이 아래로 향하도록 짚는데, 대나무 喪杖(苴杖)과 오동나무 喪杖(削杖)이 같다.

주인은 倚廬에서 거처하며, 거적자리에 눕고 흙덩이를 베며, 잠잘 때에도 수질과 요질을 벗지 않는다. 밤낮으로 일정한 때가 없이 수시로 곡하며, 喪事가 아니면 말하지 않는다.

주인은 죽을 먹는데, 아침에 1溢(한 홉 정도)의 쌀과 저녁에 1溢의 쌀로 만든 멀건 죽을 마시고 채소나 과일은 먹지 않는다.

주인은 惡車를 탄다.

수레의 軾 위를 白狗의 가죽으로 덮고, 蒲(부들)로 수레 몸체 양쪽을 가리며, 蒲菆(껍질을 벗긴 삼대)로 말을 몬다. 백구의 가죽으로 兵器를 담는 箙을 만들고, 나무로 錧(수레의 굴대 머리에 꽂는 핀)을 만든다. 끈으로 綏(수레를 탈 때 잡는 끈)와 고삐를 만들며, 나무로 말의 바깥 재갈을 만든다. 말의 갈기는 가지런히 자르지 않는다.
주부의 喪車도 주인과 같이 한다. 다만 수레 위에 疏布(성근 포)로 만든 휘장이 있다.
貳車(주인과 주부의 喪車를 뒤따르는 副車)는 백구의 가죽으로 병기를 담는 箙을 만드는데, 箙 주위에는 거친 布로 가선을 두른다. 나머지는 모두 주인이 타는 수레와 같이 한다.

① 說髦

'髦'는 정현의 주에 따르면 아이가 태어나 3개월이 되면 아이의 머리카락을 잘라준다. 이때 일부를 남기고 자르지 않는데, 이 부분을 '鬌'(황새머리타)라고 한다. 아이는 장성한 뒤에도 "그대로 장식으로 남겨두는데, 이것을 髦(모)라고 한다. 부모에게 순종하는 어릴 때의 마음이다.〔猶爲飾存之, 謂之髦. 所以順父母幼小之心.〕"[174] 여기에서 알 수 있듯 영아 때의 鬌는 일정한 시기가 되면 잘라야 하지만, 또 가발로 鬌形을 만들어 머리에 부착하여 장식으로 삼으니 이것이 바로 '髦'이다.

【按】《예기》에 따르면, 아이가 태어난 지 3개월이 되면 날을 가려 황새머리[鬌] 모양이 되도록 머리를 자르는데, 남자 아이는 정수리 부분은 자르고 양쪽 관자놀이 부분은 남겨두어 뿔[角] 모양이 되도록 하며, 여자 아이는 머리 꼭대기에 가로 세로로 한 줄기씩만 남겨두어 기(羈) 모양이 되도록 자른다. 그렇지 않은 경우에는 남자 아이는 왼쪽 머리를 남겨두고 여자아이는 오른쪽 머리를 남겨둔다.[175] 또 공영달에 따르면 '髦'는 어렸을 때 머리카락을 잘라 만든다. 아이가 자라면 이것을 얼굴 양쪽에 늘어뜨린다. 그러다가 아버지가 돌아가시면 왼쪽의 髦를 떼어내고 어머니가 돌아가시면 오른쪽의 髦를 떼어내며 부모가 모두 돌아가시면 모두 떼어내어 더 이상 髦를 달지 않는다.[176]

② 三日絞垂

'三日'은 정현의 주에 따르면 "成服하는 날이다.〔成服日.〕" 이것은 사람이 죽은 그 날을 빼고 말한 것이니 실제로는 넷째 날이다. 〈사상례〉31. 참조.
'垂'는 흩어서 늘어뜨린 腰絰을 이른다. '絞垂'는 흩어서 늘어뜨린 부분을 꼬는 것을 이른다. 〈상복〉12. 주③ 참조.

③ 冠六升, 外縪, 纓條屬厭

174) 鄭玄注 : "兒生三月, 鬋髮爲鬌, 男角女羈, 否則男左女右. 長大猶爲飾存之, 謂之髦, 所以順父母幼小之心."

175) 《禮記》〈內則〉 : "三月之末, 擇日翦髮爲鬌, 男角女羈. 否則男左女右."
鄭玄注 : "鬌, 所遺髮也. 夾囟曰角, 午達曰羈也."
孔穎達正義 : "云'夾囟曰角'者, 囟是首腦之上縫, 故《說文》云'十其字, 象小兒腦不合也'. 夾囟, 兩旁當角之處, 留髮不翦. 云'午達曰羈也'者, 案《儀禮》云'度尺而午', 注云'一從一橫曰午'. 今女翦髮, 留其頂上縱橫各一, 相交通達, 故云'午達'. 不如兩角相對, 但縱橫各一在頂上, 故曰'羈'. 羈者, 隻也."

176) 《禮記》〈喪大記〉孔穎達正義 : "說髦者, 髦, 幼時翦髮爲之, 至年長則垂著兩邊, 明人子事親, 恒有孺子之義也. 若父死說左髦, 母死說右髦, 二親並死則並說之, 親沒不髦是也."

〈상복〉1. 주⑲㉑㉒ 참조. '外縪'은 즉 '外畢'이다. '厭'은 정현의 주에 따르면 "엎드린다는 뜻이다.〔伏也.〕" 吳廷華에 따르면 "外縪은 冠을 武 안쪽에서 바깥쪽으로 꿰매어 마치 武를 누르는 것처럼 하는 것이다.〔外縪者, 冠從武下鄉(向)外縫之, 若厭于武也.〕"

【按】 가공언에 따르면 吉冠은 纓과 武의 재료를 다른 것으로 하고 凶冠은 같은 것으로 한다.[177]

④ 屨外納

〈상복〉1. 주㉕ 참조.

⑤ 居倚廬, 寢苫枕塊

〈상복〉1. 주㉖㉗ 참조.

⑥ 溢

〈상복〉1. 주㉙ 참조.

⑦ 白狗幦

'白狗'는 정현의 주에 따르면 白狗의 가죽을 이르며, '幦'은 음이 '멱'으로 수레의 軾 위를 덮는 것이다.[178] '軾'은 수레의 몸체 앞에 사람이 기댈 수 있도록 설치한 횡목을 가리킨다.

【按】 정현의 주에 따르면 '狗'는 아직 翰毛(길고 가는 털)가 나지 않은 작은 개를 가리킨다. 이때 앞다리 가죽을 쓰는데, 흰색을 쓰는 것은 喪車이기 때문이다.

⑧ 蒲蔽

胡培翬에 따르면 "부들로 가리개를 만든 것이다.〔以蒲草爲蔽也.〕" 《주례》〈春官 巾車〉에 "칠을 하지 않은 木車는 부들로 가리개를 만든다.〔木車蒲蔽.〕"라고 하였는데, 정현의 주에 "蔽는 수레 양쪽의 바람과 먼지를 막는 것이다.〔蔽, 車旁禦風塵者.〕"라고 하였다. 이에 따르면 이른바 '蒲蔽'는 부들로 수레 몸체 양쪽에 설치하여 바람과 먼지를 막는 것인 듯하다.

⑨ 蒲菆

'菆'는 음이 '추'이다. '蒲菆'는 겨릅대〔麻秆〕, 즉 껍질을 벗긴 麻의 속 줄기이다. 胡培翬는 "《說文解字》에 '菆는 麻의 속 줄기이다.'라고 하였다. 껍질을 벗겨서 麻를 만드는데, 그 속에 있는 줄기를 蒸 또는 菆라고 하며 이로 인해 일반적으로 식물의 줄기를 모두 菆라고 이르게 된듯하다.〔《說文》, '菆, 麻蒸也.' 蓋取其皮以爲麻, 而其中莖謂之蒸, 亦謂之菆, 因而凡物之莖皆謂之菆.〕"라고 하였다.

177) 賈公彦疏 : "吉冠則纓、武別材, 凶冠則纓、武同材."

178) 鄭玄注 : "未成毫, 狗. 幦, 覆笭也. 以狗皮爲之, 取其臑也. 白於喪飾宜. 古文幦爲幕."

⑩ 犬服

정현의 주에 따르면 "笭(대발) 사이에 두는 兵器를 담는 통은 개〔犬〕 가죽으로 만드는데, '견고하다〔堅〕'는 뜻을 취한 것이다. 이것도 흰색이다.〔笭間兵服, 以犬皮爲之, 取堅也, 亦白.〕" '笭'은 즉 '車笭(수레의 먼지를 막는 대발)'이다. 수레의 軾 아래에 대나무를 가로 세로로 얽어 짜서 만든 것이다. 《釋名》〈釋車〉에 "笭은 수레 앞에 가로로 걸쳐놓는다. 대나무로 짜서 만들어 구멍이 숭숭 나있다.〔笭, 橫在車前, 織竹作之, 孔笭笭也.〕"라고 하였다. '兵'은 병기를 이른다. 吳廷華는 "喪에 병기가 있으면 수레 위 笭 사이에 꽂아둔다.〔喪有兵器, 建于車上笭間.〕"라고 하였다. '服'은 '箙'과 통한다. 고대에 화살이나 짧은 병기를 담았던 통이다.

⑪ 木錧

'錧'은 음이 '관'이다. 수레바퀴 가운데 바퀴살〔輻〕을 고정시키는 것을 '轂(바퀴통 곡)'이라고 한다. 轂은 굴대〔軸〕 위에 장착하며, 굴대 끝에는 구리나 철로 만든 핀〔銷子〕을 가로로 꽂아서 수레의 轂이 벗어나지 않도록 제어하는데 이것을 '錧'이라고 한다. 喪車에는 木錧을 사용하는데, 정현의 주에 따르면 "소리가 적게 나는 것을 취한 것이다.〔取少聲.〕"

【按】 '錧'은 정현의 주에 따르면 今文에 '鎋(할)'로 되어 있다.

⑫ 約綏, 約轡

'約'은 정현의 주에 따르면 "끈이다.〔繩.〕" '綏'는 잡고서 수레에 오르는 끈이다. '轡'는 胡培翬에 따르면 "말 모는 사람이 잡고서 말을 모는 줄이다.〔御者所執以御馬之索也.〕"

⑬ 木鑣

'鑣'는 馬具로, 銜(함)과 함께 사용한다. 銜은 재갈에서 말의 입 안에 있는 부분이고, 鑣는 재갈에서 입 밖에 있는 부분으로 일반적으로 금속으로 만든다. 《시경》〈衛風 碩人〉에 "붉은 재갈 장식 선명도 하다.〔朱幩鑣鑣.〕"라고 하였는데, 《經傳釋文》에 "鑣는 말의 銜 밖에 있는 철이다.〔鑣, 馬銜外鐵也.〕"라고 하였다. 여기의 鑣는 나무로 만드는데, 정현의 주에 따르면 "木錧처럼 이것도 소리가 적게 나는 것을 취한 것이다.〔亦取少聲.〕"

⑭ 馬不齊髦

'齊'는 정현의 주에 따르면 "자른다는 뜻이다.〔翦也.〕" '髦'는 《爾雅》〈釋言〉의 '髦'자 항목의 邢昺의 疏에 따르면 "털 중에 긴 털을 '髦'라고 한다.〔毛中之長毫曰髦.〕”《예기》〈曲禮下〉에 “대부와 士가 자신의 나라를 떠날 때는……갈기를 자르지 않은 말을 타고 떠난다.〔大夫士去國……乘髦馬.〕”라고 하였는데, 孔穎達의 正義에 “吉事에는 말의 털을 잘라서 꾸밈을 삼는데, 凶事에는 꾸밈이 없어서 자르지 않는다.〔吉則翦剔馬毛爲飾, 凶則無飾不翦.〕”라고 하였다.

⑮ 裧

‘裧’은 음이 ‘첨’이다. 수레 위에 치는 휘장이다.

⑯ 貳車白狗攝服

‘貳’는 정현의 주에 따르면 “副이다.〔副也.〕” ‘貳車’는 즉 뒤따르는 副車이다. 敖繼公에 따르면 주인과 주부는 각각 2개의 副車가 있다.[179] ‘攝’은 정현의 주에 따르면 “緣(가선을 두르다)과 같다.〔猶緣也.〕” 胡培翬는 “白狗의 가죽으로 服을 만들고 그 가선을 두른 것을 이른다.〔謂以白狗皮爲服而緣其邊也.〕”라고 하였다. ‘白狗皮爲服’은 즉 앞에서 말한 ‘犬服’이다. 胡培翬는 가선을 두를 때 사용하는 것은 거친 포일 것이라고 추정하였다.[180]

【按】 오계공에 따르면 副車의 수는 천자는 12대, 上公은 9대, 侯와 伯은 7대, 子와 男은 5대, 孤와 卿大夫는 3대, 士는 2대이다. 여기의 副車 역시 惡車이며, 주인과 주부는 각각 자신이 타고 있는 수레를 합치면 수레가 각각 3대씩이다.[181] ‘攝服’을 가공언은 “服에 白狗의 가죽을 덧대 가선을 두르는 것”으로 보았으나,[182] 정현의 《주례》 주를 참조하면 白狗의 가죽으로 服을 만들고 그 가장자리를 거친 포로 장식하는 것이다.[183]

⑰ 其他皆如乘車

정현의 주에 따르면 “주인이 타는 惡車와 같이 하는 것이다.〔如所乘惡車.〕”

179) 《儀禮集說》卷13 : “主人、主婦皆有貳車, 各得用二乘, 與其所乘者而三. 《士昏禮》謂‘從車二乘’, 是其數也.”

180) 《儀禮正義》卷31 : “此服亦緣以麤布歟!”

181) 《儀禮集說》卷13 : “凡貳車之數, 天子十二, 上公九, 侯、伯七, 子、男五, 孤、卿、大夫三, 士二乘也. 此貳車, 亦惡車也.”

182) 賈公彦疏 : “服又加白狗皮緣之, 謂之攝服.”

183) 《周禮》〈春官 御史〉 鄭玄注 : “旣以皮爲覆笭, 又以其尾爲戈戟之弢. 麤布飾二物之側爲之緣, 若攝服云.”

26. 朔月奠 때의 청소와 봉양

朔月①, 童子執帚卻之, 左手奉之②, 從徹者而入③。比奠④, 擧席掃室, 聚諸窔(요)⑤, 布席如初。卒奠, 掃者執帚垂末, 內

鬣⑥, 從執燭者而東⑦。燕養、饋、羞、湯沐之饌, 如他日⑧。朔月若薦新, 則不饋于下室⑨。

매월 초하루 朔月奠을 올릴 때 童子가 빗자루 밑단이 위로 향하도록 거꾸로 잡되 왼손으로 받쳐 들고 徹者(宿奠을 거두는 사람)를 뒤따라 室 안으로 들어간다.
奠을 올리기 전에 奠席을 들어 옮기고 바닥을 쓸어 室의 窔(동남쪽 모퉁이)에 먼지를 모은 뒤에 다시 처음과 같이 奠席을 깐다.
朔月奠을 다 올리고 나면 청소했던 동자가 빗자루 밑단이 아래로 가게 잡되 자신을 향하도록 하고서 횃불을 든 집사자를 뒤따라 室을 나와서 동쪽 계단으로 당을 내려와 동쪽 자리로 돌아간다.
死者가 살아있을 때 死者에게 평소 올렸던 음식과 아침저녁의 饋食와 사철의 맛있는 음식과 따뜻한 목욕물 등은 평소와 같이 燕寢에 진설한다. 다만 삭월전이나 薦新을 올릴 때는 下室(燕寢)에 궤사를 올리지 않는다.

① 朔月

즉 삭월전이다. 〈사상례〉33. 주① 참조.

② 童子執帚卻之, 左手奉之

'童子'는 吳廷華에 따르면 "자제 중에 어린 사람이다.〔子弟少者.〕" '卻之'는 胡培翬에 따르면 "빗자루를 잡을 때 빗자루 밑단이 위로 향하도록 잡는 것을 말한다.〔言執帚之時, 以末向上.〕" '末'은 즉 빗자루의 밑단으로, 바닥을 쓰는 부분이다.

③ 徹者

宿奠을 거두는 사람을 이른다. 〈사상례〉33. 주⑤ 참조.

④ 比

정현의 주에 따르면 "先(앞서다)과 같다.〔猶先也.〕"

⑤ 擧席掃室, 聚諸窔

'擧席'은 '移席(자리를 옮기다)'이라고 말하는 것과 같다. '窔'는 음이 '요'이다. '窔(요)'와 같다. 정현의 주에 따르면 "室의 동남쪽 모퉁이를 '窔'라고 한다.〔室東南隅謂之窔.〕"

⑥ 垂末, 內鬣

胡培翬에 따르면 "末은 빗자루의 밑단이다. 청소를 하는 부분으로, 모양은 말의 갈기와 비슷하다. 이 부분을 안쪽으로 향하도록 한다는 것은 이 갈기 같은 부분이 자신 쪽으로 향하도록 하는 것이다. 밑단이 아래로 가게 하되 鬣이 자신 쪽으로 향하게 하는 것은 먼지가 남에게 묻을까 염려스럽기 때문이다.〔末, 帚末也, 用以掃者, 末形似鬣. 內之者, 以鬣向身也. 垂末而內其鬣, 恐塵觸人也.〕" '鬣'은 본래 말의 목덜미에 난 긴 터럭을 가리키는데, 가차하여 빗자루 밑단을 가리킨 것이다.

⑦ 從執燭者而東

胡培翬에 따르면 "이때에도 동쪽 계단으로 내려가 동쪽으로 가서 자리로 돌아가는 것이다.〔亦降阼階, 東行復位.〕"

⑧ 燕養、饋、羞、湯沐之饌如他日

정현의 주에 따르면 '燕養'은 死者가 살아있을 때 그에게 평소 올렸던 음식을 이르며, '如他日'은 평소와 같이 下室에 진설하는 것을 이른다.[184]

⑨ 朔月若薦新, 則不饋于下室

평소 아침저녁으로 일정하게 올리는 朝夕奠에는 醴·酒·脯·醢만 진설하기 때문에 黍稷과 같은 음식 등은 下室에 진설한다. 그러나 朔月奠이나 薦新은 모두 殷奠(牲俎가 있는 奠)에 속하여 희생도 있고 黍稷도 있기 때문에 (《사상례》33. 참조) 饋食를 下室에 진설할 필요가 없다. '下室'은 胡培翬에 따르면 "즉 燕寢이다.〔卽燕寢.〕"

27. 묘지와 장례일을 점치는 일에 관한 補記

筮宅①, 冢人物土②。卜日吉, 告從于主婦。主婦哭, 婦人皆哭。主婦升堂, 哭者皆止③。

184) 鄭玄注："燕養, 平常所用供養也.……孝子不忍一日廢其事親之禮, 於下室日設之, 如生存也."

시초점을 쳐서 묘지를 정하는데, 冢人이 먼저 한 곳을 묘지로 잡아 토양을 살핀다.
거북점을 쳐서 장례일을 정하는데, 길한 점이 나오면 주인에 뒤이어 주부에게 길하다고 고한다.
주부가 듣고 곡을 한다. 부인들도 모두 곡한다.
주부가 동쪽으로 당에 올라가면 모두 곡을 그친다.

① 筮宅

〈사상례〉34. 주① 참조.

② 物

정현의 주에 따르면 "相과 같다.〔猶相也.〕" 즉 살펴보는 것이다.

③ 卜日吉……皆止

〈사상례〉에서는 장례일을 점쳐 길한 점이 나온 뒤에 "점친 결과를 주부에게 고한다. 주부가 듣고 곡을 한다.〔告于主婦, 主婦哭.〕" (〈사상례〉36. 참조) 라고만 말하고, 衆婦人이 곡하는 것과 어느 때 곡을 그치는 지는 기록하지 않았기 때문에 여기에서 보충하여 기록한 것이다. '主婦升堂'은 매장하는 날을 묘문 밖에서 점칠 때 주부가 동쪽 문을 닫고 그 안에 서 있다가 점친 결과를 들은 뒤에 바로 동쪽 계단으로 당에 올라가는 것이다. 〈사상례〉36. 참조.

【按】 郝敬에 따르면 '告從'은 '告龜從'의 뜻이다. 즉 거북점이 길하다고 고하는 것이다.[185]

28. 啓殯에 관한 의절 補記

啓之昕①, 外內不哭。夷牀、輁軸饌于西階東②。

185) 《儀禮節解》卷13 : "主婦立東扉內, 卜吉則卜人告龜從于主婦, 主婦哭, 婦人皆哭."

啓殯하는 날, 날이 밝으면 殯宮 안팎에 있는 사람들은 모두 곡을 하지 않는다.
夷牀과 輁軸을 당 아래 서쪽 계단의 동쪽에 진열한다.

① 晣

날이 밝을 때이다.

② 夷牀、輁軸饌于西階東

'夷牀'과 '輁軸'은 〈기석례〉2. 주③ 및 〈기석례〉4. 주① 참조.

【按】 注疏에 따르면 夷牀은 祖廟에 진열하고 輁軸은 殯宮에 진열하지만 진열하는 위치가 모두 서쪽 계단 동쪽이기 때문에 함께 언급한 것이다. 禰廟도 있는 경우에는 먼저 녜묘에 알현한 뒤에 조묘에 알현하기 때문에 녜묘에도 輁軸을 진열해둔다.[186]

29. 禰廟에 알현

其二廟, 則饌于禰(녜)廟如小斂奠, 乃啓①。朝于禰廟, 重止于門外之西②, 東面。柩入③, 升自西階, 正柩于兩楹間。奠止于西階之下, 東面, 北上。主人升, 柩東, 西面。衆主人東卽位。婦人從升, 東面。
奠升, 設于柩西, 升降自西階。主人要節而踊。燭先入者升堂, 東楹之南, 西面。後入者西階東, 北面, 在下④。主人降卽位。徹, 乃奠⑤, 升降自西階。主人踊如初⑥。

士가 2개의 廟를 둔 경우(上士)에는 禰廟(아버지 사당)에 미리 소렴전과 같이 奠物을 東堂 아래에 진열해둔 뒤에 이어 啓殯한다.
널을 옮겨 禰廟를 알현할 때 重은 묘문 밖 서쪽에 동향하도록 놓는다.
널을 柩車에 싣고 묘문을 들어가서 輁軸에 널을 싣고 서쪽 계단으로

186) 鄭玄注 : "明階間者, 位近西也. 夷牀饌於祖廟, 輁軸饌於殯宮. 其二廟者, 於禰亦饌輁軸焉."
賈公彦疏 : "其夷牀在祖廟, 輁軸在殯宮, 以其西階東是同, 故併言之."

당에 올라 두 기둥 사이에 널을 머리가 북쪽으로 가도록 바르게 놓는다.
從奠(宿奠)을 든 사람들이 서쪽 계단 아래에서 널을 바르게 놓기를 기다리는데, 북쪽을 상위로 하여 동향하고 선다.
주인이 널을 따라 당에 올라가 널의 동쪽에서 서향하고 선다.
衆主人이 동쪽으로 가서 동쪽 계단 아래의 자리로 나아간다.
부인들이 주인을 따라 당에 올라가 널의 서쪽에서 동향하고 선다.

從奠을 들고 당에 올라가 널의 서쪽에 진설한다. 이때 從奠을 진설하는 사람들은 서쪽 계단으로 당을 오르내린다.
주인(장부들과 부인들 포함)이 踊을 해야 할 때가 되면 踊을 한다.
횃불을 들고 널을 앞장서 묘문을 들어간 사람은 당에 올라가 동쪽 기둥의 남쪽에서 서향하고 서고, 횃불을 들고 널을 뒤따라 묘문을 들어간 사람은 서쪽 계단의 동쪽에서 북향하고 당 아래에 선다.
주인이 당을 내려와 동쪽 계단 아래 자리로 나아간다. 이때 徹者(奠物을 거두는 사람)가 동쪽 계단으로 올라가 從奠을 거두고 이어 遷禰奠을 진설하는데 서쪽 계단으로 당을 오르내린다.
주인이 앞에서와 같이 踊을 해야 할 때가 되면 踊을 한다.

① 其二……乃啓

'其二廟'는 士가 2개의 廟를 둔 경우로, 즉 上士를 이른다. 《예기》〈祭法〉에 "適士는 廟가 2개, 壇이 하나이니 考廟와 王考廟이다. 官師는 廟가 하나이니 考廟이다. 官師의 경우 王考는 廟가 없어서 考廟에서 제사한다.〔適士二廟一壇, 曰考廟, 曰王考廟.……官師一廟, 曰考廟, 王考無廟而祭之.〕"라고 하였는데, 정현의 주에 "適士는 上士이다. 官師는 中士와 下士이다.〔適士, 上士. 官師, 中士、下士.〕"라고 하였다. '考廟'는 父廟이니, 즉 禰廟이다. '王考廟'는 祖廟이다. 官師에게 있어 '考廟'는 아버지와 할아버지를 함께 모시는 廟를 이른다. 士는 2개의 廟를 둔 경우도 있고 1개의 廟를 둔 경우도 있다. 이 때문에 이 〈記〉의 정현의 주에 "士는 할아버지와 아버지를 奉祀하는데, 上士는 廟를 달리하고 下士는 廟를 함께 쓴다.〔士事祖、禰, 上士異廟, 下士共廟.〕"라고 한 것이다. 가공언의 소에 "中士도 廟를 함께 쓰는데

下士만 말한 것은 글을 생략한 것이다.〔中士亦共廟, 而唯言下士者, 略之.〕" 라고 하였다. 〈사상례〉에서는 啓殯하기 전에 미리 祖廟에 奠物을 大斂奠과 같이 진열해둔다고 기록하였는데, 여기에서는 또 미리 禰廟에 奠物을 진열해두는 일을 보충하여 기록하였다.

② 朝于禰廟, 重止于門外之西

이것은 祖廟를 알현하기 전에 먼저 禰廟를 알현하는 것이다. 정현의 주에 따르면 널을 옮겨 廟를 알현하는 것은 祖廟를 알현하는 것이 주가 되기 때문에 重을 먼저 禰廟의 문 밖에 놓는 것이다.[187] 여기서부터 '主人要節而踊'까지는 禰廟를 알현하는 의절을 기록하였는데, 4절에서 기록한 祖廟를 알현하는 의절과 대동소이하니 참조하여 볼 수 있다.

【按】 정현의 주에 따르면 禰廟를 알현할 때 重을 禰廟門 안으로 들이지 않는 것은 祖廟에 알현하는 것이 주이기 때문에 녜묘는 지나가는 것처럼 하기 위한 것이다.

③ 柩入

【按】 〈기석례〉5. 주⑩, 〈기석례〉6. 주② 참조.

④ 燭先……在下

앞에서는 祖廟로 들어 갈 때 횃불을 든 두 사람 중에 한 명은 널의 앞에 있고 한 명은 널의 뒤에 있다고만 기록하였고,(〈기석례〉4. 참조) 여기에서는 禰廟를 알현할 때 횃불을 든 두 사람이 당에 오를 때의 선후와 위치를 기록하였다. 정현의 주에 따르면 "祖廟로 갈 때에도 횃불을 들고 당에 오를 때의 선후와 위치는 녜묘를 알현할 때와 같으니, 여기에 互文으로 기록한 것이다.〔適祖時, 燭亦然, 互記於此.〕"

⑤ 徹, 乃奠

'徹'은 從奠을 거두는 것을 이른다.(〈기석례〉5. 주③ 참조) '乃奠'은 遷禰奠을 이른다.(遷祖奠과 동일. 〈기석례〉5. 주④ 참조) 즉 이 절에서 말한 "禰廟에 奠物을 소렴전과 같이 진열해둔다.〔饌于禰廟, 如小斂奠.〕"는 그 奠物을 진설하는 것을 이른다.

⑥ 踊如初

胡培翬에 따르면 "이때에도 주인은 踊을 해야 할 때가 되면 踊을 한다는 것이다.〔亦要節而踊.〕"

【按】 〈사상례〉30. 주㉘, 33. 주⑮ 참조.

187) 鄭玄注 : "重不入者, 主於朝祖而行, 若過之矣."

30. 祖廟에 알현

祝及執事擧奠①, 巾、席從而降。柩從。序從如初②, 適祖。

夏祝과 집사자들이 遷禰奠을 거두어 들고 서쪽 계단으로 당을 내려가면 布巾을 든 사람과 奠席을 든 사람이 따라 내려간다.
널이 그 뒤를 따른다.
주인과 衆主人 이하의 사람들이 그 뒤를 따라 殯宮에서 나갈 때와 똑같은 순서로 祖廟로 간다.

① 祝及執事擧奠

'奠'은 즉 遷禰奠이다. 禰廟에 알현한 뒤에는 祖廟에 알현해야하기 때문에 奠物을 들고서 옮겨 가는 것이다.

【按】 정현의 주에 따르면 이것은 禰廟를 알현한 다음날 祖廟로 가는 순서를 말한 것이다.[188] '祝'은 胡匡衷에 따르면 '夏祝'이다.[189]

② 序從如初

胡培翬에 따르면 "주인 이하의 남녀가 널을 따라 나가는 것을 이른다. 如初는 殯宮을 나갈 때를 이른다.〔謂主人以下男女從柩而出也. 如初, 謂出殯宮時也.〕" 〈기석례〉4. 주③ 참조.

31. 祖廟에서의 薦車, 載柩, 陳器, 贈, 奠

薦乘車①, 鹿淺幦(멱)②, 干、笮(착)③、革靾(설)④, 載旜(전)⑤, 載皮弁服。纓、轡、貝勒縣于衡⑥。道車載朝服⑦, 槀車載蓑笠⑧。

188) 鄭玄注 : "此謂朝禰明日, 擧奠適祖之序也."

189) 《儀禮釋官》 卷5 〈旣夕〉: "案此亦夏祝."

將載⑨, 祝及執事擧奠⑩, 戸西, 南面, 東上。卒束前而降, 奠席于柩西, 巾奠。乃牆⑪。抗木刊⑫。茵著用茶, 實綏(유)、澤焉⑬。葦苞長三尺一編⑭。菅筲三, 其實皆瀹(약)⑮。
祖, 還(선)車不易位⑯。執披者旁四人⑰。凡贈、幣無常⑱。凡糗不煎⑲。

祖廟에 알현할 때 진열하는 乘車는 軾을 털이 짧은 여름철의 사슴가죽으로 덮고, 干(방패)·笮(대로 만든 화살 통)·革靾(가죽으로 만든 장례용 말고삐)·旃旗(장식이 없는 붉은 깃발)를 싣고 皮弁服을 싣는다. 纓(말 가슴걸이 끈)·고삐·貝勒(조개 장식 말굴레)을 衡(끌채 앞 횡목)에 매단다.
道車에는 朝服을 싣고, 稾車에는 蓑(도롱이)와 笠(삿갓)을 싣는다.

柩車에 널을 실을 때 夏祝과 집사자들이 널 서쪽에 진설한 遷祖奠을 들고 室戶의 서쪽에서 남향하여 서는데 동쪽을 상위로 한다.
널의 앞부분을 柩車에 동여매고 나면 축과 집사자들이 서쪽 계단으로 당을 내려와 구거의 서쪽에 奠席을 깔고 奠物을 동향하도록 진설한 뒤 布巾으로 덮는다.
이어 商祝이 널을 꾸민다.
抗木은 나무의 껍질을 벗기고 깎아서 만든다. 茵은 겉감과 안감 사이에 茶(띠풀 이삭)를 채워 넣고 綏(廉薑, 생강 종류)와 澤蘭도 함께 넣는다. 苞는 길이가 3尺되는 갈대 한줄기로 한 바퀴씩 둘러 짜서 만든다. 菅草(골풀)로 짠 3개의 筲(멱둥구미)에는 모두 뜨거운 물에 담갔던 黍·稷·麥을 각각 담는다.

출행을 시작하면(祖. 柩車의 방향을 돌림) 수레(승거·도거·고거)의 방향을 돌리는데 원래의 위치를 바꾸지 않는다.(승거가 가장 서쪽)
披를 잡은 사람은 양쪽에 각각 네 사람씩 선다.
일반적으로 贈物과 폐백은 일정한 제한이 없다.
일반적으로 糗餌(콩고물을 입힌 쌀기장떡)는 기름에 지지지 않는다.

① 薦乘車

'乘車'는 士가 타는 수레이다. 정현의 주에 따르면 士가 타는 수레의 이름은 棧車이다.[190] 經에는 '薦車'라고만 말하고 (〈기석례〉5. 참조) 진열하는 것이 어떤 수레인지, 수레에 싣는 것이 어떤 물건인지 말하지 않았기 때문에 이 절에서 보충하여 기록하였다.

【按】《주례》에 따르면 王事에 신하들이 타는 수레는 모두 5가지가 있다. 孤는 夏篆, 卿은 夏縵, 大夫는 墨車, 士는 棧車, 庶人은 役車를 탄다.

② 鹿淺幦

'鹿淺'은 정현의 주에 따르면 "사슴의 여름털이다.〔鹿夏毛也.〕" 즉 여름철 사슴가죽이다. '淺'은 사슴 가죽에 난 털이 짧은 것을 이른다. 胡培翬에 따르면 "여름에는 사슴 털이 새로 나기 때문에 짧다.〔夏時鹿毛新生, 故淺也.〕" '幦'은 〈기석례〉25. 주⑦ 참조.

③ 干、笮

〈기석례〉7. 주⑯ 참조.

④ 革靾

'靾'은 음은 '설'이다.[191] 정현의 주에 따르면 "고삐이다.〔韁也.〕"

【按】魏了翁에 따르면 여기의 革靾 역시 수레에 싣는 것이다.[192]

⑤ 旜

정현의 주에 따르면 "깃발의 종류로, 通帛(전체가 붉고 장식이 없는 것)으로 만든 것이 旜이다.〔旌旗之屬, 通帛爲旜.〕" 龍旜의 '旜'은 '旃'과 같다. 《周禮》〈春官 司常〉의 9개의 旗 중 하나로, 그 경문에 '通帛爲旜'이라는 구절이 있다. 注疏에 따르면 '通帛'은 통째로 붉고 장식이 없는 것을 이른다. 여기에서 '龍旜'이라고 말한 것은 赤旜 위에 용의 형상을 그린 것이다.[193]

【按】〈사상례〉7. 주② 참조.

⑥ 纓、轡、貝勒縣于衡

'纓'과 '轡'는 〈기석례〉5. 주⑥⑦ 참조. '貝勒'은 정현의 주에 따르면 "조개로 말굴레를 장식한 것이다.〔貝飾勒.〕" '勒'은 吳廷華에 따르면 "말 머리 위의 재갈을 매는 끈으로, 貝勒은 이것을 조개로 꾸미는 것이다.〔馬頭絡銜, 以貝飾之.〕" '衡'은 즉 軶(끌채 앞 횡목)이다. 敖繼公에 따르면 "衡은 끌채 끝에 가로댄 나무로, 말에 멍에 멜 때 연결하는 것이다.〔衡, 輈(輴)端橫木, 以駕馬者.〕" 〈기석례〉6. 주⑦ 참조.

⑦ 道車載朝服

190) 《周禮》〈春官 巾車〉: "服車五乘: 孤乘夏篆, 卿乘夏縵, 大夫乘墨車, 士乘棧車, 庶人乘役車."
鄭玄注 : "士乘棧車."

191) 《喪禮四箋》卷2〈喪儀匡7 葬3〉: "靾音薛."

192) 《儀禮要義》卷三十八旣夕禮一 : "《記》云'薦乘車, 鹿淺幦, 干、笮、革靾'者, 是魂車所載象生者."

193) 《周禮》〈春官 司常〉: "司常掌九旗之物名, 各有屬, 以待國事. 日月爲常, 交龍爲旂, 通帛爲旜, 雜帛爲物, 熊虎爲旗, 鳥隼爲旟, 龜蛇爲旐, 全羽爲旞, 析羽爲旌."
鄭玄注 : "通帛謂大赤, 從周正色, 無飾."
賈公彦疏 : "云'從周正色, 無飾'者, 以周建子, 物萌色赤, 今旌旗通體盡用絳之赤帛, 是用周之正色, 無他物之飾也."

'道車'는 정현의 주에 따르면 士가 아침저녁이나 한가할 때 출입하면서 타는 수레이다.[194] 吳廷華에 따르면 道車는 乘車에 비하여 1등급이 떨어진다.[195] '朝服'은 임금을 朝見할 때나 비교적 장중한 상황에 입는 복장이다. 위에는 玄衣를 입고, 아래에는 素裳을 입는다.

⑧ 槀車

정현의 주에 따르면 '槀'는 '거칠다〔散〕'라는 뜻으로, 士가 사냥을 하거나 교외나 들로 출행할 때 타는 수레이다.[196] 胡培翬에 따르면 '散'은 이러한 수레를 타고 야외로 다녀서 '비교적 거칠고 볼품없는 것〔較爲粗散〕'을 이른다.[197]

⑨ 將載

祖廟에 알현을 마치고 나서 널을 柩車에 실으려는 것을 이른다. 〈기석례〉6. 참조.

⑩ 奠

遷祖奠을 이른다. 〈기석례〉5. 주④ 참조.

⑪ 乃牆

정현의 주에 따르면 "牆은 널을 꾸미는 것이다.〔牆, 飾柩也.〕" 〈기석례〉6. '商祝飾柩'이하 참조.

⑫ 抗木刊

'刊'은 정현의 주에 따르면 "벗기고 깎는 것이다.〔剝削之.〕" 즉 나무의 껍질을 벗기고 깎아 다듬어서 抗木을 만드는 것이다.

⑬ 茵著用荼, 實綏澤

'著'는 채우는 것이다. 胡培翬에 따르면 "著는 茵의 겉감과 안감 사이에 채워 넣는 것을 이른다.〔著謂充于茵表裏之中.〕" 이에 따르면 茵은 겹으로 되었다는 것을 알 수 있다. '荼'는 정현의 주에 따르면 "띠풀 이삭이다.〔茅秀也.〕" 胡培翬는 "띠풀에서 올라온 이삭이다.〔乃是茅草秀出之穗.〕"라고 하였다. '綏'는 정현의 주에 따르면 "廉薑이다.〔廉薑也.〕" 《廣雅》〈釋草〉 王念孫의 疏證에서는 '綏'는 즉 《說文解字》의 '葰(유)'로, '廉薑'이라고도 한다고 하였다.[198] 왕염손은 또 劉逵의 〈吳都賦〉 주에서 인용한 《異物志》의 말을 재인용하여 "모래와 돌 사이에서 자라는 것으로 생강 종류이다. 줄기(땅속의 덩어리)가 크며 맵고 향이 있다.〔生沙石中, 薑類也. 其累大, 辛而香.〕"라고 하였다. '澤'은 정현의 주에 따르면 "澤蘭(쉽사리)이다. 荼·綏·澤은 모

194) 鄭玄注 : "道車, 朝夕及燕出入之車."

195) 《儀禮章句》卷13 : "次于乘車, 故載朝服, 其飾亦當少殺也."

196) 鄭玄注 : "槀, 猶散也. 散車, 以田以鄙之車."

197) 《儀禮正義》卷31 : "以田以鄙之車, 用以行野, 較爲麤散, 故云槀車也."

198) 《廣雅疏證》卷10上 : "《說文》: '葰, 薑屬, 可以香口.' ……劉逵《吳都賦》注引《異物志》云: '葰, 一名廉薑, 生沙石中, 薑類也. 其累大, 辛而香.'"

두 향기로울 뿐 아니라 습기를 막는 것을 취한 것이다.〔澤蘭也. 皆取其香且御濕.〕"《廣雅》〈釋草〉 왕염손의 疏證에서는 즉 水香草라고 하였다. 왕염손은 또《吳普本草》를 인용하여 "澤蘭은 水香이라고도 한다. 낮은 지대나 물가에서 자라고 잎은 난과 비슷하다. 두 달 동안 향기를 뿜고 마디는 붉으며 네 개의 잎이 가지와 마디 사이에서 서로 만난다.〔澤蘭, 一名水香. 生下地水傍, 葉如蘭. 二月生香, 赤節, 四葉相値枝節間.〕"라고 하였다.

⑭ 葦苞長三尺一編

吳廷華는 "3尺 길이의 갈대 한 줄기로 짠다면 苞는 크지 않은 것이다.〔以三尺之葦一道編之, 則苞不大也.〕"라고 하였다. '一編'이나 '一道'는 모두 苞의 둘레 한 바퀴를 짠다는 뜻으로, 苞의 둘레가 겨우 3尺이기 때문에 크지 않다고 말한 것이다.

⑮ 淪

음은 '약'이다. '담그다'라는 뜻이다. 정현의 주에 따르면 "米와 麥은 모두 뜨거운 물에 담근다.〔米、麥皆湛之湯.〕" '湛'은 즉 '담그다'라는 뜻이다. 胡培翬에 따르면 "米는 黍稷을 이른다.〔米謂黍稷.〕"

【按】 〈기석례〉7. 주⑨ 참조.

⑯ 祖, 還車

출행을 시작하면 수레머리를 돌리는 것을 이른다. '車'는 진열한 3대의 수레를 이른다. 〈기석례〉8. 주⑦ 참조.

⑰ 執披者旁四人

〈기석례〉14. 주② 참조.

⑱ 贈幣

'贈'은 정현의 주에 따르면 "賓이 보내온 贈物이다. 玩好品을 보내는 것을 贈이라 한다.〔賓之贈也. 玩好曰贈.〕" '幣'는 玄纁束帛(3필의 검은색 비단과 2필의 분홍색 비단)을 이른다. 〈기석례〉10. 주⑧ 참조.

⑲ 凡糗不煎

'糗'는 즉 '糗餌(콩고물을 입힌 쌀기장떡)'이다. (〈기석례〉11. 주⑪ 참조) '煎'은 정현의 주에 따르면 "기름으로 지지는 것이다.〔以膏煎之.〕" '膏'는 즉 기름이다.

【按】 정현의 주에 따르면 기름으로 지지는 것은 설만하여 공경하는 것이 아니기 때문에 기름으로 지지지 않는 것이다.[199]

199) 鄭玄注 : "以膏煎之則褻, 非敬."

32. 출행 중일 때, 광중에 도착했을 때, 돌아올 때의 柩車

唯君命, 止柩于堩(긍)①, 其餘則否。車至, 道左北面立②, 東上。柩至于壙, 斂服載之③。卒窆而歸, 不驅。

柩車가 이미 출행했으면 임금의 명(宰夫를 보내 束帛을 주는 일)이 있을 때에만 길에서 멈출 수 있고 그 외에는 멈출 수 없다.
수레(乘車·道車·稾車)가 묘지에 이르면 墓道의 왼쪽에 북향으로 늘어세우는데 동쪽을 상위로 하여 승거를 동쪽에 늘어세운다.
널을 구거에서 내려 壙中 앞에 놓고 3대의 수레에 실었던 의복과 簑(도롱이)·笠(삿갓) 등을 거두어 구거에 옮겨 싣는다.
下棺을 마친 뒤 돌아올 때 구거를 빠르게 몰지 않는다.

① 唯君命, 止柩于堩

'君命'은 柩車가 도성 문에 이르렀을 때 임금이 宰夫를 보내 束帛을 주는 일을 이른다. (〈기석례〉14. 참조) '堩'은 음이 '긍'이다. 정현의 주에 따르면 "길이다.〔道也.〕"

② 車至道左

'車'는 乘車·道車·稾車를 이른다. '道左'는 정현의 주에 따르면 "墓道의 동쪽이다.〔墓道東.〕" 묘도의 동쪽에는 또 明器도 진열하는데, 가공언의 소에 따르면 수레는 明器의 남쪽에 늘어세운다.[200]

【按】 '道左'에 대해 胡培翬는 정현의 설과 달리 '묘도의 서쪽'으로 보았다. 이때 수레를 북향으로 늘어세우기 때문에 왼쪽은 서쪽이 되어야 한다는 것이며, 또 장례를 마친 뒤 돌아올 때 동쪽의 수레를 상위로 삼는 것은 동쪽에 있는 수레가 묘도와 가까워서 먼저 떠나기에 편리하다는 근거를 들고 있다.[201]

③ 斂服載之

'斂'은 '거두다〔收〕'라는 뜻이다. '服'은 3대의 수레에 실었던 皮弁服·朝服·簑·笠 등을 이른다. '載'는 3대의 수레에 실었던 것들을 柩車에 싣는 것을 이른다. 정현의 주에 따르면 이것은 널을 내려놓은 뒤에 柩車가 비워진

200) 賈公彥疏:"云'道左, 墓道東'者, 據墓南面爲正, 故知道左, 是墓道東也, 當是陳器之南."

201) 《儀禮正義》 卷31:"據《記》云'北面', 則'左'當在墓道西一也. 又此車葬畢, 仍反在墓道西, 而以東爲上, 則在東者近墓道, 便于先行二也."

상태로 돌아가지 않게 하기 위한 것이다.[202]

【按】 가공언의 소에 따르면 乘車의 皮弁服, 道車의 朝服, 稾車의 蓑·笠을 거두어 柩車에 싣고 돌아오는 것이다.[203]

33. 임금이 士의 喪에 왔을 때 대렴하는 것만 볼 경우와 대렴전을 올리는 것만 보는 경우

君視斂, 若不待奠, 加蓋而出①。不視斂, 則加蓋而至, 卒事②。

임금이 직접 士의 喪에 왔을 때, 대렴하는 것만 보고 대렴전 진설은 기다리지 않고 떠날 경우에는 관 뚜껑을 덮은 뒤에 殯宮을 나가며, 대렴하는 것을 보지 않고 대렴전을 올리는 것만 볼 경우에는 관 뚜껑을 덮은 뒤에 도착하여 대렴전을 다 올린 뒤에 나간다.

① 若不待奠, 加蓋而出

'奠'은 대렴전을 진설하는 것을 이른다. '加蓋'는 관 뚜껑을 덮는 것을 이른다. 대렴전은 관 뚜껑을 덮고 관을 殯한 뒤에 진설한다. (〈사상례〉27, 28. 참조) 임금이 와서 대렴하는 것을 직접 보는 것은 이미 士에 대한 일종의 은혜이다. 그런데 대렴하는 것을 본 뒤에 대렴전을 올리는 것까지 본다면 그 은혜를 더한 것이다. 〈사상례〉30. 참조.

② 卒事

張爾岐에 따르면 "대렴전을 올리는 일이 끝난 뒤에 떠나는 것을 이른다.〔謂大斂奠訖, 乃去.〕" 이것은 임금이 대렴전 올리는 것을 볼 경우에 언제 나가는지를 기록한 것이다.

202) 鄭玄注 : "柩車至壙, 祝說載除飾, 乃斂乘車、道車、稾車之服載之, 不空之以歸."

203) 賈公彦疏 : "此解說載, 謂下棺於地, 除飾謂除去帷荒, 柩車旣空, 乃斂, 乘車皮弁服, 道車朝服, 稾車蓑笠, 三者之服, 載之於柩車, 示不空之以歸者也."

34. 柩車를 祖廟에 들였을 때의 위치와 祖奠을 진설하는 위치

既正柩, 賓出, 遂、匠納車于階間①。祝饌祖奠于主人之南, 當前輅(핵), 北上, 巾之②。

널을 祖廟의 당 위 두 기둥 사이에 바르게 놓은 뒤에 賓이 물러간다. 이때 遂人과 匠人이 柩車를 당 아래 두 계단 사이에 들여놓도록 지휘한다.
夏祝과 집사자들이 祖奠을 주인의 남쪽, 구거의 前輅(끌채 앞 횡목)에 해당하는 곳에 진설하는데 북쪽을 상위로 한다. 布巾으로 덮는다.

① 遂、匠

정현의 주에 따르면 "遂人과 匠人이다. 遂人은 徒役을 인솔하는 일을 주로 하고 匠人은 널을 싣고 下棺하는 일을 주로 하니, 이 두 관직은 직무상 서로 돕는 일을 한다.〔遂人、匠人也. 遂人主引徒役, 匠人主載柩窆, 職相左右也.〕"[204] 胡匡衷의 《儀禮釋官》에서는 여기의 遂人과 匠人도 임금의 신하로 士의 喪에 喪事를 도우러 온 자이니, 士는 遂人이나 匠人과 같은 관리를 둘 수 없다고 하였다.[205]

② 祝饌……巾之

經에서는 祖奠의 진설에 대하여 '乃奠如初'라고만 했으니,(〈기석례〉8. 참조) 여기에서는 奠을 올리는 위치를 보충하여 기록하고, 奠을 진설한 뒤에 布巾으로 덮어야 한다는 것을 또 설명하였다.

【按】 敖繼公에 따르면 축과 집사자들이 奠物을 진설하는데 여기에서 祝만 언급한 것은 祝이 높기 때문이다. 이때 주인은 柩車의 동쪽 前束(시신의 어깨 부분)에 있기 때문에 전물은 주인보다 조금 남쪽인 前輅(끌채 앞 횡목) 부분에 진열해두는 것이다.[206] 또 姜兆錫과 劉沅에 따르면 '饌'은 '진설하다'는 뜻으로, 〈기석례〉 제8절에서 祖奠을 올리는 위치와 巾으로 奠物을 덮는지의 여부를 언급하지 않았기 때문에 〈記〉에서 이를 보충해 기록한 것이다.[207] 張惠言은 祖(柩車를 돌려 놓음)를 한 뒤에는 鼎을 진열하지 않으니 祖奠은 醴·酒·脯

204) 《儀禮正義》卷31 : "是其二職相左右佐助之事, 故使之共納車也."

205) 《儀禮釋官》卷5 : "遂、匠亦公臣來助士之葬者. …… 此遂人、匠人當亦假於公臣, 士不得有此官也."

206) 《儀禮集說》卷14 : "祝及執事者饌此, 惟言祝者, 祝尊也. 于主人之南, 明其在車東也. 主人之位當前束, 故奠少南當前輅也."

207) 《儀禮經傳》〈內編〉卷14 : "經直云乃奠如初, 則如其初之當前束耳. 當前輅, 猶言當前束也. 不辨其位之上下、奠之巾剝, 故記之."
《儀禮恒解》卷13 : "饌, 猶設也."

·醢 뿐임을 알 수있다고 하였다.[208]

35. 부장용 弓矢의 제도

弓矢之新, 沽功①, 有弭飾焉②, 亦張可也③, 有柲(비)④, 設依、撻焉⑤, 有韣(독)⑥。猴(후)矢一乘, 骨鏃, 短衛⑦, 志矢一乘, 軒輖(주)中⑧, 亦短衛。

附葬하는 활과 화살은 새로 만드는데, 활은 조악하게 만들며, 弭(활고자. 활 양끝의 시위를 거는 부분)에는 뼈나 뿔로 만든 장식을 두며, 활은 생전의 활과 같이 당길 수는 있도록 한다. 柲(도지개. 활을 바로 잡는 틀)를 두며, 依(활시위를 묶는 무두질한 소가죽)와 撻(줌통 옆의 화살이 나가는 길)을 활에 붙이며, 韣(활집)을 둔다.
화살은 猴矢(사냥용 화살) 1乘(4개)은 화살촉을 뼈로 만들고 衛(깃털 장식)를 짧게 하며, 志矢(연습용 화살) 1乘은 明器로 쓸 경우 화살촉을 없애 앞뒤의 무게를 같게 하고 猴矢와 마찬가지로 衛를 짧게 한다.

① 弓矢之新, 沽功

'新'은 정현의 주에 따르면 明器로 만들어 진열하는 弓矢는 응당 새것이어야 한다는 말이다.[209] '沽'는 '거칠다'라는 뜻이다. (《상복》3. 주⑨ 참조) '沽功'은 즉 거칠게 가공한다는 뜻으로, 정현의 주에 따르면 '쓰지 않음을 보이기[示不用]' 위한 것이다.

② 有弭飾

《釋名》〈釋兵〉에 따르면 활은 "그 끝을 簫라고 한다. 簫라고 한 것은 '梢(끝)'라는 뜻이다. 또 '弭'라고도 이른다.[其末曰簫. 言簫, 梢也. 又謂之弭.]" '弭'는 즉 弓梢로, 활의 양 끝이다. 정현의 주에 따르면 "弭는 뼈나

208) 《儀禮圖》卷5〈祖〉: "在旣祖之後, 不陳鼎, 則醴、酒、脯、醢而已, 奠之如徹奠."
209) 鄭玄注 : "設之宜新."

뿔로 장식한다.〔弭以骨、角爲飾.〕"

③ 亦張可也

부장하는 활은 강도를 필요로 하지 않고 활을 당길 수만 있으면 된다는 말이다. 胡培翬에 따르면 "張은 활을 당긴다는 뜻이다. 壙中에 들어가는 활은 비록 거칠기는 하지만 그래도 당길 수는 있게 만든다. 다만 쏠 수 없을 뿐이다.〔張, 張弓也. 此入壙之弓, 功雖粗略, 亦使可張, 但不可射耳.〕"

【按】 가공언의 소에 따르면 '亦'은 死者의 활은 비록 쏠 수 없을 정도록 조악하게 만든다 할지라도 生時의 활처럼 당길 수는 있게 만든다는 말이다.[210]

④ 柲

즉 '도지개〔弓檠〕'로, 활을 보호하는 竹片이다. 정현의 주에 따르면 활은 시위를 풀고 사용하지 않을 때는 도지개를 활 안에 동여매어 활의 손상을 방지한다. 대체로 대나무 조각을 여러 층 쌓아서 만든다.[211] 《說文解字》에 "柲는 '모으다'라는 뜻이다.〔柲, 欑也.〕"라고 하였고, 또 "欑은 細竹을 쌓아서 만든 막대기이다.〔欑, 積竹杖.〕"라고 하였다. 즉 도지개는 대 조각을 쌓아서 만든 것이다.

⑤ 設依、撻

'依'는 정현의 주에 "활시위를 묶는 것이다.〔纏絃也.〕"라고 하였는데, 가공언의 소에 "韋依로 활시위를 묶는 것을 이른다.〔謂以韋依纏其弦.〕"라고 하였다. '韋'는 무두질한 소가죽이다. 어떻게 依에 활시위를 묶는지는 자세하지 않다. '撻'은 정현의 주에 따르면 "弣(줌통) 옆의 화살이 나가는 길이다.〔弣(부)側矢道也.〕" '弣'는 활의 중앙 부분을 가리킨다. 이른바 '矢道'는 胡承珙에 따르면 "즉 지금의 箭溜이다. 가죽이나 뼈·金玉으로 만든다. 撻의 크기는 동전만 하며 弣 옆에 박아 넣어 위아래를 구별한다. 활을 쏠 때 활의 오른쪽, 화살의 위쪽에 있어서 화살이 이를 통해 나가기 때문에 이름을 '溜'라고 하였다. 溜 역시 미끄러지듯 나아간다는 뜻이다.〔卽今之箭溜, 以韋若骨及金玉爲之, 大如錢, 嵌入弣側, 以別上下. 射時在弓之右、矢之上, 矢由此而去, 故名溜. 溜亦滑達之意.〕"

⑥ 韣

'韣'은 음이 '독'이다. 정현의 주에 따르면 "활집이니, 緇布로 만든다.〔弓衣也, 以緇布爲之.〕" 대체로 이것을 활 위에 씌워서 장식하는 효과를 내는

210) 賈公彦疏 : "生時之弓有張弛, 此死者之弓, 雖不射而沽, 略亦使可張, 故曰'亦'也."

211) 鄭玄注 : "柲, 弓檠. 弛則縛之於弓裏, 備損傷, 以竹爲之."

것인 듯하다.

⑦ 猴矢一乘, 骨鏃, 短衛

'猴'는 음이 '후'이다. 화살 이름이다. 정현의 주에 따르면 猴는 '候(엿보다)'와 같으며 사물을 엿보아서 쏜다는 뜻을 취하였다.212) '猴矢'는 즉《주례》〈夏官 司弓矢〉에서 말한 '鍭矢'이다. 가까이 있는 적을 쏘아 죽이거나 사냥할 때 쓰는 화살이다. '一乘'은 4개의 화살이다. '衛'는 吳廷華에 따르면 "깃털 장식이다.[羽也.]" 정현의 주에 따르면 "뼈로 만든 화살촉과 짧은 깃털 장식은 마찬가지로 쓰지 않음을 보이는 것이다.[骨鏃短衛, 亦示不用也.]"

⑧ 志矢一乘, 軒輖中

'志矢'는 마찬가지로 화살 이름이다. 정현의 주에 따르면 이것은 활쏘기를 익힐 때 쓰는 화살이다.213) '軒輖中'은 胡培翬에 따르면 '軒'은 '가볍다', '輖'는 '무겁다', '中'은 '고르다'라는 뜻이니, 이 화살의 앞뒤의 무게가 같음을 이른다.214) 일반적으로 화살은 모두 앞이 무겁고 뒤는 가벼운데, 화살촉이 앞에 있기 때문이다. 정현의 주에 따르면 사람이 살아있을 때 쓰는 志矢는 앞에 骨鏃이 있지만 明器에 쓰이는 志矢는 화살촉이 없기 때문에 앞뒤의 무게가 같은 것이니, 이것도 사용하지 않는다는 뜻을 표시한 것이다.215)

212) 鄭玄注 : "猴, 猶候也. 候物而射之矢也."

213) 鄭玄注 : "志, 猶擬也, 習射之矢."

214) 《儀禮正義》卷32 : "軒言車輕, 輖言車重, 引申爲凡物之輕重, 故禮經以之言矢. 然則軒輖中者, 謂矢前後之輕重適均而已."

215) 鄭玄注 : "志, 猶擬也, 習射之矢. 《書》云: '若射之有志.' 輖, 摯也, 無鏃短衛, 亦示不用. 生時志矢骨鏃. 凡爲矢, 前重後輕也."

'虞'는 장례를 한 뒤에 지내는 제사 이름이다. 鄭玄의 《目錄》에 따르면 '虞'는 '안정시키다[安]'라는 뜻이다. 부모를 장례한 뒤 당일에 부모의 神을 殯宮에서 맞이해 제사를 올림으로써 부모의 神을 안정시키는 것이니, 이것을 '虞祭'라고 한다.

본편은 바로 士가 虞祭를 거행하는 禮를 기록하였다.

全文은 모두 23절로 이루어져 있으며, 2개 부분으로 구분할 수 있다.

첫째 부분은 1절부터 11절까지이다. 이 부분은 經文이다. 虞祭를 지내는 전 과정을 기록하였는데, 핵심은 神에게 제향을 드리는 것과 尸童에게 제사하는 禮이다.

둘째 부분은 12절부터 23절까지이다. 이 부분은 〈記〉文이다. 주로 경문에서 미비한 부분을 보충하여 기록하였고, 아울러 우제 뒤에 지내는 卒哭祭, 祔祭, 小祥祭, 大祥祭, 禫祭, 虞祭 및 기타의 致辭를 기록하였다.

第十四 사우례士虞禮

삼우제三虞祭

기記

삼우제三虞祭

1. 祭物의 진열

士虞禮。特豕饋食(사) ①, 側亨(팽)于廟門外之右 ②, 東面。魚、腊爨亞之, 北上 ③。饎(치)爨在東壁 ④, 西面。設洗于西階西南 ⑤, 水在洗西, 篚在東。
尊(준)于室中北墉下當戶兩甒 ⑥, 醴、酒, 酒在東, 無禁, 冪(멱)用絺(치)布 ⑦, 加勺, 南枋(병)。素几、葦席在西序下 ⑧。苴刌茅長五寸 ⑨, 東之, 實于篚, 饌于西坫上。饌兩豆, 菹、醢 ⑩, 于西楹之東, 醢在西, 一鉶亞之 ⑪。從獻豆兩亞之, 四籩亞之, 北上 ⑫。饌黍、稷二敦于階間, 西上, 藉用葦席。匜水錯于槃中, 南流 ⑬, 在西階之南 ⑭。簞巾在其東。
陳三鼎于門外之右 ⑮, 北面, 北上, 設扃、鼏。匕、俎在西塾之西。羞燔俎在內西塾上, 南順 ⑯。

士가 虞祭를 지내는 禮이다.
特豕(한 마리 큰 돼지)로 饋食(제사)를 올리는데, 豕의 左胖을 廟門(寢門) 밖 오른쪽(서쪽)에서 삶되 爨(아궁이)이 동향하도록 설치한다. 魚爨(민물 전어나 붕어 9마리를 삶는 아궁이)과 腊爨(토끼를 통째로 말린 것을 삶는 아궁이)을 북쪽을 상위로 하여 豕爨 남쪽에 차례로 설치한다.
饎爨(黍爨·稷爨)은 묘문 안의 동쪽 담장 아래 서향하도록 설치한다.
洗를 서쪽 계단 서남쪽에 진열하는데, 물은 洗의 서쪽에 놓고 篚(잔을 담는 대바구니)는 洗의 동쪽에 놓는다.

室 안의 북쪽 벽 아래 室戶와 마주보는 자리에 2개의 甒(술단지)를 진열하는데, 醴와 酒를 담아서 酒甒를 醴甒의 동쪽에 놓는다. 甒 아래에는 禁(술단지 받침)을 두지 않으며, 甒 위에는 고운 葛布로 만든 冪(덮개)을 덮고, 冪 위에는 勺(술국자)을 놓는데 勺의 자루가 남쪽을 향하

도록 한다.
素几(옻칠하지 않은 几)와 葦席(삿자리)은 西序의 아래에 둔다.
苴(祭할 때 밑에 까는 것)는 띠풀을 5촌 길이로 잘라 묶어서 篚 안에 넣어 西坫 위에 진열한다.
당 위 2개의 豆에는 각각 葵菹(아욱 초절임)와 蠃醢(달팽이 젓갈)를 담아서 서쪽 기둥 동쪽에 진열하는데, 蠃醢를 葵菹의 서쪽에 놓고 鉶羹(돼지고기를 삶아낸 국물에 채소를 넣어 끓인 국) 하나를 葵菹의 동쪽에 놓는다.
從獻(헌주할 때 따라 올리는 음식)에 쓸 2개의 豆를 鉶羹 동쪽에 놓고, 4개의 籩을 그 다음 동쪽에 놓는데, 북쪽을 상위로 한다.
黍敦와 稷敦를 堂 아래 두 계단 사이에 진열하는데 서쪽을 상위로 하여 黍敦를 서쪽에 놓고 敦 아래에는 葦席을 깐다.
물을 담은 匜(주전자)는 槃(대야) 안에 놓는데 流(주전자의 주둥이)가 남쪽을 향하도록 하며, 서쪽 계단의 남쪽에 놓는다. 布巾(손을 닦는 수건)을 담은 簞(대광주리)을 槃의 동쪽에 놓는다.

3개의 鼎을 묘문 밖 오른쪽(서쪽)에 진열하는데, 북향하도록 하며 북쪽을 상위로 하여 豕鼎을 북쪽에 놓는다. 鼎에 扃(鼎을 드는 횡목)과 鼏을 함께 둔다.
匕와 俎를 西塾의 서쪽에 놓는다.
헌주할 때 따라 올릴 燔俎(돼지고기 구이와 폐를 담은 俎)와 肝俎(간 구이를 담은 俎)는 內西塾에 놓는데, 俎의 하단이 남쪽으로 가도록 한다.

① 特豕饋食

즉 豕(큰 돼지) 한 마리로 死者에게 제사하는 것이다. 李如圭에 따르면 "대부와 士가 올리는 제사를 饋食라고 한다.〔大夫士之祭曰饋食.〕" 《說文解字》에 따르면 "饋는 음식을 올린다는 뜻이다.〔饋, 餉也.〕"

② 側亨于廟門外之右

'側'은 정현의 주에 따르면 豕의 반쪽을 이른다. 〈士虞禮 記〉에 따르면 豕의 左胖을 사용하는 것이다. (〈사우례 기〉13. 참조) '亨'은 '烹'의 本字이다. 돼지고기를 鑊(가마솥)에 넣고 爨(아궁이)에서 삶는 것이다. (〈사우례 기〉13. 주③ 참조)

'右'는 서쪽이다. 정현의 주에 따르면 吉禮가 아니기 때문에 묘문(침문) 밖 서쪽에서 삶는 것이다.[1] '廟'는 殯宮을 이른다. 즉 死者가 살아 있을 때의 適寢이다.

③ 魚、腊爨亞之, 北上

'爨'은 아궁이이다. '亞'는 '그 다음'이라는 뜻이다. 북쪽을 상위로 삼기 때문에 魚爨과 腊爨을 豕爨의 남쪽에 차례대로 설치한다는 것을 알 수 있다.

④ 饎爨在東壁

'饎'는 음이 '치'이다. 불을 때서 음식을 익히는 것이다. 정현의 주에 따르면 "黍稷을 익히는 것을 '饎'라고 한다.〔炊黍稷曰饎.〕" '東壁'은 동쪽 계단의 동쪽 담장 아래를 가리킨다. 정현의 주에 따르면 그 위치는 북쪽으로 당의 지붕 처마와 나란한 곳이다.[2]

⑤ 設洗于西階西南

이것도 吉禮와 다르게 한 것이다.

【按】 정현의 주에 따르면 虞祭 때 饎를 삶는 爨을 두는 것은 점점 길례로 나아가는 것이며, 洗를 서쪽 계단 아래에 설치하는 것은 길례와는 반대로 한 것이다.[3]

⑥ 尊于室

'室'은 阮元의 교감본에는 '堂'으로 잘못되어 있다. 各本에는 모두 '室'로 되어 있다.

⑦ 絺

'絺'는 음이 '치'이다. 고운 葛布이다.

⑧ 素几

옻칠을 하지 않은 几이다.

【按】 注疏에 따르면 士는 虞祭 때 처음으로 几를 두는데, 이것은 이때부터 신으로 대하는 것을 의미한다. 천자와 제후는 始死 때부터 几筵을 모두 구비한다.[4]

⑨ 苴刌茅

정현의 주에 따르면 "苴는 藉와 같다.〔苴猶藉也.〕" 黍·稷 등 祭物 밑에 깔아서 祭(고수레)할 곳을 이른다. (〈사우례〉3. 참조) '藉'는 즉 받쳐 깐다는 뜻이다. '刌'은 음이 '촌'이다. '끊다' 또는 '자르다'라는 뜻이다. 胡培翬에 따르면 "띠풀을 잘라서 苴를 만드는 것을 이른다.〔謂斷茅以爲苴.〕"

⑩ 菹、醢

1) 鄭玄注 : "亨於爨用鑊, 不於門東, 未可以吉也."

2) 鄭玄注 : "饎北上, 上齊于屋宇."

3) 鄭玄注 : "於虞有亨饎之爨, 彌吉. 反吉也"

4) 鄭玄注 : "有几, 始鬼神也." 賈公彥疏 : "若天子、諸侯始死, 則几筵具."

〈士虞禮 記〉에 따르면 葵菹(아욱 초절임)와 蠃醢(달팽이 젓갈)이다. 〈사우례〉16. 참조.

⑪ 鉶亞之

'鉶'은 즉 鉶羹이다. 胡培翬에 따르면 "돼지고기 국물로 끓인 채소국이다.〔豕鉶也.〕" 이것은 鉶에 담아서 채소를 더 넣은 돼지고기 국물이다. 정현의 주에 이르기를 "鉶은 채소를 넣어 조미한 국을 담는 기물이다.〔鉶, 菜和羹之器.〕"라고 하였다. '亞之'는 菹의 동쪽에 놓는 것을 이른다.

⑫ 從獻豆兩亞之, 四籩亞之, 北上

• 그림 43 • 虞祭設饌

'從獻'은 정현의 주에 따르면 여기에 진열한 2개의 豆는 주인이 祝에게 헌주할 때 따라 올리는 것이고, 진열한 4개의 籩은 주부가 시동과 祝에게 헌주할 때 따라 올리는 것이기 때문에 '從獻'이라고 한 것이다.[5] '亞之'는 두 가지 모두 차례차례 동쪽에 놓는 것을 이른다. '北上'은 정현의 주에 따르면 菹豆와 棗籩을 북쪽 상위에 놓는 것을 말한다.[6] 胡培翬는 "從獻하는 2개의 豆는 鉶의 동쪽에 따로 한 줄이 되어, 菹는 북쪽에 두고 醢는 남쪽에 둔다. 從獻하는 4개의 籩은 豆의 동쪽에 따로 한 줄이 되어, 棗는 북쪽에 두고 棗의 남쪽에는 栗을 두며 栗의 동쪽에는 栗을 두고 栗의 북쪽에는 棗를 둔다. 즉 豆는 菹豆가 醢豆의 북쪽에 있고, 籩은 棗籩이 栗籩의 북쪽에 있는 것이다.〔從獻: 兩豆在鉶東, 自爲一行, 菹在北, 醢在南; 四籩在豆東, 又自爲一行, 棗在北, 棗南栗, 栗東栗, 栗北棗. 是豆則菹在醢北, 籩則棗在栗北.〕"라고 하였다.

【按】 가공언의 소에 따르면 從獻에 쓸 籩·豆를 경문에서는 鉶 바로 다음에 진열한다고 하였으나, 다음에 나오는 '北上'이라는 경문 구절에 근거하면 鉶 다음 동쪽에 이어서 진열하는 것이 아니라 鉶의 동북쪽에 북쪽을 상위로 하여 진열하며 가져갈 때에도 동향하고 가져간다.[7] 黃以周는 從獻에 쓸 籩·豆를 鉶의 동북쪽에 진열한다는 가공언의 설을 틀린 것으로 보고[8] 鉶의 동쪽에 일직선으로 방향만 서향으로 하여 진열하였다.

⑬ 匜水錯于槃中, 南流

'匜水'는 胡培翬에 따르면 "匜는 물을 담는 기물이기 때문에 경문에서 매번 匜水라고 한 것이다. 匜水를 진열할 때는 반드시 槃에 담기 때문에 또

5) 鄭玄注 : "豆從主人獻祝, 籩從主婦獻尸、祝."

6) 鄭玄注 : "北上, 菹與棗."

7) 賈公彦疏 : "此從獻豆籩, 雖文承一鉶之下而云亞之, 下別云北上, 是不從鉶東爲次, 宜於鉶東北, 以北爲上, 向南陳之.……此以東面取之."

8) 《禮書通故》卷48〈設饌祭於苴〉: "據賈疏, 獻豆、籩在鉶之東北, 非."

槃匜라고도 한다.〔匜以盛水, 故經每云匜水. 陳匜水必實於槃, 故又云槃匜〕" 〈기석례〉7. 주⑭ 참조.

⑭ 西階之南

張惠言의 〈設饌祭於苴〉圖에서는 가공언의 소를 인용하여 '南'을 '東'의 誤字로 보았다.[9)]

【按】 양천우의 주에서는 가공언의 소에 따라 '南'을 '東'의 오자로 보았으나 여기에서는 胡培翬의 설을 따라 가공언이 본 本에 본래 오류가 있는 것으로 보아 경문대로 '南'으로 해석하였다.[10)] 黃以周의 〈尸入九飯〉圖에는 槃匜水가 서쪽 계단 동남쪽에 남향으로 그려져 있다.

⑮ 陳三鼎

여기 3개의 鼎에는 각각 豕·魚·兎腊을 담는다.

⑯ 羞燔俎在內西塾上, 南順

'羞'는 '올리다〔進〕'라는 뜻이다. 여기에서는 올리기를 기다린다는 뜻이다. 즉 주인이 시동과 祝과 佐食에게 獻酒할 때를 기다려 올리는 것이다. (〈사우례〉6. 참조) '燔'은 敖繼公에 따르면 "고기를 굽는다는 뜻이다.〔炙(烤)肉也.〕" 즉 불에 구운 돼지고기이다. 燔俎에는 또 肺도 올려놓는데 이름을 '燔俎'라고 한 이유는 중요한 것에 나아가 이름을 붙인 것이다. 또 정현의 주에 따르면 內西塾에는 肝俎도 놓아 燔俎의 동쪽에 두는데,[11)] 이것은 경문에서 생략하고 말하지 않은 것이다. '內西塾'은 塾을 남북으로 나누어 북쪽 반을 內西塾이라 하고 남쪽 반을 外西塾이라고 한다. '南順'은 褚寅亮에 따르면 "俎의 상단을 북쪽으로 가도록 하고 하단을 남쪽으로 가도록 하는 것이다. 俎를 잡는 사람이 塾에서 북향으로 俎의 하단을 잡는 것이다.〔俎之上端在北, 下端在南, 執俎者於塾上向北執其下端也.〕" 俎를 올릴 때 가로로 진설하는데, 왼쪽(서쪽)을 상위로 삼아 燔俎를 肝俎의 왼쪽에 진열한다.

【按】 燔俎와 肝俎의 방향이 張惠言의 〈尸入九飯〉圖에는 북향으로 되어 있고 黃以周의 〈尸入九飯〉圖에는 남향으로 되어 있다. 황이주는 경문의 '南順'을 근거로 이를 오류로 보고, 정현의 주에 "남향하고 취한다."[12)]라는 구절로 인해 장혜언의 圖에서 北順이 되도록 한 것이라고 하였다.[13)]

9) 《儀禮圖》卷5〈設饌祭於苴〉: "經云: '在西階之南.' 案下'淳尸盥', 疏云'在西階東', 蓋'南'字誤."

10) 《儀禮正義》卷32 : "張氏惠言云: '在西階之南, 據下淳尸盥, 賈疏兩言在西階之東', 則與《少牢》同.今案經文各本皆作南, 恐賈所見本偶誤."

11) 鄭玄注 : "肝俎在燔東."

12) 鄭玄注 : "南順, 於南面取縮, 執之便也."

13) 《禮書通故》卷48〈尸入九飯〉: "羞燔南順. 張圖誤, 沿鄭注南面取之文, 作北順, 與經文違."

2. 주인, 형제, 賓이 각자의 자리에 나아감

主人及兄弟如葬服①, 賓執事者如弔服②, 皆卽位于門外, 如朝夕臨位③。婦人及內兄弟服④, 及位于堂, 亦如之。祝免(문), 澡葛絰帶⑤, 布席于室中⑥, 東面, 右几, 降出, 及宗人卽位于門西⑦, 東面, 南上。宗人告: "有司具。" 遂請拜賓如臨⑧。入門哭。婦人哭。主人卽位于堂。衆主人及兄弟、賓卽位于西方, 如反哭位⑨。祝入門左, 北面。宗人西階前北面。

주인(衆主人 포함)과 형제(外兄弟들)는 장례 때와 같은 옷을 입고, 賓執事者(賓으로 와서 事喪를 돕는 집사자)는 조문 올 때와 같은 옷을 입고 모두 廟門(寢門) 밖의 자리로 나아가 朝夕哭 때와 같이 각자의 자리에 선다.
부인과 內兄弟들(고모·자매·族人의 부인)도 장례 때와 같은 옷을 입고 당 위 동쪽 계단 위쪽으로 나아가 朝夕哭 때와 같이 서향하고 남쪽을 상위로 하여 선다.
喪祝이 冠을 벗고 免을 하고 물에 빤 칡으로 만든 首絰·腰絰·腰帶를 착용하고 室 안에 들어가 자리를 펴놓는데, 자리가 동향하도록 하고 그 오른쪽에 几를 놓는다. 당을 내려와 묘문을 나가서 宗人과 함께 묘문 밖 서쪽 자리로 나아가 동향하고 서는데 남쪽을 상위로 하여 선다.
宗人이 주인에게 고하기를 "有司들이 준비를 마쳤습니다."라고 한다.
마침내 주인에게 조석곡 때처럼 賓이 있는 방향마다 3번씩 절하라고 청한다.
주인이 賓에게 절을 하고 묘문으로 들어가 곡을 한다. 이때 부인들도 곡을 한다.
주인이 당 위 서쪽 계단 위쪽 자리로 나아가 동향한다.
衆主人과 외형제 및 賓은 당 아래 서쪽 자리로 나아가 反哭할 때와 같이 동향하고 북쪽을 상위로 하여 선다.
喪祝이 묘문을 들어와 문의 왼쪽(서쪽)에서 북향하고 선다.
宗人이 서쪽 계단 앞에서 북향하고 선다.

① 主人及兄弟如葬服

'主人'은 주인과 衆主人을 두루 가리킨다. '兄弟'는 외형제이다. (〈사상례〉32. 주④ 참조) '如葬服'은 정현의 주에 "葬服은 〈기석례〉에 따르면 '주인은 髺髮하고 중주인과 형제는 免을 하며 부인들은 髽(묶기만 하고 싸개를 하지 않은 상투)를 한다. 대공친 이상은 요질을 두른 뒤에 남은 부분을 꼬지 않은 채로 늘어뜨린다.'〔葬服者, 《旣夕》曰'丈夫髽, 散帶垂'也.〕"라고 하였다. (〈기석례〉3. 주① 참조) 胡培翬에 따르면 "여기의 如葬服은 장례하는 날 돌아와 당일 정오에 初虞祭를 지내기 때문에 三虞祭를 지낼 때까지도 상복을 바꾸어 입지 않는 것이다.〔此如葬服者, 以其葬日反, 日中而虞, 故及三虞不易服也.〕"

【按】 〈사상례〉20, 〈사우례〉12. 주④ 참조.

② 賓執事者如弔服

'賓執事者'는 정현의 주에 따르면 "賓客이 와서 일을 하는 것이다.〔賓客來執事也.〕" 즉 빈객으로 와서 喪事를 도와 처리하는 사람이다. '弔服'은 자세하지 않다. 吳廷華에 따르면 "弔服을 입는 사람은 본래 상복이 없다.〔弔服者, 本無服也.〕" 즉 賓이 와서 조문할 때 입고 온 옷을 그대로 입고 喪에 와서 일을 하는 것이지 일정한 조복이 있는 것은 결코 아니라는 말이다.

【按】 張惠言에 따르면 여기의 賓執事者는 士의 屬吏로, 祝과 宗人이 포함된다.[14]

③ 朝夕臨位

조석으로 곡하던 자리를 이르니, 즉 朝夕哭位이다. 〈사상례〉32. 참조.

④ 內兄弟服

'內兄弟'는 고모·자매·宗婦(族人의 부인)를 이른다. 정현의 주에 따르면 內兄弟는 內賓과 宗婦이다. 가공언은 "內賓은 고모와 자매이며, 宗婦는 族人의 부인이다.〔內賓, 姑姊妹. 宗婦, 族人之婦.〕"라고 하였다. '服'은 吳廷華에 따르면 "마찬가지로 장례할 때와 같은 옷을 입는 것이다.〔亦如葬服.〕"

【按】 〈사상례〉20, 〈기석례〉3. 주① 참조.

⑤ 祝免, 澡葛絰帶

'祝'은 胡匡衷의 《儀禮釋官》에 따르면 喪祝으로, 마찬가지로 公臣으로 와서 喪事를 돕는 사람이다.[15] '免'은 즉 冠을 벗고 免을 쓰는 것이다. (〈상복〉23. 주⑭ 참조) '澡'는 물에 빠는 것이니, 즉 세탁하는 것을 이른다. (〈喪服〉17. 주

14) 《儀禮圖》卷5〈設饌祭於苴〉: "祝、宗人是士屬吏, 在此賓中."

15) 《儀禮釋官》卷6 : "《周禮·喪祝職》曰: '掌喪祭、祝號.' 注: '喪祭, 虞也.' 然則此篇之祝, 亦喪祝矣."

② 참조) 이것은 칡을 물에 빨아서 絰帶를 만드는 것이다. 腰帶도 허리에 묶는 것이다. 참최복에는 苴麻(암삼)로 絞帶를 만들고, 자최복에는 布帶를 하고, 소공복에는 물에 빤 牡麻(숫삼)로 요대를 만들며, (〈상복〉1, 3, 17. 참조) 여기에서는 물에 빤 칡으로 요대를 만드는 것이다.

⑥ 布席于室中

胡培翬에 따르면 자리를 廟奧, 즉 室의 서남쪽 모퉁이에 펴놓는 것이다.[16]

⑦ 及宗人卽位于門西

胡培翬에 따르면 "宗人은 본래 廟門(침문) 밖에 서있었다. 祝이 먼저 室로 들어가 자리를 펴놓고 지금 나와서 宗人과 함께 묘문 밖의 자리로 나아가는 것이다.〔宗人本在門外, 祝先入室布席, 今乃出而與宗人同卽門外位也.〕"

⑧ 拜賓如臨

朝夕哭하던 때와 같이 주인이 묘문 앞에서 賓이 있는 방향마다 3번씩 절하는 의식을 이른다. 〈사상례〉32. 주⑪ 참조.

⑨ 如反哭位

祖廟에서 反哭할 때처럼 주인은 서쪽 계단 위에서 동향하고 衆主人은 당 아래에서 동향하고 북쪽을 상위로 하여 서있던 자리를 이른다. 〈기석례〉16. 참조.

3. 陰厭

祝盥升①, 取苴降, 洗之②, 升; 入設于几東席上, 東縮③。降洗觶, 升。止哭。主人倚杖入④。祝從, 在左, 西面⑤。
贊薦菹、醢⑥, 醢在北。佐食及執事盥⑦, 出舉, 長在左⑧。鼎入, 設于西階前, 東面, 北上。匕、俎從設⑨。左人抽扃、鼏(멱)⑩, 匕。佐食及右人載⑪。卒朼者逆退, 復位⑫。
俎入, 設于豆東, 魚亞之⑬, 腊特。贊設二敦(대)于俎南, 黍,

16) 《儀禮正義》卷32 : "今案《士昏禮》'席于廟奧, 東面, 右几', 此'布席于室中, 東面', 亦席于奧也."

其東稷。設一鉶于豆南。佐食出, 立于戶西⑭。贊者徹鼎。祝酌醴, 命佐食啓會。佐食許諾, 啓會卻于敦南, 復位⑮。祝奠觶于鉶南, 復位⑯。主人再拜稽首⑰。祝饗⑱, 命佐食祭。佐食許諾, 鉤袒⑲, 取黍、稷祭于苴, 三。取膚祭, 祭如初⑳。祝取奠觶, 祭亦如之㉑, 不盡, 益, 反奠之㉒。主人再拜稽首。祝祝卒㉓, 主人拜如初㉔, 哭, 出, 復位。

祝이 손을 씻고 당에 올라가 西坫에 있는 苴(祭할 때 밑에 까는 것)를 가지고 당을 내려온다. 苴를 씻어 들고 다시 당으로 올라가 室 안으로 들어가서 席 위에 있는 几의 동쪽에 세로로 동향하도록(서쪽이 상위) 놓는다.
축이 또 당을 내려와 觶를 씻어 들고 당으로 올라간다. 이때 모두 곡을 그친다.
주인이 喪杖을 西序에 기대어 놓고 室 안으로 들어가 室戶의 동쪽에 서향하고 선다.
축이 주인을 따라 들어가 주인의 왼쪽(남쪽)에 주인과 나란히 서향하고 선다.

贊(賓으로 와서 제사를 돕는 집사자)이 葵菹(아욱 초절임)와 嬴醢(달팽이 젓갈)를 올리는데, 醢를 북쪽에 놓는다.
佐食(시동이 먹는 것을 돕는 사람)과 집사자들이 손을 씻고 廟門(침문)을 나가 鼎을 드는데, 賓長이 鼎의 왼쪽에 선다.
鼎을 들고 묘문 안으로 들어와 서쪽 계단 앞에 동향하도록 놓는데, 북쪽을 상위로 하여 북쪽에 豕鼎을 놓고 그 남쪽에 魚鼎과 腊鼎을 차례로 놓는다.
匕와 俎를 겸하여 든 세 사람이 鼎을 든 사람을 따라 들어와 匕와 俎를 진열한다.
鼎의 왼쪽에서 든 左人(賓으로 와서 제사를 돕는 집사자)이 鼎의 扃을 뽑고 鼏(덮개)을 벗긴 뒤에 匕로 牲體를 꺼낸다.
좌식과 두 명의 右人이 俎에 牲體를 담는다.
세 명의 左人이 俎에 담기를 마치고 나서 들어올 때와 반대의 순서로 물러나 서쪽 계단 아래의 서쪽에 있는 賓의 자리로 돌아간다.

좌식과 두 명의 右人이 俎를 들고 室 안으로 들어가 豕俎를 豆의 동쪽에 진설하고 魚俎는 豕俎의 다음(동쪽)에 놓고 腊俎는 豕俎와 魚俎의 북쪽에 단독으로 놓는다.
贊이 2개의 敦를 俎의 남쪽에 진설하는데, 하나에는 黍를 담고 黍敦의 동쪽에는 稷을 담은 稷敦를 놓는다.
鉶羹 하나를 豆의 남쪽에 진설한다.
佐食이 室을 나가 室戶의 서쪽(依)에 남향하고 선다.
贊者가 鼎을 거두어 묘문 밖으로 나간다.
祝이 觶에 醴를 따르고 좌식에게 會(敦의 뚜껑)를 열도록 命한다.
佐食이 응낙하고 會를 열어 敦의 남쪽에 뒤집어 놓은 뒤 室을 나가서 室戶의 서쪽 자리로 돌아간다.
祝이 觶를 鉶의 남쪽에 올리고 주인의 왼쪽 자리로 돌아간다.
주인이 神位(席을 편 곳)를 향하여 再拜稽首한다.
祝이 신에게 흠향하시기를 고하고 좌식에게 祭(이 음식을 최초로 만든 先人에게 고수레하는 것)하기를 명한다.
佐食이 응낙하고서 소매를 걷어 올려 팔을 드러내고 黍·稷을 취하여 苴에 祭하기를 세 차례 한다.
豕牲의 왼쪽 목에서 膚祭(祭할 때 쓰는 껍질이 붙은 살)를 취하여 黍·稷을 祭할 때와 같이 苴에 세 차례 祭한다.
祝이 올렸던 觶를 가져다 醴를 구기로 떠서 苴에 부어 祭하기를 黍·稷을 祭할 때와 같이 하는데, 이때 觶 안의 醴를 苴에 모두 붓지는 않는다. 觶에 醴를 채워서 다시 鉶의 남쪽에 되돌려 놓는다.
주인이 神位를 향하여 다시 再拜稽首한다.
祝이 축문을 마치면 주인이 앞에서와 같이 再拜稽首하고, 곡하고, 室戶를 나가 당 위 서쪽 계단 위쪽의 동향하던 자리로 돌아간다.

① 祝酌升

여기부터 3절 끝까지는 陰厭의 일을 기록하였다. 이른바 '陰厭'은 凌廷堪의 《禮經釋例》 권9에 따르면 "일반적으로 시동이 아직 室에 들어가기 전에 室의 奧(서남쪽 모퉁이)에 음식을 진설하는 것을 '陰厭'이라고 한다.[凡尸未入室之前設饌于奧, 謂之陰厭.]" 陰厭은 신을 흠향시키기 위하여 진설하는 것으로, 시동이 室에 들어가기 전에 진설한다.

② 取苴, 降洗之

'苴'는 西坫에 있다. (〈사우례〉1. 참조) '洗之'는 胡培翬에 따르면 "苴는 이것을 깔고 祭하는 것이니, 그 정결함을 지극히 하는 것이다.[苴所以藉祭, 致其潔也.]"

③ 東縮

'縮'은 '세로'이다. 동서 방향이 되도록 세로로 놓는 것을 이른다.

④ 主人倚杖入

'倚杖'은 喪杖을 西序에 기대어 놓는 것을 이른다. 《예기》〈喪服小記〉에 따르면 "虞祭에는 喪杖을 짚고 室 안으로 들어가지 않는다.[虞, 杖不入於室.]" 그러므로 喪杖을 기대어 놓은 뒤에 들어가야 하는 것이다.

【按】《예기》〈喪服小記〉에 "虞祭에는 喪杖을 짚고 室에 들어가지 않으며, 祔祭에는 喪杖을 짚고 당에 올라가지 않는다."라는 구절이 있다. 정현은 이를 근거로 練祭(小祥)에는 喪杖을 짚고 廟門에 들어가지 않을 것이라고 하였다.[17]

⑤ 西面

주인과 祝은 室에 들어간 뒤에 모두 室戶의 동쪽에서 서향하고 선다.

⑥ 贊薦

'贊'은 胡培翬에 따르면 "賓으로 와서 제사를 돕는 집사자를 이른다.[謂賓來助祭執事者.]" '薦'은 室의 奧(서남쪽 모퉁이)에 있는 席 앞에 올리는 것을 이른다.

⑦ 佐食

胡培翬에 따르면 "시동이 먹는 것을 돕는 사람이다.[佐尸食者.]" 마찬가지로 賓으로 와서 제사를 돕는 집사자가 이 일을 맡는다. 〈士虞禮 記〉, 〈사우례〉18. 주⑫ 참조.

⑧ 長在左

'長'은 賓으로 온 집사자 중 長을 이른다. 鼎이 북향하고 있으니 서쪽이 왼쪽이 된다.

⑨ 匕俎從設

'匕'는 음이 '비'이다. 고대에 음식을 뜨는 도구이다. 손잡이가 구부러졌으

17) 鄭玄注 : "《喪服小記》曰: '虞, 杖不入於室, 祔, 杖不升於堂.' 然則練, 杖不入於門明矣."

며 얕은 斗 모습이다. 敖繼公에 따르면 "여기에서 匕와 俎를 든 사람도 세 사람이니 각각 匕와 俎를 겸하여 든다. '從設'은 鼎을 따라 들어와 각각 그 鼎의 동쪽에 진열하는 것이다. 진열하는 법은 俎는 하단이 동쪽으로 가게 하고 匕는 자루가 서쪽으로 가게 한다.〔此執匕俎者亦三人, 各兼執匕俎也. 從設, 從鼎入而各設於其鼎之東. 其設之法, 俎東順而匕西枋也.〕" 이것은 〈사혼례〉에서 鼎·匕·俎를 진열하는 법과 같은 것이며 단지 방향만 반대이다.

【按】 張惠言의 〈設饌祭於苴〉圖에는 俎가 鼎의 남쪽에 북향으로 되어있고, 黃以周의 〈設饌祭於苴〉圖에는 俎가 鼎의 동쪽에 서향으로 되어 있다. 〈사상례〉21. 주⑥ 참조.

⑩ 左人

鼎을 들 때 鼎의 왼쪽에 있는 사람이다. 鼎은 동향하고 있으니 북쪽이 왼쪽이 된다. 아래의 右人은 당연히 鼎의 남쪽에 있게 된다.

⑪ 佐食及右人載

정현의 주에 따르면 "佐食이 俎에 牲體를 담을 때에도 鼎의 오른쪽에서 한다.〔佐食載, 亦在右矣.〕" 경문에 따르면 좌식은 한 사람 뿐이니 여기의 右人과 함께 豕俎에 牲體를 담는 좌식은 豕鼎의 오른쪽에 있는 듯하다. 魚鼎과 腊鼎은 右人만이 俎에 담는다.

【按】 盛世佐에 따르면 佐食과 賓長이 함께 豕鼎을 드는데, 이때 빈장이 왼쪽에서 들고 좌식이 오른쪽에서 든다.[18] 方苞에 따르면 吉祭에는 주인과 좌식이 함께 鼎을 든다.[19]

⑫ 枇者逆退, 復位

정현의 주에 따르면 "賓의 자리로 돌아가는 것이다.〔復賓位.〕" 枇者는 즉 左人이니, 마찬가지로 賓인 집사자이기 때문에 물러나 賓의 자리로 돌아간다. 賓의 자리는 서쪽 계단의 서쪽, 중주인과 외형제의 남쪽이다.

⑬ 魚亞之

盛世佐에 따르면 "또 豕俎의 동쪽에 놓는다.〔又在豕東也.〕"

⑭ 佐食出, 立于戶西

【按】 〈사우례〉15. 주② 참조.

⑮ 復位

정현의 주에 따르면 "室에서 나와 室戶의 서쪽에 선다.〔出立於戶西.〕"

⑯ 復位

정현의 주에 따르면 "주인의 왼쪽(남쪽) 자리로 돌아간다.〔復主人之左.〕"

18) 《儀禮集編》卷32 : "長, 賓長也. 佐食與賓長擧豕鼎, 長在左, 則佐食在右可知. 其擧魚、腊二鼎者, 亦以左爲上也."

19) 《儀禮析疑》卷14 : "吉祭, 主人及佐食擧鼎."

⑰ 主人再拜稽首

敖繼公에 따르면 "음식이 갖추어졌기 때문이다.〔爲食具也.〕" 이것은 死者의 神位(즉 席을 편 곳)에 拜禮를 행하는 것이다.

⑱ 祝饗

정현의 주에 따르면 "신에게 흠향하시기를 고하는 것이다.〔告神饗也.〕" 胡培翬는 "신에게 이 제물을 흠향하시라고 고하는 것을 이른다.〔謂告神饗(享)此祭也.〕"라고 하였다.

【按】 祝辭는 〈사우례〉19. 참조

⑲ 鉤袒

敖繼公에 따르면 "소매를 걷어 올려 팔이 드러나는 것이다.〔卷其袂以出臂.〕"

⑳ 取膚祭, 祭如初

'膚'는 껍질이 붙은 돼지고기이다. 凌廷堪의 《禮經釋例》 권5 〈儀禮釋牲上篇〉에 따르면 "껍데기를 膚라고 한다.〔皮謂之膚.〕" 여기의 껍질은 돼지의 왼쪽 목에서 취한 것이다. (〈사우례〉13. 주⑤⑥ 참조) '如初'는 胡培翬에 따르면 "마찬가지로 苴에 세 번 祭(고수레)하는 것이다.〔亦于苴三也.〕"

【按】 정현의 주에 따르면 '膚'는 切肉이다.[20] 劉沅에 따르면 '膚祭'나 '肺祭'의 '祭'는 모두 그 용도를 말한 것이다.[21]

㉑ 亦如之

胡培翬에 따르면 "苴에 祭하는데, 마찬가지로 세 번 붓는다.〔祭于苴, 亦三注之.〕" '注之'는 구기〔勺〕로 술을 떠서 苴에 부어 祭하는 것을 이른다.

㉒ 反奠之

이것은 醴를 따라 되돌려 올리는 것이다. 즉 室戶 바로 맞은편 북쪽 벽 아래에 있는 醴를 담은 甒(술단지) 앞으로 가서 觶를 가득 채운 뒤에 그 觶를 鉶의 남쪽에 되올리는 것이다.

㉓ 祝祝

정현의 주에 따르면 "祝祝은 효자의 祭辭를 풀어 놓는 것이다.〔祝祝者, 釋孝子祭辭.〕" 즉 효자를 대신하여 말하는 것이다.

㉔ 拜如初

胡培翬에 따르면 "앞에서와 같이 再拜稽首한다.〔亦再拜稽首也.〕"

20) 《禮記》〈內則〉鄭玄注 : "膚, 切肉也."
《儀禮》〈聘禮〉鄭玄注 : "膚, 豕肉也."

21) 《儀禮恒解》卷13 : "膚、肺言祭, 竝言其用也."

4. 迎尸

祝迎尸①, 一人衰絰奉篚②, 哭從尸。尸入門, 丈夫踊, 婦人踊。淳尸盥③, 宗人授巾④。尸及階, 祝延尸⑤。尸升, 宗人詔踊如初⑥。尸入戶, 踊如初, 哭止。婦人入于房⑦。主人及祝拜妥尸⑧。尸拜, 遂坐⑨。

祝이 廟門(침문)을 나가 시동을 맞이한다. 주인의 형제(대공복 이상) 중 한 사람이 衰服에 수질과 요질을 착용하고 篚(시동에게 올린 음식을 담을 대바구니)를 받쳐 들고 곡하면서 시동을 뒤따른다.
시동이 묘문으로 들어올 때 장부들(주인과 衆主人)이 踊을 하고 부인들도 踊을 한다.
賓인 집사자가 시동에게 손을 씻도록 물을 부어주고 宗人이 손을 닦는 布巾을 건네준다.
시동이 서쪽 계단 앞에 이르면 祝이 뒤에서 시동에게 당에 오르도록 고한다.
시동이 당에 오를 때 宗人이 주인에게 시동이 묘문을 들어올 때와 같이 踊을 하도록 고한다.
시동이 室戶로 들어 갈 때 사람들이 모두 시동이 당에 오를 때처럼 踊은 하되 곡은 그친다. 이때 부인들이 집사자들을 피해 동방 안으로 들어간다.
주인과 祝이 절하여 시동에게 편안하게 앉도록 청한다.
시동이 답배하고 마침내 室의 奧(서남쪽 모퉁이)에 펴놓은 자리에 앉는다.

① 尸

살아있는 사람이 死者를 대신하여 제사를 받는 것을 '尸'라고 한다. 정현의 주에 따르면 "尸는 주관한다는 뜻이다.[22] 효자가 제사를 지낼 때 부모의 모습을 뵙지 못하여 마음을 둘 곳이 없어서 시동을 세워 자기의 뜻을 주관하게 하는 것이다.[尸, 主也. 孝子之祭, 不見親之形象, 心無所繫, 立尸

22)《左傳杜林合注》卷31 注: "尸, 主也. 言諸侯之所以歸晉, 以其有德也, 非歸晉之能主盟也."
《儀禮經傳通解》卷16 注 : "尸, 主也, 爲祭主也."

而主意焉.〕" 시동은 死者의 적손으로 세운다. 〈사우례〉17. 주⑩ 참조.

② 一人衰絰奉篚

정현의 주에 따르면 "一人은 주인의 형제이다.〔一人, 主人兄弟.〕" 吳廷華에 따르면 "兄弟는 대공복 이상을 입는 자이다.〔兄弟, 大功以上者.〕" '衰'는 여기에서는 상복을 가리킨다. 대공 이상이면 참최복을 입거나 자최복을 입거나 대공복을 입거나 하여 형제의 親疏에 따라 정해야 한다.

③ 淳尸盥

정현의 주에 따르면 "淳은 물을 붓는다는 뜻이다. 시동이 손을 씻도록 물을 부어주는 사람은 賓인 집사자이다.〔淳, 沃也. 沃尸盥者, 賓執事者也.〕" '沃'은 물을 붓는 것이다.

【按】〈사우례〉14. 주① 참조.

④ 宗人授巾

【按】〈사우례〉14. 주② 참조. 가공언의 소에 따르면 이때 匜水 등 盥具는 서쪽 계단 동쪽에 있는데, 시동이 묘문 왼쪽(서쪽)으로 들어오면 손을 씻을 그릇을 가지고 시동에게 나아가 시동이 북향하고 손을 씻도록 한다. 시동은 존귀하여 洗에 나아가서 씻지 않기 때문이다.[23]

⑤ 延

정현의 주에 따르면 "나아간다는 뜻이니, 당에 오르도록 뒤에서 고하는 것이다.〔進也, 告之以升.〕"

【按】〈특생궤사례〉와 〈소뢰궤사례〉 정현의 주에 따르면 앞으로 나아가는 것을 돕기 위해 뒤에서 고하는 것을 '延'이라고 한다.[24]

⑥ 宗人詔踊如初

詔는 '고하다〔告〕'라는 뜻이니, 주인에게 踊을 하도록 고하는 것을 이른다. 정현의 주에 따르면 "詔踊如初라고 말했는데, 일반적으로 踊은 宗人이 고하는 것이다.〔言詔踊如初, 則凡踊, 宗人詔之.〕" 虞祭에서 주인이 踊을 하는 것은 모두 宗人이 고하는 것을 節(단계)로 삼은 것을 볼 수 있으니, 전후에서 모두 글을 생략하였기 때문에 말하지 않은 것이다.

⑦ 婦人入于房

정현의 주에 따르면 "집사자를 피하는 것이다.〔辟執事者.〕" 胡培翬에 따르면 "부인의 자리는 당 위에 있는데 제사할 때 집사자가 당을 통해 室로 들어갈 것이기 때문에 피하는 것이다.〔婦人位在堂上, 祭時執事者將由堂入

23) 賈公彦疏 : "此直言盥, 不言面位, 案《特牲》云: '尸入門左, 北面盥, 宗人授巾.' 上陳器時, 匜水之等, 在西階之東, 今在門左, 則以器就.…… 注云: '尸尊, 不就洗.'"

24) 賈公彦疏 : "案《特牲》云 '祝延尸', 注云: '延, 進也, 在後詔侑曰延.' 又案《少牢》注云 '由後詔相之曰延', 然則延者, 皆在後也."

室, 故辟之.〕"

⑧ 妥

정현의 주에 따르면 "편히 앉는다는 뜻이다.〔安坐也.〕"

⑨ 遂坐

室의 奧(서남쪽 모퉁이)의 자리로 나아가 앉는 것을 이른다.

5. 尸九飯

從者錯(조)篚于尸左席上①, 立于其北②。尸取奠③, 左執之, 取菹擩(유)于醢, 祭于豆間④。祝命佐食墮(타)祭⑤。佐食取黍、稷、肺祭⑥, 授尸。尸祭之, 祭奠⑦。

祝祝⑧。主人拜如初⑨。尸嘗醴, 奠之⑩。佐食擧肺、脊授尸。尸受, 振祭, 嚌之⑪, 左手執之。祝命佐食邇敦(대)⑫。佐食擧黍錯于席上。尸祭鉶, 嘗鉶⑬。泰羹湇(읍)自門入⑭, 設于鉶南⑮。胾四豆設于左⑯。

尸飯, 播餘于篚⑰。三飯。佐食擧幹⑱。尸受振祭, 嚌之, 實于篚。又三飯, 擧胳(각), 祭如初⑲。佐食擧魚、腊, 實于篚⑳。又三飯, 擧肩, 祭如初㉑。擧魚、腊俎, 俎釋三个㉒。尸卒食, 佐食受肺、脊, 實于篚㉓, 反黍如初設。

從者(〈사우례〉 4의 주인의 형제 중 한 사람)가 篚(시동에게 올린 음식을 담을 대바구니)를 시동의 왼쪽(북쪽) 席 위에 놓고 尸席의 북쪽에 남향하고 선다. 시동이 鉶의 남쪽에 祝이 진설해둔 觶를 취하여 왼손에 들고, 오른손으로는 葵菹(아욱 초절임)를 취하여 蠃醢(달팽이 젓갈)에 찍어 葵菹豆와 蠃醢豆 사이에 놓아 祭(이 음식을 최초로 만든 先人에게 고수레함)한다. 축이 좌식에게 시동의 墮祭(祭할 음식을 내려놓아 先人에게 고수레함)를 돕도록 명한다.
좌식이 黍·稷과 豕俎의 祭肺를 취하여 시동에게 준다.
시동이 이 음식을 일일이 祭한 뒤에 觶에 든 醴를 祭한다.

축이 시동에게 흠향하기를 권하는 祝辭를 한다.
주인이 陰厭 때와 같이 再拜稽首한다.
시동이 醴를 조금 맛보고 觶를 있던 자리에 돌려놓는다.
좌식이 豕俎 위의 肺와 脊을 들어 시동에게 준다.
시동이 받아서 振祭(털어서 先人에게 고수레함)하고 맛 본 뒤에 왼손으로 옮겨 들어 菹豆에 놓는다.
축이 좌식에게 敦를 시동 가까이 옮겨놓도록 명한다.
좌식이 黍敦와 稷敦를 들어 시동의 자리 위로 옮겨 놓는다.
시동이 오른손으로 鉶羹(채소를 넣은 고기국물)을 柶(숟가락)로 떠서 祭하고 형갱을 맛본다.
泰羹湆(조미하지 않은 고기국물)을 廟門(침문) 밖에서 들여와 형갱의 남쪽에 놓는다.
胾(살코기 덩어리)를 네 개의 豆에 담아 葵菹豆와 蠃醢豆의 왼쪽(북쪽)에 놓는다.

시동이 밥을 먹는데, 손으로 집어 한 입 먹고 손에 남은 밥을 篚에 털어넣는다. 이런 방식으로 3번 밥을 먹는다.
좌식이 幹(豕의 長脅)을 들어서 시동에게 준다. 시동이 이것을 받아 振祭하고 맛보면 좌식이 받아서 篚에 담는다.(3飯)
시동이 또 밥을 3번 먹고 좌식이 가져다 준 胳(豕의 뒷다리)을 들어 앞에서와 같이 振祭하고 맛보면 좌식이 받아서 篚에 담는다. 좌식이 물고기와 兎腊(토끼 말린 것)을 들어 篚에 담는다.(6飯)
시동이 또 밥을 3번 먹고 좌식이 가져다 준 肩(豕의 앞다리 윗부분)을 앞에서와 같이 振祭하고 맛보면 좌식이 받아서 篚에 담는다.(9飯)
좌식이 시동이 맛보지 않은 魚俎와 腊俎의 祭物을 篚에 넣는다. 이때 俎마다 세 개씩을 남겨 놓는다.
시동이 9飯을 마치면 좌식이 葵菹豆 위의 시동이 올려두었던 肺와 脊

을 시동에게서 받아 篚에 담고 黍敦와 稷敦를 처음 놓았던 자리에 되돌려 놓는다.

① 從者

즉 〈사우례〉 제4절의 '형제 중 한 사람이 衰服에 수질과 요질을 착용하고 篚를 받쳐 들고 곡하면서 시동을 뒤따라간〔一人衰絰奉篚, 哭從尸〕' 그 사람이다.

② 其北

정현의 주에 따르면 "尸席의 북쪽이다.〔席北也.〕"

【按】 '尸席'은 葦席(삿자리)을 사용한다. 〈사우례〉6. 주⑧ 참조.

③ 奠

여기에서는 觶를 이르니, 즉 축이 鉶의 남쪽에 되 올렸던 觶이다. 〈사우례〉3. 참조.

④ 取菹擩于醢, 祭于豆間

이것은 食前에 올리는 제사(고수례)로, 근본을 잊지 않음을 보이는 것이다. 〈사혼례〉 정현의 주에 "일반적으로 祭는 脯籩과 醢豆 사이에 한다. 반드시 祭를 하는 것은 먼저 이 음식을 만든 분이 있다는 것을 겸손하게 삼가 보이는 것이다.〔凡祭於脯醢之豆間, 必所爲祭者, 謙敬示有所先也.〕"라고 하였는데, 가공언의 소에 "籩豆 사이에 祭한다. 여기 정현의 주에서 籩을 말하지 않고 豆만 말한 것은 문장을 생략한 것이다.〔在籩豆之間. 此注不言籩, 直言豆者, 省文.〕"라고 하였고, 또 "謙敬示有所先의 先은 즉 근본이라는 뜻이다. 先世에 이 음식을 만든 분을 이른다.〔謙敬示有所先, 先即本, 謂先世造此食者也.〕"라고 하였다. 李如圭는 "祭는 음식을 약간 취하여 先世에 이 음식을 만든 사람에게 祭하는 것을 이르니, 근본을 잊지 않는 것이다.〔祭謂取少許祭先世造此食者, 不忘本也.〕"라고 하였고, 吳廷華는 "脯醢를 祭하는 것은 脯를 醢에 찍어 豆 사이에 두는 것이다.〔祭脯醢者, 以脯擩醢而置之豆間.〕"라고 하였다. 이상의 여러 설에 따르면 이른바 '脯醢를 祭한다'는 것은 脯를 조금 취하여 醢에 찍어서 脯가 담긴 籩과 醢가 담긴 豆 사이에 두어서 이 음식을 만든 先人에게 제사하는 것을 보이는 것이다. 이것은 즉 《주례》〈春官 大祝〉에 기록된 九祭 가운데 '擩(유)祭'이다. '擩'는 '담그다〔染〕'라는 뜻으로, 한 번 찍는다는 말이다. '豆間'은 즉

菹豆와 醢豆 사이에 놓는 것이다.

⑤ 祝命佐食墮祭

'墮'는 정현의 주에 따르면 "祭할 음식을 내려놓는 것을 墮라고 한다.〔下祭曰墮.〕" 張爾岐는 "下祭曰墮는 俎와 豆에서 祭해야 할 음식을 취하여 시동에게 주어서 祭하게 하는 것을 이른다. 佐食은 음식을 내리기만 한다.〔下祭曰墮, 謂從俎豆上取下當祭之物以授尸, 使之祭. 佐食但下之而已.〕"라고 하였다. 그러므로 吳廷華는 "좌식에게 명하여 돕도록 한 것이다.〔命佐食, 使相(助)之.〕"라고 하였다. 祭를 돕는 법은 좌식이 祭할 음식을 내려서〔墮〕 시동에게 주면 시동이 이것을 가지고 祭하는 것이다.

⑥ 佐食取黍、稷、肺祭

胡培翬에 따르면 "앞에서 축이 좌식에게 墮祭를 명한 것은 좌식에게 명하여 이것을 취해 시동에게 주어 시동이 祭할 수 있도록 한 것이다. 黍·稷·肺의 祭는 墮祭이다.〔上祝命佐食隋祭, 卽命佐食取以授尸祭也. 黍、稷、肺之祭爲隋祭.〕" 호배휘는 또 "여기의 肺祭는 祭肺(祭에 쓰는 폐)이다. 다음에 나오는 '脊、肺'의 '肺'는 擧肺(먹는데 쓰는 폐)이다.〔此肺祭, 祭肺也. 下'脊、肺'則擧肺也.〕"라고 하였다.

【按】 정현의 주에 따르면 여기의 肺祭는 刌肺, 즉 祭肺이다.[25]

⑦ 奠

즉 시동이 앞서 취한 觶이다.

⑧ 祝祝

앞의 '祝'은 명사이다. 뒤의 '祝'은 동사이니, 祝辭를 하여 시동에게 제사 음식을 흠향하도록 권하는 것을 이른다. 祝辭의 내용은 〈사우례〉21. 참조.

⑨ 如初

정현의 주에 따르면 "陰厭 때와 같이 祝이 祝辭를 마치면 이어서 再拜稽首한다.〔亦祝祝卒, 乃再拜稽首.〕"

⑩ 奠之

胡培翬에 따르면 "觶를 원래의 자리에 돌려놓는 것이다.〔復於故處也.〕"

⑪ 振祭, 嚌之

'振祭'는 擩祭와 마찬가지로 고대의 食前에 祭하는 법의 하나이다. 그 祭하는 법은 肝을 소금〔鹽〕에 찍은 뒤에 몇 번 흔듦으로써 祭하는 것을 나타낸다. 이것은 동시에 앞에서 과도하게 찍은 소금을 떨어내어 간을 맛보

25) 《儀禮》〈特牲饋食禮〉鄭玄注 : "肺祭, 刌肺也."

기에 편리하도록 하기 위한 것이기도 하다. 吳廷華는 "간을 소금에 찍어 흔듦으로써 祭한다. 반드시 이것을 흔드는 것은 찍은 소금이 지나치게 많아 흔들어서 이것을 떨어내는 것이다.〔以肝擩鹽, 振之以祭也. 必振者, 擩鹽過多, 振而去之.〕"라고 하였다. '嚌之'는 조금 맛보는 것이다. 정현의 주에 따르면 맛보기를 마치고 나면 肺와 脊을 豆위에 놓는다.[26] 胡培翬는 "이 豆도 菹豆이다.〔此豆亦菹豆也.〕"라고 하였다.

⑫ 邇敦

'邇'는 정현의 주에 따르면 "가깝다는 뜻이다.〔近也.〕"

【按】 가공언의 소에 따르면 이때 좌식은 祝의 명을 받고 黍敦와 稷敦를 시동의 자리 위로 옮긴다. 다만 가공언이 인용한 〈특생궤사례〉의 이 구절은 통행본 《의례》에는 없다.[27]

⑬ 尸祭鉶, 嘗鉶

정현의 주에 따르면 이것은 시동이 오른손으로 柶를 들고 祭한 뒤에 맛보는 것이다.[28] 그 祭하는 법은 柶로 鉶羹을 떠서 苴에 부어 祭하는 것을 표시한다.

【按】 정현의 주에 따르면 이때 시동은 오른손으로 羊鉶을 柶로 떠서 祭한 뒤 이어서 豕鉶을 떠서 祭하고 羊鉶을 맛본다. 〈사우례〉16. 주① 참조.

⑭ 泰羹湆

'湆'은 음이 '읍'이다. 즙이라는 뜻이다. '大羹湆'은 정현의 주에 따르면 "육수를 끓인 것이다.〔煮肉汁也.〕" 정현의 주에서는 또 이것은 일종의 소금과 채소 등의 조미용 식재료들을 첨가하지 않은 육수라고 하였다. 胡培翬에 따르면 大羹湆은 돼지고기 육수이다. 이 태갱읍은 바로 '묘문 밖의 오른쪽(서쪽)'에 있던 豕爨에서 끓인 것이다. 〈사우례〉1. 참조.

⑮ 設于鉶南

앞 경문에 따르면 鉶羹의 남쪽에 觶가 이미 올라가 있다. 이 때문에 가공언의 소에서 이 태갱읍은 鉶의 남쪽, 觶의 북쪽에 놓는데, 觶의 북쪽에 미리 공간을 남겨 두어 태갱읍이 놓이기

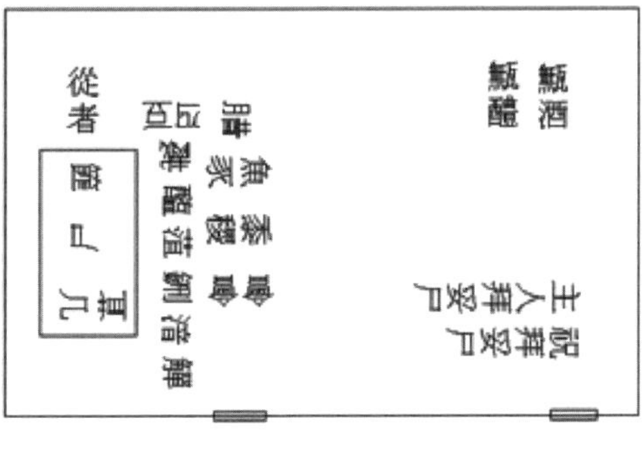

• 그림 44 • 尸入九飯
黃以周《禮書通故》

26) 鄭玄注 : "尸食之時, 亦奠肺、脊于豆."

27) 賈公彦疏 : "案《特牲》祝命邇敦, 佐食邇黍、稷于席上."

28) 鄭玄注 : "右手也. 《少牢》曰: '以柶祭羊鉶, 遂以祭豕鉶, 嘗羊鉶.'"

를 기다리는 것이라고 한 것이다.[29]

⑯ 胾四豆設于左

'胾'는 《說文解字》에 따르면 "큰 덩어리로 자른 고기이다.〔大臠也.〕" '設于左'는 胡培翬에 따르면 菹와 醢의 북쪽에 놓는 것이다.[30] 席이 동향하고 있으니 태갱읍을 鉶의 남쪽에 놓는다는 것은 오른쪽에 놓는 것이고, 胾를 북쪽에 놓는다는 것은 왼쪽에 놓는 것이다.〈그림 44〉 참조.

【按】〈그림 44〉는 黃以周의 〈尸入九飯〉圖이다. 張惠言의 〈尸入九飯〉圖는 豕·魚·腊俎의 방향이 북향으로 되어 있다.

⑰ 尸飯, 播餘于篚

정현의 주에 따르면 옛날에는 손으로 밥(黍飯)을 집어 먹었다. 그러나 한줌을 집어 한입만을 먹고 손에 있는 나머지 밥은 篚안에 들여 넣었다.[31] '播'는 胡承珙에 따르면 "펴다 또는 흩뿌린다는 뜻이다. 이것은 시동이 밥을 먹고 그 나머지는 篚에 털어놓는 것을 말한다.〔布也, 散也. 此言尸飯, 放其餘於篚.〕"

【按】 정현의 주에 따르면 喪祭가 아닌 吉祭에는 손으로 먹고 남은 밥을 會(敦의 뚜껑)에 털어넣는다.

⑱ 幹

蔡德晋에 따르면 "長脅이다.〔長脅也.〕" 이것은 豕의 脅이다. 牲體의 肋骨은 앞·가운데·뒤 3부분으로 나누는데, 각각의 이름을 代脅·長脅(正脅)·短脅이라고 한다. 長脅은 바로 肋骨의 한가운데 부분이니,(〈그림 25〉 참조) 즉 지금의 이른바 돼지갈비의 한가운데 부분이다.

【按】 정현의 주에 따르면 3飯마다 고기를 먹는 것은 食氣를 안정시키기 위한 것이다.[32]

⑲ 擧胳, 祭如初

'擧'는 마찬가지로 佐食이 든다. '胳'은 牲體의 後脛骨(뒷다리)이다. 俎는 여기에 담는 희생의 서로 다른 骨體에 따라 귀천을 구분한다. 《예기》〈祭統〉에 "일반적으로 俎는 骨을 위주로 한다. 骨은 귀천이 있어 殷나라 사람은 髀를 귀하게 여겼고, 周나라 사람은 肩을 귀하게 여겼다. 대체로 前骨을 後骨보다 귀하게 여겼다.……이 때문에 신분이 귀한 자는 귀한 骨을 취해 쓰고 신분이 낮은 자는 천한 骨을 취해 썼다.〔凡爲俎者, 以骨爲主. 骨有貴賤: 殷人貴髀; 周人貴肩. 凡前貴於後.……是故貴者取貴骨, 賤者取賤骨.〕" 라고 하였는데, 정현의 주에 "일반적으로 희생은 前脛骨이 肩·臂·臑(노)의

29) 賈公彦疏 : "以黍羹湆未設, 故繼鉶而言之, 其實鉶北留空處, 以待黍羹."

30) 《儀禮正義》卷32 : "設于左, 亦謂薦豆之北也. 薦豆, 謂菹, 醢正豆也."

31) 鄭玄注 : "古者飯用手, 吉時播餘于會."

32) 鄭玄注 : "飯間啗肉, 安食氣."

3개이며, 後脛骨이 膞(전)·胳(각)의 2개이다.〔凡牲, 前脛骨三: 肩、臂、臑也; 後脛骨二: 膞、胳也.〕"라고 하였다. 凌廷堪의 《禮經釋例》 권5 〈儀禮釋牲上〉에 따르면 희생의 前體를 '前脛骨'이라 부르는데, 前脛骨은 3개 부분으로 구분한다. 가장 위에 있는 것을 '肩', 肩 아래 부분을 '臂', 臂 아래 부분을 '臑'라고 한다. 後體를 '後脛骨'이라 부르는데, 마찬가지로 3개 부분으로 구분한다. 가장 위에 있는 것을 '肫'(순, 즉 膞), 肫 아래 부분을 '胳', 胳 아래 부분을 '觳(곡)'이라고 한다. 희생의 中體를 '脊'이라고 하며, 脊의 양쪽 갈비〔肋〕를 '脅'이라고 한다. 위에서 알 수 있듯 주인은 賓을 높이기 때문에 賓의 俎에는 肩을 쓰고, 그 다음 주인의 俎에는 臂를 쓰며, 介는 賓이나 주인보다 낮기 때문에 肫과 胳을 쓴다. '如初'는 敖繼公에 따르면 "振祭하고 맛보는 것을 이른다. 아래도 이와 같다.〔謂振祭, 嚌之. 下倣此.〕"

⑳ 佐食擧魚、腊, 實于篚

정현의 주에 따르면 "시동이 물고기와 腊을 받지 않는 것은 喪에는 맛을 갖추지 않기 때문이다.〔尸不受魚、腊, 以喪不備味.〕" 이 때문에 魚와 腊은 진설만 해놓고 맛보지는 않는 것이다.

【按】 蔡德晉에 따르면 이 때 篚에 담는 것은 물고기 1마리와 腊의 骼이다.[33]

㉑ 肩

돼지의 前脛骨(앞다리)의 윗부분이다. 위 주⑲ 참조.

㉒ 擧魚、腊俎, 俎釋三个

정현의 주에 따르면 "釋은 遺와 같다.〔釋, 猶遺也.〕" '遺'는 즉 '남기다〔留〕'라는 뜻이다. 또 정현의 주에 "个는 枚와 같다. 지금(東漢) 세속에서는 枚를 个라고도 한다.〔个, 猶枚也. 今俗或名枚曰個.〕"라고 하였다. 이것은 앞의 "물고기와 兎腊을 들어 篚에 담는다.〔擧魚、腊實于篚.〕"라는 문장을 이어서 말한 것이다. 물고기를 篚에 담을 때 3마리를 俎에 남겨놓고, 兎腊의 牲體를 篚에 담을 때에도 俎 위에 3덩어리를 남겨 둔다는 말이다. 정현의 주에 따르면 토끼와 돼지는 모두 똑같이 7體, 즉 肩·臂·臑·肫·骼·脊·脅으로 나눈다.[34] (〈사우례〉13, 위 주⑲ 참조) 또 가공언의 소에 따르면 여기 經文에서는 魚와 腊을 들어 篚에 담는다고만 하고 豕는 말하지 않았는데, 실제로는 佐食이 이미 차례대로 돼지의 脊·幹(脅)·胳·肩 4體를 시동에게 주어 시동이 모두 振祭하고 맛을 보고 나면 脊은 豆에 놓고 나머지 3體는 篚에 담았기 때문에 지금 尸俎 위에 남은 豕牲도 臑·肫·臂 3體 뿐이다.[35]

33) 《禮經本義》卷14 兇禮 : "魚、腊, 謂一魚及腊之骼也. 擧之亦以授尸, 尸不受乃以實於篚, 鄭康成曰'尸不受魚腊, 以喪不備味也.'"

34) 鄭玄注 : "此腊亦七體, 如其牲也."

35) 賈公彦疏 : "此經直擧魚、腊俎盛於篚, 俎釋三个, 不言盛牲體者, 案下記云'羹飪升左肩、臂、臑、肫、骼、脊、脅'七體, 此上經佐食, 初擧脊, 次擧幹, 又擧胳, 終擧肩, 總擧四體, 唯有臂、臑、肫三者, 佐食即當俎釋三个, 不復盛牲體, 故直擧魚、腊而已."

【按】蔡德晉에 따르면 이 때 篚에 담는 것은 물고기 5마리와 腊俎에서 취한 3體이다.[36]

㉓ 受肺、脊

胡培翬에 따르면 "이것 역시 시동이 菹豆에서 집어 佐食에게 준 것인 듯하다.〔蓋亦尸自菹豆以授之.〕"

6. 主人 初獻

主人洗廢爵①, 酌酒酳(인)尸②。尸拜受爵。主人北面答拜③。尸祭酒, 嘗之。賓長以肝從④, 實于俎縮, 右鹽⑤。

尸左執爵, 右取肝擩(유)鹽, 振祭, 嚌之, 加于俎。賓降, 反俎于西塾, 復位。尸卒爵, 祝受。不相爵⑥。主人拜, 尸答拜。祝酌授尸, 尸以醋(작)主人⑦。主人拜受爵, 尸答拜。主人坐祭, 卒爵, 拜。尸答拜。

筵祝⑧, 南面。主人獻祝。祝拜, 坐受爵。主人答拜。薦菹、醢, 設俎⑨。祝左執爵, 祭薦⑩, 奠爵, 興取肺⑪, 坐, 祭, 嚌之, 興, 加于俎, 祭酒, 嘗之。肝從。祝取肝擩鹽, 振祭, 嚌之, 加于俎, 卒爵, 拜。主人答拜。祝坐, 授主人⑫。

主人酌獻佐食。佐食北面拜⑬, 坐受爵。主人答拜。佐食祭酒, 卒爵, 拜。主人答拜, 受爵, 出, 實于篚, 升堂復位⑭。

주인이 廢爵(다리가 없는 술잔)을 씻어 술을 따라 시동에게 입가심하도록 올린다.(初獻)

시동이 절하고 잔을 받는다. 주인이 室戶의 서쪽에서 북향하고 답배한다.

시동이 술을 祭(이 음식을 최초로 만든 先人에게 고수레하는 것)하고 맛본다.

賓長이 肝俎를 주인이 시동에게 헌주할 때 따라 올리는데, 간을 俎

36)《禮經本義》卷14 兇禮 : "佐食於魚俎, 又擧其五, 腊俎又擧其三, 亦以授尸而尸不受, 乃實於篚也."

에 세로로 담고 그 肝俎 오른쪽에는 소금을 놓는다.

시동이 왼손으로 잔을 잡고 오른손으로 간을 취하여 소금에 찍어서 振祭(털어서 先人에게 고수레함)하고 간을 맛본 뒤 肝俎 위에 올려놓는다. (뒤에 篚에 담는다)
賓長이 당을 내려가 肝을 담았던 빈 俎를 內西塾에 되돌려 놓고 다시 서쪽 계단 아래 賓의 자리로 돌아간다.
시동이 잔의 술을 다 마시고 주면 祝이 빈 잔을 받는다.
축이 相爵(拜送禮. 잔을 보내고 절하는 것)을 명하지 않는다.
주인이 시동에게 절하면 시동이 답배한다.
축이 술을 따라 시동에게 주면, 시동이 이것으로 주인에게 답잔을 준다.
주인이 절하고 잔을 받으면(拜受禮)를 시동이 답배한다.
주인이 앉아서 잔의 술을 祭하고 다 마신 뒤에 시동에게 절한다. 시동이 답배한다.

축을 위한 자리(萑席)를 室의 북쪽 벽 아래, 甒의 서쪽에 남향하도록 편다.
주인이 祝에게 술을 올린다. 축이 절하고 앉아서 잔을 받는다. 주인이 답배한다.
執事者가 축에게 葵菹(아욱 초절임)와 蠃醢(라해. 달팽이 젓갈)를 올리고 俎도 진설한다.
祝이 왼손으로 잔을 잡고 오른손으로 葵菹를 취하여 蠃醢에 찍어서 祭를 한다. 잔을 내려놓고 일어나 俎에서 離肺(祭肺)를 취하여 앉아서 폐를 끊어서 祭하고 맛본다. 다시 일어나 俎 위에 올려놓고 술을 祭하고 맛본다.
이때 집사자가 肝俎를 따라 올린다.
祝이 간을 취하여 소금에 찍어 振祭하고 간을 맛본 뒤 肝俎 위에 올려놓는다. 잔의 술을 다 마시고 주인에게 절하면 주인이 답배한다.
祝이 앉아서 주인에게 빈 잔을 준다.

주인이 술을 따라 佐食에게 올린다. 좌식이 북향하고 절한 뒤에 앉아서 잔을 받는다. 주인이 답배한다.
좌식이 잔의 술을 祭하고 다 마신 뒤에 주인에게 절한다. 주인이 답배하고 잔을 받아서 室을 나와 뜰 서쪽에 있는 篚(대바구니)에 넣는다. 당에 올라와 西序에 기대놓았던 喪杖을 취하여 西序의 남쪽 자리로 돌아간다.

① 廢爵

정현의 주에 따르면 "爵에 다리가 없는 것을 廢爵이라고 한다.〔爵無足曰廢爵.〕"

② 酳

'酳'은 음이 '인'이다. 음식을 먹은 뒤 술로 입 안을 가시는 것이다. 이것이 이른바 '漱口'라는 것으로, 오늘날의 漱口(양치질)와 같은 것이 아니며 술을 마심으로써 입 안을 청결하게 하고 아울러 먹은 음식을 편안하게 하는 뜻도 있다.

③ 主人北面答拜

蔡德晉에 따르면 "室戶의 서쪽에서 북향하고 답배하는 듯하다.〔蓋于戶西北面答拜也.〕"

【按】 注疏에 따르면 이것은 吉禮와 다르게 한 것이다. 〈특생궤사례〉와 〈소뢰궤사례〉에서는 시동이 절하고 받으면 주인은 서향하여 절하고 보낸다.[37]

④ 賓長以肝從

'賓長'은 賓 중에 나이가 많은 사람이다. '以肝從'은 주인을 따라 시동에게 올리는 것을 이른다. 여기의 간은 즉 內西塾에 진열했던 肝俎이다. 〈사우례〉1. 주⑯ 참조.

⑤ 實于俎縮, 右鹽

敖繼公에 따르면 "간과 소금이 俎에 담겨 있는 법을 말했을 뿐 이때에야 비로소 俎에 담는다는 말은 아니다.〔言肝、鹽在俎之法爾, 非謂此時方實之也.〕"

⑥ 不相爵

敖繼公에 따르면 "相爵은 주인에게 拜送禮(절하고 술잔을 보내는 것)를 행하도록 명하는 것이다.〔相爵者, 命主人拜送爵也.〕" '不相爵'하는 이유는 정현

37) 鄭玄注 : "主人北面以酳酢, 變吉也."
賈公彦疏 : "案《特牲》、《少牢》尸拜受, 主人西面拜送, 與此面相反, 故云變吉也. 案《特牲》直有主人拜送, 雖不見主人面位, 約與《少牢》同, 皆西面也."

의 주에 따르면 "喪祭에는 禮를 생략하기 때문이다.〔喪祭, 於禮略.〕" 이것은 만일 吉禮라면 주인이 시동에게 술을 올릴 때 祝이 司禮가 되어 주인에게 절하고 爵을 보내도록 명해야 하지만 지금은 喪禮이기 때문에 禮儀도 따라서 생략한다는 말이다.

【按】 '相爵'은 吳廷華에 따르면 주인에게 고하기를, 보낸 술잔의 술을 시동께서 이미 다 마셨으니 절하라고 하는 것이다..[38]

⑦ 酳

정현의 주에 따르면 '보답하다.〔報〕'라는 뜻이다. 蔡德晉은 "시동이 반드시 주인에게 답잔을 올리는 것은 禮에는 보답하지 않는 법은 없기 때문이다.〔尸必酢主人者, 禮無不答也.〕"라고 하였다. 胡培翬는 "酳은 酢과 같다. 酢은 단지 보답하여 올리는 것이다.〔酳同酢, 酢, 報爾.〕"라고 하였다.

⑧ 筵祝

敖繼公에 따르면 "室의 북쪽 벽 아래, 甒(술단지)의 서쪽에 자리를 펴놓는 것이다.〔筵於北墉下, 尊(卽甒)之西也.〕"

【按】 注疏에 따르면 '筵'은 萑席(추석. 익모초로 짠 자리)을 사용하다. 이때 시동은 葦席(갈대로 짠 자리)을 사용한다.[39]

⑨ 薦菹醢, 設俎

'菹醢'는 즉 앞에서 당에 진열할 때 '從獻할 때 쓸 2개의 豆'에 담아 놓은 菹와 醢이다. (〈사우례〉1. 참조) '俎'는 원래 두 계단 사이에 진열한 것으로, 이 祝俎에는 髀(비)·脰(두)·脊·脅·離肺가 담겨 있다. (〈사우례〉13. 참조) 張爾岐에 따르면 이때 '올리는 사람〔薦〕'과 '진설하는 사람〔設〕'은 모두 집사자이다.[40]

⑩ 祭薦

'薦'은 菹와 醢를 이른다. 이때에도 菹를 취하여 醢에 찍어서 豆의 사이에 놓아 祭한다.

⑪ 肺

이것은 燔俎 위에 있는 폐이다. 胡培翬에 따르면 離肺이다.[41]

【按】 劉沅에 따르면 이때 祭하는 폐는 시동의 경우 佐食이 끊어서 준 것과 달리 祝은 스스로 가져다가 끊어서 祭하는 것이다.[42]

⑫ 授主人

'授'는 阮元의 교감본에는 '受'로 잘못되어 있다. 各本에는 모두 '授'로 되

38) 《儀禮章句》卷15 : "告主人言, 所送爵, 尸已卒爵, 以詔拜也."

39) 鄭玄注: "筵用萑席."
賈公彦疏 : "上文尸用葦席, 其祝席經記雖不言, 以尸用在喪, 故不用萑. 今祝宜與平常同, 故用萑也."

40) 《儀禮鄭注句讀》卷14 : "薦､設皆執事者."

41) 《儀禮正義》卷32 : "先奠爵, 乃取肺以祭, 離肺用二手也. 祭不言絕, 文省."

42) 《儀禮恒解》卷13 : "尸則佐食絕而授之, 祝則自取而絕之也."

어 있다.

⑬ 佐食北面

佐食은 室 안의 戶 서쪽에서 북향하여 북쪽 벽 아래에 있는 祝과 남북으로 마주보고 있는 것이다.

⑭ 實于篚, 升堂復位

'篚'는 뜰 서쪽에 있다. (《사우례》1. 참조) '復位'는 정현의 주에 따르면 "주인이 다시 室로 들어가지 않는 것은 일이 끝났기 때문이다. 마찬가지로 이어서 喪杖을 취하여 동향하고 선다.〔不復入, 事已也. 亦因取杖, 乃東面立.〕" 즉 室 안으로 들어가기 전에 西序에 기대놓았던 喪杖을 취하여 (《사우례》3. 주④ 참조) 西序의 끝 동향하는 자리에 서는 것이다.

7. 主婦 亞獻

主婦洗足爵于房中①, 酌, 亞獻尸, 如主人儀。自反兩籩②, 棗、栗, 設于會南, 棗在西。尸祭籩③, 祭酒如初。賓以燔從如初④。尸祭燔⑤, 卒爵如初。酌獻祝, 籩、燔從, 獻佐食, 皆如初。以虛爵入于房。

주부가 足爵(다리가 있는 술잔)을 東房 안에서 씻어 들고 室로 들어가 술을 따라 시동에게 아헌을 올리는데, 주인이 초헌을 올릴 때와 같은 의절로 한다.

주부가 직접 당으로 다시 나와 2개의 籩(棗籩·栗籩)을 들고 室로 들어가 會(敦의 뚜껑)의 남쪽에 진설하는데, 棗籩을 栗籩의 서쪽에 놓는다.

시동이 籩의 대추와 밤을 祭(이 음식을 최초로 만든 先人에게 고수례하는 것)하고 술을 祭하는데 주인이 초헌을 올릴 때와 같이 한다.

이때 賓이 燔俎를 따라 올리는데, 주인이 초헌할 때 肝俎를 따라 올릴 때와 같이 한다.
시동이 燔俎에 놓인 肺를 祭하고 잔의 술을 다 마시기를 주인이 초헌을 올릴 때와 같이 한다.
주부가 술을 따라 祝에게 올리는데 棗籩·栗籩·燔俎도 따라 올리며, 佐食에게도 올리는데 모두 주인이 초헌을 올릴 때와 같이한다.
주부가 빈 잔을 들고 東房으로 들어간다.

① 洗足爵于房中

'足爵'은 다리가 있는 爵이다. 爵은 본래 다리가 있지만 상복이 무거운 사람만이 다리를 제거하여 廢爵으로 만들고 상복이 가벼운 사람은 그대로 足爵을 사용한다. 가공언의 소에 따르면 주인은 참최복을 입고 주부는 시부모를 위해 자최복을 입으므로 상복이 주인보다 가볍다.[43] 東房 안에서 爵을 씻는 것은 內洗, 즉 北洗에서 씻는 것이다.

② 自反兩籩

여기의 籩은 즉 당 위에 진열할 때 "從獻에 쓸 2개의 豆를 鉶羹 동쪽에 놓고 4개의 籩을 그 다음 동쪽에 놓는다.〔從獻豆兩亞之, 四籩亞之.〕"라고 할 때의 籩이다. (〈사우례〉1, 〈虞祭設饌〉圖 참조) 李如圭에 따르면 "自反은 직접 되돌아가 籩을 가지고 와서 도와주는 사람이 없는 것이다.〔自反, 反而取籩, 無贊之者也.〕"

【按】〈사우례〉16. 주② 참조.

③ 尸祭籩

籩에 든 음식을 祭하는 법은, 敖繼公에 따르면 祝이 籩 안의 대추와 밤을 취하여 시동에게 주면 시동이 받아서 豆의 사이에 놓음으로써 祭하는 것을 보인다.[44]

④ 賓以燔從如初

敖繼公에 따르면 "賓은 次賓(賓長 다음의 賓)을 이른다. '燔從如初'는 주인이 헌주할 때 肝俎를 따라 올리는 의절과 같이 하는 것이다.〔賓謂次賓. 燔從如初者, 如肝從之儀也.〕"

【按】〈사우례〉1. 주⑯, 〈사우례〉6. 주④ 참조.

⑤ 祭燔

燔俎 위에 있는 폐로 祭하는 것을 이른다. 〈사우례〉6. 주⑪ 참조.

43) 賈公彦疏 : "主婦, 主人之婦, 爲舅姑齊衰, 是輕於主人, 故爵有足爲飾也."

44)《儀禮集說》卷14 : "祭棗、栗於豆間也, 亦祝取而授之."

8. 賓長 三獻

賓長洗繶(억)爵①, 三獻, 燔從②, 如初儀③。

賓長이 繶爵(爵 입구와 다리에 무늬를 새긴 술잔)을 씻어서 시동에게 三獻(終獻)을 올린다. 이때 次賓이 燔俎를 따라 올리는데, 주부가 아헌을 올릴 때와 같은 의절로 한다.(축과 좌식에게도 모두 헌주한다)

① 繶爵

정현의 주에 따르면 술잔의 입구와 다리에 무늬를 새겨 넣은 爵이다.[45]

② 燔從

胡培翬에 따르면 "이때에도 次賓이 따라 올린다.〔亦次賓從薦也.〕"

③ 如初儀

아헌을 올릴 때와 같이 하는 것을 이른다. 張爾岐에 따르면 "이때에도 祝과 佐食에게 모두 올려야 한다.〔當亦兼獻祝及佐食.〕"

9. 告利成

婦人復位①。祝出戶, 西面告: "利成②。" 主人哭。皆哭。祝入, 尸謖(속)③。從者奉篚, 哭如初。祝前尸出戶, 踊如初④。降堂, 踊如初。出門, 亦如之。

부인들이 東房에서 나와 동쪽 계단 위쪽 서향하는 자리로 돌아온다. 祝이 室戶를 나와 서향하고 西序 남쪽에 있는 주인에게 고하기를

45) 鄭玄注 : "繶爵, 口足之間有篆, 又彌飾."

"공양하는 예를 마쳤습니다.[利成]"라고 한다.
주인이 곡을 한다. 부인과 衆主人이 모두 곡을 한다.
축이 室로 들어가면 시동이 일어난다.
從者가 篚(시동에게 올린 음식을 담은 대바구니)를 받쳐 들고 廟門(침문)을 들어올 때처럼 곡하면서 시동을 뒤따른다.
축이 앞장서 시동을 인도하여 室戶를 나오면 시동이 室戶에 들어갈 때와 같이 모두 踊을 한다.
시동이 당을 내려가면 당에 오를 때와 같이 모두 踊을 한다.
시동이 묘문을 나갈 때에도 들어올 때와 같이 모두 踊을 한다.

① 婦人復位

당의 동쪽 계단 위쪽 서향하는 자리로 돌아오는 것이다.

② 利成

정현의 주에 따르면 "利는 養과 같다. 成은 마친다는 뜻이다. 공양하는 禮가 다 끝난 것을 말한다.[利猶養也. 成, 畢也. 言養禮畢也.]" 이것은 바로 시동에게 공양하는 예를 이미 다 마쳤다는 뜻이다. '養禮畢'이라고 하지 않고 '利成'이라고 바꾸어 말한 까닭은 정현의 주에 따르면 만일 '養禮畢'이라고 말하면 시동을 돌려보내는 혐의가 있기 때문에 그 말을 바꾼 것이다.[46]

③ 尸謖

정현의 주에 따르면 "謖은 일어선다는 뜻이다. 祝이 들어와 일이 없으면 시동은 일어날 것을 안다.[謖, 起也. 祝入而無事, 尸則知起矣.]"

④ 如初

정현의 주에 따르면 이것은 시동이 室에 들어올 때와 똑같이 한다는 말이다.[47] 다음의 '如初'는 시동이 당에 오를 때와 똑같이 한다는 말이다. 시동이 당에 오를 때와 室에 들어갈 때 丈夫들(주인과 衆主人)과 부인들은 모두 踊을 한다. 〈사우례〉4. 참조.

46) 鄭玄注 : "不言養禮畢, 於尸閒嫌."

47) 鄭玄注 : "如初者, 出如入, 降如升, 三者之節悲哀同."

10. 陽厭

祝反，入徹，設于西北隅①，如其設也，几在南②，厞(비)用席③。祝薦、席，徹入于房④。祝自執其俎出⑤。贊闔牖戶⑥。

祝이 廟門(침문) 밖에서 시동을 배웅하고 돌아와 室 안으로 들어가 진설했던 祭物을 거두어 室의 서북쪽 모퉁이(屋漏)에 진설하는데，陰厭 때와 같이 진설하며 几도 남쪽에 놓고 그 주위를 席으로 가린다.
祝에게 올렸던 음식과 祝을 위하여 폈던 席을 집사자가 거두어 東房으로 들어간다.
祝이 직접 자기의 俎(燔俎·肝俎)를 들고 室을 나간다.
贊者(佐食)가 室의 戶와 창을 닫는다.

① 徹，設于西北隅

여기에서 진설하는 것이 바로 '陽厭'이라는 것이다. 凌廷堪의《禮經釋例》권9에 따르면 "일반적으로 시동이 室을 나가고 난 뒤에 다시 서북쪽 모퉁이에 진설하는 것을 陽厭이라고 한다.〔凡尸旣出室之後，改饌於西北隅，謂之陽厭.〕"

【按】 李如圭에 따르면 室 안의 서남쪽 모퉁이를 '奧'，동남쪽 모퉁이를 '窔(요)'，동북쪽 모퉁이를 '宧(이)'，서북쪽 모퉁이를 '屋漏'라고 한다.[48]

② 几在南

정현의 주에 따르면 '右几'라고 하지 않고 '几在南'이라고 말한 것은 陽厭의 席도 陰厭과 똑같이 席을 동향으로 설치한다는 것을 강조하기 위해서이다.[49] 즉 음식을 진설하는 위치를 室의 서남쪽에서 서북쪽 모퉁이로 옮겨 진설하는 것을 제외하고는 일체를 모두 원래대로 진설한다는 말이다.

③ 厞用席

'厞'는 음이 '비'이다. 정현의 주에 "숨긴다는 뜻이다.〔隱也.〕"라고 하였는데，가공언의 소에 따르면 "席을 가리개로 삼아 숨겨지도록 하는 것을 이른다.〔謂以席爲障，使之隱.〕"

48)《儀禮釋宮》："室中西南隅謂之奧，東南隅謂之窔，東北隅謂之宧，西北隅謂之屋漏."

49) 鄭玄注："几在南，變右文，明東面."

④ 祝薦席

'席'은 즉 앞에서 말한 '筵祝(축을 위하여 편 자리)'의 席이다. 〈사우례〉6. 참조.

【按】郝敬에 따르면 '祝薦'은 祝에게 올렸던 籩豆를 가리키며 席은 筵席을 가리킨다. 이것들은 모두 원래 東房에 진열했던 것들을 가져온 것이기 때문에 동방으로 거두어 두는 것이다.[50]

⑤ 祝自執其俎

위의 경문에서 주인이 祝에게 헌주할 때 '俎를 진설하고〔設俎〕' (〈사우례〉6. 참조) 주부가 아헌할 때는 '燔俎를 따라 올렸으니〔燔從〕' (〈사우례〉7. 참조) 이것은 祝의 자리 앞에 俎가 있는 것이다.

⑥ 贊

【按】注疏에 따르면 여기의 '贊'은 佐食이다. 祝은 이미 자신의 俎를 들고 室을 나왔기 때문에 여기에서 牖와 戶를 닫는 贊者는 좌식임을 알 수 있는 것이다.[51]

11. 禮畢, 送賓

主人降。賓出。主人出門, 哭止, 皆復位①。宗人告事畢。賓出②, 主人送, 拜稽顙。

주인이 당을 내려간다.
賓이 廟門(침문)을 나간다.
주인이 묘문을 나가면 곡을 멈추고 모두 묘문을 나가서 묘문을 들어오기 전과 같은 자리로 나아가 선다.
宗人이 주인에게 虞祭의 禮가 끝났음을 고한다.
賓이 大門(外門)을 나가면 주인이 再拜稽顙하여 賓을 전송한다.

① 復位

50) 《儀禮節解》卷14 : "祝薦, 獻祝之籩豆. 席, 筵席. 皆徹歸東房, 初自東房出也."

51) 鄭玄注 : "贊, 佐食者." 賈公彦疏 : "云'贊, 佐食者'者, 自上以來行事, 唯有祝與佐食, 以其云'祝自執其俎出', 故知闔牖戶是佐食也."

정현의 주에 따르면 "廟門 밖 아직 들어가기 전의 자리이다.[門外未入位.]" 즉 아직 묘문에 들어가기 전 묘문 밖의 '조석곡 때와 같은 자리[如朝夕臨位]'로 돌아가는 것이다. 〈사우례〉2. 참조.

② 賓出

정현의 주에 따르면 大門을 나가는 것을 이른다.[52]

52) 鄭玄注 : "送拜者, 明于大門外也."

기記

12. 沐浴, 陳牲, 虞祭 시간

《記》。虞, 沐浴, 不櫛(즐)①。陳牲于廟門外②, 北首, 西上, 寢右③。日中而行事④。

〈記〉이다.
虞祭를 행하려면 주인이 머리를 감고 몸을 씻지만 머리에 빗질은 하지 않는다.
아직 잡지 않은 희생(腊을 포함)을 廟門(침문) 밖에 진열하는데 머리를 북쪽으로 가게 하고 서쪽을 상위로 하여 豕牲을 서쪽에 놓되 희생의 오른쪽이 밑으로 가도록 눕혀 놓는다.
정오가 되면 虞祭를 행한다.

① 虞, 沐浴, 不櫛

【按】 정현의 주에 따르면 머리를 감고 몸을 씻는 것은 제사를 앞두고 몸을 청결하게 하기 위한 것이다. 그러나 3년상에는 머리를 빗지 않는데, 꾸미는 것이기 때문이다. 기년상 이하는 머리를 빗어도 된다.[53]

② 陳牲

정현의 주에 따르면 "牲이라고 한 것은 腊도 그 안에 있는 것이다.〔言牲, 腊在其中.〕" 이 牲은 豕(큰 돼지)와 兎腊(토끼를 통채로 말린 것)을 이른다. 褚寅亮에 따르면 豕牲은 아직 죽이기 전의 희생이다.[54]

【按】 가공언의 소에 따르면 〈사우례〉에는 희생이 豕 한 마리 뿐인데 "서쪽을 상위로 하여 진열한다."라는 구절이 있기 때문에 이때 '牲' 안에 腊도 포함되어 있다는 것을 알 수 있는 것이다.[55]

③ 西上, 寢右

【按】 注疏에 따르면 서쪽을 상위로 삼은 것은 동쪽을 상위로 하는 길례와 다르게 한 것이며, 희생의 오른쪽이 밑으로 가도록 한 것은 虞祭에 희생의 左胖을 쓰기 때문이다. 이

53) 鄭玄注 : "沐浴者, 將祭, 自潔淸. 不櫛, 未在於飾也. 唯三年之喪不櫛, 期以下櫛可也."

54) 《儀禮管見》卷下3 : "牲未殺, 故寢於地."

55) 賈公彦疏 : "知腊在牲中者, 《士虞》唯有一豕, 而云'西上', 明知兼兎腊得云西上也."

때 腊은 棜로 받친다.[56]

④ 日中而行事

정현의 주에 따르면 "아침에 장례하고 그날 정오에 우제를 지낸다.〔朝葬, 日中而虞.〕"

【按】 가공언의 소에 따르면 周나라 사람들은 붉은 색을 숭상하여 大事를 해가 뜰 때 행하였기 때문에 장례 역시 아침에 행하였다. 아침에 장례를 한 뒤 殯宮으로 돌아와 신을 안정시키는 虞祭를 지내는데, 初虞는 반드시 장례한 날 정오에 지낸다. 정오는 辰正이기 때문이다. 再虞와 三虞는 모두 장례와 마찬가지로 동이 틀 때 지낸다.[57] 저인량에 따르면 日出·日入·日中이 모두 辰正이기는 하지만 초우는 아침에 장례를 지냈기 때문에 日中의 辰正을 쓴 것이며 재우와 삼우는 다른 일이 없기 때문에 質明의 辰正을 쓴 것이다.[58]

13. 희생을 잡아 鼎에 담는 법과 鼎俎를 진열하는 법

殺于廟門西①, 主人不視。豚解②。羹飪③, 升左肩④、臂、臑(노)、肫(순)、骼(격)、脊、脅, 離肺。膚祭三, 取諸左膉(익)上⑤。肺祭一, 實于上鼎⑥。升魚鱄、鮒九⑦, 實于中鼎。升腊左胖, 髀(비)不升, 實于下鼎。皆設扃、鼏, 陳之。載猶進柢(저)⑧, 魚進鬐(기)⑨。祝俎髀⑩、脰(두)、脊、脅、離肺, 陳于階間、敦(대)東⑪。

宰가 廟門(침문) 밖 서쪽에서 豕(큰 돼지)를 잡는데 주인은 보지 않는다. 豕를 豚解(豚처럼 7體로 나누는 것) 한다.
鑊(牲體를 익히는 솥)에서 고깃국이 끓어 牲體가 다 익으면 豕牲의 왼쪽 肩·臂·臑·肫·骼·脊·脅과 離肺를 上鼎(가장 북쪽에 있는 豕鼎)에 담는다. 豕牲의 왼쪽 목에서 취한 膚祭(祭할 때 쓰는 껍질이 붙은 살) 세 덩어리

56) 鄭玄注 : "西上, 變吉. 寢右者, 當升左胖也. 腊用棜." 賈公彦疏 : "案《少牢》二牲東上, 是吉祭東上, 今此西上, 是變吉也."

57) 《禮記正義》〈檀弓下〉賈公彦疏 : "虞者, 葬日還殯宮安神之祭名. 必用日中者, 是日時之正也. 《士虞禮》云'日中而行事', 注云: '朝葬, 日中而虞. 君子擧事必用辰正也. 再虞、三虞皆用質明.' 案周人尙赤, 大事用日出, 故朝葬也."

58) 《儀禮管見》卷下3 : "注云擧事必用辰正, 統指三虞言, 日出、日入、日中皆爲辰正, 而辰正之中, 又取質明. 今以當日有葬事, 不得用質明, 故用日中, 亦辰正也. 若再虞、三虞, 祭日無事, 必用質明矣."

와 祭肺(祭할 때 쓰는 폐) 하나도 上鼎에 담는다.
물고기는 전어나 붕어 9마리를 中鼎(魚鼎)에 담는다.
兎腊의 左胖을 下鼎(腊鼎)에 담는데 髀는 담지 않는다.
이 3개의 鼎은 모두 扃(鼎을 드는 횡목)을 끼우고 鼏(덮개)을 덮어서 묘문 서쪽에 북쪽을 상위로 하여 진열한다.
牲體를 俎에 담을 때 뼈의 뿌리 부분이 앞으로 가도록 놓고 물고기는 등뼈가 앞으로 가도록 놓는다.
祝俎에는 髀·脰·脊·脅·離肺를 담는데, 鑊에서 꺼내 鼎에 담지 않고 바로 俎에 담아 두 계단 사이, 黍敦와 稷敦의 동쪽에 진열한다.

① 廟門

【按】 敖繼公에 따르면 묘문 밖을 이른다.[59]

② 主人不視。豚解

여기의 豚解 대상은 豕(큰 돼지)이다. 〈기석례〉11. 주④ 참조.

【按】 정현의 주에 따르면 주인은 이때 희생을 살피기는 하지만 잡는 것은 보지 않는데, 이는 吉祭와 달리 喪祭는 소략하게 하기 때문이다. '豚解'는 희생을 앞 뒤 네 다리와 脊 한 개, 脅 두 개 등 모두 7體로 나누는 것을 이른다.[60] 〈사상례〉19. 주② 참조.

③ 羹飪

정현의 주에 따르면 "고깃국을 羹이라고 한다. 飪은 익힌다는 뜻이다.〔肉謂之羹. 飪, 孰也.〕"

【按】 정현의 주에 따르면 '고깃국'은 臛(학) 또는 湆이라고도 한다.[61]

④ 升左

胡培翬에 따르면 "升은 鑊에서 꺼내어 鼎에 담는 것을 이른다. 左는 肩·臂 이하의 牲體를 모두 左胖을 쓴다는 말이다.〔升者, 自鑊升於鼎. 左者, 謂肩、臂以下皆用左也.〕" '鼎'은 上鼎을 이른다. '鑊'은 豕·魚·腊을 아궁이에서 익힐 때 쓰는 솥을 가리킨다.

⑤ 脰

정현의 주에 따르면 "목살고기이다.〔脰肉.〕" '脰(두)'는 목이다.

⑥ 肺祭一, 實于上鼎

'肺祭'는 胡培翬에 따르면 "즉 祭肺이다.〔卽祭肺也.〕" '上鼎'은 가장 북쪽에 있는 鼎이다. 鼎을 진열할 때 북쪽을 상위로 하여 진열했기 때문에 (《사

59) 《儀禮集說》卷14 : "廟門, 亦廟門外也."

60) 鄭玄注 : "主人視牲, 不視殺, 凡爲喪事略也. 豚解, 解前後脛、脊、脅而已."

61) 《爾雅》〈釋器〉: "肉謂之羹, 魚謂之鮨." 鄭玄注 : "肉, 臛也. 《廣雅》曰湆."

우례〉1. 참조) 가장 북쪽에 있는 것을 上鼎으로 삼고 그 이하를 차례로 中鼎과 下鼎으로 삼은 것이다.

【按】〈사우례〉3. 주⑳ 참조.

⑦ 鱄、鮒九

胡培翬에 따르면 "전어를 쓰거나 붕어를 써서 정해진 것이 없기 때문에 두 가지를 다 말한 것일 뿐, 전어와 붕어를 함께 쓰는 것은 아니다.〔或用鱄, 或用鮒, 不定, 故兩言之, 非鱄、鮒竝用也.〕"

【按】敖繼公에 따르면 士의 喪奠에 쓰는 물고기는 모두 9마리를 쓴다.[62] 李如圭에 따르면 이는 〈특생궤사례〉에서 물고기를 15마리 쓰는 것에서 줄인 것이다.[63]

⑧ 進柢

'進'은 '앞'이라는 뜻이다. '柢'는 뼈의 뿌리 부분을 이른다. 〈사상례〉21. 주⑩ 참조.

⑨ 鬐

물고기의 등이다. 〈사상례〉28. 주⑥ 참조.

⑩ 祝俎

주인이 祝에게 獻酒할 때를 기다려 祝에게 올리기 위하여 진열한 俎를 가리킨다. (〈사우례〉6. 참조) 胡培翬에 따르면 "祝을 위한 이 俎는 실제로는 鑊에서 곧바로 俎에 담은 것으로, 俎에 담기 전에 鼎에 담지 않으니, 앞에서 牲體를 鼎에 담았다가 뒤에 다시 俎에 담는 尸俎(시동을 위한 俎)와는 다르다.〔此祝之俎, 實自鑊而徑載於俎, 不復升於鼎, 與上尸俎升於鼎而後載於俎者異."〕

⑪ 敦

두 계단 사이에 진열한 黍敦와 稷敦를 이른다. 〈사우례〉1. 참조.

62] 《儀禮集說》卷14 : "魚九, 亦未可與其吉祭同. 凡士之喪奠, 用魚則九."

63] 《儀禮集釋》卷25 : "《特牲禮》魚十有五."

14. 尸盥

淳(순)尸盥①, 執槃西面, 執匜(이)東面, 執巾在其北, 東面, 宗人授巾南面②。

시동에게 손을 씻도록 물을 부어줄 때 槃을 든 집사자는 서향하여 서고, 匜를 든 집사자(賓)는 동향하여 서며 손을 닦을 布巾을 든 집사자는 匜를 든 집사자의 북쪽에 동향하고 선다. 宗人이 집사자에게서 布巾을 받아 남향하고 시동에게 준다.

① 淳尸盥

〈사우례〉4. 주③ 참조. 槃과 匜는 서쪽 계단의 남쪽에 진열한다. 〈사우례〉 1. 주⑭ 참조.

【按】 시동에게 물을 부어 손을 씻게 하는 곳이 張惠言의 《儀禮圖》 중 喪祭인 권5의 〈尸入九飯〉圖와 吉祭인 권6의 〈尸入九飯〉圖에는 모두 묘문 안 서쪽으로 그려져 있으며, 盥器가 진열된 곳은 각각 묘문 안 동쪽과 서쪽 계단 남쪽에 그려져 있다. 黃以周의 〈尸入九飯〉圖도 동일하다. 〈사우례〉 제4절 "尸入門, 丈夫踊, 婦人踊. 淳尸盥, 宗人授巾. 尸及階, 祝延尸." 구절을 보면 시동이 묘문을 들어와 씻은 뒤 서쪽 계단 아래에 이르고 있는데, 이에 근거하면盥器를 진열하는 곳과 손을 씻는 곳은 다른 곳인 듯 하다.

② 授巾

정현의 주에 따르면 巾을 든 사람이 巾을 직접 주지 않는 것은 그 지위가 낮기 때문에 宗人이 巾을 시동에게 주는 것이다.[64)]

• 그림 45 • 尸盥

64) 鄭玄注 : "執巾不授, 巾卑也."

15. 宗人과 佐食의 방향

主人在室, 則宗人升; 戶外; 北面①。佐食無事則出戶, 負依南面②。

주인이 室 안에 있으면 宗人이 당에 올라와 室戶 밖에서 북향하고 선다.
佐食은 일이 없을 때에는 室을 나와 依(室戶와 창 사이)를 등지고 남향하고 선다.

① 主人……北面

정현의 주에 따르면 宗人은 禮를 고하는 책임이 있다. 즉 주인에게 어느 때 어떤 禮를 행해야 할지를 고해야 하기 때문에 주인이 室에 들어가면 종인은 室戶 밖에 서서 주인 가까이 있는 것이다.[65] 주인이 당에 있을 때에는 종인은 서쪽 계단 앞에 서서 북향을 하는데, (〈사우례〉2. 참조) 이것은 예를 고하기 편하게 하기 위해서이다. 여기에서는 또 주인이 室에 들어갔을 때 종인이 禮를 고하는 자리를 보충하여 기록하였다.

② 佐食……南面

정현의 주에 따르면 室 안은 자리가 높기 때문에 佐食은 일이 없으면 室 안에 공연히 서있어서는 안 된다. 또 정현의 주에 따르면 室戶와 창 사이를 '依'라고 한다.[66]

【按】 李如圭에 따르면 室戶와 牖 사이를 '依', 室戶 동쪽을 '房戶之間', 房戶의 서쪽을 '房外', 東房 중반 이북을 '北堂'이라고 한다. 北堂에는 北階가 있다.[67]

65) 鄭玄注："當詔主人室事."

66) 鄭玄注："室中尊, 不空立. 戶､牖之間, 謂之依."

67) 《儀禮釋宮》："戶牖之間謂之依, 戶東曰房戶之間, 房戶之西曰房外, 房中半以北曰北堂, 有北階."

16. 饗尸 때 쓰는 鉶芼와 籩豆에 담는 음식

鉶芼用苦若薇。有滑, 夏用葵, 冬用荁(환)①。有柶。豆實葵菹, 菹以西嬴醢②。籩, 棗烝栗擇③。

鉶芼(鉶羹에 사용하는 채소)는 苦(씀바귀)나 薇(들완두)를 쓴다.
滑(국 맛을 좋게 하기 위해 넣는 채소)은 여름에는 葵(아욱)를 쓰고 겨울에는 荁(미나리 종류)을 쓴다.
형갱 위에 柶(숟가락)를 올려놓는다.
豆에는 葵菹(아욱 초절임)를 담고 葵菹豆의 서쪽에는 嬴醢豆(달팽이 젓갈을 담은 豆)를 놓는다.
籩에는 선별하여 익힌 대추와 밤을 담는다.

① 鉶芼……冬用荁

'鉶'은 鉶羹을 이른다. '芼'는 고깃국에 첨가하는 채소이다. 《說文解字》 "芼"에 대한 段玉裁의 주에서는 《毛鄭詩考正》을 인용하여 "芼는 고기국물에 삶는 채소이다.〔芼, 菜之烹於肉湆者也.〕"라고 하였다. '苦'는 즉 苦菜(씀바귀), 즉 苦荼이다. 《爾雅》〈釋草〉의 "荼는 苦菜이다.〔荼, 苦菜.〕"라는 구절에 대한 郝懿行의 義疏에 따르면 경전에서 단독적으로 苦나 荼만 말한 것은 모두 苦菜를 가리킨다. '薇'는 《설문해자》에 "薇는 채소이니, 콩과 비슷하다.〔薇, 菜也, 似藿.〕"라고 하였는데, 단옥재의 주에 "콩잎과 비슷한 것을 이른다.〔謂似豆葉也.〕"라고 하였다. 단옥재는 또 項安世의 설을 인용하여 "지금의 들완두이다.〔今之野豌豆也.〕"라고 하였다. '滑'은 맛을 내는 채소를 가리킨다. 정현의 주에 따르면 여기에서는 '堇이나 荁(환)과 같은 것〔堇荁之屬〕'을 가리킨다. 堇은 堇菜이다. 《설문해자》에 "뿌리는 냉이와 같고 잎은 가는 버들과 같으며 쪄서 먹으면 달다.〔根如薺, 葉如細柳, 蒸食之甘.〕"라고 하였다. '荁' 역시 堇菜(미나리)의 종류이다.

② 菹以西嬴醢

【按】 敖繼公과 胡培翬에 따르면 '以西'는 〈사우례〉 제1절에서 서쪽 기둥의 동쪽에 진열

할 때 甗醯를 葵菹의 서쪽에 진열한 것을 이른다. 室에 진설할 때는 〈사우례〉 제5절에서 처럼 甗醯를 葵菹의 북쪽에 진설한다.[68] 〈그림 44〉 참조.

③ 棗烝栗擇

즉 '棗栗烝擇'이니, 대추와 밤은 모두 선별하고 쪘다는 말이다. '烝'은 익혀서 먹는 것이며 '擇'은 병들고 썩은 것을 골라내는 것으로, '烝'과 '擇'은 여기에서는 互文으로 쓰였다. 〈特牲饋食禮 記〉의 '棗烝栗擇'에 대한 胡培翬의 《儀禮正義》에 따르면 "찐 대추 역시 선별한 것이며 선별한 밤 역시 찐 것이다. 쪄서 먹을 수 있도록 익히고, 선별하여 벌레 먹은 것과 더러운 것이 묻은 것을 골라내는 것이다.〔棗烝亦擇, 栗擇亦烝. 烝之使熟可食, 擇去其蟲傷及塵垢.〕"

17. 祝이 시동을 모시는 의절, 시동의 복장, 시동이 되는 사람

尸入, 祝從尸①。尸坐不說(탈)屨②。尸謖(속), 祝前鄕尸③。還(선)出戶④, 又鄕尸。還過主人⑤, 又鄕尸。還降階, 又鄕尸。降階⑥, 還及門, 如出戶⑦。尸出, 祝反入門左, 北面復位⑧, 然後宗人詔降。

尸服卒者之上服⑨。男, 男尸。女, 女尸, 必使異姓, 不使賤者⑩。

시동이 室 안으로 들어간다. 祝이 시동을 따라 들어간다.

시동이 자리에 앉는다. 이때 신발을 벗지 않는다.

제사가 끝나고 시동이 일어서면 祝이 앞에서 시동을 향하여 서서 시동에게 인도할 뜻을 보인다.

祝이 몸을 돌려 室戶를 나와서 또 시동을 향하여 서서 시동이 나오

68) 《儀禮集說》卷14 : "言以西, 則指其饌時." 《儀禮正義》卷3 : "云'以西'者, 係據上饌於西楹之東、醯在西時言之, 若設於室, 則醯在北矣."

기를 기다린다.
祝이 몸을 돌려 西序 남쪽에 서 있는 주인을 지나갈 때 또 시동을 향하여 서서 시동이 지나가기를 기다린다.
祝이 몸을 돌려 서쪽 계단을 내려가서 또 시동을 향하여 서서 시동이 계단을 내려오기를 기다린다.
시동이 계단을 내려오면 祝이 몸을 돌려 廟門(침문)을 나간다. 이때 묘문 입구에 이르면 室戶를 나올 때와 같이 몸을 돌려 시동을 향하여 서서 시동을 기다린다.
시동이 묘문을 나가면 祝이 돌아와 묘문을 들어와서 묘문의 왼쪽(서쪽) 북향하는 자리로 돌아간다. 그런 뒤에 宗人이 서쪽 계단 앞에 서서 북향하고 주인에게 당에서 내려오도록 고한다.

시동은 死者의 上服(玄端服)을 입는다.
死者가 남자일 경우 시동은 남자(적손)로 세운다. 死者가 여자일 경우 시동은 여자로 세우는데, 반드시 異姓(적손며느리)을 시키고 신분이 천한 사람에게 시키지 않는다.

① 尸入, 祝從尸

시동이 室 안으로 들어가는 것을 이른다. 〈사우례〉4. 참조.

【按】 注疏에 따르면 陰厭 때에는 주인이 祝보다 앞서 室戶에 들어갔으나(〈사우례〉3. 참조), 여기에서는 주인이 축보다 뒤에 들어가 시동–축–주인의 순서로 들어가기 때문에 〈記〉에 기록한 것이다.[69]

② 尸坐不說屨

神道는 경건함을 위주로 하기 때문에 신발을 벗지 않는 것이니, 燕禮처럼 즐거움을 위주로 하여 앉을 때 신발을 벗는 것과는 다르다. 敖繼公에 따르면 "禮에 공경할 일이 있으면 신발을 벗지 않고 앉는다.〔禮有敬事, 則不說屨而坐.〕"

③ 尸謖, 祝前鄕尸

'尸謖'은 祝이 '利成(공양하는 禮가 끝나다)'이라고 고한 뒤에 시동이 일어나는 것이다. (〈사우례〉9. 참조) '前鄕尸'는 정현의 주에 따르면 "前은 인도하는 것이다.〔前, 道(導)也.〕" 祝이 시동을 인도할 때에는 반드시 먼저 시동에게 향하

69) 鄭玄注 : "祝在主人前也. 嫌如初時, 主人倚杖入, 祝從之. 初時, 主人之心尙若親存, 宜自親之. 今旣接神, 祝當詔侑尸也."
賈公彦疏 : "上經陰厭時, 主人先祝入戶, 至此迎尸祝在主人前, 先後有異, 故記人明之."

는 것으로 의절을 삼는다.

④ 還

胡培翬에 따르면 "몸을 돌린다는 뜻이니, 旋과 같다.〔轉也, 與'旋'同.〕" 張爾岐는 "祝이 시동을 인도할 때 반드시 먼저 얼굴을 시동 쪽으로 향하고 이어 몸을 돌려 앞장서서 가는 것을 還이라고 한다.〔祝之道尸, 必先以面鄕尸, 乃轉身前行, 謂之還.〕"라고 하였다.

⑤ 過主人

주인이 서쪽 계단 위쪽에 있으므로 주인을 지나간다면 장차 계단을 내려가려는 것이다.

⑥ 降階

敖繼公에 따르면 시동이 계단을 내려가는 것을 가리킨다.[70)]

⑦ 及門, 如出戶

'門'은 廟門(침문)이다. 祝은 室戶를 나오기 전에 먼저 시동에게 향함으로써 장차 시동을 위하여 앞에서 인도하겠다는 뜻을 보이고, 室戶를 나온 뒤에 또 시동에게 향함으로써 시동이 나오기를 기다린다. 지금 묘문을 나올 때에도 의절이 똑같기 때문에 '如出戶'라고 한 것이다.

⑧ 復位

祝의 자리는 원래 廟門의 왼쪽(서쪽)에서 북향하고 서있던 곳이다. 〈사우례〉2. 참조.

⑨ 尸服卒者之上服

'卒者'는 死者이다. '上服'은 정현의 주에 따르면 玄端服을 이른다. 士의 옷은 爵弁服을 존귀하게 여기지만 지금 작변복을 上服으로 여기지 않고 현단복을 上服으로 삼는 것은, 작변복은 士가 國君의 제사에 참여하여 제사를 도울 때 입던 옷이기 때문에 시동이 입고서 자신에게 제사지낼 수 없는 것이다.[71)]

⑩ 必使異姓, 不使賤者

'異姓'은 胡培翬에 따르면 손자며느리를 이른다. '賤者'는 정현의 주에 따르면 "庶孫의 첩을 이른다. 시동은 尊者와 짝하기 때문에 반드시 적손며느리를 시킨다.〔謂庶孫之妾也. 尸配尊者, 必使適也.〕" '必使適'은 남자 시동은 適孫子를 세우고 여자 시동은 적손며느리를 세우는 것을 이른다.

70) 《儀禮集說》卷14 : "下降階者, 尸也."

71) 鄭玄注 : "上服者, 如《特牲》士玄端也. 不以爵弁服爲上者, 祭於君之服, 非所以自配鬼神."

18. 시동이 없을 때의 虞祭

無尸, 則禮及薦饌皆如初①。旣饗、祭于苴、祝祝卒②, 不綏(타)祭, 無泰羹湇、胾、從獻③。主人哭, 出復位④。祝闔牖戶, 降, 復位于門西。男女拾(겁)踊三⑤。如食間⑥。祝升⑦, 止哭, 聲三⑧, 啓戶。主人入⑨。祝從, 啓牖, 鄉如初⑩。主人哭。出, 復位⑪。卒徹, 祝、佐食降, 復位⑫。宗人詔降如初⑬。

시동을 세울만한 적손이 없을 경우에도 의절(衣服·卽位·升降)과 올리는 제물은 모두 시동이 있을 때와 같이 한다.

陰厭 때 祝이 신에게 흠향하도록 고하고, 佐食이 黍稷을 苴(祭할 때 밑에 까는 것)에 祭하고, 祝이 축사를 마친 뒤에는 시동을 맞이하여 행하는 의절, 즉 隋祭를 하는 것부터 泰羹湇(조미하지 않은 고기국물)과 胾(살코기 덩어리)와 從獻(獻酒를 따라 올리는 음식)을 올리는 禮까지는 모두 행하지 않는다.

주인이 곡하고 室을 나와서 서쪽 계단 위쪽 동향하는 자리로 돌아간다.

祝이 室의 창문과 戶를 닫고 당을 내려와 廟門(침문) 서쪽의 북향하는 자리로 돌아간다. 이때 남녀(주인·衆主人·부인들)가 번갈아 3번씩 3차례 踊을 한다.

시동이 9번 밥을 먹을 때와 같은 시간을 둔다.

祝이 당에 올라가면 곡을 그친다. 祝이 室戶 앞에서 '흠흠〔噫歟〕'하는 소리를 세 번 내고 室戶를 연다.

주인이 室 안으로 들어간다.

祝이 주인을 따라 들어가 창문을 열고 시동이 있을 때와 같이 주인의 왼쪽(남쪽)에서 서향하고 선다.

주인이 곡을 한다. 주인이 室에서 나와 서쪽 계단 위쪽 동향하는 자리로 돌아간다.

祭物을 거두고 난 뒤에 祝과 佐食이 당을 내려와 祝은 묘문의 서쪽 북향하는 자리로 돌아가고 佐食은 서쪽 계단 아래 동향하는 자리로 돌아간다.
宗人이 서쪽 계단 앞에 서서 북향하고 시동이 있을 때와 같이 주인에게 당을 내려오도록 고한다.

① 無尸, 則禮及薦饌皆如初

'無尸'는 정현의 주에 따르면 시동을 시킬만한 손자가 없기 때문이다.[72] '禮'는 정현의 주에 따르면 "의복과 자리로 나아가는 것과 당을 오르내리는 것을 이른다.〔謂衣服、卽位、升降.〕" '如初'는 胡培翬에 따르면 "시동이 있을 때와 같이 하는 것을 이른다.〔謂與有尸者同.〕"

② 旣饗、祭于苴、祝祝卒

'饗'은 앞 경문에서 '祝饗'이라고 할 때의 '饗'이고, '祭于苴'는 앞 경문에서 '取黍、稷祭于苴'라고 할 때의 '祭于苴'이며, '祝祝卒'은 마찬가지로 앞 경문에 보인다. (〈사우례〉3. 참조) 이 문장의 첫머리에 나오는 '旣'자는 이 3가지 일을 모두 가리킨다.

③ 不綏祭, 無泰羹湆、胾、從獻

'綏'는 정현의 주에 따르면 "隋가 되어야 한다.〔當爲隋.〕" 시동이 없기 때문에 隋祭를 하지 않는 것이다. '泰羹湆、胾'는 모두 시동을 위해 진설하는 祭物이다. 〈사우례〉5. 주⑤ 참조.

【按】 정현의 주에 따르면 "綏는 挼(타)로 쓰기도 하며, 隋의 뜻으로 읽는다.[綏, 或作挼, 讀爲隋.]" 또 정현의 주에 따르면 "제사 음식을 내려놓는 것을 隋라고 한다.[下祭曰隋.]" 注疏에 따르면 시동을 섬기는 禮는 綏祭에서 시작하여 從獻을 올리는 것에서 끝난다. 여기에서는 시동이 있을 때의 네 가지 일을 갖추어 말함으로써 그 시작과 끝을 기록한 것이다. '從獻'은 주인이 초헌할 때 賓長이 肝俎를 따라 올리고, 주부가 아헌할 때 次賓이 燔俎를 따라 올리고, 賓長이 삼헌할 때 次賓이 燔俎를 따라 올리는 것과 같이 헌주할 때 따라 올리는 음식을 이른다.[73] 〈사우례〉6, 7, 8. 참조.

④ 主人哭, 出復位

정현의 주에 따르면 이것은 '祝이 축사를 마친〔祝祝卒〕' 뒤를 가리킨다.[74] '復位'는 胡培翬에 따르면 "서쪽 계단 위쪽 동향하는 자리이다.〔西階上東面位也.〕"

⑤ 拾

72) 鄭玄注 : "無尸, 謂無孫列可使者也."

73) 鄭玄注 : "不綏, 言獻, 記終始也. 事尸之禮, 始於綏祭, 終於從獻."
賈公彦疏 : "凡祭禮, 以獻爲終, 擧終以見始, 亦得爲義. 今不但言獻, 記其終始, 具言四事者, 欲明始於綏祭, 終於從獻, 故鄭即云'事尸之禮, 始於綏祭, 終於從獻'者, 故具言之."

74) 鄭玄注 : "於祝祝卒."

정현의 주에 따르면 "번갈아 한다는 뜻이다.〔更也.〕"

⑥ 如食間

'食'은 시동이 9번 밥을 먹는 것을 이른다. '間'은 정현의 주에서는 '잠시〔頃〕'로 풀이하였고 가공언의 소에서는 '時節'로 풀이 하였으니, 즉 '시간'이라는 뜻이다.[75] 注疏에 따르면 이것은 앞의 '祝闔牖戶'를 이어서 말한 것이니, 室의 창문과 戶를 닫아 신과 祭物을 가리는 것을 시동이 9번 밥을 먹는 그 시간만큼의 간격을 두는 것을 말한다. 室의 창문과 戶를 닫고서 신과 祭物을 가리는 이유는 敖繼公에 따르면 "신이 제물을 먹는 것을 형상한 것이다.〔象神食之也.〕"

⑦ 祝升

이것은 室 안의 제물을 거두기 위해 당에 올라가는 것이다.

⑧ 聲三

정현의 주에 따르면 "聲은 흠흠하는 소리를 내는 것이다.〔聲者, 噫歆也.〕" 〈기석례〉3. 주④ 참조.

⑨ 主人入

胡培翬는 王士讓의 설을 인용하여 "祭物을 거두려고 할 때 주인이 또 들어가는 것은 신에게 공경을 지극히 하기 위한 것이다.〔於將徹時主人又入, 以致其敬.〕"라고 하였다.

⑩ 鄕如初

'鄕'은 敖繼公에 따르면 "面(대하다)과 같다.〔猶面也.〕" '如初'는 정현의 주에 따르면 "주인이 室 안으로 들어가면 祝이 따라 들어가 주인의 왼쪽에 서는 것이다.〔主人入, 祝從在左.〕" 앞 경문에서 "주인이 喪杖을 西序에 기대어 놓고 室 안으로 들어간다. 祝이 주인을 따라 들어가 주인의 왼쪽(남쪽)에 주인과 나란히 서향하고 선다.〔主人倚杖入. 祝從, 在左, 西面.〕"라고 하였는데, (〈사우례〉3. 참조) 여기에서도 마찬가지로 하는 것이다.

⑪ 復位

서쪽 계단 위쪽 동향하는 자리로 돌아가는 것이다.

⑫ 卒徹, 祝·佐食降, 復位

'徹'은 室에서 祭物을 거두는 것을 이른다. 만일 시동이 있으면 제사가 끝난 뒤에 陽厭하는 禮가 있어 제물을 室의 서북쪽 모퉁이〔屋漏〕에 다시 진설하는데, (〈사우례〉10. 참조) 여기에서는 시동이 없기 때문에 정현의 주에 따

75) 鄭玄注："隱之如尸一食九飯之頃也." 賈公彦疏："九飯之頃, 時節也."

르면 “다시 室의 서북쪽 모퉁이에 진설하지 않는 것이다.〔不復設西北隅.〕” 또 정현의 주에 따르면 “祝은 廟門(침문)의 서쪽에서 북향하고 있던 자리로 돌아가고 佐食은 서쪽 자리로 돌아가는 것이다.〔祝復門西、北面位, 佐食復西方位.〕” ‘西方位’는 즉 賓의 자리이니 서쪽 계단 아래에 있다. 胡培翬는 “여기의 佐食은 賓이기 때문에 서쪽 자리로 돌아가는 것을 알 수 있다.〔此佐食, 賓也, 故知復西方位.〕”라고 하였다. 〈記〉에서 佐食이 당에 올라간다고 말하지 않은 것은 글을 생략한 것이다.

⑬ 宗人詔降如初

앞 경문에서 “贊者가 室의 창문과 戶를 닫는다.〔贊闔牖戶.〕”라고 하고, 그 뒤에 “주인이 당을 내려간다.〔主人降.〕”라고 하였다. (〈사우례〉10, 11. 참조) 앞 절 〈記〉에서는 또 보충하여 “시동이 廟門을 나가면 祝이 돌아와 묘문을 들어와서 묘문의 왼쪽(서쪽) 북향하는 자리로 돌아간다. 그런 뒤에 宗人이 주인에게 당에서 내려오도록 고한다.〔尸出, 祝反入門左, 北面復位, 然後宗人詔降.〕”라고 하였다. 시동이 있을 경우에는 祭(고수례)한 뒤 宗人이 주인에게 당에서 내려오라고 고해야 하는데, 여기에서는 시동이 없는데도 똑같이 하기 때문에 정현의 주에서 ‘如初’를 해석하기를 “初는 贊者가 室의 창문과 戶를 닫고 나서 宗人이 주인에게 당에서 내려오라고 고하는 것이다.〔初, 贊闔牖戶, 宗人詔主人降之.〕”라고 한 것이다.

【按】 〈사우례〉17. 참조. 宗人의 위치는 〈사우례〉15. 주① 참조.

19. 삼우제와 졸곡제에 쓰는 날과 祝辭

始虞用柔日①, 曰②: “哀子某③, 哀顯相④, 夙興夜處不寧⑤。敢用絜牲剛鬣⑥、香合⑦、嘉薦、普淖(뇨)⑧、明齊溲酒⑨, 哀薦祫(협)事⑩, 適爾皇祖某甫⑪。饗⑫!” 再虞, 皆如初⑬, 曰: “哀薦虞事⑭。” 三虞、卒哭、他, 用剛日⑮, 亦如初, 曰: “哀薦成

事⑯。"

初虞祭(첫 번째 지내는 우제)는 柔日을 쓰는데, 祝辭는 다음과 같다.
"哀子 아무개(주인의 이름)와 哀顯相(제사를 밝게 돕는 여러 사람)들이 아침에 일어나서부터 저녁에 잠들 때까지 슬픈 생각에 마음이 편치 못합니다. 감히 정결한 희생인 剛鬣(큰 돼지)과 香合(黍), 嘉薦(菹·醢), 普淖(黍·稷), 明齊溲酒(새 물로 빚은 술)로 슬피 合祀하는 제사를 올리기 위하여 당신(死者)의 皇祖(할아버지) 아무甫(皇祖의 字)에게 나아가오니, 부디 흠향하소서!"
再虞祭(두 번째 지내는 우제)도 유일을 쓰는 것과 축사는 모두 초우제와 같으나, 다만 축사 중 '哀薦祫事'를 '哀薦虞事(슬피 신을 안정시키는 제사를 올립니다)'로 바꾼다.
三虞祭(세 번째 지내는 우제)와 卒哭祭(삼우제를 지내고 다음 剛日에 지내는 제사) 및 삼우제와 졸곡제 사이에 있는 이름 없는 제사는 강일을 쓴다. 축사는 재우제 때와 같으나 다만 '哀薦虞事'를 '哀薦成事(슬피 예가 이루어졌음을 고하는 제사를 올립니다)'로 바꾼다.

① 始虞用柔日

'柔日'은 지금의 이른바 '짝수 날'이라는 것이다. 예를 들면 2일·4일·6일·8일 등등과 같다. 이 때문에 敖繼公이 "柔日은 乙·丁·己·辛·癸日이다.〔柔日, 乙、丁、己、辛、癸也.〕"라고 한 것이다. '始虞'는 장례하는 당일 정오에 행하는데, (〈사우례〉12. 주④ 참조) 장례하는 날은 柔日이어야 하니 始虞祭도 柔日을 써야만 한다는 것을 알 수 있다. 張爾岐는 "옛 사람들은 으레 장례하는 날로 柔日을 썼다.〔古人葬日例用柔日.〕"라고 하였다.

【按】 萬斯大는 《춘추》에 보이는 기록을 근거로 당시에 장례일은 반드시 柔日을 썼다고 하였다.[76]

② 曰

정현의 주에 따르면 "辭이니, 祝이 축원하는 말이다.〔辭也, 祝祝之辭也.〕"

③ 哀子某

'哀子'는 주인이다. '某'는 주인의 이름이다.

④ 哀顯相

76) 《禮記偶箋》卷1 : "考之《春秋》, 葬必柔日, 葬日虞. 故《士虞禮》云'虞用柔日也'."

정현의 주에 따르면 "喪祭에서 哀顯相이라 칭하는 사람은 助祭者이다.〔喪祭稱哀顯相, 助祭者也.〕" 즉 제사를 돕는 여러 사람들이다. 敖繼公에 따르면 "哀顯相은 衆主人 이하의 사람들이다.〔哀顯相, 衆主人以下.〕"

⑤ 不寧

정현의 주에 따르면 "슬픈 생각으로 편치 못하다는 말이다.〔悲思不安.〕"

⑥ 敢用絜牲剛鬣

정현의 주에 따르면 "敢은 외람된다는 말이다. 큰 돼지를 剛鬣이라고 한다.〔敢, 冒昧之辭. 豕曰剛鬣.〕" 《예기》〈曲禮下〉에 "일반적으로 宗廟에 제사하는 禮에……큰 돼지를 剛鬣이라고 한다.〔凡祭宗廟之禮……豕曰剛鬣.〕"라고 하였는데, 孔穎達의 正義에 "돼지가 살이 찌면 터럭이 억세고 굵기 때문이다.〔豕肥則毛鬣剛大也.〕"라고 하였다. '絜'은 '潔'의 이체자이다.

⑦ 香合

정현의 주에 따르면 "黍이다.〔黍也.〕" 《예기》〈曲禮下〉에 "黍를 薌合이라 한다.〔黍曰薌合.〕"라고 하였으니, 즉 여기의 香合이다. 가공언의 소에 "곡식 중에 찰진 것을 黍라고 하는데, 찰진 곡식이 부드러워 잘 들러붙을 뿐 아니라 냄새도 향기롭기 때문에 薌合이라고 하는 것이다.〔穀秫(粘)曰黍, 秫旣軟而相合, 氣息又香, 故曰薌合也.〕"라고 하였다. 다음에 나오는 '普淖'는 黍와 稷 모두를 말한 것인데, 여기에서 '黍'를 먼저 말한 것은 盛世佐에 따르면 "제사 때 黍와 稷을 모두 갖추어 놓는데 黍만을 말한 것은 그 중에 높은 것을 든 것이다.〔祭時黍稷俱有, 唯言黍者, 擧其尊也.〕"

⑧ 嘉薦、普淖

정현의 주에 따르면 "嘉薦은 菹와 醢이다. 普淖는 黍와 稷이다. 普는 크다는 뜻이다. 淖는 조화롭다는 뜻이다. 덕이 크게 화합시킬 수 있는 사람만이 黍와 稷을 소유할 수 있기 때문에 이것을 호칭으로 삼은 것이다.〔嘉薦, 菹醢也. 普淖, 黍稷也, 普, 大也. 淖, 和也. 德能大和, 乃有黍稷, 故以爲號云.〕"

⑨ 明齊溲酒

'明齊'는 정현의 주에 따르면 "새로 길은 물이다. 새 물로 이 술을 빚은 것을 이른다.〔新水也. 言以新水溲釀此酒也.〕" '溲'는 《說文解字》에 따르면 "물을 붓는다는 뜻이다.〔沃汏也.〕"(段玉裁의 《說文解字注》) '沃'은 '물을 붓는다

〔澆水〕'는 말이고 '汰'는 '씻는다〔洮洗〕'는 말이다. 그러나 어떻게 씻고 빚어서 술을 만드는지에 대해서는 지금은 이미 자세하지 않다.

⑩ 哀薦祫事

'薦'은 祭物을 올리는 것이다. 여기에서는 앞에서 말한 剛鬣·香合·嘉薦·普淖·明齊溲酒 등의 여러 제물을 가리킨다. '祫'은 음이 '협'이다. '합하다〔合〕'라는 뜻이다. 정현의 주에 따르면 "初虞를 祫事라고 이르는 것은 주로 바라는 것이 선조에게 합하는 것이기 때문에 선조와 합하는 것으로 편안함을 삼은 것이다.〔始虞謂之祫事者, 主欲其祫先祖也, 以與先祖合爲安.〕" 이에 따르면 이른바 '祫事'는 死者의 神이 선조와 합하기를 축원하여 死者를 안정시키는 뜻이 있기 때문에 바로 이 '祫事'라는 말로 初虞의 이름을 삼은 것이다.

⑪ 適爾皇祖某甫

'適'은 '가다〔往〕'라는 뜻이다. '爾'는 '너〔女〕'라는 뜻이니 死者를 가리킨다. '皇祖'는 할아버지에 대한 존칭이다. 정현의 주에 따르면 "皇은 君이라는 뜻이다. 君祖라고 말한 것은 높인 것이다.〔皇, 君也. 言君祖者, 尊之也.〕" '某甫'는 皇祖의 자이다. 이것은 祝이 死者에게 선조와 합하기를 고하여 死者를 안정시킨다는 뜻이다.

⑫ 饗

死者의 신에게 제물을 흠향하기를 청하는 것이다.

⑬ 再虞, 皆如初

정현의 주에 따르면 "丁日에 장례하면 다다음날 己日에 再虞祭를 지낸다.〔丁日葬, 則己日再虞.〕" 이에 따르면 再虞와 初虞의 사이는 겨우 하루를 사이에 둘 뿐이다. '皆如初'는 蔡德晉에 따르면 "柔日을 쓰는 것과 축사를 이른다.〔謂用柔日與祝辭也.〕"

⑭ 哀薦虞事

盛世佐는 "虞는 편안하다는 뜻이다. '適爾皇祖(당신의 皇朝에게 가십시오)'라고 하면 신도 마침내 편안해질 것이다.〔虞, 安也. 若曰適爾皇祖, 則神乃安矣.〕"라고 하였다. 정현의 주에 따르면 再虞의 축사는 初虞 때의 '哀薦祫事' 중 '祫'을 '虞'로 바꾸는 것이다.[77]

⑮ 三虞、卒哭、他, 用剛日

'剛日'은 홀수 날을 이른다. 정현의 주에서는 강일을 '陽日'이라고 하였

77) 鄭玄注 : "其祝辭異者一言耳."

다.[78] 정현은 또 "士는 丁日에 장례했으면 庚日에 삼우제를 지내고 壬日에 졸곡제를 지낸다.〔士則庚日三虞, 壬日卒哭.〕"라고 하였다. 재우제를 지낸 이튿날 바로 삼우제를 지내고, 다시 하루를 걸러 졸곡제를 지내는데, 경일과 임일은 모두 강일이다. '他'는 정현의 주에 따르면 삼우제와 졸곡제 사이의 이름 없는 제사들을 두루 가리킨다. 士의 喪禮는 3개월 만에 장례하는데, 만일 특수한 정황 등을 만나서 3개월이 되기 전에 장례했다면 장례한 뒤에 바로 우제를 거행하지만 졸곡제는 반드시 3개월을 기다린 뒤에 지낸다. 그렇게 되면 삼우제와 졸곡제 사이의 이 기간 동안에 이름 없는 제사가 있을 수 있게 되는데, 이 제사들을 '他'로 통칭한 것이다.[79]

【按】元나라 敖繼公 이후 청나라의 일부 학자들과 조선의 茶山 丁若鏞 등은 삼우와 졸곡을 동일한 날 행하는 하나의 제사로 보았다. 그 근거로 졸곡에 처음으로 '成事'라고 하였다면 그 이전의 제사에는 '成事'라고 할 수 없다는 점, 졸곡과 祔祭만이 연달아 지내고 재우와 삼우는 연달아 지낸다는 경문이 없다는 점 등을 들었다. 이때 '他'는 '別'의 뜻으로, 초우와 재우에 유일을 쓴 것과 달리 삼우졸곡에는 별도로 강일을 쓴다는 의미라고 하였다. 丁若鏞의 《喪禮四箋》〈喪儀匡12 卒哭1〉 참조.

⑯ 哀薦成事

정현의 주에 따르면 삼우제와 졸곡제의 축사는 再虞의 축사와 마찬가지로 한 글자만 다를 뿐이다.[80] 즉 再虞 때의 '哀薦虞事' 중 '虞'를 '成'으로 바꾸는 것이다. '成事'에 대해 胡培翬는 吳紱의 설을 인용하여 "삼우제를 成事라고 하니, 禮는 3에서 이루어지기 때문이다.〔三虞曰成事, 禮成於三也.〕"라고 하였다. 吳廷華는 "졸곡은 또 適寢에서 곡하는 禮가 이루어졌다는 뜻이기도 하다.〔卒哭, 亦哭寢之禮成也.〕"라고 하였다.

【按】朱熹의 《家禮》〈喪禮 虞祭〉·〈喪禮 卒哭〉과 陶庵 李縡의 《四禮便覽》〈喪禮4 卒哭〉에는 이 구절이 삼우제와 졸곡제의 축사에 모두 들어 있다. 즉 초우에는 "哀薦祫事", 재우에는 "哀薦虞事", 삼우와 졸곡에는 "哀薦成事"라고 한다.

78) 鄭玄注："剛日, 陽也."

79) 鄭玄注："他, 謂不及時而葬者.《喪服小記》曰: '報葬者報虞者, 三月而後卒哭.' 然則虞､卒哭之閒有祭事者, 亦用剛日, 其祭無名, 謂之他者, 假設言之. 文不在卒哭上者, 以其非常也, 令正者自相亞也."

80) 鄭玄注："其祝辭異者, 亦一言耳."

20. 시동을 위한 餞別禮와 시동이 없을 때의 送神禮

獻畢未徹, 乃餞①。尊(준)兩甒于廟門外之右少南②, 水尊在酒西③, 勺北枋(병)。洗在尊東南④, 水在洗東, 篚在西。饌籩豆, 脯四脡⑤; 有乾肉折俎二尹, 縮祭半尹⑥, 在西塾。尸出, 執几從, 席從⑦。尸出門右, 南面。席設于尊西北, 東面, 几在南。賓出, 復位⑧。主人出, 卽位于門東少南。婦人出⑨, 卽位于主人之北。皆西面哭, 不止。

尸卽席坐。唯主人不哭, 洗廢爵, 酌獻尸。尸拜受。主人拜送, 哭, 復位。薦脯醢, 設俎于薦東, 朐(구)在南⑩。尸左執爵, 取脯, 擩(유)醢祭之⑪。佐食授嚌⑫。尸受, 振祭, 嚌, 反之⑬, 祭酒, 卒爵, 奠于南方。主人及兄弟踊。婦人亦如之。主婦洗足爵, 亞獻, 如主人儀, 無從⑭。踊如初⑮。賓長洗繶(억)爵, 三獻, 如亞獻。踊如初。佐食取俎實于篚⑯。

尸謖(속), 從者奉篚哭從之, 祝前。哭者皆從。及大門內, 踊如初。尸出門, 哭者止。賓出, 主人送, 拜稽顙。主婦亦拜賓⑰。丈夫說(탈)絰帶于廟門外⑱。入徹, 主人不與⑲。婦人說首絰, 不說帶。

無尸則不餞, 猶出几席, 設如初⑳。拾(겁)踊三, 哭止。告事畢㉑。賓出。

졸곡제의 三獻을 마치고 祭物을 거두기 전에 시동을 위하여 餞別하는 禮를 행한다.

2개의 甒(玄酒甒·酒甒)를 廟門(침문) 밖 오른쪽(서쪽) 조금 남쪽에 놓는데, 水尊(玄酒甒)은 酒尊(酒甒)의 서쪽에 놓고 勺(구기)은 자루가 북쪽으로 가도록 올려놓는다.

洗(잔을 씻는 기물)는 두 개의 尊 동남쪽에 놓는데, 水는 洗의 동쪽에 놓고 篚(잔을 담는 대바구니)는 洗의 서쪽에 놓는다.

1籩 1豆를 진열하는데, 籩에는 4조각의 포를 담고 豆에는 醢(젓갈)를

담는다. 또 乾肉折俎가 하나 있는데, 그 俎 위에 규격에 맞도록 장방형으로 자른 건육 두 덩어리를 담고, 별도로 그 위에 先人에게 祭할 때 쓸 건육 반 덩어리를 세로로 담아 위의 籩·豆와 함께 西塾에 진열한다.

시동이 室을 나오면 素几(옻칠하지 않은 几)를 든 집사자가 그 뒤를 따르고 그 다음에 葦席(삿자리)을 든 집사자가 뒤따라 나온다.

시동이 묘문을 나가 문의 오른쪽에서 남향하고 선다.

席을 尊의 서북쪽에 동향하도록 펴고 几는 席의 남쪽에 놓는다.

賓이 묘문을 나가서 廟에 들어가기 전에 묘문 밖 동쪽에서 서향하던 자리로 돌아간다.

주인이 묘문을 나가 문의 동쪽에서 조금 남쪽인 자리로 나아간다.

부인도 묘문을 나가 주인의 북쪽 자리로 나아간다.

모두 서향하고 서서 곡하는데 곡을 그치지 않는다.

시동이 자리로 나아가 동향하고 앉는다.

주인만은 곡을 멈추고 廢爵(다리가 없는 술잔)을 씻어 술(酒)을 따라 시동에게 올린다.

시동이 절하고 받는다.

주인이 拜送禮(잔을 보내고 절하는 禮)를 행한 뒤에 곡을 하고 묘문 동쪽의 원래 자리로 돌아간다.

이때 脯·醢를 시동의 자리 앞에 올리고, 俎를 脯·醢의 동쪽에 올리는데 乾肉의 구부러진 부분이 남쪽(시동의 오른쪽)으로 가도록 놓는다.

시동이 왼손으로 잔을 들고 오른손으로 脯를 취하여 醢에 찍어 祭(이 음식을 최초로 만든 先人에게 고수레하는 것)한다.

좌식이 俎 위의 건육을 시동에게 주어 祭하고 맛보도록 한다.

시동이 받아 振祭하고 조금 맛본 뒤에 佐食에게 돌려준다. 잔의 술을 祭하고 다 마신 뒤에 빈 잔을 脯·醢의 남쪽에 놓는다.

주인과 형제들이 踊을 한다. 부인들도 踊을 한다.

주부가 足爵(다리가 있는 술잔)을 씻어 아헌을 올리기를 주인이 초헌을 올릴 때와 같은 의절로 한다. 從獻(따라 올리는 음식)은 없다.

모두(주인·형제들·부인들) 주인이 올리는 초헌을 시동이 다 마셨을 때와 같이 踊을 한다.
賓長이 繶爵(입구와 다리에 무늬를 새긴 爵)을 씻어 삼헌을 올리기를 아헌을 올릴 때와 같이 한다.
모두 아헌을 올릴 때와 같이 踊을 한다.
좌식이 俎에 있는 乾肉을 취하여 席의 왼쪽(북쪽)에 있는 篚(시동에게 올린 음식을 담는 대바구니)에 담는다.

시동이 일어나면 從者가 시동의 음식을 담은 篚를 받쳐 들고 곡하면서 뒤따르고, 祝이 앞에서 인도한다.
곡하는 사람들이 모두 그 뒤를 따라간다.
대문(外門)에 이르면 그 안쪽에서 모두 시동이 묘문을 들어올 때와 같이 踊을 한다.
시동이 대문을 나가면 곡하는 사람들이 모두 곡을 그친다.
賓이 대문을 나가면 주인이 대문 밖까지 나가 전송하고 拜手稽顙한다.
주부도 闈門 안에서 女賓에게 절하여 전송한다.
장부(주인·衆主人)가 묘문 밖에서 麻로 만든 腰絰을 벗는다. 저녁이 되면 다음날 祔祭를 위해 葛로 만든 요질로 바꾸어 착용한다. 수질은 벗지 않는다.
大功親 이하의 兄弟들이 묘문 안으로 들어가 졸곡제의 제물을 거두는데, 주인(중주인·부인 포함)은 참여하지 않는다.
부인이 麻로 만든 首絰을 벗는다. 저녁이 되면 다음날 祔祭를 위해 葛로 만든 수질로 바꾸어 착용한다. 요질은 벗지 않는다.

시동으로 삼을 후손이 없을 경우에는 시동을 전별하는 禮는 행하지 않지만, 几와 席을 묘문 밖으로 가지고 나와 시동이 있는 경우와 똑같이 진설한다.
주인·중주인·부인 및 賓이 교대로 세 번씩 세 차례 踊을 하고 모두 곡을 그친다.
宗人이 주인에게 신을 전송하는 禮가 끝났다고 고한다.
賓이 대문을 나간다.

① 獻畢未徹, 乃餞

'獻'은 卒哭祭의 三獻을 이른다. 胡培翬에 따르면 "졸곡제는 우제와 같이 세 번 獻酒한다.〔卒哭與虞祭同三獻.〕" '三獻'은 主人·主婦·賓長이 시동에게 차례로 술을 올리는 것을 이른다. (〈사우례〉6, 7, 8. 참조) '餞'은 정현의 주에 따르면 "떠나는 사람을 전송하는 술이다.〔送行者之酒.〕" '떠나는 사람'은 시동을 이른다. 우제와 졸곡제는 모두 適寢에서 지낸다. 졸곡제를 지내고 다음날이 되면 祖廟로 옮겨서 祔祭를 지내기 때문에 (〈사우례〉22. 참조) 시동을 위하여 전별하는 禮를 행하는 것이다. 정현의 주에 따르면 "시동은 다음날 아침이 되면 처음으로 皇祖에게 合祔하게 되기 때문에 전송하는 것이다.〔尸旦將始祔於皇祖, 是以餞送之.〕" 이 이하는 시동에게 술을 올려 전송하는 禮를 기록한 것이다.

② 廟門外之右少南

'廟'는 여기에서는 여전히 適寢을 이른다. '右'는 서쪽이다.

【按】 '少南'은 注疏에 따르면 북쪽에서 곧 다음에 나오는 '尸出門右南面(시동이 묘문을 나가 문의 오른쪽에서 남향하고 선다)' 이하의 禮를 행할 것이기 때문이다.[81)]

③ 水尊在酒西

'水'는 즉 玄酒이다. '玄酒'라고 하지 않고 '水'라고 한 것은 정현의 주에 따르면 喪事는 질박함을 숭상하기 때문이다.[82)]

【按】 정현의 주에 따르면 이때 玄酒를 둔 것은 吉로 나아가기 때문이며, 玄酒尊을 서쪽에 두는 것은 아직은 凶의 상태이기 때문이다.[83)]

④ 洗在尊東南

정현의 주에 따르면 "문의 왼쪽(동쪽)이고 또 조금 남쪽인 곳이다.〔在門之左, 又少南.〕" 장혜언의 〈卒哭獻畢餞尸〉圖 참조.

⑤ 饌籩豆, 脯四脡

盛世佐에 따르면 시동을 전별할 때 1籩 1豆만 있는데, 籩에는 脯를 담고 豆에는 醢를 담는다.[84)] '脡'은 〈鄕飮酒禮 記〉에 '挺'으로 되어 있는데, 마른 肉脯이다. '挺'은 정현의 주에 따르면 "職과 같다.〔猶職也.〕" '職'은 음이 '직'으로, 마른 육포〔乾肉條〕이다.

⑥ 乾肉折俎二尹, 縮祭半尹

정현의 주에 따르면 "尹은 바르다는 뜻이다. 자르더라도 반드시 반듯하게 되도록 하는 것이다. 縮은 세로라는 뜻이다.〔尹, 正也. 雖其折之, 必使正.

81) 鄭玄注 : "少南, 將有事於北."
賈公彦疏 : "云'少南, 將有事於北'者, 正謂下文云'尸出門右南面'已下是也."

82) 鄭玄注 : "言水者, 喪質, 無鼏, 不久陳."

83) 鄭玄注 : "有玄酒, 卽吉也. 此在西, 尙凶也."

84) 《儀禮集編》卷33 : "虞祭兩豆, 菹、醢 ; 餞則一豆一籩, 是其異也. 脯, 籩實也. 不言豆實, 亦醢可知."

縮, 從(縱)也.〕" 胡培翬에 따르면 "二尹은 정사각형 모양으로 이른바 가로나 세로라는 것이 없다. 縮祭半尹은 또 정사각형의 반을 잘라서 祭할 때 건네주기 위해 준비해두는 것으로, 二尹 위에 세로로 놓는다.〔蓋二尹者, 正體二方, 無所謂橫縱也. 縮祭半尹者, 又截正體之半以備授祭而縮置於其上也.〕" '祭'는 먹기 전에 祭할 때 쓸 마른 육포를 이른다.

【按】 敖繼公은 위 문장을 "乾肉折俎, 二尹縮, 祭半尹."과 같이 구두를 끊어 건육을 俎에 담을 때 二尹은 세로로 놓고 祭할 때 쓸 半尹은 가로로 놓는다고 하였다. 그러나 胡培翬는 李如圭의 설을 따라 "乾肉折俎二尹, 縮祭半尹."과 같이 구두를 끊었다. 즉 〈향음주례〉와 〈향사례〉 記文에서 祭할 때 쓸 포를 俎에 담을 때 모두 가로로 놓는다는 점에 착안하여 여기의 '縮'은 祭할 때 쓸 건육을 가리키는 것으로 보았다. 여기에서는 호배휘의 설을 따르기로 한다.[85] '乾肉折俎'는 敖繼公에 따르면 '乾肉俎'와 같은 것으로, 자른 牲體를 俎에 담기 때문에 '折俎'라고 이름붙인 것이다. '乾肉'을 정현은 '牲體로 만든 육포'라고 하였고, 賈公彦은 '큰 동물을 몇 개로 나누어 말린 고기'로서 얇게 포를 떠서 말린 육포와는 다르다고 하였다. 가공언은 또 '折俎'는 이렇게 말린 고기를 사용하게 되었을 때 잘라서 俎에 올려놓는 것으로, '乾肉折俎'는 '俎에 담은 말린 고기'라고 하였다.[86] '祭'는 〈사우례〉22. 주③ 참조.

⑦ 尸出, 執几從, 席從

'尸出'은 정현의 주에 따르면 우제 때와 같이 祝이 "공양하는 禮를 마쳤습니다.〔利成.〕"라고 고한 뒤에 시동의 앞에서 시동을 인도하여 室을 나가는 것이다.[87]

【按】 정현의 주에 따르면 几는 素几(옻칠하지 않은 几), 席은 葦席(삿자리)이다.[88] 〈사우례〉1. 참조.

⑧ 賓出, 復位

정현의 주에 따르면 "묘문으로 들어가기 전에 있던 자리이다.〔將入臨之位.〕" 졸곡제에 묘문으로 들어가기 전에 賓과 주인이 있는 위치는 우제 때와 같다. 즉 朝夕哭 때 묘문 안으로 들어가기 전의 자리와도 같다.

⑨ 婦人出

정현의 주에 따르면 "부인이 묘문 밖으로 나오는 것은 시동을 전별하는 禮를 중히 여긴 것이다.〔婦人出者, 重餞尸.〕"

⑩ 朐

음은 '구'이다. 정현의 주에 따르면 "육포를 구부러지도록 접은 것이다.〔肉

85) 《儀禮集說》卷14 : "二尹云縮, 則祭半尹橫矣. 乾肉在俎而縮, 亦變於牲, 三者蓋饌於外西塾上之南, 籩豆在俎北也." 敖繼公

《儀禮正義》卷33 : "李氏云'從置半尹於上以爲祭', 敖氏云'二尹云縮則祭半尹橫矣', 是李讀縮字屬下爲句, 敖讀屬上爲句. 今案據《鄕飮·記》云: '薦脯五脡, 橫祭於其上.' 《鄕射·記》云: '薦脯用籩, 五膱, 祭半膱橫於上.' 橫皆指祭言之, 則此縮亦指祭言明矣. 蓋二尹者, 正體二方, 無所謂橫縱也. 縮祭半尹者, 又截正體之半, 以備授祭而縮置於其上也. 若如敖讀, 則《記》文爲不辭矣."

86) 《儀禮》〈士冠禮〉鄭玄注: "乾肉, 牲體之脯也. 折其體以爲俎."
賈公彦疏: "云'乾肉, 牲體之脯也'者, 案《周禮 · 腊人》云'掌乾肉凡田獸之脯腊', 鄭注云: '大物解肆乾之, 謂之乾肉, 若今梁州烏翅矣. 薄析曰脯, 捶之而施薑桂曰腶脩.' 若然, 乾肉與脯脩別言. 若今梁州烏翅者, 或爲豚解而七體以乾之, 謂之乾肉. 及用之, 將升于俎, 則節折爲二十一體, 與《燕禮》同. 故總名乾肉折俎也."
《儀禮集說》卷1〈士冠禮〉: "乾肉折俎, 猶言乾肉俎也. 俎盛牲體之折者, 故名折俎."

87) 鄭玄注 : "祝入亦告利成. 入前尸, 尸乃出."

88) 鄭玄注 : "几席, 素几葦席也."

之屈也.〕"

【按】注疏에 따르면 포를 반으로 접어 구부러진 부분이 오른쪽(남쪽)으로 가도록 한 것은 凶禮이기 때문에 생전의 禮와 다르게 한 것이다.[89] 何休의 解詁에 따르면 육포를 반으로 접은 것을 '朐'라 하고 펴놓은 것을 '脡'이라 한다.[90] 吳廷華에 따르면 앞에서 脯에 대해 '脡'이라고 했으니 여기에서 구부려 놓은 것은 건육으로, 하나는 펴놓고 하나는 접어놓은 것이다.[91]

⑪ 祭之

籩豆 사이에 놓아 祭하는 것을 이른다.

⑫ 佐食授嚌

정현의 주에 따르면 佐食이 俎 위에 있는 乾肉을 시동에게 주어서 시동이 이것을 가지고 祭한 뒤에 조금 맛보도록 하는 것이다.[92]

⑬ 反之

정현의 주에 따르면 "佐食에게 되돌려 주는 것이다.〔反(還)於佐食.〕"

⑭ 無從

阮元의 교감본에는 '婦人'으로 잘못되어 있는데, 각 본에는 모두 '無從'으로 되어있다. '從'은 從獻을 이른다. 虞祭에 주인이 시동에게 초헌을 올릴 때 '賓長이 肝俎를 따라 올리고' (《사우례》6. 참조) 주부가 아헌을 올릴 때 '次賓이 燔俎를 따라 올린다.' (《사우례》7. 참조) 졸곡제에도 삼헌을 올리는데, 시동을 전별하는 禮는 가볍기 때문에 주인과 주부가 시동에게 헌주할 때 모두 從獻이 없는 것이다.

⑮ 踊如初

方苞에 따르면 "初獻에 시동이 잔의 술을 다 마시고 나면 주인과 형제들이 踊을 하고 부인도 그들처럼 踊을 한다. 亞獻에 주부와 부인들이 주인이 초헌을 올릴 때와 같이 踊을 하면 주인과 형제들도 마찬가지로 踊을 한다.〔初獻, 尸卒爵, 主人及兄弟踊, 婦人亦如之. 亞獻, 主婦及婦人踊如初, 則主人及兄弟亦如之.〕" 다음 글에 賓長이 삼헌을 올린 뒤에 "이전과 같이 踊을 한다.〔踊如初.〕"라고 되어 있는데, 뜻이 이와 같다.

⑯ 篚

席의 왼쪽(북쪽)에 있는 篚(시동에게 올린 음식을 담는 대바구니)를 이른다. 虞祭 때 從者가 篚를 받쳐 들고 시동을 따라가서 시동의 왼쪽 자리에 놓았는데, (《사우례》5. 참조) 졸곡제와 시동을 전별할 때도 이와 같이 한다.

89) 鄭玄注 : "朐, 脯及乾肉之屈也. 屈者在南, 變於吉." 賈公彦疏 : "《曲禮》云: '以脯脩置者, 左朐右末.' 鄭云'屈中曰朐', 則吉時屈者在左, 今尸東面而云朐在南, 則是凶禮, 屈者在右, 末頭在左, 故云變於吉也."

90) 《春秋公羊傳注疏》〈召公〉25年 何休解詁 : "屈中曰朐, 伸曰脡."

91) 《儀禮章句》卷14 : "上記脯旣曰脡, 則此屈者乾肉也. 二尹縮而朐在南, 則一伸一屈也."

92) 鄭玄注 : "授乾肉之祭."

⑰ 主婦亦拜賓

'賓'은 정현의 주에 따르면 "여자 賓이다.〔女賓也.〕" 蔡德晉은 "주부가 女賓에게 절하는 것은 대문 안쪽에서 하는 듯하다.〔主婦拜女賓, 蓋在大門之內.〕"라고 하였다.

【按】 정현의 주에 따르면 주부는 곁문인 闈門 안에서 절하여 女賓을 전송한다.[93] 호배휘는, 채덕진이 위와 같이 주부가 女賓을 대문 안쪽에서 전송할 것이라고 추정한 것은, 위문은 일반적으로 寢門 안에 있는데 시동을 위한 전별례를 침문 밖에서 행한 뒤에 전송을 위해 다시 침문으로 들어오지는 않을 것이기 때문이라고 보았다. 이런 점에서 채덕진의 설을 일리가 있다고 보았으나, 정현이 여기에서 말한 위문은 침문 안에 있는 위문이 아니라 외부와 통할 수 있는 별도의 小門을 가리키는 듯 하다고 추정하였다.[94] 장혜언의 〈尸出改饌送賓〉圖 참조.

⑱ 說絰帶

정현의 주에 따르면 이것은 麻로 만든 絰帶를 벗고 저녁이 되면 葛로 만든 絰帶로 바꾸어 착용하는 것으로, 다음날 祔祭를 행하기 위하여 준비하는 것이다.[95] 祔祭에는 상복이 점점 가벼워지는 것을 알 수 있다. 胡培翬에 따르면 여기의 이른바 '絰帶'는 腰絰을 가리킨다. 胡培翬는 또 《예기》〈間傳〉의 말을 인용하여 남자는 首絰을 重하게 여기고 부인은 腰絰을 重하게 여기기 때문에 丈夫는 요질을 벗고 부인은 다음 글에 나오는 것처럼 "수질을 벗고 요질을 벗지 않는다.〔說首絰, 不說帶(腰絰)〕"라고 하였다.

【按】 敖繼公은 상복을 처음 입을 때 絰帶를 먼저 착용했기 때문에 복을 바꾸어 입을 때에도 마찬가지로 먼저 벗는다고 하였다.[96] 胡培翬에 따르면 이때 정현의 주와 같이 麻를 葛로 바꾸어 착용하는데, 이것은 수질과 요질을 가리켜 말한 것이다.[97] 郝敬에 따르면 부인은 요질을 중히 여기고 남자는 수질을 중히 여기기 때문에 상복을 바꾸어 입을 때에는 가벼운 것부터 먼저 바꾸어 입는다. 따라서 졸곡에 남자는 요질을 葛로 바꾸고 수질은 바꾸지 않으며, 부인은 수질을 葛로 바꾸고 요질은 바꾸지 않는다. 소상 때가 되면 남자는 수질을 벗고 요질을 그대로 착용하며 부인은 요질을 벗고 수질은 그대로 착용하는데, 除服할 때는 중한 것을 먼저 벗기 때문이다.[98]

⑲ 入徹, 主人不與

'徹'은 卒哭祭의 祭物을 거두는 것이다. 앞 글에서 "제물을 거두기 전에 이어서 전별하는 禮를 올린다.〔未徹, 乃餞.〕"라고 하였기 때문에 전별하는 禮가 끝나면 제물을 거두는 것이다. 제물을 거두는 사람은 정현의 주에 따

93) 鄭玄注 : "女賓也. 不言出, 不言送, 拜之於闈門之內. 闈門, 如今東西掖門."

94) 《儀禮正義》卷33 : "闈門, 在宮中, 當在寢門之內. 此餞尸在寢門外, 不應復入寢門而拜之於此, 故蔡疑爲在大門內也. 然繹鄭注云'闈門如今東西掖門', 則似寢門外, 別有東西二門. 《左傳》哀十四年, '(齊)子我屬徒攻闈與大門', 似闈亦可通於外, 非僅宮中相通之小門謂之闈也."

95) 鄭玄注 : "旣卒哭, 當變麻, 受之以葛也. 夕日則服葛者, 爲祔期."

96) 《儀禮集說》卷14 : "喪服之始, 絰帶先加, 故於將變之始, 亦先說之."

97) 《儀禮正義》卷33 : "絰帶, 要絰也. 《間傳》曰'男子重首, 婦人重帶', 下云'婦人說首絰', 則此爲要絰明矣.……去麻服葛, 即指絰帶言之, 是鄭說所本也."

98) 《儀禮節解》卷15 : "婦人重要絰, 男子重首絰, 易服先輕者. 故卒哭, 男子以葛易帶, 婦人以葛易首絰, 男不脫首絰, 婦不脫要帶. 至小祥, 男子乃去首絰而帶如故, 婦人乃去帶而首絰如故, 所謂除服先除重也."

르면 대공복 이하의 형제이며, 참여하지 않는 사람은 주인과 중주인, 그리고 부인까지도 포함된다.[99]

⑳ 猶出几席, 設如初

정현의 주에 따르면 시동을 전별하는 禮는 본래 神을 전송하기 위한 것이니,[100] 비록 시동이 없더라도 神을 전송하는 禮는 빠뜨려서는 안 된다. 그러므로 여전히 几와 席을 진설하여 神을 전송한다는 것을 보여주어야 한다.(死者의 신이 適寢에서 祖廟로 가는 것을 전송)

㉑ 告事畢

이것은 神을 전송하는 일이 끝났음을 고하는 것이다. 고하는 사람은 역시 宗人이다. 吳廷華는 "여기에서 고한다고 말했으니 앞에서 시동이 있는 경우 전별할 때도 이와 같음을 알 수 있다.〔此言告, 則上餞者可知.〕"라고 하였다. 즉 시동을 전별할 때도 宗人이 일이 끝났다고 고해야 한다는 말이다.

21. 시동에게 祔祭를 고하는 말

死三日而殯, 三月而葬, 遂卒哭①。將旦而祔, 則薦②。卒, 辭曰③: "哀子某, 來日某④, 隮祔爾于爾皇祖某甫⑤, 尙饗⑥。" 女子⑦, 曰: "皇祖妣某氏⑧。" 婦, 曰: "孫婦于皇祖姑某氏。" 其他辭一也⑨。饗辭曰⑩: "哀子某, 圭爲而哀薦之⑪, 饗。"

士는 죽은 지 3일이 되면 殯을 하고, 3개월이 되면 장례를 행하고 마침내 卒哭한다.
졸곡 다음날 아침이 되면 祔祭(祖廟에 합사하는 제사)를 행하기 때문에 그 전날 시동을 위하여 전별하는 禮를 행한다.
시동을 전별하는 禮가 끝나면 다음과 같이 祝辭를 올린다.
"哀子 아무개가 내일 아무 날에 당신을 당신의 皇祖 아무甫에게 올

99) 鄭玄注: "入徹者, 兄弟大功以下. 言主人不與, 則知丈夫、婦人在其中."

100) 鄭玄注: "以餞尸者本爲送神也."

려서 合附하고자 하오니, 부디 흠향하소서."

死者가 여자인 경우에는 '皇祖某甫(皇祖 아무甫)' 대신에 '皇祖妣某氏(皇祖妣 아무씨)'라고 고한다.
死者가 婦人인 경우에는 '皇祖某甫' 대신에 "孫婦于皇祖姑某氏(孫婦를 皇祖姑 아무씨에게)"라고 고한다.
그 나머지 축사는 동일하다.
祝이 시동에게 흠향하기를 다음과 같이 청한다.
"哀子 아무개가 이 제물을 정갈하게 마련하여 슬피 올리오니 흠향하소서."

① 遂卒哭

胡培翬에 따르면 "3개월 만에 장례를 행하고 이어서 장례를 행한 달에 졸곡하는 것을 이른다.〔謂三月而葬, 遂於葬月卒哭也.〕"

【按】 注疏에 따르면 士는 殯과 장례를 모두 죽은 날과 죽은 달부터 계산한다. 그리하여 3개월 만에 장례와 졸곡을 행한다. 그러나 대부 이상은 죽은 날과 죽은 달을 제외하고 계산한다. 그리하여 실제로는 대부는 4개월 만에 장례를 행하고 6개월 만에 졸곡하며 제후는 6개월 만에 장례를 행하고 8개월 만에 졸곡한다.[101]

② 薦

方苞에 따르면 "薦은 즉 餞이니, 음이 같아서 잘못된 것이다.〔薦卽餞也, 以音同而訛.〕"

【按】 정현은 '薦'을 졸곡제로 보았는데,[102] 이에 대해 胡培翬는 졸곡제의 獻酒는 다 끝났으나 아직 치우지는 않았기 때문에 졸곡의 끝에 행한다고 하여 정현이 졸곡제라고 말한 것이라고 하였다. 호배휘에 따르면 시동을 전별하는 禮에는 脯·醢를 올리고 折俎를 진설하지만 희생은 없기 때문에 '薦'이라는 어휘를 쓴 것이다. 즉 《예기》〈王制〉에 따르면 대부와 士는 종묘의 제사에 祭田이 있으면 제사를 지내고 祭田이 없으면 薦新을 올리기 때문에 여기의 전별하는 예는 제사보다 소략하다고 하여 薦이라고 말한 것이다. 호배휘는 方苞의 설을 긍정하였으나 다만 薦을 餞의 誤字로 본 것은 잘못으로 보았다. 즉 이것은 시동이 없을 경우에 전별하지 않는 예를 포함하여 말한 것이기 때문에 薦을 쓴 것이라고 하였다.[103]

③ 卒, 辭曰

101) 鄭玄注 : "《雜記》曰: '大夫三月而葬, 五月而卒哭; 諸侯五月而葬, 七月而卒哭.' 此記更從死起, 異人之間, 其義或殊."
賈公彦疏 : "《曲禮》云: '生與來日, 死與往日.' 鄭云: '與猶數也. 生數來日, 謂成服杖以死來日數也. 死數往日, 謂殯斂以死日數也. 大夫以上, 皆以來日數.' 若然, 士云三日殯、三月葬, 皆通死日死月數. 大夫以上殯、葬皆除死日死月數, 是以士之卒哭得葬之三月內. 大夫三月葬, 除死月, 通死月則四月. 大夫有五虞, 卒哭在五月, 諸侯以上以義可知."

102) 鄭玄注 : "薦, 謂卒哭之祭."

103) 《儀禮正義》卷33 : "吳氏、方氏以薦爲餞是也. 但字本作薦. 不必改字. 上餞尸之禮, 薦脯醢、設折俎而無牲, 故但以薦言. 《王制》'大夫士宗廟之祭, 有田則祭, 無田則薦', 是薦略於祭. 且無尸者, 不餞亦設幾席以送神, 故此《記》變言薦以包無尸不餞之禮, 必以薦爲餞之訛則非矣. 注云'薦謂卒哭之祭'者, 以卒哭獻畢未徹乃餞, 則餞尸之禮, 即於卒哭之末行之, 故亦以爲卒哭之祭也."

敖繼公에 따르면 "卒은 전별하는 禮가 끝난 것을 이른다.〔卒, 謂已薦(餞)也.〕" 胡培翬에 따르면 "卒辭는 시동에게 전별하는 禮를 베푼 뒤에 앞으로 合附할 것이라는 말을 고하는 것을 이른다.〔'卒, 辭'者, 謂已薦(餞)而告以將祔之辭也.〕"

【按】 정현의 주에 따르면 '卒辭'는 졸곡의 祝辭이다.[104] 胡培翬는 이에 대해 이 전별하는 禮가 졸곡제가 다 끝나기 전에 있기 때문에 졸곡이라고 한 것일 뿐, 실은 졸곡의 祝辭는 '哀薦成事'와 같이 별도로 있다고 하였다. 즉 앞의 우제에서 이미 "당신의 皇祖 아무甫에게 나아간다."고 고하였는데, 지금 시동을 전송할 때 전별의 예가 다 끝나면 다시 祔祭를 다음날 올린다는 말을 고하는 것이다.[105]

④ 來日某

胡培翬에 따르면 "某는 갑자일 등의 간지 날짜이다.〔某, 甲子也.〕"

⑤ 隮祔

'隮'는 음이 '제'이다. 정현의 주에 따르면 "올린다는 뜻이다.〔升也.〕" 胡培翬는 "손자가 祖廟에 들어가기 때문에 升이라고 한 것이다.〔孫入祖廟, 故曰升.〕"라고 하였다.

'祔'는 '붙이다〔屬〕'라는 뜻이다. 〈기석례〉17. 주③ 참조.

⑥ 尙饗

'尙'은 정현의 주에 따르면 "부디라는 뜻이다.〔庶幾也.〕" '尙饗'은 신이 흠향해 주시기를 바라지만 또 감히 신이 흠향하기를 기필하지는 못하는 것이다.

⑦ 女子

정현의 주에 따르면 "손녀를 조모에게 合附하는 것이다.〔女孫附於祖母.〕" 가공언의 소에 "여기에서의 女子는 여자가 시집가기 전에 죽었거나, 출가했다가 다시 本家로 돌아왔거나, 시댁의 廟에 알현하기 전에 죽어서 여자의 본가로 돌려보내 여자의 본가에서 장례를 행한 뒤에 본가의 조모에게 合祀하는 것을 이른다.〔此女子, 謂女未嫁而死, 或出而歸, 或未廟見而死, 歸葬女氏之家, 旣葬, 祔於祖母也.〕"라고 하였다.

⑧ 皇祖妣

【按】 제사지낼 때 호칭을 할아버지는 '皇祖考', 할머니는 '皇祖妣', 아버지는 '皇考', 어머니는 '皇妣', 남편은 '皇辟'이라고 한다. 살아있을 때는 '父', '母', '妻'라 하고, 죽으면 각각 '考', '妣', '嬪'이라고 한다.[106]

104) 鄭玄注 : "卒辭, 卒哭之祝辭."

105) 《儀禮正義》卷33 : "注云'卒辭, 卒哭之祝辭'者, 以薦在卒哭祭未徹之時, 故亦以卒哭言之, 其實卒哭自有辭, 上《記》云'卒哭他用剛日, 亦如初, 曰哀薦成事'是也.……卒辭者, 謂已薦而告以將祔之辭也. 上虞辭云'適爾皇祖某甫', 已告以將祔矣, 此則於餞送時, 復告以祔期也."

106) 《禮記》〈曲禮下〉: "祭王父曰皇祖考, 王母曰皇祖妣, 父曰皇考, 母曰皇妣, 夫曰皇辟. 生曰父曰母曰妻, 死曰考曰妣曰嬪. 壽考曰卒, 短折曰不祿."

⑨ 其他辭一也

【按】 注疏에 따르면 '其他辭'는 '來日某, 隮祔, 尙饗'이다. 딸과 孫婦 모두 이 구절이 들어있기 때문에 "그 나머지 祝辭는 동일하다."라고 한 것이다. 즉 딸의 경우에는 "내일 아무 날에 당신을 당신의 皇祖妣 아무씨에게 올려 합부하고자 하오니, 부디 흠향하소서."[來日某, 隮祔爾于爾皇祖妣某氏, 尙饗.]"라고 하고, 孫婦는 "내일 아무 날에 孫婦를 皇祖姑 아무씨에게 올려 합부하려 하오니, 부디 흠향하소서.[來日某, 隮祔孫婦於皇祖姑某氏, 尙饗.]'라고 한다.[107] 胡培翬는 이에 대해 딸이나 손부를 합부할 때 바뀌는 구절은 이미 말하였고 나머지 축사는 남자를 合祔할 때와 같기 때문에 이렇게 말한 것이라고 하였다.[108]

⑩ 饗辭

시동에게 祭物을 흠향하기를 권하는 말을 이른다. 앞글에서 시동이 9飯을 먹기 전에 "祝이 祝辭를 한다.[祝祝.]"라고 하였는데,(〈사우례〉5. 참조) 이때의 축사가 바로 여기의 辭이다. 胡培翬에 따르면 虞祭·卒哭祭·祔祭 등 일반적으로 시동에게 제물을 흠향하기를 청할 때에는 모두 이 축사를 쓴다.[109]

⑪ 圭

정현의 주에 따르면 "정결하다는 뜻이다.[絜(潔)也.]

22. 祔祭

明日以其班祔①。沐浴, 櫛(즐), 搔翦②。用專膚爲折俎③, 取諸脰膉(두익)。其他如饋食④。用嗣尸⑤。曰: "孝子某, 孝顯相⑥, 夙興夜處, 小心畏忌不惰, 其身不寧。用尹祭⑦、嘉薦、普淖、普薦、溲酒⑧, 適爾皇祖某甫⑨, 以隮祔爾孫某甫⑩, 尙饗。"

卒哭祭를 지낸 다음날 昭穆의 항렬에 따라 祔祭를 지낸다.

107) 鄭玄注 : "來日某, 隮祔, 尙饗."
賈公彦疏 : "他辭一者, 正謂來日某隮祔尙饗, 女子及孫婦皆有此辭, 故云'其他辭, 一也'. 其祔, 女子云'來日某隮祔爾于爾皇祖妣某氏尙饗', 其孫婦云'來日某隮祔孫婦於皇祖姑某氏尙饗'."

108) 《儀禮正義》卷33 : "祔女子、祔婦, 所易之辭, 已見於上. 其他辭則與祔男子同, 故注以'來日某隮祔尙饗'言也."

109) 《儀禮正義》卷33 : "此饗辭, 三虞、卒哭及祔、練、祥、吉祭皆用之."

주인이 머리를 감고 몸을 씻고 빗질하고 손톱과 발톱을 깎는다.
專膚(희생의 살진 膚)로 折俎의 祭(고수레)할 음식을 삼는데, 豕(큰 돼지)의 목살에서 취해 만든다. 나머지 의절은 〈특생궤사례〉와 같다.
祔祭 때의 시동은 虞祭와 卒哭祭 때 세웠던 사람을 계속 세운다.
祔祭 때의 祝辭는 다음과 같다.
"孝子 아무개와 孝顯相(제사를 밝게 돕는 사람)들이 아침 일찍 일어나서부터 저녁에 잠들 때까지 조심하고 두려워하며 감히 게을리 하지 못하고 슬픈 생각에 편안하지 못했습니다. 尹祭(육포)·嘉薦(菹醢)·普淖(黍稷)·普薦(鉶羹)·溲酒(새 물로 빚은 술)를 올리오니, 당신(死者)의 皇祖(할아버지) 아무甫에게 나아가소서. 皇祖께서는 당신(할아버지)의 손자(死者) 아무甫를 올려서 합부시켜 주시기를 바라오니, 부디 흠향하소서!"

① 以其班祔

〈기석례〉17. 주③ 참조.

② 搔翦

〈사상례〉에는 '蚤揃'으로 되어 있다. 손톱과 발톱을 깎는 것을 이른다. 〈사상례〉11. 주⑪ 참조.

③ 用專膚爲折俎

'專'은 정현의 주에 따르면 "厚(두툼하다)와 같다.〔猶厚也.〕" '折俎'는 〈특생궤사례〉에 "脯와 醢를 올리고 折俎(牲體를 잘라서 올려놓은 俎)를 진설한다.〔薦脯醢, 設折俎.〕"라고 하였는데, 정현의 주에 "일반적으로 牲體를 마디로 자른 것을 모두 折俎라고 한다.〔凡節解者, 皆曰折俎.〕"라고 하였고, 가공언의 소에는 "일반적으로 牲體를 마디로 자른 것을 모두 折이라고 하는데, 俎에 담기 때문에 折俎라는 이름을 붙인 것이다.〔凡節解牲體者, 皆曰折, 升於俎, 故名折俎.〕"라고 하였다. '薦脯醢'는 즉 '薦籩豆'이다. 脯는 籩에 담고 醢는 豆에 담기 때문이다. '올리고〔薦〕' '진설하는〔設〕' 사람은 정현의 주에 따르면 임금의 有司이다. '用專膚爲折俎'는 단지 專膚만을 가지고 俎를 삼는다는 것이 아니라 이 俎에는 專膚를 사용한다는 것을 강조한 것이다. 나머지 자른 牲體들은 생략하고 말하지 않았는데, 이것은 〈特牲饋食禮 記〉에서 주부를 위한 牲俎를 '觳俎(곡조. 희생의 뒷다리를 잘라 올려놓은

俎)'라고 부르지만 마찬가지로 단지 殽만 가지고 俎를 삼은 것은 아닌 것과 같다. 이것은 시동을 위한 牲俎인데, 정현의 주에 "折俎는 주부 이하의 俎를 이른다.〔折俎, 謂主婦以下俎.〕"라고 하였으니 잘못된 것이다. 吳廷華도 "시동을 위한 俎인 것은 의심할 여지가 없다.〔其爲尸無疑.〕"라고 하였다.

④ 如饋食

정현의 주에 따르면 "〈특생궤사례〉와 같은 것이다.〔特牲饋食之事.〕"

⑤ 用嗣尸

蔡德晉에 따르면 "嗣는 계속한다는 뜻이다. 즉 虞祭와 卒哭祭 때의 시동을 계속 세우는 것이다.〔嗣, 繼也, 卽虞、卒哭之尸相繼用之.〕"

⑥ 孝子某, 孝顯相

정현의 주에 따르면 "孝라고 칭한 것은 吉祭이기 때문이다.〔稱孝者, 吉祭.〕" 앞의 虞祭는 喪祭이기 때문에 '哀'라고 칭하고 (〈사우례〉19. 참조) 祔祭는 吉祭이기 때문에 '孝'로 바꾸어 말한 것이다.

⑦ 尹祭

정현의 주에 따르면 "육포이다.〔脯也.〕" 그러나 鄭玄은 '尹祭'는 천자나 제후가 脯를 부르는 호칭이어서 대부와 士는 尹祭라는 말로 脯를 칭할 수 없다고 생각했기 때문에 "기록한 사람이 잘못 기록한 것이다.〔記者誤矣.〕"라고 하였다.[110]

⑧ 普薦溲酒

'普薦'은 정현의 주에 따르면 "鉶羹이다.〔鉶羹.〕" 즉 채소를 넣어 끓인 고기국물이다. '鉶'은 정현의 주에 따르면 "고기국물에 채소를 넣은 국을 담는 그릇이다.〔菜和羹之器.〕" '溲酒'는 즉 '明齊溲酒(새 물로 빚은 술)'이다. 〈사우례〉19. 주⑨ 참조.

⑨ 適爾皇祖某甫

吳廷華에 따르면 "死者에게 하는 말이다.〔對死者之辭.〕"

⑩ 以隮祔爾孫某甫

즉 당신의 손자 아무甫를 올려 祔祭를 지낸다는 것이다. 吳廷華에 따르면 "할아버지에게 하는 말이다.〔對皇祖之辭.〕" 胡培翬는 "合祔하는 제사는 합사할 사람(死者)과 합사될 사람(皇祖)의 神을 合祔시키려는 것이기 때문에 양쪽에 모두 고하는 것이다.〔祔之祭, 欲祔者與所祔者神相屬, 故兩告之.〕"라고 하였다.

110) 鄭玄注 : "尹祭, 脯也. 大夫、士祭無云脯者, 今不言牲號, 而云尹祭, 亦記者誤矣."
賈公彦疏 : "鄭知尹祭是脯者, 《下曲禮》云: '脯曰尹祭.' 故知也. 但《曲禮》所云是天子、諸侯禮用脯號, 案《特牲》、《少牢》無云用脯者, 故云'大夫、士祭無云脯'者."

23. 小祥·大祥·禫祭의 시간 및 이 제사들의 축사에서 虞祭·祔祭 때와 다른 부분

朞而小祥①, 曰: "薦此常事②。" 又朞而大祥, 曰: "薦此祥事③。" 中月而禫④。是月也吉祭, 猶未配⑤。

초상으로부터 일주년이 되면 小祥祭를 지내는데, 祝辭는 虞祭·祔祭 때와 같으나 '哀薦成事'를 '薦此常事(이 당연한 제사를 올립니다)'로 바꾼다.
다시 일주년이 되면 大祥祭를 지내는데, 축사는 虞祭·祔祭 때와 같으나 '哀薦成事'를 '薦此祥事(이 상서로운 제사를 올립니다)'로 바꾼다.
대상제를 지낸 뒤 한 달을 걸러 禫祭를 지낸다. 담제를 지내는 달에는 吉祭(사시제)를 만나더라도 死者보다 먼저 죽은 妻를 死者에게 配享시키지 못한다.

① 朞而小祥

'朞'는 期年이다. 즉 일주년이라는 말이다. '小祥'은 제사 이름이다. 《釋名》〈釋喪制〉에 따르면 "일주년이 되면 소상을 지내는데, 소상은 제사 이름이기도 하다. 효자는 首絰을 벗고 練冠을 쓴다. 祥은 좋다[善]는 뜻이니, 좋은 꾸밈을 조금 더한다는 뜻이다.[朞而小祥, 亦祭名也. 孝子除首服, 服練冠也. 祥, 善也, 加善之飾也.]" 그러므로 小祥祭를 '練祭'라고도 한다. 胡培翬는 吳紱의 설을 인용하여 "1년을 가지고 말하면 小祥이라 하고 喪服을 바꾸고 벗는 의절로 말하면 練이라고 한다.[以一朞言則曰小祥, 以服變除之節言則曰練.]"라고 하였다.

② 薦此常事

정현의 주에 따르면 "축사 중에 다른 부분이다.[祝辭之異者.]" 胡培翬에 따르면 小祥 때의 축사는 祔祭 때와 같고 이 구절만 다르다.[111] '薦'은 제물을 신에게 올리는 것이다. '常事'는 정현의 주에 따르면 "常이라고 한 것은 1주년이 되면 제사지내는 것이 禮이기 때문이다.[言常者, 朞而祭, 禮

111) 《儀禮正義》卷33 : "祝辭與祔同, 惟'薦此常事'爲異耳."

也.]" 즉 1주년이 되면 제사지내는 것이 禮의 당연한 것이기 때문에 小祥을 '常事'라고 칭한다는 말이다.

③ 薦此祥事

이것 역시 축사 중 다른 부분을 말한 것이다. '祥事'는 즉 '크게 상서로운 일[大祥之事]'이다. 이른바 '大祥'이라는 것은 효자가 이 제사 때에는 喪服을 벗고 평소 때 입는 吉服을 입어서 좋은 꾸밈을 크게 더한다는 말이다. 《釋名》에 "다시 1주년이 되면 大祥을 지내는데, 大祥은 제사 이름이기도 하다. 효자는 縗(최)服을 벗고 朝服에 縞冠을 착용한다.[又朞而大祥, 亦祭名也. 孝子除縗服, 服朝服縞(素)冠.]"라고 하였다.

④ 中月而禫

'禫'은 음이 '담'이다. 정현의 주에 따르면 "中은 間(사이를 두다)과 같다. 禫은 제사 이름으로 大祥祭와 한 달 간격을 둔다. 초상에서 이때까지 모두 27개월이다.[中, 猶間也. 禫, 祭名. 與大祥間一月. 自喪至此, 凡二十七月.]" 胡培翬는 "禫은 大祥을 지낸 뒤에 상복을 벗는 제사 이름이다.[禫, 大祥後除服祭名.]"라고 하였다. 金榜의 《禮箋》 "祥禫" 조에 따르면 大祥祭 때 "여전히 縞冠을 쓰는 것은 아직 온전히 길례는 아니기 때문이다.[猶縞冠, 未純吉也.]" 담제를 지낸 뒤에는 綅冠(침관. 흑색과 백색을 서로 교차시켜 짠 布로 만든 관)을 쓰고 다시 한 달이 지나면 玄冠을 쓰고 朝服을 입는다. 이 때문에 담제를 상복을 벗는 제사라고 말한 것이다.

⑤ 是月也吉祭, 猶未配

'是月'은 담제를 지내는 달이다.[112] '吉祭'는 정현의 주에 따르면 四時祭를 이른다.[113] 즉 四時의 절기에 따라 아버지와 할아버지를 위해 지내야 하는 제사이다. '未配'는 死者의 亡妻를 아직 배향하지 못하는 것이다. 褚寅亮에 따르면 "猶未配는 오로지 아버지가 지금 돌아가시고 어머니는 먼저 돌아가신 경우만을 가리켜 말한 것이다.[猶未配, 則專指新死之父而母先沒者言.]"

112) 鄭玄注 : "是月, 是禫月也."

113) 鄭玄注 : "當四時之祭月則祭, 猶未以某妃配某氏, 哀未忘也."

참고문헌

국내

金長生(朝鮮),《家禮輯覽圖說》,《沙溪先生全書》卷23-24, 刊寫年未詳, 목판본(後刷), 국립중앙도서관 한古朝29-86.

金長生(朝鮮),《家禮輯覽》,《沙溪先生全書》卷25-30, 刊寫年未詳, 목판본(後刷), 국립중앙도서관 한古朝29-86.

梁東淑,《갑골문字典 겸 甲骨文解讀》, 월간 서예문인화, 2007.

柳長源(朝鮮),《常變通攷》影印本,《韓國禮學叢書》54-57, 부산:경성대학교, 2008.

丁若鏞(朝鮮),《喪禮四箋》,《與猶堂全書》禮集 卷1-16, 韓國文集叢刊 284, 서울:民族文化推進會, 2002.

丁若鏞(朝鮮),《喪儀節要》,《與猶堂全書》經集 卷21-22, 韓國文集叢刊 284, 서울:民族文化推進會, 2002.

正祖(朝鮮),《全韻玉篇》, 影印本, 大田:學民文化社, 1998.

국외

加藤常賢(日本),《禮の起源と其發達》, 東京:中文馆书店, 1933.

甘肅省博物館·中国科学院考古研究所(中國),《武威漢簡》, 文物出版社, 1964.

江永(清),《儀禮釋宮增注》, (文淵閣)四庫全書 109, 臺北:商務印書館, 民國72(1983).

江永(清),《鄉黨圖考》, (文淵閣)四庫全書 210, 臺灣:商務印書館, 民國72(1983).

姜兆錫(清),《儀禮經傳(內編·外編)》, 續修四庫全書 87, 上海:上海古籍出版社, 1995.

顧寶田·鄭淑媛(臺灣),《新譯儀禮讀本》, 臺灣:三民書局, 2002.

顧野王(梁),《重修玉篇》, (文淵閣)四庫全書 224, 臺北:商務印書館, 民國72(1983)

顧炎武(清),《日知錄》, (文淵閣)四庫全書 858, 臺灣:商務印書館, 民國72(1983)

高宗(清),《欽定儀禮義疏》, (文淵閣)四庫全書 106-107, 臺灣:商務印書館, 民國72(1983)

金榜(清),《禮箋》, 續修四庫全書 109, 上海:上海古籍出版社, 1995.

盧文弨(清),《儀禮注疏詳校》, 續修四庫全書 88, 上海:上海古籍出版社, 1995.

雷次宗(南朝宋),《儀禮喪服經傳略注》,《黃氏逸書考》本.

凌廷堪(清),《禮經釋例》, 北京: 北京大學出版社, 2012.

段玉裁(清),《經韻樓集》, 續修四庫全書 1435, 上海:上海古籍出版社, 2001.

段玉裁(清),《說文解字注》, 續修四庫全書 205-208, 上海:上海古籍出版社, 1995.

戴德(西漢),《大戴禮記》, (文淵閣)四庫全書 128, 臺灣:商務印書館, 民國72(1983)
杜預(晉),《左傳杜林合注》, (欽定)四庫全書 301-312, 臺灣:商務印書館, 民國72(1983)
羅宗陽·登志瑗·羅元浩·余讓堯(中國),《十三經直解》卷2上《儀禮直解》, 南昌: 江西人民出版社, 1996.
劉績(明),《三禮圖》, (文淵閣)四庫全書 129, 臺灣:商務印書館, 民國72(1983)
劉熙(東漢),《釋名》, (文淵閣)四庫全書 221, 臺灣:商務印書館, 民國72(1983)
陸德明(唐),《經典釋文》, (文淵閣)四庫全書 182, 臺灣:商務印書館, 民國72(1983)
馬融(東漢),《儀禮喪服經傳》,《黃氏逸書考》本.
馬衡(中國),《漢石經集存》, 北京:科学出版社, 1957.
萬斯大(淸),《禮記偶箋》, 續修四庫全書 98, 上海:上海古籍出版社, 1995.
萬斯大(淸),《儀禮商》, (文淵閣)四庫全書 108, 臺灣:商務印書館, 民國72(1983)
未詳,《家山圖書》, (欽定)四庫全書, 800, 臺灣:商務印書館, 未詳.
班固(東漢),《白虎通義》, (文淵閣)四庫全書 850, 臺灣:商務印書館, 民國72(1983)
方苞(淸),《儀禮析疑》, (文淵閣)四庫全書 109, 臺北:商務印書館, 民國72(1983)
常金倉,《周代禮俗硏究》, 哈爾濱: 黑龍江人民出版社, 2005.
徐乾學(淸),《讀禮通考》, (文淵閣)四庫全書 112-114, 臺灣:商務印書館, 民國72(1983)
聶崇義(宋),《三禮圖集注》, (文淵閣)四庫全書 129, 臺灣:商務印書館, 民國72(1983)
盛世佐(淸),《儀禮集編》, (文淵閣)四庫全書 111, 臺灣:商務印書館, 民國72(1983)
孫詒讓(淸末),《周禮正義》, 續修四庫全書 82-84, 上海:上海古籍出版社, 1995.
孫希旦(淸),《禮書》, 續修四庫全書 103, 上海:上海古籍出版社, 1995.
沈彤(淸末),《儀禮小疏》, (文淵閣)四庫全書 109, 臺北:商務印書館, 民國72(1983).
沈文倬(中國),《漢簡〈服傳〉考》上下, 中華書局,《文史》第24·25輯, 1985.
十三經注疏整理委員會,《毛詩正義》, 毛亨(漢)傳, 鄭玄(漢)箋, 孔穎達(唐)正義, 北京大學出版社, 2000.
十三經注疏整理委員會,《禮記正義》, 鄭玄(漢)注, 孔穎達(唐)正義, 北京:北京大學出版社, 2000.
十三經注疏整理委員會,《儀禮注疏》, 鄭玄(漢)注, 賈公彦(唐)疏, 北京:北京大學出版社, 2000.
十三經注疏整理委員會,《爾雅注疏》, 郭璞(晉)注, 邢昺(宋)疏, 北京:北京大學出版社, 2000.
十三經注疏整理委員會,《周禮注疏》, 鄭玄(漢)注, 賈公彦(唐)疏, 北京:北京大學出版社, 2000.
十三經注疏整理委員會,《春秋公羊傳注疏》, 公羊壽(戰國)撰, 何休(東漢)解詁, 徐彦(唐)疏, 北京:北京大學出版社, 2000.
楊復(南宋),《儀禮圖》, (文淵閣)四庫全書 104, 臺灣:商務印書館, 民國72(1983)
楊復(南宋),《儀禮旁通圖》, (文淵閣)四庫全書 104, 臺灣:商務印書館, 民國72(1983)
楊天宇(中國),《鄭玄三禮注硏究》, 天津:天津人民出版社, 2007.

敖繼公(元),《儀禮集說》,(文淵閣)四庫全書 105, 臺灣:商務印書館, 民國72(1983)

吳廷華(淸),《儀禮章句》,(文淵閣)四庫全書 109, 臺北:商務印書館, 民國72(1983).

王闓運(淸末),《禮經箋》, 光緒丙申仲夏刊《王湘綺先生全集》本

王士讓(淸),《儀禮紃解》, 續修四庫全書 88, 上海:上海古籍出版社, 1995.

王先謙(淸末),《釋名疏證補》, 續修四庫全書 190, 上海:上海古籍出版社, 1995.

王念孫(淸),《廣雅疏證》, 上海:上海古籍出版社, 1995.

王引之(淸),《經義述聞》, 續修四庫全書 175, 上海:上海古籍出版社, 1995.

容庚(中國),《商周彝器通考》, 上海:上海人民出版社, 2008.

魏了翁(南宋),《儀禮要義》,(文淵閣)四庫全書 104, 臺灣:商務印書館, 民國72(1983)

劉安等(西漢),《淮南子》, 高誘(東漢)注, 臺灣:中華書局, 民國60(1971)

劉沅(淸),《儀禮恒解》, 續修四庫全書 91, 上海:上海古籍出版社, 1995.

李如圭(南宋),《儀禮釋宮》,(文淵閣)四庫全書 103, 臺灣, 商務印書館, 民國72(1983)

李如圭(南宋),《儀禮集釋》,(文淵閣)四庫全書 103, 臺灣:商務印書館, 民國72(1983)

張淳(南宋),《儀禮識誤》,(文淵閣)四庫全書 103, 臺灣:商務印書館, 民國72(1983)

張爾岐(淸),《儀禮鄭注句讀》,(文淵閣)四庫全書 108, 臺灣:商務印書館, 民國72(1983)

張惠言(淸),《讀儀禮記》, 續修四庫全書 90, 上海:上海古籍出版社, 1995.

張惠言(淸),《儀禮圖》, 續修四庫全書 91, 上海:上海古籍出版社, 1995.

褚寅亮(淸),《儀禮管見》, 北京: 中華書局, 1985.

錢玄·錢興奇(中國),《三禮辭典》, 南京:江蘇古籍出版社, 1998.

程瑤田(淸),《儀禮喪服文足徵記》, 上海:上海書店, 1994.

朱熹(南宋),《家禮》,《朱子全書》7, 上海古籍出版社·安徽教育出版社, 2002.

朱熹(南宋),《儀禮經傳通解》,《朱子全書》2-5, 上海古籍出版社·安徽教育出版社, 2002.

曾國藩(淸),《讀儀禮錄》, 皇淸經解本, 光緖21(1895)刊.

池田末利(日本),《儀禮》全5册, 東京: 東海大學出版會, 昭和 52年(1977).

陳祥道(北宋),《禮書》,(文淵閣)四庫全書 130, 臺灣:商務印書館, 民國72(1983)

秦蕙田(淸),《五禮通考》,(文淵閣)四庫全書 142, 臺灣:商務印書館, 民國72(1983)

陳澔(元),《陳氏禮記集說》,(文淵閣)四庫全書 121, 臺灣:商務印書館, 民國72(1983)

蔡德晉(淸),《禮經本義》,(文淵閣)四庫全書 109, 臺北:商務印書館, 民國72(1983).

崔靈恩(梁),《三禮義宗》, 臺灣藝文書館影印《黃氏逸書考》本, 民國78(1989)

夏炘(淸),《學禮管釋》, 續修四庫全書 93, 上海:上海古籍出版社, 1995.

郝敬(明),《儀禮節解》, 續修四庫全書 85, 上海:上海古籍出版社, 1995.

郝懿行(清),《爾雅義疏》, 臺北:臺灣商務印書館, 民國57(1968)

惠棟(清),《九經古義》, (文淵閣)四庫全書191, 臺灣:商務印書館, 民國72(1983)

胡廣等(明),《禮記大全》, (文淵閣)四庫全書 122, 臺灣:商務印書館, 民國72(1983)

胡匡衷(清),《儀禮釋官》, 續修四庫全書 89, 上海:上海古籍出版社, 1995.

胡培翬(清),《儀禮正義》, 續修四庫全書 92, 上海:上海古籍出版社, 1995.

黃幹(南宋),《儀禮經傳通解續》, (文淵閣)四庫全書 131-32, 臺灣:商務印書館, 民國72(1983)

黃以周(清),《禮書通故》, 續修四庫全書 112, 上海:上海古籍出版社, 1995.

표 1_ 五服 (士喪禮)

		衰裳	首絰, 腰絰(大帶)	杖	絞帶(革帶)	冠	屨	기간
1	斬衰三年	斬衰裳	苴絰(繩纓) (左本在下)	苴杖 (苴竹杖)	苴絞帶 (苴麻)	繩纓 (牡麻)	菅屨	3년
2	齊衰三年	疏衰裳(齊)	牡麻絰(繩纓) (右本在上)	削杖 (桐杖)	布帶 (7승)	布纓 (粗大功布)	疏屨	3년
3	齊衰杖期	疏衰裳(齊)	牡麻絰(繩纓) (不絕本)	削杖 (桐杖)	布帶	布纓	疏屨	1년
4	齊衰不杖期	疏衰裳(齊)	牡麻絰(繩纓) (不絕本)	없음	布帶	布纓	麻屨	1년
5	齊衰三月	疏衰裳(齊) → 無受	牡麻絰(繩纓) (不絕本)	없음	布帶	布纓	繩屨 (麻繩)	3월
6	大功殤	大功布衰裳 → 無受	牡麻絰(繩纓) (不絕本)(中殤은 纓없음)	없음	布帶	布纓	繩屨	9월 또는 7월
7	大功九月	大功布衰裳 → 小功布衰 裳(3월후)	牡麻絰(繩纓) (不絕本) → 葛絰(3월후)	없음	布帶 → 葛帶 (3월후)	布纓	繩屨	9월
8	繐衰七月	繐衰裳 → 無受	牡麻絰 (不絕本)(纓없음)	없음	布帶	素冠 布纓	吉屨 (無絇)	7월
9	小功殤	小功布衰裳 → 無受	澡牡麻絰 (不絕本)(纓없음)	없음	布帶	布纓	吉屨 (無絇)	5월
10	小功五月	小功布衰裳 → 無受	澡牡麻絰(絕本) (纓없음) → 葛絰(3월후)	없음	布帶	布纓	吉屨 (無絇)	5월
11	緦麻三月	緦麻布衰裳 → 無受	澡牡麻絰(絕本) (纓없음)	없음	布帶	澡纓	吉屨 (無絇)	3월

표 2_ 衰冠 升數 (士喪禮)

			衰(升)		冠(升)		비고
			初	受	初	受	
斬衰三年	正服		3(3.5)	6	6	7	儀禮
齊衰三年	降服		4	7	7	8	儀禮
	正服		5	8	8	9	鄭玄注
齊衰杖期	降服		4	7	7	8	鄭玄注
	正服		5	8	8	9	鄭玄注
齊衰不杖期	降服		4	7	7	8	鄭玄注
	正服		5	8	8	9	鄭玄注
齊衰三月	降服		–	–	–	–	
	正服		–	–	–	–	
大功九月 大功七月	降服	殤	7	–	10	–	鄭玄注
		成人	7	–	10	–	鄭玄注
	正服		8	10	10	11	鄭玄注
繐衰七月	正服		4.5	–	8	–	儀禮
小功五月	降服	殤	10	–	10	–	鄭玄注
		成人	10	–	10	–	鄭玄注
	正服		11	–	11	–	鄭玄注
緦麻三月	降服		7.5	–	7.5	–	賈公彦疏
	正服						

표 3_ 士의 喪禮 儀節 (士喪禮)

	과정	장소	음식·도구·衣物	비고
1일 始死	疾病	適室 北墉下		病者:東首
	始死	適室 牖下		尸:南首 斂衾으로 덮음
	招魂	中屋(북향)		爵弁服 사용
	楔齒, 綴足, 設奠 // 帷堂	適室 // 堂	醴, 脯, 醢 (또는 酒, 脯, 醢)	醴가 없으면 酒 사용
	赴君(赴告)	西階東, 南面命		
	就哭位	대공이상:室 소공이하 衆婦人:堂上 소공이하 衆兄弟:堂下		
	襚	君使者:尸上 親者:東房 庶兄弟·朋友:尸牀上 尸東		
	爲銘	宇下 西階上		
	掘坎 // 爲垼(潘水)	兩階間 // 西牆下		
	陳沐浴飯含之具	西階下	新盆, 槃, 瓶, 廢敦, 重鬲	
	陳襲事	東房	明衣裳, 笄, 巾, 掩, 瑱, 幎目, 握手, 決, 冒, 爵弁服, 皮弁服, 褖衣, 緇帶, 韎韐, 竹笏, 屨, 庶襚	
	陳沐浴飯含之具	西序下	笲(貝3), 筐(稻米1豆), 笲(沐巾1·浴巾2), 簞(櫛), 篋(浴衣)	
	沐浴, 蚤剪, 髻, 設明衣裳	適室		
	陳襲衣(3稱)	適室 襲牀	祭服(爵弁服·皮弁服), 褖衣	
	飯含	適室 尸牀		
	襲尸	適室 襲牀		
	置重設二鬲 // 置銘于重	西牆下 // 中庭	鬻餘飯	鬲:疏布로 덮음
2일 小斂	陳小斂衣(19稱)	東房	祭服, 散衣, 庶襚	
	設饌, 設盆盥	東堂下	脯, 醢, 醴, 酒	술:觶에 담음 奠物:功布(소공포)로 덮지 않음
	設絰帶	남:東方(東坫南) 여:東房		
	陳牀、笫、夷衾 // 設盆盥	西坫南 // 西方(西堂下, 西坫西)		
	陳鼎	寢門外 東塾少南	特豚 1鼎(4體)	
	小斂	適室 小斂席		席:下莞上簟
	馮尸	주인:適室 小斂席東 주부:適室 小斂席西		
	括髮, 袒, 免, 髽	주인:東房 (括髮, 左袒, 絞帶) 중주인:東房 (免, 布帶) 부인:適室 (髽, 首絰, 腰絰)		
	奉尸于堂	堂上 小斂牀		尸:南首 夷衾으로 덮음

	襲絰帶	주인:堂下 東序東		
	小斂奠	堂上 尸牀東	2觶(醴, 酒) 1籩(脯) 1豆(醢) 1俎(豚)	尸:南首 奠物:功布(소공포)로 덮음
	代哭	장부:阼階下 부인:堂上 阼階上		
	襚	賓·朋友:堂上 尸東 牀上		
	(宵)設庭燎	中庭		
3일 大斂	陳大斂衣(30稱)	東房	絞, 紟, 衾2 君襚, 祭服, 散衣, 庶襚	
	設饌	東方(東堂下)	2甒(醴, 酒) 2籩(栗, 脯 4脡) 2豆(葵菹芋, 蠃醢) 角觶4, 木柶2 奠席, 斂席	奠物:功布(소공포)로 덮음
		中庭	3俎(豚, 魚, 腊)	
	掘肂	堂上 西階上		깊이:棺의 衽이 보이도록
	棺入	堂上		棺蓋:堂下 升棺:軸 사용
	設饌	西坫南	4筐(熬黍2, 熬稷2, 魚, 腊)	肂에 넣을 것
		寢門外	特豚 3鼎 (豚 合升, 魚9, 腊 左胖)	東堂下:횃불 준비
	徹小斂奠 移設	堂下 西序西南 當西榮		
	大斂	堂上 阼階上 大斂席		尸:南首 席:下莞上簟
	馮尸	주인:大斂席東 주부:大斂席西		
	蓋, 殯, 踊	堂上 西階上		
	大斂奠	室奧	2觶(醴, 酒) 2籩(栗, 脯 4脡) 2豆(葵菹芋, 蠃醢) 3俎(豚, 魚, 腊)	奠物:功布(소공포)로 덮음
	送賓, 送兄弟	寢門外		
	闔門 主人·衆主人就次	참최:倚廬 자최:堊室		대공:帷帳 소공·시마:牀·笫
4일 成服	成服, 杖			冠·衰·屨 등을 모두 착용
	拜辭弔者			拜君命·衆賓 不拜棺中之賜
	徹大斂奠移設	堂下 西序西南 當西榮		
4일 이후	朝夕奠	室奧	醴, 酒, 脯, 醢	奠物:布巾을 덮지 않음
	朔奠(殷奠)	室奧	2觶(醴, 酒) 2豆(菹, 醢) 籩× 2敦(黍1, 稷1) 3俎(豚, 魚, 腊)	奠物:布巾으로 덮음
	望奠	室奧	士 :牲俎 없음	대부 이상:殷奠
	筮宅	兆域		冢人掘四隅
	主人往筮	兆南	免絰 // 筮, 韇	북향

	歸殯	殯宮	주인:絰	哭不踊
	視椁	殯宮門外		哭不踊
	視材·素·成	殯宮門外		哭不踊
	卜日	殯宮門外 闑西閾外	주인:免絰 宗人:吉服 龜甲, 楚焞, 燋, 席	

표 4_ 士의 葬禮 (旣夕禮)

일시	과정	장소	시간	음식, 도구, 의복	비 고
장례 1일전 (剛日)	啓殯	殯宮	새벽		銘을 重이 있는 곳으로 옮김
	遷禰廟	禰廟	새벽	從奠(전날 夕奠)	尸:北首
	遷禰奠	녜묘 柩車西	새벽	特豚1鼎 醴, 酒, 脯, 醢	소렴전과 동일 重:묘문외 西, 동향 尸:北首
	遷祖廟	祖廟	새벽	從奠(遷禰奠)	尸:北首
	車馬 진열	조묘 直東榮	새벽	車:3종(乘車, 道車, 槀車) 馬:6필	北輈
	遷祖奠	조묘 柩車西	날이 밝은 뒤	特豚3鼎(豚, 魚, 腊) 2觶(醴, 酒) 2豆(葵菹芋, 蠃醢) 2籩(栗, 脯4)	대렴전과 동일 尸:北首
	載棺 飾柩	조묘	낮	柳, 池1, 紐4, 荒, 帷, 齊(3색), 披4, 引	
	葬具 및 明器 진열	조묘	낮	*葬器:折, 抗木, 抗席, 茵 *食器:苞2, 甕3, 筲3, 甒2, 木桁 *用器:弓, 矢, 耒耜, 敦2, 杅2, 槃, 匜 *祭器:없음 *役器:甲, 胄, 干, 笮 *燕器:杖, 笠, 翣	
	祖 (柩車를 돌려놓음)	조묘	해저물녘		출행 시작 銘을 茵 위로 옮김
	祖奠	조묘 柩車東	해저물녘	醴, 酒, 脯, 醢	尸:南首
	임금 및 이하의 賵, 奠, 賻, 贈	조묘 柩車東		君賵:玄纁束帛, 馬2 賓賵:玄纁束帛, 馬 奠:奠物 賻:財貨 贈:玩好物 주인, 중주인:左袒	주인:賓을 外門 밖에서 전송 尸:南首 兄弟:賵, 奠 所知:賵而不奠 知死者:贈 知生者:賻
장례 당일 (柔日)	葬奠	조묘 柩車東	날이 밝은 뒤	小牢5鼎(羊, 豕, 魚, 腊, 鮮獸) 2觶(醴, 酒) 4豆(脾析, 蜱醢, 葵菹, 蠃醢) 4籩(棗, 糗, 栗, 脯)	
	明器 진열	조묘 乘車西		*葬器:折, 抗木, 抗席, 茵 *食器:苞2(羊·豕의 뒷다리), 甕3(醯·醢·薑桂屑), 筲3(瀹-黍·稷·麥), 甒2(醴·酒), 木桁 *用器:弓, 矢, 耒耜, 敦2, 杅2, 槃, 匜 *祭器:없음 *役器:甲, 胄, 干, 笮 *燕器:杖, 笠, 翣	전날 거두었던 것을 다시 진열
	明器車馬 출행	조묘		葬器 – 食器 – 用器 – 役器 – 燕器 – 車馬(3종)	重:廟門 밖 동쪽에 기대어놓음

	賵書遣策 낭독	조묘 ·주인史(賵書): 柩車東, 서향 ·君史(遣策): 柩車西, 동향		方板, 筭, 燭2, 簡策	
	柩車 출행	조묘		주인:左袒-襲(出宮) 商祝:執功布御柩 士:執披	
	君贈幣	邦門(북문) 棺蓋柳中		玄纁束帛	
	窆(下棺)	壙		玄纁束帛, 葬器, 食器, 用器, 役器, 燕器	
	反哭	조묘 주인:당상 동향 중주인:당하 동향 부인들:室, 당상 阼階上			
	初虞	빈궁 또는 도중	당일 정오		祝辭:哀薦祫事
柔日	再虞				祝辭:哀薦虞事
剛日	三虞				祝辭:哀薦成事
剛日	卒哭				祝辭:哀薦成事
졸곡 明日	祔祭				祝辭:隮祔爾孫某甫

표 5_ 尸가 있을 때 士의 虞祭 (士虞禮)

과 정		장 소	음식, 도구, 의복	비 고
준비	主人沐浴不櫛			
	陳牲	廟門外	豕牲(生), 兎腊	廟門:適寢의 寢門 北首, 西上, 寢右
	行事開始			日中(정오)
	殺牲豚解	묘문외 西	豚解 7體 (豕의 左肩, 臂, 臑, 肫, 骼, 脊, 脅)	주인:不視豚解
	設爨 烹	묘문외 右(西)	豕爨(豕 左胖) 腊爨(兎) 魚爨(鱄9 또는 鮒9)	3爨:동향
		廟門內 東壁下	饎爨(黍爨, 稷爨)	2爨:서향
	設洗	西階西南	洗, 水, 篚	祝盥, 洗苴, 洗觶
	設饌 備席	適室 北墉下	2甒(醴, 酒) 勺	禁 없음 甒:絺布로 덮음
		당상 西序下	素几, 葦席	
		당상 西坫上	苴(5寸)	苴:篚 안에 넣음
		당상 西楹東	2豆(葵菹, 蠃醢) 1鉶(豕鉶羹) 2豆 4籩(棗2, 栗2) *鉶芼:苦 또는 薇 *鉶滑:葵(夏), 荁(冬) *籩:棗栗烝擇	2豆:從獻에 사용
		당하 兩階間	2敦(黍敦, 稷敦) 葦席 祝俎	
		당하 西階南	匜水, 槃, 簞(布巾)	손을 씻음

	設饌 備席	묘문외 右(西)	特豚 3鼎 ·豕鼎:7體, 離肺(擧肺)1, 膚祭3, 祭肺1 ·魚鼎:鱄9 또는 鮒9 ·腊鼎:左胖(髀×)	3鼎:북향, 北上 모두 扃과 鼏
		묘문외 西塾西	匕, 俎	
		묘문내 西塾	燔俎, 肝俎	從獻에 사용
	卽位 布席	묘문외 朝夕哭位	주인, 중주인, 외형제:葬服 // 賓執事者:弔服	서향, 北上 // 북향, 西上, 동향, 北上
		당상 阼階上 朝夕哭位	부인, 내형제:葬服	서향, 南上
		室奧(西南隅)	席, 几	喪祝 동향, 右几(席上)
		묘문외 西	喪祝, 宗人	동향, 南上
宗人告		묘문외 西		"有司具"라고 함
入門哭 卽位		·주인:당상 西階上 ·중주인,외형제, 賓:당하 西方 反哭位 ·祝:門左(西) ·宗人:당하 西階前		·중주인,외형제,빈:동향, 北上 ·상축, 종인:북향
陰厭	設苴	適室 席上 几東		祝
	洗觶升	洗:당하	1觶	축
	哭止	당상, 당하		
	入室卽位	주인:室戸東 축:주인 左(南)		주인:입실 전 喪杖을 西序에 기대어 놓음 모두 서향
	薦菹醢	적실	葵菹, 蠃醢	贊者(賓執事者)
	鼎入, 匕俎從設	西階前	3鼎(豕鼎, 魚鼎, 腊鼎)	동향, 北上
	載俎設俎	尸俎:적실 祝俎:階間敦東	尸俎:3俎(豕俎, 魚俎, 腊俎) ·祝俎:髀, 脰, 脊, 脅, 離肺	좌식과 집사자 載俎:牲體進柢, 魚進鬐 (祝俎:鼎에 담지 않음)
	設敦鉶	적실	2敦(黍敦, 稷敦) 1鉶(豕鉶羹)	찬자
	徹鼎	묘문외		찬자
	酌醴啓會	적실		酌醴:축 啓會:좌식
	奠觶	적실 鉶南	醴	축
	主人再拜稽首	적실		向神位
	祝饗	적실		신에게 고함
	祭(고수레)	적실 苴上	黍, 稷, 膚, 醴(不盡)	黍, 稷, 膚:좌식 醴:축
	主人再拜稽首	적실		向神位
	祝祝	적실		주인을 대신
	主人再拜稽首, 哭出復位	拜,哭:적실 復位:당상 西階上		喪杖을 들고 復位
迎尸	迎尸 奉篚哭從尸	묘문외	尸:死者의 上服(玄端服)	迎尸:축 奉篚:從者(주인의 형제)
	尸入門盥	묘문내 西 (또는 西階南)	槃, 匜水, 巾	尸入門:장부·부인 踊 尸:북향 집사자1:執槃(서향) 賓:執匜(동향) 집사자2:執巾(동향) 宗人:授巾(남향)

迎尸		尸升堂	당		주인 踊
		尸入室	적실		踊, 哭止
		婦人入房	東房		
		拜妥尸	적실		주인, 축
		尸拜坐	적실 奧(서남쪽)		동향
尸九飯		錯篚	적실 尸左(북) 席上		從者(주인의 형제)
		尸擧奠(觶)祭菹醢	祭 : 豆間	醴(觶), 葵菹, 蠃醢	
		尸墮(綏)祭	적실	黍, 稷, 肺祭(擧肺)	좌식이 도움
		尸祭奠	적실	醴	
		祝祝	적실		시동에게 고함
		主人再拜稽首	적실		向尸
		尸嘗醴	적실	醴	
		尸振祭嚌之	적실	肺(豕俎), 脊(豕俎)	맛본 뒤 葵菹豆에 놓음
		邇敦	적실	黍敦, 稷敦	좌식이 시동 가까이 옮김
		尸祭鉶嘗鉶	적실	豕鉶羹	
		泰羹湇入門	入 : 묘문외 設 : 적실 鉶南	豕羹	
		設胾	적실 蠃醢豆左(북)	4豆	
		尸三飯	적실	黍, 稷	篚에 덞
		尸振祭嚌之	적실	幹(豕의 長脅)	篚에 넣음
		尸三飯	적실	黍, 稷	篚에 덞
		尸振祭嚌之	적실	胳(豕의 後脛骨)	篚에 넣음
		擧魚腊實篚	적실	魚1, 兎腊1	좌식 篚에 넣음
		尸三飯	적실	黍, 稷	篚에 덞
		尸振祭嚌之	적실	肩(豕의 前脛骨)	篚에 넣음
		擧魚腊實篚	적실	魚5, 兎腊3	좌식 篚에 넣음 俎마다 3개씩 남김
		肺脊實篚	적실	肺(葵菹豆), 脊(葵菹豆)	좌식 篚에 넣음
		反敦	적실	黍敦, 稷敦	좌식
主人初獻	獻尸	洗廢爵酳尸	洗 : 西階西南 酳尸 : 적실	酒(廢爵)	주인
		尸拜, 主人答拜	적실		
		尸祭酒嘗之	적실	酒	
		肝從右鹽	적실	肝, 鹽	賓長
		尸振祭嚌之	적실	肝, 鹽	肝俎에 놓음
		尸卒爵	적실	酒	
		主人拜, 尸答拜	적실		
	獻祝	布祝筵	室北墉下 甒西		남향
		獻祝	적실	酒	주인
		祝拜, 主人答拜	적실		
		薦菹醢設俎	적실	葵菹, 蠃醢, 俎(髀·脰·脊·脅·離肺)	俎 : 祝俎
		祝祭薦	적실	葵菹, 蠃醢	
		祝祭肺嚌之	적실	肺	俎에 놓음
		祝祭酒嘗之	적실	酒	
		肝從右鹽	적실	肝, 鹽	
		祝振祭嚌之	적실	肝, 鹽	肝俎에 놓음
		祝卒爵	적실	酒	
		祝拜, 主人答拜	적실		

	獻佐食	獻佐食	적실	酒	
		佐食拜, 主人答拜	적실		좌식:북향
		佐食祭酒卒爵	적실	酒	
		佐食拜, 主人答拜	적실		
		主人受爵出戶實篚復位	篚:당하 庭西 復位:당상 西序南		복위 전 喪杖을 취함
主婦亞獻	獻尸	洗足爵酳尸	洗:東房 酳尸:적실	酒(足爵)	주부
		設籩	적실 敦會南	2籩(棗籩, 栗籩)	주부
		尸祭籩祭酒	적실	棗, 栗,酒	
		燔從	적실	燔俎(豕肺)	次賓
		尸祭燔卒爵	적실	肺(燔俎), 酒	
		獻祝, 籩燔從	적실		모두 초헌과 동일
		獻佐食	적실		모두 초헌과 동일
		主婦入房	東房	虛爵	
賓長三獻	獻尸	洗繶爵酳尸	洗:西階西南 酳尸:적실	酒(繶爵)	賓長
		燔從	적실		모두 아헌과 동일
		獻祝	적실		모두 아헌과 동일
		獻佐食	적실		모두 아헌과 동일
告利成		婦人復位	당상 阼階上		서향
		祝出戶告利成	당상		주인에게 고함, 서향
		哭	주인, 부인:당상 중주인:당하 庭西		
		祝入尸謖	적실		
		奉篚哭從尸			從者(주인의 형제)
		祝前尸出戶	적실		
		踊	주인, 부인:당상 중주인:당하 庭西		주인 이하
		尸降堂	西階		
		踊	주인, 부인:당상 중주인:당하 庭西		주인 이하
		尸出廟門	묘문		
		踊	주인, 부인:당상 중주인:당하 庭西		주인 이하
陽厭		祝反入徹	反:묘문외 徹:적실		
		設饌	적실 西北隅(屋漏)		축 진설:陰厭과 동일 席으로 祭物을 가림
		徹祝薦席	東房	薦, 席	집사자
		祝執其俎出戶	적실		祝
		贊闔牖戶			贊者(좌식)
禮畢送賓		主人降			
		賓出廟門	묘문		
		主人出廟門			
		哭止, 皆復位	묘문외 未入位 (朝夕臨位)		각각의 자리
		宗人告事畢			주인에게 고함
		賓出外門	外門(대문)		
		主人送拜稽顙	外門外		

표 6_ 尸가 없을 때 士의 虞祭 (士虞禮)

과 정		장 소	음식, 도구, 의복	비 고
				의복, 卽位, 升降은 有尸 때와 동일
陰厭	祝饗 祭黍稷于苴 祝祝			尸가 있을 때와 동일
無尸九飯	不綏祭 無(太羹湆,胾,從獻)			
	主人哭出戶復位	哭:적실 復位:당상 西階上		동향
	祝闔牖戶降復位	復位:묘문 西		북향
	男女拾踊三			주인, 중주인, 부인
	如食間			食間:시동이 9飯하는 시간
禮畢	祝升哭止			
	祝聲三啓戶			聲三:"噫歆"
	主人入室	室戶東		주인:서향
	祝入室啓牖	室內 主人左(남)		축:서향
	主人哭出戶復位	復位:당상 西階上		
	徹饌			
	祝·佐食降復位	축:묘문내 西 좌식:당하 西階下		축:북향 좌식:동향
	宗人詔主人降			

喪服

1. 凡服, 上曰衰, 下曰裳。[1)]

일반적으로 상복은 상의를 '衰', 하의를 '裳'이라고 한다.

2. 凡喪, 旣葬之後都要換服一種比原來稍輕的喪服, 叫做受服。[2)]

일반적으로 喪에는 장례 뒤에 모두 원래보다 조금 가벼운 상복으로 바꾸어 입어야 하는데 이것을 '受服'이라고 한다.

3. 凡女行于大夫曰嫁。[3)]

일반적으로 여자가 대부에게 시집가는 것을 '嫁'라고 한다.

4. 凡從服, 皆謂從尊者服, 而降所從者一等。[4)]

일반적으로 '從服'은 모두 尊者를 따라서 입는데, 그 尊者보다 한 등급 낮추어 입는 것을 이른다.

5. 凡布細而疏者, 謂之繐。[5)]

일반적으로 布가 올이 가늘고 짜임이 성근 것을 '繐'라고 한다.

6. 凡喪愈重者, 布愈粗疏, 反之則愈細密。[6)]

일반적으로 喪이 무거울수록 상복에 사용하는 布는 올이 굵고 짜임이 성글며, 반대로 가벼우면 올이 가늘고 짜임이 촘촘해진다.

7. 凡衰外削幅, 裳內削幅。幅三袧。[7)]

일반적으로 衰(상의)는 시접이 밖으로 나오도록 폭을 줄여 꿰매고, 裳(하의)은 시접이 안으로 들어가도록 폭을 줄여 꿰맨다. 이때 裳은 폭마다 3개의 주름을 잡는다.

8. 凡裳, 前三幅, 後四幅也。[8)]

일반적으로 裳은 앞이 3폭, 뒤가 4폭이다.

---

1) 〈상복〉1. 주① 鄭玄.
2) 〈상복〉9. 주① 楊天宇.
3) 〈상복〉10. 주㉓ 沈彤.
4) 〈상복〉14. 주⑨ 楊天宇.
5) 〈상복〉15. 주① 鄭玄.
6) 〈상복〉15. 주④ 楊天宇.
7) 〈상복〉24. 經文.
8) 〈상복〉24. 주② 鄭玄, 〈기석례〉23. 주⑮ 胡培翬.

士喪禮

1. 凡拜送之禮, 送者拜, 去者不答拜。[9]

일반적으로 拜送하는 禮는 전송하는 사람은 절하고 떠나는 사람은 答拜하지 않는다.

2. 凡屬齊衰大功之親皆在其中。[10]

일반적으로 자최복이나 대공복을 입는 친속은 모두 親者의 범주에 속한다.

3. 凡女賓從衆婦人之位。[11]

일반적으로 女賓은 衆婦人을 따라 자리한다.

4. 凡於襚者出, 有司徹衣。[12]

일반적으로 襚를 올린 자가 나가면 有司가 襚를 거둔다.

5. 凡襚者皆左執領, 右執要。[13]

일반적으로 襚를 잡는 자는 모두 왼손으로 襚의 옷깃을 잡고 오른손으로 허리 부분을 잡는다.

6. 凡爲神之衣物, 必治而小。[14]

일반적으로 神을 위해 만드는 衣物은 반드시 작게 한다.

7. 凡物無足稱廢。[15]

일반적으로 물건에 다리가 없는 것을 '廢'라고 칭한다.

8. 凡陳衣者實之篋, 取衣者亦以篋。升降者自西階。[16]

일반적으로 옷을 진설할 때는 篋(대바구니)에 담아 진설하고 옷을 받아갈 때에도 篋에 담아 받아간다. 이때 모두 서쪽 계단으로 오르내린다.

9. 凡禮事, 無問吉凶皆左袒, 惟受刑則右袒。[17]

일반적으로 禮事에는 길흉을 막론하고 모두 왼쪽 소매를 빼며 오직 刑을 받았을 때만 오른쪽 소매를 뺀다.

---

9) 〈사상례〉3. 주③ 淩廷堪.

10) 〈사상례〉4. 주④ 楊天宇.

11) 〈사상례〉4. 주⑤ 張惠言, 〈사상례〉11. 주⑦ 鄭玄.

12) 〈사상례〉6. 주⑨ 鄭玄.

13) 〈사상례〉6. 주⑨ 胡培翬.

14) 〈사상례〉7. 주③ 鄭玄.

15) 〈사상례〉8. 주④ 賈公彦.

16) 〈사상례〉9. 주①《禮記》〈喪大記〉.

17) 〈사상례〉12. 주② 胡培翬.

10. 凡腰絰都是麻根的一端下垂。[18]

일반적으로 요질은 모두 麻의 뿌리가 있는 쪽을 늘어뜨린다.

11. 凡牛羊有腸胃, 無膚; 豕有膚, 無腸胃。[19]

일반적으로 희생이 소와 양일 경우에는 腸胃를 쓰고 膚를 쓰지 않으며, 돼지는 膚를 쓰고 腸胃를 쓰지 않는다.

12. 凡牲皆用右體, 進腠; 變禮則用左體, 進柢。[20]

일반적으로 희생은 右體를 쓰고 고기의 결이 앞으로 가도록 진설하며, 變禮에는 左體를 쓰고 뼈의 뿌리 부분이 앞으로 가도록 한다.

13. 凡腊之體同牲。[21]

일반적으로 腊(갓 잡아 말린 들짐승)을 나누는 것은 희생을 나누는 법과 같다.

14. 凡斂者六人。[22]

일반적으로 염을 하는 사람은 모두 6명이다.

15. 凡斂者袒, 遷尸者襲。[23]

일반적으로 斂을 하는 사람은 袒을 하고 시신을 옮기는 사람은 襲을 한다.

16. 凡喪, 賓皆于既奠乃出。[24]

일반적으로 喪禮에서 賓은 모두 奠을 올리는 의식을 마치고 나면 나간다.

17. 凡經曰楹外者, 竝楹南; 曰楹內者, 竝楹北。[25]

일반적으로 경문에서 '楹外'라고 한 것은 모두 기둥의 남쪽을 말하고, '楹內'라고 한 것은 모두 기둥의 북쪽을 말한다.

18. 凡君臨大斂, 則主人拜稽顙, 成踊。[26]

일반적으로 임금이 대렴에 친림할 경우에는 주인은 拜手한 뒤에 稽顙하고 成踊을 한다.

19. 凡馮尸, 興必踊。[27]

---

18) 〈사상례〉17. 주④ 郝敬.

19) 〈사상례〉19. 주② 淩廷堪.

20) 〈사상례〉19. 주② 淩廷堪.

21) 〈사상례〉19. 주② 淩廷堪.

22) 〈사상례〉20. 주①《禮記》〈喪大記〉.

23) 〈사상례〉20. 주⑨, 26. 주④《禮記》〈喪大記〉.

24) 〈사상례〉21. 주㉒ 敖繼公.

25) 〈사상례〉28. 주⑧ 黃以周.

26) 〈사상례〉30. 주⑬ 淩廷堪.

27) 〈사상례〉30. 주⑱ 鄭玄.

일반적으로 馮尸하고 일어나면 반드시 踊을 해야 한다.

20. 凡奠皆當升自阼階。[28]

일반적으로 奠物은 모두 동쪽 계단으로 올라간다.

21. 凡異爵者拜諸其位。[29]

일반적으로 묘문 안에서는 賓이 경대부인 경우에는 주인이 그들의 자리로 나아가 特拜(한사람씩 일일이 한 번 절하는 것)한다.

22. 凡廟門有事則開, 無事則閉。[30]

일반적으로 廟門은 일이 있으면 열고 일이 없으면 닫는다.

23. 凡卜先用陽燧就日光取火, 點燃焦以保存, 再吹焦之化以燃楚焞, 然後用楚焞之火以灼龜。[31]

일반적으로 점을 칠 때에 먼저 陽燧를 가지고 햇빛에 나아가 불을 취한 뒤 홰[焦]에 점화하여 불씨를 보존한다. 다시 홰의 불을 불어서 가시나무에 불을 붙인 뒤에 가시나무불로 龜甲을 태운다.

旣夕禮

1. 凡尸柩所在, 升降皆由足設奠, 婦人辟位。[32]

일반적으로 널이 있는 곳에 오르내릴 때에는 모두 시신의 머리가 아닌 발쪽으로 돌아 奠物을 진설하며 이때 부인들은 자리를 피한다.

2. 凡奠皆在尸柩之右。[33]

일반적으로 奠物은 모두 시신을 실은 柩車의 오른쪽에 진설한다.

3. 凡將禮, 必請而後拜送。[34]

일반적으로 禮를 행할 때에는 반드시 賓에게 물은 뒤에 절하여 전송한다.

4. 凡四豆, 先放脾析, 脾析之北放蜱醢, 蜱醢之東放葵菹, 葵菹之南放蠃醢, 這樣屈繞而設成

---

28) 〈사상례〉30. 주㉗ 賈公彦.

29) 〈사상례〉32. 經文, 주⑯. 祖廟에서는 서쪽 계단. 〈기석례〉4. 참조.

30) 〈사상례〉32. 주⑨ 鄭玄.

31) 〈사상례〉36. 주② 胡培翬.

32) 〈기석례〉4. 주⑮ 黃以周.

33) 〈기석례〉8. 주⑩ 黃以周.

34) 〈기석례〉10. 經文, 주⑩.

一四方形, 南邊兩豆, 北邊兩豆, 而以最先設在南邊的脾析所在的位置爲上位。[35]

일반적으로 豆가 4개일 경우에는 먼저 脾析을 놓고, 脾析의 북쪽에 蜱醢를 놓고, 蜱醢의 동쪽에 葵菹를 놓고, 葵菹의 남쪽에 蠃醢를 놓는다. 이렇게 굽혀서 사각형이 되도록 진설하여 2개의 豆는 남쪽에 놓고 2개의 豆는 북쪽에 놓는데, 맨 먼저 남쪽에 진설한 脾析이 놓인 자리를 상위로 삼는다.

5. 凡四籩, 在蠃醢之南先放棗籩, 棗籩南放糗籩, 糗籩東放栗籩, 栗籩北放脯籩, 亦屈繞而成一四方形, 北邊兩籩, 南邊兩籩, 而以最先放在北邊的棗所在的位置爲上位。[36]

일반적으로 籩이 4개일 경우에는 蠃醢의 남쪽에 먼저 棗籩을 놓고, 棗籩의 남쪽에 糗籩을 놓고, 糗籩의 동쪽에 栗籩을 놓고, 栗籩의 북쪽에 脯籩을 놓는다. 이때에도 굽혀서 사각형이 되도록 진설하여 2개의 籩은 북쪽에, 2개의 籩은 남쪽에 놓는데, 가장 먼저 북쪽에 진설한 棗籩이 놓인 자리를 상위로 삼는다.

6. (宰夫)凡邦之弔事, 掌其戒令, 與其幣、器財用凡所共者。[37]

宰夫는 일반적으로 제후나 신하들의 弔事에 그 戒令과 이때 보내는 폐백·明器·財用을 관장한다.

7. 凡絞、紟用布, 倫如朝服。[38]

일반적으로 염할 때 사용하는 絞와 紟은 布를 사용하는데, 포의 升數는 朝服을 만드는 포의 승수(15승)와 같다.

8. 凡籩豆, 實具設, 皆巾之。[39]

일반적으로 籩과 豆는 음식을 담아 짝지어 진설하는데, 東堂 아래에 진열할 때나 室의 奧(서남쪽 모퉁이)에 진설할 때에 모두 布巾으로 덮어 놓는다.

9. 凡物之莖皆謂之菆。[40]

일반적으로 식물의 줄기를 모두 '菆(추)'라고 이른다.

10. 凡贈幣無常。[41]

일반적으로 贈物과 폐백은 일정한 제한이 없다.

---

35) 〈기석례〉11. 주⑳ 胡培翬(引王士讓).

36) 〈기석례〉11. 주㉑ 胡培翬(引王士讓).

37) 〈기석례〉14. 주⑤《周禮》〈天官 宰夫〉經文.

38) 〈기석례〉24. 經文, 주②③.

39) 〈기석례〉24. 經文, 주⑩. 〈사상례〉에서 小斂奠物을 東堂 아래에 진열할 때는 덮어두지 않는다. 〈사상례〉16. 참조.

40) 〈기석례〉25. 주⑨ 胡培翬.

41) 〈기석례〉31. 經文, 주⑱.

11. 凡糗不煎。[42]

일반적으로 糗餌(콩고물을 입힌 쌀기장떡)는 기름에 지지지 않는다.

12. 凡矢皆前重後輕。[43]

일반적으로 화살은 모두 앞이 무겁고 뒤가 가볍다.

士虞禮

1. 凡尸未入室之前, 設饌于奧, 謂之陰厭。[44]

일반적으로 시동이 아직 室에 들어가기 전에 室의 奧(서남쪽 모퉁이)에 음식을 진설하는 것을 '陰厭'이라고 한다.

2. 凡踊, 宗人詔之。[45]

일반적으로 踊을 하는 것은 宗人이 하도록 고한다.

3. 凡尸旣出室之後, 改饌於西北隅, 謂之陽厭。[46]

일반적으로 시동이 室을 나가고 난 뒤에 다시 室의 서북쪽 모퉁이〔屋漏〕에 진설하는 것을 '陽厭'이라고 한다.

4. 凡祭宗廟之禮, 豕曰剛鬣。[47]

일반적으로 宗廟에 제사하는 禮에 큰 돼지를 '剛鬣'이라고 한다.

5. 凡節解者, 皆曰折俎。[48]

일반적으로 牲體를 마디로 자른 것을 모두 折俎라고 한다.

---

42) 〈기석례〉31. 經文, 주⑲.
43) 〈기석례〉35. 주⑧ 楊天宇.
44) 〈사우례〉3. 주① 凌廷堪.
45) 〈사우례〉4. 주⑥ 鄭玄.
46) 〈사우례〉10. 주① 凌廷堪.
47) 〈사우례〉19. 주⑥《禮記》〈曲禮下〉.
48) 〈사우례〉22. 주③ 鄭玄.

通例 上

1. 凡迎賓, 主人敵者于大門外, 主人尊者于大門內。

일반적으로 賓을 맞이할 때, 주인과 賓이 지위가 대등할 경우 대문(外門) 밖에서 맞이하고, 주인이 賓보다 지위가 높을 경우 대문 안에서 맞이한다.

2. 凡君與臣行禮皆不迎。

일반적으로 임금이 본국의 신하와 禮를 행할 때는 임금이 모두 맞이하지 않는다.

3. 凡入門, 賓入自左, 主人入自右, 皆主人先入。

일반적으로 문을 들어갈 때, 賓은 문의 왼쪽(서쪽)으로 들어가고 주인은 문의 오른쪽(동쪽)으로 들어가는데, 모두 주인이 먼저 들어간다.

4. 凡以臣禮見者, 則入門右。

일반적으로 제후가 신하의 禮로 천자를 알현할 경우, 문의 오른쪽으로 들어간다.

5. 凡入門, 將右曲, 揖; 北面曲, 揖; 當碑, 揖: 謂之三揖。

일반적으로 문 안으로 들어가서 오른쪽으로 굽어지려고 할 때 읍하고, 북쪽으로 굽어지려고 할 때 읍하며, 碑와 일직선상에 당도했을 때 읍하는데, 이것을 '三揖'이라고 한다.

6. 凡升階皆讓, 賓主敵者俱升, 不敵者不俱升。

일반적으로 계단을 올라갈 때 모두 사양을 하는데, 賓과 主人이 지위가 대등할 경우 각각의 계단으로 동시에 올라가고, 대등하지 않을 경우 동시에 올라가지 않는다.

7. 凡升階皆連步, 唯公所辭則栗階。

일반적으로 계단을 올라갈 때 모두 連步[1]로 올라가는데, 임금의 命이 있을 경우에만은 栗階[2]로 올라간다.

8. 凡門外之拜皆東西面, 堂上之拜皆北面。

---

1) 連步 : 한 발을 들어 한 계단을 오른 뒤 다른 발을 들어 나란히 모았다가 다시 올라가는 것으로, 계단을 오르는 방법 중 가장 느린 步法이다. 계단을 올라가는 법에는 모두 4가지가 있다. 첫째는 連步이고, 두 번째는 栗階, 세 번째는 歷階, 네 번째는 越階이다. 歷階는 처음부터 끝까지 連步 없이 한 계단에 한 발씩만 딛고 올라가는 것이고, 越階는 세 계단을 뛰어넘어 가는 것이다. 그러나 越階에 대해서는 설이 분분한데, 凌廷堪은 越階를 歷階와 같은 것으로 보았다.

2) 栗階 : 散等이라고도 한다. 처음에는 連步로 올라갔다가 두 번째 계단부터는 좌우 발을 각각 한 계단씩 올라가는 步法으로, 급히 가는 것을 표시한다. 일반적으로 임금의 명이 있으면 이 방법으로 계단을 올라가지만 이 때에도 두 계단을 한꺼번에 올라가지는 못한다.

일반적으로 문 밖에서 절할 때에는 모두 동향(賓)하거나 서향(주인)하여 절한다. 당 위에서 절할 때에는 모두 북향하여 절한다.

9. 凡室中、房中拜以西面爲敬, 堂下拜以北面爲敬。

일반적으로 室 안과 방 안에서 절할 때에는 서향하여 절하는 것을 공경하는 것으로 삼고, 당 아래에서 절할 때에는 북향하여 절하는 것을 공경하는 것으로 삼는다.

10. 凡臣與君行禮, 皆堂下再拜稽首, 異國之君亦如之。

일반적으로 신하가 임금과 예를 행할 때 모두 당 아래에서 再拜稽首하고, 異國의 임금에게도 마찬가지로 한다.

11. 凡君待以客禮, 下拜則辭之, 然後升成拜。[3]

일반적으로 임금이 신하와 예를 행할 때 신하를 客禮로 대할 경우, 당 아래에서 절하면 임금이 사양한 뒤에 升成拜(당에 올라가 다시 再拜稽首)한다.

12. 凡爲人使者不答拜。

일반적으로 남의 使者가 된 사람은 답배하지 않는다.

13. 凡丈夫之拜坐, 婦人之拜興; 丈夫之拜奠爵, 婦人之拜執爵。

일반적으로 장부의 절은 앉아서 하고 부인의 절은 일어나서 하며, 장부의 절은 술잔을 놓아두고 하고 부인의 절은 술잔을 잡고 한다.

14. 凡婦人于丈夫皆俠拜。[4]

일반적으로 부인은 장부에게 모두 俠拜한다.

15. 凡婦人重拜則扱(급)地。

일반적으로 부인이 중한 절을 할 때에는 扱地[5]한다.

16. 凡推手曰揖, 引手曰厭(엽)。

일반적으로 拱手하고 손을 밖으로 미는 것을 '揖'이라고 하고, 拱手하고 손을 안으로 당기는 것을 '厭'이라고 한다.

17. 凡送賓, 主人敵者于大門外, 主人尊者于大門內。

일반적으로 賓을 전송할 때, 주인이 빈과 지위가 대등할 경우에는 대문 밖에서 전송하고, 주인이 빈보다 지위가 높을 경우에는 대문 안에서 전송한다.

18. 凡君與臣行禮皆不送。

---

3) 〈사상례〉5. 주⑦ 참조.

4) 俠拜 : 장부가 한 번 절하면 부인은 두 번 절하는 것을 이른다. 부인이 먼저 절하면 장부가 답배하고 부인이 또 절한다.

5) 扱地 : 손을 땅에 닿게 하고 절하는 것으로, 다만 머리는 땅에 닿지 않도록 한다. 부인의 절은 肅拜를 正拜로 삼아 모두 서서 하는데, 이 扱地만은 앉아서 한다. 남자의 稽首처럼 부인의 중한 절이다.

일반적으로 임금이 본국의 신하와 예를 행할 때에는 모두 전송하지 않는다.

通例 下

1. 凡授受之禮, 同面者謂之竝授受。

일반적으로 주고받는 예에 두 사람이 같은 방향을 향하고서 주고받는 것을 '竝授受'라고 한다.

2. 凡授受之禮, 相鄉者謂之訝授受。

일반적으로 주고받는 禮에 두 사람이 마주보고 주고받는 것을 '訝授受'라고 한다.

3. 凡授受之禮, 敵者于楹間, 不敵者不于楹間。

일반적으로 주고받는 禮에 지위가 대등할 경우에는 당 위의 두 기둥 사이에서 주고받으며, 지위가 대등하지 않을 경우에는 두 기둥 사이에서 주고받지 않는다.

4. 凡相禮者之授受皆訝授受。

일반적으로 예를 돕는 사람끼리 주고받을 때에는 모두 訝授受로 주고받는다.

5. 凡卑者於尊者, 皆奠而不授; 若尊者辭, 乃授。

일반적으로 지위가 낮은 사람이 지위가 높은 사람에게는 모두 바닥에 놓아두고 직접 주지 않는데, 만약 높은 사람이 사양을 하면 이에 직접 준다.

6. 凡佐禮者, 在主人曰擯, 在客曰介。

일반적으로 예를 돕는 사람은, 주인 쪽에 있는 사람은 '擯'이라 하고 손님 쪽에 있는 사람은 '介'라고 한다.

7. 凡賓､主人禮, 盛者專階, 不盛者不專階。

일반적으로 賓과 주인의 예에, 예가 성대할 경우에는 계단을 전용하고, 성대하지 않을 경우에는 계단을 전용하지 않는다.

8. 凡戒賓､宿賓, 宿者必先戒, 禮殺者則不宿。

일반적으로 戒賓(빈에게 알림)과 宿賓(빈에게 다시 알림)할 때, 宿을 하는 경우에는 반드시 먼저 戒를 하고, 예가 줄어든 경우에는 宿을 하지 않는다.

9. 凡賓升席自西方, 主人升席自北方。

일반적으로 賓은 자리에 오를 때 서쪽으로 오르고, 주인은 자리에 오를 때 북쪽으로 오른다.

10. 凡禮盛者必先盥。

일반적으로 예가 성대할 경우 반드시 먼저 손을 씻는다.

11. 凡降洗､降盥, 皆壹揖､壹讓升。

일반적으로 술잔을 씻으려고 당을 내려올 때와 손을 씻으려고 당을 내려올 때 모두 한 번 읍하고 한 번 사양을 한 뒤에 당에 올라간다.

12. 凡賓､主人敵者, 降則皆降。

일반적으로 賓과 주인이 지위가 대등할 경우, 당을 내려올 때에는 양쪽이 모두 내려온다.

13. 凡一辭而許曰禮辭, 再辭而許曰固辭, 三辭不許曰終辭。

일반적으로 한번 사양하고 허락하는 것을 '禮辭'라 하고, 두 번째 사양하고 허락하는 것을 '固辭'라 하고, 세 번째 사양하고 허락하지 않는 것을 '終辭'라고 한다.

14. 凡庭洗設于阼階東南, 南北以堂深, 天子､諸侯當東霤, 卿､大夫､士當東榮, 水在洗東。

일반적으로 뜰에 놓아두는 洗는 동쪽 계단의 동남쪽에 설치한다. 남북의 거리는 당의 깊이만큼 떨어지게 놓는데, 천자와 제후는 東霤에 해당하는 곳에 놓고, 경과 대부와 士는 東榮에 해당하는 곳에 놓으며, 물은 洗의 동쪽에 놓는다.

15. 凡內洗設于北堂上, 南北直室東隅, 東西直房戶與隅間。

일반적으로 內洗[6]는 北堂(東房의 북쪽)에 설치하는데, 남북으로는 室의 동쪽 모퉁이와 직선상에 놓고, 동서로는 房戶(室戶 동쪽)와 모퉁이 사이 직선상에 놓는다.

16. 凡設尊, 賓､主人敵者于房戶之間, 君臣則於東楹之西, 並兩壺, 玄酒, 有禁。

일반적으로 술 단지를 진설할 때, 賓과 주인이 지위가 대등한 경우에는 房戶 사이에 놓고 君臣간이라면 동쪽 기둥의 서쪽에 놓는다. 두 개의 단지를 나란히 놓는데, 단지 하나에는 玄酒를 담으며 모두 禁(단지 받침대) 위에 둔다.

17. 凡醴尊皆設于房中, 側尊, 無玄酒。

일반적으로 醴尊(醴를 담은 단지)은 모두 방 안에 진설하는데, 예준을 단독으로 놓고 玄酒尊은 없다.

18. 凡堂上之篚, 在尊南, 東肆。[7]

일반적으로 당 위에 놓는 篚(술잔을 담는 대바구니)는 술 단지의 남쪽에 머리가 서쪽으로 가도록 놓는다.

19. 凡堂下之篚, 在洗西, 南肆。

일반적으로 당 아래에 놓는 篚는 洗의 서쪽에 머리가 북쪽으로 가도록 놓는다.

20. 凡陳鼎, 大夫､士, 門外北面, 北上; 諸侯, 門外南面, 西上。反吉, 則西面。

일반적으로 鼎을 진열할 때 대부와 士는 문 밖에 북향하도록 진열하는데 북쪽을 상위로 삼고,

---

6) 內洗 : 실내에 놓아두는 洗로, '北洗'라고도 한다.

7) 《儀禮》〈鄕飮酒禮〉賈公彦疏: "言東肆以頭首爲記, 從西向東爲肆, 則大頭在西也."

제후는 문 밖에 남향하도록 진열하는데 서쪽을 상위로 삼는다. 길례와 반대로 할 경우에는 서향하도록 진열한다.

21. 凡設席, 南鄕、北鄕, 于神則西上, 于人則東上; 東鄕、西鄕, 于神則南上, 于人則北上。

일반적으로 자리를 진설할 때, 남북으로 펴놓을 때는 신의 자리는 서쪽을 상위로 삼고 사람의 자리는 동쪽을 상위로 삼으며, 동서로 펴놓을 때는 신의 자리는 남쪽을 상위로 삼고 사람의 자리는 북쪽을 상위로 삼는다.

飮食之例 上

1. 凡主人進賓之酒, 謂之獻。

일반적으로 주인이 賓에게 올리는 술을 '獻'이라고 이른다.

2. 凡賓報主人之酒, 謂之酢。

일반적으로 賓이 주인에게 보답하는 술을 '酢'이라고 이른다.

3. 凡主人先飮, 以勸賓之酒, 謂之酬。

일반적으로 주인이 먼저 마시고서 賓에게 권하는 술을 '酬'라고 이른다.

4. 凡正獻旣畢之酒, 謂之旅酬。

일반적으로 正獻을 마치고 난 뒤의 술을 '旅酬'라고 이른다.

5. 凡旅酬旣畢之酒, 謂之無算爵。

일반적으로 旅酬를 마친 뒤의 술을 '無算爵'이라고 이른다.

6. 凡獻酒皆有薦, 禮盛者則設俎。

일반적으로 헌주에는 모두 薦(脯·醢)이 있는데, 예가 성대하면 俎를 진설한다.

7. 凡薦脯、醢在升席先, 設俎在升席後。

일반적으로 脯·醢는 賓이 자리에 올라가기에 전에 올리고, 俎는 賓이 자리에 올라간 뒤에 올린다.

8. 凡獻酒, 禮盛者受爵于席前, 拜與卒爵于階上。

일반적으로 헌주할 때 예가 성대한 경우에는 자리 앞에서 잔을 받고, 절하거나 잔을 비우는 것은 계단 위쪽에서 한다.

9. 凡獻酒, 禮盛者則啐酒, 告旨。

일반적으로 헌주할 때 예가 성대하면 술을 맛보고 맛이 있다고 고한다.

10. 凡啐酒于席末, 告旨則降席拜。

일반적으로 술을 맛보는 것은 자리 끝에 앉아서 하고, 맛있다고 말하는 것은 자리에서 내려와 절하고 한다.

11. 凡獻酒, 禮盛者受爵、告旨、卒爵皆拜, 酢主人; 禮殺(쇄)者不拜告旨; 又殺者, 不酢主人。

일반적으로 헌주할 때 예가 성대하면 잔을 받을 때, 술이 맛있다고 말할 때, 잔의 술을 다 마셨을 때 모두 절을 하고, 주인에게 보답하는 잔을 준다. 예를 줄인 경우에는 절하고 맛을 고하는 예를 행하지 않고, 예를 더욱 생략한 경우에는 주인에게 보답하는 잔을 주지 않는다.

12. 凡酢如獻禮, 崇酒, 不告旨; 禮殺者, 則以虛爵授之。

일반적으로 酢禮는 헌주할 때와 같은 예로 하는데, 다만 賓이 잔에 술을 채우면 주인은 맛있다고 말하지 않는다. 예를 줄인 경우에는 빈 잔을 주인에게 준다.

13. 凡賓告旨在卒爵前, 于席西拜. 主人崇酒在卒爵後, 于階上拜。

일반적으로 賓은 잔을 비우기 전에 맛을 본 뒤 맛있다고 말하고, 자리의 서쪽에서 절한다. 주인이 술을 채우는 것은 잔을 비운 뒤에 하고, 계단 위에서 절한다.

14. 凡禮盛者坐卒爵, 禮殺者立卒爵。

일반적으로 예가 성대하면 앉아서 잔을 비우고, 예를 줄인 경우에는 서서 잔을 비운다.

15. 凡酬酒, 先自飮, 復酌, 奠而不授. 擧觶(치)、媵(잉)爵[8]亦如之。

일반적으로 酬酒禮는 주인이 먼저 스스로 따라서 마신 뒤에 다시 술을 따라서 놓아두고 직접 주지 않는다. 觶(술잔)를 들거나 媵爵하는 것도 이와 같이 한다.

16. 凡酬酒奠而不擧, 禮殺者則用爲旅酬、無算爵始。

일반적으로 酬酒는 잔을 놓기만 하고 들지 않는다. 예를 줄인 경우에는 그 잔을 드는 것을 旅酬禮와 無算爵의 시작으로 삼는다.

17. 凡酬酒不拜洗。

일반적으로 酬酒禮에는 잔을 씻는 것에 대해 절하지 않는다.

18. 凡獻工與笙于階上, 獻獲者與釋獲者于堂下, 獻祝與佐食于室中。

일반적으로 악공과 생황 연주자에게는 계단 위에서 술을 올리고, 獲者(활쏘기에서 과녁에 적중했는지 여부를 깃발로 알려주는 사람)와 釋獲者(과녁에 맞춘 점수를 기록하는 사람)에게는 당 아래에서 술을 올리고, 祝과 佐食에게는 室 안에서 술을 올린다.

---

8) 媵爵 : 獻酒禮의 하나로, 燕禮 때 獻酬禮가 끝난 뒤 나이가 많은 대부에게 명하여 다시 제후들에게 獻酒하도록 하는 것으로, 旅酬禮의 시작이 된다.

飮食之例 中

1. 凡一人擧觶爲旅酬始, 二人擧觶爲無算爵始。

일반적으로 한 사람이 觶(술잔)를 드는 것[9]을 旅酬의 시작으로 삼고, 두 사람이 觶를 드는 것[10]을 無算爵의 시작으로 삼는다.

2. 凡旅酬皆以尊酬卑, 謂之旅酬下爲上。[11]

일반적으로 旅酬는 모두 尊者가 낮은 사람에게 酬를 주는 것이니, 이를 일러 旅酬는 아랫사람이 위가 된다고 하는 것이다.

3. 凡旅酬, 不及獻酒者不與。

일반적으로 旅酬는 正獻 때 獻酒하지 않은 사람은 旅酬에 참여하지 못한다.

4. 凡旅酬皆拜, 不祭, 立飮。

일반적으로 旅酬는 모두 절하고, 祭(고수레)는 하지 않으며, 서서 마신다.

5. 凡旅酬, 不洗, 不拜旣爵。

일반적으로 旅酬는 잔을 씻지 않고 잔을 채우며, 잔의 술을 다 마신 뒤에 절하지 않는다.

6. 凡無算爵, 必先徹俎、降階。

일반적으로 無算爵은 반드시 먼저 俎를 거두고 계단을 내려온 뒤에 해야 한다.

7. 凡無算爵, 皆說屨升坐乃羞。

일반적으로 無算爵은 모두 신을 벗고 당에 올라가 앉으면 이어서 음식을 내온다.

8. 凡無算爵不拜, 唯受爵於君者拜。

일반적으로 無算爵은 모두 절하지 않으며, 오직 임금에게서 잔을 받을 때에만 절한다.

9. 凡無算爵, 堂上、堂下執事者皆與。

일반적으로 無算爵은 당상과 당하의 집사자가 모두 참여한다.

10. 凡奠爵, 將擧者于右, 不擧者于左。

---

9) 나이 어린 형제 한 사람이 長兄弟에게 酬酒를 올리는 것을 이른다.

10) 나이 어린 賓 한 사람이 賓長에게, 나이 어린 형제 한 사람이 長兄弟에게 酬酒를 올리는 것을 이른다.

11) 《儀禮》〈鄕射禮〉 鄭玄注 : "旅酬下爲上, 尊之也." 賈公彦疏 : "云'旅酬下爲上, 尊之也'者, 以旅酬者少長以齒, 逮下之道, 前人雖卑, 其司正命之飮酒, 呼之稱謂尊於酬者, 故受酬者爲某子, 酬他爲某也.……何休云'爵最尊也', 鄭引之者, 證旅酬下爲上之義."
《與猶堂全書》〈中庸講義補〉 : "今按旅酬之法, 自君而賓, 次卿、次大夫、次士、次庶子、次小臣, 明明由尊而及卑, 自上而逹下. 今乃曰'旅酬下爲上', 此千古疑按, 必不可解者. 天子、諸侯之祭禮, 今無存者, 然祭以象燕, 燕可以推祭也. 今按燕禮, 宰夫爲主人, 宰夫者大夫也. 以大夫之尊, 自降自洗, 以獻爵于樂工, 獻爵于諸士, 獻爵于庶子, 獻爵于小臣. 夫自上惠下曰賜, 自下供上曰獻, 而今乃以大夫之尊, 獻于工士, 獻于庶子, 以貴下賤, 孰有然者? 旅酬之下爲上, 其謂是矣. 其禮之以下爲上, 若是明著, 而古今諸家都無明解, 蕭山之說, 乃欲訓爲作被, 不亦迂矣."

일반적으로 잔을 놓을 때 앞으로 마실 경우에는 오른쪽에 놓고, 마시지 않을 경우에는 왼쪽에 놓는다.

11. 凡君之酒曰膳, 臣之酒曰散。

일반적으로 임금의 술을 '膳酒'라 하고, 신하의 술을 '散酒'라 한다.

12. 凡食禮, 初食三飯, 卒食九飯。

일반적으로 食禮 때 예물을 드리기 전의 初食(正饌)에는 3번 밥을 먹고, 예물을 드린 뒤의 卒食(加饌)에는 9번 밥을 먹는다.

13. 凡設饌以豆爲本。

일반적으로 음식을 진설하는 것은 豆를 기본으로 한다.[12]

14. 凡正饌先設, 用黍、稷、俎、豆; 加饌後設, 用稻、粱、庶羞。

일반적으로 正饌은 먼저 진설하며 黍·稷·俎·豆를 쓰고, 加饌은 뒤에 진설하며 稻·粱·庶羞(여러 가지 맛있는 음식)를 쓴다.

15. 凡初食加饌之稻、粱, 則用正饌之俎豆; 卒食正饌之黍、稷, 則用加饌之庶羞。

일반적으로 初食에 加饌의 稻·粱을 썼으면 侑食에 正饌의 俎·豆를 쓰고, 卒食에 正饌의 黍·稷을 썼으면 侑食에 加饌의 庶羞를 쓴다.

16. 凡正饌醯醬、大羹湆, 加饌簠粱, 皆公親設。

일반적으로 正饌에는 초장과 조미하지 않은 고기 국물을 쓰고 加饌에는 簠에 담은 粱을 쓰는데, 모두 임금이 직접 진설한다.

17. 凡公親設之饌, 必坐遷之; 公親臨食, 必辭之。

일반적으로 임금이 직접 음식을 진설하면 賓은 반드시 앉아서 이 음식을 조금 옮겨야 한다. 공이 직접 먹는데 참여하면 빈은 반드시 사양해야 한다.

18. 凡食禮有豆無籩, 飮酒之禮豆籩皆有。

일반적으로 食禮에는 豆는 있고 籩은 없으며, 飮酒禮에는 豆와 籩이 모두 있다.

19. 凡食賓以幣曰侑幣, 飮賓以幣曰酬幣。

일반적으로 賓에게 음식을 대접할 때 예물을 올리는 것을 '侑幣'라 하고, 빈에게 술을 대접할 때 예물을 올리는 것을 '酬幣'라 한다.

20. 凡燕禮使宰夫爲主人, 食禮公自爲主人。

일반적으로 燕禮에는 宰夫가 주인이 되도록 하고, 食禮에는 임금이 직접 주인이 된다.

---

12) 두 가지 의미가 있다. 하나는 豆의 개수에 따라 다른 음식, 즉 籩·鉶·壺 등의 숫자도 豆를 기준으로 결정된다는 것이다. 예를 들어 豆가 8개면 簋는 8개, 鉶은 6개, 簠는 2개, 壺는 8개가 되며, 豆가 6개면 簋는 6개, 鉶은 4개, 簠는 2개, 壺는 6개가 된다. 다른 하나는 음식을 진설할 때 豆를 가장 먼저 진설한 뒤에 다른 음식들을 진설한다는 뜻이다.

飮食之例 下

1. 凡醴皆設柶, 用籩、豆。

일반적으로 醴를 쓸 때는 모두 柶(숟가락)를 함께 놓고 籩·豆를 올린다.

2. 凡醴皆用觶(치), 不卒爵

일반적으로 醴를 쓸 때는 모두 觶(술잔)를 사용하고 觶의 醴를 다 마시지 않는다.

3. 凡祭醴, 始扱一祭[13], 又扱再祭, 謂之祭醴三。

일반적으로 醴로 祭(고수레)하는 법은 처음 醴를 떠서 한 번 祭하고 다시 醴를 떠서 두 번으로 나누어 祭한다. 이것을 '祭醴三'이라고 한다.

4. 凡酌而無酬酢曰醮。

일반적으로 따라주기만 하고 酬酢이 없는 것을 '醮'라고 한다.

5. 凡執爵皆左手, 祭薦皆右手。

일반적으로 잔을 드는 것은 모두 왼손으로 하고, 脯·醢를 祭하는 것은 모두 오른손으로 한다.

6. 凡祭薦者坐, 祭俎者興, 祭薦者執爵, 祭俎者奠爵。

일반적으로 포·해를 祭할 때는 앉아서 하고, 俎의 음식을 祭할 때는 일어서서 한다. 포·해를 祭할 때는 잔을 들고 하고, 俎의 음식을 祭할 때는 잔을 놓아두고 한다.

7. 凡祭薦不捝(세)手, 祭俎則捝手。

일반적으로 포·해를 祭한 뒤에는 손을 닦지 않고, 俎의 음식을 祭한 뒤에는 손을 닦는다.

8. 凡祭酒, 禮盛者啐(쵀)酒, 不盛者不啐酒; 祭肺, 禮盛者嚌(제)肺, 不盛者不嚌肺。

일반적으로 술을 祭할 때 예가 성대하면 술을 맛보고 성대하지 않은 경우에는 술을 맛보지 않는다. 肺를 祭할 때에도 예가 성대하면 폐를 맛보고 성대하지 않으면 폐를 맛보지 않는다.

9. 凡祭皆于籩、豆之間, 或上豆之間。

일반적으로 祭하는 것은 모두 籩·豆 사이에 하거나[14] 上豆[15] 사이에 한다.

10. 凡餕者亦祭。

일반적으로 대궁 음식도 祭한다.

11. 凡飮酒, 君臣不相襲爵, 男女不相襲爵。

일반적으로 飮酒禮에 군신 사이에는 상대방이 쓰던 술잔을 그대로 쓰지 않고, 남녀 간에도 상

---

13) 〈사우례〉3. 주㉑ 참조.

14) 脯·醢·殽·羞·食·羹·酒·醴의 祭를 모두 포함한다.

15) 上豆 : 韭菹(부추 초절임), 醓醢(육즙장), 昌本(창포 뿌리), 麋臡(고라니고기 젓갈), 菁菹(순무 초절임), 鹿臡(사슴고기 젓갈)의 正饌 6豆를 이른다.《儀禮 公食大夫禮》

대방이 쓰던 술잔을 그대로 쓰지 않는다.

12. 凡脯醢謂之薦, 出自東房。

일반적으로 포·해를 '薦'이라고 이른다. 薦은 東房에서 내온다.

13. 凡牲皆用右胖, 唯變禮反吉用左胖。

일반적으로 희생은 모두 右胖(牲體 오른쪽)을 쓰고 變禮와 反吉(凶禮)에만 左胖을 쓴다.

14. 凡牲二十一體, 謂之體解。

일반적으로 희생을 21體로 나눈 것을 '體解'라고 한다.

15. 凡牲七體, 謂之豚解。

일반적으로 희생을 7體로 나눈 것을 '豚解'라고 한다.

16. 凡肺皆有二, 一擧肺, 一祭肺。

일반적으로 폐는 모두 2개가 있다. 하나는 擧肺(식용 폐)이고 다른 하나는 祭肺(고수레용 폐)이다.

17. 凡牲殺曰饔(옹), 生曰餼(희), 饔之屬皆陳于堂上下, 餼之屬皆陳于門內外。

일반적으로 희생은 잡은 것을 '饔'이라 하고 살아 있는 것을 '餼'라고 한다. 잡은 희생은 모두 당 위나 당 아래에 진열하고, 살아있는 희생은 모두 문 안이나 밖에 진열한다.

18. 凡食于廟, 燕于寢, 鄕飮酒于庠。

일반적으로 食禮는 廟에서 행하고, 燕禮는 寢에서 행하고, 鄕飮酒禮는 庠에서 행한다.

賓客之例

1. 凡賓至, 則使人郊勞。

일반적으로 빈이 근교에 도착하면 임금이 使者를 근교에 보내 束帛으로 빈객을 위로한다.

2. 凡郊勞畢皆致館。

일반적으로 근교에서 위로하는 예가 끝나면 모두 임금의 명에 따라 빈을 머물 숙소로 모신다.

3. 凡賓至廟門, 皆設几筵。

일반적으로 빈이 廟門에 도착하면 모두 几筵을 진설한다.

4. 凡賓、主人相見, 皆行受摯(지)之禮。

일반적으로 빈과 주인이 만날 때에는 모두 예물을 받는 예를 행한다.

5. 凡賓、主人受摯畢, 禮盛者則行享禮。

일반적으로 빈과 주인이 예물을 받는 예가 끝난 뒤 예가 성대할 경우에는 享禮를 행한다.

6. 凡賓、主人行禮畢, 主人待賓, 用醴則謂之禮, 不用醴則謂之儐。

일반적으로 빈과 주인이 행례를 마치면 주인이 빈을 대접하는데, 이때 醴를 쓰면 '醴禮'라고 하고 醴를 쓰지 않으면 '儐禮'라고 한다.

7. 凡爲人使者, 正禮畢, 則行私覿(적)或私面之禮。

일반적으로 사신으로 간 사람이 正禮가 끝나면 그 나라의 임금을 만나는 私覿이나 그 나라의 경대부를 만나는 私面의 예를 행한다.

8. 凡賓、主人禮畢, 皆還其摯。

일반적으로 빈과 주인이 예를 마치면 모두 받은 예물을 되돌려준다.

9. 凡庭實[16]之皮, 皆攝之, 內文。入設于庭, 賓致命于堂, 則張皮于庭。主人受幣, 則受皮者受之。

일반적으로 庭實로 바치는 가죽은 모두 반으로 접어 털 무늬가 안쪽으로 가게 한다. 문을 들어가 뜰에 진열하는데, 빈이 당 위에서 명을 전하면 이때 뜰에서는 가죽을 들고 있던 사람이 무늬가 보이도록 가죽을 펼친다. 주인이 폐백을 받으면 가죽을 받았던 사람이 이 폐백을 받는다.

10. 凡庭實之馬, 右牽之, 入設于庭。賓授幣于堂, 則受馬者受馬于庭, 主人授其屬幣, 則馬出。

일반적으로 庭實로 바치는 말은 오른손으로 끌고 문을 들어가 뜰에 늘어세운다. 빈이 당 위에서 주인에게 폐백을 주면 말을 받는 사람이 말을 뜰에서 받고, 주인이 그 屬吏에게 폐백을 주면 뜰에서는 말을 끌고 나간다.

11. 凡聘、覲禮[17]畢, 主人皆親勞賓。

일반적으로 聘禮와 覲禮가 끝나면 주인이 모두 직접 빈을 위로한다.

12. 凡禮畢勞賓後, 則使人致禮于賓。

일반적으로 예가 끝나고 빈을 위로한 뒤에는 사람을 보내 빈에게 예를 베푼다.

13. 凡會同之禮, 四傳擯, 皆如覲禮。

일반적으로 會同의 예는 4명의 擯을 써서 명을 전하는데, 모두 覲禮 때처럼 한다.

14. 凡會同、巡守之禮, 皆祀方明[18]。

일반적으로 회동할 때와 순수할 때의 예는 모두 方明에 제사한다.

15. 凡天子於諸侯則傳擯, 諸侯於聘賓則旅擯。

일반적으로 천자가 제후에 대해서는 擯에게 命을 전하고, 제후가 빙문 온 빈에 대해서는 擯을 늘어세우기만 한다.

---

16) 庭實 : 뜰에 진열하는 예물을 이른다.

17) 聘、覲禮 : '聘禮'는 제후국들 간에 서로 사자를 보내 우호를 다지는 예를 이르며, '覲禮'는 제후가 가을에 천자를 조현하는 예를 이른다.

18) 方明 : 上下四方의 神明을 형상한 것이다. 사방 4尺의 나무로 만들었으며, 6면의 각 면마다 그 방위에 맞는 색을 칠하고 옥을 박아 넣는다. 제후가 천자를 조현하거나 會盟할 때 또는 천자가 제사할 때 설치한다.

16. 凡相大禮皆上擯之事。

일반적으로 大禮를 돕는 것은 모두 上擯의 일이다.

17. 凡諸侯使人于諸侯謂之聘, 使人于大夫謂之問, 小聘亦謂之問。

일반적으로 제후가 제후에게 사람을 보내는 것을 '聘'이라 한다. 제후가 대부에게 사람을 보내는 것을 '問'이라 하고 小聘도 '問'이라 한다.

18. 凡聘、問、覲皆于廟, 會同于壇, 士相見于寢。

일반적으로 聘·問·覲은 모두 廟에서 하고, 회동은 壇에서 하고, 士끼리 만날 때는 寢에서 한다.

射例

1. 凡射皆三次, 初射, 三耦射, 不釋獲; 再射, 三耦與衆耦皆射; 三射, 以樂節射, 皆釋獲, 飮不勝者。

일반적으로 射禮는 모두 세 차례 쏜다. 初射 때는 三耦(2인 3조)가 쏘는데, 맞힌 수를 계산하지 않는다. 再射 때는 삼우와 衆耦가 모두 쏜다. 三射 때는 음악의 박자에 맞추어 쏘고 모두 맞힌 수를 계산하며 이기지 못한 사람에게 술을 먹인다.

2. 凡再射、三射, 皆先升射, 次取矢加楅(복), 次數獲, 次飮不勝者, 次拾取矢, 唯初射不數獲, 不飮。

일반적으로 再射와 三射 때에는 모두 먼저 당에 올라가 쏜다. 다음에는 화살을 가져와서 楅(화살을 꽂아두는 나무틀)에 올려놓고, 다음에는 맞힌 수를 계산하고, 다음에는 이기지 못한 사람에게 술을 먹이고, 다음에는 쏠 화살을 직접 교대로 가져온다. 初射 때만 맞힌 수를 계산하지 않고 술도 먹이지 않는다.

3. 凡射, 未升堂之前三揖, 曰耦進揖, 曰當階北面揖, 曰及階揖。

일반적으로 射禮에 당에 오르기 전에 3번 읍한다. 짝과 나란히 동쪽으로 나아가려고 할 때 동향하여 읍하고, 동쪽으로 나아가다가 서쪽 계단과 일직선상에 왔을 때 북향하여 읍하고, 북쪽으로 나아가다가 계단 앞에 이르렀을 때 북향하여 읍한다.

4. 凡射, 旣升堂之後三揖, 曰升堂揖, 曰當物北面揖, 曰及物揖。

일반적으로 射禮에 당에 올라간 뒤에 3번 읍한다. 당에 올랐을 때 북향하여 읍하고, 동쪽으로 나아가다가 物(활 쏘는 자리)과 일직선상에 왔을 때 북향하여 읍하고, 북쪽으로 나아가다가 物 앞에 이르렀을 때 읍한다.

5. 凡射後二揖 , 曰卒射揖, 曰降階與升射者相左交于階前揖。

일반적으로 활을 쏜 뒤에 2번 읍한다. 활을 다 쏘고 나서 읍하고, 계단을 내려오는 사람과 활을 쏘려고 올라가는 사람이 서쪽 계단 앞에서 서로 왼쪽 어깨가 교차할 때 읍한다.

6. 凡拾取矢前四揖, 曰耦進揖, 曰當楅北面揖, 曰及楅揖, 曰上射揖進坐。

일반적으로 화살을 교대로 가져오기 전에 4번 읍한다. 짝과 나란히 나아가려할 때 동향하여 읍하고, 동쪽으로 나아가다가 楅과 일직선상에 왔을 때 북향하여 읍하고, 북쪽으로 나아가다가 楅에 이르렀을 때 동쪽과 서쪽에서 서로 마주보고 읍하고, 上射가 읍하고 나아가 楅 앞에 동향하여 앉는다.

7. 凡拾取矢, 上射､下射各四揖; 若兼取矢, 則上射､下射各一揖。

일반적으로 화살을 교대로 가져올 때 上射와 下射가 각각 4번씩 읍한다. 만약 4개의 화살을 한꺼번에 가져오게 되면 상사와 하사가 각각 1번씩 읍한다.

8. 凡拾取矢後四揖, 曰旣拾取矢揖, 曰左還揖, 曰北面搢三挾一个揖, 曰旣退與進者相左揖。

일반적으로 화살을 교대로 가져온 뒤 4번 읍한다. 화살을 교대로 가져온 뒤에 마주보고서 읍하고, 왼쪽으로 돌아서 남향하여 읍하고, 남쪽으로 조금 나아오다가 왼쪽으로 돌아서 북향하고서 화살 3개는 허리에 꽂고 남은 1개는 손가락에 끼우고서 북향하여 읍하고, 왼쪽으로 돌아서 서쪽으로 나아올 때 이 물러나오는 짝과 나아가는 다음 짝이 서로 왼쪽 어깨가 교차할 때 읍한다.

9. 凡飮不勝者, 未升堂之前三揖, 曰耦進揖, 曰當階北面揖, 曰及階揖。

일반적으로 이기지 못한 사람에게 술을 먹일 때 당에 올라가기 전에 3번 읍한다. 짝과 나란히 나아가려 할 때 동향하여 읍하고, 동쪽으로 나아오다가 서쪽 계단과 일직선상에 왔을 때 북향하여 읍하고, 북쪽으로 나아가다가 서쪽 계단에 이르렀을 때 북향하여 읍한다.

10. 凡飮不勝者, 旣飮之後二揖, 曰卒觶揖, 曰降階與升飮者相左交于階前揖.

일반적으로 이기지 못한 사람에게 술을 먹일 때 술을 다 마신 뒤에 2번 읍한다. 觶(술잔)의 술을 다 마신 뒤에 읍하고, 계단을 내려오는 사람과 올라가서 술을 마시려는 사람이 서쪽 계단 앞에서 서로 왼쪽 어깨가 교차할 때 읍한다.

11. 凡設楅于中庭, 南當洗, 東肆。

일반적으로 楅을 동서로는 뜰의 중앙에, 남북으로는 洗와 일직선이 되는 곳에 설치하는데, 楅의 머리가 서쪽으로 가도록 놓는다.

12. 凡設中, 南當楅, 西當西序, 東面。

일반적으로 中(산대를 담아두는 통)을 설치하는데, 남북으로는 楅과 일직선이 되고 동서로는 西序와 일직선이 되는 곳에 동향하도록 놓는다.

13. 凡有事于射則袒, 無事于射則襲。

일반적으로 활을 쏠 때 일이 있으면 袒(겉옷 왼쪽 소매를 벗음)을 하고 활을 쏠 때 일이 없으면 襲(왼쪽 소매를 다시 껴입음)을 한다.

14. 凡飮不勝者, 尊者不勝則卑者不升, 卑者不勝則升堂特飮。

일반적으로 이기지 못한 사람에게 술을 먹일 때, 尊者가 이기지 못하면 卑者는 당에 올라가지 않으며 卑者가 이기지 못하면 당에 올라가 혼자 마신다.

15. 凡公射, 小射正贊決拾, 小臣正贊袒, 大射正授弓, 小臣師授矢; 卒射,小臣正贊襲。

일반적으로 임금이 射禮에 참여하면 小射正이 決과 拾을 맬 때 돕고 小臣正이 袒을 도우며 大射正이 활을 주고 小臣師가 화살을 준다. 활을 다 쏘고 나면 小臣正이 襲을 돕는다.

16. 凡公不勝飮公, 則侍射者飮夾爵。[19]

일반적으로 임금이 이기지 못하여 임금에게 술을 마시게 할 경우에는 모시고 쏜 사람에게 夾爵의 예로 마시게 한다.

17. 凡大射, 三耦拾取矢, 則司射命之; 諸公卿大夫拾取矢, 則小射正作之。

일반적으로 大射禮에 三耦가 화살을 교대로 가져올 때는 司射가 명령을 하고, 여러 공·경·대부가 화살을 교대로 가져올 때는 小射正이 명령한다.

18. 凡射者之事及釋獲者之事, 皆司射統之。

일반적으로 射者의 일과 釋獲者의 일은 모두 司射가 통솔한다.

19. 凡獲者之事, 皆司馬統之。

일반적으로 獲者의 일은 모두 司馬가 통솔한다.

20. 凡鄕射于序, 大射于澤宮。

일반적으로 鄕射禮는 序에서 하고 大射禮는 澤宮에서 한다.

變例

1. 凡始卒于室, 小斂後則奉尸于堂。

일반적으로 임종은 정침의 適室에서 하고, 소렴 후에는 시신을 당으로 모신다.

2. 凡大斂于阼階上, 旣殯則于西階上。

일반적으로 대렴은 당의 동쪽 계단 위쪽에서 하고, 殯을 마치는 것은 당의 서쪽 계단 위쪽에서 한다.

3. 凡尸柩皆南首, 唯朝祖及葬始北首。

---

19) 夾爵 : 임금에게 벌주를 마시게 할 때는 賓이 먼저 한 잔을 마시고 임금이 술을 다 마시기를 기다렸다가 다시 한잔을 마시는 것을 이른다.

일반적으로 시신을 넣은 널은 모두 머리를 남쪽으로 두는데, 祖廟에 알현할 때와 매장을 시작할 때만은 머리를 북쪽으로 둔다.

4. 凡楔齒、綴足爲奉體魄之始, 奠脯、醢爲事精神之始。

일반적으로 楔齒와 綴足은 시신의 體魄을 받드는 시작이고, 脯·醢를 올리는 것은 死者의 정신을 섬기는 시작이다.

5. 凡始卒、小斂、大斂、朝夕哭、朔月薦新、遷柩朝廟、祖、大遣, 皆奠。

일반적으로 처음 죽었을 때, 소렴 때, 대렴 때, 조석곡 때, 매달 초하루와 薦新을 올릴 때, 널을 옮겨 祖廟에 알현할 때, 길을 처음 떠나기 시작할 때, 발인할 때 모두 奠을 올린다.

6. 凡奠, 小斂以前皆在尸東, 大斂以後皆在室中, 遷祖以後皆在柩西, 旣還(선)車則在柩東。

일반적으로 奠은 소렴을 행하기 전에는 모두 시신의 동쪽에 올리고, 대렴을 행한 후에는 모두 室 안에 올리며, 널을 옮겨 祖廟에 알현한 후에는 모두 널의 서쪽에 올리고, 廟에서 떠나려고 수레의 방향을 돌린 뒤에는 널의 동쪽에 올린다.

7. 凡奠席皆東面設之, 無席之奠則統于尸。

일반적으로 자리에 奠을 올릴 때에는 모두 동향하도록 진열하고, 자리가 없는 경우 소렴전 이전에 올리는 奠은 시신을 기준으로 올린다.

8. 凡奠于殯宮, 皆饋于下室, 唯朔月及薦新不饋。

일반적으로 殯宮(정침)에 올리는 奠은 모두 下室(내당)에서 黍稷을 올리고, 朔月과 薦新은 이미 殷奠이기 때문에 黍稷을 올리지 않는다.

9. 凡朝廟奠、祖奠、大遣奠, 皆薦車馬。

일반적으로 朝廟奠·祖奠·大遣奠에는 모두 車馬를 늘어세운다.

10. 凡將奠, 皆先饌於東方, 徹則設于西方。

일반적으로 奠을 올리려 할 때에는 모두 먼저 東方에 진열하고, 거둔 것은 西方에 진설한다.

11. 凡奠于堂室者, 陳、徹皆升自阼階, 降自西階. 奠于庭者, 陳由重北而西, 徹由重南而東。

일반적으로 당이나 室에 奠을 올릴 경우에는 진설하거나 거둘 때 모두 동쪽 계단으로 당에 오르고 서쪽 계단으로 당을 내려온다. 庭에 奠을 올릴 경우에는 진설할 때는 重의 북쪽을 지나 서향하여 진열하고 거둘 때에는 重의 남쪽을 지나 동향하여 거둔다.

12. 凡奠, 升自阼階, 丈夫踊; 降自西階, 婦人踊; 奠者由重南東, 丈夫踊; 謂之要節而踊。[20]

일반적으로 奠을 올릴 때에는 奠을 올리는 사람이 동쪽 계단으로 당에 올라갈 때 장부들이 踊을 하고, 奠을 올리고 서쪽 계단으로 당을 내려올 때 부인들이 踊을 하며, 奠을 올린 사람이 重

---

20) 要節而踊 : 〈사상례〉30. 주㉘, 〈사상례〉33. 주⑮ 참조.

의 남쪽을 지나 동쪽으로 돌아갈 때 장부들이 踊을 한다. 이것을 "踊을 할 때가 되면 踊을 한다."라고 이른다.

13. 凡柩朝祖如大斂奠, 朝禰如小斂奠。

일반적으로 널을 祖廟에 알현시킬 때 올리는 奠은 대렴전과 같이하고, 禰廟에 알현시킬 때는 소렴전과 같이 올린다.

14. 凡重置于中庭, 三分庭一在南。

일반적으로 重을 中庭에 둘 때에는 뜰을 3등분하여 남쪽으로 3분의 1되는 지점에 둔다.

15. 凡凶事無洗, 或設盥于堂下, 或設盥于門外。

일반적으로 흉사에는 洗가 없고 당 아래에 盥을 두거나 문 밖에 盥을 둔다.

16. 凡君使人弔、襚、賵, 主人皆拜稽顙成踊, 非君之弔、襚、賵則拜而不踴。

일반적으로 임금이 사람을 보내 조문하거나, 襚를 보내거나, 賵物(車馬)을 보내면 주인은 모두 拜手稽顙하고 成踊(세 번씩 세 차례 踊하는 것)한다. 임금의 弔·襚·賵이 아니면 절은 하지만 踊은 하지 않는다.

17. 凡君臨大斂, 則主人拜稽顙成踊。

일반적으로 임금이 직접 대렴을 보러 오면 주인은 拜手稽顙하고 成踊한다.

18. 凡弔、襚、賵、贈、奠, 於死者皆不拜。

일반적으로 弔·襚·賵·贈(死者에게 보내는 附葬物)·奠을 올릴 경우에 死者에게는 모두 절하지 않는다.

19. 凡主人之位, 小斂前在尸東, 小斂後在阼階下, 謂之內位; 旣殯在門外, 謂之外位。

일반적으로 주인의 자리는 소렴하기 전에는 시신의 동쪽에 있고 소렴한 후에는 동쪽 계단 아래에 있는데 이것을 '內位'라고 한다. 殯을 마치고나면 廟門 밖에 있는데 이것을 '外位'라고 한다.

20. 凡婦人之位, 小斂前在尸西, 小斂後至旣殯皆在阼階上, 柩將行, 始降在階間。

일반적으로 부인의 자리는 소렴하기 전에는 시신의 서쪽에 있고, 소렴한 뒤부터 殯을 마칠 때까지는 모두 당의 동쪽 계단 위쪽에 있으며, 널이 출행을 하려 하면 비로소 당을 내려와 두 계단 사이에 선다.

21. 凡凶事交相右, 吉事交相左。

일반적으로 흉사에는 당을 오르내릴 때 올라가는 사람과 내려오는 사람이 서로 오른쪽 어깨가 교차되도록 하고, 길사에는 왼쪽 어깨가 교차되도록 한다.

祭例 上

1. 凡士祭, 尸九飯. 大夫祭, 尸十一飯。

일반적으로 士의 제사에는 시동이 9飯 하고, 대부의 제사에는 시동이 11飯 한다.

2. 凡尸飯, 擧脊爲食之始, 擧肩爲食之終。

일반적으로 시동이 밥을 먹을 때 脊을 드는 것이 밥을 먹는 시작이 되고, 肩을 드는 것이 밥을 먹는 마지막이 된다.

3. 凡尸所食, 皆加于肵俎, 若虞祭, 則以篚代之。

일반적으로 시동이 맛본 음식은 모두 肵俎 위에 올려놓는데, 虞祭 때는 篚로 대신한다.

4. 凡肵俎皆載心、舌, 尸未入, 先設于阼階西。

일반적으로 肵俎에는 모두 염통과 혀를 담아서 시동이 室로 들어가기 전에 먼저 동쪽 계단의 서쪽에 진열한다.

5. 凡尸所食之肺、脊, 必先奠于菹豆, 尸卒食, 佐食始受之, 加于肵俎。

일반적으로 시동이 맛본 肺와 脊은 반드시 먼저 菹豆 위에 올려놓았다가 시동이 밥을 다 먹으면 좌식이 비로소 받아서 肵俎 위에 올려놓는다.

6. 凡尸未食前之祭, 謂之墮(타)祭, 又謂之挼(타)祭。

일반적으로 시동이 밥을 먹기 전에 祭(고수레)하는 것을 '墮祭'라고 하고 또 '挼祭'라고도 한다.

7. 凡主人受尸嘏挼祭, 尸酢主婦亦挼祭。

일반적으로 주인이 시동에게 嘏辭를 받을 때 挼祭하며, 시동이 주부에게 답잔을 줄 때에도 挼祭한다.

8. 凡卒食酳尸, 皆主人初獻, 主婦亞獻, 賓長三獻。

일반적으로 시동이 밥을 다 먹고 나면 시동에게 입가심하도록 술을 올리는데, 士나 대부의 제사 모두 주인이 초헌하고 주부가 아헌하고 賓長이 삼헌한다.

9. 凡獻尸畢, 皆獻祝及佐食。

일반적으로 시동에게 삼헌을 올리고나면 士나 대부의 제사 모두 축과 좌식에게 술을 올린다.

10. 凡主人初獻, 從俎皆以肝; 主婦亞獻、賓長三獻, 從俎皆以燔; 主人、主婦獻祝亦如之。

일반적으로 주인이 초헌할 때 따라 올리는 俎는 士나 대부의 제사 모두 肝俎를 올리고, 주부가 아헌하고 賓長이 삼헌할 때 따라 올리는 俎는 士나 대부의 제사 모두 燔俎를 올린다. 주인과 주부가 축에게 술을 올릴 때도 마찬가지로 한다.

11. 凡餕(준), 士禮二人, 大夫禮四人, 餕畢亦有獻酢。

일반적으로 대궁을 먹을 때 士禮는 2명이 먹고 大夫禮는 4명이 먹는다. 대궁이 끝나면 마찬가지로 獻酒와 酢酒의 예가 있다.

12. 凡祭, 尸不就洗, 別設槃匜(이)待之。

일반적으로 제사 때 시동은 洗가 있는 곳으로 나아가지 않으며 시동을 위해 별도로 槃匜를 진설해 놓고 기다린다.

祭例 下

1. 凡儐尸之禮, 唯尸、侑及主人備三獻, 自主婦以下皆一獻禮成。

일반적으로 儐尸의 예(시동을 빈객으로 대접하는 예)는 시동·侑·주인에게만 三獻을 갖추고 주부 이하의 사람에게는 모두 一獻으로 예가 이루어진다.

2. 凡儐尸, 主人獻, 其從獻皆用羊; 主婦獻, 其從獻皆用豕; 上賓獻, 其從獻皆用魚。

일반적으로 儐尸禮에 주인이 헌주할 때 따라 올리는 음식은 모두 羊牲을 사용하고, 주부가 헌주할 때 따라 올리는 음식은 모두 豕牲을 사용하며, 上賓이 헌주할 때 따라 올리는 음식은 모두 물고기를 사용한다.

3. 凡儐尸, 羊俎爲正俎, 其餘皆以二俎益送之。

일반적으로 儐尸禮에 羊俎가 正俎이며, 나머지는 모두 2개의 俎를 보태어 시동의 집으로 보낸다.

4. 凡士祭, 正獻後加爵三; 下大夫祭, 正獻後加爵二; 儐尸, 則正獻後加爵一。

일반적으로 士의 제사는 正獻 뒤에 加爵이 3번이고, 하대부의 제사는 정헌 뒤에 가작이 2번이며, 儐尸禮는 정헌 뒤에 가작이 1번이다.

5. 凡致爵, 皆在賓三獻之間, 加爵亦致。若儐尸, 則於堂上獻尸、侑時行之。

일반적으로 주인과 주부가 서로에게 술잔을 보내는 것은 모두 빈이 시동에게 三獻할 때 있으며, 賓長과 長兄弟가 加爵할 때에도 주인과 주부가 서로에게 술잔을 보낸다. 儐尸 때에는 당 위에서 시동과 侑에게 헌주할 때 술잔을 보낸다.

6. 凡不儐尸之祭, 賓三獻爵止, 則均神惠于室; 加爵者爵止, 則均神惠于庭。

일반적으로 儐尸하지 않는 제사, 즉 하대부의 제사 때 빈이 三獻하면 시동이 마시지 않고 술잔을 내려놓는 것은 신의 은혜를 室 안에 있는 사람들과 고루 나누기 위해서이고, 당 위에서 加爵하는 사람이 마시지 않고 술잔을 내려놓는 것은 신의 은혜를 뜰에 있는 사람들과 고루 나누기 위해서이다.

7. 凡祭, 陰厭則薦豆設俎, 尸飯則加豆, 亞獻則薦籩, 若將儐尸, 則正獻不薦。

일반적으로 제례에 陰厭 때는 豆를 올리고 俎를 진설하며, 시동이 밥을 먹을 때는 豆를 더 올리고, 아헌 때는 籩을 올린다. 장차 儐尸를 하려면 正獻 때는 음식을 올리지 않는다.

8. 凡始虞之祭謂之袷事, 再虞之祭謂之虞事, 三虞、卒哭之祭謂之成事。

일반적으로 初虞의 제사를 '袷事', 再虞의 제사를 '虞事', 三虞와 卒哭의 제사를 '成事'라고 한다.

9. 凡卒哭明日祔廟之祭謂之祔。

일반적으로 졸곡제를 지낸 다음날 祖廟에 합부하는 제사를 '祔祭'라고 한다.

10. 凡朞而祭謂之小祥, 又朞而祭謂之大祥, 大祥間一月之祭謂之禫。

일반적으로 죽은 지 일주년이 되었을 때 지내는 제사를 '小祥祭'라 하고, 다시 일주년이 되었을 때 지내는 제사를 '大祥祭'라 하며, 대상제를 지낸 뒤 한 달을 걸러 지내는 제사를 '禫祭'라고 한다.

11. 凡虞祭, 無肵俎, 不致爵、不加爵。獻尸畢, 不獻賓、不旅酬、不餕(준)。

일반적으로 虞祭에는 시동을 위한 肵俎가 없으며, 주인과 주부가 서로에게 술잔을 보내는 예를 행하지 않으며 加爵도 하지 않는다. 또한 시동에게 삼헌한 뒤에 빈에게 헌주하지 않고, 旅酬禮를 하지 않으며, 餕禮(대궁하는 예)도 하지 않는다.

12. 凡卒哭祭畢, 餞尸于廟門外, 亦三獻。

일반적으로 졸곡제가 끝난 뒤 廟門 밖에서 시동을 餞別하는 예를 행하는데, 이때에도 삼헌을 한다.

13. 凡士祭, 加爵後, 嗣子入舉奠。大夫祭, 則不舉奠。

일반적으로 士의 제사에는 加爵한 뒤에 嗣子가 室로 들어가 陰厭 때 놓아둔 술을 마신다. 대부의 제사에는 嗣子가 擧奠을 하지 않는다.

14. 凡正祭于室, 儐尸則于堂。

일반적으로 正祭는 室에서 하고 儐尸는 당에서 한다.

15. 凡尸在室中皆東面, 在堂上則南面。

일반적으로 시동은 室 안에서는 모두 동향하고 당 위에서는 남향한다.

16. 凡祭畢告利成, 士禮則祝、主人立于戶外, 大夫禮則祝、主人立于階上。

일반적으로 제사가 끝나면 주인에게 "공양하는 예를 마쳤습니다."라고 고하는데, 士의 제사에는 축과 주인이 室戶 밖에 서 있고, 대부의 제사에는 축과 주인이 계단 위에 서 있는다.

器服之例 上

1. 凡所以凴者曰几, 所以藉者曰席。

일반적으로 기대는 기물을 '几'라 하고, 바닥에 까는 기물을 '席'이라고 한다.

2. 凡盛水之器曰罍(뢰), 㪺(구)水之器曰枓(주), 棄水之器曰洗。

일반적으로 물을 담아놓는 기물을 '罍'라 하고, 물을 뜨는 기물을 '枓'라 하며, 물을 버리는 기물을 '洗'라고 한다.

3. 凡盛酒之器曰尊(준), 㪺酒之器曰勺。

일반적으로 술을 담아놓는 기물을 '尊'이라 하고, 술을 뜨는 기물을 '勺'이라고 한다.

4. 凡酌酒而飮之器曰爵。

일반적으로 술을 따라 마시는 기물을 '爵'이라고 한다.

5. 凡亨(팽)牲體之器曰鑊。

일반적으로 牲體를 익히는 기물을 '鑊'이라고 한다.

6. 凡升牲體之器曰鼎, 出牲體之器曰朼。

일반적으로 익힌 牲體를 담아놓는 기물을 '鼎'이라 하고, 鼎에서 牲體를 꺼내는 기물을 '朼'라고 한다.

7. 凡載牲體之器曰俎。

일반적으로 鼎에서 牲體를 꺼내어 담는 기물을 '俎'라고 한다.

8. 凡盛濡物之器曰甕(옹), 實濡物之器曰豆。

일반적으로 젖은 음식물을 담아놓는 기물을 '甕'이라 하고, 젖은 음식물을 담는 기물을 '豆'라고 한다.

9. 凡實乾物之器曰籩。

일반적으로 마른 음식물을 담는 기물을 '籩'이라고 한다.

10. 凡盛黍、稷之器曰簋、曰敦(대), 盛稻、粱之器曰簠。

일반적으로 黍와 稷을 담아놓는 기물을 '簋' 또는 '敦'라 하고, 稻와 粱을 담아놓는 기물을 '簠'라고 한다.

11. 凡實羹之器曰鉶, 實大羹之器曰鐙。

일반적으로 羹(채소 넣은 고깃국)을 담는 기물을 '鉶'이라 하고, 大羹(牲體를 삶아낸 국물)을 담는 기물을 鐙이라 한다.

12. 凡扱醴、扱羹之器皆曰柶。

일반적으로 醴를 뜨거나 羹을 뜨는 기물을 모두 '柶'라고 한다.

13. 凡相見, 君則以玉爲摯, 臣則以禽幣爲摯(지)。

일반적으로 相見禮에 임금은 옥을 예물로 쓰고, 신하는 禽獸와 폐백을 예물로 쓴다.

14. 凡相見, 婦人則以棗、栗、腶脩爲摯。

일반적으로 相見禮에 신부는 대추·밤·腶脩(생강과 계피를 첨가한 육포)를 예물로 쓴다.

15. 凡藉玉之器曰繅(조)。

일반적으로 옥을 받치는 기물을 '繅'라고 한다.

16. 凡盛婦摯之器曰笲(번), 夫人則曰竹簠方。

일반적으로 신부의 예물을 담는 기물을 '笲'이라 하고, 부인의 예물을 담는 기물을 '竹簠方'이라고 한다.

17. 凡射者之器曰弓、曰矢、曰決、曰拾。

일반적으로 활 쏘는 사람의 기물을 '弓'·'矢'·'決(손에 끼는 깍지)'·'拾(소매를 걷어 매는 띠)'이라고 한다.

18. 凡獲者之器曰旌、曰乏(핍)、曰侯。

일반적으로 獲者(적중 여부를 알려주는 사람)의 기물을 '旌(깃발)'·'乏(화살을 막는 보호 장구)'·'侯(과녁)'라고 한다.

19. 凡釋獲者之器曰中、曰籌(주)。

일반적으로 釋獲者(점수를 기록하는 사람)의 기물을 '中(산가지를 담는 통)'·'籌(산가지)'라고 한다.

20. 凡取矢之器曰楅(복), 飮不勝者之器曰豐。

일반적으로 화살을 가져다가 꽂아놓는 기물을 '楅'이라 하고, 이기지 못한 사람에게 술을 마시게 할 때 사용하는 기물을 '豐'(굽이 달린 잔대)이라고 한다.

器服之例 下

1. 凡衣與冠同色, 裳與韠(필)同色, 屨與裳同色。

일반적으로 上衣와 冠은 같은 색으로 하고, 下裳과 韠(蔽膝)은 같은 색으로 하며, 신발과 下裳은 같은 색으로 한다.

2. 凡士冠禮, 賓、主人、兄弟、擯者、贊者及冠者初加, 見君與卿大夫、鄕先生, 皆用玄端。

일반적으로 士의 관례에 빈·주인·형제·擯者·贊者·冠者가 始加할 때와 관례를 마치고 임금·경대부·鄕先生을 알현할 때 모두 玄端服을 입는다.

3. 凡士昏禮, 使者、主人、壻從者, 皆用玄端。

일반적으로 士의 혼례에 신랑의 使者·주인·신랑을 따라온 有司는 모두 현단복을 입는다.

4. 凡鄕飮酒、鄕射之禮, 息司正, 皆用玄端。

일반적으로 향음주례와 향사례에 의식을 마치고 司正을 위로할 때 모두 현단복을 입는다.

5. 凡士祭禮, 筮日、筮尸、宿尸、宿賓、視濯、視殺, 正祭, 尸、主人、祝、佐食,皆用玄端。

일반적으로 士의 제례에 筮日(제사지낼 날을 시초점으로 정하는 일), 筮尸(시동을 시초점으로 정하는 일), 宿尸(시동에게 하루 전에 알리는 일), 宿賓(빈에게 하루 전에 알리는 일), 視濯(祭器가 정갈한지 살피는 일), 視殺(희생 잡는 것을 살피는 일) 때와 正祭 때 시동·주인·축·좌식이 모두 현단복을 입는다.

6. 凡士冠禮, 筮日、筮賓、宿賓、爲期, 皆用朝服。

일반적으로 士의 관례에 筮日·筮賓·宿賓·爲期(禮를 행하는 구체적인 시간을 정하는 것) 때 주인·有司·賓·형제는 모두 朝服을 입는다.

7. 凡飮、射、燕、食之禮, 皆用朝服。

일반적으로 飮酒禮·射禮·燕禮·食禮를 행할 때 주인과 賓은 모두 朝服을 입는다.

8. 凡聘禮, 君授使者幣, 使者受命及釋幣于禰, 肄儀, 聘畢歸反命, 皆用朝服。

일반적으로 빙례에 임금이 使者에게 예물을 줄 때, 使者가 임금에게서 명을 받을 때와 禰廟에 예물을 올릴 때, 빙례의 威儀를 익힐 때, 빙례를 마치고 돌아가 복명 할 때, 모두 朝服을 입는다.

9. 凡聘禮, 賓至所聘之國, 展幣, 辭饔餼, 問卿, 上介問下大夫, 士介受餼, 皆用朝服。

일반적으로 빙례에 賓이 빙문할 나라의 국경에 이르러 예물을 늘어놓고 점검할 때, 主國의 임금이 보낸 饔(죽은 희생)과 餼(살아있는 희생)를 사양할 때, 경을 방문할 때, 上介가 하대부를 방문할 때, 上介가 餼를 받을 때, 모두 朝服을 입는다.

10. 凡聘禮, 主國之君使卿郊勞, 宰夫設飧, 致士介餼, 卿接聘賓, 君不親食使大夫致侑幣, 皆用朝服。

일반적으로 빙례에 主國의 임금이 경을 보내 교외에서 위로할 때, 主國의 宰夫가 飧(희생의 腥飪만 있고 餼는 없는 것)을 올릴 때, 士介에게 餼를 보낼 때, 경이 빙문 온 빈을 접대할 때, 임금이 직접 함께 식사하지 않을 경우 대부를 시켜 侑幣(더하여 보내는 예물)를 보낼 때, 모두 朝服을 입는다.

11. 凡士祭禮正祭, 賓及兄弟、助祭者, 皆用朝服。

일반적으로 士의 제례 중 正祭 때 빈·형제·제사를 돕는 사람은 모두 朝服을 입는다.

12. 凡大夫祭禮, 皆用朝服。

일반적으로 대부의 제례에는 모두 朝服을 입는다.

13. 凡士冠禮再加; 聘禮行聘、還玉、賓受饔餼; 覲禮郊勞; 士喪禮襲; 既夕禮乘車所載; 皆用皮弁服。

일반적으로 士의 관례 중 再加 때 입는 옷, 빙례 중 빙례를 행할 때와 임금이 빈에게 옥을 돌려줄 때와 빈이 饔과 餼를 받을 때 입는 옷, 覲禮 중 교외에서 빈을 위로 할 때 입는 옷, 士의 상례 중 襲禮 때 死者에게 입히는 옷, 士의 既夕禮 중 乘車에 싣는 옷으로는 모두 皮弁服을 쓴다.

14. 凡士冠禮三加, 士昏禮親迎, 士復、士襲, 皆用爵弁服。

일반적으로 士의 관례 중 三加 때 입는 옷, 士의 혼례 중 친영 때 입는 옷, 士의 상례 중 復(死者의 혼을 부르는 것)할 때 사용하는 옷, 士의 상례 중 襲禮 때 死者에게 입히는 옷으로 모두 爵弁服을 쓴다.

15. 凡聘禮, 君使卿歸賓饔餼, 下大夫歸上介饔餼, 夫人使下大夫歸禮, 上介受饔餼, 皆用韋弁服。

일반적으로 빙례 중 임금이 경을 시켜 빈에게 饔과 餼를 보낼 때, 하대부가 上介에게 饔과 餼를 보낼 때, 夫人이 하대부를 시켜 예물을 보낼 때, 上介가 饔과 餼를 받을 때, 모두 韋弁服을 입는다.

16. 凡覲禮, 天子用袞冕, 侯氏用裨冕。

일반적으로 覲禮에 천자는 袞冕服을 입고, 제후는 裨冕服을 입는다.

17. 凡大夫之妻被錫(체)衣侈袂, 士之妻纚(사)笄宵(초)衣。

일반적으로 대부의 처는 머리에 가체를 쓰고 소매가 넓은 宵衣(검은색 비단으로 만든 祭服)를 입으며, 士의 妻는 纚(머리를 싸는 비단 끈)로 묶고 비녀를 꽂고 宵衣를 입는다.

18. 凡袒、裼(석)皆左, 在衣謂之袒, 在裘謂之裼。

일반적으로 袒과 裼은 모두 왼쪽 겉옷 소매를 빼는데, 안에 입은 옷이 보이도록 뺄 때에는 '袒'이라 하고, 안에 입은 갖옷이 보이도록 뺄 때는 '裼'이라고 한다.

19. 凡執玉, 有藉者裼(체), 無藉者襲。

일반적으로 옥을 들 때 옥 받침이 있는 것은 裼이고, 옥 받침이 없는 것은 襲이다.

20. 凡縚髮謂之纚, 安髮及固冠皆謂之笄。

일반적으로 머리카락을 싸는 것을 '纚'라 하고, 머리카락을 고정시키는 것과 冠을 고정시키는 것을 모두 '笄'라고 한다.

雜例

1. 凡鄉飲、鄉射明日息司正, 略如飲酒之禮。

일반적으로 향음주례나 향사례를 행하고 난 다음날 司正을 위로하는데 대체로 음주례와 같이 한다.

2. 凡燕四方之賓客, 略如燕其臣之禮。

일반적으로 사방의 빈객에게 연향을 베풀 때 대체로 신하에게 연향하는 禮와 같이 한다.

3. 凡昏禮婦至設饌, 及婦饋舅姑, 略如食禮。

일반적으로 혼례 때 신부가 도착하면 음식을 진설하는 것과 며느리가 시부모에게 음식을 대접하는 것은 대체로 食禮와 같이 한다.

4. 凡舅姑饗婦、饗從者, 略如饗賓客之禮。

일반적으로 시부모가 신부에게 음식을 대접하는 것과 신부를 호종해서 따라온 從者들에게 음식을 대접할 때 대체로 빈객을 대접할 때의 禮와 같이 한다.

5. 凡冠醴子, 昏醴婦, 略如禮賓之禮。

일반적으로 관례 중 三加禮가 끝난 뒤에 冠者에게 醴禮를 베풀 때, 혼례 중 혼례 다음날 신부가 시부모를 알현하는 禮가 끝난 뒤 신부에게 醴禮를 베풀 때 대체로 賓에게 醴禮를 베풀 때의 禮와 같이 한다.

6. 凡女父見壻, 略如見賓客之禮。

일반적으로 신부의 아버지가 친영 온 신랑을 만날 때 대체로 빈객을 만날 때의 禮와 같이 한다.

7. 凡婦見舅姑, 略如臣見君之禮。

일반적으로 혼례 다음날 신부가 시부모를 알현할 때 대체로 신하가 임금을 알현할 때와 같이 한다.

8. 凡聘賓私獻于主君, 略如士介覿之禮。

일반적으로 빙례 중 빈이 사적으로 主國의 임금에게 예물을 올릴 때 대체로 士介가 조현하는 예와 같이 한다.

9. 凡大射飮公, 略如賓媵爵于公之禮。

일반적으로 대사례 중 임금에게 술을 마시게 할 때 대체로 빈이 임금에게 媵爵하는 예와 같이 한다.

10. 凡昏禮婦奠菜, 聘禮賓介將行, 及使還有事于禰廟, 略如祭禮。

일반적으로 혼례 중 신부가 廟에 奠菜할 때, 빙례 중 賓介가 떠나려고 할 때, 빙례 중 사신이 돌아와 禰廟에 제사를 지낼 때, 대체로 제례와 같이 한다.

11. 凡燕禮命賓, 聘禮命使者, 皆于燕朝; 聘禮授幣及反命, 皆于治朝; 聘賓初至及將聘, 皆于外朝。

일반적으로 연례 때 빈에게 명하는 것과 빙례 때 使者에게 명하는 것은 모두 燕朝에서 하고, 빙례 때 폐백을 받는 것과 복명하는 것은 모두 治朝에서 하고, 빙례중 빈이 처음 도착했을 때와 장차 빙문가려고 할 때는 모두 外朝에서 예를 행한다.

12. 凡卜筮皆于廟門, 唯將葬則于兆南。

일반적으로 卜筮는 모두 廟門에서 하고, 매장하려고 할 때만 묘 자리로 선정한 묘역 남쪽에서 한다.

13. 凡筮, 士坐筮, 卿大夫立筮。

일반적으로 시초점을 칠 때 士는 앉아서 점치고, 경과 대부는 서서 점친다.

14. 凡樂, 瑟在堂上, 笙､管､鐘､磬､鼓､鼗之屬在堂下｡

일반적으로 음악 연주는 瑟은 당 위에서 연주하고, 笙·管·鐘·磬·鼓·鼗 등은 당 아래에서 연주한다.

15. 凡樂皆四節, 初謂之升歌, 次謂之笙奏, 三謂之間歌, 四謂之合樂｡

일반적으로 음악은 모두 4단계가 있다. 첫 번째 연주하는 단계를 '升歌(당 위에서 瑟에 맞추어 노래하는 것)'라 하고, 두 번째는 '笙奏(당 아래에서 생황을 연주하는 것)', 세 번째는 '間歌(당 위의 노래와 당 아래의 생황 연주를 번갈아 하는 것)', 네 번째는 '合樂(당 위와 당 아래의 음악을 함께 연주하는 것)'이라고 한다.

16. 凡士禮, 冠､昏､喪､祭皆攝盛｡

일반적으로 士禮는 관례·혼례·상례·제례 때 모두 자신의 신분보다 높은 등급의 禮를 쓴다.

17. 凡適子冠于阼, 庶子冠于房外｡

일반적으로 적자는 당 위의 동쪽 계단 위쪽에서 관례를 행하고, 서자는 東房 밖에서 관례를 행한다.

18. 凡適婦酌之以醴, 庶婦醮之以酒｡

일반적으로 혼례에 시부모를 알현하는 예가 끝난 뒤 며느리에게 술을 따라줄 때 適婦에게는 醴酒를 따라 주고 庶婦에게는 淸酒를 따라 준다.

19. 凡冠禮, 或醴或醮, 皆三加｡

일반적으로 관례 중 冠者에게 술을 따라줄 때 醴酒나 淸酒를 사용하는데, 淸酒를 사용할 때에는 冠을 씌워줄 때마다 세 번 모두 따라 준다.

20. 凡昏禮, 使者行禮皆用昕, 唯壻用昏｡

일반적으로 혼례에 使者가 예를 행하는 것(納采·問名·納吉·請期·納徵)은 모두 새벽에 행하고, 신랑이 행할 때(親迎)에만 저녁에 행한다.

21. 凡冠于禰廟, 昏于寢｡

일반적으로 관례는 禰廟에서 하고, 혼례는 寢에서 한다.

〈鄭氏大夫士堂室圖〉

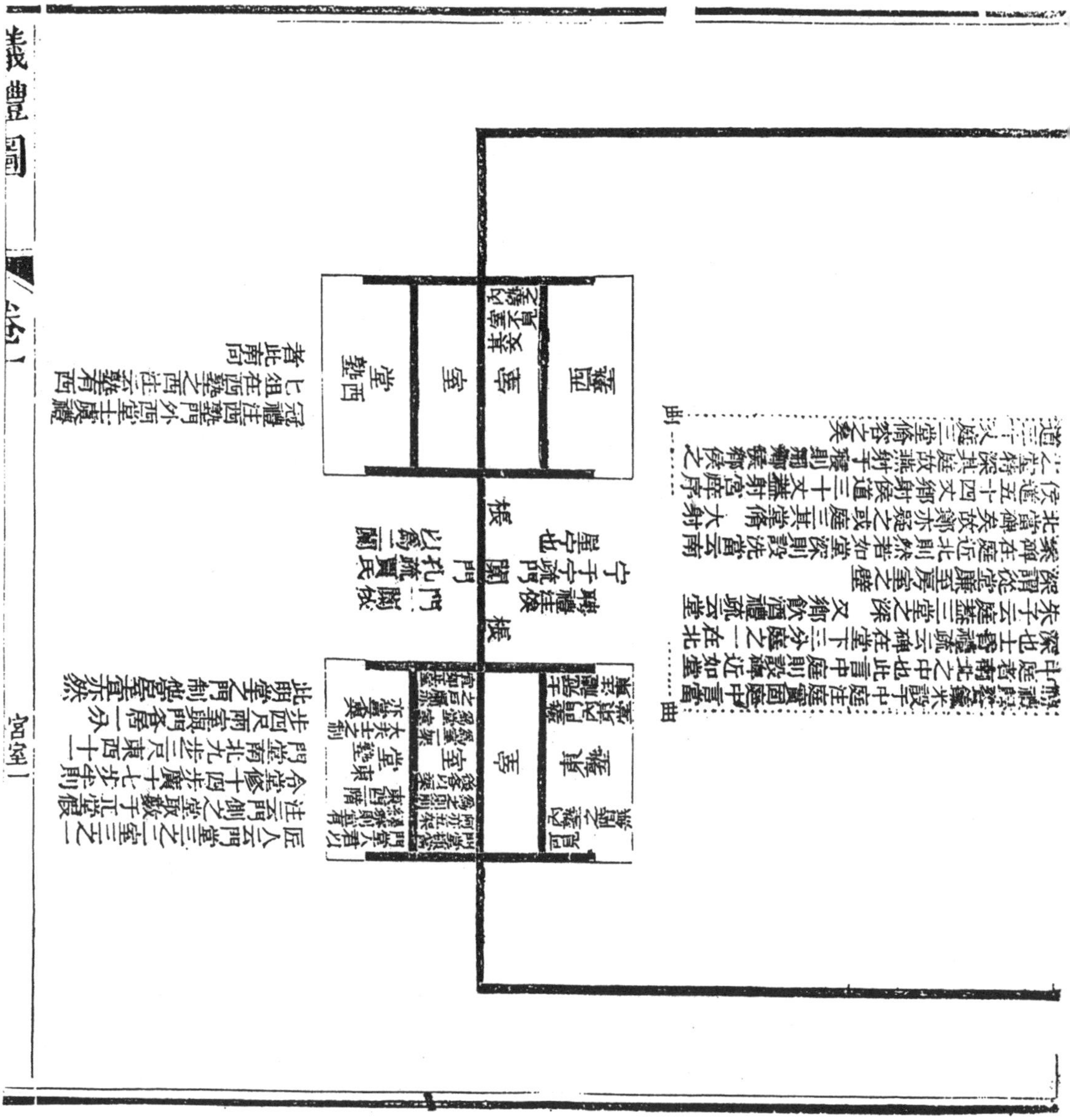

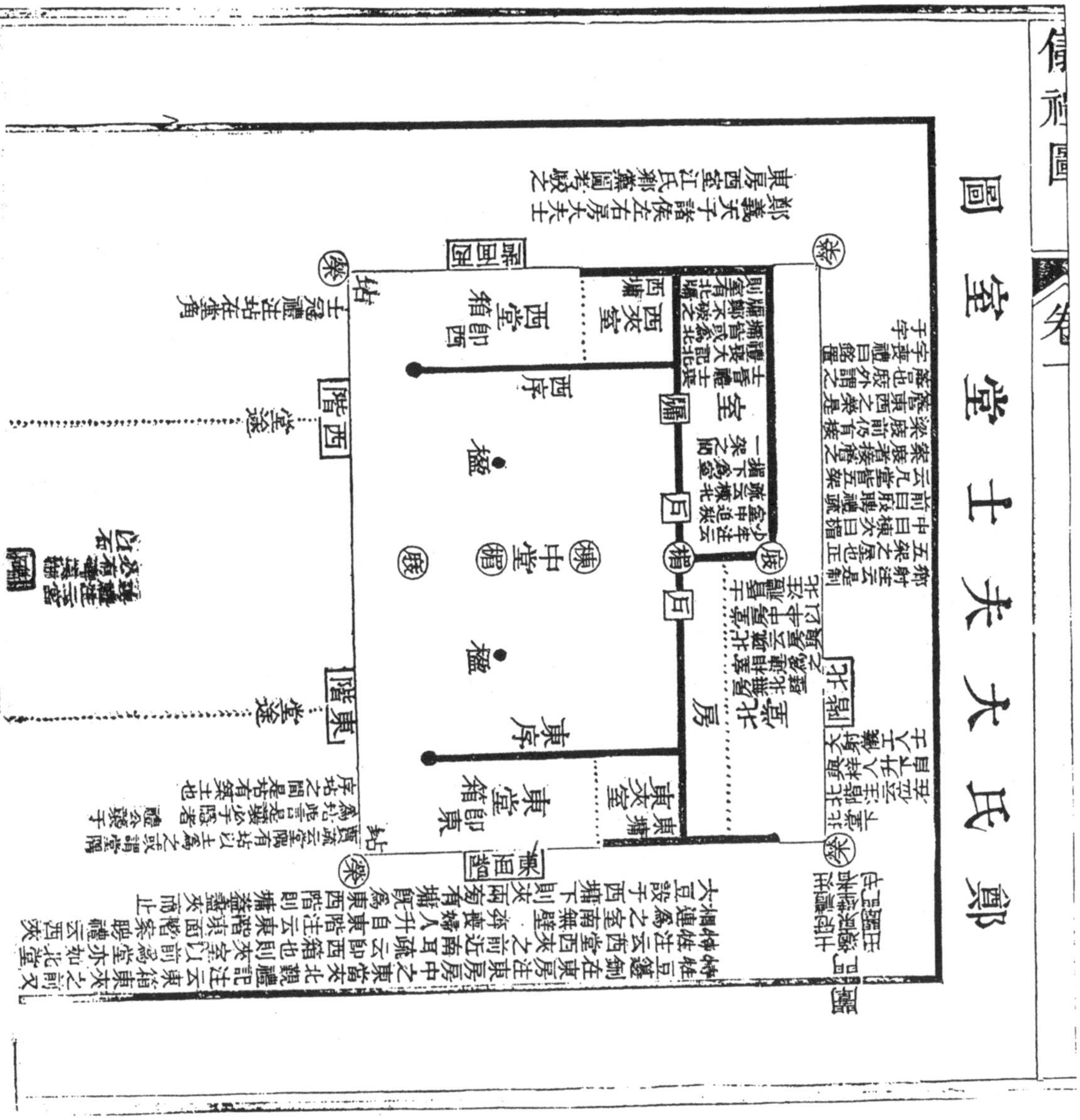
儀禮圖
鄭氏大夫士堂室圖
中堂
東序
西序
東階
西階
東夾室
西夾室
東堂
西堂
室
房

〈大夫士房室圖〉

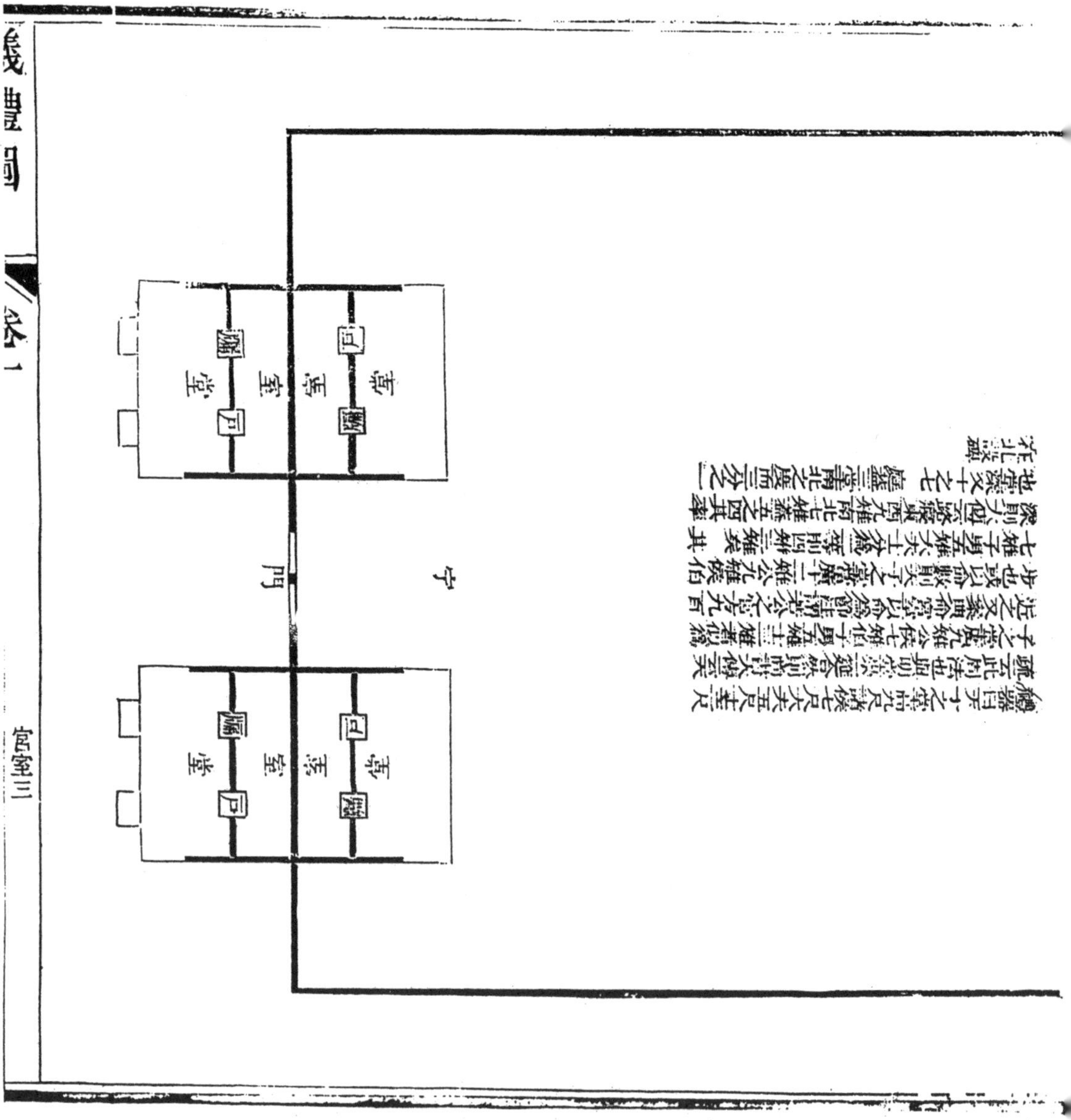

大夫士房室圖

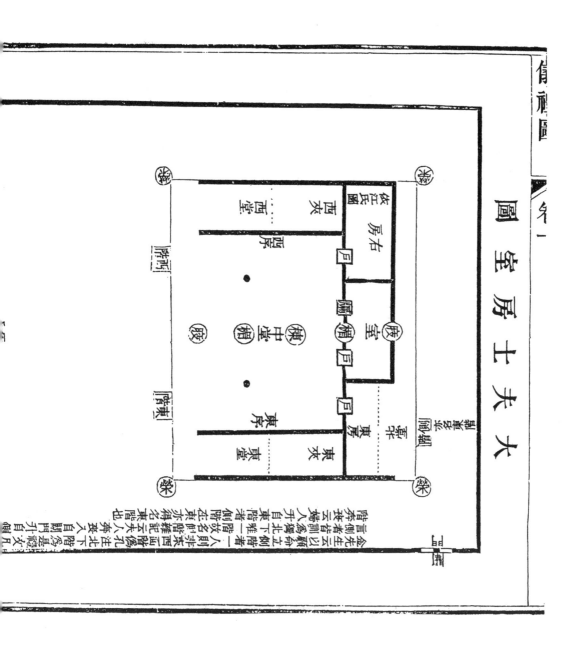

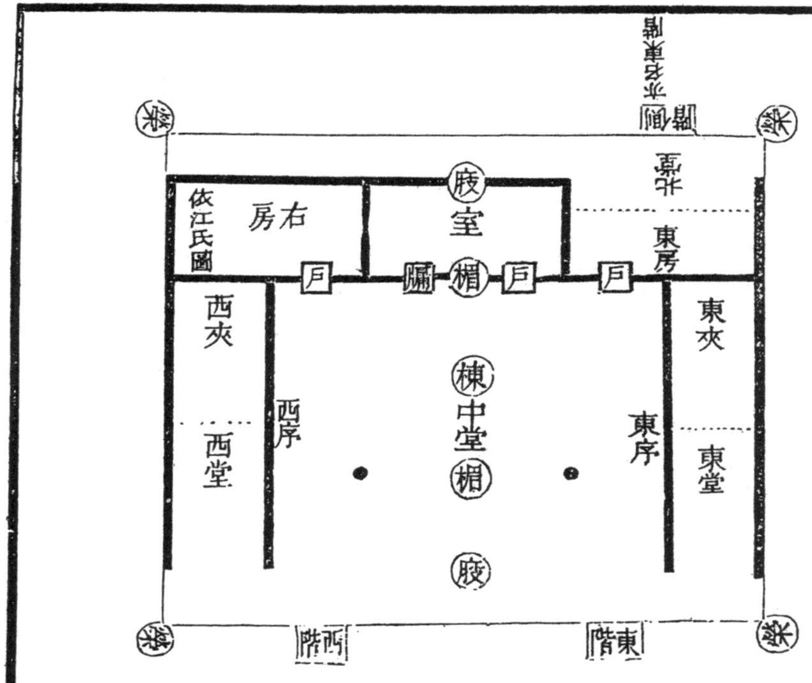

金先生云以顧命立側階者一人則非東西面階僞孔注北下階爲是禮文凡言側者皆訓爲獨北下唯一階故名側階雜記云夫人奔喪入自闈門升自側階奔喪云婦人升自東階者側階在東亦得名東階也

〈天子諸侯左右房圖〉

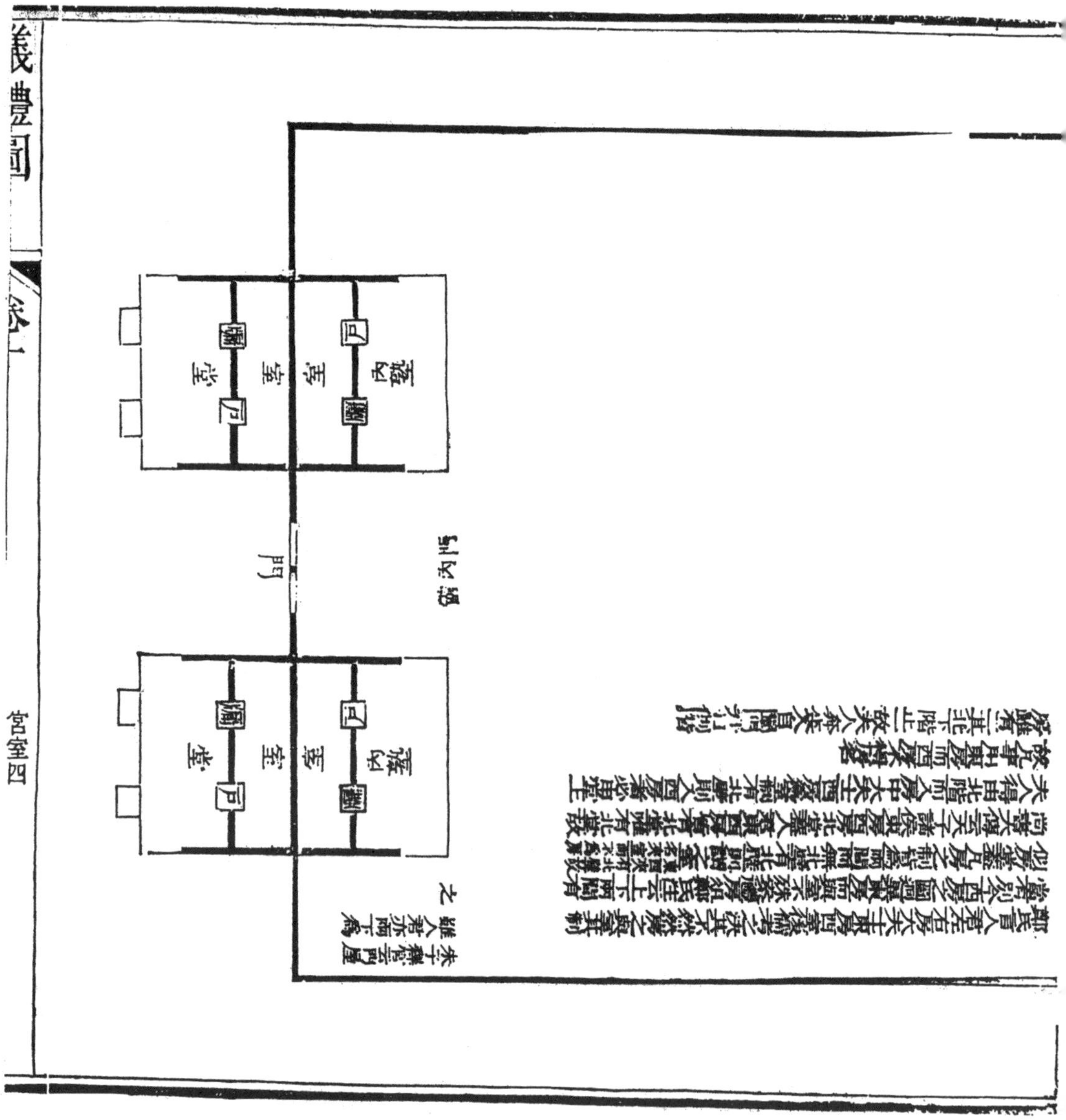

天子諸侯左右房圖

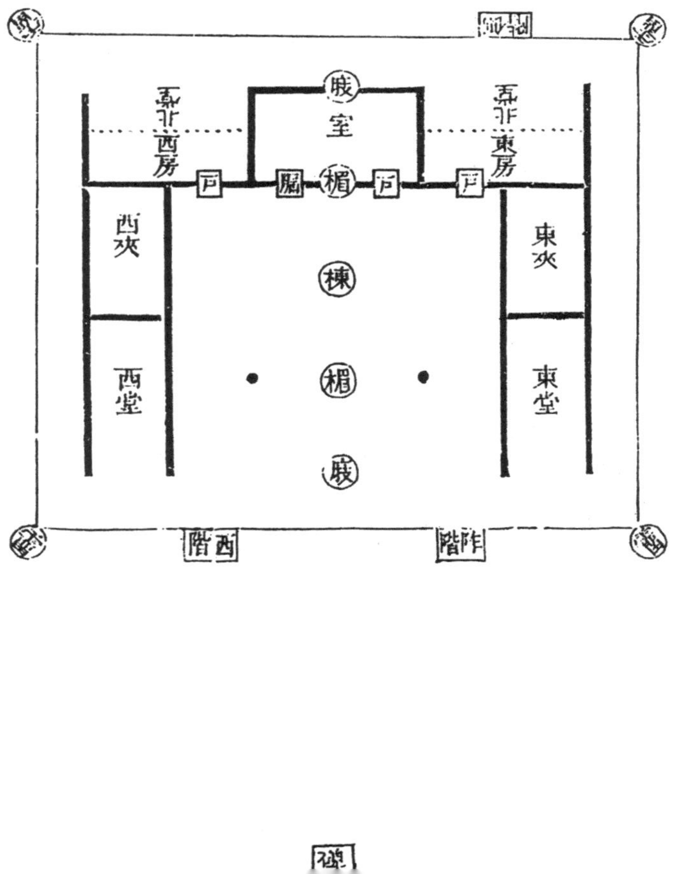

明堂位注云天子諸侯得爲殿屋四注

〈始死陳襲事〉

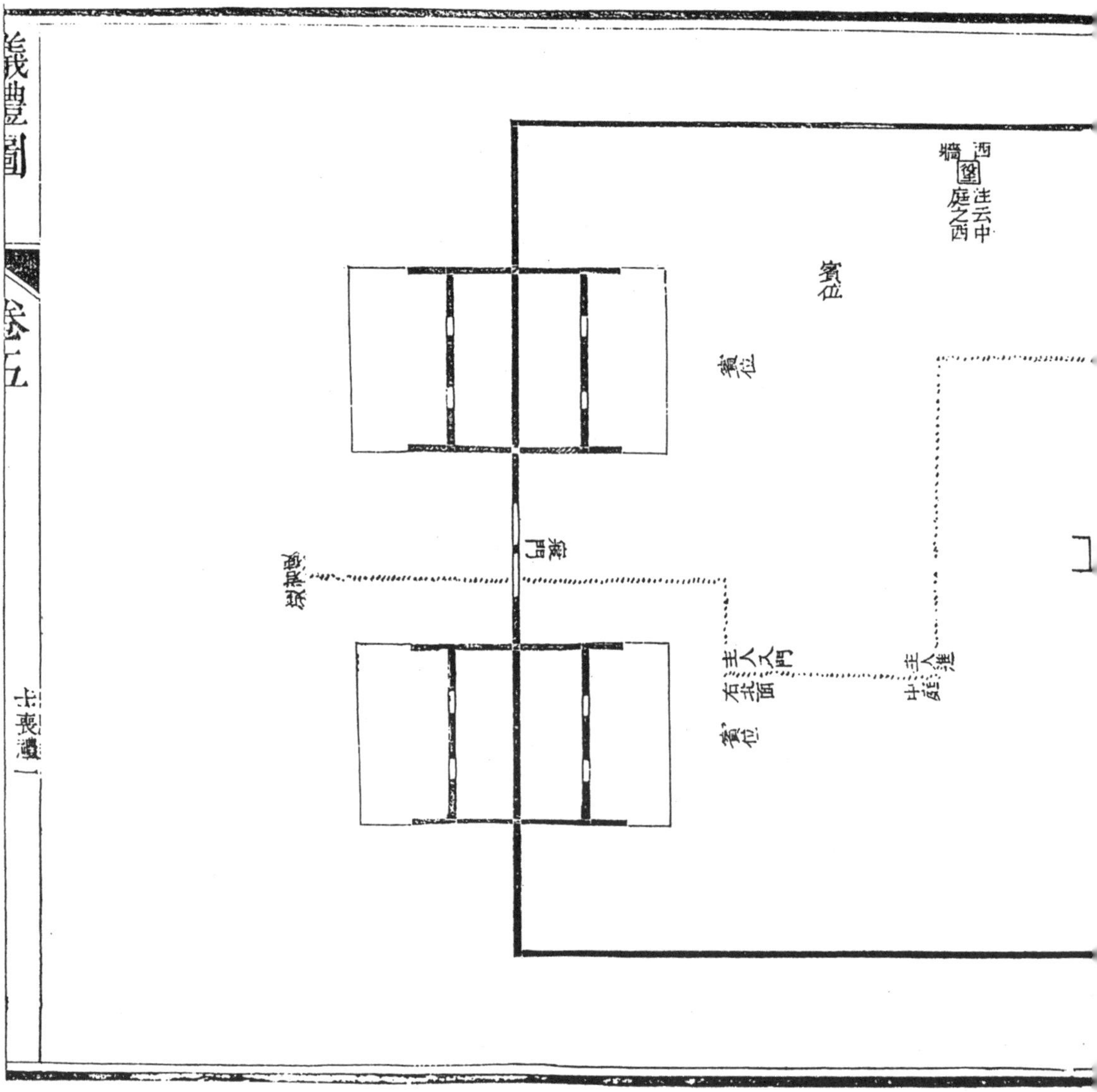

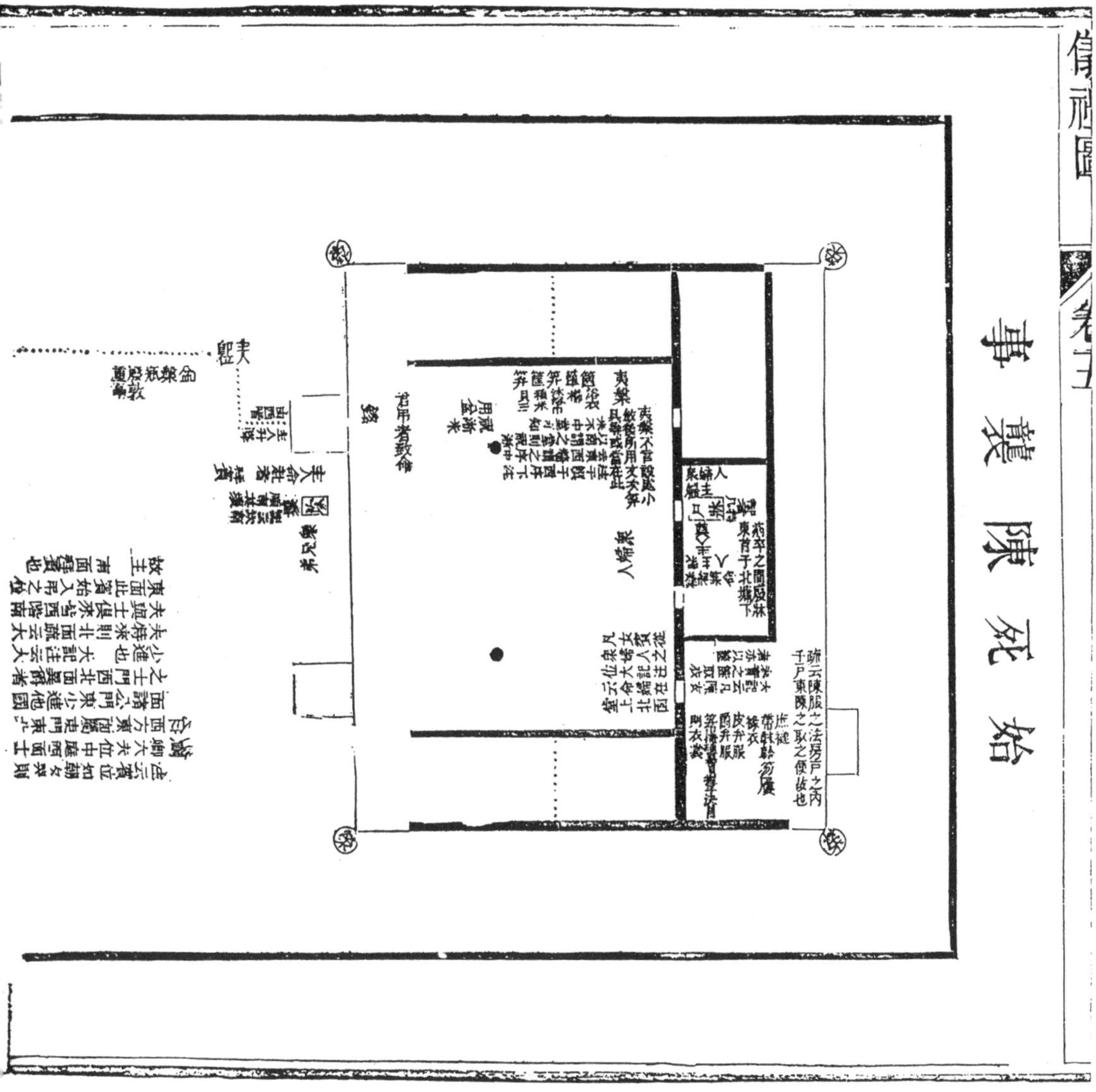

始死陳襲事

東房

庶襚 / 帶·韎韐·笏·屨 / 襚衣 / 皮弁服 / 爵弁服 / 笲·巾·掩·瑱·瞑目·握手·決·冒 / 明衣裳[1]

疏云："陳服之法, 房戶之內于戶東陳之, 取之便故也."[2]

《大記》云："凡陳衣者實之篋, 取衣者亦以篋."[3]

室

北墉下：病、卒之間, 廢牀東首于北墉下.[4]

尸牀北：御者持几[5]

尸牀西：衆婦人[6] / 主婦

尸牀東：奠 / 主人[7] / 衆主人[8] / 襚者將命[9]

堂上

西序東：篋·浴衣 / 簞·櫛 / 笲·沐浴巾 / 筐·稻米 / 笲·貝三[10]

西序東 上：夷槃 / 夷槃不言設處, 小斂後所用, 文次笲、貝等, 或當在此.[11]

西楹西：祝淅米用盆 // 注于"饌于西序下", 注云"東西牆謂之序, 中以南謂之堂", 祝淅米不中堂可知.[12]

西序端：君弔者致命[13]

堂廉：銘[14]

戶牖間：衆婦人[15] // 凡女賓從衆婦人之位.《大記》注云: "命婦在堂上北面."

1_ 黃以周의 《禮書通故》와 衣物의 배치가 조금 다르다. 〈사상례〉9. 주①.
2_ 〈사상례〉9. 주②.
3_ 〈사상례〉9. 주①.
4_ 〈기석례〉18. 주③.
5_ 〈기석례〉19.
6_ 〈사상례〉4. 주③.
7_ 〈사상례〉4.
8_ 〈사상례〉4.
9_ 〈사상례〉6. 주④. '將'은 黃以周의 《禮書通故》에는 "致".
10_ 〈사상례〉10.
11_ 黃以周의 《禮書通故》에는 없다. 〈사상례〉10. 주④.
12_ 〈사상례〉11.
13_ 〈사상례〉5. 주⑥.
14_ 〈사상례〉7. 주⑧.
15_ 〈사상례〉4. 주⑤.

庭

西階下：主人升降由西階[16] / 主人卽位[17] / 盆·槃·瓶·廢敦·重鬲[18]

西階東：主人命赴者[19] / 拜賓[20]

坎南：壤 /《記》云："坎, 南順, 南其壤."[21]

坎東：衆兄弟[22]

阼階下：賓位 / 注云"賓位如朝夕哭", 則卿大夫位中庭西面, 士西方東面, 屬吏門東北面, 諸公門東少進, 他國之士門西北面, 異爵者少進也.《大記》注云: "大夫特來, 則北面." 疏云: "大夫與士俱來, 皆西階南東面." 此賓始入弔之位, 故主人南面拜賓也.[23]

西牆堂東：注云: "中庭之西."[24]

寢門東上：主人進中庭[25]

寢門外：迎君使[26]

16_ 〈사상례〉5. 주⑯.
17_ 〈사상례〉5.
18_ 〈사상례〉8.
19_ 〈사상례〉3.
20_ 〈사상례〉3.
21_ 〈기석례〉23.
22_ 〈사상례〉4.
23_ 〈사상례〉3.
24_ 〈사상례〉8. 주②.
25_ 黃以周의《禮書通故》에서는 남북으로는 3분의 1되는 북쪽 지점인 碑의 북쪽, 동서로는 뜰의 중앙이 되는 곳으로 보고 장혜언의 이 위치를 오류로 보았다. 〈사상례〉5. 주⑤.
26_ 〈사상례〉5.

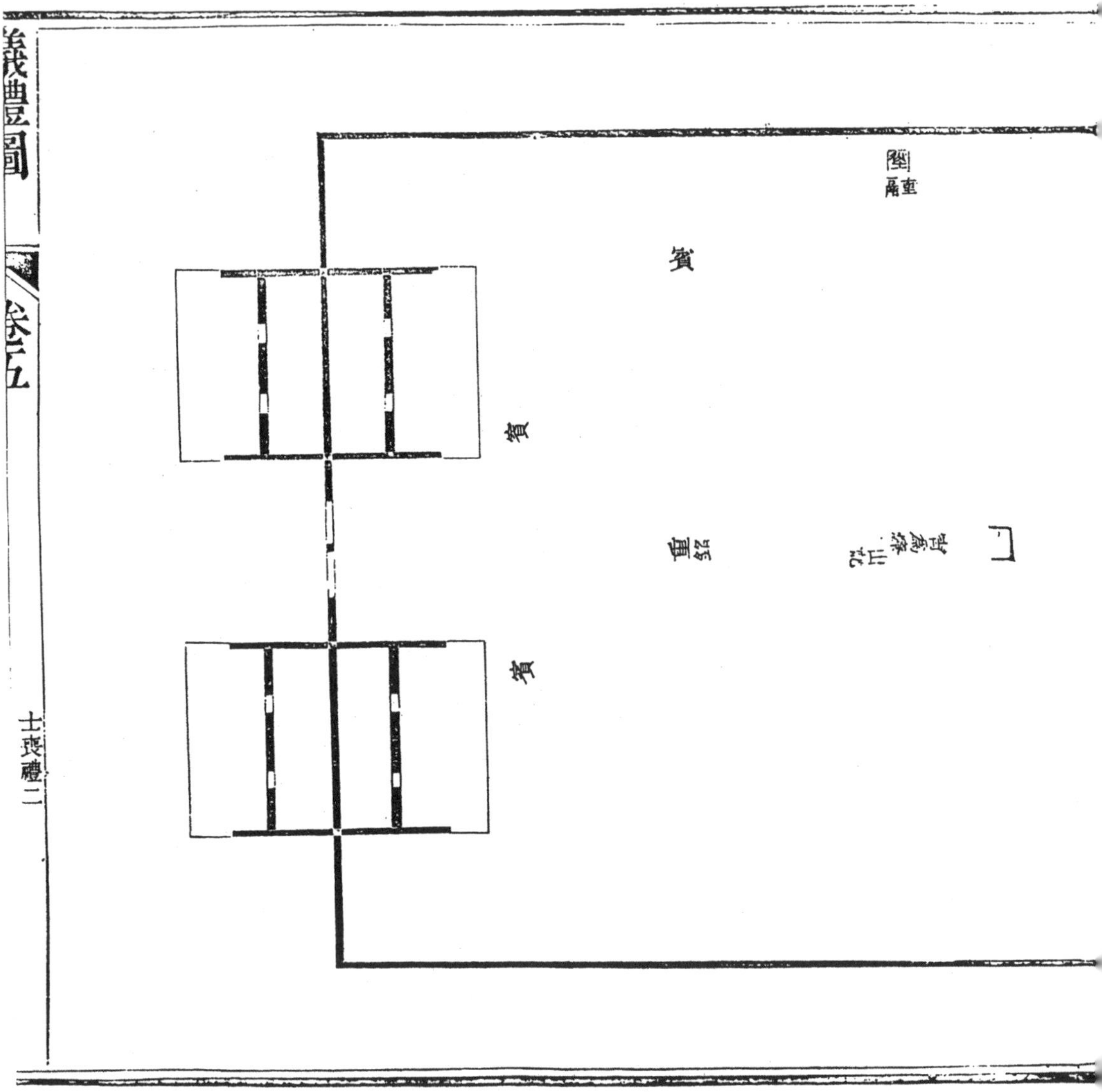

東房

明衣裳 / 笄·巾·掩·瑱·幎目·握手·決·冒 / 爵弁服 / 皮弁服 / 褖衣 /緇帶·靺韐·竹笏·屨 / 庶襚[27]

室

室戶北 : 商祝執巾[28] / 宰執米[29] / 主人執貝[30]

襲牀東 : 奠 / 主人位[31]

尸牀西 : 貝 / 米 // 主人含 / 宰 / 疏云: "辟奠于奧."[32]

堂上

戶牖間 : 衆婦人[33] / 主人皆出戶外北面[34]

兩楹間 : 敖以含時衆主人皆出戶, 婦人立于房. 今案經文, 自浴尸時, 主人皆出戶, 則婦人亦出, 蓋未嘗入也.[35]

西楹北: 主人取貝[36] / 宰取米[37] / 商祝取巾[38]

西序東 : 笲貝 / 敦稻米[39] / 笲沐浴巾 / 簞櫛 / 篋浴7衣[40]

27_ 黃以周의 〈東房陳襲〉圖와 다르다. 〈사상례〉9. 〈그림 12〉.

28_ 〈사상례〉12.

29_ 〈사상례〉12.

30_ 〈사상례〉12.

31_ 〈사상례〉12. 본문 주⑭ 뒤.

32_ 〈사상례〉13. 주⑨.

33_ 〈사상례〉4.

34_ 〈사상례〉11. 주⑦.

35_ 〈사상례〉11. 주⑬.

36_ 〈사상례〉12.

37_ 〈사상례〉12.

38_ 〈사상례〉12.

〈浴尸含襲〉

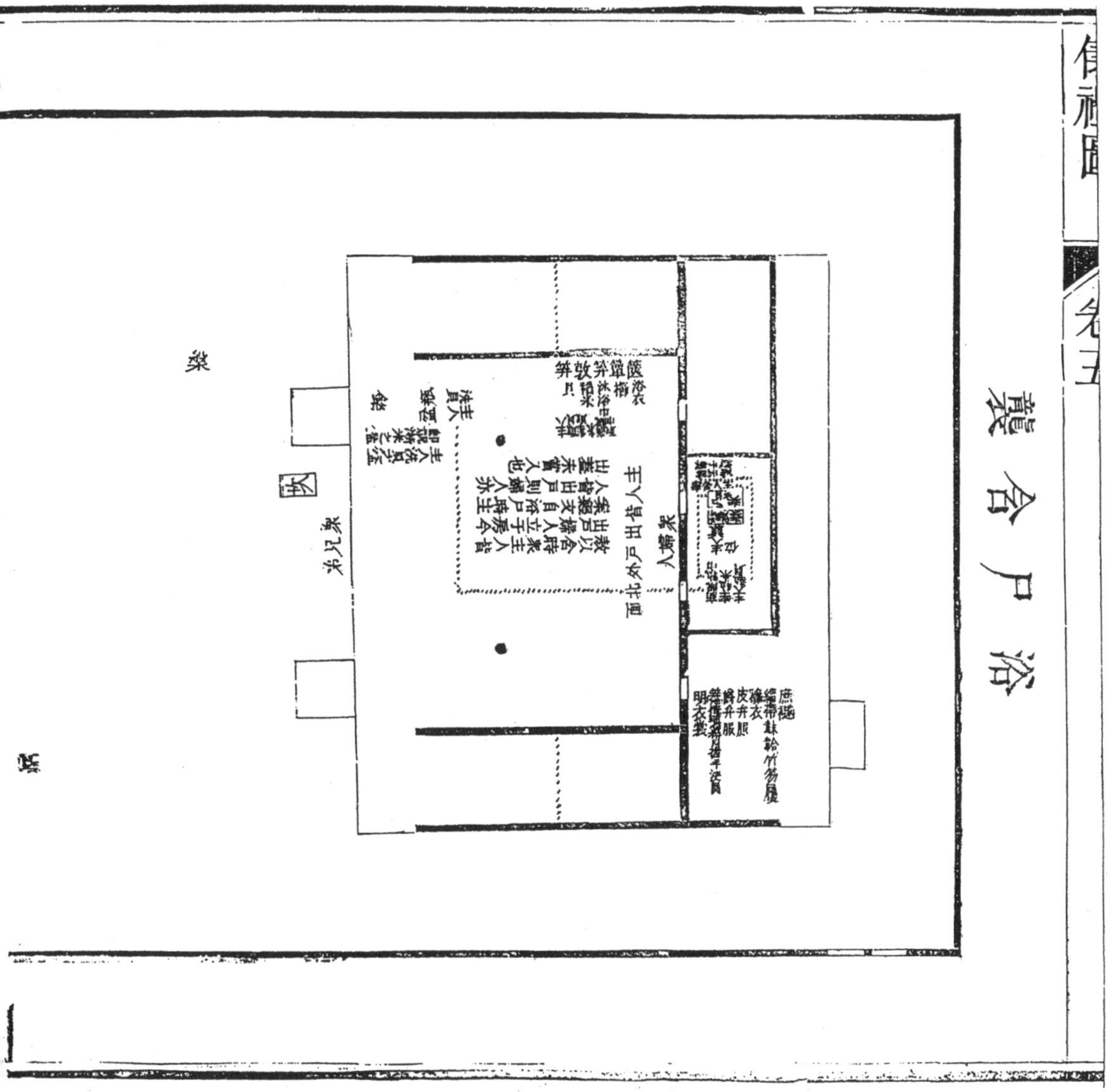

西階上：主人洗貝之盆, 卽祝淅米之盆.[41]
銘 / 盆·瓶 / 主人洗貝
兩階間：衆兄弟 / 坎
庭
碑南：宵爲燎 / 出《記》[42] // 重 銘[43]
西墉下：垼 / 重鬲[44]

39_ 〈사상례〉11.
40_ 〈사상례〉10.
41_ 〈사상례〉11. 주②, 〈사상례〉12. 주③.
42_ 〈기석례〉23. 본문 주㉒ 뒤.
43_ 〈사상례〉14. 주⑩.
44_ 〈사상례〉14. 주④

• 부록 4-2 • 張惠言의 《儀禮圖》 卷5 〈士喪禮〉

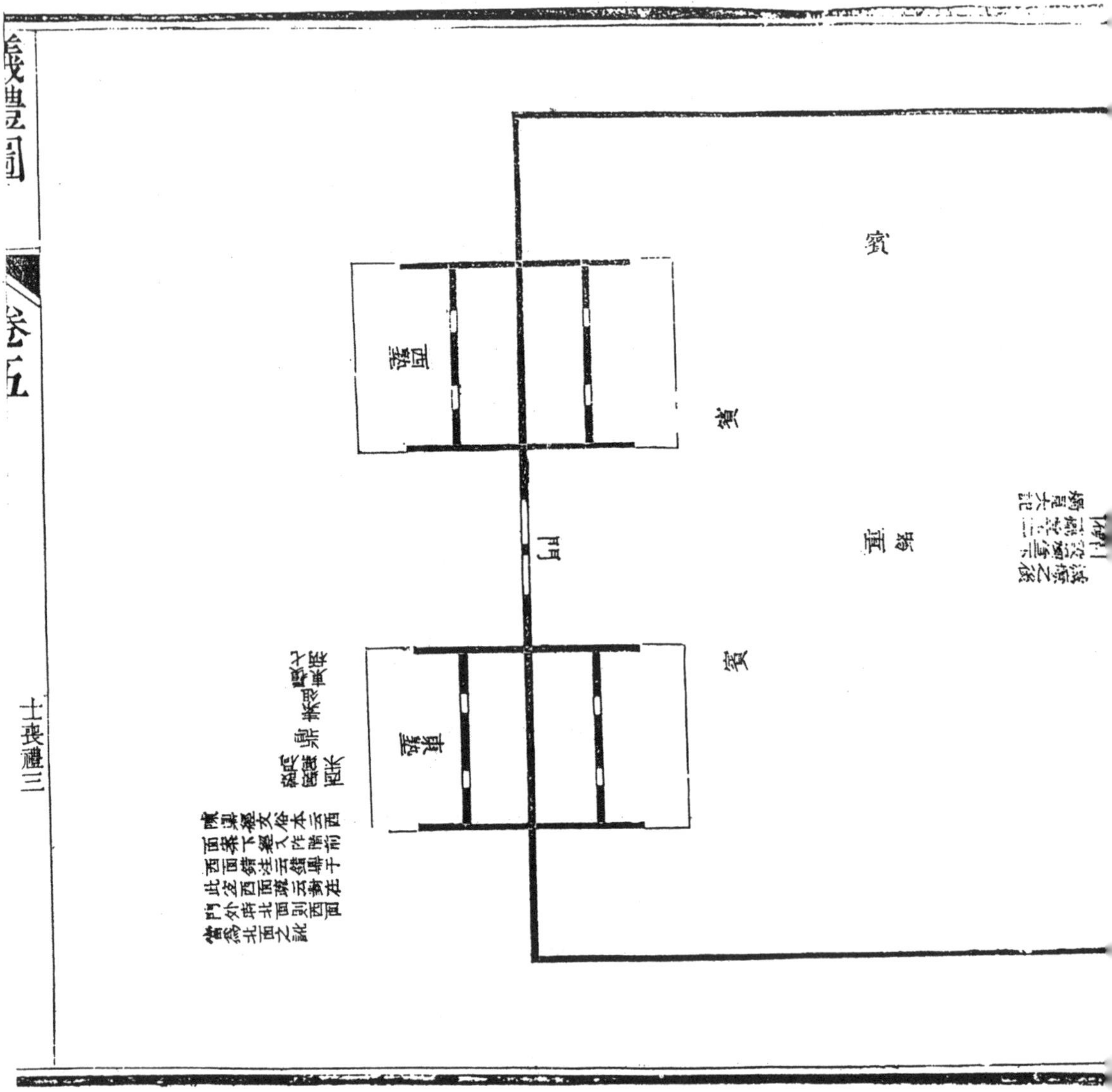

東房
東：疏云："衣皆有篋."[45]
南：絞·衾·祭服·散衣 / 緇 / 十有九稱·庶襚繼
　// 陳衣仍依疏在戶東[46], 旣南領, 則不得近南壁以便取也.[47]
西：婦人之帶, 牡麻絰. // 婦人之帶不言所在. 衣在戶東, 則或宜在戶西, 南上.[48]
北：主人髻髮袒, 衆主人免于房.[49]
室
小斂席東：主人馮尸[50]　小斂席西：主婦馮尸[51]　尸東：衆主人 / 主人 / 奠
尸西：婦人[52]　西壁：婦人髽于室[53] / 疏云："辟奠于奧."[54]
堂上
東楹東：婦人位[55] / 女賓在北.《大記》注云"命婦小斂之後, 尸西東面", 則亦從婦人, 卽西面位.[56]
戶牖間：衆婦人 // 旣侇尸, 有奔喪者在西方, 諸婦則南鄕. 見《大記》.[57]

45_〈사상례〉9. 주①.
46_〈사상례〉9. 주②.
47_〈사상례〉15. 주②.
48_〈사상례〉17. 주⑨.
49_〈사상례〉20. 주⑨.
50_〈사상례〉20. 주⑧.
51_〈사상례〉20. 주⑧.
52_〈사상례〉20. 주⑩.
53_〈사상례〉20. 주⑩.
54_〈사상례〉13. 주⑨.
55_〈사상례〉20. 주⑯.
56_〈사상례〉20. 주⑯.
57_〈사상례〉20. 주⑬.
58_〈사상례〉20. 주⑳. 黃以周의 《禮書通故》에는

〈小斂〉

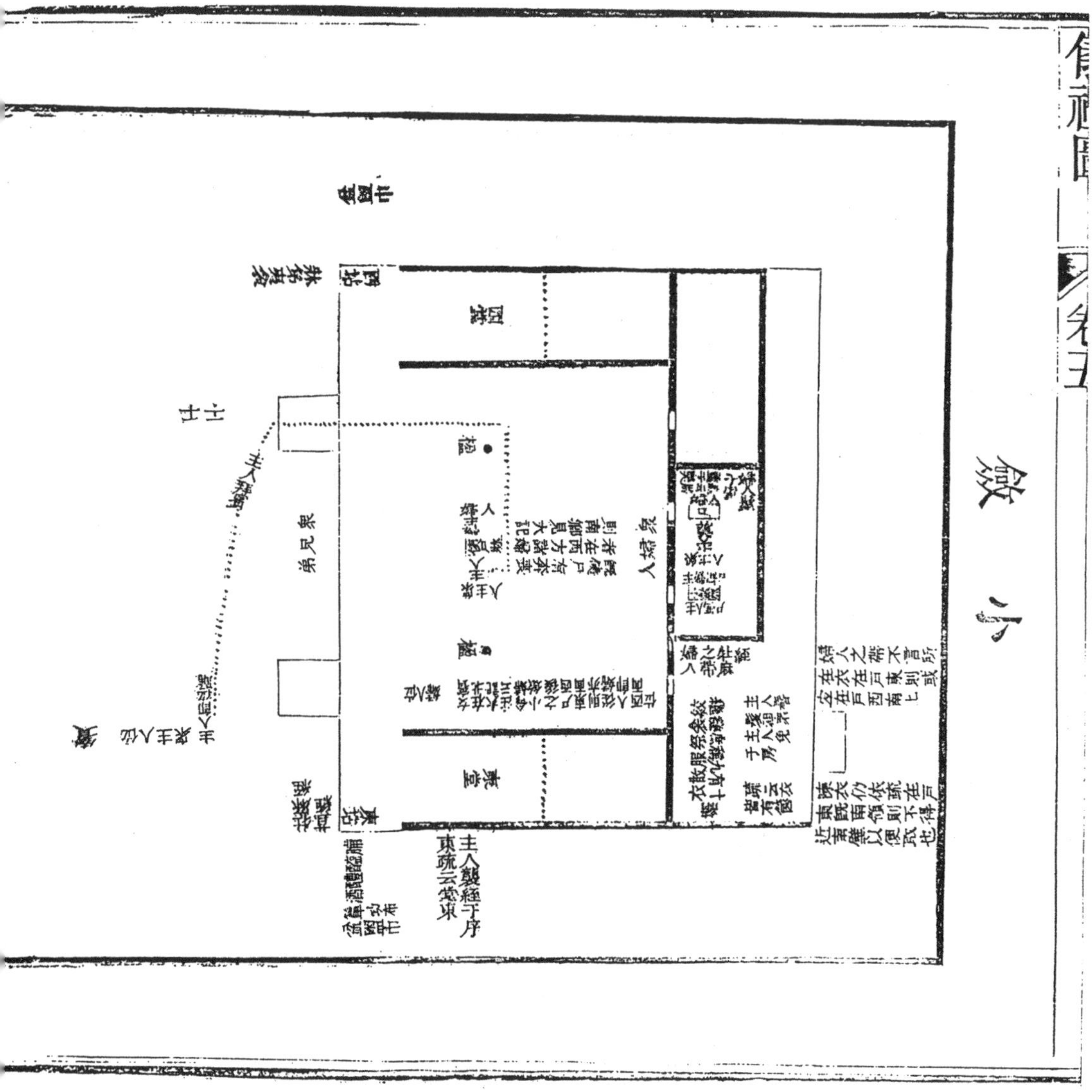

兩楹間：衆主人／主人／俠尸牀／主婦／婦人

庭

東堂東：主人襲絰于序東.[58]　　疏云: "堂東."

東坫東：脯／醢／醴／酒／簞 功布／盆盥 巾[59]

東坫南：苴絰／牡麻絰[60]　　西坫西：盆盥 巾[61]

西坫南：牀／笫／夷衾[62]　　西階下：主人拜賓[63]／士／士

阼階下：主人卽位踊[64]／衆主人位／賓

碑南：滅燎之後設燭. 堂下一燭, 堂上一燭. 見《大記》.[65]

寢門外

東塾下：設扃鼏, 鼏西末.／鼎／素俎／覆匕, 東柄.[66]

東 ：陳鼎, 經文俗本云"西面". 案下經"入阼階前西面錯", 注云"錯鼎于此, 宜西面", 疏云"對在門外時北面", 西面當爲北面之訛.[67]

東坫 남쪽에 남향으로 되어 있다.

59_ 〈사상례〉16. 주③④. 黃以周의 《禮書通故》에는 奠物과 盆盥 巾의 방향이 모두 남향으로 되어 있다.

60_ 〈사상례〉17. 주⑥.

61_ 〈사상례〉18. 주②. 黃以周의 《禮書通故》에는 盆盥 巾이 남향으로 되어 있다.

62_ 〈사상례〉18. 주①.

63_ 〈사상례〉20. 주⑰. 黃以周의 《禮書通故》에는 주인이 남향으로 되어 있다.

64_ 〈사상례〉20. 주⑲.

65_ 〈사상례〉24. 주①.

66_ 〈사상례〉19.

67_ 〈사상례〉19. 주①.

• 부록 4-2 • 張惠言의《儀禮圖》卷5〈士喪禮〉

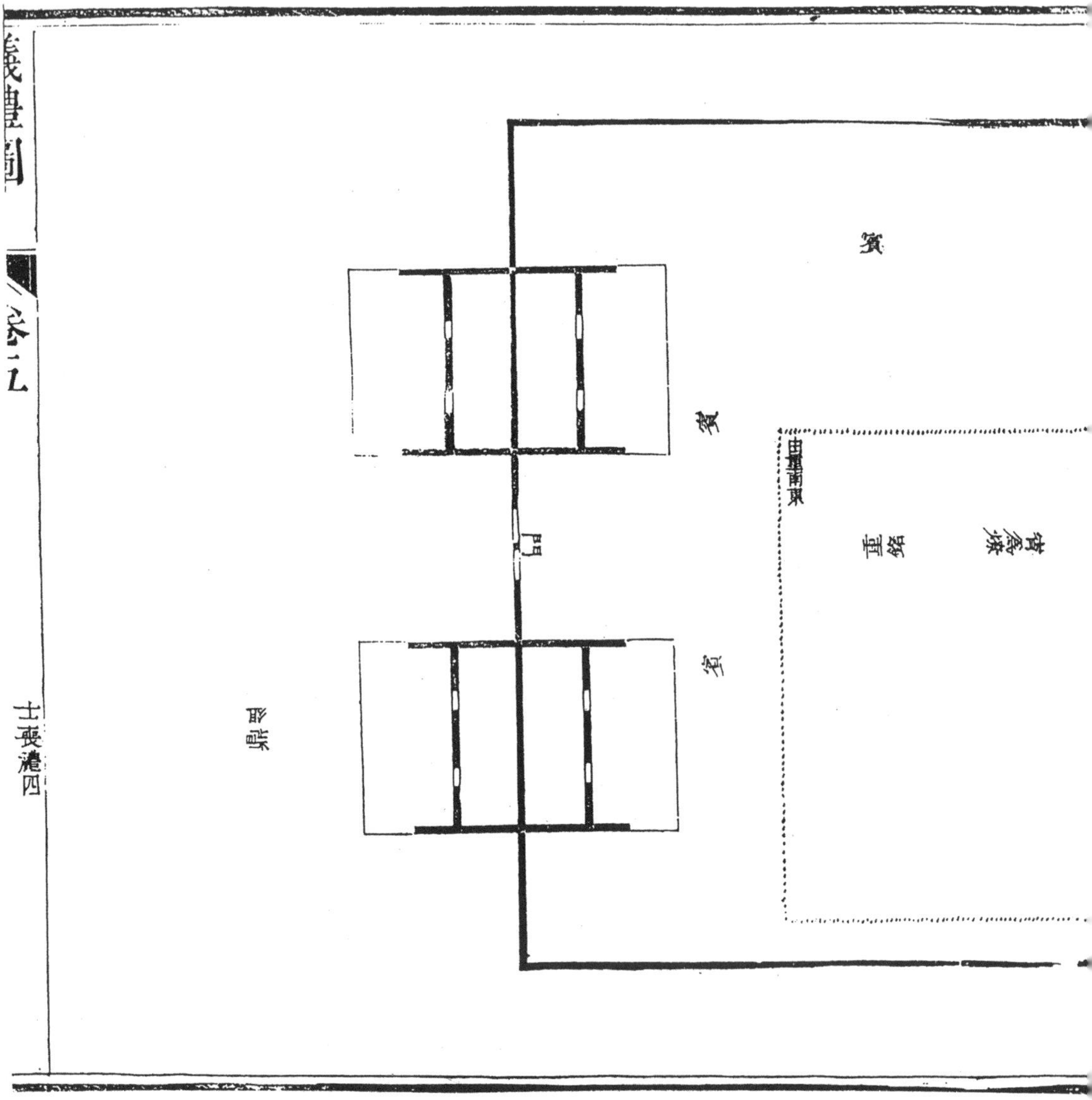

堂上
尸東：酒·醴·脯·醢[68] / 俎
尸南：執醴先升[69] / 執酒俟錯[70]
尸北：執豆[71] / 執豆 / 執俎 / 立俟 / 由足降自西階[72]
庭
東坫東：脯 / 醢 / 醴 / 酒 / 篳 功布 / 盆盥 巾 // 奠者位 / 奠者位依疏, 在盆盥之東, 南上.[73]
西坫西：盆盥 巾[74]
阼階東：執巾[75] / 主人 衆主人 賓
碑東：委鼏[76] / 鼎 / 俎[77]
碑南：宵爲燎[78] / 銘 / 重 / 由重南東[79]

〈小斂奠〉

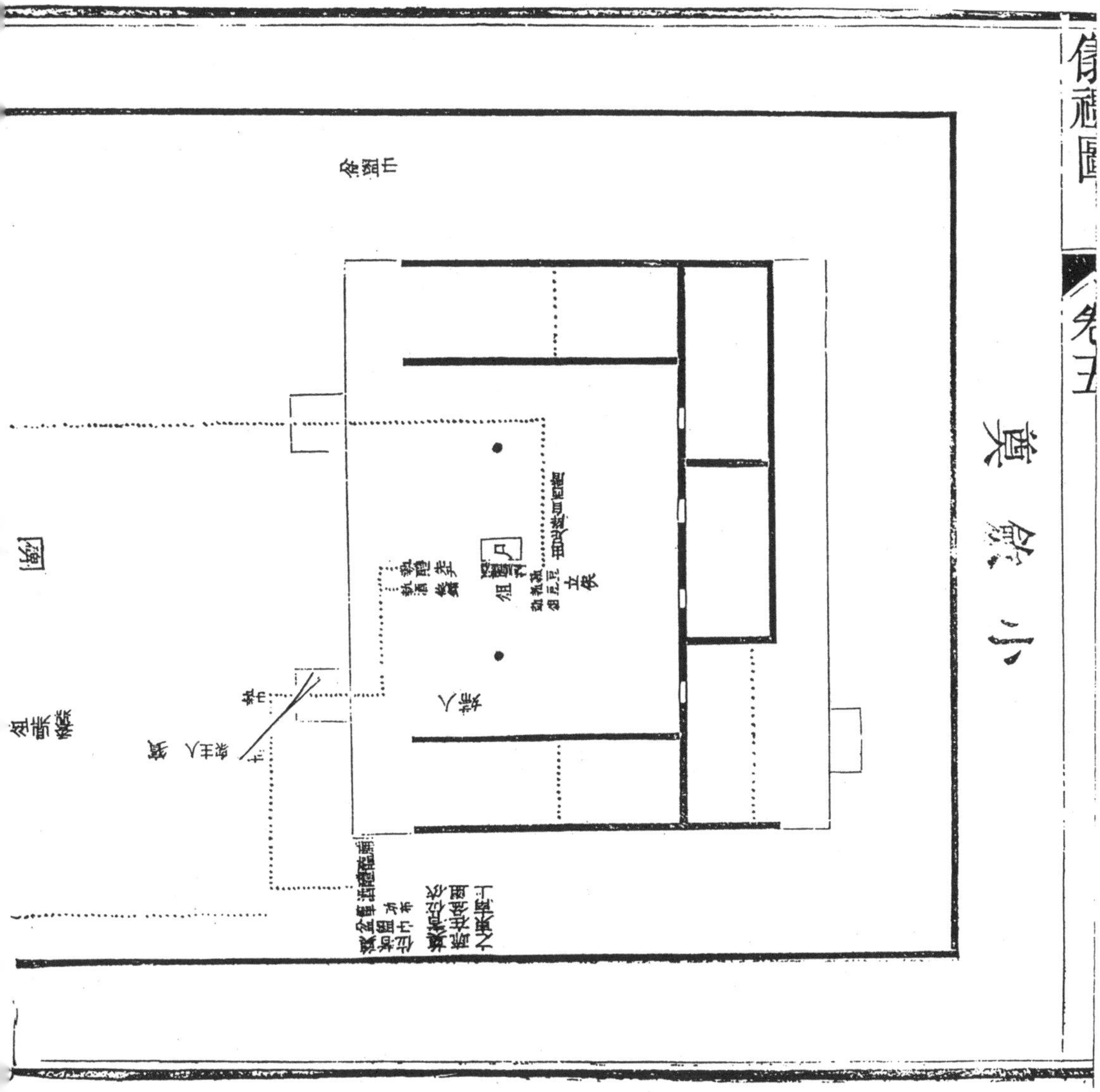

68_ 酒醴脯醢 : 黃以周의 《禮書通故》에는 醴와 酒의 위치가 뒤바뀌어 있다. 〈사상례〉21. 주⑲, 〈그림 26〉.
69_ 〈사상례〉21.
70_ 〈사상례〉21. 주⑯⑲.
71_ 〈사상례〉21. 주⑱. 敖繼公에 따르면 가장 서쪽의 豆는 실제로는 籩을 들었던 사람이다.
72_ 〈사상례〉21. 주⑳.
73_ 〈사상례〉21. 주㉑. 黃以周는 奠物을 올린 사람들의 자리를 가공언의 소를 따라 盆盥의 동쪽으로 보지 않고 敖繼公의 설을 따라 寢門 동쪽으로 보았다.
74_ 〈사상례〉18. 주②. 黃以周의 《禮書通故》에는 盆盥巾이 남향으로 되어 있다.
75_ 〈사상례〉21. 주⑮.
76_ 〈사상례〉21.
77_ 〈사상례〉21. 주⑥. 黃以周의 《禮書通故》에는 俎가 鼎의 서쪽에 북향으로 되어 있다.
78_ 〈사상례〉23.
79_ 〈사상례〉21. 주㉑.

• 부록 4-2 • 張惠言의 《儀禮圖》 卷5 〈士喪禮〉

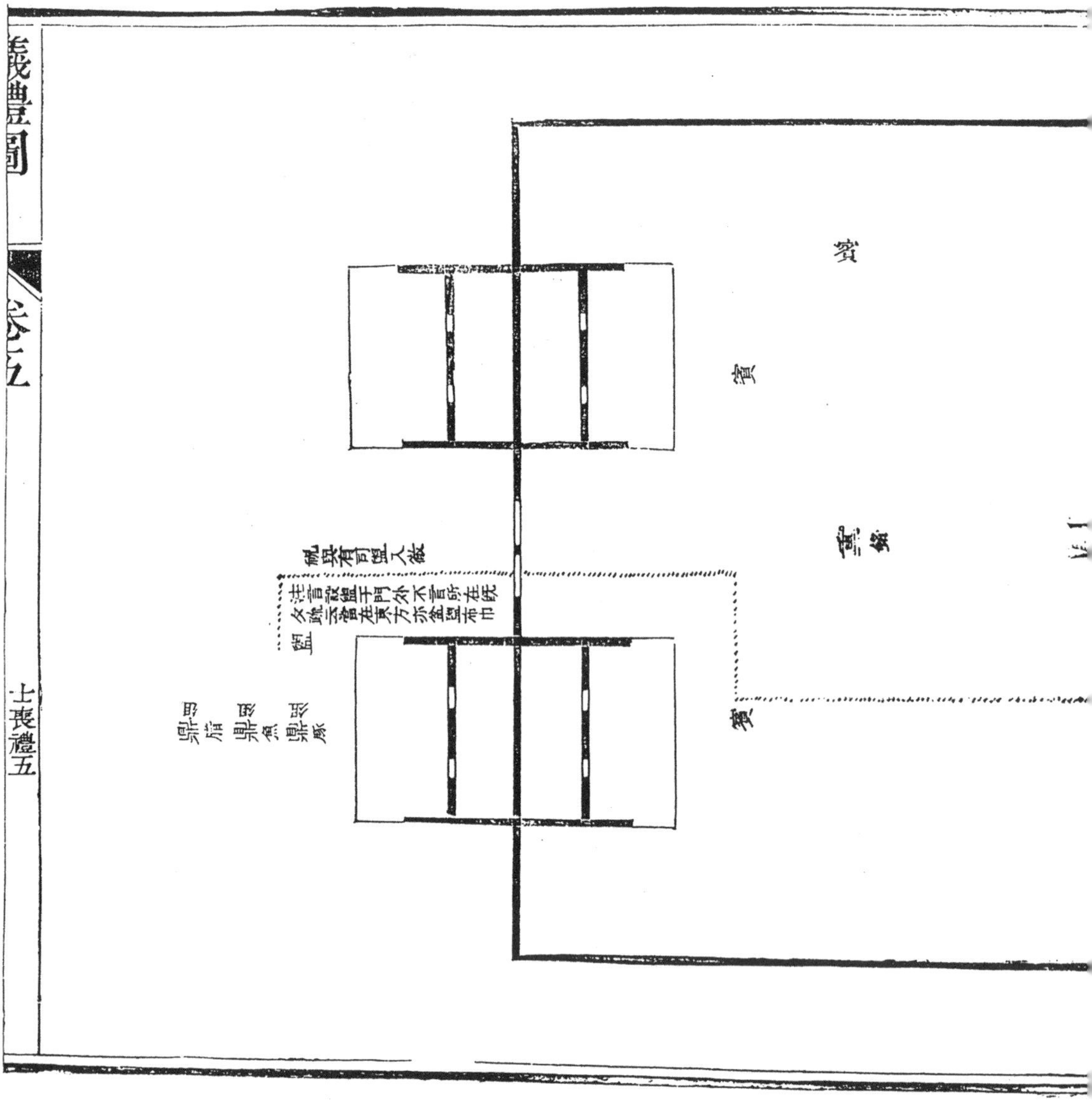

東房 : 絞·紟·衾·衾·君襚·祭服 / 散衣·庶襚·凡三十稱[80]
堂上
東序端 : 婦人 / 旣徹, 尸西東面.[81]
東楹西 : 祝授巾[82] / 執巾者[83]
尸東 : 俎 / 酒·醴·脯·醢[84]
尸北 : 先取醴､酒, 北面立俟.[85] / 出于足, 降自西階.[86]
西序端 : 肂[87] / 棺入置于肂中[88]
庭
東坫東 : 棜南順 / 籩·豆·醴·酒 / 籩·豆·篚 / 燭 // 奠席 / 斂席[89]
西坫西 : 盆盥 巾[90] / 出注
西坫南 : 熬四筐[92]
阼階南 : 執巾俟[93] / 旣徹, 主人及親者升自西階, 出于足, 西面.[92] // 主人 / 衆主人 / 賓
西階下 : 向東適饌[94] // 疏云 : "執豆東上,事訖,向東爲便." 案經朝夕哭徹奠, 由主人之

80_ 〈사상례〉24.
81_ 〈사상례〉26. 주②.
82_ 〈사상례〉25. 주③.
83_ 〈사상례〉25. 주③.
84_ 〈사상례〉21. 주⑲, 〈그림 26〉. 黃以周의 《禮書通故》에는 醴와 酒의 위치가 뒤바뀌어 있다.
85_ 〈사상례〉25. 주④.
86_ 〈사상례〉25. 주⑥.
87_ 〈사상례〉24. 주⑱. 黃以周의 《禮書通故》에는 肂가 북향으로 되어 있다.
88_ 〈사상례〉24. 주⑱, 27. 주①.

〈陳大斂衣徹奠〉

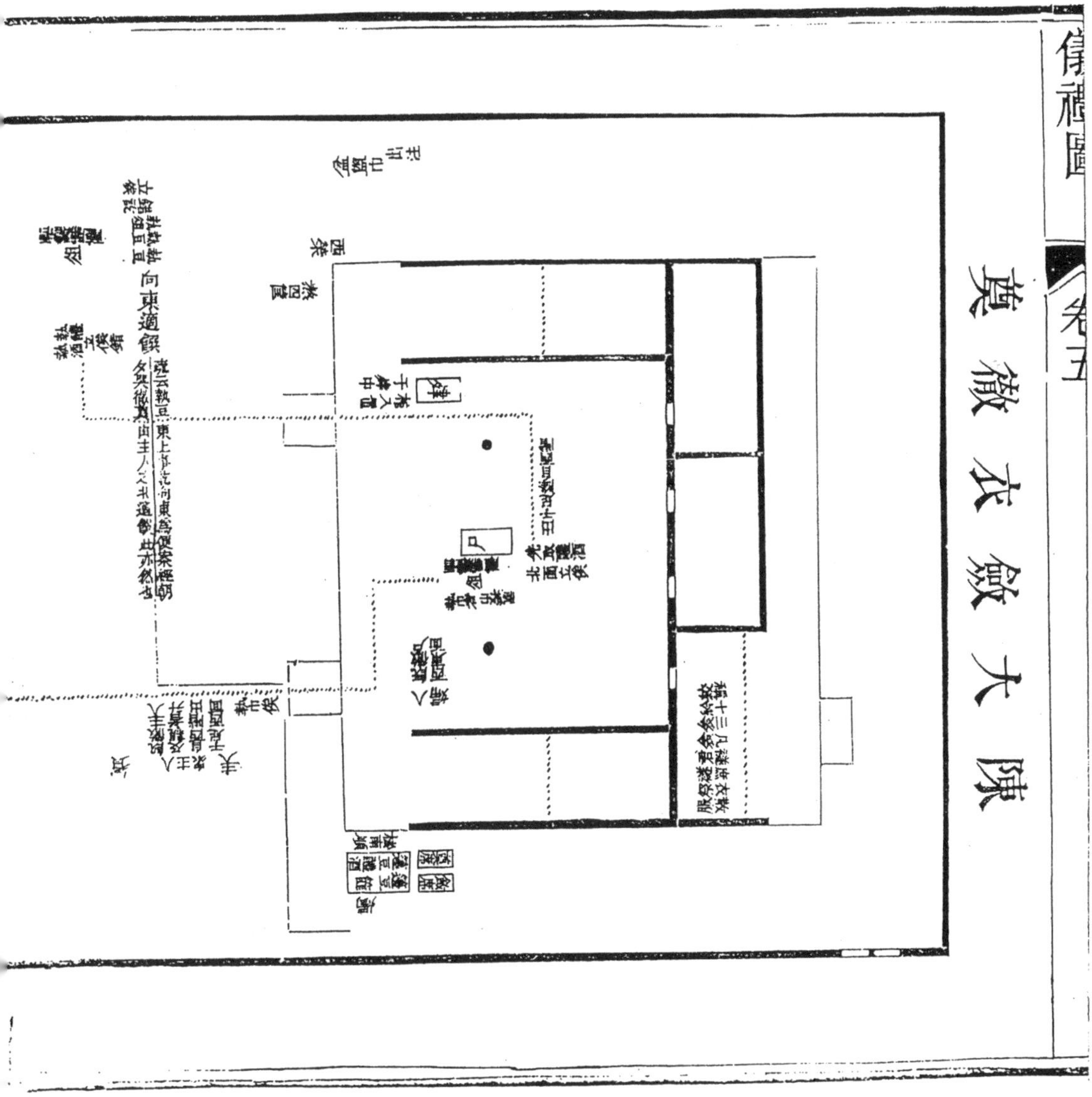

北適饌, 此亦然也.[95]

執醴 / 執酒 // 立俟錯

執豆 / 執豆 / 執俎 / 錯訖立俟[96]

酒·醴·脯·醢[97] / 俎

寢門外

祝與有司盥入徹 // 盥 / 注言"設盥于門外", 不言所在. 《旣夕》疏云 "當在東方", 亦盆盥布巾.[97]

89_〈기석례〉24. 〈그림 27〉〈그림 28〉. 黃以周의 《禮書通故》에는 奠物의 위치가 다르다.

90_〈사상례〉18. 주②. 黃以周의 《禮書通故》에는 盆盥巾의 방향이 남향으로 되어 있다.

91_〈사상례〉24. 주⑳.

92_〈사상례〉25. 주③.

93_〈사상례〉26.

94_〈사상례〉25. 주⑨.

95_〈사상례〉25. 주⑨.

96_〈사상례〉25.

97_〈사상례〉21. 주⑲. 〈그림 26〉. 黃以周의 《禮書通故》에는 醴와 酒의 위치가 뒤바뀌어 있다.

98_〈사상례〉25. 주①.

• 부록 4-2 • 張惠言의 《儀禮圖》 卷5 〈士喪禮〉

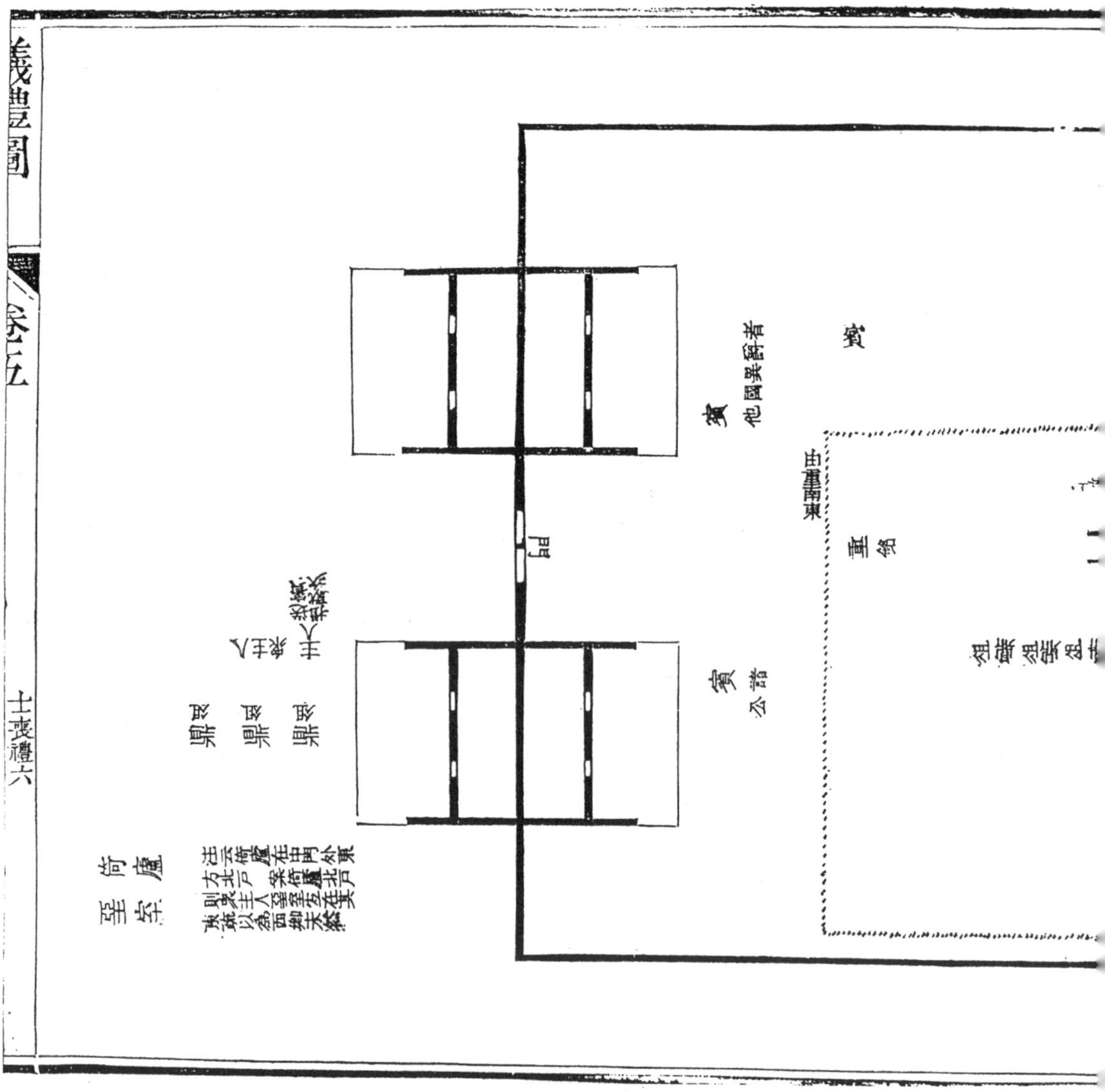

室

戶北：執醴 / 執酒 // 北面俟錯[99]

北墉下 ： 燭 // 燭南面, 見注. 《記》曰 : "巾奠, 執燭者滅燭, 出, 降自阼階, 由主人之北, 東."[100]

席南：巾[101]

席東：醴·栗·菹·醢 / 酒·脯 / 豚 / 魚 / 腊[102]

堂上

戶外：旣錯者出立戶西, 西上, 俟祝.[103]

東序端：主人 // 依《大記》, 主人視斂在序端.[104]

大斂席東：主人憑尸[105]

大斂席西 ： 主婦憑尸[106]

大斂席南：婦人復位[107]

兩楹間：奠由楹內, 入于室[108]

尸東：親者 / 主人[109]

尸西：婦人[110]

西楹北：由楹西, 降自西階.[111]

肂棺東·南·西·北：熬[112]

99_ 〈사상례〉28. 주⑨.

100_ 〈사상례〉28. 주①. 〈기석례〉24. 본문 주⑱ 뒤.

101_ 〈사상례〉28. 주②.

102_ 〈사상례〉28.

103_ 〈사상례〉28. 주⑮.

104_ 〈사상례〉26. 주④.

105_ 〈사상례〉26.

106_ 〈사상례〉26.

107_ 〈사상례〉27.

108_ 〈사상례〉28. 주⑧.

109_ 〈사상례〉26. 주③.

110_ 〈사상례〉26. 주②.

111_ 〈사상례〉28.

〈大斂殯〉

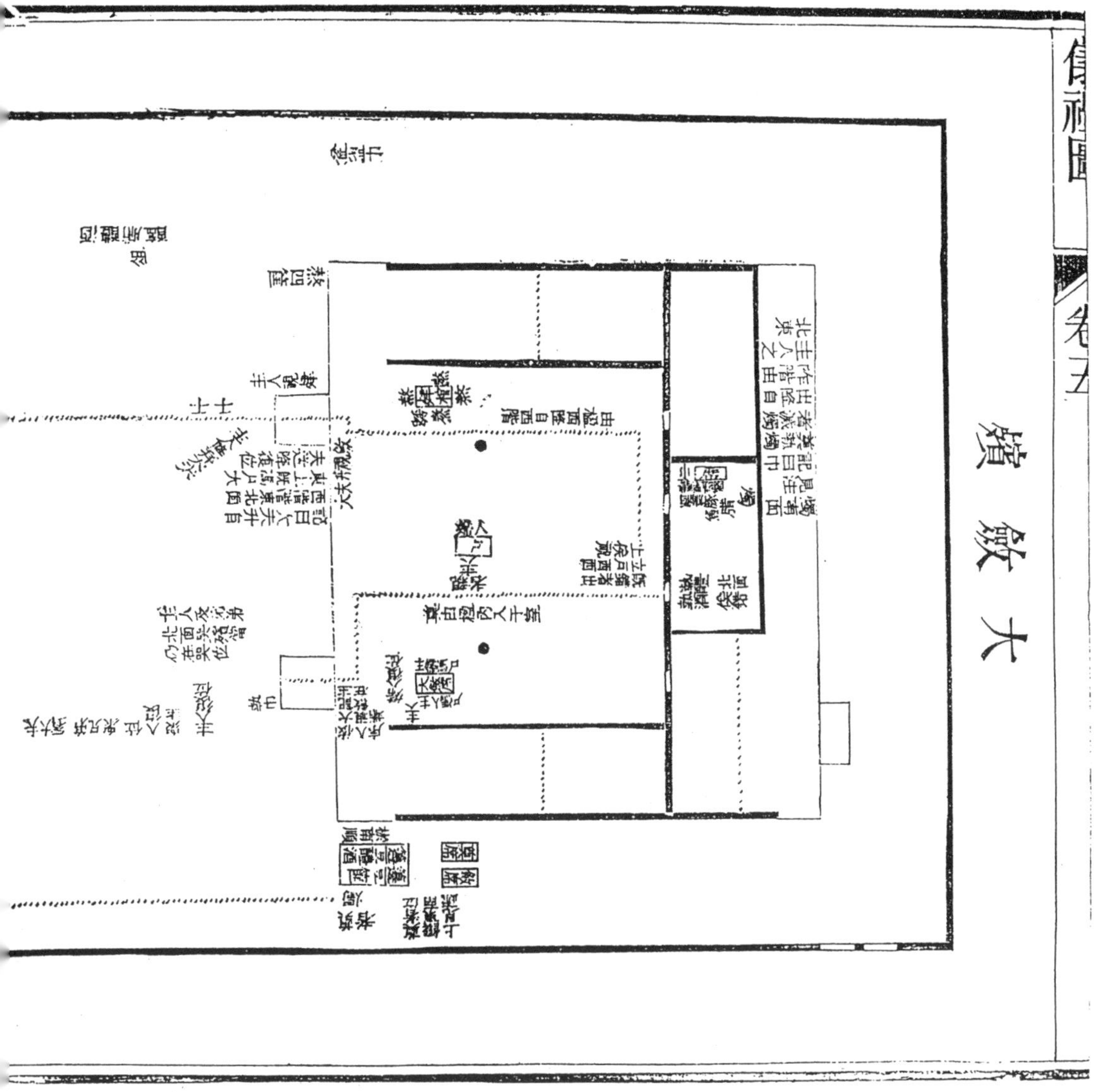

肂棺東：銘[113]
西階上：大夫共視斂 //《記》曰："大夫升自西階, 階東北面, 東上. 既馮尸, 大夫逆降, 復位."[114]
庭
阼階下：執巾[115] // 主人復位[116] / 衆主人復位[117] / 衆兄弟 / 賓大夫 // 主人及兄弟北面哭殯, 當仍在哭位.[118]
西階南：主人降拜大夫[119]
西階西：主人視肂[120]
西牆下：醢·脯·醴·酒[121] / 俎
寢門外
東：主人 / 送賓揖, 就次 // 衆主人[122]
東牆下：倚廬 / 堊室 // 注云："倚廬在中門外東方, 北戶." 案倚廬北戶, 則衆主人堊室宜在其東. 疏以爲西鄉, 未然.[122]

112_〈사상례〉27. 주⑤.
113_〈사상례〉27. 주⑦.
114_〈기석례〉24. 주⑯⑰.
115_〈사상례〉25. 주③.
116_〈사상례〉27.
117_〈사상례〉27.
118_〈사상례〉29.
119_〈사상례〉27. 주③.
120_〈사상례〉27. 주④. 黃以周의《禮書通故》에는 주인의 위치가 서쪽 계단의 동쪽으로 되어 있으며 정현의 주를 근거로 장혜언의 이 그림을 틀렸다고 하였다.
121_〈사상례〉25. 주⑦. 黃以周의《禮書通故》에는 醴와 酒의 위치가 뒤바뀌어 있다.
122_〈사상례〉29.
123_〈사상례〉29. 주③. 黃以周의《禮書通故》에는 倚廬 동쪽으로 땅이 없다고 하며 堊室을 倚廬 남쪽에 북향하도록 배치하였다.

• 부록 4-2 • 張惠言의 《儀禮圖》 卷5 〈士喪禮〉

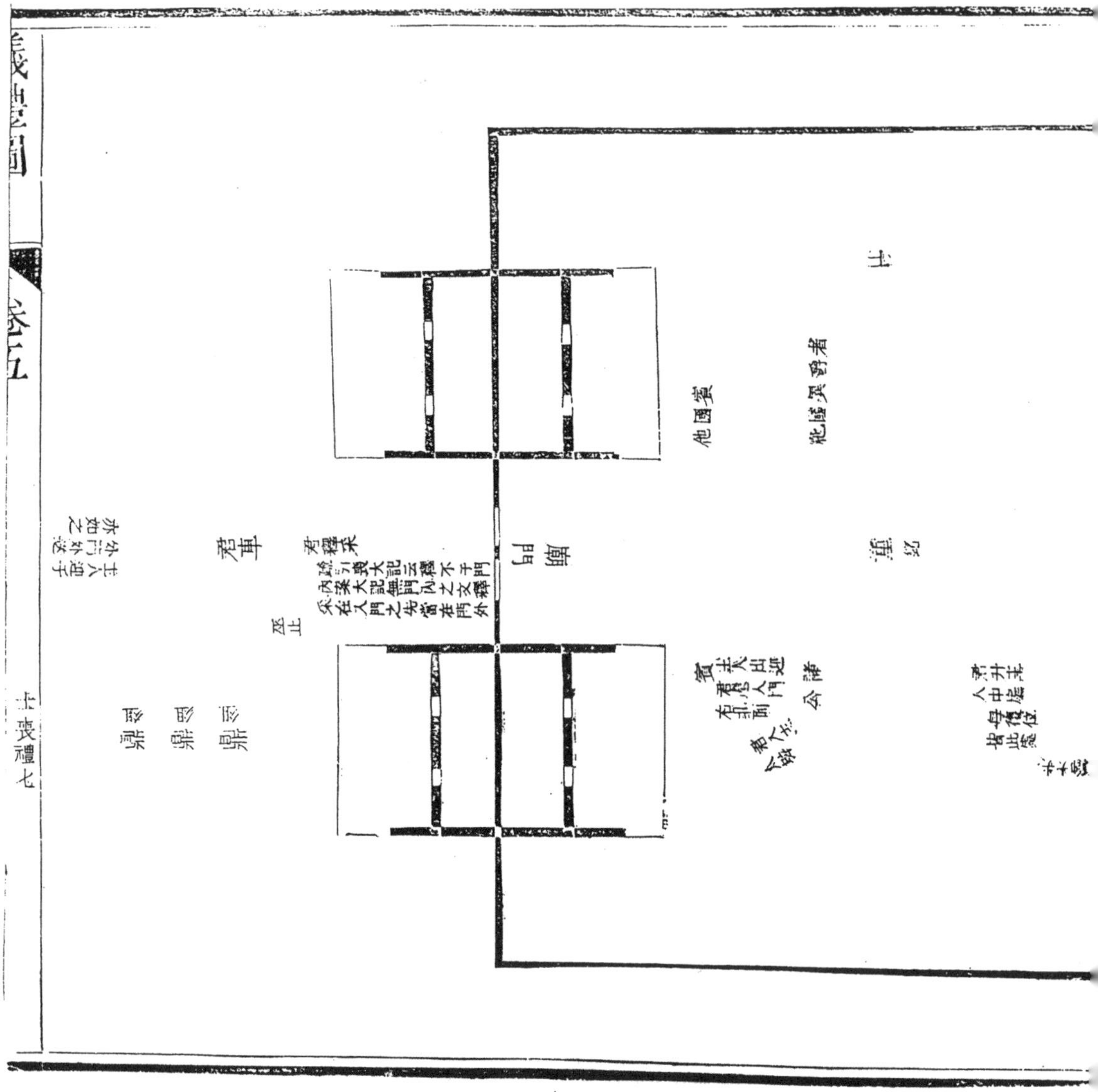

室

奠如常禮, 但升自西階爲異.[124]

堂上

東房外 : 祝[125]

東序南 : 主人憑尸[126] / 布衣[127] / 主婦憑尸[128]

東序端 : 君 / 《大記》云 : "君卽位于序端."

// 《雜記》云: "公視大斂, 公升, 商祝鋪席." 注云: "君至, 爲之改, 始新之."[129]

兩楹間 : 親者 / 主人 / 尸 / 婦人[130]

西楹東 : 主人 / 視斂時位[131]

西楹南 : 公卿大夫[132]

堂廉東 : 執戈 / 執戈 / 執戈 / 執戈[133]

庭

東坫東 : 奠席 // 枕饌 / 燭 / 奠者[134] // 君將降, 衆主人辟于東壁, 南面, 當坫之東.[135]

阼階東 : 執巾[136]

阼階下 : 君降位[137] / 衆主人復位[138] / 主人出迎君[139] / 衆兄弟

西階西 : 主人視塗[140]

西階下 : 士 / 士[141]

124_ 〈사상례〉30. 주㉗.

125_ 〈사상례〉30. 주⑫.

126_ 〈사상례〉30. 주㉒.

127_ 〈사상례〉30. 주②.

128_ 〈사상례〉30. 주㉓.

129_ 〈사상례〉30. 주⑪.

130_ 親者, 主人, 尸, 婦人 모두〈사상례〉26. 주㉓.

131_ 〈사상례〉30. 주⑮. 黃以周의 《禮書通故》에는 주인과 공경대부의 위치가 肂보다 아래쪽 堂廉 가까이 있다.

132_ 〈사상례〉30. 주⑯.

〈君視大斂〉

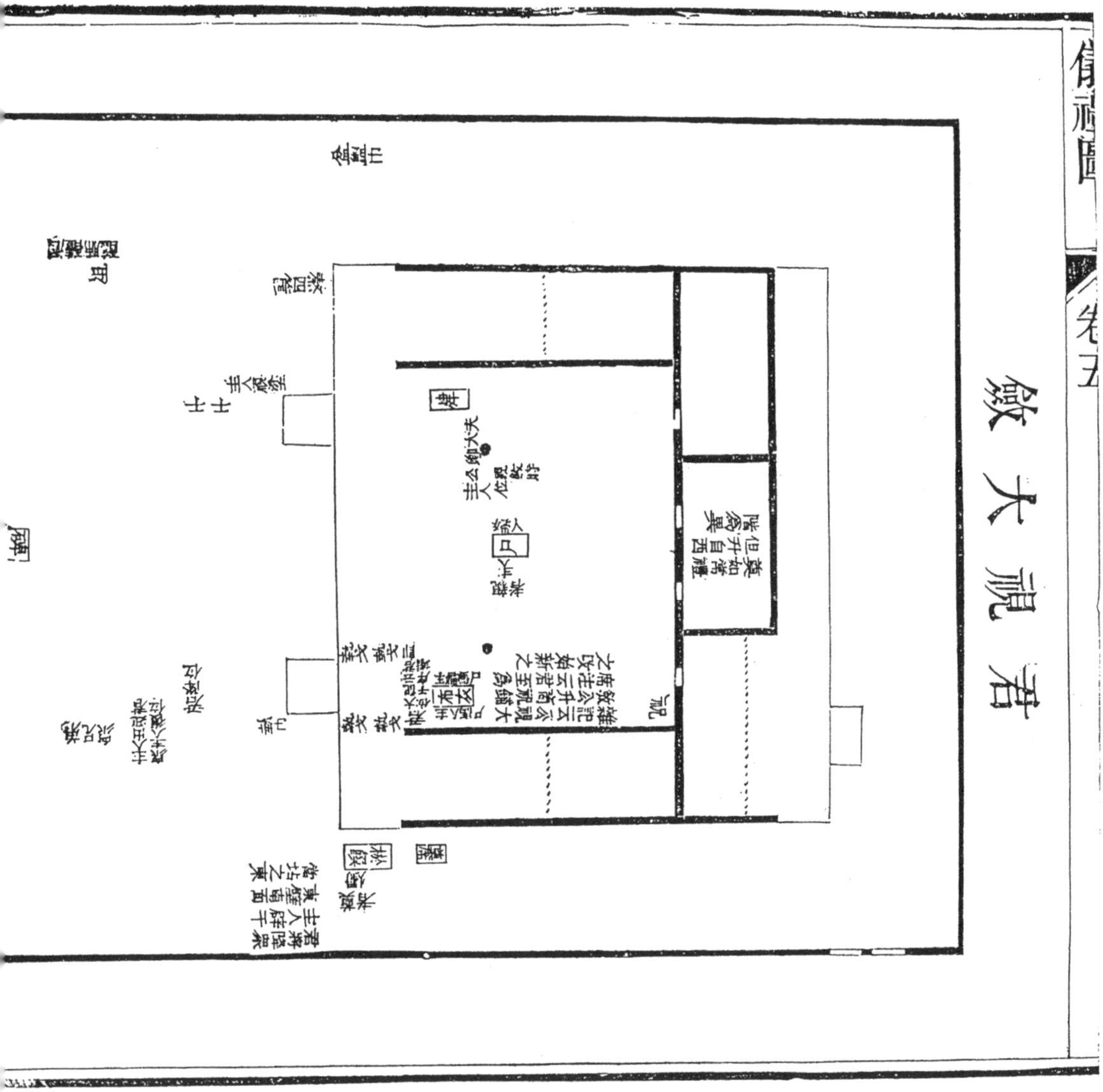

西坫南：熬四筐[142] 西坫西：盆盥巾[143]
西牆：醢·脯·醴·酒 / 俎[144]
重銘東北 ： 卿大夫 / 君升, 主人中庭 / 每復位皆此處.[145]
重銘東南：賓 / 主人出迎君, 還入門右, 北面.[146] / 君入, 主人辟.[147] / 諸公
重銘西南：他國賓[148] / 他國異爵者[149]
寢門外
君釋采[150] / 疏引《喪大記》云 ："釋不(菜)[151]于門內." 案《大記》無門內之文, 釋采在入門之先, 當在門外.
主人迎于外門外, 送亦如之.[152]

133_〈사상례〉30. 주⑧.
134_ 奠席, 梌饌, 燭, 奠者 모두 〈사상례〉24.
135_〈사상례〉30. 주⑳.
136_〈사상례〉25. 주③.
137_〈사상례〉30. 주㉑.
138_〈사상례〉30. 본문 주㉕ 뒤.
139_〈사상례〉30.
140_〈사상례〉30. 주㉕. 黃以周의 《禮書通故》에는 주인이 서쪽 계단 서쪽에서 동북향을 하고 있다.
141_〈사상례〉26. 주⑤.
142_〈사상례〉24. 주⑳.
143_〈사상례〉18. 주②.
144_〈사상례〉25. 주⑦.
145_〈사상례〉30. 주⑭. 黃以周의 《禮書通故》에는 主人의 中庭 위치가 兩階間 碑의 북쪽으로 되어 있다.
146_〈사상례〉30. 주④.
147_〈사상례〉30. 주⑩.
148_〈사상례〉32. 주⑮. 黃以周의 《禮書通故》에는 '他國賓'이 '他國士'와 '公有司'로 구분되어 있다.
149_〈사상례〉32. 주⑮.
150_〈사상례〉30. 주⑨.
151_〈사상례〉30. 주⑨. 통행본 《儀禮注疏》에는 '不'이 '菜'로 되어 있다. 뒤의 내용을 살펴볼 때 '不'은 誤字이다.
152_〈사상례〉30. 본문 주③ 앞.

• 부록 4-2 • 張惠言의 《儀禮圖》 卷5 〈士喪禮〉

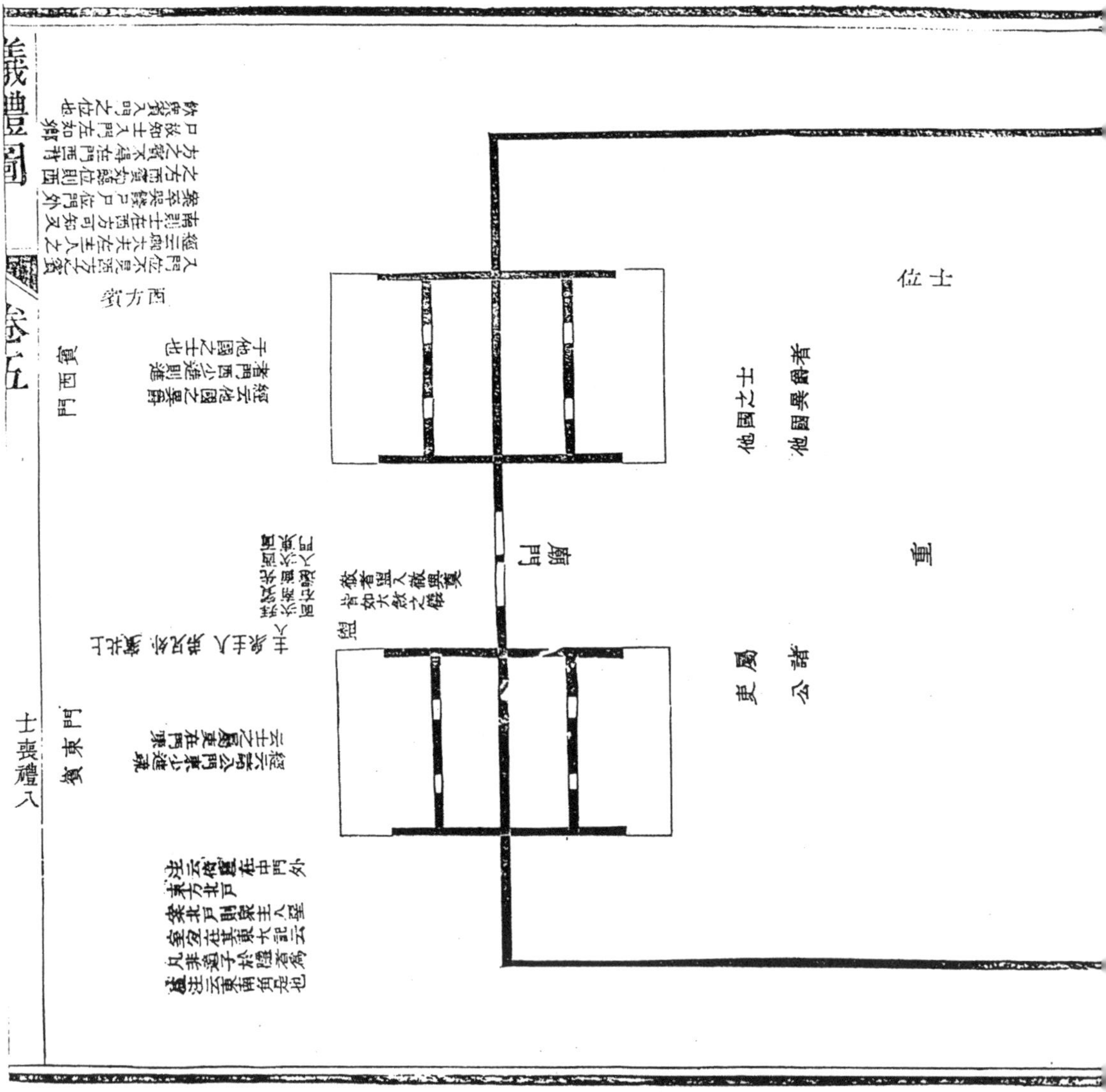

朔奠唯俎籩爲異.
東房
《大記》注云 : "夫人,世婦次于房中." 疏謂"西房", 以推士禮, 則婦人次, 當于東房."[153]
室
席 // 醴栗菹醢 / 酒脯俎俎 / 俎[154]
庭
阼階下 : 主人 // 衆主人 // 外兄弟 / 疏云"外兄弟少退", 未然.[155] // 卿大夫
西階下 : 徹奠設[156]
重西 : 士位
寢門外
兩塾間 : 盥 / 徹者盥入,[157] 徹與奠皆如大斂之儀.[158]
東塾東 : 注云: "倚廬在中門外東方, 北戶."[159] 案北戶, 則衆主人堊室宜在其東.[160] 《大記》云: "凡非適子, 於隱者爲廬." 注云"東南角", 是也.

153_ 〈사상례〉32. 주㉗.
154_ 黃以周의 《禮書通故》에는 醴·酒·脯·醢 4가지만 있으며 席도 북향이 아닌 동향으로 되어 있다. 〈사상례〉32. 주㉒.
155_ 黃以周의 《禮書通故》에는 外兄弟가 衆主人 뒤로 조금 물러나 있다. 〈사상례〉32. 주⑬.
156_ 〈사상례〉32. 주⑳.
157_ 〈사상례〉32. 주⑰.
158_ 〈사상례〉32. 주㉔.
159_ 〈상복〉1. 주㉖.
160_ 〈사상례〉29. 주③.

〈朝夕哭〉

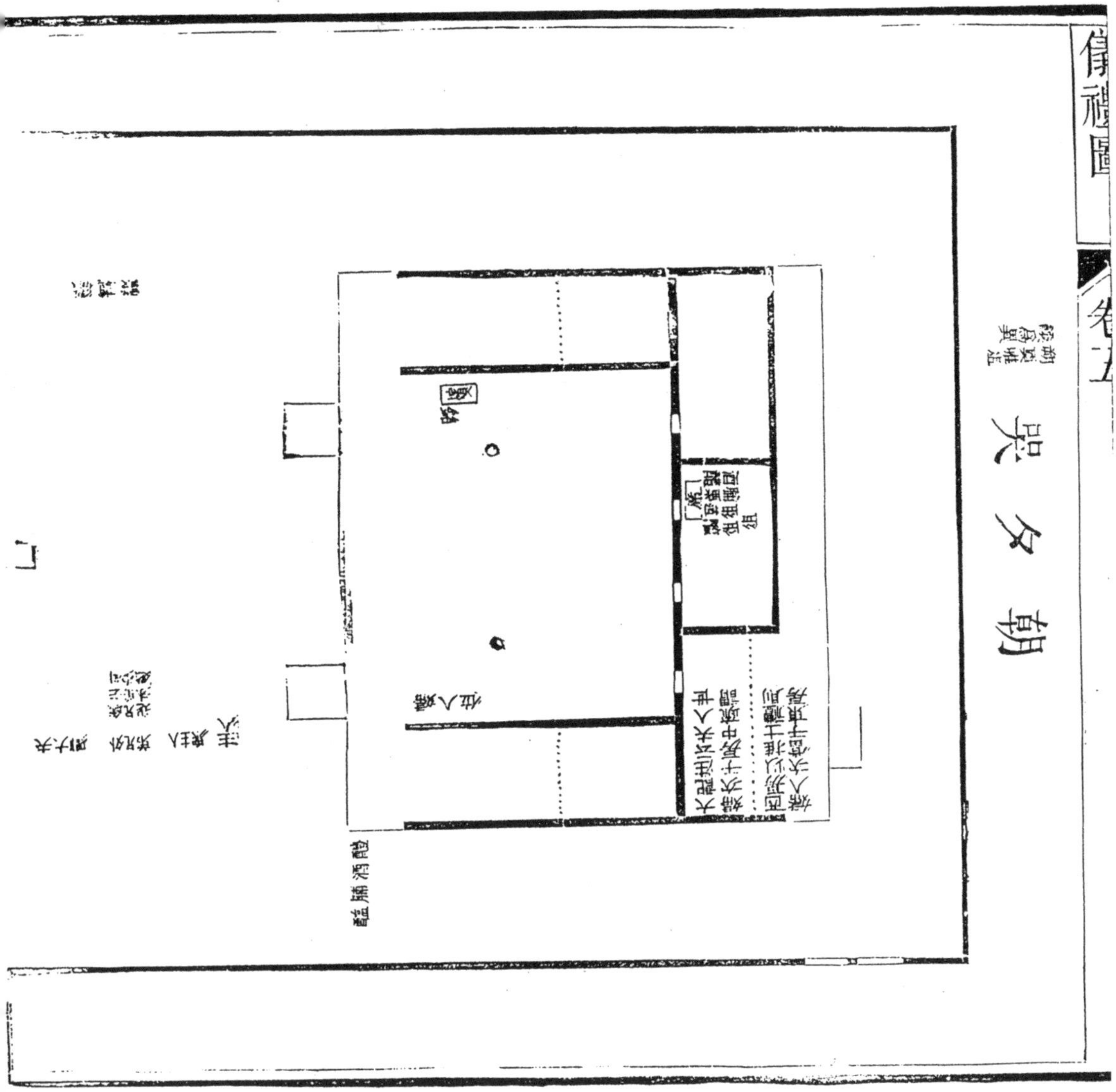

東塾南：經云: "諸公門東, 少進."[161] 疏云: "士之屬吏在門東."
東塾西：主人 / 拜賓先西面, 次南面, 次東面, 右還入門.[162] // 衆主人 / 外兄弟 / 賓 北上[163]
西塾南：經云"他國之異爵者, 門西少進",[164] 則進于他國之士也.
西塾西：西方賓 / 入門位, 不見西方之賓. 經云"卿大夫在主人之南", 則士在西方可知. 又案卒哭餞尸, 尸位門外之右而賓如臨位, 則西方之賓不得在門西背尸, 故知士入門左, 如《鄉飮》衆賓入門之位也.[165]

黃以周의《禮書通故》에서는 倚廬 동쪽에는 堊室을 둘 땅이 없다고 하여 악실을 의려 남쪽에 두었다.
161_〈사상례〉32. 주⑭.
162_〈사상례〉32. 주⑪.
163_〈사상례〉32. 주③④⑤.
164_〈사상례〉32. 주⑮.
165_〈사상례〉32. 주⑬⑭.

• 부록 4-2 • 張惠言의 《儀禮圖》 卷5 〈士喪禮〉

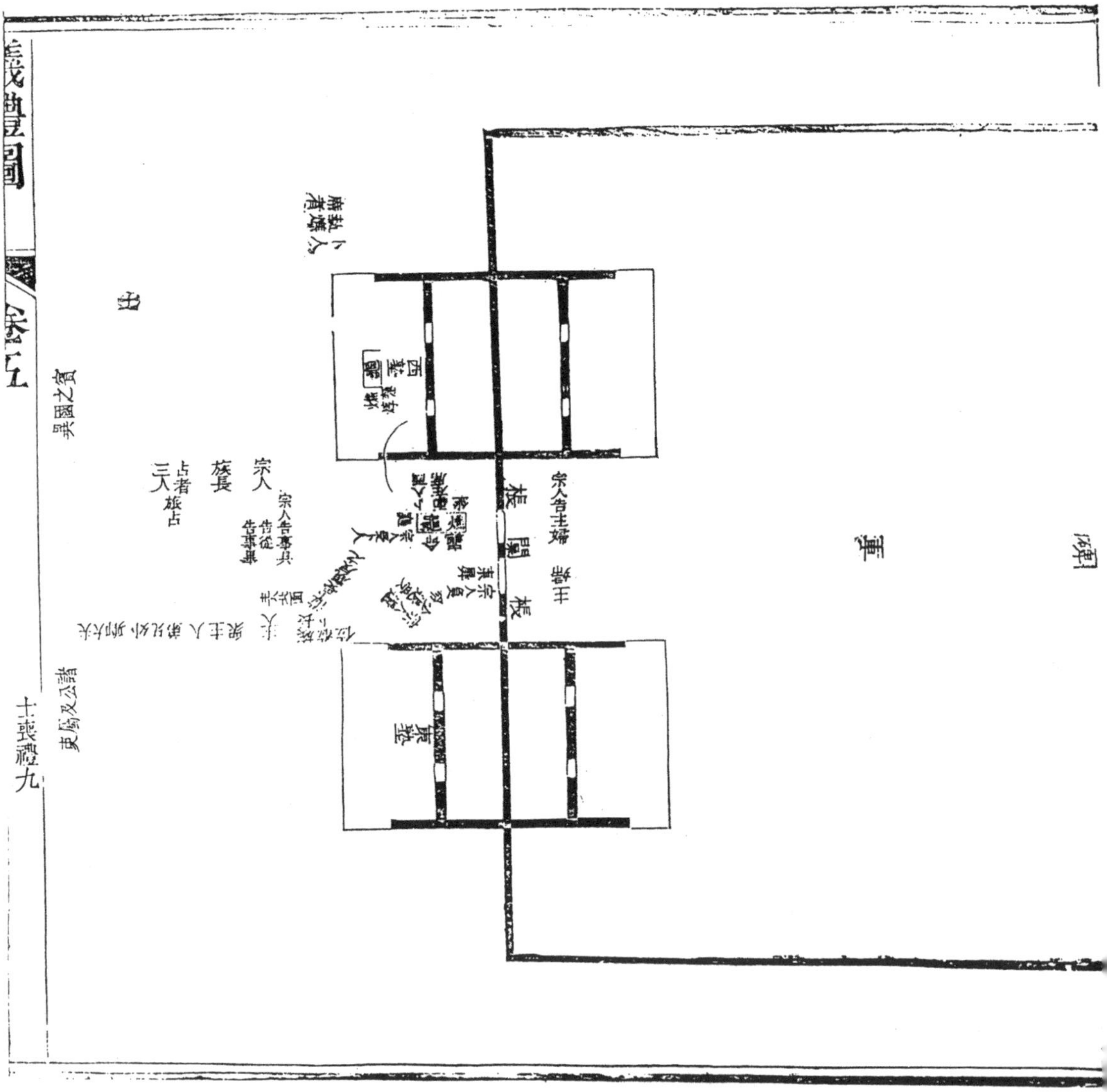

室：酒醴脯醢[166]
堂上：殯[167] 銘
庭
西階下：主人哭[168]
兩塾間：宗人告主婦[169] / 主婦[170]
寢門外
闑東：宗人負東扉[171] / 宗人還, 少退受命.[172]
闑西：龜命[173] / 燋 龜[174] / 卜人西面, 在席坐.[175]
燋龜南：宗人受卜人龜[176]
東塾西：旅長涖卜位[177] / 涖卜受視, 反之.[178] // 主人 / 主人北面[179] // 衆主人 / 外兄弟 / 卿大夫
西塾東： 宗人 / 宗人告事具[180] / 告從[181] / 告事畢[182] // 族長[183] // 占者三人 / 旅占[184]
西塾西：卜人 / 執燋席者[185]
西塾： 龜 / 燋 / 楚焞[186]

〈卜日〉

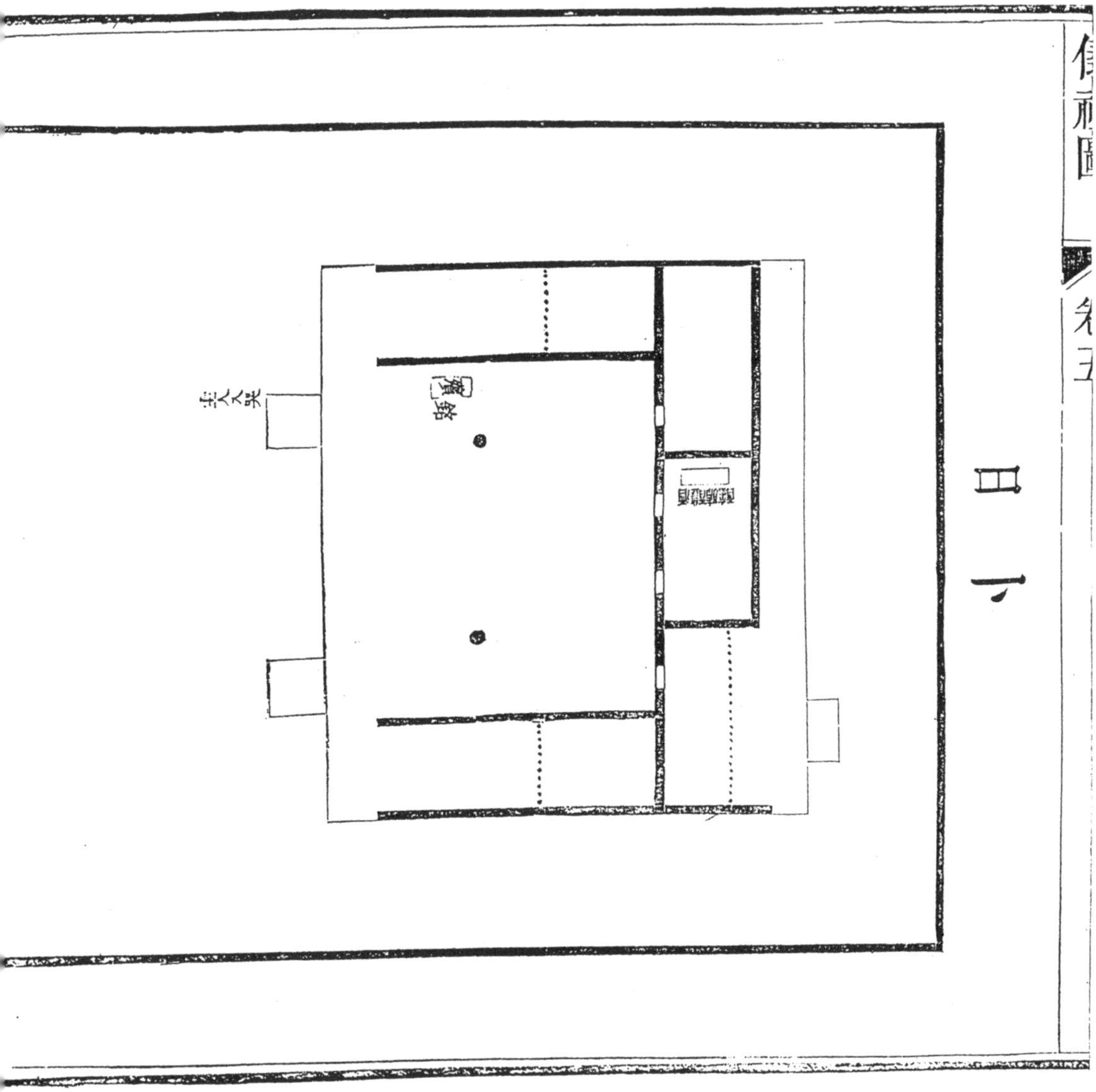

166_ 黃以周의 《禮書通故》에는 醴와 酒의 위치가 뒤바뀌어 있다.
167_ 黃以周의 《禮書通故》에는 殯이 북향으로 되어 있다. 〈사상례〉24. 주⑱ 참조.
168_ 〈사상례〉34. 본문 주⑯ 뒤. 〈사상례〉36. 주㉒.
169_ 〈사상례〉36. 본문 주⑲ 뒤.
170_ 〈사상례〉36. 주⑦.
171_ 〈사상례〉36. 본문 주⑮ 뒤.
172_ 〈사상례〉36. 본문 주⑫ 뒤.
173_ 〈사상례〉36. 주⑮.
174_ 〈사상례〉36. 주⑪.
175_ 黃以周의 《禮書通故》에는 卜人이 동향하도록 되어 있다.
176_ 〈사상례〉36. 본문 주⑮ 뒤.
177_ 〈사상례〉36. 주③.
178_ 〈사상례〉36. 본문 주⑫ 뒤.
179_ 〈사상례〉36. 주⑨.
180_ 〈사상례〉36. 본문 주⑧ 뒤.
181_ 〈사상례〉36. 본문 주⑲ 뒤.
182_ 〈사상례〉36. 본문 주㉑ 뒤.
183_ 〈사상례〉36.
184_ 〈사상례〉36. 본문 주⑱ 뒤. 黃以周의 《禮書通故》에는 闑 서쪽에 있는 卜人의 좌우에서 旅占하도록 되어 있다.
185_ 〈사상례〉36. 주⑥.
186_ 〈사상례〉36. 주①②.

• 부록 4-2 • 張惠言의《儀禮圖》卷5〈旣夕禮〉

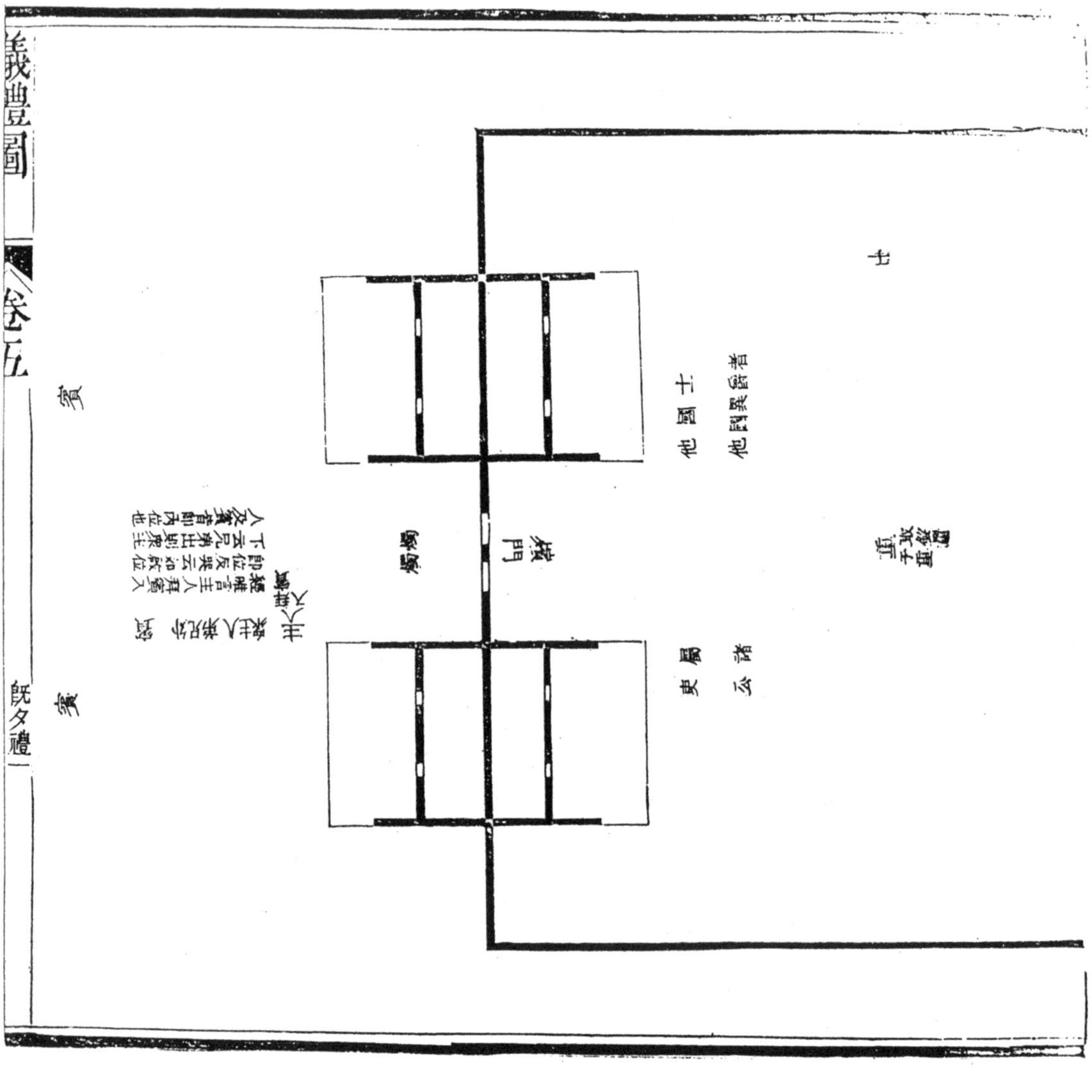

室
北墉下：一燭照徹奠[187]
席東：酒·醴·脯·醢
堂上
東序端：婦人[188]
西楹南：一燭照啓殯[189]
西序下：殯 / 銘
西序端：商祝拂柩[190]
庭
阼階下：主人 / 衆主人 / 外兄弟 / 卿大夫
兩階間：輁軸 / 見《記》.[191]
西階：商祝聲啓[192]
西階西南：疏云: "徹奠不言所置, 亦序西南可也." 案此執以待, 還殯不設, 其待之處, 則序西南可.[193]

〈啓殯〉

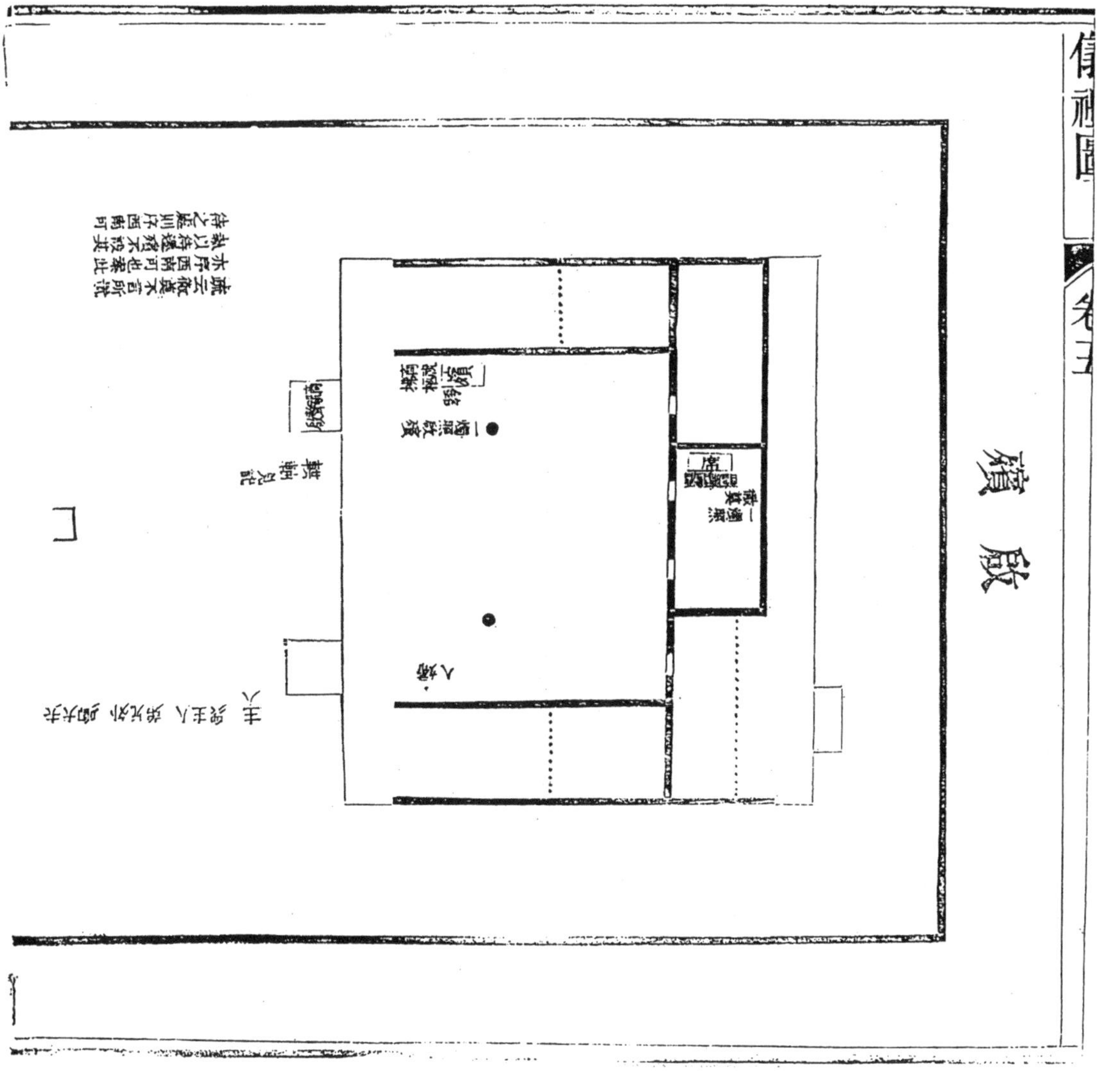

碑南：重 / 取銘置于重[194]
門東：屬吏 / 諸公
門西：他國士 / 他國異爵者
寢門外
兩塾間：燭 / 燭[195]
東塾西：主人 / 拜賓入 / 經唯言"主人拜賓, 入即位",[196] 反哭云"如啓位",[197] 下云"兄弟出",[198] 則衆主人及賓, 皆卽內位也. // 衆主人 // 外兄弟 // 賓

187_〈기석례〉3. 주⑤.
188_〈사상례〉32. 주②.
189_〈기석례〉3. 주⑤.
190_〈기석례〉3.
191_〈기석례〉28. 주②.
192_〈기석례〉3. 주③-④.
193_〈기석례〉3. 주⑥.
194_〈기석례〉3. 주⑥.
195_〈기석례〉3.
196_〈기석례〉3. 주②.
197_〈기석례〉16. 주⑦.
198_〈기석례〉16. 주⑧.

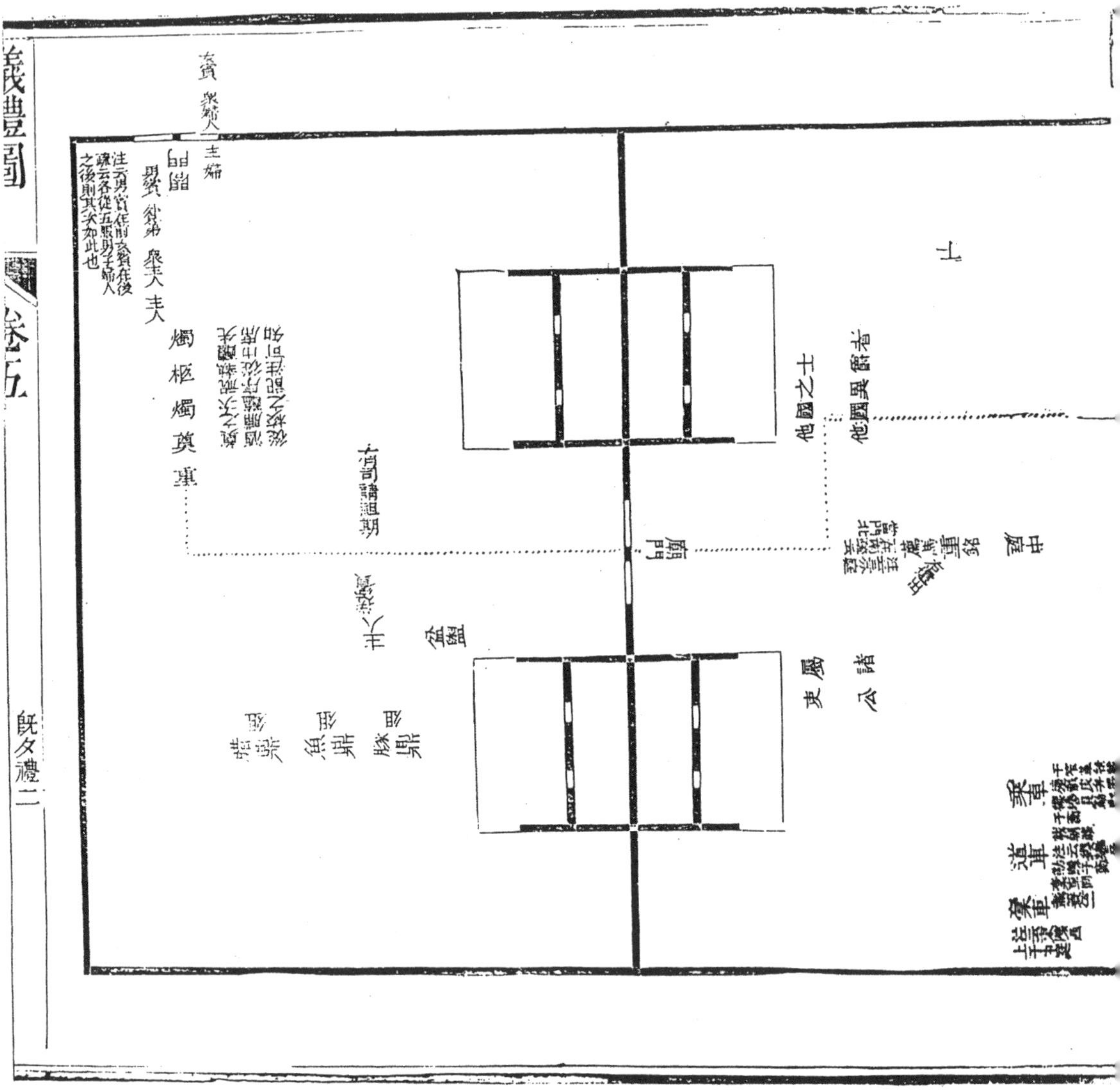

〈正柩〉

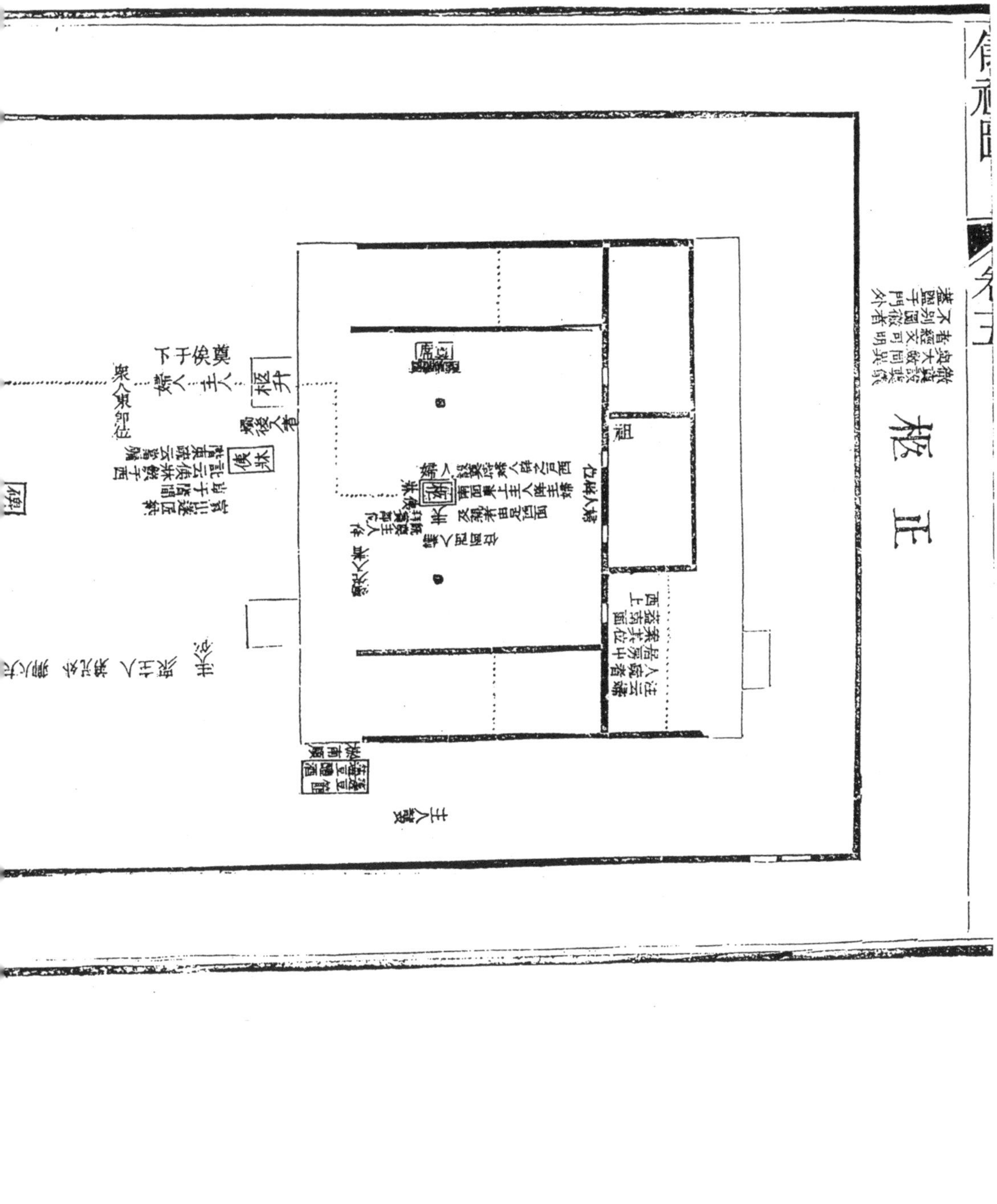

徹奠、設奠儀與大斂同, 異者經文可明, 不別圖. 徹者蓋臽于門外.[199]
東房：注云: "婦人疏者居房中."[200] 案其位蓋南面, 西上.
堂上
戶牖間：婦人辟位 // 設奠席, 婦人辟之戶西, 南面東上. 主人降, 主婦及親者, 由足西面.[201]
柩東：主人[202] / 婦人西面位[203]
柩南：旣奠, 主人降, 拜賓卽位.[204] / 侇牀[205]
柩西：婦人[206]
西序前：酒 醴 脯 醢 / 奠席
堂廉：燭先入者[207]
庭
阼階東：主人位 / 衆主人 / 外兄弟 / 卿大夫
東坫東：椸南順 / 籩豆醴酒 籩豆篚[208] // 主人襲[209]
兩階間：侇牀[210] / 賓出, 遂、匠納車于階間.[211] /《記》云: "侇牀饌于西階東." 疏云: "當牖."[212]
西階東：燭後入者[213]
西階：柩升[214]
西階南：主人[215] / 婦人[216] / 衆人東卽位[217] // 奠俟于下[218]

199_〈기석례〉2. 주① 뒤, 5. 주③.
200_〈기석례〉4. 주⑮.
201_〈기석례〉4. 주⑮. 黃以周의《禮書通故》에는 부인의 辟位를 柩의 서북쪽에 오도록 하였다.
202_〈기석례〉4. 주⑩ 뒤.
203_〈기석례〉4. 주⑮. 黃以周의《禮書通故》에서는 부인이 柩 동쪽 주인의 뒤에 있는 장혜언의 圖를 오류로 보았다. 황이주는 부인의 위치를 동쪽 계단 위쪽 東序下에 오도록 하였다.
204_〈기석례〉4. 주⑭.
205_〈기석례〉4. 주⑩.
206_〈기석례〉4. 주⑦.
207_〈기석례〉29. 주④.
208_〈기석례〉2. 주②.
209_〈기석례〉4. 주⑭. 黃以周의《禮書通故》에는 주인이 襲을 하는 위치가 東坫 동남쪽에 있다.
210_〈기석례〉2. 주③.
211_〈기석례〉34. 주①.
212_〈기석례〉28. 주②.
213_〈기석례〉29. 주④.
214_〈기석례〉4. 주④.
215_〈기석례〉4. 주③.
216_〈기석례〉4. 주③.
217_〈기석례〉4. 주⑧.
218_〈기석례〉4. 주⑤.

東墉下：乘車 / 干、笮、革靾, 載旜, 載皮弁服. 纓、轡、貝勒縣于衡.[219]
道車 / 載朝服[220] / 注云: "纓、轡及勒, 縣于衡. 稾車同."[221]
稾車 / 載蓑笠[222]
注云: "東陳, 西上于中庭."[223]
中庭南：銘[224] 重 / 薦馬[225] / 注云: "三分庭一在南." 疏云: "當門北." // 右還出[226]
門東：屬吏 / 諸公
門西：他國之士 / 他國異爵者
廟門外
東塾南：豚鼎 俎 / 魚鼎 俎 / 腊鼎 俎
東塾西：盆盥[227] / 主人送賓[228]
西塾東：有司請祖期
西塾南：燭 柩 燭 奠 重[229] // 奠之次, 祝執醴先, 酒、脯、醢序從, 巾、席從. 校之《記》注, 可知.[230]
閤門外：衆婦人 / 女賓
閤門內：主婦
閤門東：男賓 / 外兄弟 / 衆主人 / 主人 // 注云: "男賓在前, 女賓在後." 疏云"各從五服男子、婦人之後", 則其次如此也.[231]

219_〈기석례〉31. 주①–⑥.
220_〈기석례〉31. 주⑦.
221_〈기석례〉31. 주⑥.
222_〈기석례〉31. 주⑧.
223_〈기석례〉5. 주①.
224_〈기석례〉4. 주⑪.
225_〈기석례〉5. 주⑥.
226_〈기석례〉5. 주⑨, 〈기석례〉8. 주⑪. 黃以周의 《禮書通故》에는 重을 오른쪽으로 돌리는 것으로 되어 있는데, 오류로 보인다.
227_〈기석례〉2. 주① 뒤.
228_〈기석례〉5. 주⑩.
229_〈기석례〉4. 주②.
230_〈기석례〉4. 주②, 〈기석례〉30. 주①.
231_〈기석례〉4. 주③.

• 부록 4-2 • 張惠言의《儀禮圖》卷5〈旣夕禮〉

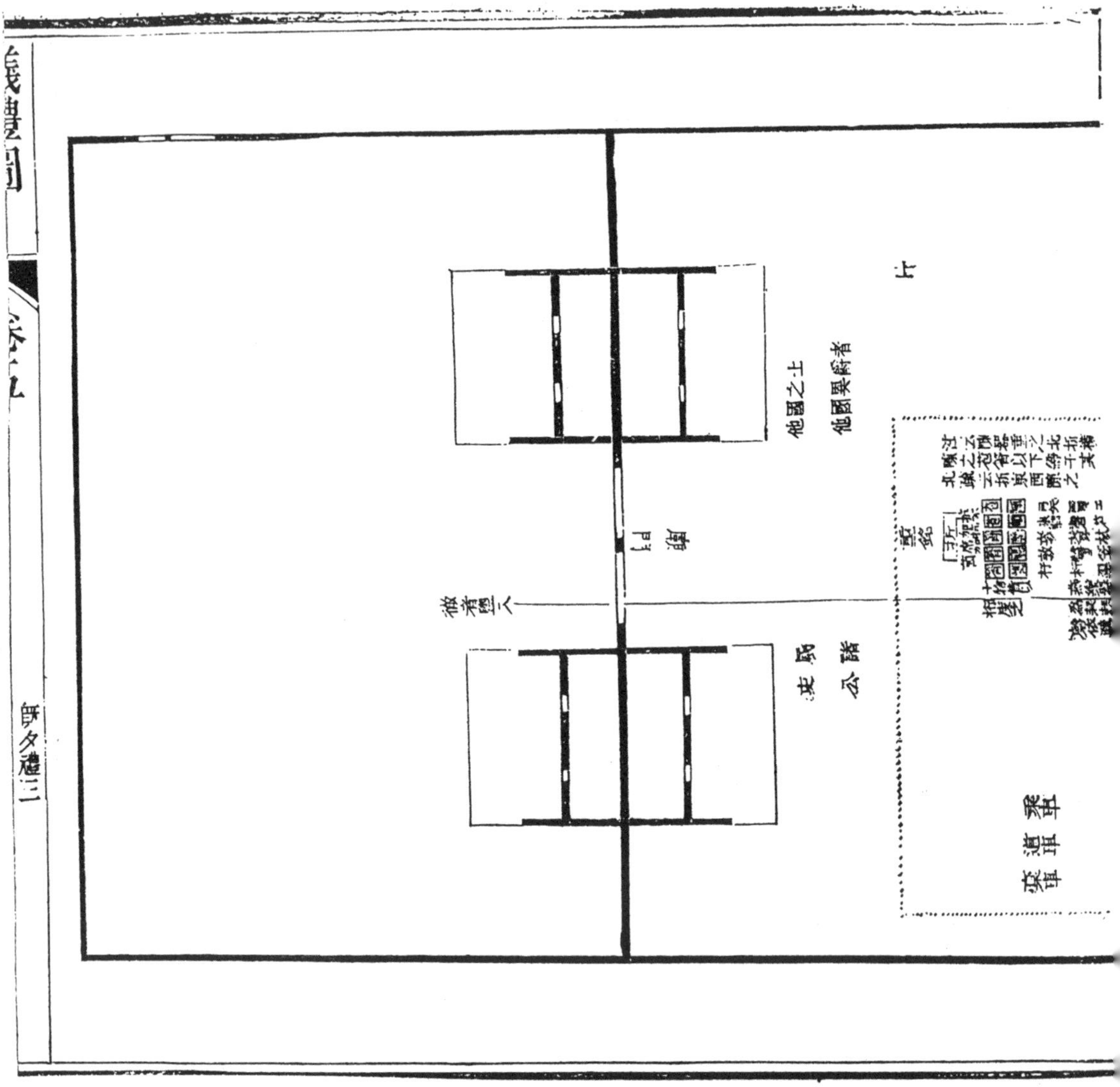

東房：婦人

堂上

北：執奠, 戶西南面, 東上.[232]

西楹西：席 / 醴 脯 菹 醢 / 酒 栗 / 俎 俎 俎[233]

西楹南：載時, 使人執奠, 卒束, 降奠.[234]

柩東：婦人[235]

庭

阼階東：主人[236] / 疏云"主人立當前束", 則進而北也.[237] // 主人 / 衆主人 / 外兄弟 / 卿大夫

兩階間：載柩 / 柩車[238]

西階東：席 / 醴 脯 菹 醢 / 酒 栗 / 俎 俎 俎[239] // 西面徹.[240] 其儀當如徹大斂奠.[241] // 注云: "徹者由明器北."

西階南：俟 // 執巾 / 執席[242] // 奠由重南東[243]

陳器圖[244]西：注云: "陳器: 重之北, 折橫陳之, 苞、筲以下, 緖于其北." 疏云: "折, 東西陳之."[245]

陳器圖[246]東：燕、樂器蓋疑. 瑟、磬依疏.[247]

廟門外

徹者盥入[248]

〈載〉

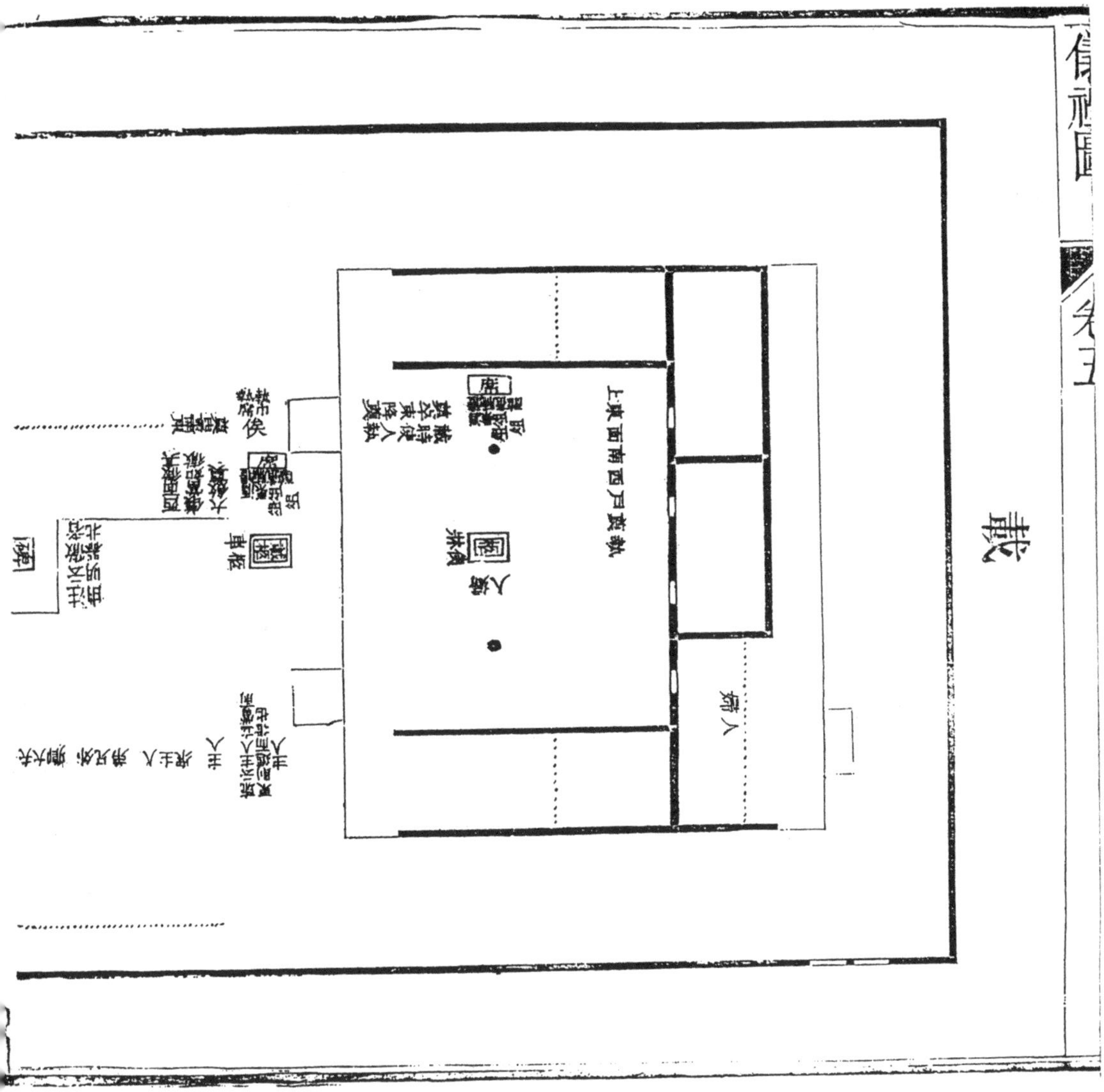

232_〈기석례〉31. 주⑩.
233_〈기석례〉5. 주④.
234_〈기석례〉6. 주③④.
235_〈기석례〉4. 주⑮. 黃以周의 《禮書通故》에는 婦人이 東序端 에 서향하도록 하고 있다. 이 위치는 〈朝祖一 正柩〉圖에 따르면 祖廟에 먼저 들어온 부인들이 서는 위치이다.
236_〈기석례〉8. 주⑥⑬. 黃以周의 《禮書通故》에서는 주인의 위치를 남북 두 곳에 있도록 하여 남쪽에서 북쪽으로 柩의 前束 부분에 나아오도록 한 장혜언의 圖를 오류로 보았다.
237_〈기석례〉8. ⑥.
238_〈기석례〉6. 주②.
239_〈기석례〉6. 주④.
240_〈기석례〉8. 주①.
241_〈사상례〉32.
242_〈기석례〉8. 주②.
243_〈사상례〉21. 주㉑.
244_〈기석례〉7. 〈그림 37〉.
245_〈기석례〉7.
246_〈기석례〉7. 〈그림 37〉.
247_〈기석례〉7. 주⑮.
248_〈사상례〉32. 주⑰.

• 부록 4-2 • 張惠言의 《儀禮圖》 卷5 〈既夕禮〉

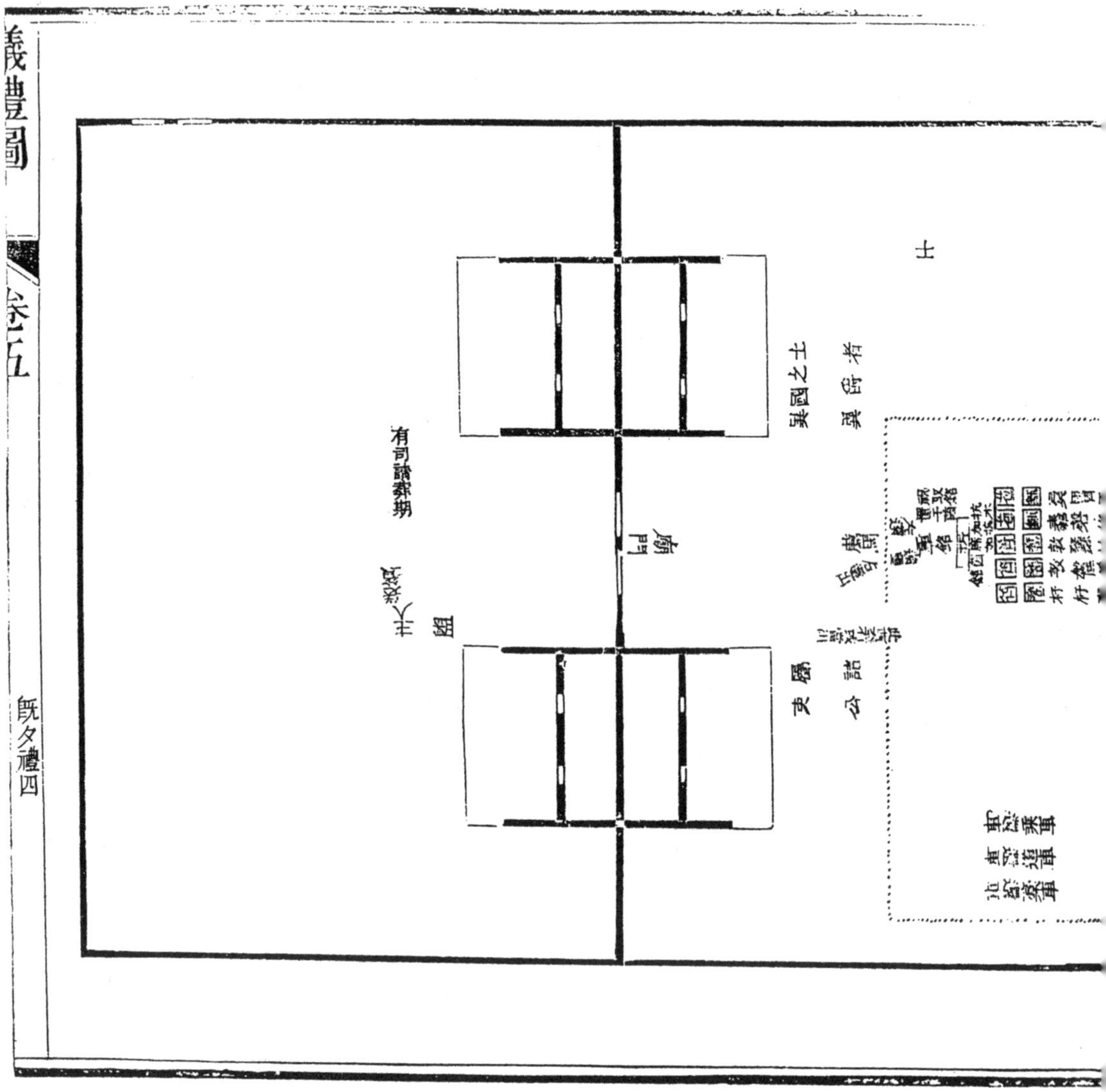

堂上：婦人

庭

兩階間：婦人[249]

柩車 / 商祝御柩[250] / 柩車 // 注云: "柩車在三分庭之北."

阼階東：主人 // 主人 / 主人當前束降而南[251] // 衆主人 / 外兄弟 / 卿大夫 // 祖奠[252] / 案《記》: "祝饌祖奠于主人之南, 當前輅." 在既祖之後, 不陳鼎, 則醴、酒、脯、醢而已, 奠之如徹奠.[253]

陳器圖[254]南：還重 / 左還[255] // 薦馬 / 右還出[256] // 此奠者或當出[257]

陳器圖[258]西：祝取銘, 置于茵.[259]

東牆：乘車 還車 / 道車 還車 / 槀車 還車[260]

廟門外

東塾西：盥[261] // 主人 / 送賓[262]

西塾東：有司請葬期[263]

〈祖〉

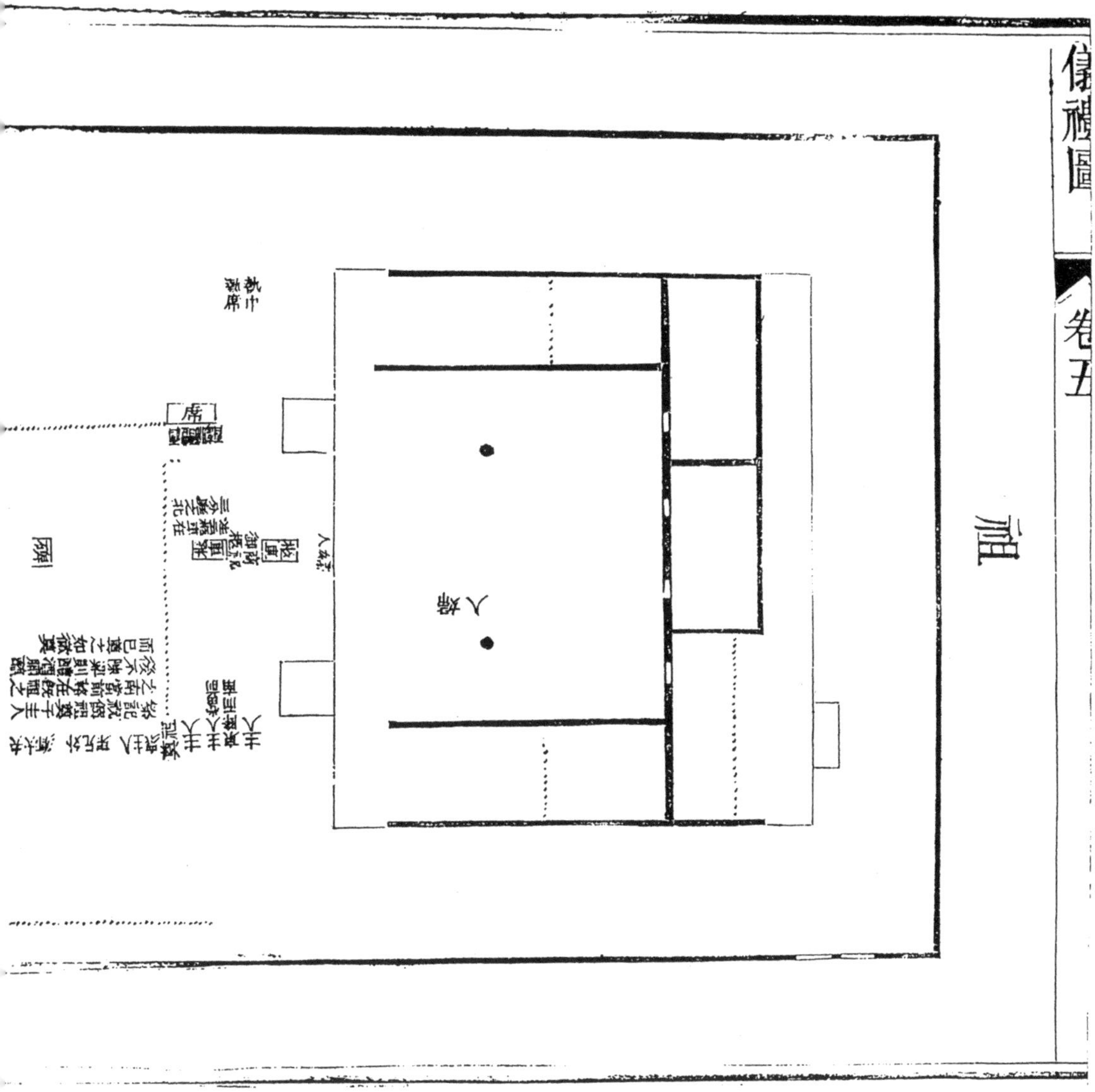

249_ 〈기석례〉8. 본문 주⑥ 뒤.
250_ 〈기석례〉8. 주④.
251_ 〈기석례〉8. 주⑥.
252_ 〈기석례〉8. 주⑩.
253_ 〈기석례〉34. 주②.
254_ 〈기석례〉7. 〈그림 37〉.
255_ 〈기석례〉8. 주⑨.
256_ 〈기석례〉8. 주⑪.
257_ 〈기석례〉8. 주⑩.
258_ 〈기석례〉7. 〈그림 37〉.
259_ 〈기석례〉8. 주⑧.
260_ 〈기석례〉8. 주⑦. 〈기석례〉31. 주⑯.
261_ 〈기석례〉2. 주① 뒤.
262_ 〈기석례〉8. 본문 주⑪ 뒤.
263_ 〈기석례〉8. 주⑫.

· 부록 4-2 · 張惠言의 《儀禮圖》 卷5 〈旣夕禮〉

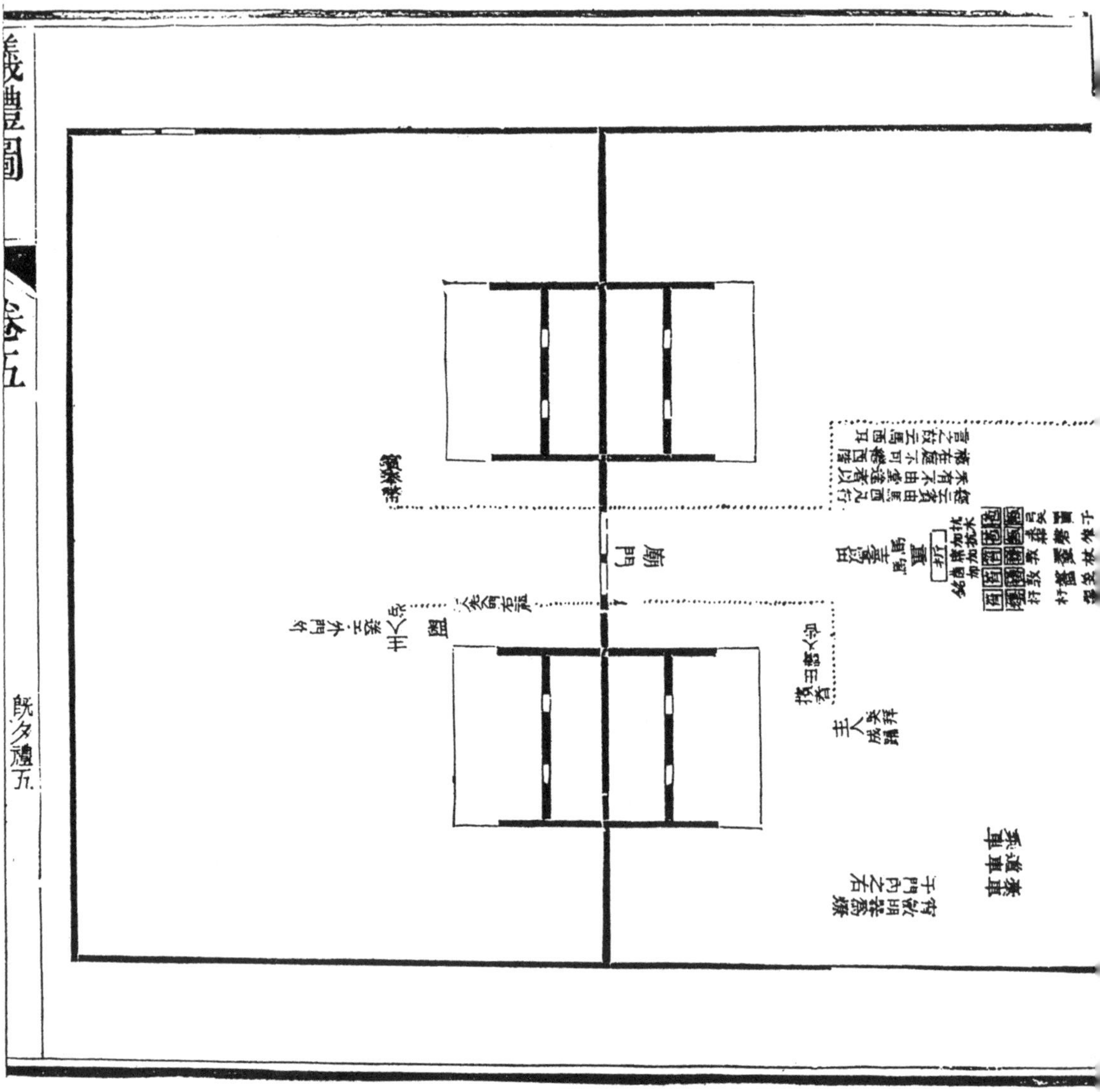

賓賵、奠、贈竝同. 主人不出, 拜于位. // 賻在門外, 主人門左西面, 賓東面將命, 宰在主人之後.
兩階間：婦人
庭
阼階南：宰 / 宰由主人之北, 擧幣以東.[264]
主人 // 衆主人 / 注云："衆主人自若西面."[265] // 外兄弟
柩車東：賓奠幣[266] 柩車西：致命[267]
西階南：席 / 酒 醴 脯 醢 陳器圖[268]南：馬 馬[269] / 士受馬以出[270]
陳器圖[271]西：經云: "賓由馬西."[272] 凡行, 未有不由堂途者. 以柩在庭, 不可繼西階言之. 故云馬西耳.
東牆：宵, 斂明器, 爲燎于門內之右.[273] 門東 ：主人 / 哭拜成踊[274] // 擯者 / 出請入告[275]
廟門外
兩塾間：主人先入門右袒[276] 東塾西：主人 / 迎 // 送于外門外[277]
西塾東：賓奉幣[278]

〈公賵〉

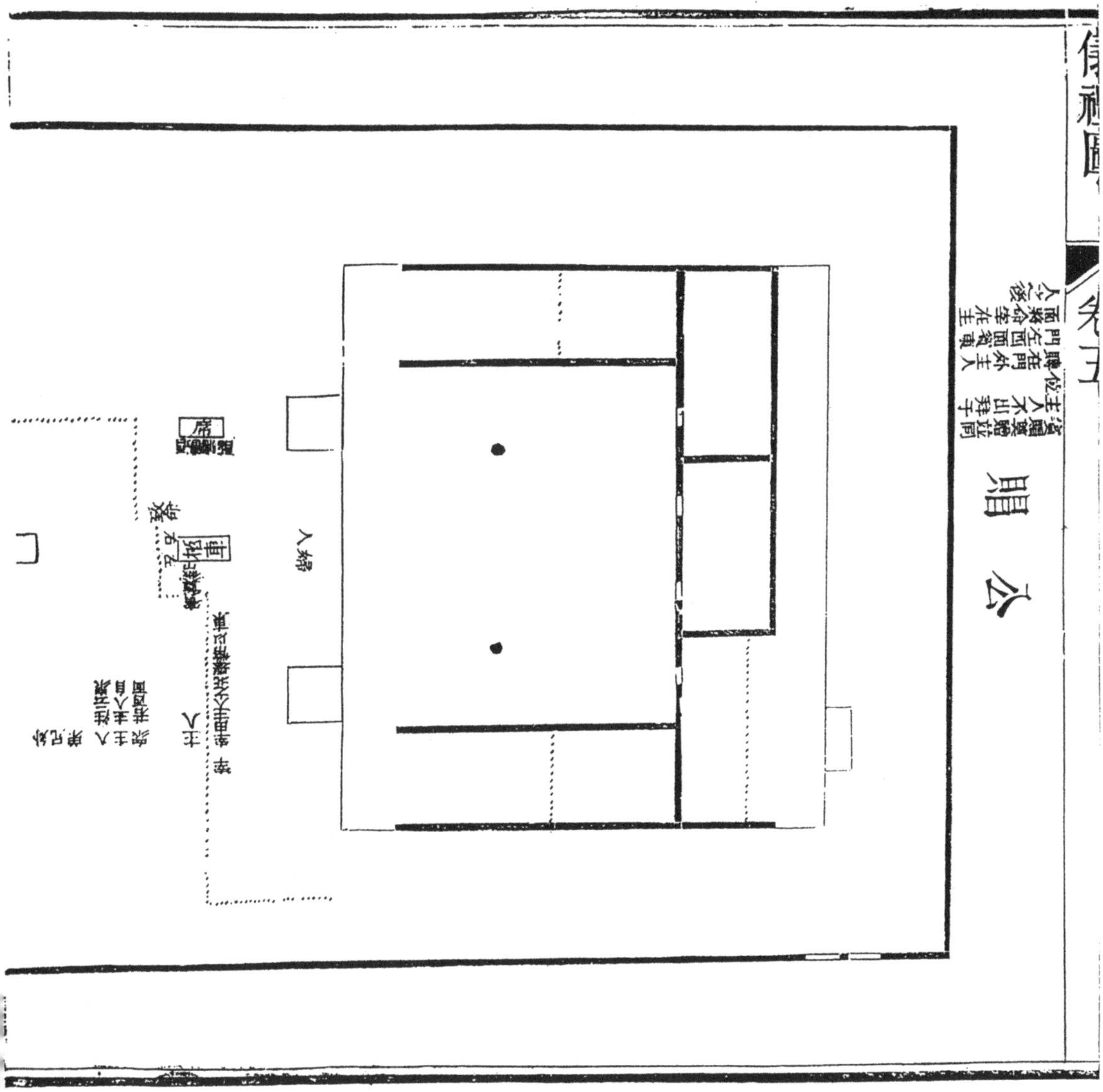

264_〈기석례〉9. 주⑦.
265_〈기석례〉9. 주②.
266_〈기석례〉9. 주⑥.
267_〈기석례〉9. 본문 주④ 뒤.
268_〈기석례〉7. 〈그림 37〉.
269_〈기석례〉9. 주①.
270_〈기석례〉9. 주⑧.
271_〈기석례〉7. 〈그림 37〉.
272_〈기석례〉9. 주④.
273_〈기석례〉10. 주⑯.
274_〈기석례〉9. 주⑤.
275_〈기석례〉9. 본문 주① 뒤.
276_〈기석례〉9. 본문 주② 앞.
277_〈기석례〉9. 본문 주⑧ 뒤.
278_〈기석례〉9. 주④.

• 부록 4-2 • 張惠言의 《儀禮圖》 卷5 〈旣夕禮〉

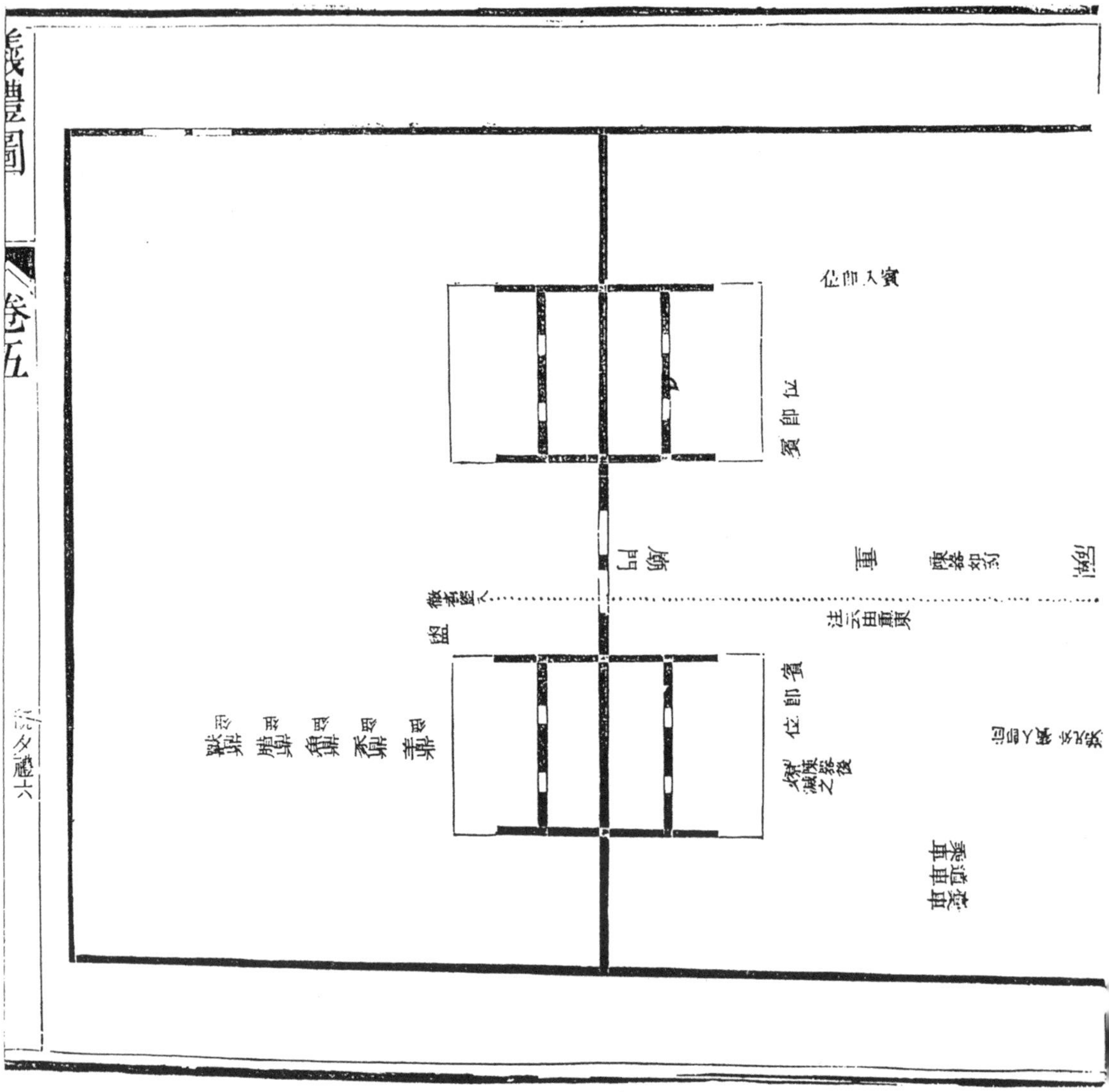

庭

阼階東：侇奠 // 饌依疏兩甒在北, 次南四豆, 次南四籩[279]. // 甒 甒 / 豆籩 豆籩 豆籩 豆籩

阼階南：主人 / 衆主人

柩車四方：輅 輅 輅 輅

柩車西：燭[282]

西階南：席 / 酒 醴 脯 醢 // 注云: "自重北, 西面徹."[285]

東牆下：乘車 / 道車 / 槀車

重東：注云: "由重東."[287]

廟門西：賓卽位 / 賓入卽位[289]

兩階間：婦人 // 由柩北適饌[280]

柩車東：燭 // 燭以照徹與奠,[281] 不必進輅.

西階西：立侇 // 設奠[283] / 其設蓋如小斂.[284]

碑東：外兄弟 / 賓入卽位[286]

碑南：陳器如前

廟門東：賓卽位 // 燎 / 陳器後滅之[288]

廟門外

東塾西：盥 / 徹者盥入[290]

東塾南：羊鼎 俎 / 豕鼎 俎 / 魚鼎 俎 / 腊鼎 俎 / 獸鼎 俎[291]

〈陳遣奠徹祖奠〉

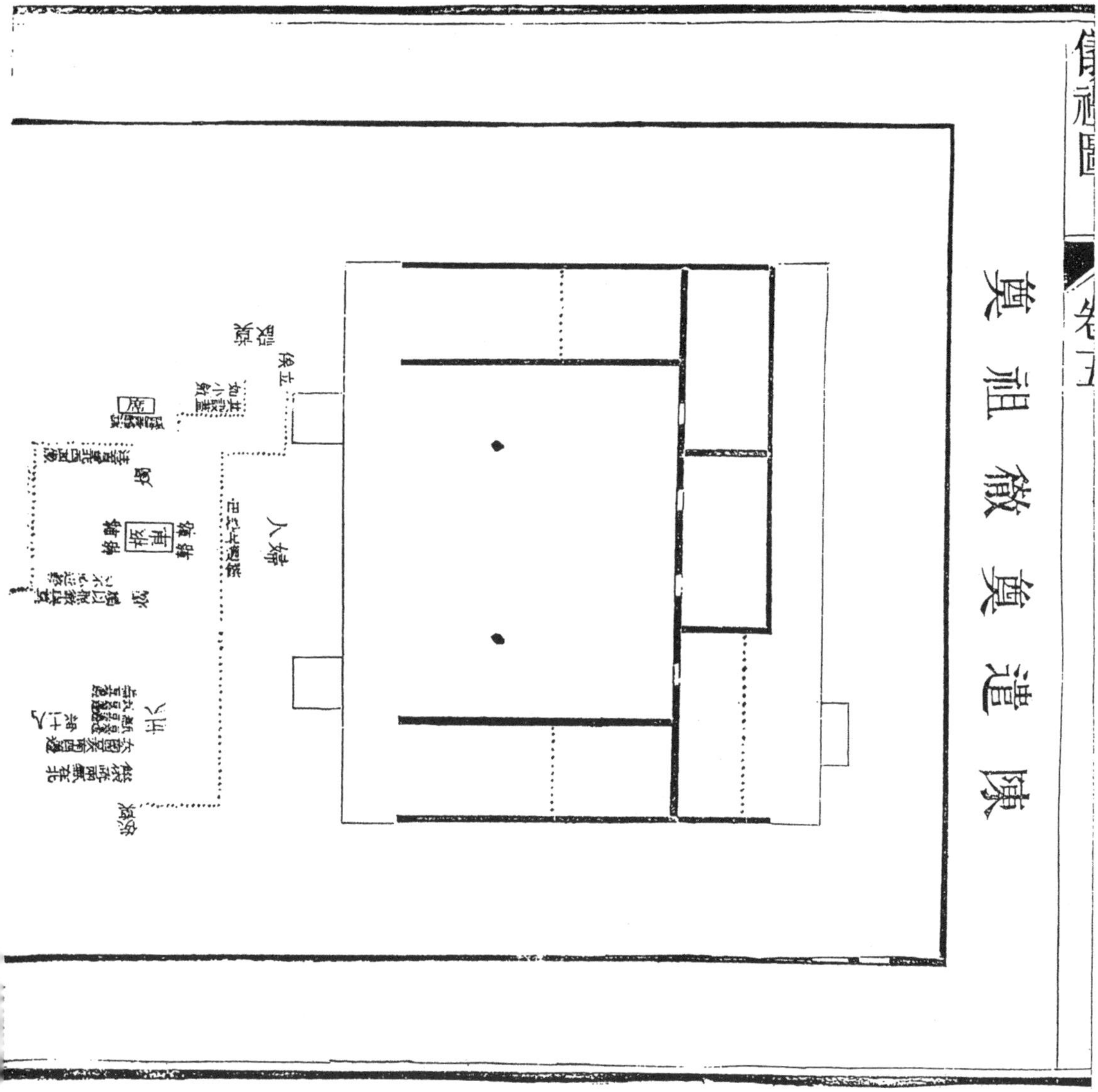

279_〈기석례〉11. 주⑦.
280_〈기석례〉11. 주⑰.
281_〈기석례〉11. 주⑭.
282_〈기석례〉11. 주⑭. 黃以周의《禮書通故》에는 燭이 남향으로 되어 있다.
283_〈기석례〉11. 주⑯.
284_〈사상례〉25. 주⑦. 〈기석례〉11. 주⑯.
285_〈기석례〉11. 주⑮.
286_〈기석례〉11. 본문 주⑭ 뒤.
287_〈기석례〉11. 주⑮.
288_〈기석례〉11. 주⑬.
289_〈기석례〉11. 본문 주⑭ 뒤.
290_〈기석례〉11. 주⑮.
291_〈기석례〉11. 주①.

• 부록 4-2 • 張惠言의《儀禮圖》卷5〈旣夕禮〉

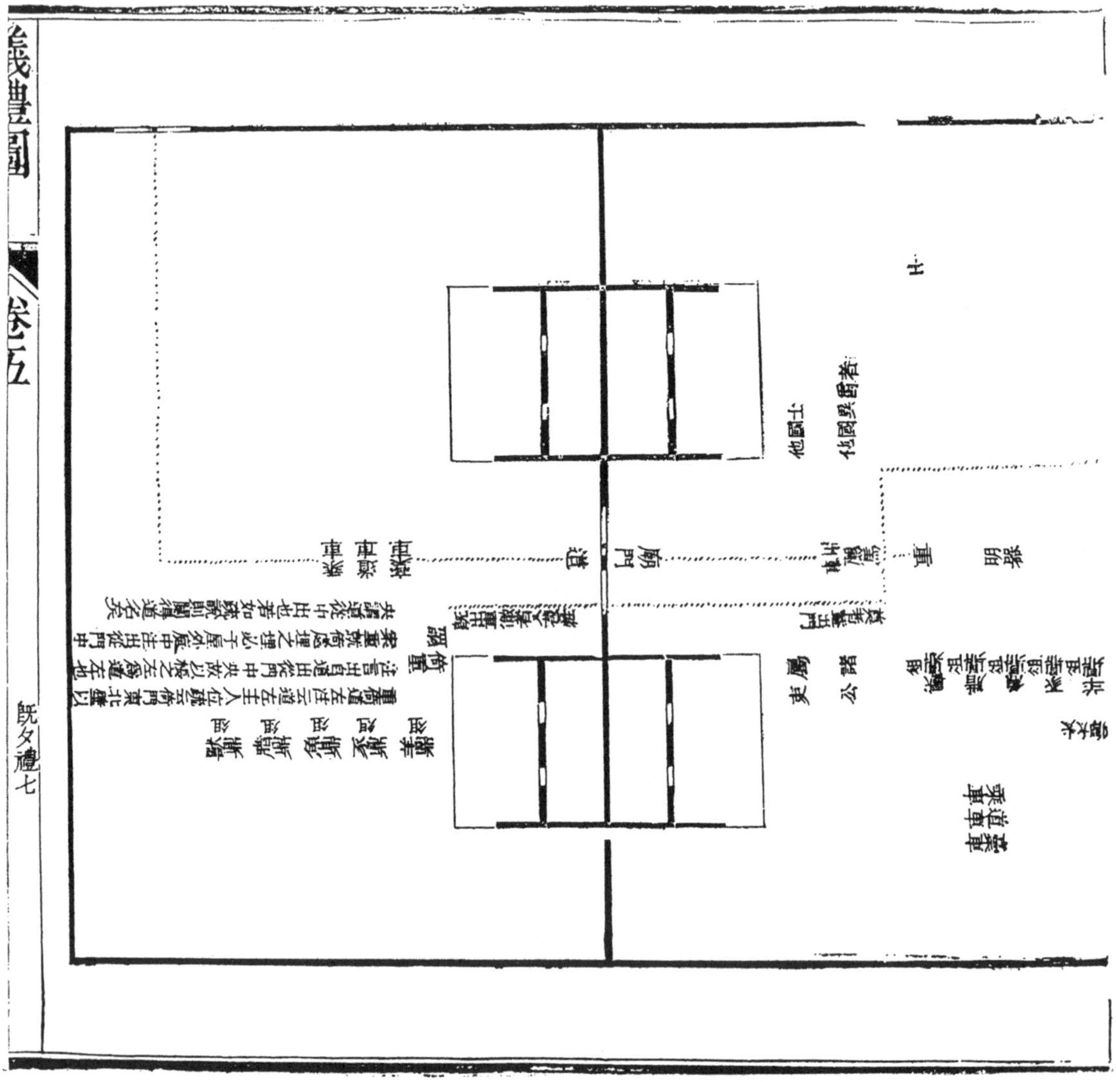

兩階間：婦人
庭
阼階東：主人 / 衆主人 / 外兄弟
東坫南：甒 甒 / 豆籩 豆籩 豆籩 豆籩 /奠者[292]
柩車四方：輅 輅 輅 輅
柩車東：燭[293] // 奠由重北西
柩車西：燭[294]
西階西：酒 醴 脯 醢
西階南：席 // 酒醴豆豆 / 籩籩豆豆 / 籩籩俎俎 / 俎俎 / 俎[295] // 旣奠, 由重南東.[296]
碑南：明器 // 重 // 薦馬 / 出車 // 奠者蓋出門
廟門東：屬吏 / 諸公
廟門西：他國士 / 他國異爵者

〈遣奠出重出車〉

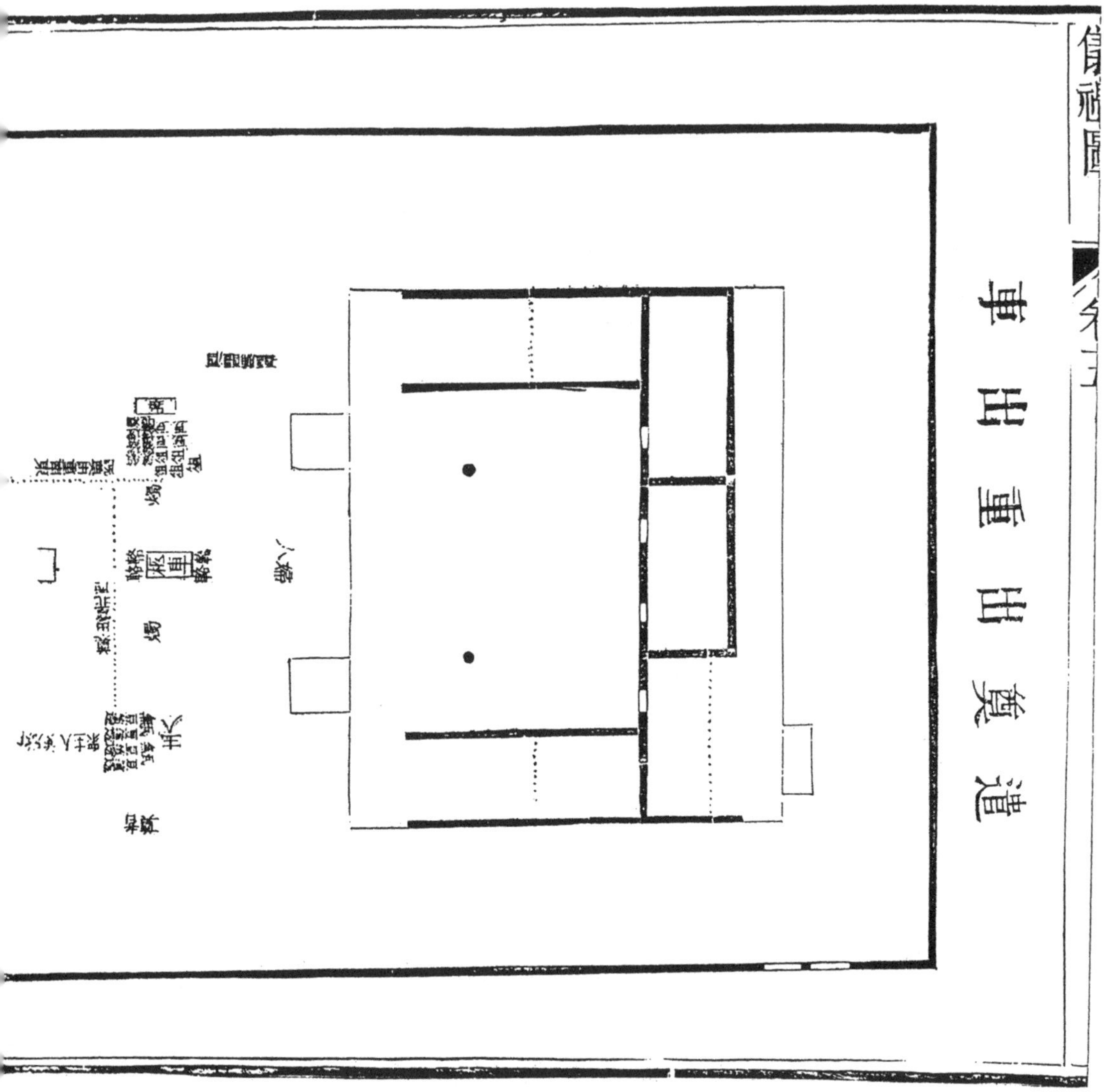

廟門外

兩塾間 : 旣出車, 徹者入苞牲.[297] // 道 / 槀車 道車 乘車

東塾西 : 盥 // 倚重 / 重倚道左. 注云: "道左, 主人位." 疏云: "倚門東北壁." 以注言出自道, 出從門中央", 故以棖之左爲道左也. 案重就倚處埋之, 埋必于屋外庭中. 注"出從門中央", 謂道從中出也. 若如疏設, 則闑得道名矣.[298]

東塾南 : 羊鼎 俎 / 豕鼎 俎 / 魚鼎 俎 / 腊鼎 俎 / 獸鼎 俎[299]

292_〈기석례〉11. 주⑦.
293_〈기석례〉11. 주⑭.
294_〈기석례〉11. 주⑭.
295_〈기석례〉11. 주⑲.
296_〈사상례〉21. 주⑳.
297_〈기석례〉12. 주⑤⑦.
298_〈기석례〉12. 주①②.
299_〈기석례〉11. 주①⑥.

• 부록 4-2 • 張惠言의 《儀禮圖》 卷5 〈旣夕禮〉

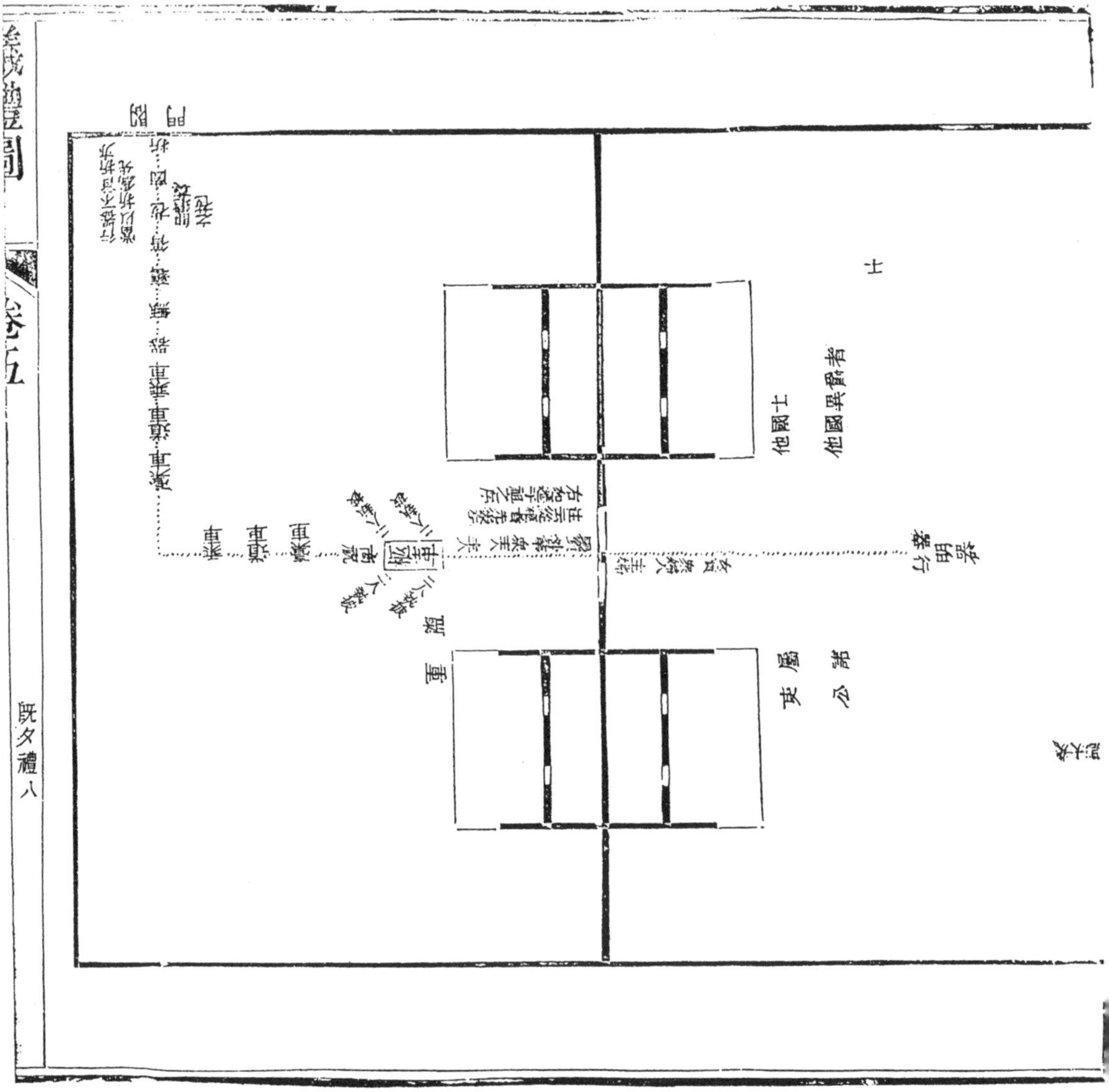

兩階間 : 婦人
庭
阼階東 : 主人 / 衆主人 / 外兄弟 // 執算[300] / 史請讀賵[301]
柩車東 : (南向) 燭[302] // 執算 / 讀賵 // 逆出[303] // (北向) 燭[304]
柩車四方 : 輅 輅 輅 輅
柩車南 : 商祝執功布御柩[305]
柩車西 : 公史讀遣[306] // 燭 // 滅燭出[307]
西階南 : 徹者 // 行器後徹者出[308]
碑南 : 明器[309] / 行器[310]
廟門東 : 屬吏 / 諸公
廟門西 : 他國士 / 他國異爵者
兩塾間 : 女賓 / 衆婦人 / 主婦[311]
廟門外

300_ 〈기석례〉13. 주②.
301_ 〈기석례〉13. 주①.
302_ 〈기석례〉13. 주⑤.
303_ 〈기석례〉13. 주⑧.
304_ 〈기석례〉11. 주⑭.
305_ 〈기석례〉14. 주①.
306_ 〈기석례〉13. 주⑨⑪.
307_ 〈기석례〉13. 주⑫.
308_ 〈기석례〉12. 주⑨⑩ 뒤.
309_ 〈기석례〉11. 주⑫.
310_ 〈기석례〉12. 주⑨.
311_ 〈기석례〉4. 주③.
312_ 〈기석례〉4. 주③.
313_ 〈기석례〉14. 주③.

〈行器行柩〉

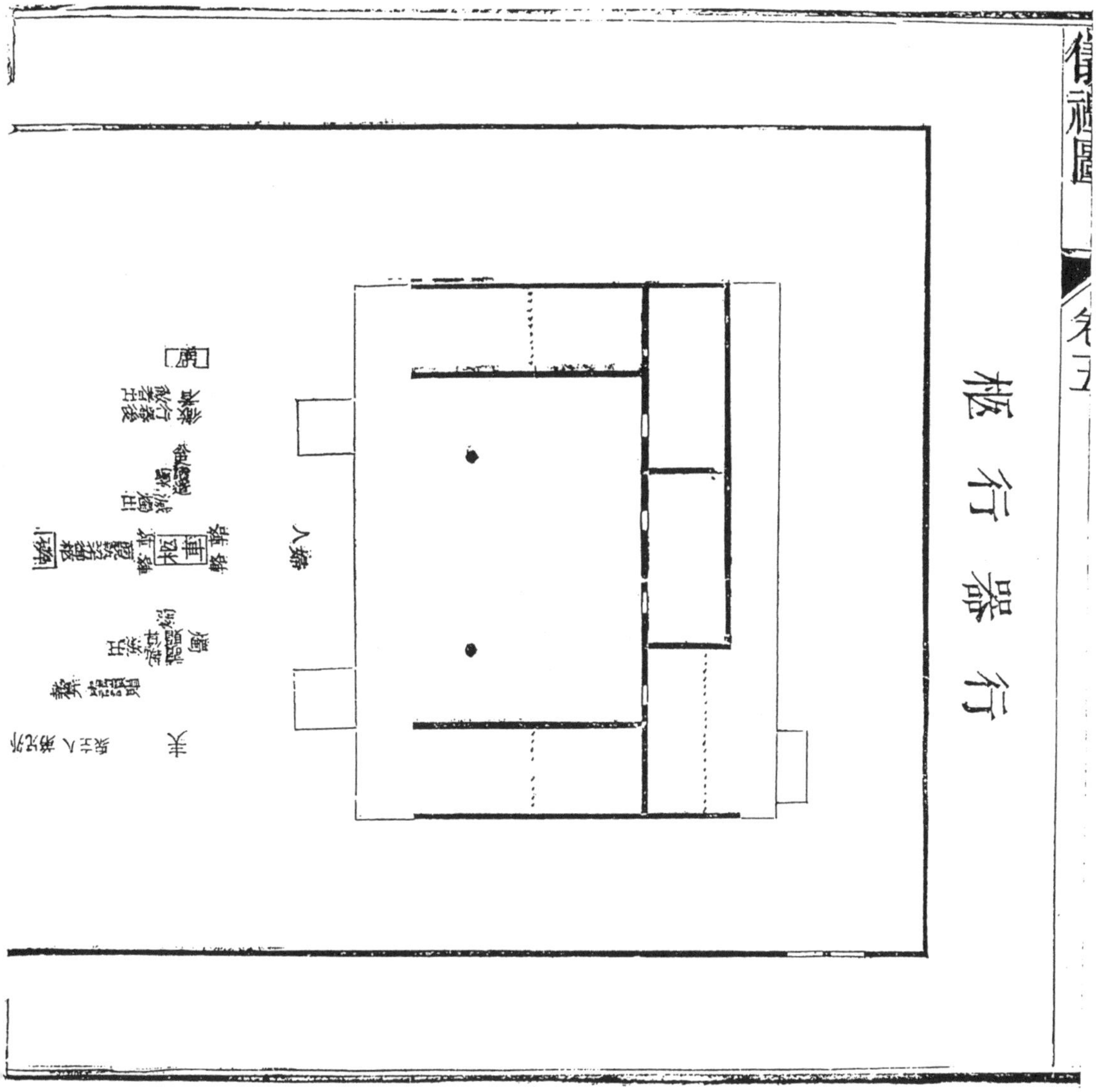

兩塾間：男賓 / 外兄弟 / 衆主人 / 主人[312] // 注云: "從柩者, 先後左右如遷于祖之序."[313]
柩車四方：二人執披[314]
柩車南：商祝[315] / 槀車 / 道車 / 乘車
西塾南：槀車 / 道車 / 乘車 / 器 / 甒 / 罋 / 筲 / 苞[316] ：卽遣奠之苞[317] / 茵 / 折：行器不言折,[318] 亦當以折爲先.
東塾西：峜[319]
東塾南：重 [320]

314_〈기석례〉14. 주②, 31. 주⑰.
315_〈기석례〉14. 주①.
316_〈기석례〉12. 주⑩.
317_〈기석례〉12. 주⑦ 앞.
318_〈기석례〉12. 주⑨.
319_〈기석례〉2. 주① 뒤.
320_〈기석례〉12. 주②.

• 부록 4-2 • 張惠言의 《儀禮圖》 卷5 〈旣夕禮〉

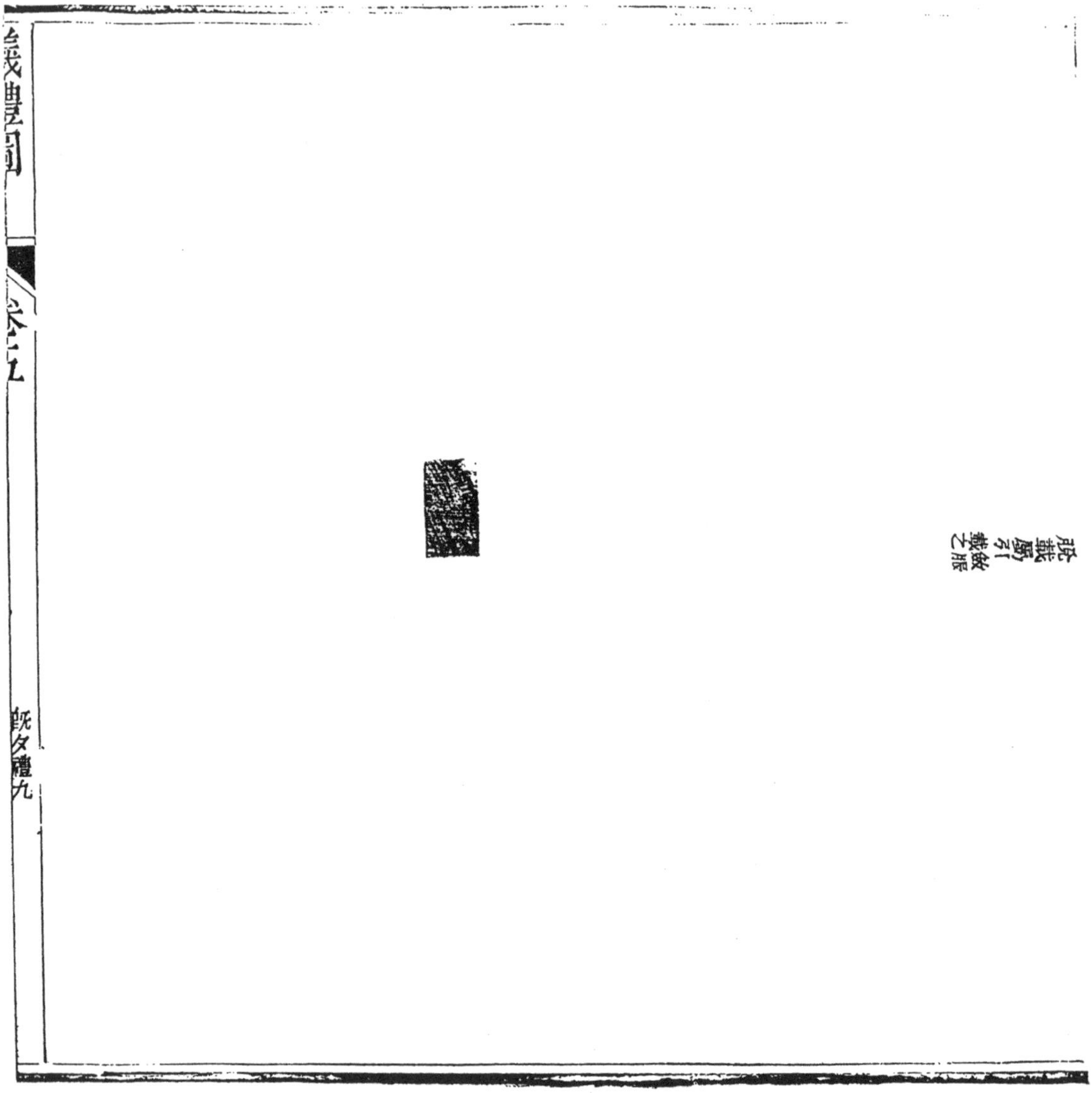

壙四方 : 椁
壙 : 茵先入[321]
羨道
東 : 主人 / 衆主人 / 男賓 // 男女賓位依疏[322]
西 : 主婦 / 衆婦人 / 女賓[323]
明器 : 苞 苞 筲 筲 筲 / 甒 甒 罋 罋 罋 / 弓矢 耒耜 敦 敦 杅 / 甲胄 磬 琴瑟 槃匜 杅 / 干 笮 杖 笠 翣[324]
明器南 : 稾車 道車 乘車 // 疏云: "在明器之南."[325]
柩車南 : 脫載屬引[326] / 斂服載之[327]

321_ 〈기석례〉15. 주③ 앞.
322_ 〈기석례〉15. 주⑦.
323_ 〈기석례〉15. 주⑦.
324_ 〈기석례〉15. 주②.
325_ 〈기석례〉32. 주②.
326_ 〈기석례〉15. 주③.
327_ 〈기석례〉32. 주③.

〈至壙〉

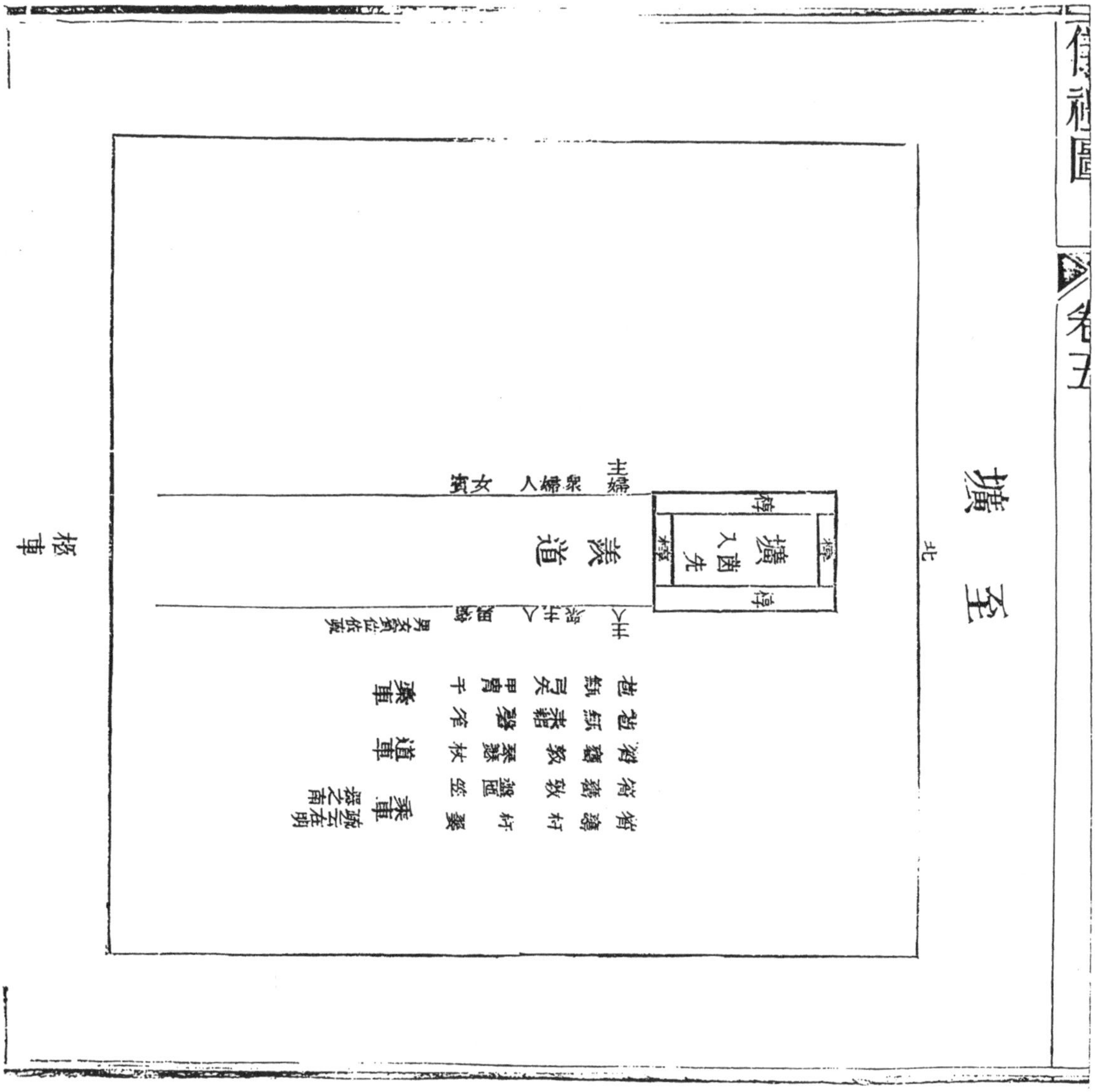

• 부록 4-2 • 張惠言의 《儀禮圖》 卷5 〈既夕禮〉

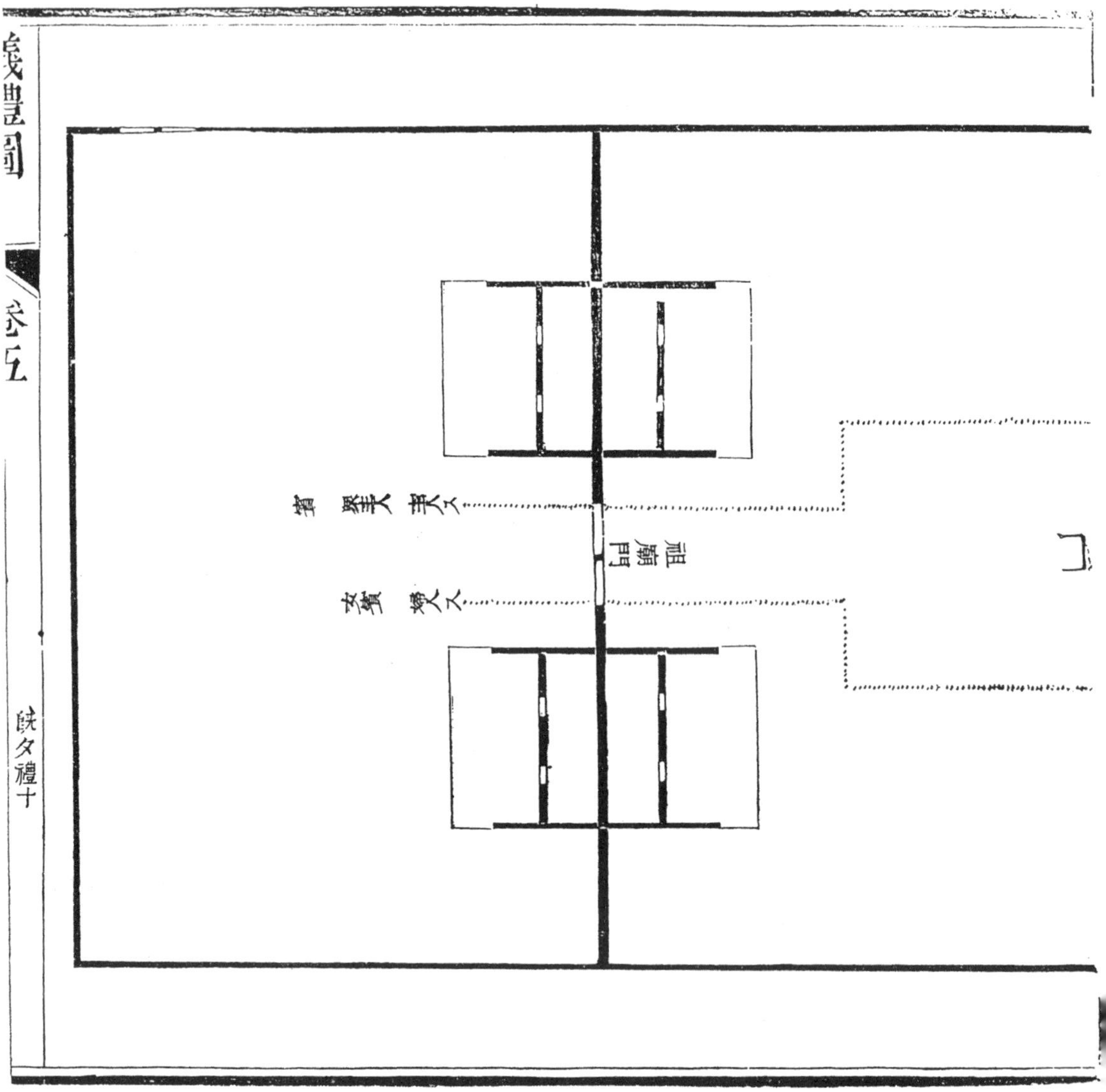

室
奥：祖主
戶北：主婦踊 // 主婦入室依盥饋, 則宜西面. 然西有祖主, 或北面.[328]
堂上
東序下：主婦：主婦入于室, 出卽位.[329] / 衆婦人 / 女賓
西序下：主人 / 拜[330]
西楹南：賓長升弔[331]
庭
西階東：賓降出, 主人送于門外, 遂適殯宮.[332]
西階西：衆主人 / 賓
廟門外
東：女賓 / 婦人入[333]
西：賓 / 衆主人 / 主人入[334]

328_〈기석례〉16. 주①.
329_〈기석례〉16. 주②.
330_〈기석례〉16. 주④ 뒤.
331_〈기석례〉16. 주③.
332_〈기석례〉16. 주⑤⑥.
333_〈기석례〉16. 주①.
334_〈기석례〉16. 주① 앞.

〈反哭於祖〉

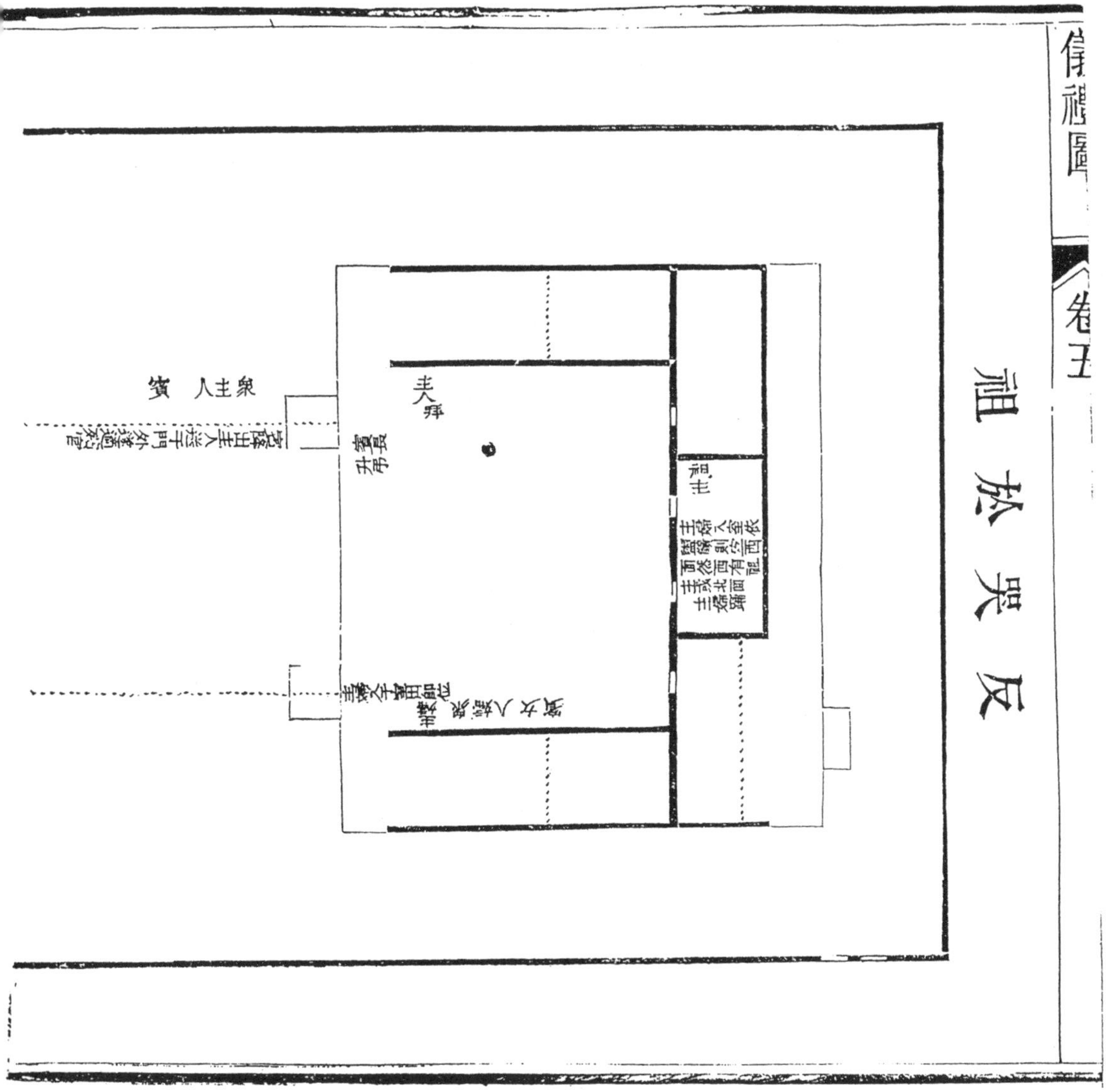

• 부록 4-2 • 張惠言의 《儀禮圖》 卷5 〈旣夕禮〉

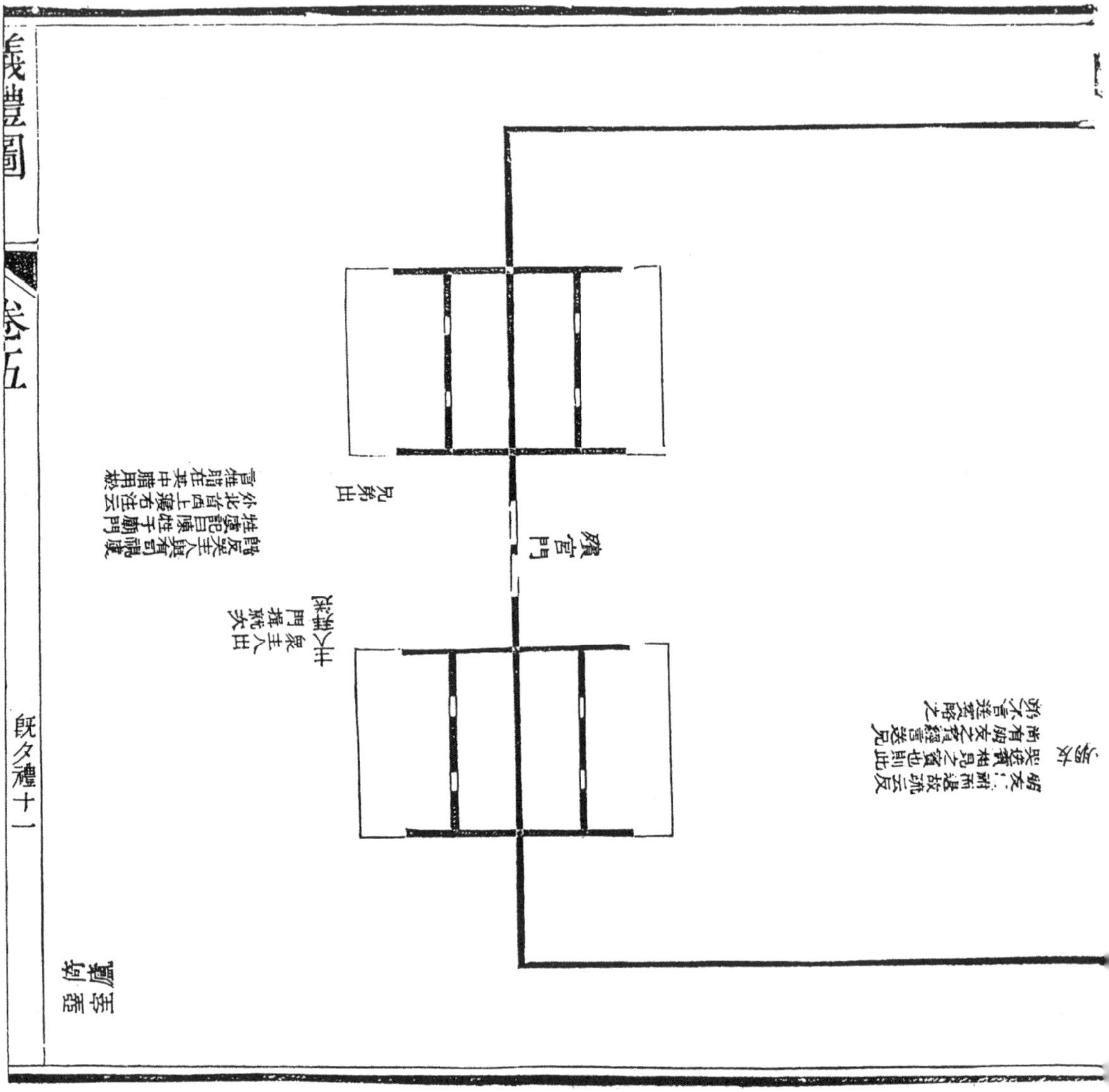

堂上
東序端：婦人
庭
阼階東：主人 / 衆主人 / 兄弟 / 外兄弟 / 朋友：朋友虞､祔而退, 故疏云"反哭送賓, 相見之賓也", 則此尙有朋友之賓. 經言送兄弟, 不言送賓, 略之.[335]
寢門外
東：主人拜送[336] / 衆主人出門, 揖就次.[337]
西：兄弟出[338]
南：旣反哭, 主人與有司視虞牲.《虞·記》曰: "陳牲于廟門外, 北首, 西上, 寢右." 注云: "言牲, 腊在其中, 腊用棜."[339]
東壁：倚廬[340] / 堊室[341]

335_〈기석례〉16. 주⑤.
336_〈기석례〉16. 주⑧ 뒤.
337_〈기석례〉16. 주⑧ 뒤.
338_〈기석례〉16. 주⑧.
339_〈사우례〉12. 주②③.
340_〈상복〉1. 주㉖.
341_〈상복〉1. 주㉜.

〈反哭適殯宮〉

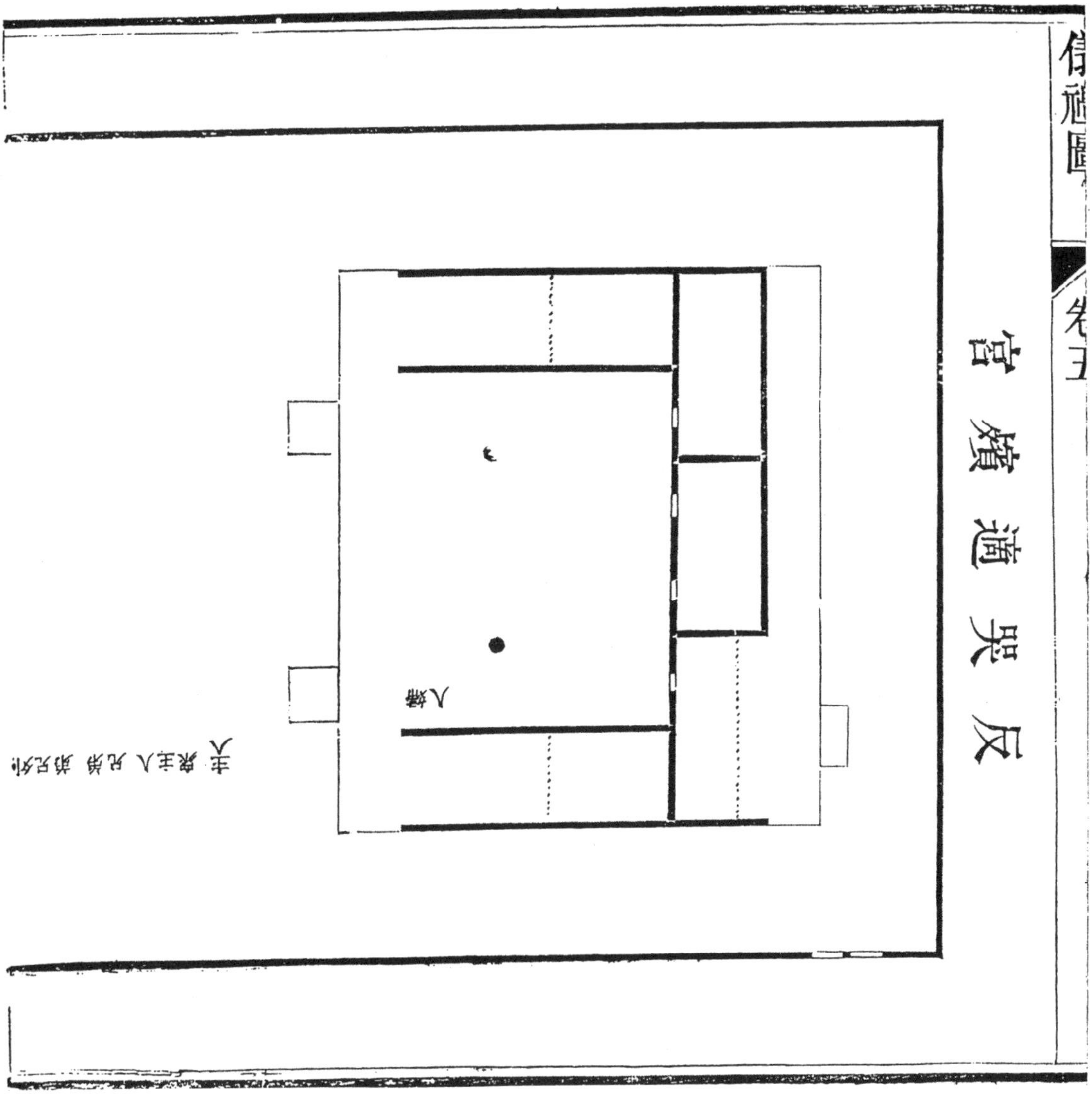

〈設饌祭於苴〉

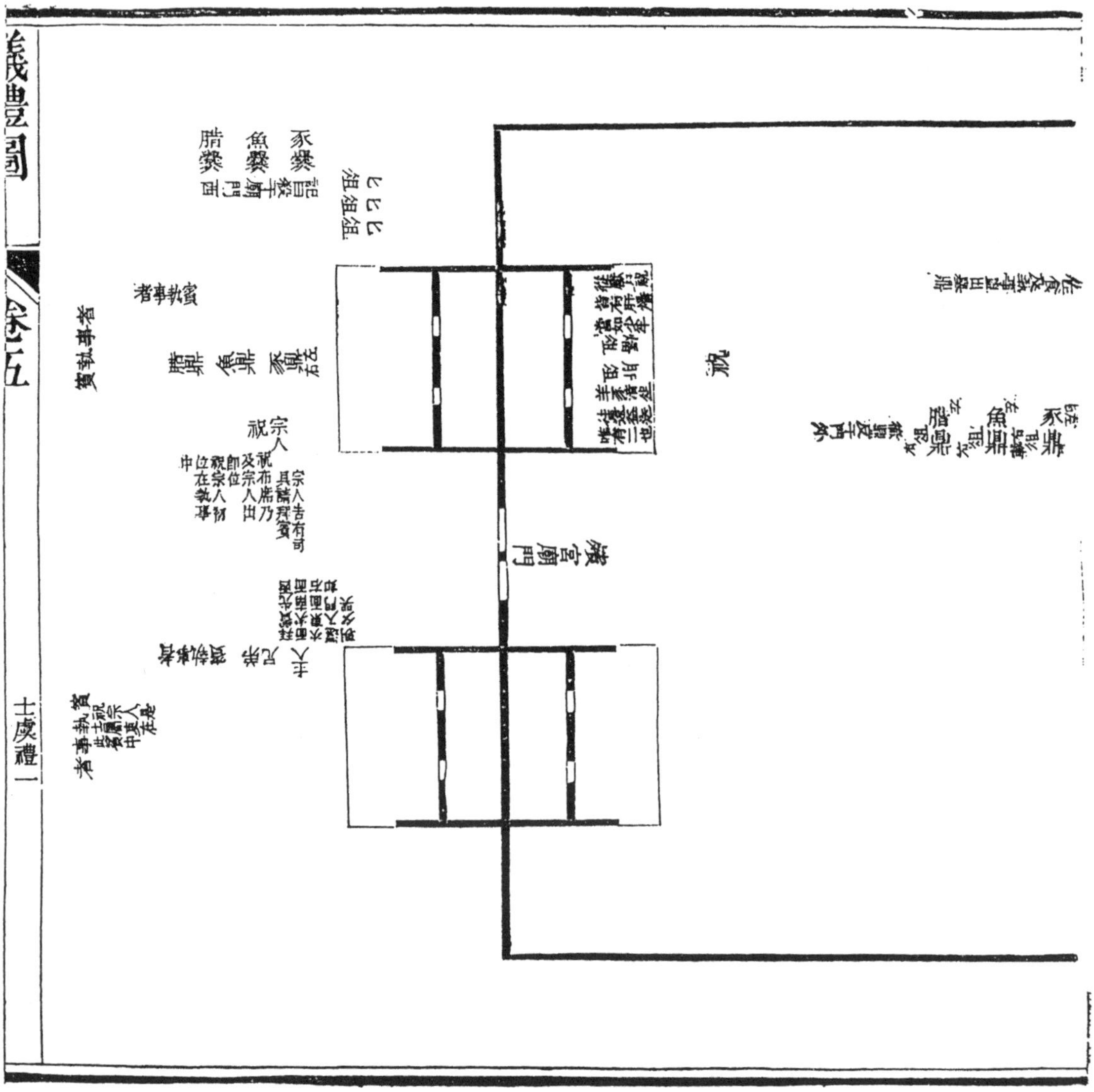

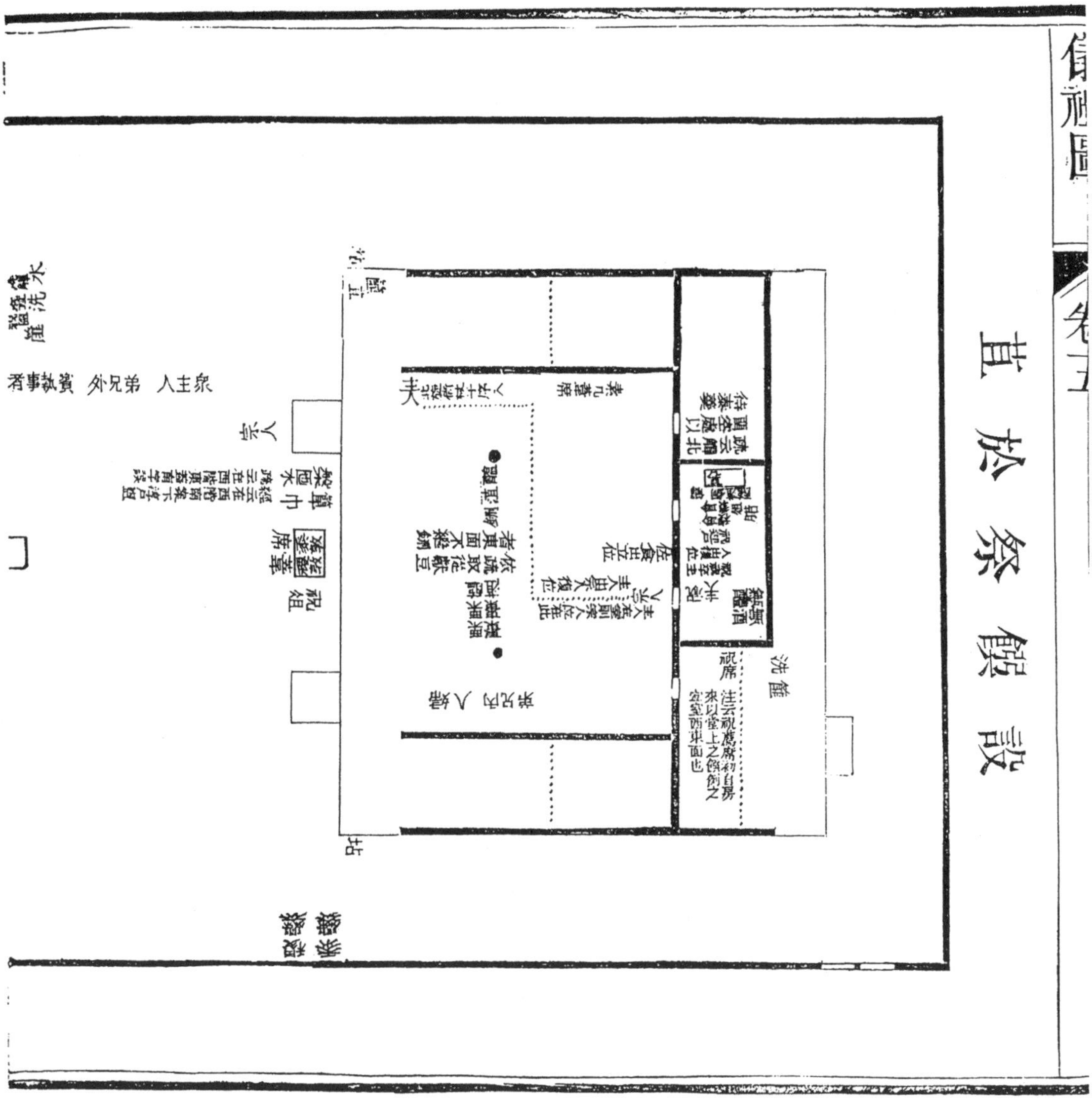

東房

北：洗 / 篚[342]

西：祝席 / 注云: "祝薦、席, 初自房來." 以堂上之饌例之, 宜室西東面也.[343]

室

北：甒醴 / 甒酒[344]

南：主人 / 祝 // 祝祝卒, 主人出復位, 祝迎尸.[345]

西：几 苴 // 觶 鉶 菹 醢 / 會 黍 / 會 稷 / 俎 腊[346]

西房

疏云："觶北, 留空處以待泰羹."[347]

堂上

東序下：婦人 / 內兄弟[348]

室戶南：宗人 / 主人在室, 則宗人位在此.[349] // 主人出, 宗人復位.[350]

戶牖間：佐食出立位[351]

兩楹間：棗栗 棗栗 菹醢[352] / 依疏, 取從獻豆者, 東面, 不繼鉶. / 鉶 菹 醢[353]

西序下：素几葦席[354]

西序端：主人[355] / 北旋, 倚杖于序, 入.[356]

西坫：篚 / 苴[357]

342_ 〈사우례〉7. 주①.
343_ 〈사우례〉10. 주④.
344_ 〈사우례〉1. 주⑥.
345_ 〈사우례〉4. 주①.
346_ 〈사우례〉1.
347_ 〈사우례〉5. 주⑮.
348_ 〈사우례〉2. 주④.
349_ 〈사우례〉15. 주①.
350_ 〈사우례〉11.
351_ 〈사우례〉15. 주②.
352_ 〈사우례〉1. 주⑩⑪⑫, 16. 주①②.
353_ 〈사우례〉1. 주⑩⑪⑫.
354_ 〈사우례〉1. 주⑧.
355_ 〈사우례〉2. 주⑧ 뒤.
356_ 〈사우례〉3. 주④.
357_ 〈사우례〉1. 주⑨.

庭

東壁下：黍爨 / 稷爨[358]

兩階間：祝俎[359] // 黍敦 稷敦[360] // 葦席[361]

西階東：簞巾 / 槃匜水[362] // 經云: "在西階南."[363] 案下"淳尸盥",[364] 疏云"在西階東", 蓋南字誤.

西階南：宗人[365]

西階西：衆主人 / 外兄弟 / 賓執事者[366]

西階西南：篚 / 洗 / 水[367] // 祝盥 / 洗苴 / 洗觶[368]

碑西南：豕鼎: 左匕 / 俎: 右載 // 魚鼎: 佐 / 俎: 右 // 腊鼎: 佐 / 俎: 右[369] // 徹鼎, 反于門外.[370]

鼎西：佐食及執事盥, 出擧鼎.[371]

西塾

北：祝[372]

內：肝俎 / 燔俎[373] // 羊、豕湆俎: 往還益送, 唯有二也. // 從獻, 尸、祝皆有肝、燔, 當如少牢.

寢門外

東：主人 / 兄弟 / 賓執事者[374] // 拜賓, 先西面, 次南面, 次東面, 右還入門, 如朝夕哭.[375]

東塾南：賓執事者 / 祝、宗人是士屬吏, 在此賓中.

西：宗人 / 宗人告: "有司具." 請拜賓.[376] // 祝 / 祝布席, 乃及宗人出, 復位.[377] // 祝、宗人初位, 在執事中.[378]

西塾南：腊鼎 / 魚鼎 / 豕鼎 // 左右[379] // 賓執事者 / 賓執事者

西塾西：匕俎 / 匕俎 / 匕俎[380]

西塾西南：豕爨 / 魚爨 / 腊爨[381] //《記》曰: "殺于廟門西."[382]

358_〈사우례〉1. 주④. 黃以周의《禮書通故》에는 爨이 東坫 동쪽에 서향으로 되어 있다.
359_〈사우례〉13. 주⑩⑪.
360_〈사우례〉1. 본문. 주⑫ 뒤.
361_〈사우례〉1. 본문. 주⑫ 뒤.
362_〈사우례〉1. 주⑬⑭.
363_〈사우례〉1. 주⑭.
364_〈사우례〉4. 주③.
365_〈사우례〉2. 끝.
366_〈사우례〉2. 주⑨.
367_〈사우례〉1. 주⑤.
368_〈사우례〉3.
369_〈사우례〉3. 주⑨⑩⑪. 黃以周의《禮書通故》에는 左人의 匕가 鼎의 북쪽에 서향으로 되어 右人의 載가 鼎의 동쪽에 북향으로 되어 있으며, 俎는 鼎의 동쪽에 서향으로 되어 있다. 황이주는 이 부분에서 장혜언의 圖를 오류로 보았다.
370_〈사우례〉3. 본문. 주⑭ 뒤.
371_〈사우례〉3. 본문. 주⑦ 뒤.
372_〈사우례〉2. 주⑨ 뒤.
373_〈사우례〉1. 주⑯.
374_〈사우례〉2. 주①②③.
375_〈사우례〉2. 주⑧.
376_〈사우례〉2. 주⑦⑧.
377_〈사우례〉2. 주⑥⑦⑧.
378_〈사우례〉2. 주②.
379_〈사우례〉1. 주⑮.
380_〈사우례〉1. 주⑯ 앞.
381_〈사우례〉1. 주①②③.
382_〈사우례〉13. 주①.

• 부록 4-2 • 張惠言의 《儀禮圖》 卷5 〈士虞禮〉

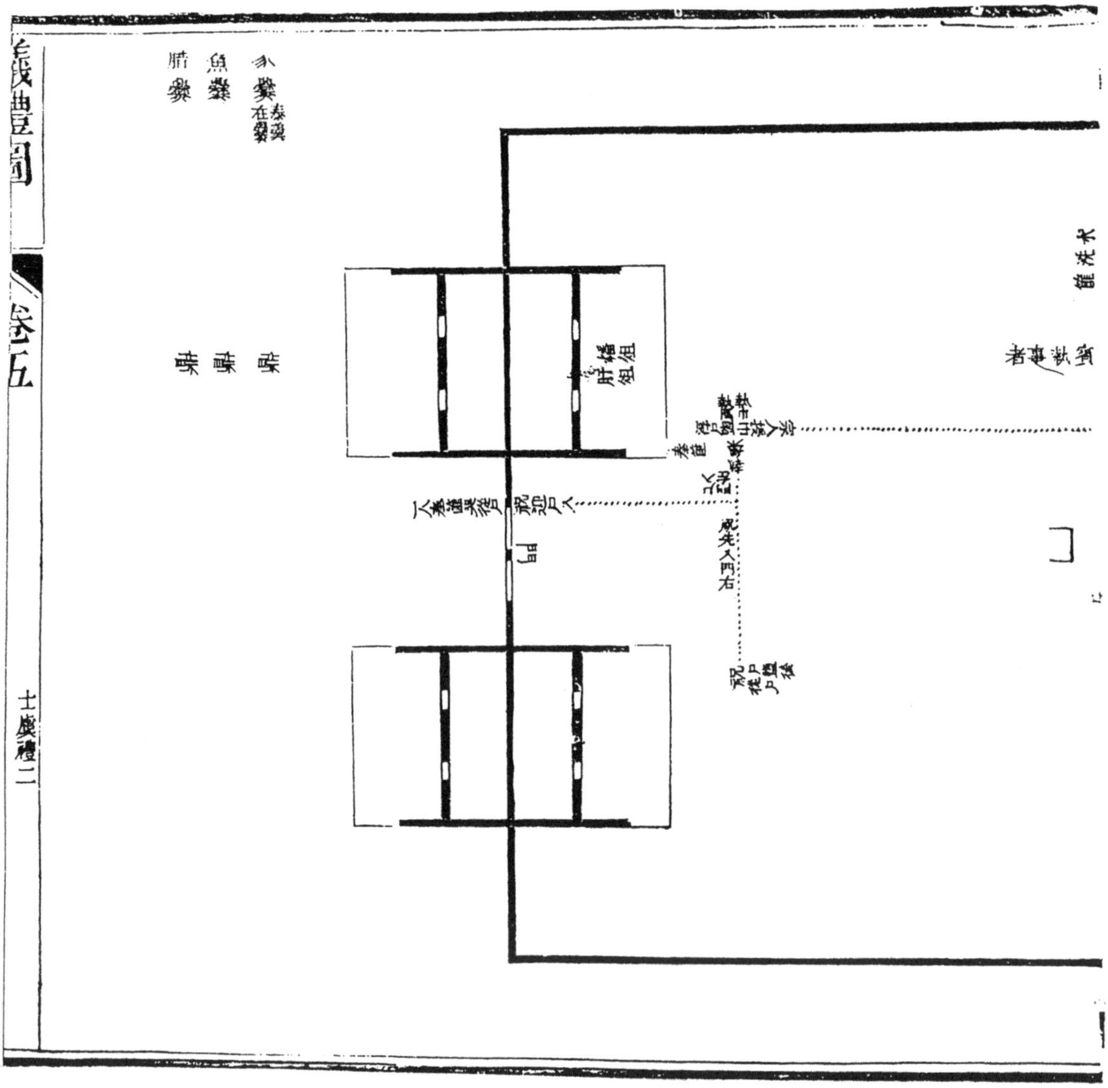

東房

北：洗 / 篚

西：祝席[383] / 婦人入于房.[384]

室

北：甒醴 / 甒酒

南：主人拜妥尸 / 祝拜妥尸[385]

西：几[386] 苴[387] / 尸[388] / 篚[389]

尸席北：從者[390]

尸席東：觶 湆 鉶 菹 醢 胔 四豆 / 會 黍 / 會 稷 / 豕 魚 腊[391]

堂上

室戶南：主人 / 祝 / 奉篚 / 尸入戶[392] // 主人入室, 宗人戶外北面.[393]

戶牖間：佐食[394]

東序下：婦人 / 內兄弟[395]

兩楹間：棗栗 棗栗 菹醢[396]

西序端：主人[397]

西坫：篚[398]

庭

東壁下：黍爨 / 稷爨

383_ 앞의 〈設饌祭於苴〉圖와 달리 방향이 남향으로 바뀌어 있다.

384_ 〈사우례〉4. 주⑦.

385_ 〈사우례〉4. 주⑧.

386_ 〈사우례〉2. 주⑥.

387_ 〈사우례〉3. 주②③.

388_ 〈사우례〉4. 주⑨.

389_ 〈사우례〉5. 주①②.

390_ 〈사우례〉5. 주①②.

391_ 〈사우례〉3.

392_ 〈사우례〉4.

393_ 〈사우례〉15. 주①.

394_ 〈사우례〉15. 주②.

395_ 〈사우례〉2. 주④.

〈尸入九飯〉

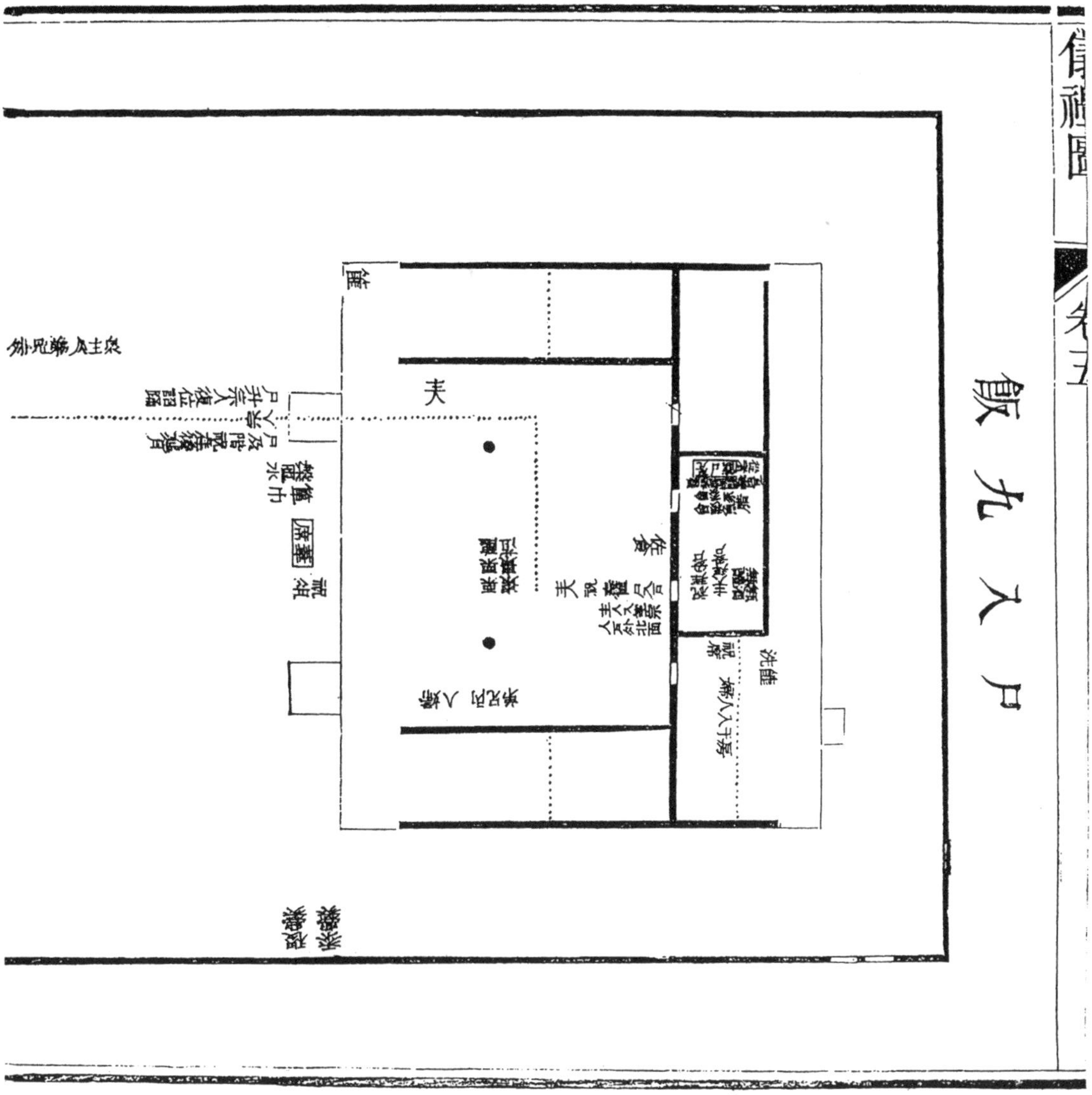

兩階間：祝俎[399] // 葦席[400] // 簞巾 / 槃匜水[401]
西階下：宗人[402] / 尸及階, 祝在後延尸. 尸升, 宗人復位, 詔踊.[403]
西階南：衆主人 / 外兄弟 / 賓執事者[404]
西階西南：篚 / 洗 / 水
門東：祝 / 尸盥後從尸[405]
門間：祝迎尸入 / 祝先入門右[406] / 尸入門左[407]
門西：(東) 執槃 / (南) 淳尸盥 / (西) 執巾 執匜 / (北) 宗人授巾[408]
西塾東：奉篚[409]
西塾內：膰俎 / 肝俎[410]
寢門外
中：一人奉篚哭從尸[411]
西塾南：鼎 鼎 鼎[412]
西塾西：豕爨 / 黍羹在爨[413] // 魚爨 // 腊爨[414]

396_〈사우례〉1. 주⑫, 16. 주②③.
397_〈사우례〉2. 주⑧ 뒤.
398_〈사우례〉1. 본문 주⑨ 뒤.
399_〈사우례〉13. 주⑩.
400_〈사우례〉1. 본문 주⑫ 뒤.
401_〈사우례〉1. 주⑬⑭.
402_〈사우례〉2.
403_〈사우례〉4. 주⑤⑥.
404_〈사우례〉2. 주⑨.
405_〈사우례〉4.
406_〈사우례〉4.
407_〈사우례〉4.
408_〈사우례〉4. 주④, 〈사우례〉14. 주①②.
409_〈사우례〉4. 주②.
410_〈사우례〉1. 주⑯. 黃以周의《禮書通故》에는 경문을 근거로 俎의 방향을 남향으로 하고, 북향하도록 한 張惠言의 圖를 오류로 보았다.
411_〈사우례〉4. 주②.
412_〈사우례〉1. 주⑮.
413_〈사우례〉5. 주⑭.
414_〈사우례〉1. 주①②③.

• 부록 4-2 • 張惠言의 《儀禮圖》 卷5 〈士虞禮〉

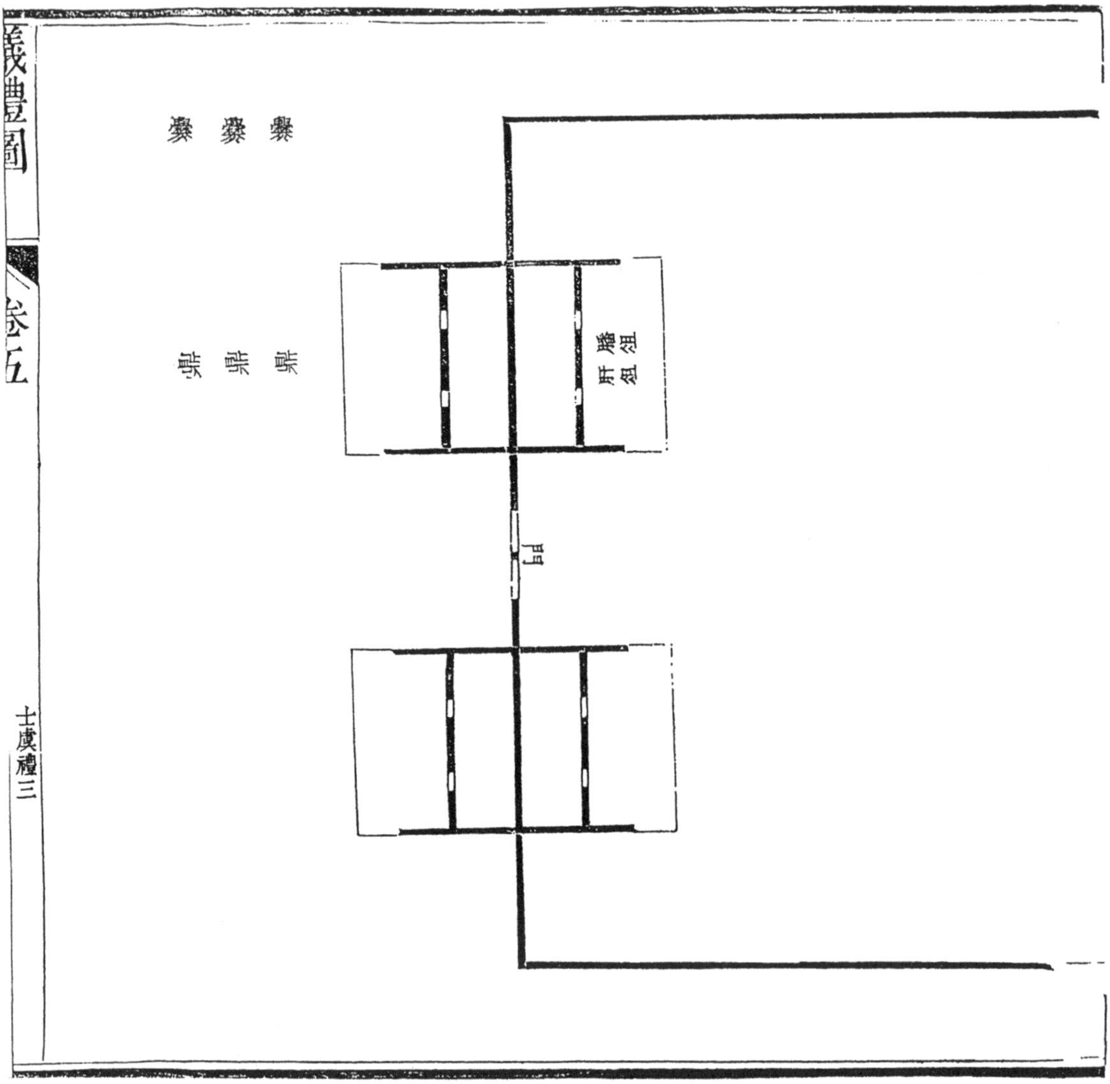

東房
北 : 洗 / 篚
西 : 祝席 / 婦人[415]
室
北墉東 : 甒醴 / 甒酒 // 酌[416]
戶東 : 祝
戶西 : 主人 / 主人獻祝, 獻佐食 // 佐食 / 拜受[417]
北墉下 : 祝 / 菹 醢 俎[418]
西 : 几 苴 / 尸 / 篚
尸席北 : 從者[419]
尸席東 : 觶 湇 鉶 菹 醢 脀 四豆 / 會 黍 / 會 稷 / 俎 魚 腊[420]
堂上
室戶南 : 宗人[421] / 獻佐食畢, 主人以爵降, 實于篚, 復位.[422]

415_ 〈사우례〉4. 주⑦.
416_ 〈사우례〉6. 주②.
417_ 〈사우례〉6.
418_ 〈사우례〉6. 주⑨.
419_ 〈사우례〉5. 주①②.
420_ 〈사우례〉3.
421_ 〈사우례〉15. 주①.
422_ 〈사우례〉6. 주⑬⑭.
423_ 〈사우례〉15. 주②.
424_ 〈사우례〉1. 주⑫.
425_ 〈사우례〉13. 주⑩.
426_ 〈사우례〉1. 주⑫ 뒤.
427_ 〈사우례〉6. 본문 주 ④⑤ 뒤.
428_ 〈사우례〉6. 주①②.

〈主人酳尸〉(初獻)

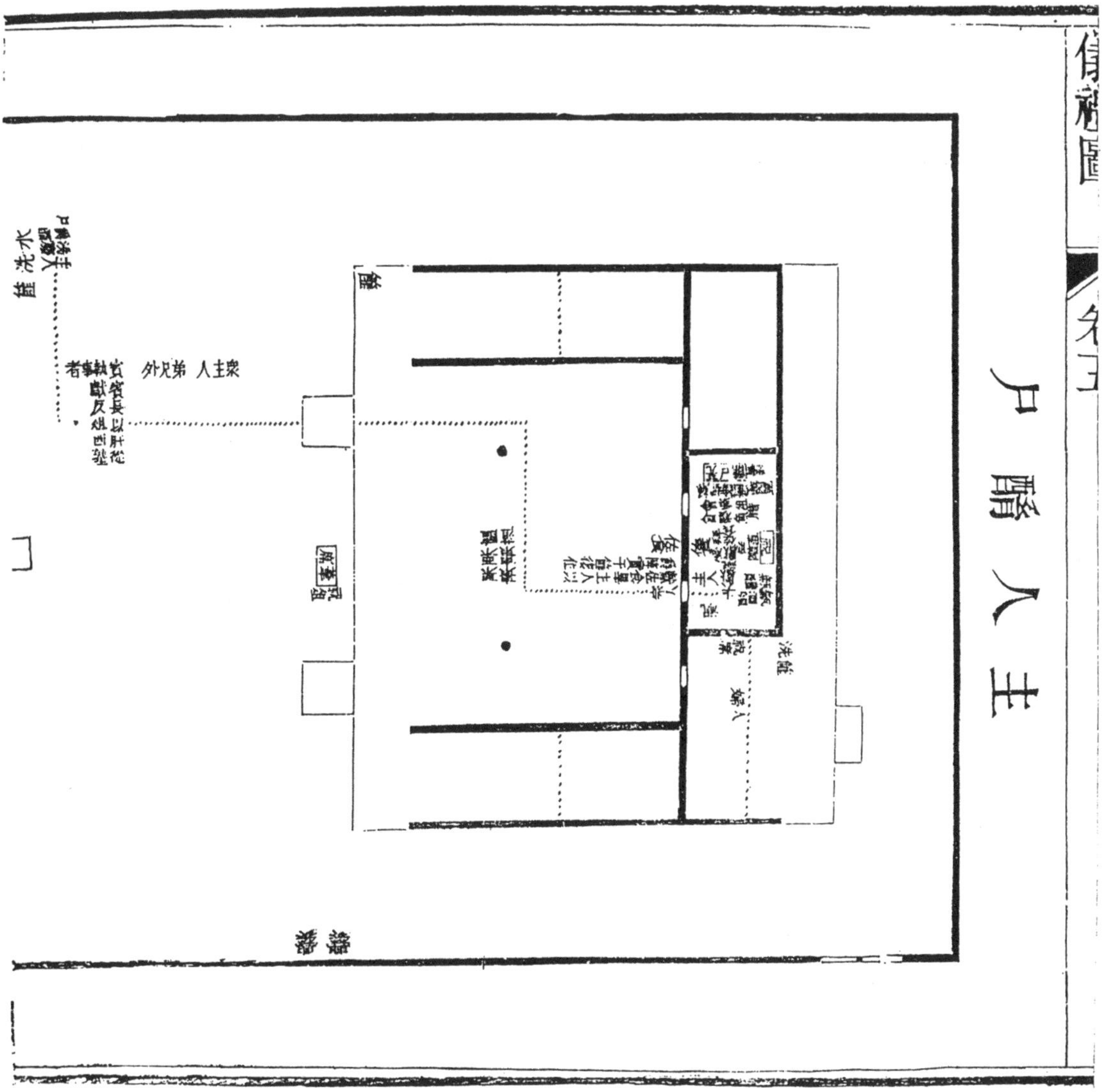

戶牖間：佐食[423]
兩楹間：棗栗 棗栗 菹醢[424]
西坫：篚
庭
東壁下：爨 / 爨
兩階間：祝俎[425] / 葦席[426]
西階南：衆主人 / 外兄弟 / 賓執事者 // 賓長以肝從獻, 反俎西塾.[427]
西階西南：篚 / 洗 / 水 // 主人洗廢爵酳尸[428]
西塾內：燔俎 / 肝俎[429]
寢門外
西塾南：鼎 鼎 鼎
西塾西：爨 / 爨 / 爨

429_〈사우례〉1. 주⑯. 黃以周의 《禮書通故》에는 俎가 남향으로 되어 있다.

• 부록 4-2 • 張惠言의 《儀禮圖》 卷5 〈士虞禮〉

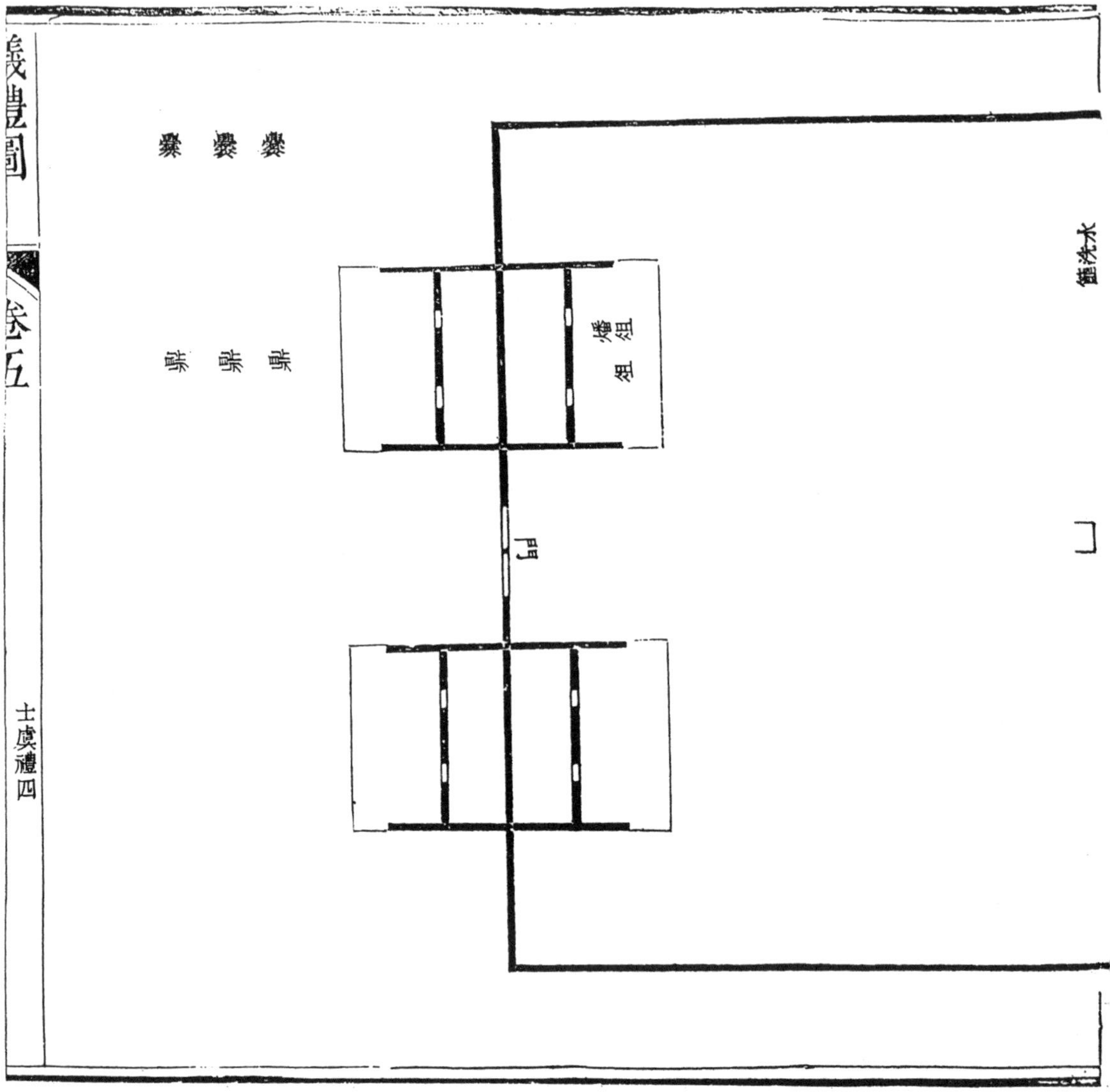

賓長三獻尸與主人儀同. 無從, 不獻祝、佐食.[430]
東房
北 : 洗 / 篚 // 主婦洗足爵亞獻尸[431]　　中 : 婦人[432]
室
北墉東 : 甒醴 / 甒酒 // 酌[433]
戶東 : 祝[434]
戶西 : 主婦 / 主婦獻祝, 獻佐食. // 佐食 / 拜受[435]
北墉下 : 祝席[436] / 棗 菹 醢 / 栗 俎[437]
西 : 几 苴 / 尸 / 篚
尸席北 : 從者
尸席東 : 觶 涪 鉶 菹 醢 胔 四豆 / 棗 會 黍 / 栗 會 稷 / 豕 魚 腊
堂上
室戶南 : 獻佐食畢, 主婦以爵入于房.[438]

430_〈사우례〉8.
431_〈사우례〉7. 주⑪.
432_〈사우례〉4. 주⑦.
433_〈사우례〉7. 주① 뒤.
434_〈사우례〉2. 주⑨ 뒤.
435_〈사우례〉7.
436_〈사우례〉6. 주⑧.
437_〈사우례〉7.
438_〈사우례〉7.
439_〈사우례〉15. 주②.
440_〈사우례〉1. 주⑫.
441_〈사우례〉7. 주②.
442_〈사우례〉6. 주⑭.
443_〈사우례〉2.
444_〈사우례〉7. 주④.

〈主婦亞獻〉

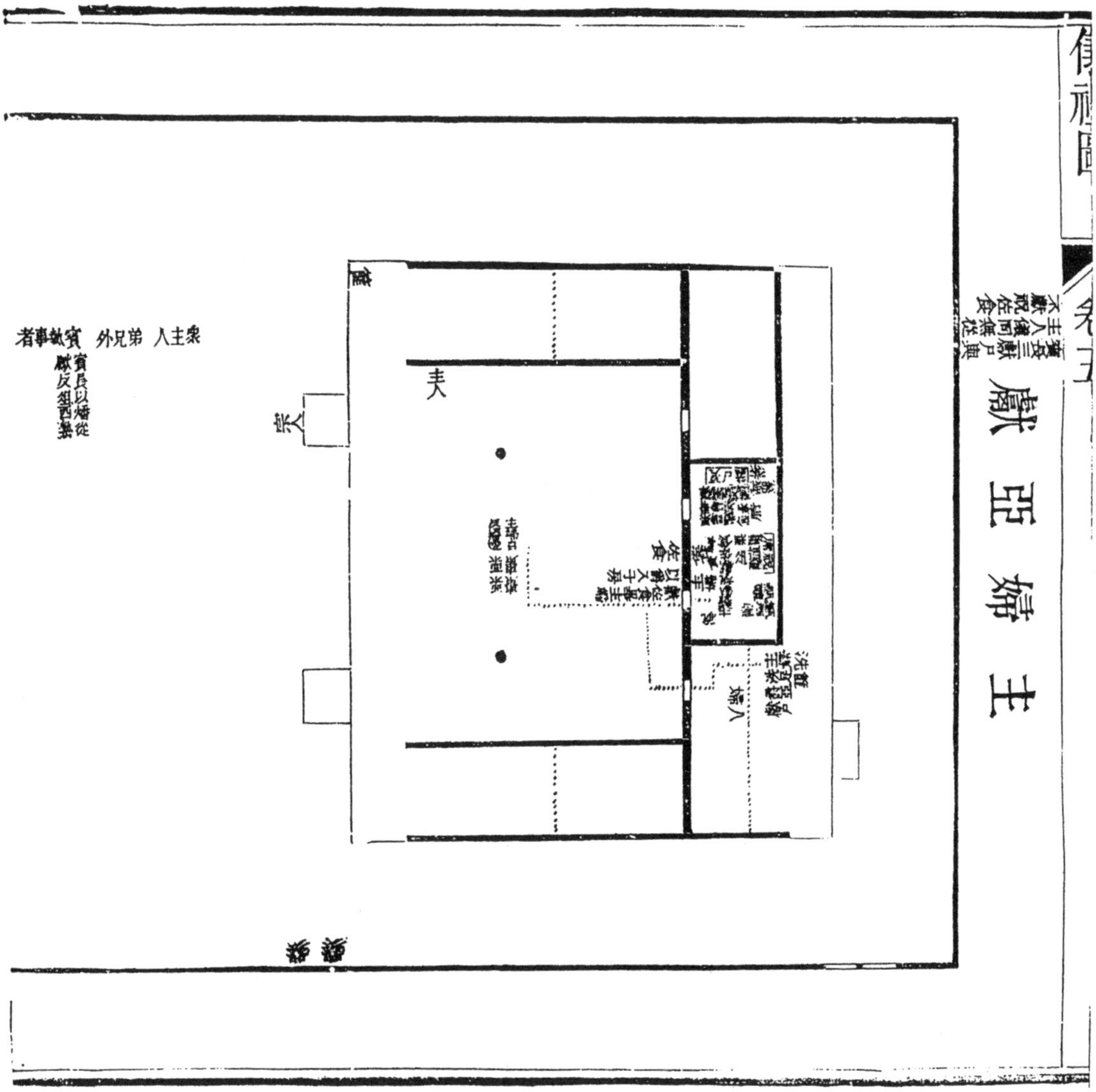

戶牖間：佐食[439]　　兩楹間：棗栗 棗栗[440] // 主婦自反兩籩[441]
西序下：主人[442]　　西坫：篚
庭
東壁下：爨 / 爨　　西階下：宗人[443]
西階南：衆主人 / 外兄弟 / 賓執事者 // 賓長以燔從獻, 反俎西塾.[444]
西階西南：篚 / 洗 / 水
西塾內：燔俎 / 俎[445]
寢門外
西塾南：鼎 鼎 鼎　　西塾西：爨 / 爨 / 爨

445_〈사우례〉6. 본문 주 ⑤ 뒤.

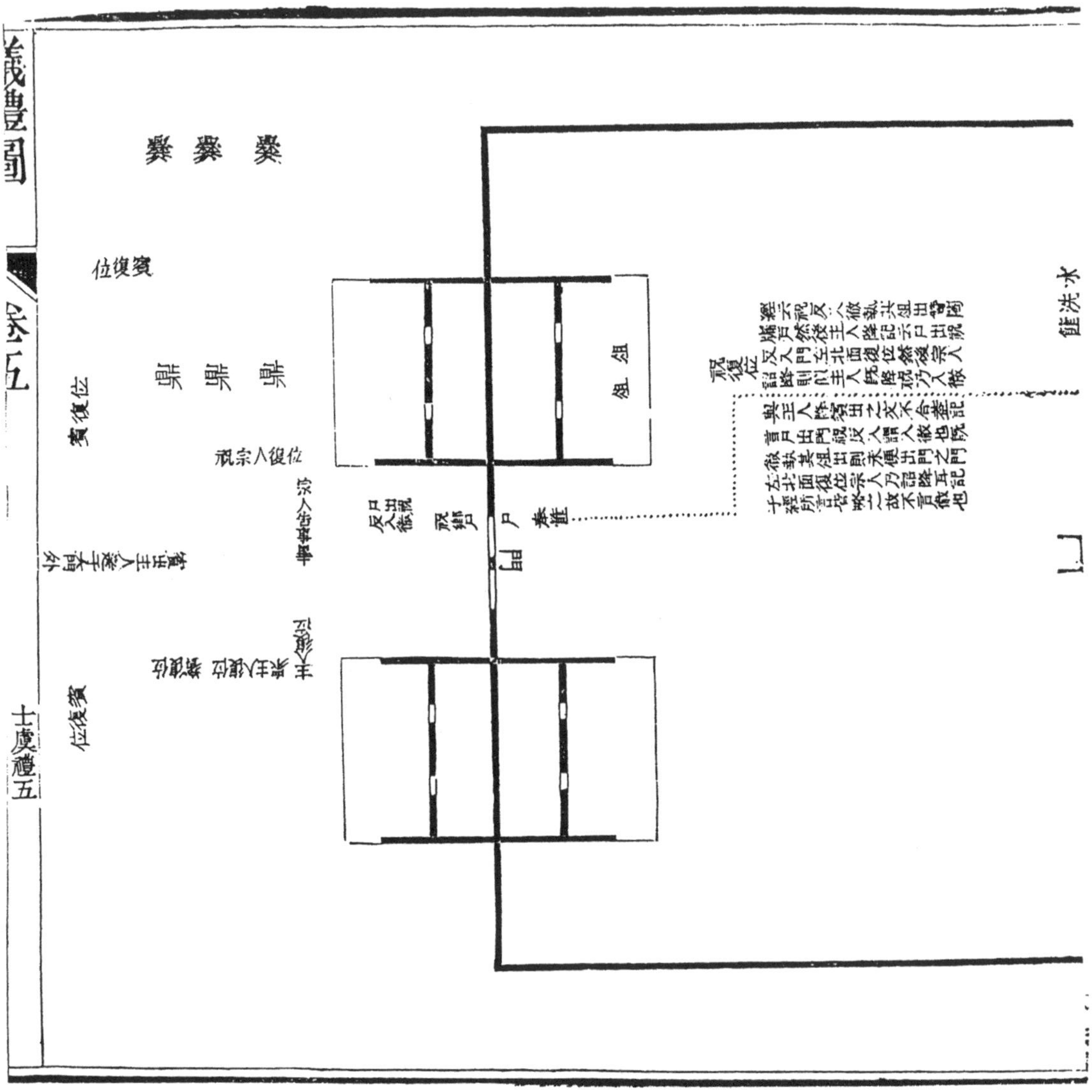

〈尸出改饌送賓〉

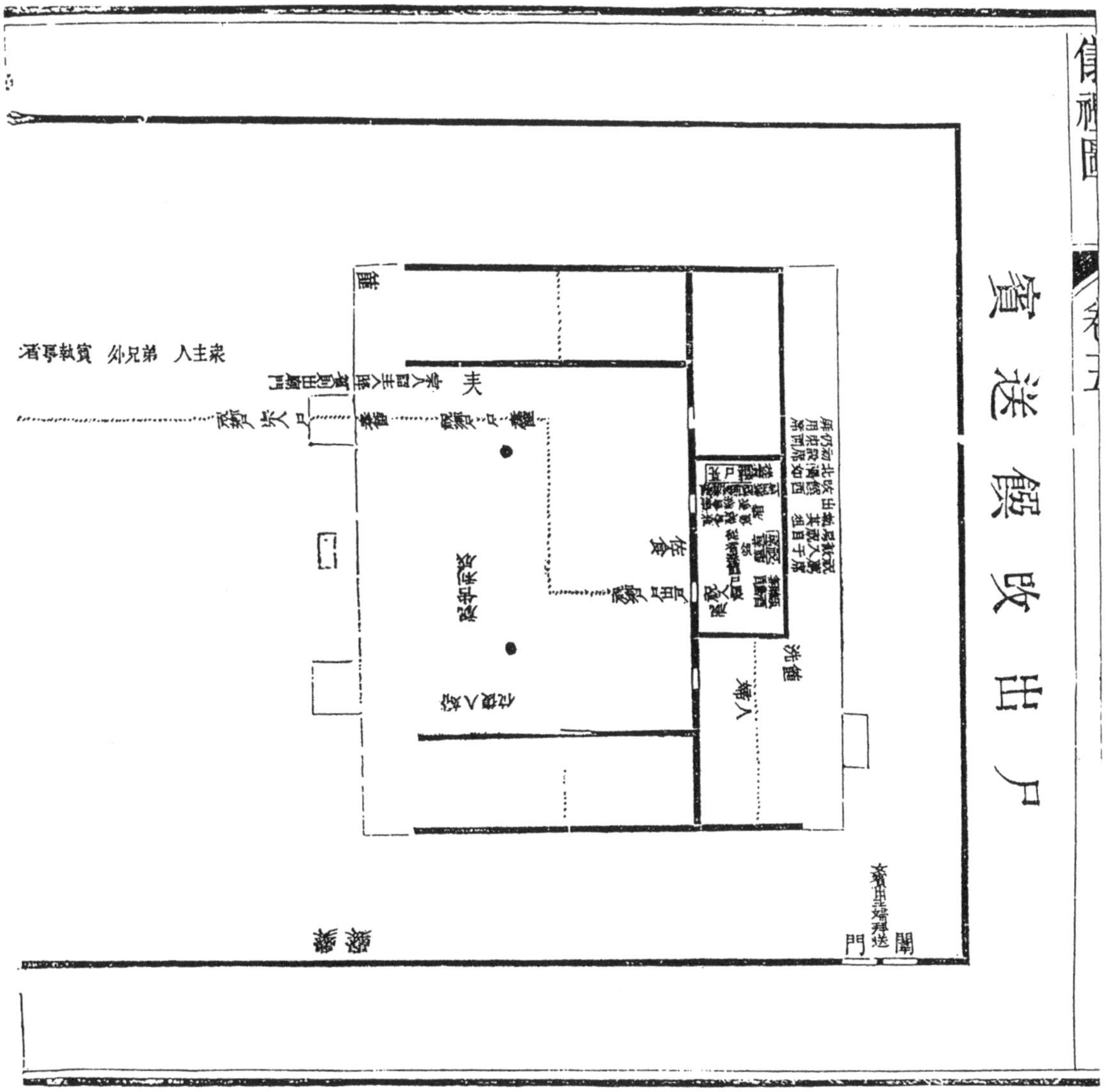

祝薦席, 徹入于房, 祝自執其俎出. 改饌西北隅如初, 設席仍東面, 厞用席.[446]
闈門 : 女賓出, 主婦拜送.[447]
東房
北 : 洗 / 篚
中 : 婦人
室
北墉東 : 甒醴 / 甒酒
室東 : 祝 / 祝入 / 尸謖 / 從者奉篚[448]
北墉下 : 祝席 / 菹 醢 俎
西 : 几 茵 / 尸 / 篚
尸席北 : 從者
尸席東 : 觶 湇 鉶 菹 醢 脀 四豆 / 棗 會 黍 / 栗 會 稷 / 豕 魚 腊
堂上
室戶南 : 尸出戶 / 祝鄕尸[449]
戶牖間 : 佐食
東序下 : 婦人復位[450]
兩楹間 : 祝告利成[451]
西楹西 : 奉篚[452] / 尸[453] / 祝鄕尸 / 奉篚[454]
西序下 : 主人
西坫 : 篚

446_ 〈사우례〉10.
447_ 〈사우례〉20. 주⑰.
448_ 〈사우례〉9.
449_ 〈사우례〉9. 주④, 〈사우례〉17. 주③.
450_ 〈사우례〉11. 주①.
451_ 〈사우례〉9. 주②.
452_ 黃以周의 《禮書通故》에는 篚를 든 사람의 방향이 시동과 같은 남향으로 되어 있다. 시동을 뒤따라 당을 내려가는 것이기 때문에 황이주의 圖가 옳은 것으로 보인다. 다음의 奉篚도 같다.
453_ 黃以周의 《禮書通故》에는 篚를 든 사람의 방향이 시동과 같은 남향으로 되어 있다. 시동을 뒤따라 당을 내려가는 것이기 때문에 황이주의 圖가 옳은 것으로 보인다.
454_ 〈사우례〉9.

庭
東壁下：爨 / 爨
西階下：尸[455] // 宗人 / 宗人詔主人降, 賓則出廟門.[456] // 祝鄉尸[457]
西階南：衆主人 / 外兄弟 / 賓執事者
西階西南：篚 / 洗 / 水
西塾北：祝復位[458] / 經云: "祝反, 入徹,[459] 執其俎出, 贊闔牖、戶,[460] 然後主人降.[461]" 《記》云: "尸出, 祝反入門左, 北面復位, 然後宗人詔降."[462] 則似主人旣降, 祝乃入徹, 與"主人降, 賓出之"文不合. 蓋《記》言"尸出門, 祝反入", 謂入徹也. 旣徹, 執其俎出, 則未便. 出門之門左, 北面復位, 宗人乃詔降耳. 《記》于經所言皆略之, 故不言徹也.
門西：尸 / 奉篚
西塾內：俎[463] / 俎[464]
寢門外
門西：祝鄉尸[465] / 尸出, 祝反入徹.[466]
東塾西：主人復位 / 衆主人復位 / 賓復位[467]
東塾南：賓復位[468]
兩塾間南：賓出, 主人送于大門外.[469]
西塾東：祝、宗人復位[470] // 宗人告事畢[471]
西塾南：鼎 鼎 鼎 // 賓復位[472]
西塾西：賓復位[473] // 爨 / 爨 / 爨

455_ 黃以周의 《禮書通故》에는 시동의 방향이 남향으로 되어 있다. 당을 내려가는 것이기 때문에 황이주의 圖가 옳은 것으로 보인다.
456_〈사우례〉11. 주②, 〈사우례〉17. 주⑧ 뒤.
457_〈사우례〉17. 주⑤–⑥.
458_〈사우례〉17. 주⑧.
459_〈사우례〉10.
460_〈사우례〉10.
461_〈사우례〉11.
462_〈사우례〉17. 주⑦⑧.
463_〈사우례〉1. 주⑯, 7. 주④. 黃以周의 《禮書通故》에는 俎가 남향으로 되어 있다.
464_〈사우례〉1. 주⑯, 6. 주⑤ 뒤. 黃以周의 《禮書通故》에는 俎가 남향으로 되어 있다.
465_〈사우례〉17. 주⑦.
466_〈사우례〉10.
467_〈사우례〉2. 주③, 〈사우례〉11. 주①.
468_〈사우례〉11. 주①. 앞 〈朝夕哭〉圖에 따르면 '賓'은 諸公이다.
469_〈사우례〉11. 주②.
470_〈사우례〉11.
471_〈사우례〉11.
472_〈사우례〉11. 주①. 앞 〈朝夕哭〉圖에 따르면 '賓'은 他國之異爵者이다.
473_〈사우례〉11. 주①. 앞 〈朝夕哭〉圖에 따르면 '賓'은 卿大夫이다.

• 부록 4-2 • 張惠言의 《儀禮圖》 卷5 〈士虞禮〉

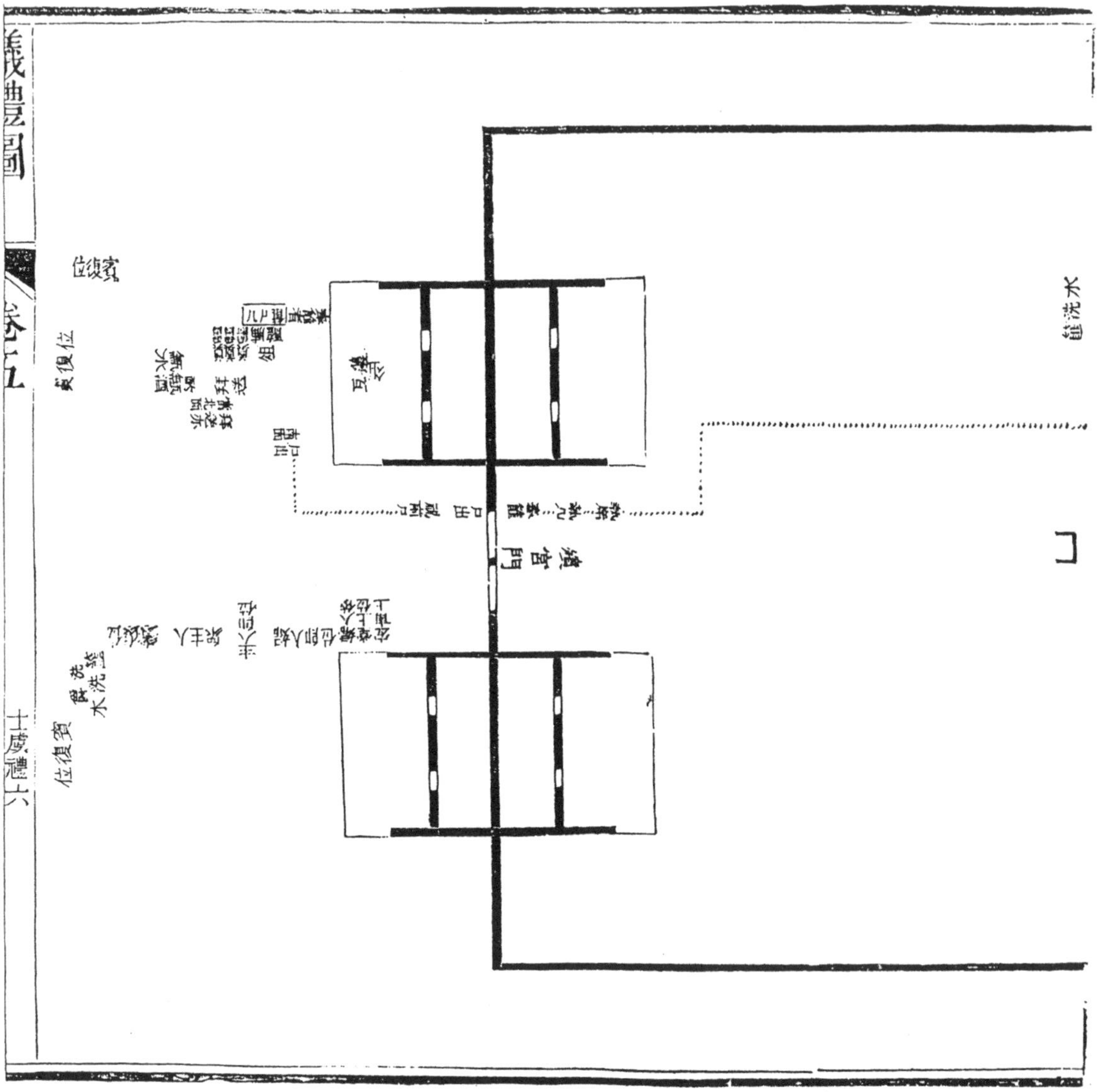

東房
北：洗 / 篚
室
北墉東：甒醴 / 甒酒
北墉下：饌
尸席北：奉篚者
堂上
戶牖間：佐食[474]
兩楹間：入前尸, 尸乃出.[475] / 祝告利成[476]
西楹西：祝前尸如初儀
庭
西階下：宗人
西階西南：篚 / 洗 / 水

室東：祝
西：几 苴 / 尸 / 篚
尸席東：饌
東序下：婦人
西序下：主人
西階南：衆主人 / 外兄弟 / 賓執事者
兩塾間：執席 / 執几 / 奉篚[477]

474_ 〈사우례〉15. 주②.
475_ 〈사우례〉17. 주③④.
476_ 〈사우례〉9. 주②.
477_ 〈사우례〉20. 본문 주⑯ 뒤.
478_ 〈사우례〉9. 주④ 앞.
479_ 〈사우례〉20. 주⑨ 전후.
480_ 〈사우례〉20. 주⑧. 앞 〈朝夕哭〉圖에 따르면 '賓'은 諸公이다.
481_ 〈사우례〉20. 주⑧.
482_ 〈사우례〉20. 주④ 전후.
483_ 〈사우례〉20. 주⑤⑥.

〈卒哭獻畢餞尸〉

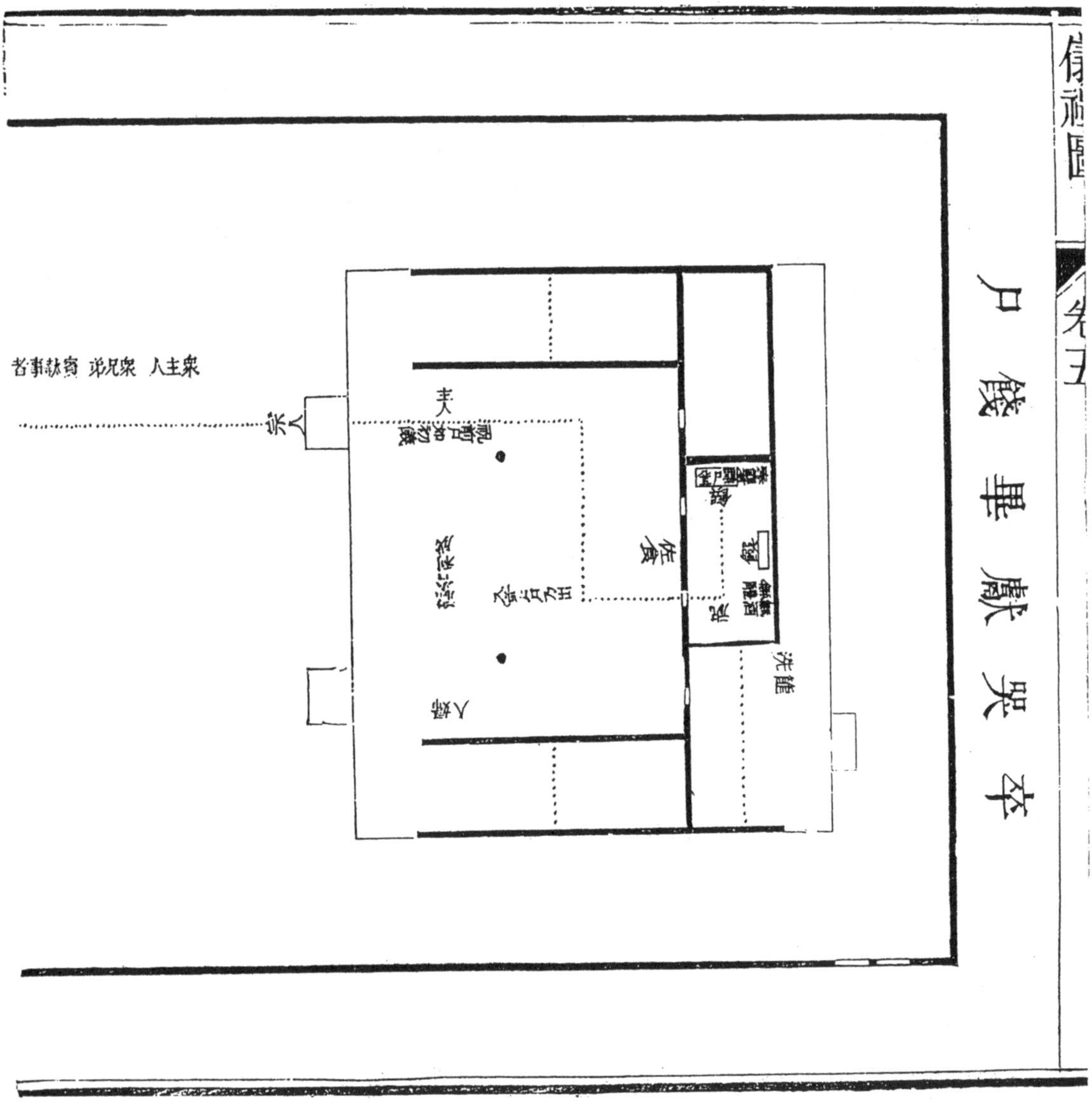

寢門外
門西：尸出 / 祝前尸[478]
東塾西：婦人卽位 / 婦人依堂上位, 宜南上.[479] // 主人卽位 / 衆主人 / 賓復位[480]
東塾南：賓復位[481] // 洗爵 / 水 洗 篚[482]
西塾內：籩 豆 / 俎[483]
西塾東：尸出南面[484]
西塾西：几 尸 篚[485] // 賓復位[486]
尸席北：奉篚者[487]
尸席東：爵 爵 爵 脯 醢 / 籩 籩 籩 / 俎[488]
西塾南：拜送 / 拜送亦當北面[489] // 酌 / 甒酒 甒水[490] // 賓復位[491]

484_〈사우례〉20. 본문 주⑦ 뒤.
485_〈사우례〉20. 본문 주⑧ 앞.
486_〈사우례〉20. 본문 주⑧. 앞 〈朝夕哭〉圖에 따르면 '賓'은 卿大夫이다.
487_〈사우례〉20. 주⑯.
488_〈사우례〉20.
489_〈사우례〉20본문. 주⑰ 앞.
490_〈사우례〉20. 주②③.
491_〈사우례〉20. 본문 주⑧. 앞 〈朝夕哭〉圖에 따르면 '賓'은 他國之異爵者이다.

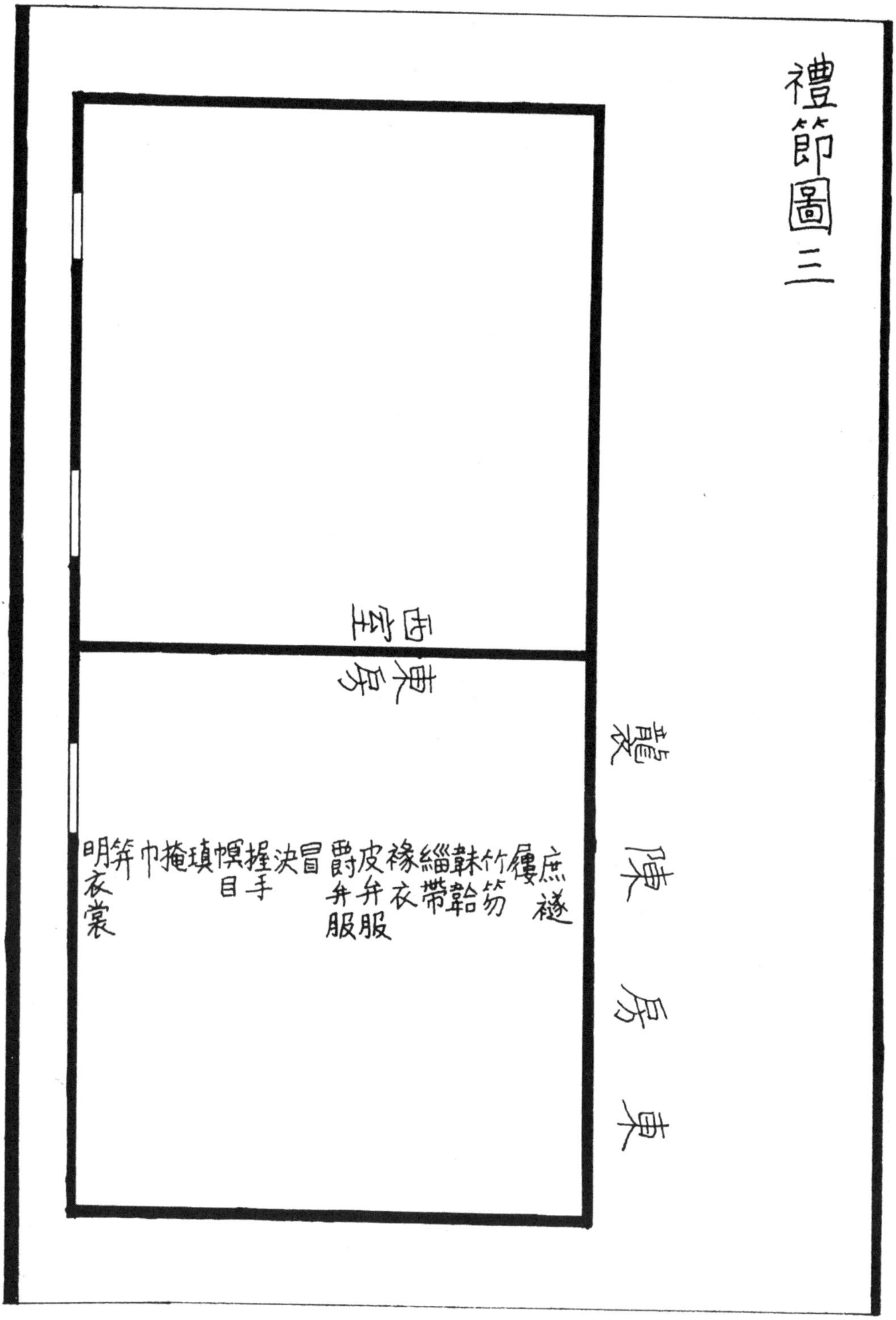
禮節圖三
西室
東房
襲
陳
房
東
明衣裳
笄
巾
掩
瑱
幎目
握手
決
冒
爵弁服
皮弁服
褖衣
緇帶
韎韐
竹笏
屨
庶襚

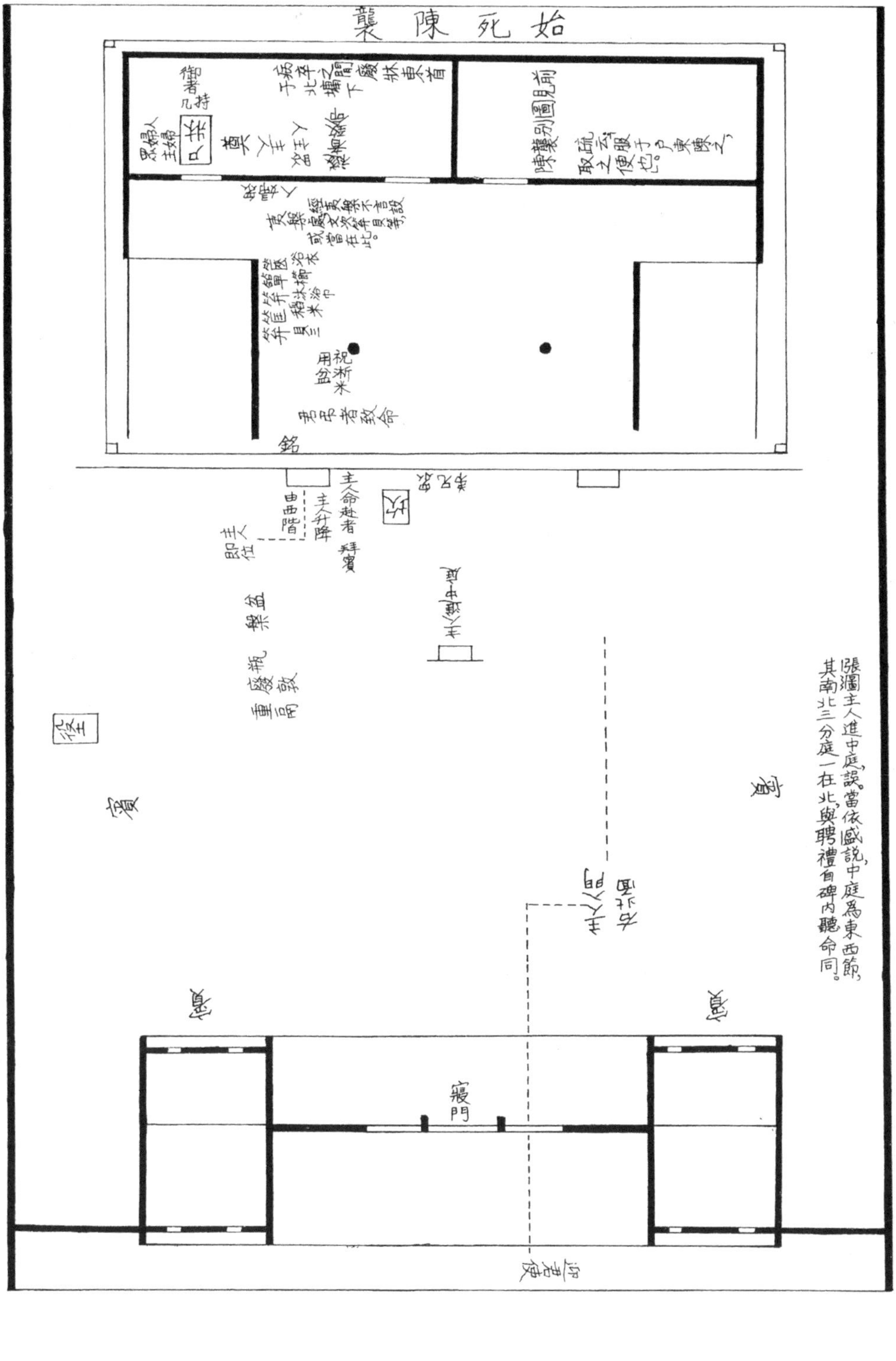
始死陳襲
寢門
張圖主人進中庭誤。當依盛說，中庭爲東西節，其南北三分庭一在北，與聘禮負碑內聽命同。

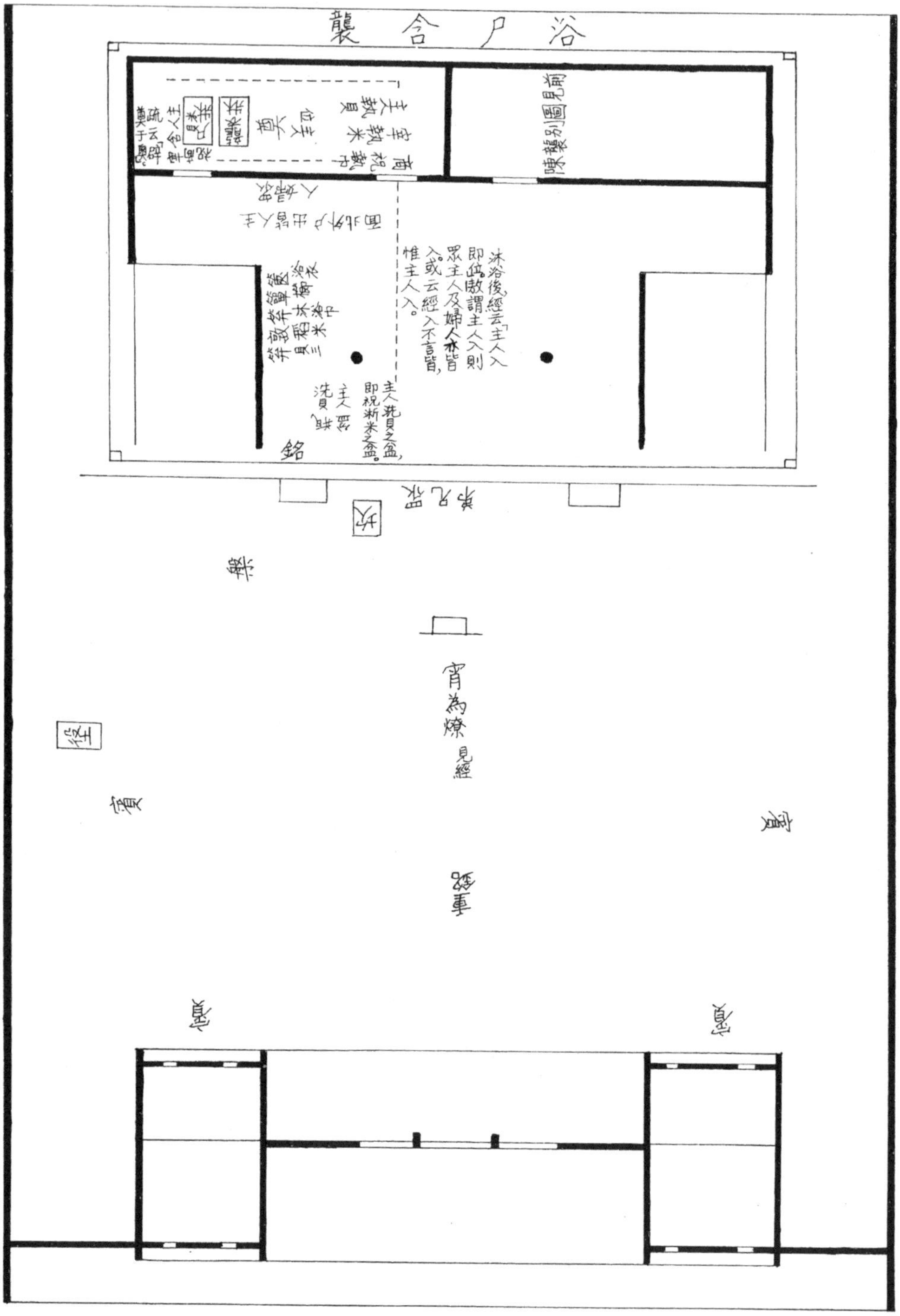

銘
宵為燎 見經

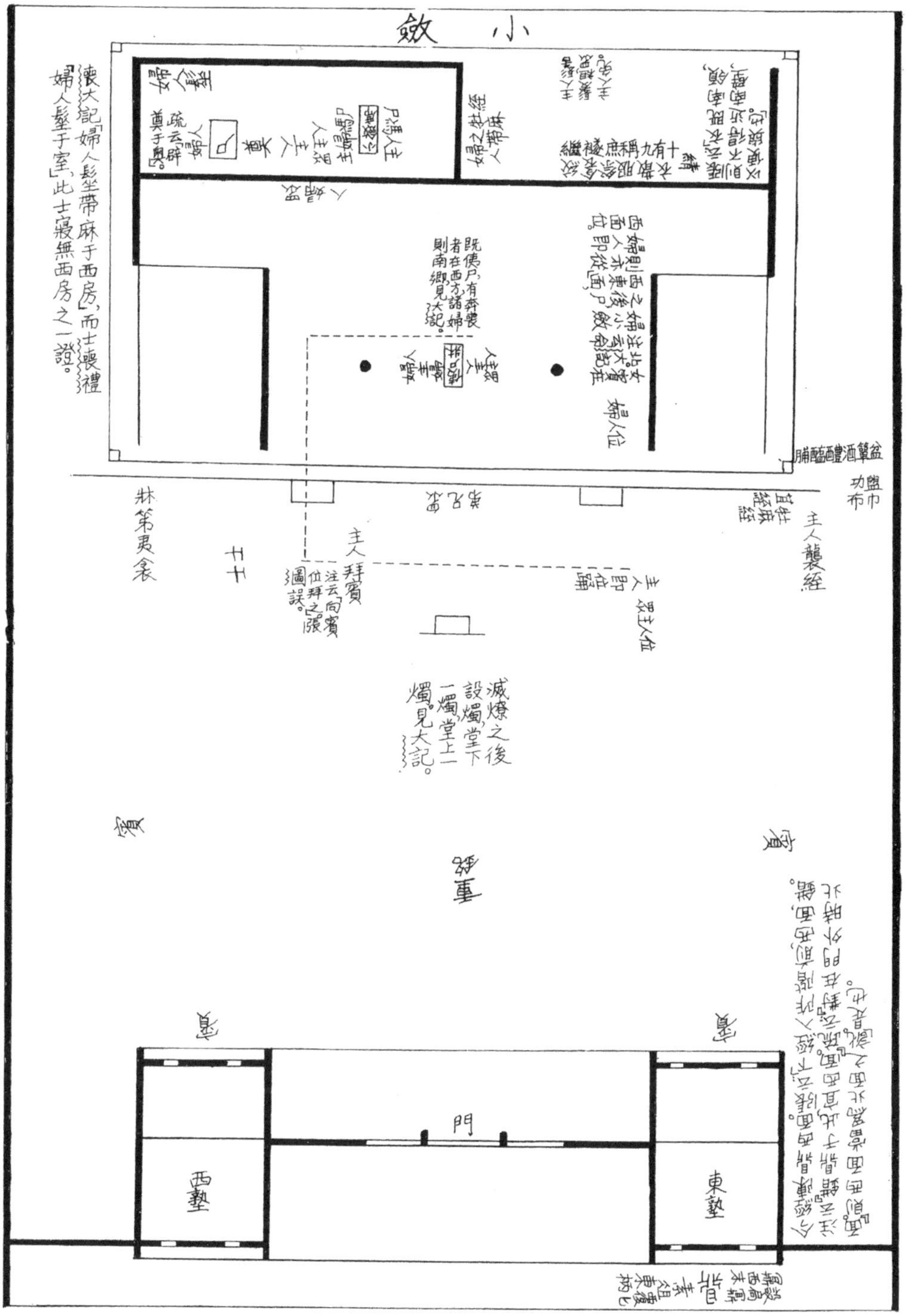
小斂
喪大記「婦人髽帶麻于西房」,而士喪禮「婦人髽于室」,此士寢無西房之一證。
滅燎之後設燭,堂下一燭,堂上一燭。見大記。
門
西塾
東塾

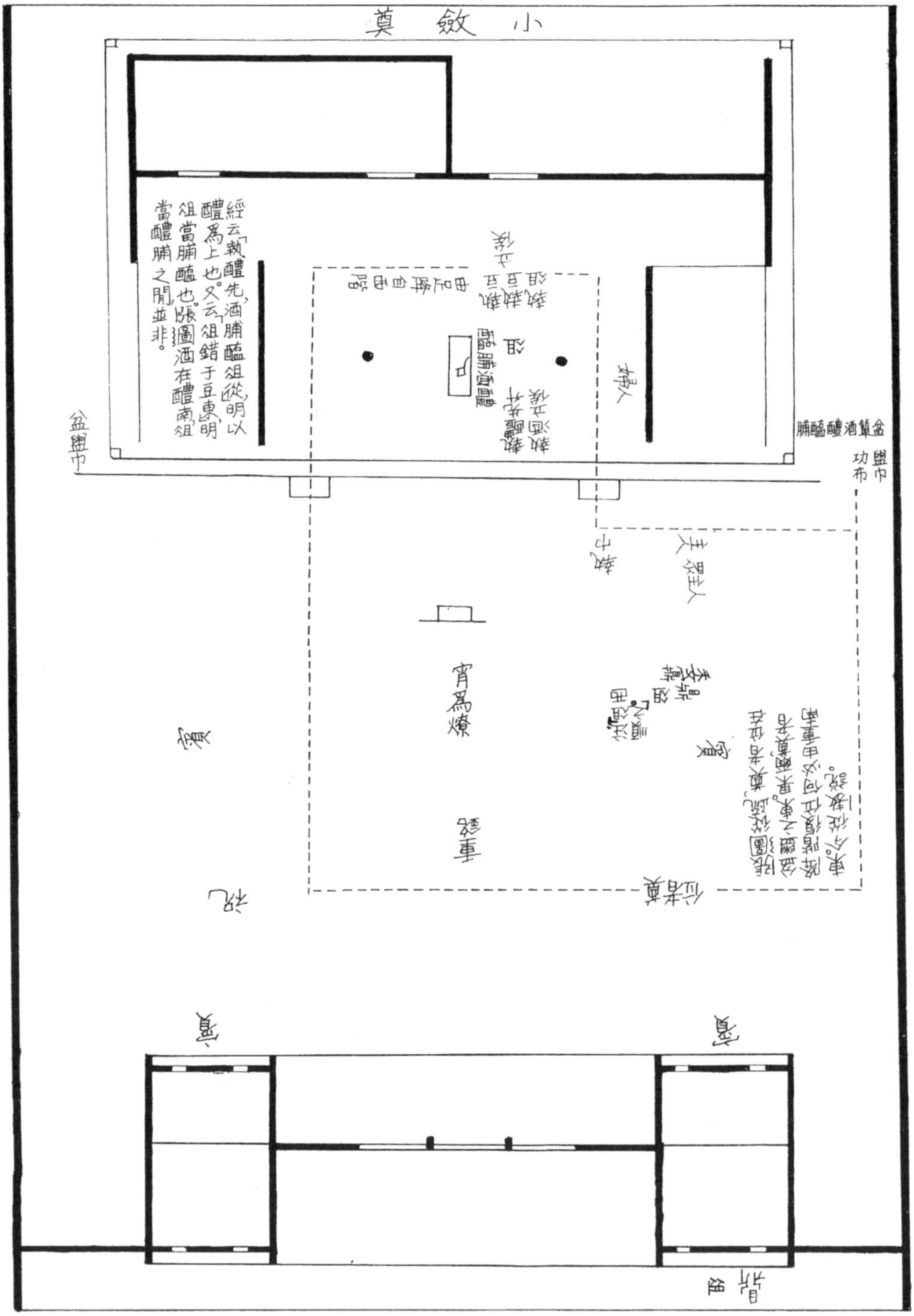
小斂奠
經云「執醴先，酒脯醢俎從」，明以醴爲上也。又云「俎錯于豆東」，明俎當脯醢也。張圖酒在醴南，俎當醴脯之間，並非。

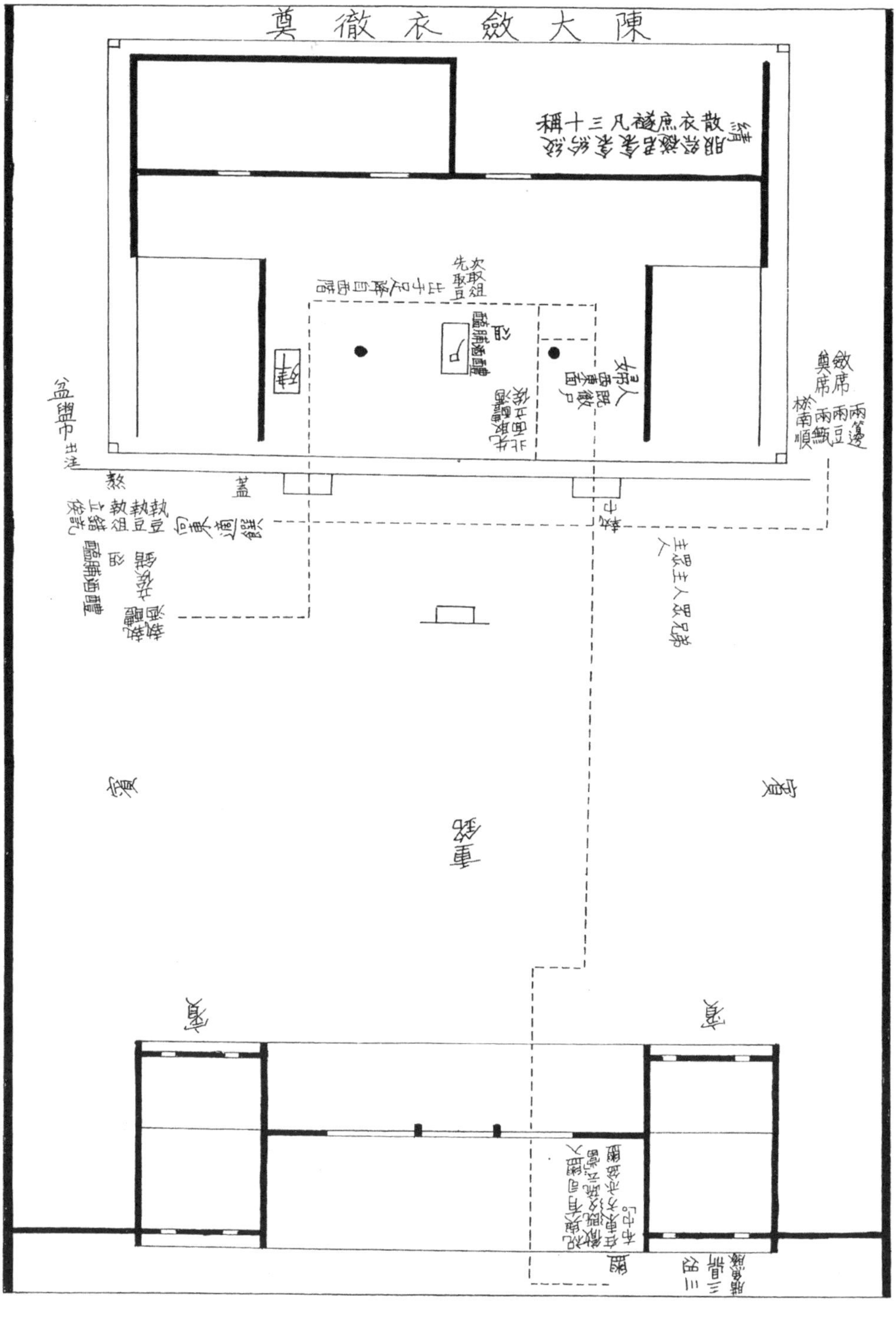
陳大斂衣徹奠
散衣庶襚凡三十稱
盆盥巾
斂席

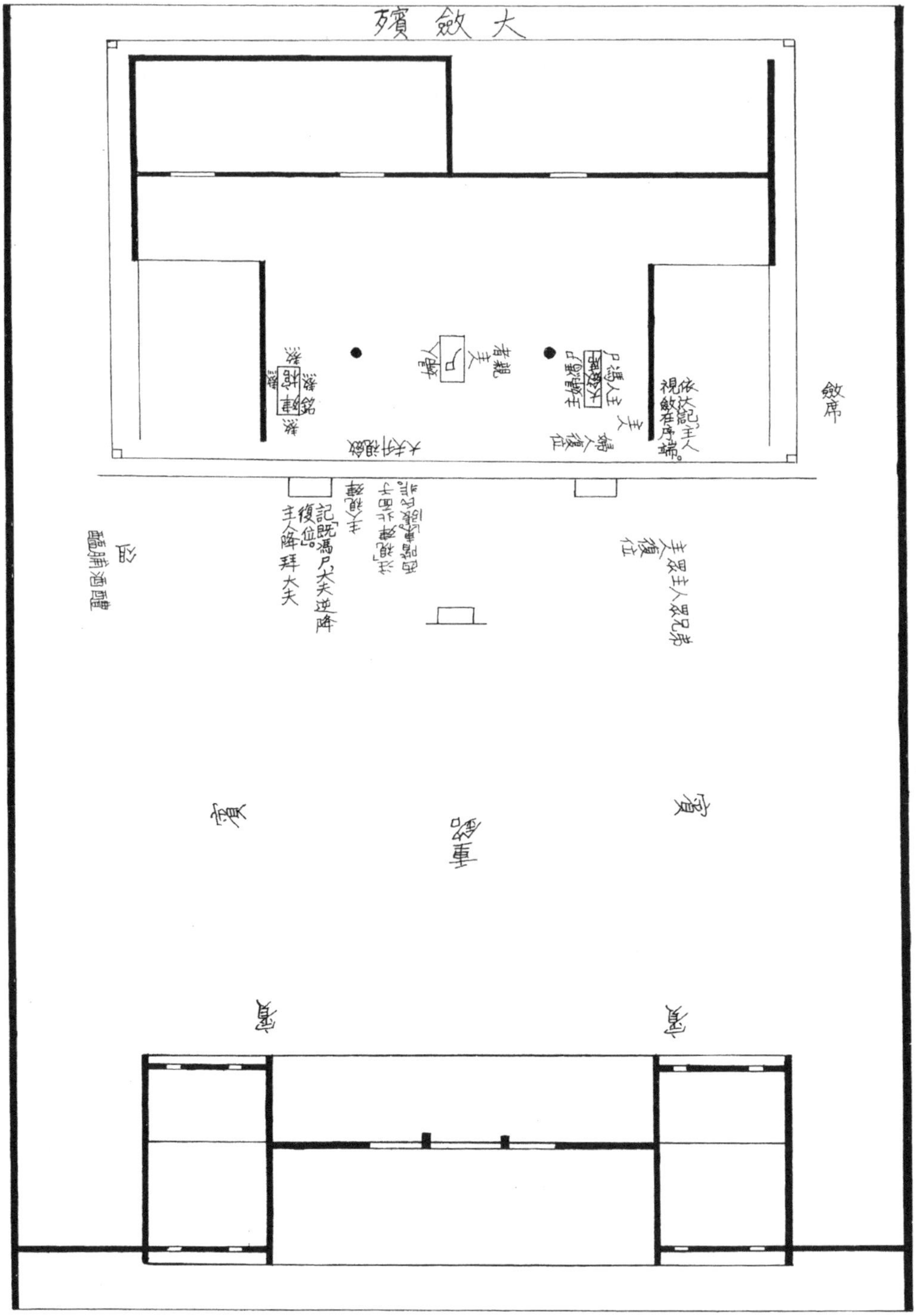
大斂殯
斂席

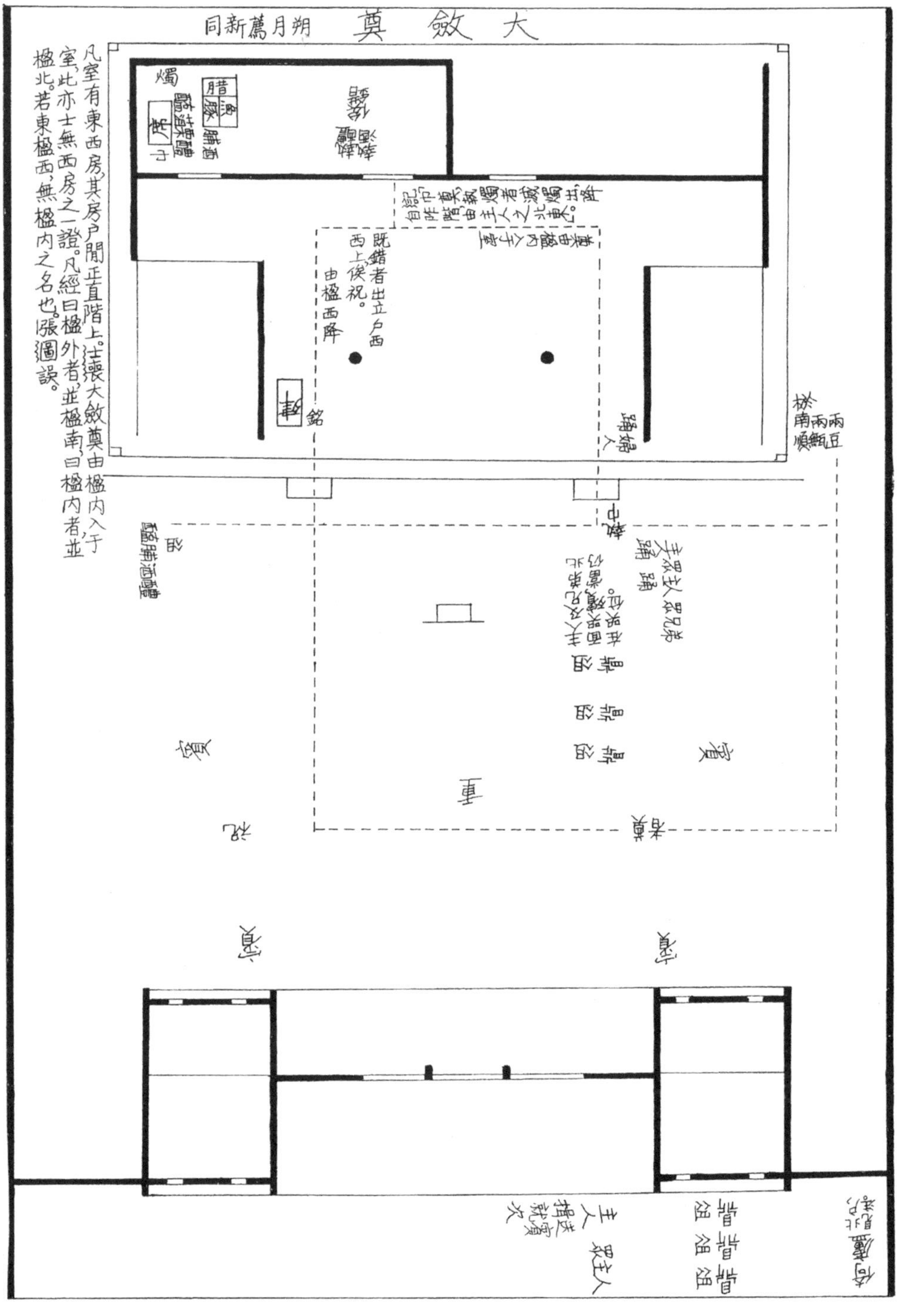
大斂奠 朔月薦新同
凡室有東西房,其房戶間正直階上。士喪大斂奠由楹內入于室,此亦士無西房之一證。凡經曰楹外者,並楹南,曰楹內者,並楹北。若東楹西,無楹內之名也。張圖誤。
既錯者出立戶西西上俟祝。
由楹西降
銘
婦人踊
主人

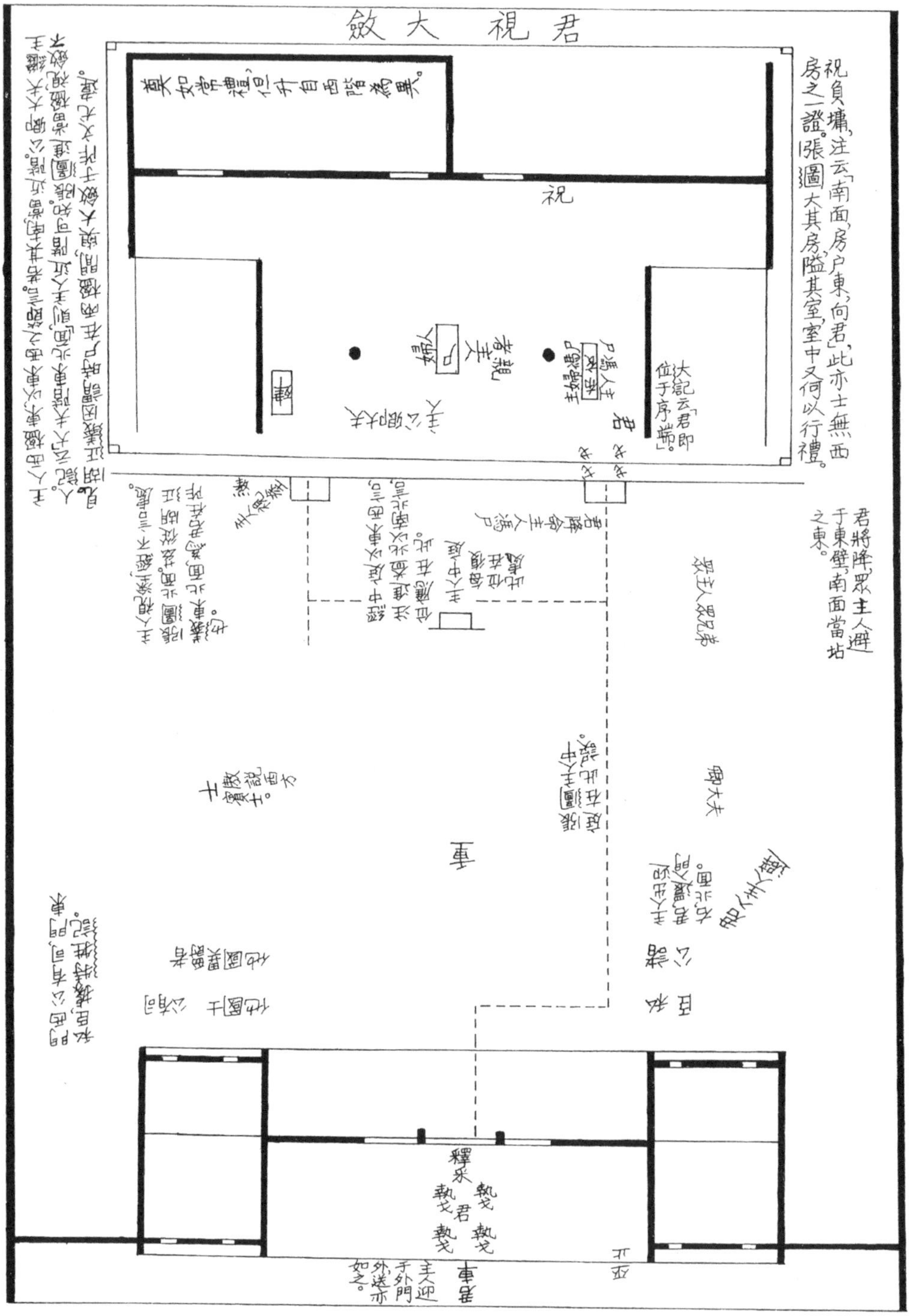
君視大斂
祝負墉，注云「南面，房户東，向君」，此亦士無西房之一證。張圖大其房，隘其室，室中又何以行禮。
祝
君將降，眾主人辟于東壁，南面，當坫之東。
車
君

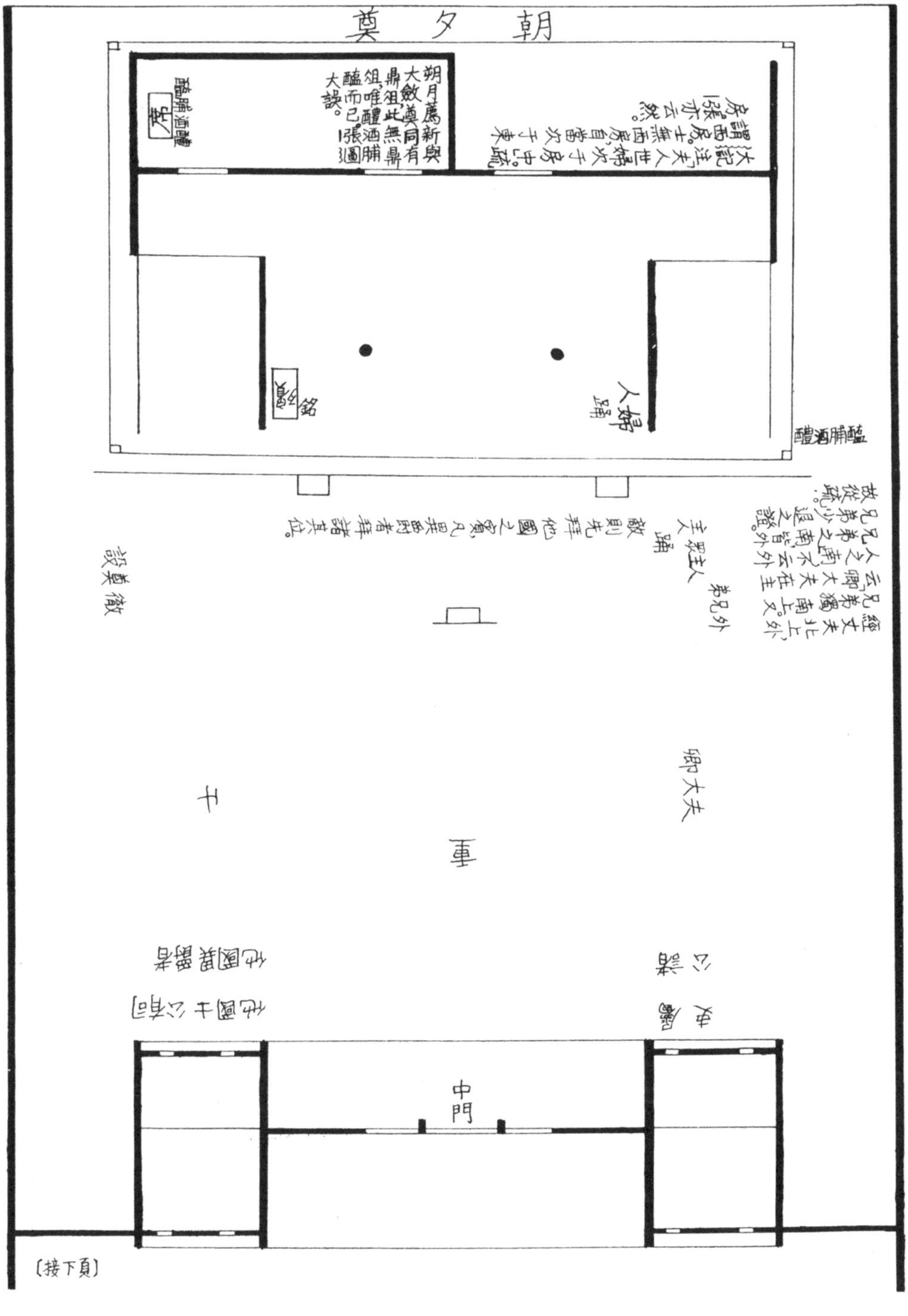

〔接下頁〕

〔接上頁〕

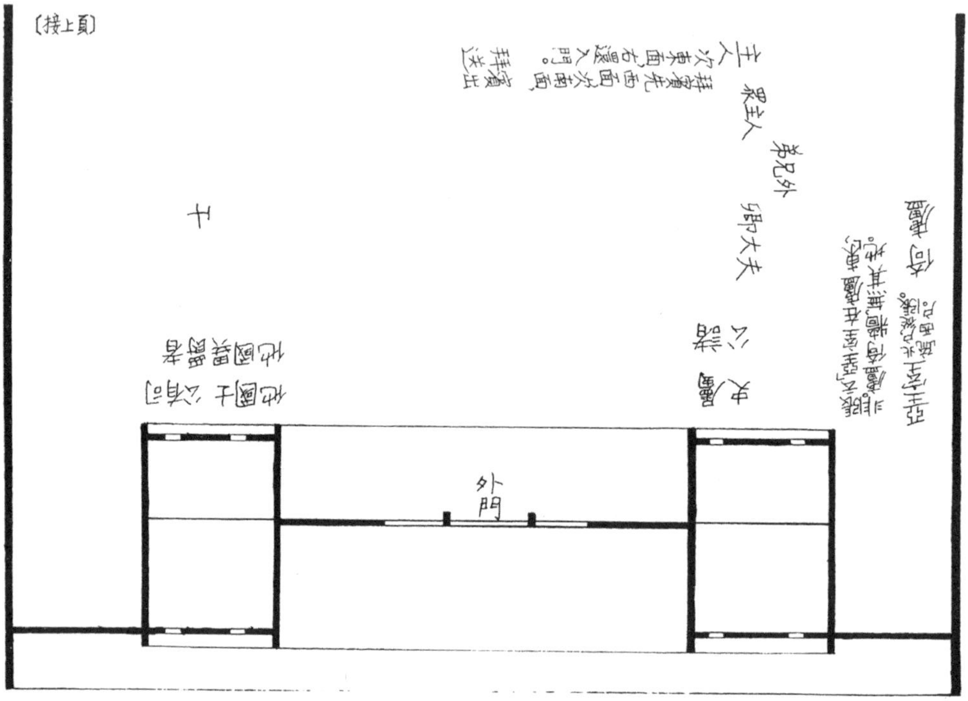

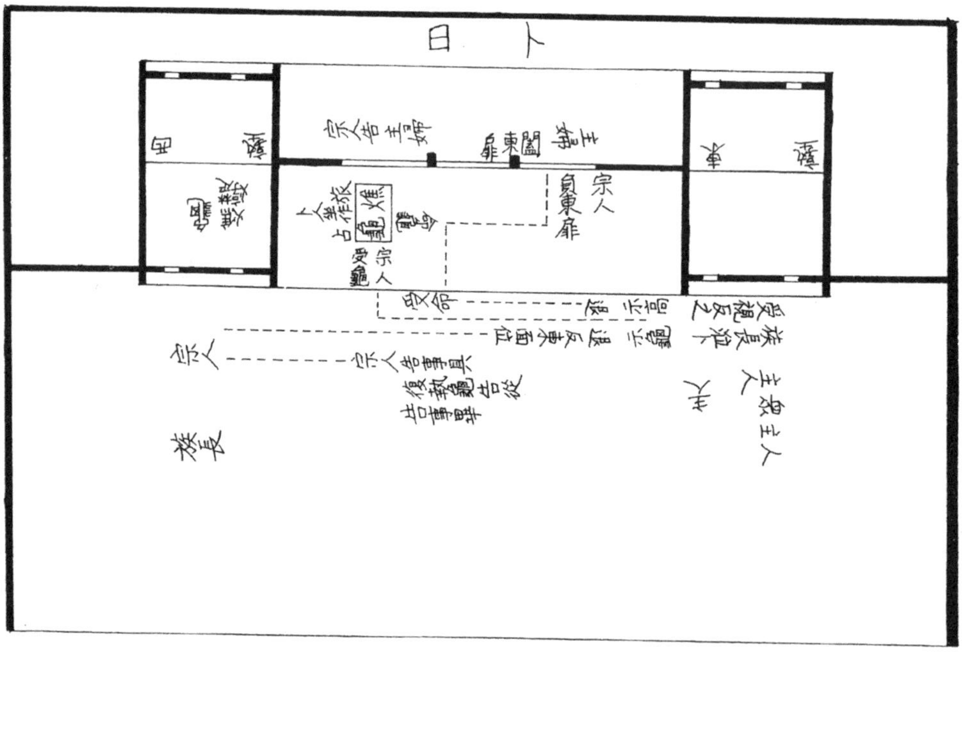

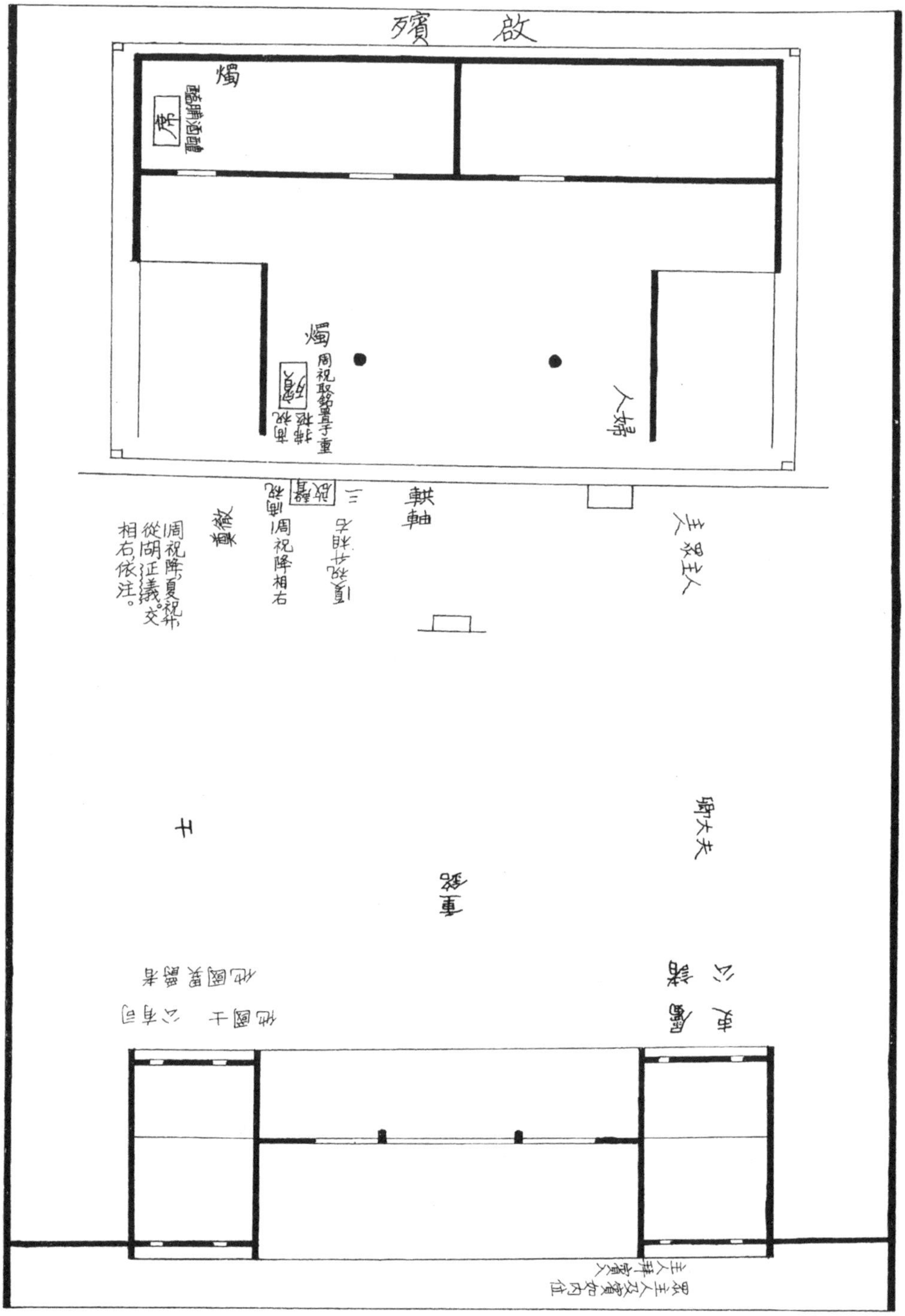
燭
燭
卿大夫

• 부록 5 • 黃以周의《禮書通故》卷48〈禮節圖三·旣夕〉

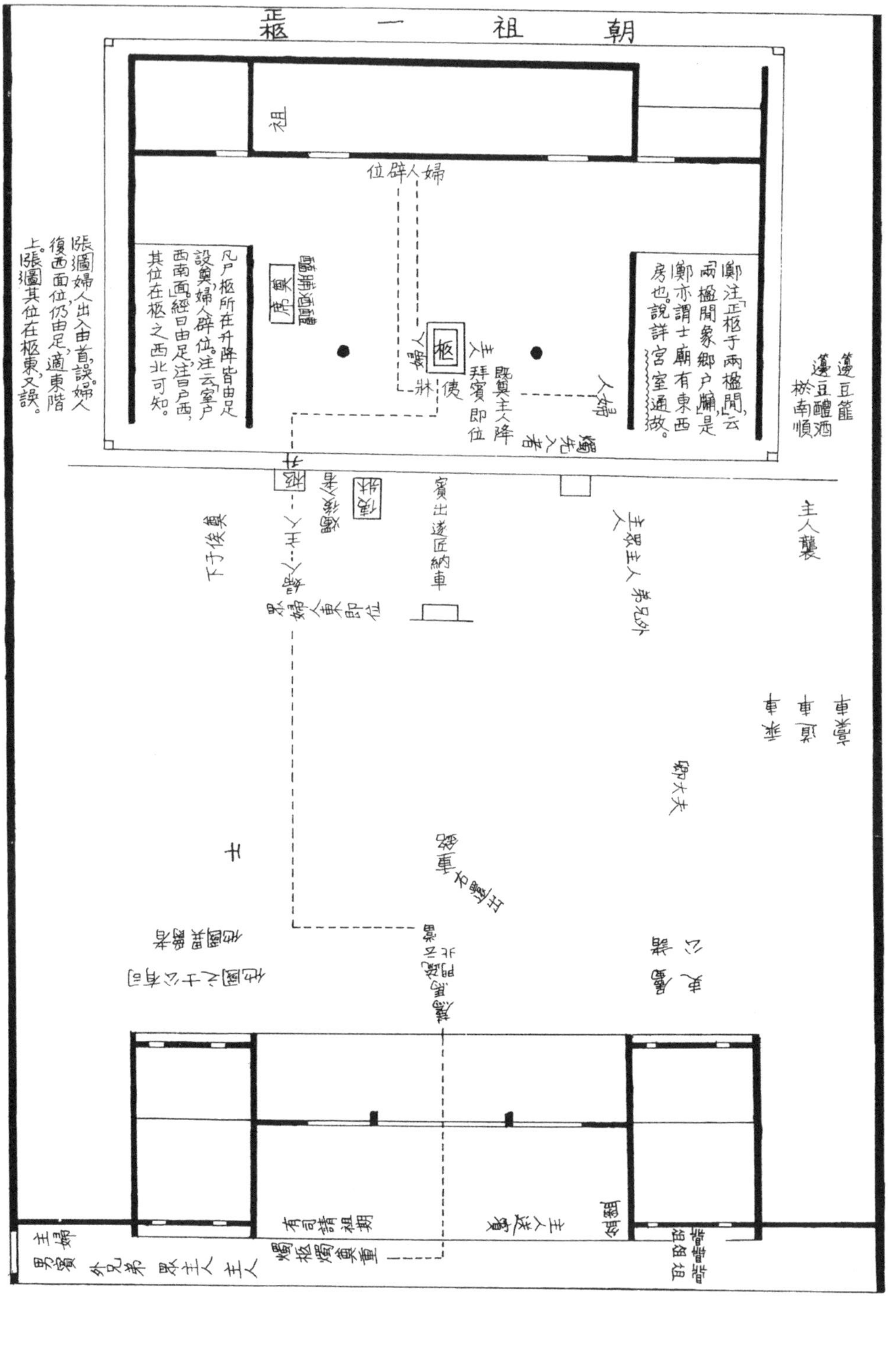

• 부록 5 • 黃以周의 《禮書通故》 卷48 〈禮節圖三·旣夕〉

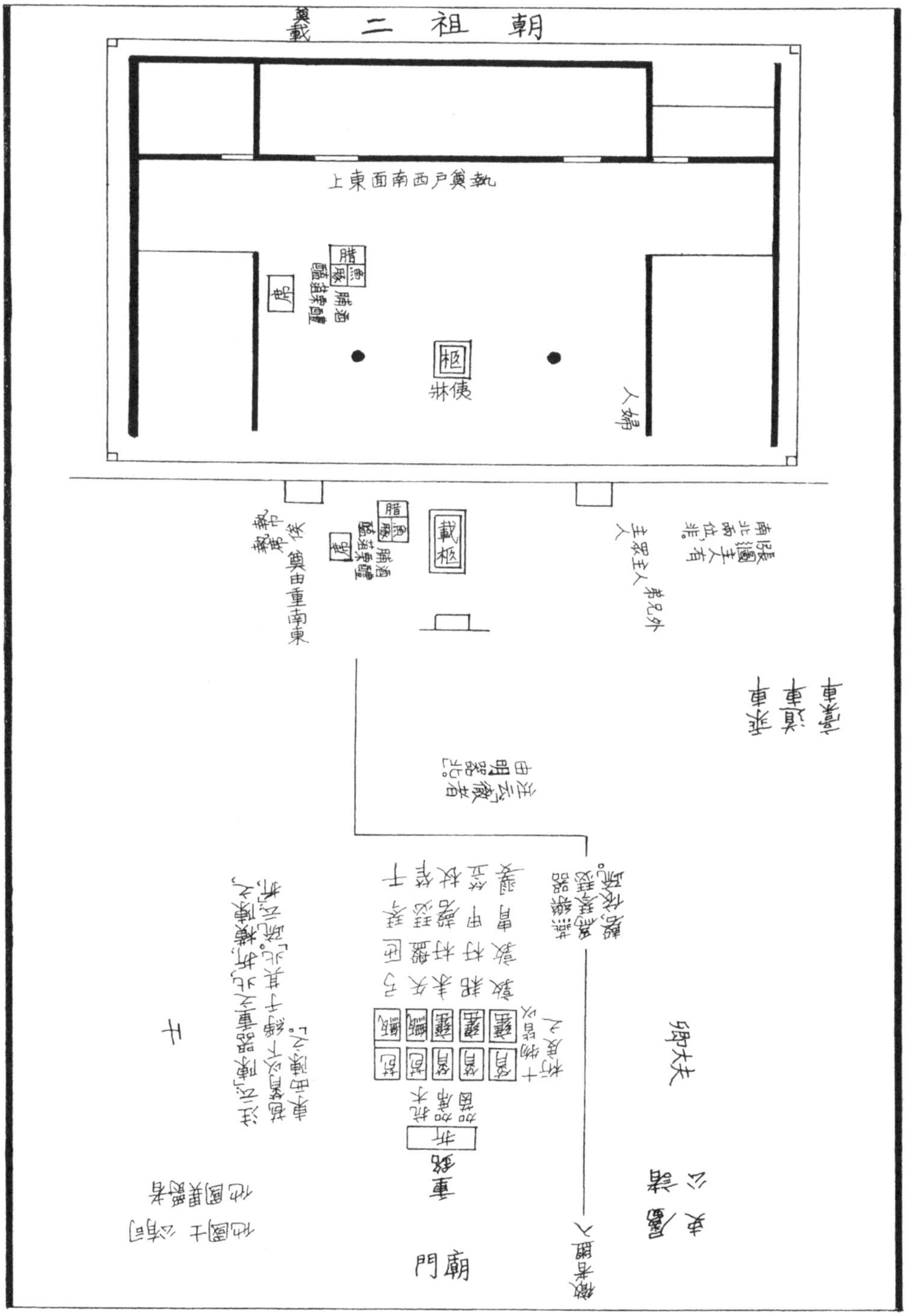

• 부록 5 • 黃以周의《禮書通故》卷48〈禮節圖三·旣夕〉

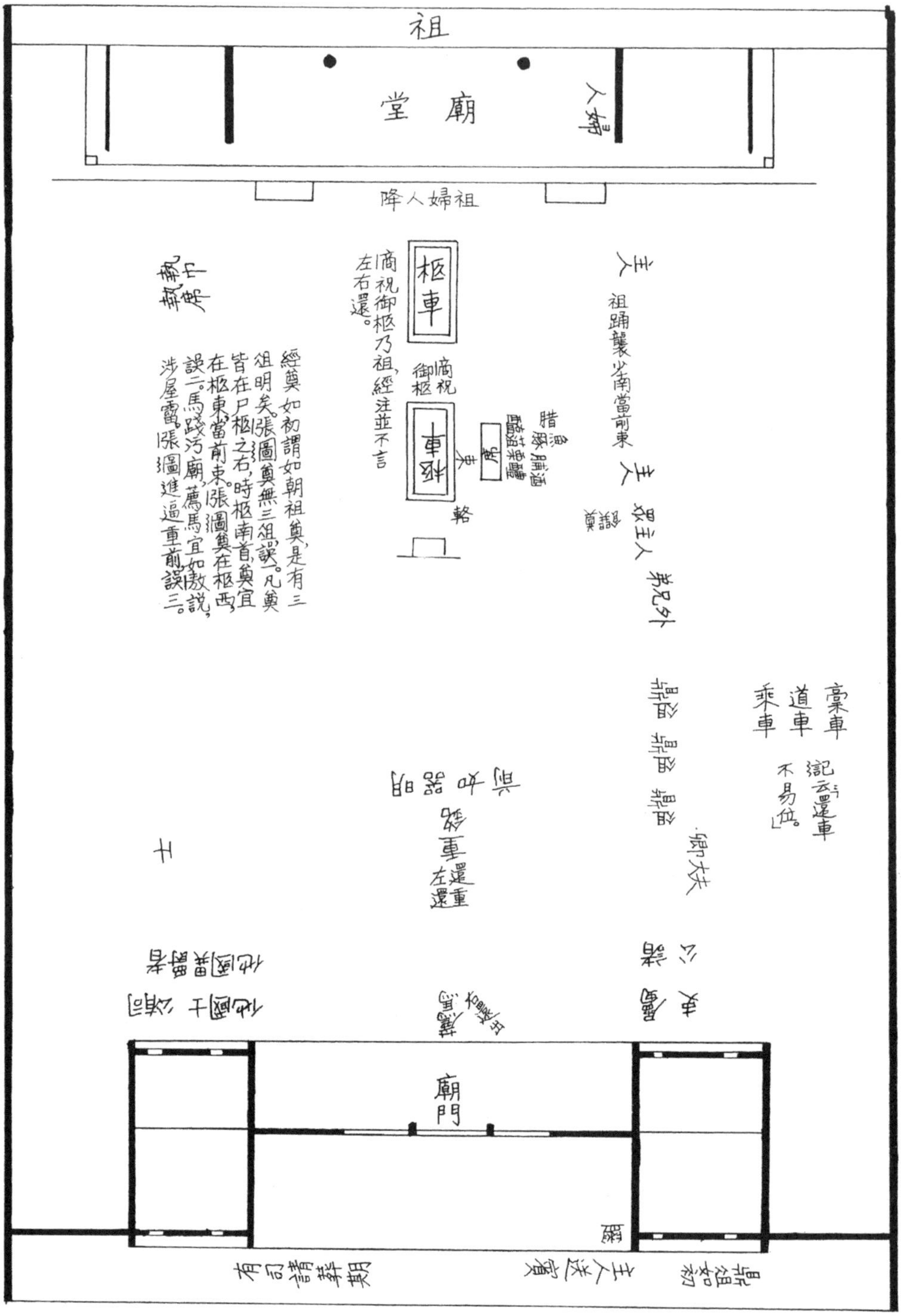

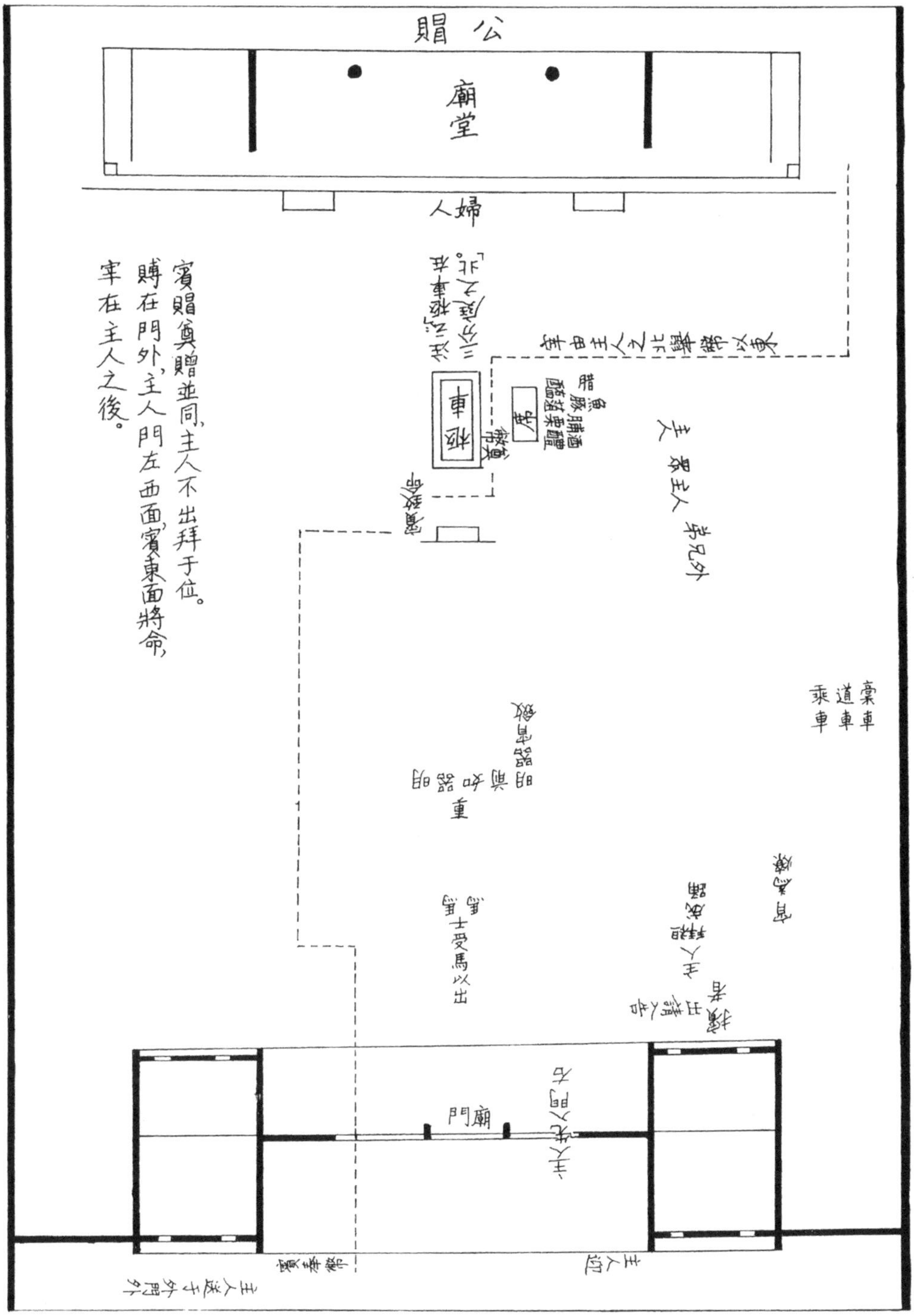
公賵
廟堂
婦人
賓賵奠賻並同，主人不出拜于位。賻在門外，主人門左西面，賓東面將命，宰在主人之後。
柩車
主人
衆主人
乘車
道車
稾車
廟門

• 부록 5 • 黃以周의 《禮書通故》 卷48 〈禮節圖三·旣夕〉

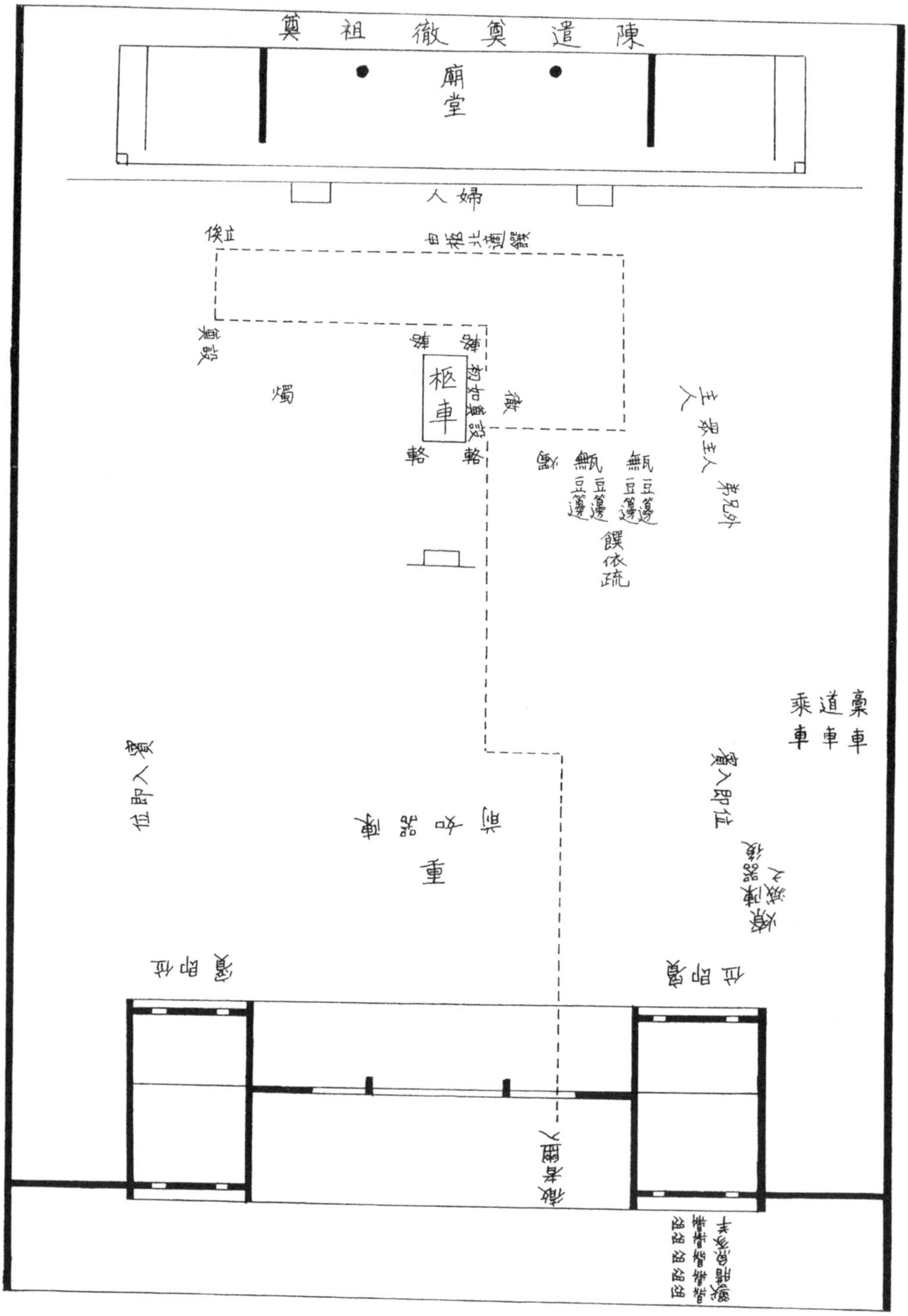

• 부록 5 • 黃以周의《禮書通故》卷48〈禮節圖三·旣夕〉

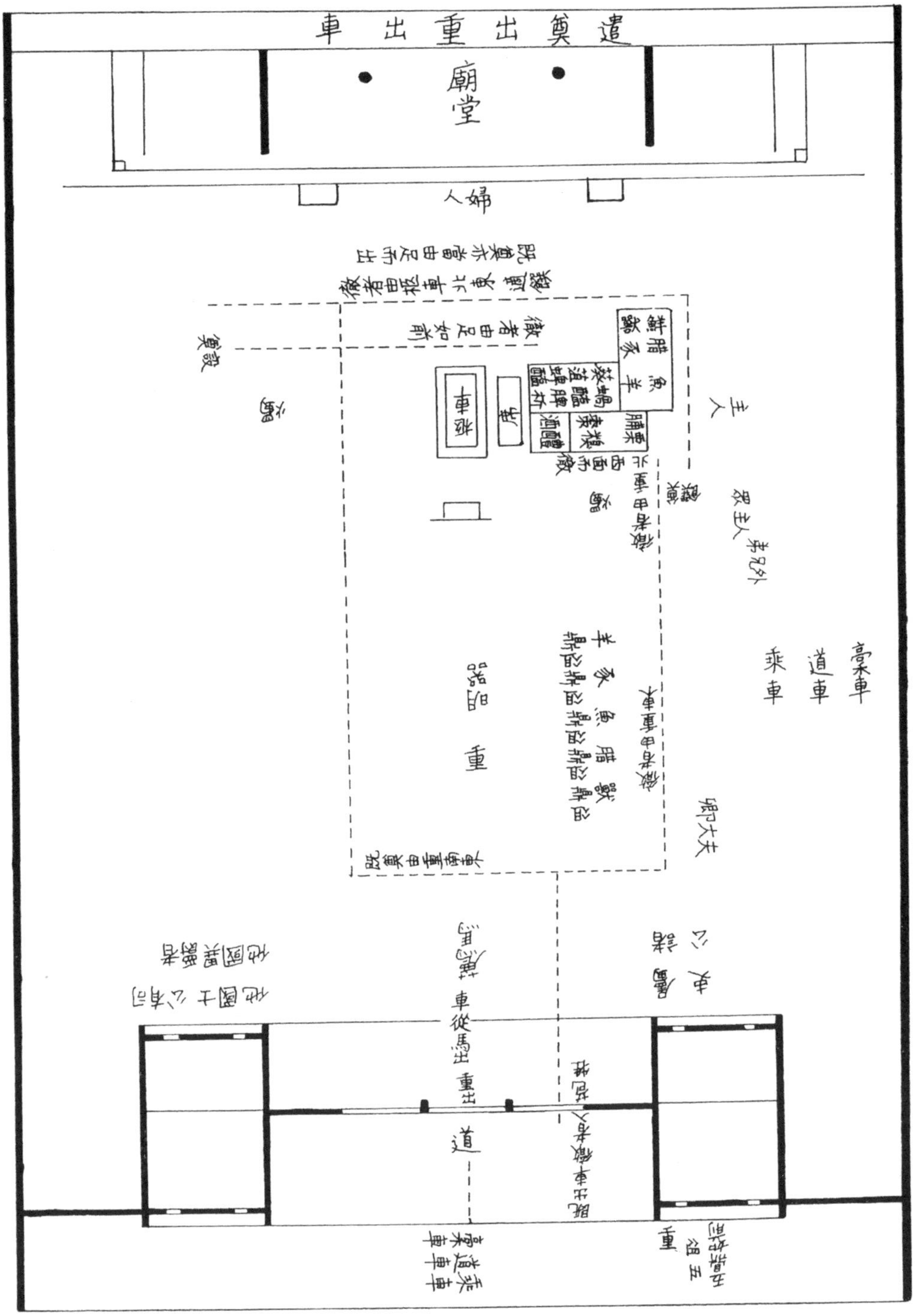

• 부록 5 • 黃以周의 《禮書通故》 卷48 〈禮節圖三·旣夕〉

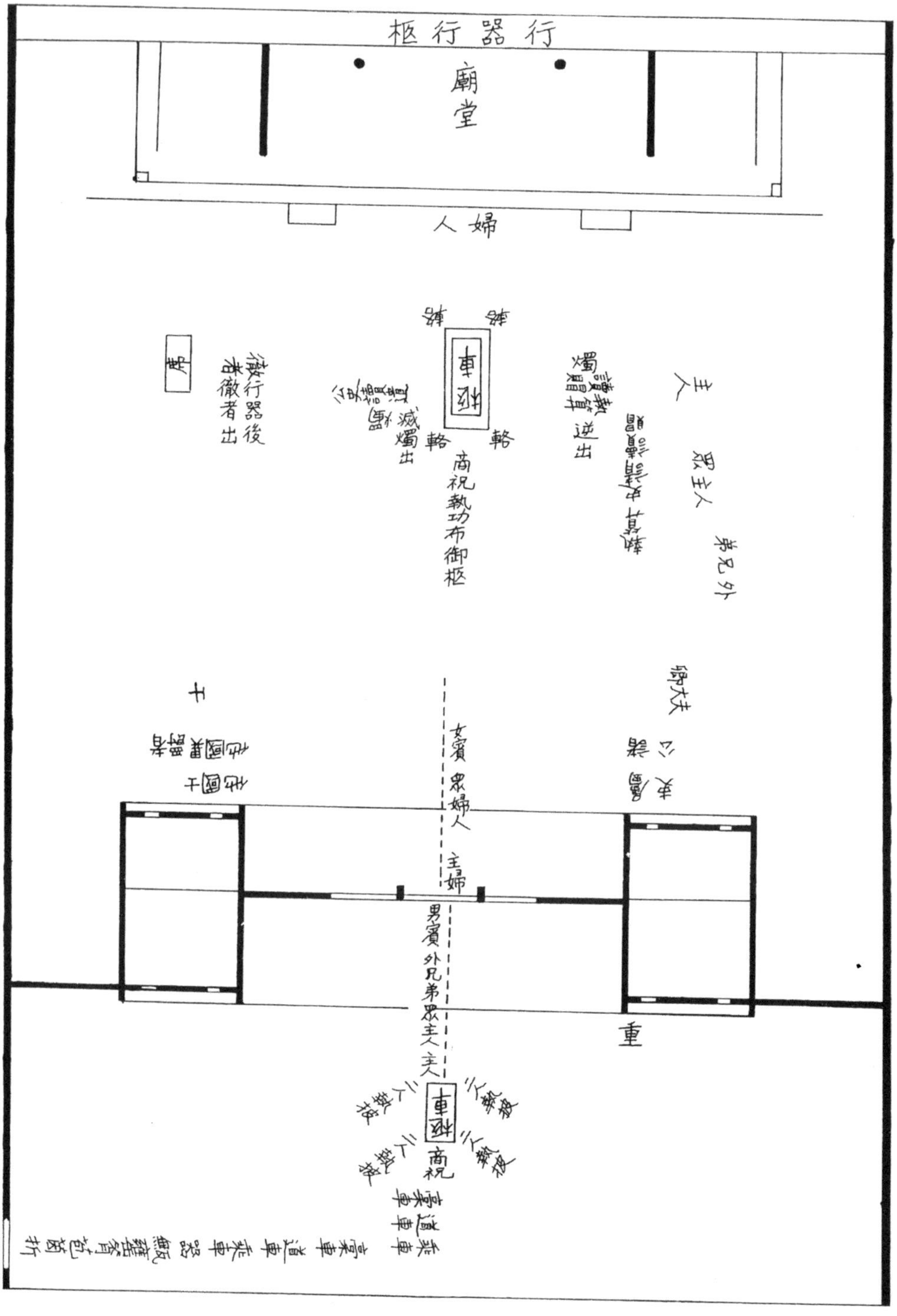

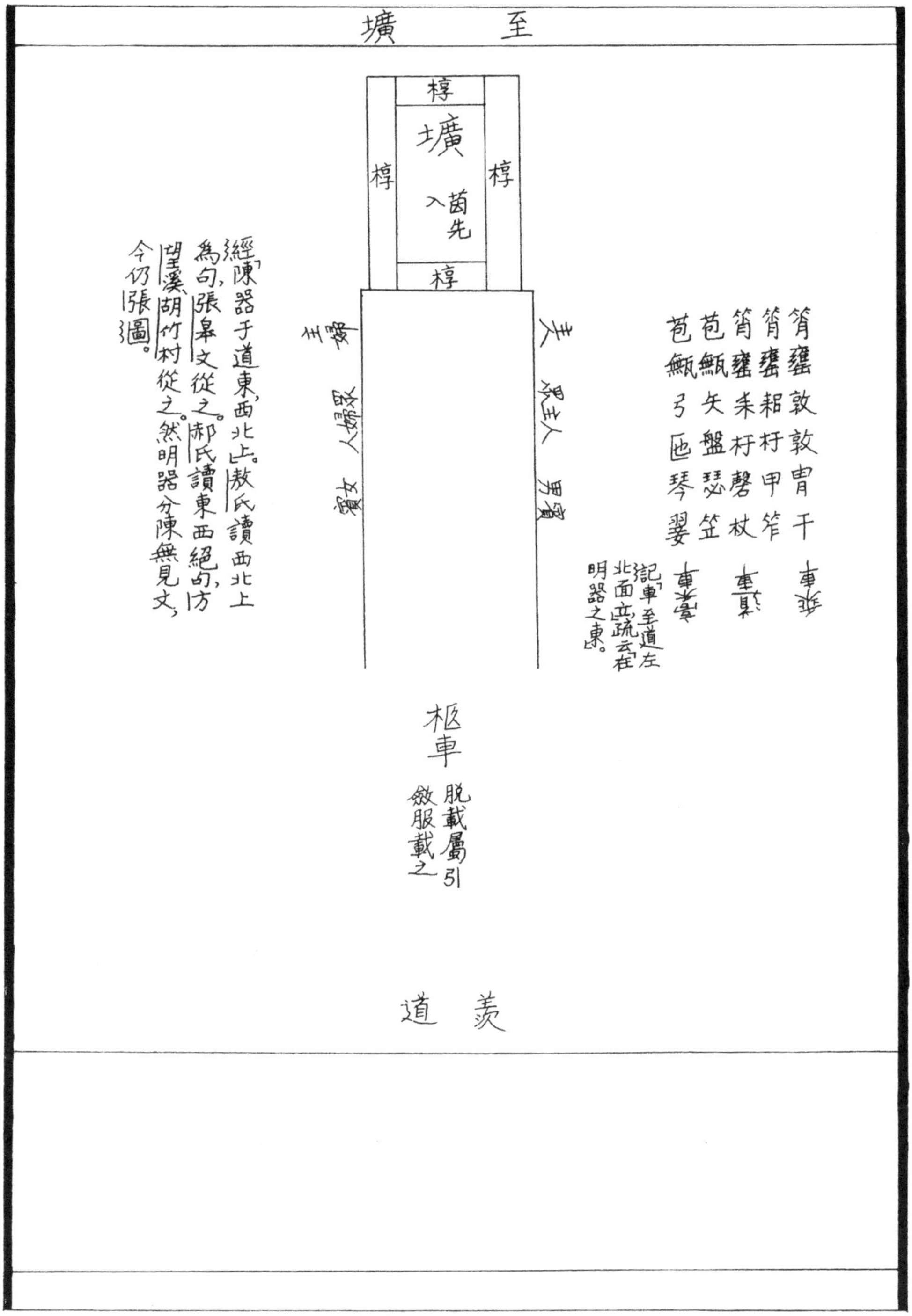
壙 至
椁
壙
椁
椁
先
茵
入
椁
經「陳器于道東，西北上」。敖氏讀西北上爲句，張臯文從之。郝氏讀東西絕句，方望溪、胡竹村從之。然明器分陳無見文，今仍張圖。
乘車
道車
槀車
記「車至道左北面立」。疏云在明器之東。
筲 甕 敦 敦 胄 干
筲 甕 粗 杅 甲 笮
筲 甕 耒 杅 磬 杖
苞 甒 矢 盤 瑟 笠
苞 甒 弓 匜 琴 翣
柩車
脫載屬引
斂服載之
道 羨

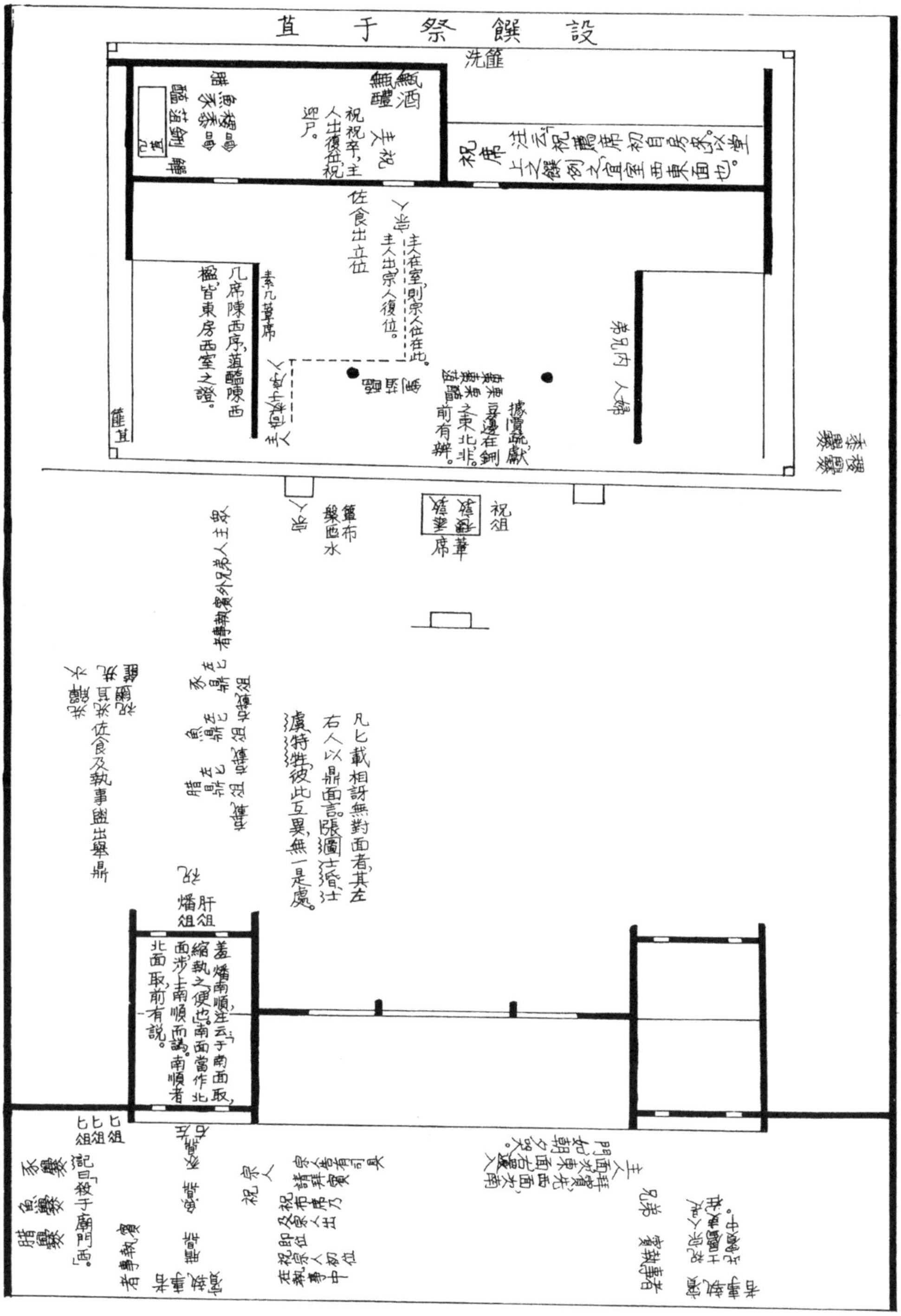

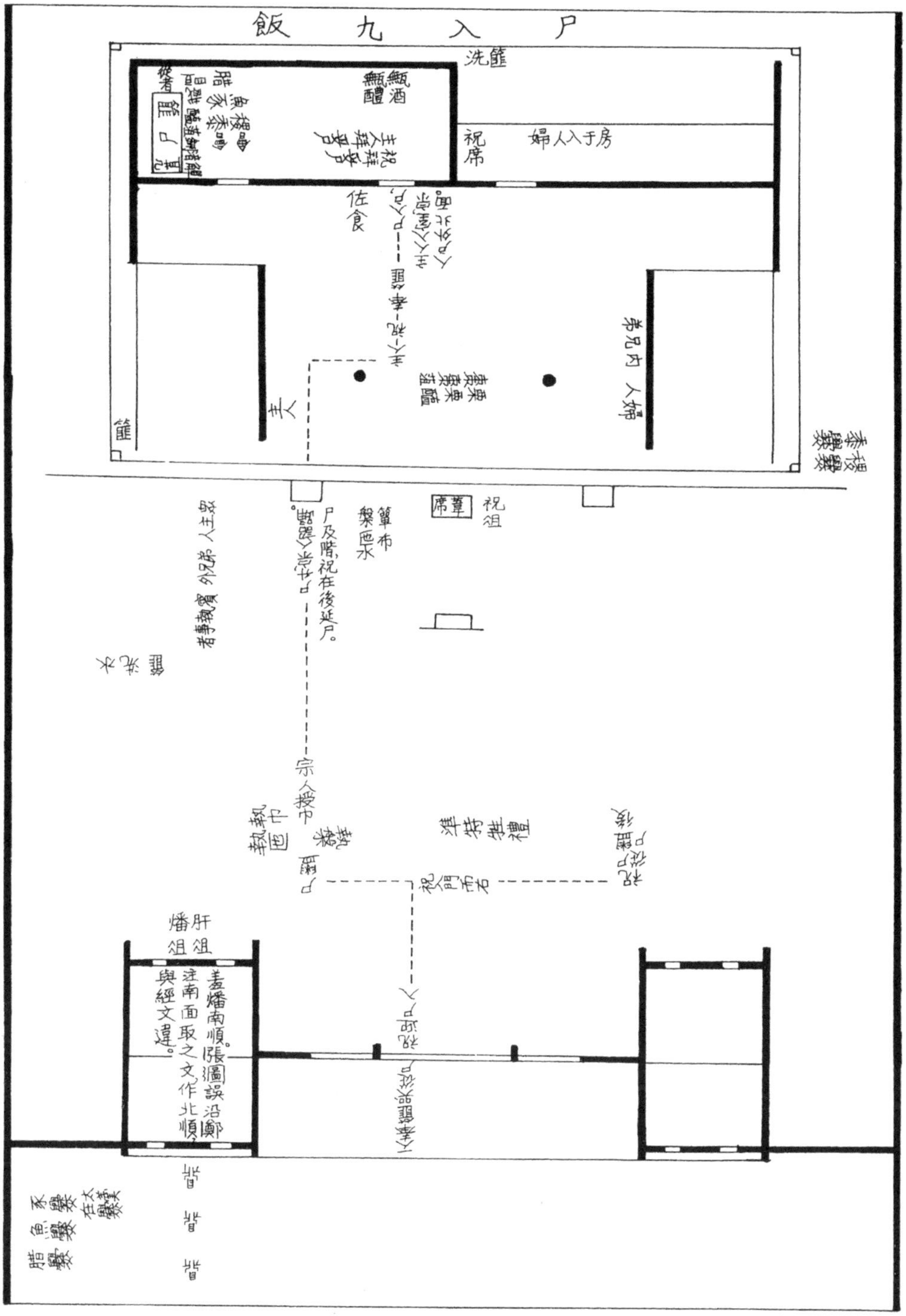
尸入九飯
洗篚
婦人入于房
祝席
佐食
祝俎

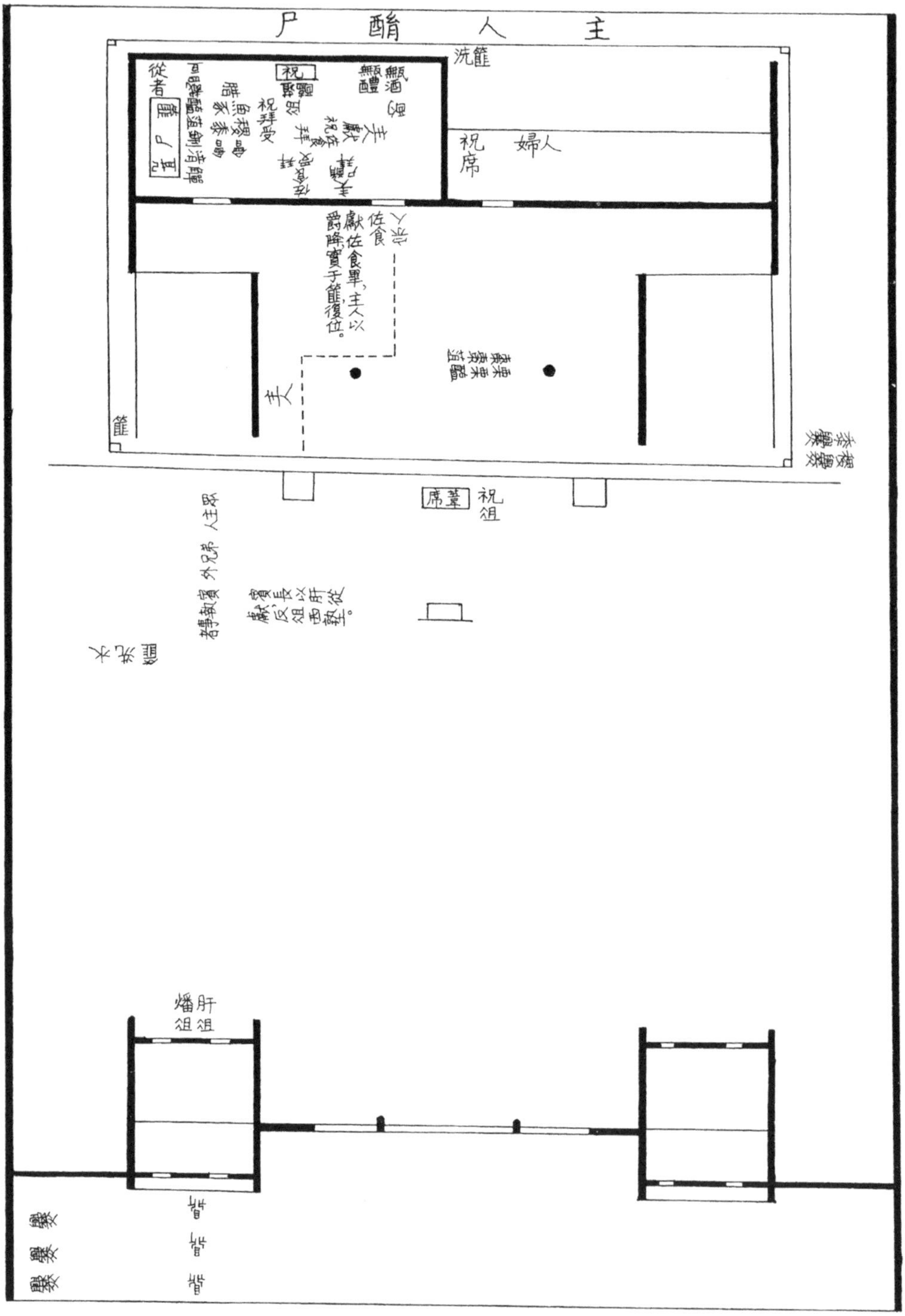
主人酳尸
洗篚
祝席
婦人
席葦
祝俎
肝俎
燔俎

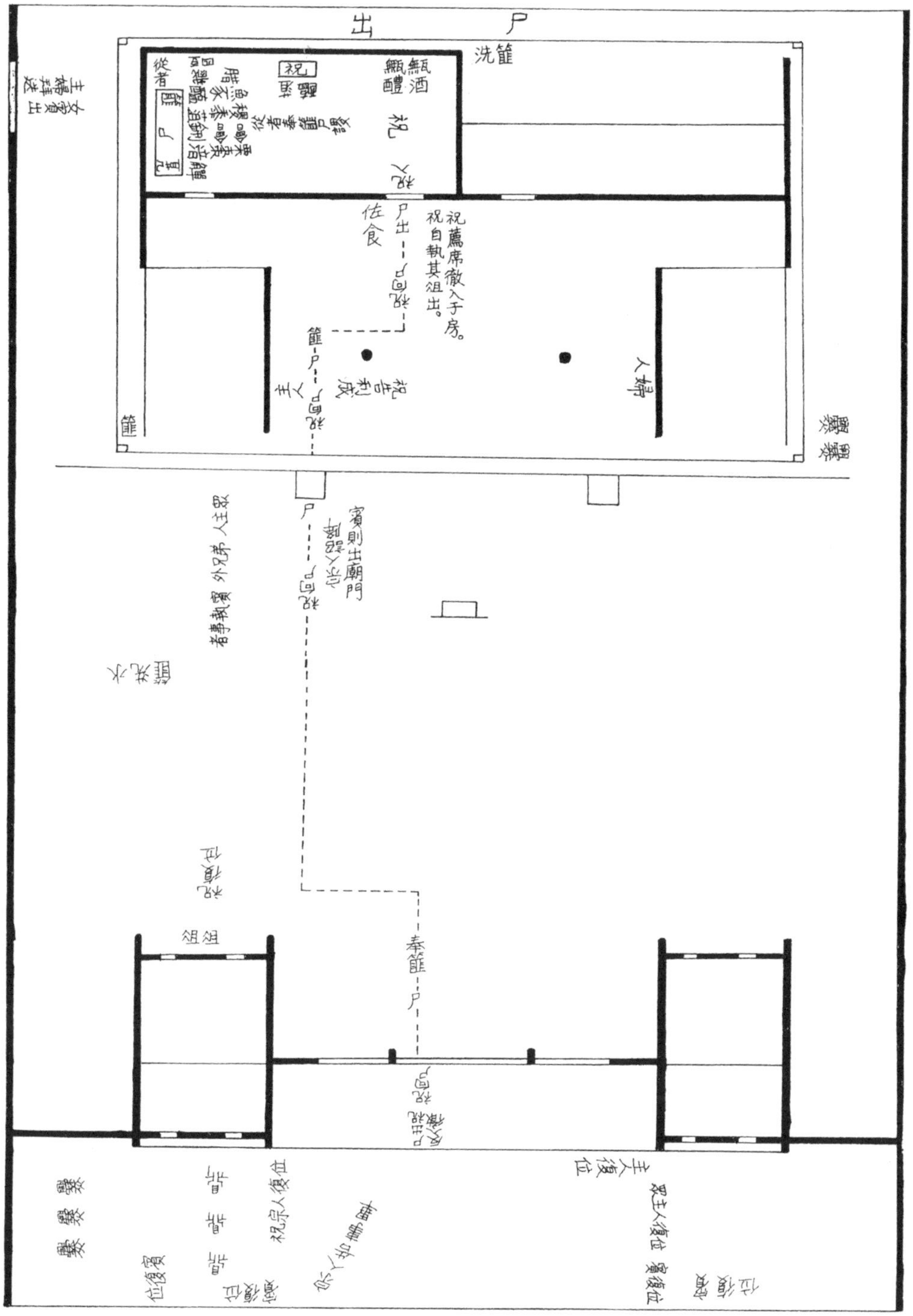
出
戶
洗
篚
祝薦席徹入于房。
祝自執其俎出。
佐食
尸出
賓則出廟門

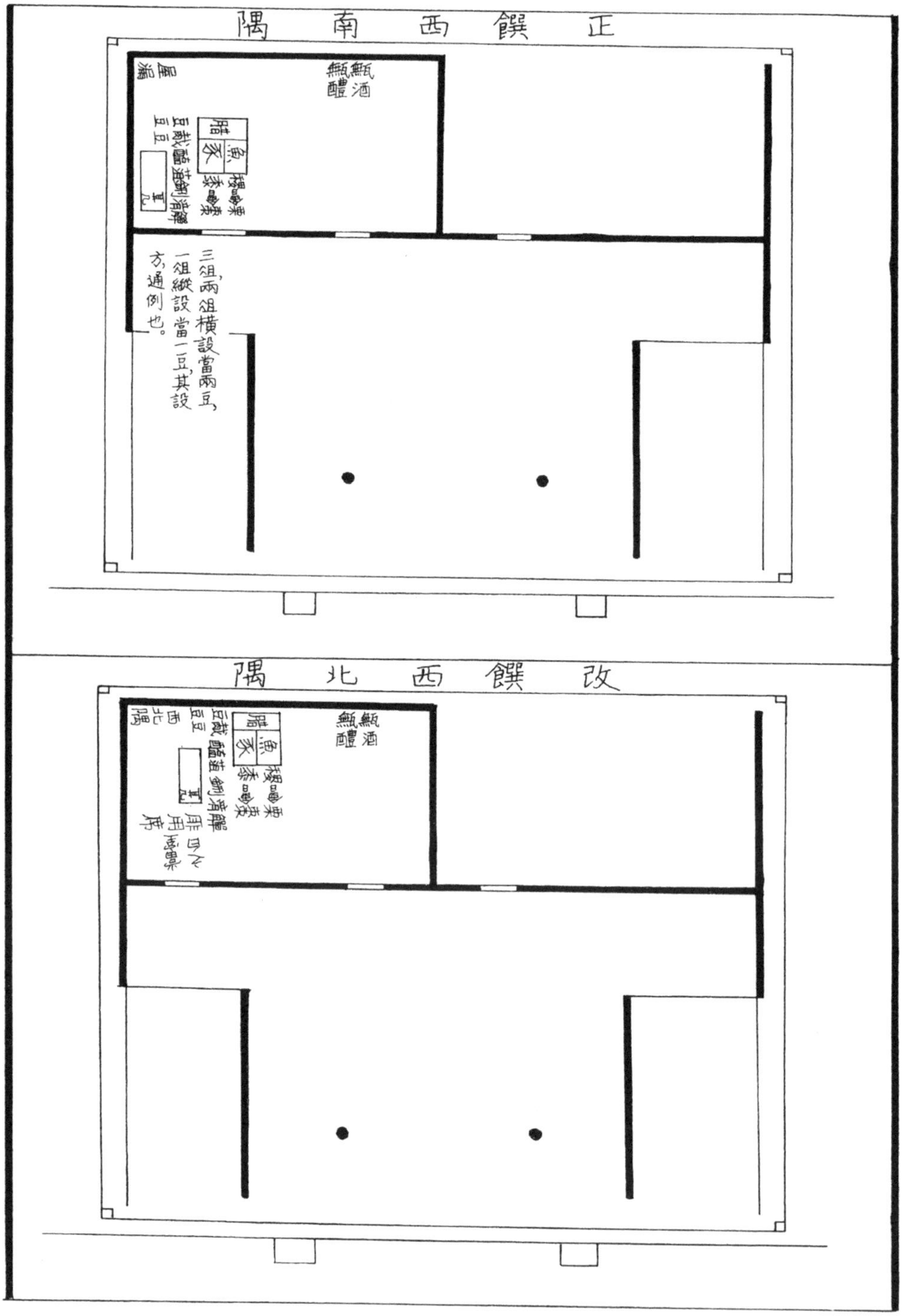

正饌西南隅
甒醴 甒酒
三俎兩俎橫設當兩豆,一俎縱設當一豆,其設方,通例也。
改饌西北隅
甒醴 甒酒

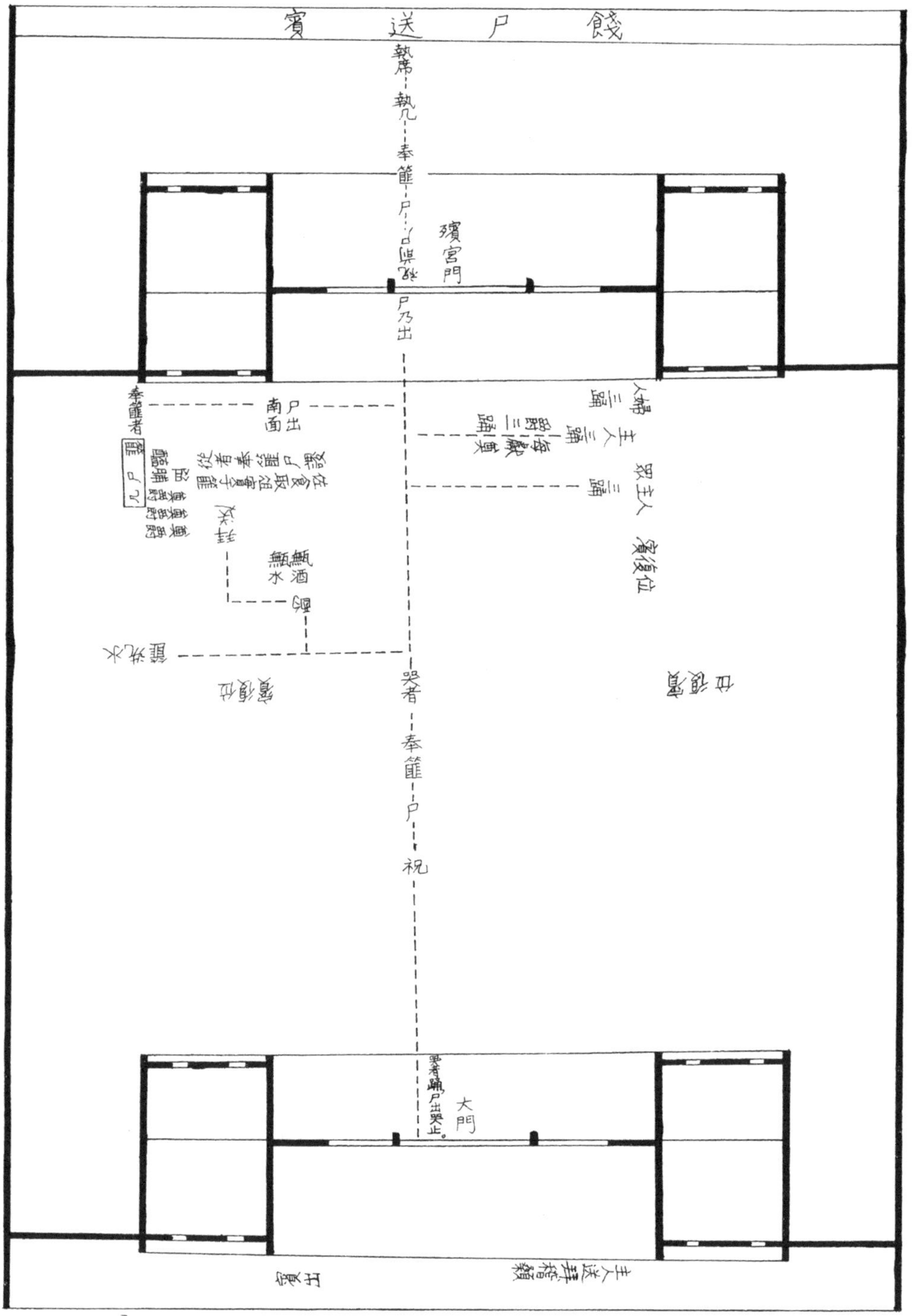
賓 送 尸 餞
殯宮門
尸乃出
尸出 南面
奉篚者
衆主人
賓復位
奉篚
尸
祝
大門

• 부록 6 • 용어색인

'服'은 〈喪服〉, '喪'은 〈士喪禮〉, '夕'은 〈旣夕禮〉, '虞'는 〈士虞禮〉, '經'은 經文, '傳'은 傳을 뜻한다. 편명 뒤의 숫자는 절, 원부호의 숫자는 주석 번호이다. 예컨대 '夕33①'은 '〈旣夕禮〉 제 33절 주①' 이라는 의미이다.

ㄱ

髺(괄) : 喪9④
鬠(괄) : 喪9④
鬠無笄(괄무계) : 夕23經
髺髮(괄발) : 喪20⑨
壙(광) : 夕15①
纊(광) : 喪9⑨
卦者(괘자) : 喪34⑬
校(교) : 服8㉘, 夕19⑥
絞(교) : 喪15④ · 24④
絞帶(교대) : 服1傳·1②
交轡(교비) : 夕5⑦
絞垂(교수) : 夕25②
交于階下(교우계하) : 夕3⑥
拘(구) : 喪20⑧
柩(구) : 喪7⑥
糗(구) : 夕11⑪
約(구) : 喪9㉗
朐(구) : 虞20⑩
袧(구) : 服24②
龜甲(귀갑) : 36⑰
舊君(구군) : 服10⑤
鉤袒(구단) : 虞3⑲
糗不煎(구부전) : 夕31⑲
糗餌(구이) : 夕11⑪
國門(국문) : 夕18⑩
國行(국행) : 夕18⑩
君(군) : 服2⑩
君黨(군당) : 服14㉑
君母(군모) : 服20⑱
君釋采(군석채) : 喪30⑨
君所(군소) : 喪30㉒
君視大斂(군시대렴) : 喪30經
君子(군자) : 服20㉑
君子子(군자자) : 服20㉑
君之所不服(군지소불복) : 服23⑦
君之所爲服(군지소위복) : 服23⑦
屈(굴) : 服6①
掘四隅(굴사우) : 喪34③
掘中(굴중) : 喪34經
宮廟(궁묘) : 服8㊸
弓梢(궁초) : 夕35②
饋食(궤사) : 虞1①
貴臣(귀신) : 服22⑭
歸有主(귀유주) : 服23⑭
歸宗(귀종) : 服8㊳
貴終(귀종) : 服6⑪
貴妾(귀첩) : 服22⑭
歸則已(귀즉이) : 服23⑭
樛(규) : 服12③
樛垂(규수) : 服12③
圭爲(규위) : 虞21⑪
葵菹(규저) : 喪24⑩, 夕11⑩
葵菹芋(규저우) : 喪24⑩
極(극) : 喪9⑱
堇(근) : 虞16①
謹(근) : 服16①
禁(금) : 夕24④
紟(금) : 喪24④
軡(금) : 喪14⑥
錦衾(금금) : 喪18①
紟不在筭(금부재산) : 喪24⑥
衾二(금이) : 喪24④
扱領(삽령) : 喪1⑦
扱領于帶(삽령우대) : 喪1⑦
旂(기) : 喪7②
旗(기) : 喪7②
綦(기) : 喪9㉘
記(기) : 服23①
鬐(기) : 喪28⑥
寄公(기공) : 服10傳 · 10①
奇拜(기배) : 喪5⑦
期而小祥(기이소상) : 虞23①
吉笄(길계) : 服23傳
吉器(길기) : 夕19⑧
吉拜(길배) : 喪5⑦
吉服(길복) : 喪36④
吉祭(길제) : 虞23⑤

ㄴ

渜(난) : 喪11⑩
南其壤(남기양) : 喪34③
南枋(남병) : 虞1經
南首(남수) : 喪20⑭
南順(남순) : 夕24⑤, 虞1⑯
男尸(남시) : 虞17經
內籣(내렴) : 夕26⑥
內賓(내빈) : 虞2④
內削幅(내삭폭) : 服24①
內西塾(내서숙) : 虞1⑯
內洗(내세) : 虞7①
內御(내어) : 喪11⑥
內位(내위) : 喪32⑯
內兄弟(내형제) : 虞2④
女君(여군) : 服8㊿
女尸(여시) : 虞17經
女子子(여자자) : 服2⑪
女子子在室(여자자재실) : 服2⑪
禰廟(네묘) : 夕29①
紐(뉴) : 夕6⑤

ㄷ

端(단) : 夕15⑤
簞(단) : 喪10③
耑(단) : 喪9④
袒(단) : 服23⑭
鍛(단) : 服1㉓
短衛(단위) : 夕35⑦
褖衣(단의) : 喪9㉒
鍛而勿灰(단이물회) : 服1㉓
襢笫(단자) : 夕23②
鍛治(단치) : 服11 · 17①
撻(달) : 夕35⑤
達子之志(달자지지) : 服6③
湛(침) : 夕31⑮
禫(담) : 虞23④
紞(담) : 喪15⑥
擔主(담주) : 服1⑭
堂(당) : 喪11②
堂廉(당렴) : 喪30⑮
當室(당실) : 服23㉔
代(대) : 喪21㉔
帶(대) : 服24⑥
代哭(대곡) : 喪21㉔
大功九月(대공구월) : 服13
大功殤(대공상) : 服11
大功衰(대공최) : 服23⑳
大功之殤中從上(대공지상중종상) : 服18③
大功之殤中從下(대공지상중종하) : 服22㉛
大功親(대공친) : 服8㊶
大功布(대공포) : 服11① · 13④ · 17① · 25⑥

大斂(대렴) : 喪26
大斂于阼(대렴우계) : 夕24⑮
大斂奠(대렴전) : 喪28
大槃(대반) : 喪11⑤
待放(대방) : 服10⑳
大夫在外(대부재외) : 服10⑧
大夫特拜(대부특배) : 喪20⑱
大常(대상) : 喪7②
大祥(대상) : 虞23③
大胥(대서) : 喪30⑨
帶緣(대연) : 服5③
大宗(대종) : 服2⑤⑧
帶下(대하) : 服24⑥
帶下尺(대하척) : 服24⑥
塗(도) : 喪27⑥
徒(도) : 服10⑦, 夕9⑧
茶(도) : 夕31⑬
道車(도거) : 夕5① · 31⑦
道車載朝服(도거재조복) : 夕31經
禱于五祀(도우오사) : 夕18⑩
都邑之士(도읍지사) : 服8㉗
道左(도좌) : 夕12②
韇(독) : 喪34⑦
翿(독) : 夕35⑥
讀遣(독견) : 夕13經
讀書(독서) : 夕13⑥
敦(대) : 8④, 喪33⑲
焞(돈) : 喪36②
頓首(돈수) : 喪5⑦
豚解(돈해) : 喪19②, 夕11④, 虞13②
同(동) : 服16①
同軌畢至(동궤필지) : 服9①
東堂下(동당하) : 喪16①
同盟至(동맹지) : 服9①
東方(동방) : 喪17⑥
東方之饌(동방지찬) : 喪24經 · 24⑦
東首(동수) : 夕18③
冬用荁(동용환) : 虞16經
同位至(동위지) : 服9①
童子(동자) : 服23㉔, 夕26②
童子不緦(동자불시) : 服23㉔
童子唯當室緦(동자유당실시) : 服23㉔
東縮(동축) : 虞3③
斗(두) : 喪19⑥
枓(두) : 喪11⑨
脰膉(두익) : 虞22經
得遂(득수) : 服8㊷
縢(등) : 喪24⑫

ㄹ

臝醢(나해) : 喪24⑪
麗(리) : 喪13⑤
旅拜(여배) : 喪5⑰
麗于掔(이우완) : 喪13⑤
旅占(여점) : 喪34⑭
湅(연) : 服23③
練(연) : 服1㉜
練冠(연관) : 服14⑮ · 23③
練帛(연백) : 喪9⑦
蓮掔(연완) : 喪13⑥
連幅(연폭) : 服24⑧
斂(염) : 喪20⑨
斂衾(염금) : 喪1②·24④
斂服(염복) : 夕32③
斂席(염석) : 喪24⑰
禮門神(예문신) : 喪30⑨
隸人(예인) : 夕23㉑
禮幣(예폐) : 夕15⑤
軶(핵) : 夕6⑦
露紒(노계) : 服2⑫
路寢(노침) : 喪1①
鹿淺(녹천) : 夕31②
鹿淺幦(녹천멱) : 夕31②
牢(누) : 喪9⑭
耒耜(뇌사) : 夕7⑭
牢中(누중) : 喪9⑭
牢中旁寸(누중방촌) : 喪9⑭
燎(료) : 喪23①
繚祭(요제) : 夕11②
龍輴(용전) : 夕31⑤
柳(유) : 夕6⑤
流(유) : 夕7⑭
溜(유) : 夕35⑤
六行(육행) : 服8㉘
輪(윤) : 夕23⑪
勒(륵) : 夕31⑥
纚(사) : 喪20⑨
涖卜(이복) : 喪36③⑩
利成(이성) : 虞9②
裏親膚(이친부) : 夕23⑲
離肺(이폐) : 夕11②
笠(입) : 夕7⑰

ㅁ

麻屨(마구) : 服7經
馬不齊髦(마부제모) : 夕25⑭
麻衣(마의) : 服23⑤
望奠(망전) : 喪33⑯
妹(매) : 服8㊽
韎韐(매겹) : 喪9㉔·13④
冪(멱) : 喪14⑤
幦(멱) : 夕25⑦
鼏(멱) : 喪19④
幎目(멱목) : 喪9⑩
免(문) : 服23⑭
面足(면족) : 喪33⑲
免絰(면질) : 喪34⑤
銘(명) : 喪7①
命龜(명귀) : 喪36⑮
明器(명기) : 喪35③, 夕7經
名服(명복) : 服8⑩
命夫(명부) : 夕21①
命婦(명부) : 服8, 夕21①
命筮者(명서자) : 喪34⑥
明衣(명의) : 喪9③
明衣不在筭(명의부재산) : 喪13③
明衣裳(명의상) : 喪9③ · 13③
明旌(명정) : 喪7①
銘旌(명정) : 喪7
命祭(명제) : 夕11②
明齊(명제) : 虞19⑨
明火(명화) : 喪36②
袂屬幅(메촉폭) : 服24⑧
冒(모) : 喪9⑲
芼(모) : 虞16①
髦(모) : 夕25①
母道(모도) : 服14⑩
牡麻(모마) : 服3
髦馬(모마) : 夕25⑭
牡麻絰(모마질) : 喪17⑤
茅蒐(모수) : 喪9㉔
某氏某之柩(모씨모지구) : 喪7⑥

某之某(모지모) : 夕20②
沐(목) : 喪11⑥
木錧(목관) : 夕25⑪
木不成斲(목불성착) : 喪35④
木鑣(목표) : 夕25⑬
木桁久之(목형구지) : 夕7⑬
墓道(묘도) : 夕15②
巫(무) : 喪30⑥
撫(무) : 喪20⑧
武(무) : 服1⑲
撫當心 (무당심) : 喪30⑱
無服之殤(무복지상) : 服12④
無事其布(무사기포) : 服21③
無事則閉(무사즉폐) : 喪32⑨
無受(무수) : 服9①, 服11②
無尸(무시) : 虞18①
無有近悔(무유근회) : 喪36⑬
無有後艱(무유후간) : 喪34⑩
甒二(무이) : 夕7經
無祭主(무제주) : 服8㊾
無主(무주) : 服8㊽
文縟(문욕) : 服12②
物(물) : 喪7②
物土(물토) : 夕27經
弭(미) : 夕35②
楣(미) : 服1㉚
米(미) : 夕31⑮
薇(미) : 虞16①
未嫁者(미가자) : 服10㉓ · 14傳
未得正祿(미득정록) : 喪20①
未配(미배) : 虞23⑤
未成服之麻(미성복지마) : 喪17⑥
弭飾(미식) : 夕35②
美者在中(미자재중) : 喪20④

ㅂ

胉(박) : 喪19③
槃(반) : 夕7⑭
飯(반) : 喪13⑤
反哭(반곡) : 夕16
班祔(반부) : 夕17③
潘水(반수) : 喪8② · 11③⑥⑩
半尹(반윤) : 虞20⑥
槃匜(반이) : 虞1⑬
半幅(반폭) : 喪7③
飯含(반함) : 喪12
牉合(반합) : 服8④
軷祭(발제) : 夕6①
方(방) : 夕10⑬
邦門(방문) : 夕14④
旁三(방삼) : 喪32⑪
房脀(방증) : 喪19②
房外(방외) : 虞15②
邦人(방인) : 服23⑱
旁一筐(방일광) : 喪27⑤
旁尊(방존) : 服8傳
旁綴(방철) : 喪18①
房戶之間(방호지간) : 虞15②
拜稽顙(배계상) : 喪5⑦
拜君命(배군명) : 喪31②
拜送之禮(배송지례) : 喪3③
拜手(배수) : 喪5⑦
白纊(백광) : 喪9⑨
白屨(백구) : 喪9㉖
白狗幦(백구멱) : 夕25⑦
百葉(백엽) : 夕11⑧
笲(번) : 喪10①
燔俎(번조) : 虞1⑯
燔從(번종) : 虞7④
綼(비) : 夕23⑰
辟領(벽령) : 服24③
綼緆(비이) : 夕23⑰
辟子之私(피자지사) : 服8⑦
辟奠(피전) : 夕24⑫
辟積(벽적) : 服1⑲⑳
變除之節(변제지절) : 服12②
屛(병) : 服1㉚
報(보) : 服6⑩ · 20
普淖(보뇨) : 虞19⑧
報服(보복) : 服6⑩ · 20②
普薦(보천) : 虞22⑧
服(복) : 夕9·25⑩
服術(복술) : 服8㊼
卜人(복인) : 喪36①
卜日(복일) : 喪36經
復者(복자) : 喪1③
卜宅(복택) : 喪36㉓
本服(본복) : 服4⑤ · 8⑪ · 25⑥
奉(봉) : 喪20⑧
賵(봉) : 夕9①
賵而不奠(봉이부전) : 夕10經
府(부) : 服10⑦, 夕9⑧
弣(부) : 夕35⑤
祔(부) : 虞21⑤
負(부) : 服24③
賻(부) : 夕10⑤
赴(부) : 喪3①, 夕20經
不降(불강) : 服4⑤ · 8⑪
副車(부거) : 夕25⑯
莩垢(부구) : 服17②
不寧(불녕) : 虞19⑤
不當君所(부당군소) : 喪30㉒
父道(부도) : 服14⑩
不得禰(부득녜) : 服14㉕
不得祖(부득조) : 服14㉕
不命之士(불명지사) : 喪7③
不散麻(불산마) : 服12③
不釋龜(불석구) : 喪36⑭
不說屨(불탈구) : 虞17②
不說繘(불탈율) : 喪11①
不術命(불술명) : 喪36
拊心(부심) : 喪32⑩
負墉(부용) : 喪30⑫
不貳斬(불이참) : 服8㉓
婦人無所專(부인무소전) : 服20⑬
婦人子(부인자) : 服14⑲
不杖期(부장기) : 服7①
不在(부재) : 服20⑳
不絶其本(부절기본) : 服17②
祔祭(부제) : 夕17③
膚祭(부제) : 虞3⑳
父之所不降(부지소불강) : 服8⑱
不鑿(불착) : 喪9⑥
不綪(부쟁) : 喪9②
負版(부판) : 服24③
不辟子卯(불피자묘) : 喪32①
北階(북계) : 虞15②
北堂(북당) : 虞15②
北洗(북세) : 虞7①
韍(불) : 喪13④
拂柩(불구) : 夕3③
不樛垂(불규수) : 服12③
不削(불삭) : 服24⑧
不櫛(부즐) : 虞12①

腊爨(석찬) : 虞1經
釋采(석채) : 喪30⑨
腊特(석특) : 喪28⑬ · 33⑫
羨道(연도) : 夕15②
選士(선사) : 服8㉘
鮮獸(선수) : 夕11⑤
屑(설) : 夕7⑪
楔(설) : 喪2①, 夕19⑤
說髦(탈모) : 夕25①
設握(설악) : 喪13⑥
設熬(설오) : 喪27經
說絰帶(탈질대) : 虞20⑱
攝服(섭복) : 夕25⑯
成器(성기) : 喪35⑦
成服(성복) : 喪31①
成事(성사) : 虞19⑯
聲三(성삼) : 夕3④
成踊(성용) : 喪5⑧
成人(성인) : 服10㉓
繐(세) : 服15①④
世母(세모) : 服8①
世父(세부) : 服8①
世父母(세부모) : 服8①
繐衰裳(세최상) : 服15① · 傳
洗貝(세패) : 喪12③
筲(소) : 夕7⑨
小功服(소공복) : 服10⑫
小功殤(소공상) : 服17經
小功衰(소공최) : 服23⑳
小功之殤中從下(소공지상중종하) : 服18③
小功親(소공친) : 服8㊶
小功布(소공포) : 服17①·25⑥
疏屨(소구) : 服3傳, 3⑤
小君(소군) : 服8(54)
素几(소궤) : 虞1⑧
素器(소기) : 喪35⑦
掃其宗廟(소기종묘) : 服10⑱
少納之爲貴(소납지위귀) : 喪9㉙
小斂(소렴) : 喪20
小斂奠(소렴전) : 喪21
昭穆(소목) : 夕17③
筲三(소삼) : 夕7經
小祥(소상) : 服5②, 虞23①
小臣(소신) : 喪30⑧
小要(소요) : 喪24⑱
所爲後(소위후) : 服23⑩
疏者(소자) : 喪4④
所自出(소자출) : 服8㉚
素勺(소작) : 夕24⑧
素積(소적) : 喪9㉑
搔翦(조전) : 虞22②
素俎(소조) : 喪19⑤
小宗(소종) : 服2⑧
所知(소지) : 夕10⑫
素韠(소필) : 喪9㉑
束(속) : 夕6③ · 15⑤
謖(속) : 虞9③
屬纊(촉광) : 夕18⑨
束帛(속백) : 夕15⑤
屬引(촉인) : 夕6⑦ · 15③
衰(최) : 服1傳 · 1① · 24經 · 24④⑤ · 25經
衰裳(최상) : 服1①
受(수) : 服5② · 9①
綏(수) : 夕25⑫
綏(유) : 夕31⑬
羞(수) : 虞1⑯
漱口(수구) : 虞6②
垂末(수말) : 夕26⑥
受命(수명) : 夕18⑩
隨命(수명) : 夕18⑩
受服(수복) : 服9①
秀士(수사) : 服8㉘
受衰(수최) : 服5②
受我而厚之者(수아이후지자) : 服14②
遂人(수인) : 夕34①
遂匠(수장) : 夕34①
綏祭(타제) : 虞18③
水尊(수준) : 虞20經
溲酒(수주) : 虞19⑨
受重(수중) : 服2⑥ · 8㉔
襚(수) : 喪5⑨
肅拜(숙배) : 喪5⑦
叔嫂防嫌(숙수방혐) : 服14⑩
叔嫂不通問(숙수불통문) : 服14⑩
宿奠(숙전) : 夕4⑤
鬠(순) : 喪13⑨
純(준) : 喪9㉗, 夕23⑱
輴車(춘거) : 喪24⑱
淳尸盥(순시관) : 虞4③
純衣(치의) : 喪9⑳
純衣纁裳(치의훈상) : 喪1④
述命(술명) : 喪34⑪
襲(습) : 服23⑭ · 喪9① · 12①⑭ · 20⑦, 夕23㉒
襲事(습사) : 喪9①
襲牀(습상) : 喪13②
襲尸(습시) : 喪13經
拾踊三(겁용삼) : 夕15⑧
襲奠(습전) : 喪2經
升(승) : 喪24㉒
升降自西階(승강자서계) : 服5⑯
乘車(승거) : 夕5①
繩屨(승구) : 服9①
乘髦馬(승모마) : 夕25⑭
升成拜(승성배) : 喪5⑦
升於學校之士(승어학교지사) : 服8㉘
繩纓(승영) : 服1③⑲
尸(시) : 虞4①
緦(시) : 服21②
示高(시고) : 喪36⑫
矢道(시도) : 夕35⑤
視塗(시도) : 喪30㉕
枲麻(시마) : 服3⑦
緦麻(시마) : 服21①
緦麻三月(시마삼월) : 服21經
尸飯(시반) : 虞5⑰
始封君(시봉군) : 服14傳 · 14㉘
始封者(시봉자) : 服14㉗
視肂(시사) : 喪27④
始死奠(시사전) : 喪2經
尸謖(시속) : 虞9③
始虞(시우) : 虞19①
豕爨(시찬) : 虞1經
時會(시회) : 服16①
式(식) : 喪30㉛
軾(식) : 夕25⑦
食間(식간) : 虞18⑥
飾柩(식구) : 夕6⑤
薪(신) : 喪8①
室老(실로) : 服2⑰
實米(실미) : 喪12⑬
實于右(실우우) : 喪12⑫

實土三(실토삼) : 夕15⑭
實幣于蓋(실폐우개) : 夕14⑧
十九稱(십구칭) : 喪15經
十五升抽其半(십오승추기반) : 服21②

ㅇ

亞獻(아헌) : 虞7經
惡車(악거) : 夕25經
惡笄(악계) : 服23㉙
握手(악수) : 喪9⑬
堊室(악실) : 服1㉜
壓(압) : 14⑮
壓尊(압존) : 服8⑬ · 14⑮
哀子某(애자모) : 虞19③
哀薦成事(애천성사) : 虞19⑯
哀薦虞事(애천우사) : 虞19⑭
哀薦祫事(애천협사) : 虞19⑩
哀顯相(애현상) : 虞19④
野人(야인) : 服8㉖
瀹(약) : 夕31⑮
若醴若酒(약례약주) : 夕19⑨
約轡(약비) : 夕25⑫
約綏(약수) : 夕25⑫
若子(약자) : 服2⑨
陽燧(양수) : 喪36②
陽厭(양염) : 虞10①
陽日(양일) : 虞19⑮
御(어) : 喪11⑥
棜(어) : 夕24④
魚(어) : 喪24㉔
御柩(어구) : 夕8④, 14①
於禁(어금) : 夕24④
圉人(어인) : 夕5⑦
御者(어자) : 夕5⑧ · 18⑧
魚爨(어찬) : 虞1經
繶(억) : 喪9㉗
繶爵(억작) : 虞8①
闑(얼) : 喪36⑧
掩(엄) : 喪9⑦
與民同(여민동) : 服10②
餘飯(여반) : 夕23⑧
如何不淑(여하불숙) : 喪5⑥
坄(역) : 喪8②
閾(역) : 喪36⑧
役器(역기) : 夕7經
坄于西牆下(역우서장하) : 喪8②
緣(연) : 服23⑤
燕几(연궤) : 喪2②, 夕19⑥
燕器(연기) : 夕7⑰
燕樂器(연악기) : 夕7⑮
延尸(연시) : 虞4⑤
燕養(연양) : 夕26⑧
衍祭(연제) : 夕11②
筵祝(연축) : 虞6⑧
燕寢(연침) : 喪1①
涅厠(열측) : 夕23㉑
厭(압) : 服14⑮
榮(영) : 喪1⑧
纓(영) : 服1①
楹內(영내) : 喪28⑧
纓三就(영삼취) : 夕5⑥
楹外(영외) : 喪28⑧
纓條屬厭(영조촉압) : 夕25③
纓絰(영질) : 服12⑦
鞢(설) : 夕31④
奧(오) : 喪28③, 虞10①
熬(오) : 喪24⑳
五祀(오사) : 夕18⑩
捂受(오수) : 夕10⑦
五月而葬(오월이장) : 服9①
五鼎(오정) : 夕11經
屋漏(옥루) : 虞10①
屋翼(옥익) : 喪1⑧
玉兆(옥조) : 喪36⑤
擁(옹) : 喪36⑨
甕(옹) : 夕7⑩
甕三(옹삼) : 夕7經
瓦槃(와반) : 喪11⑤
瓦不成味(와불성미) : 喪35④
蝸牛(와우) : 夕11⑩
瓦兆(와조) : 喪36⑤
掔(완) : 喪13⑤
莞(완) : 喪20②
王考廟(왕고묘) : 夕29①
外其壤(외기양) : 喪34經
外納(외납) : 服1㉕
外削幅(외삭폭) : 服24①
外西塾(외서숙) : 虞1⑯
外孫(외손) : 服22⑤
外御(외어) : 喪11⑥
外位(외위) : 喪32⑯
外姻(외인) : 服10⑬
外姻至(외인지) : 服9①
外姻之服(외인지복) : 服10⑬
外親(외친) : 服20⑥⑪
外親之服(외친지복) : 服20⑥
外寢(외침) : 服1㉜
外畢(외필) : 服1㉒
外兄弟(외형제) : 喪32④
窔(요) : 夕26⑤, 虞10①
要節而踊(요절이용) : 喪30 · 33⑮
浴(욕) : 喪11⑨
浴衣(욕의) : 喪10④
用苦若薇(용고약미)) : 虞16①
用器(용기) : 夕7經
踊節(용절) : 夕24⑬
宇(우) : 喪7⑧
杅(우) : 夕7⑭
纋(우) : 喪9⑤
腢(우) : 夕19⑦
芋(우) : 喪24⑩
虞(우) : 服1㉚, 夕17①
遇(우) : 服16①
又期而大祥(우기이대상) : 虞23經
右袒(우단) : 喪12②
右本在上(우본재상) : 服3⑧
右縫(우봉) : 服1⑳
虞事(우사) : 虞19⑭
右人(우인) : 喪21經
虞祭(우제) : 服1㉚, 夕17①
纋中(우중) : 喪9⑤
右執要(우집요) : 夕19經
轅(원) : 夕5①
原兆(원조) : 喪36⑤
月半(월반) : 喪33⑯
月半不殷奠(월반불은전) : 喪33⑯
月筭如邦人(월산여방인) : 服23㉒
韋(위) : 夕35⑤
爲銘(위명) : 喪7①
爲人後者(위인후자) : 服2⑤
爲祖後者(위조후자) : 服8(55)
帷(유) : 夕6⑤
幼(유) : 服8㊵
唯君命出(유군명출) : 喪5⑮

ㅈ

翦屏(전병) ： 服1㉚
翦屏杜楣(전병주미) ： 服1㉚
專膚(전부) ： 虞22③
甸師(전사) ： 喪8①
前三幅後四幅(전삼폭후사폭) ： 服24②
奠席(전석) ： 喪24⑯
前束(전속) ： 夕6④
前於列(전어열) ： 喪32⑭⑮
縓緣(전연) ： 服23⑤
傳曰(전왈) ： 服1⑤
專用之道(전용지도)： 服8㊲
甸人(전인) ： 喪8①
前經後緇(전정후치) ： 夕6經
傳重(전중) ： 服2③
前鄉尸(전향시) ： 虞17③
前後裳(전후상) ： 夕23⑮
鱄(전) ： 喪24㉓
鱄鮒九(전부구) ： 喪24㉓, 虞13⑦
折(절) ： 夕7②
折笄首(절계수) ： 服23㉛
絶服(절복) ： 服14㉙
絶祭(절제) ： 夕11②
折俎(절조) ： 虞22③
絶族(절족) ： 服6⑤
切肺(절폐) ： 夕11②
節解(절해) ： 喪19②
簟(점) ： 喪20②
占者(점자) ： 喪36⑤
占者三人(점자삼인) ： 喪36⑤
接見(접견) ： 服16①
挺(정) ： 喪24⑮
桯(정) ： 夕4①
脡(정) ： 喪24⑮
經(정) ： 喪7④
楨(정) ： 喪9㉒
鼎(정) ： 喪24㉒
鄭公鄉(정공향) ： 喪7⑤
井椁(정곽) ： 喪35①
正柩(정구) ： 夕4⑨
鄭君(정군) ： 喪7⑤
經末(정말) ： 喪7④
正廟(정묘) ： 服8㊸
正服(정복) ： 服25⑥
正檡棘(정택극) ： 喪9⑯
正王棘(정왕극) ： 喪9⑯
正尊(정존) ： 服8③
正體(정체) ： 服2③
正體於上(정체어상) ： 服2③
正親(정친) ： 服2⑨
正寢(정침) ： 喪1①
制(제) ： 夕15⑤
嚌(제) ： 虞5⑪
祭(제) ： 虞5④
除(제) ： 服15②
齊(자) ： 服3傳
齊(제) ： 夕6⑤
諸公(제공) ： 喪32⑭
祭燔(제번) ： 虞7⑤
祭服(제복) ： 喪12①
祭服不倒(제복부도) ： 喪20④
諸父(제부) ： 服14㉘
隮祔(제부) ： 虞21⑤
娣姒婦(제사부) ： 服20⑫
齊三采(제삼채) ： 夕6⑤
齊衰(자최) ： 服3經
齊衰不杖期(자최부장기) ： 服7
齊衰三年(자최삼년) ： 服3
齊衰三月(자최삼월) ： 服9
齊衰杖期(자최장기) ： 服5經
齊衰正服(자최정복) ： 服25⑤
齊衰之殤中從上(자최지상중종상) ： 服22㉛
祭于豆間(제우두간) ： 虞5④
齊于坫(제어점) ： 夕24⑥
弟長(제장) ： 服20⑬
祭薦(제천) ： 虞6⑩
制幣(제폐) ： 夕15⑤
嚌肺(제폐) ： 夕11②
祭肺(제폐) ： 夕11②
祭鉶嘗鉶(제형상형) ： 虞5⑬
兆(조) ： 喪36⑤
朝(조) ： 服16①
條(조) ： 夕11②
澡(조) ： 服17②
祖(조) ： 夕6①, 8⑤
組(조) ： 喪9⑫
組繫(조계) ： 喪9⑫
阼階(조계) ： 喪5
朝哭(조곡) ： 喪32①
兆基(조기) ： 喪34⑩
祖期(조기) ： 夕6①
組綦(조기) ： 喪9㉘
澡麻(조마) ： 服17②
遭命(조명) ： 夕18⑩
朝廟(조묘) ： 夕4①
祖廟(조묘) ： 夕29①
朝服(조복) ： 夕31⑦
朝服之布(조복지포) ： 服21②
弔事(조사) ： 夕14⑤
造士(조사) ： 服8㉘
朝夕哭(조석곡) ： 喪32①
朝夕哭拜賓(조석곡배빈) ： 喪33④
俎釋三个(조석삼개) ： 虞5㉒
朝夕奠(조석전) ： 喪32①
條屬(조촉) ： 服1⑲
兆域(조역) ： 喪34②
俎二以成(조이이성) ： 夕11㉒
朝奠(조전) ： 喪32①
祖奠(조전) ： 夕8⑩
蚤揃(조전) ： 喪11⑪
棗烝栗擇(조증율택) ： 虞16③
族昆弟(족곤제) ： 服22①
族父母(족부모) ： 服22①
足爵(족작) ： 虞7①
族長(족장) ： 喪36③
族祖父母(족조부모) ： 服22①
族曾祖父母(족증조부모) ： 服22①
尊服(존복) ： 服2⑥
尊祖(존조) ： 服10④
尊之統(존지통) ： 服8㉕
尊統上(존통상) ： 服8㉛
尊統下(존통하) ： 服8㉛
卒哭(졸곡) ： 服23㉚, 夕17②
卒辭(졸사) ： 虞21③
宗(종) ： 服8㉕, 16①
從(종) ： 喪34⑮
踵(종) ： 喪9㉘
從母(종모) ： 服20⑧⑱
從母昆弟(종모곤제) ： 服22⑰
從服(종복) ： 服8・14⑨・22⑳
宗婦(종부) ： 虞2④
從父昆弟(종부곤제) ： 服14③
從父姊妹(종부자매) ： 服20④
宗人(종인) ： 喪36④
宗人詔踊(종인조용) ： 虞4⑥

宗子(종자) : 服10⑮
宗子之服(종자지복) : 服10⑮
從奠(종전) : 夕4⑬
從祖(종조) : 服22③
從祖姑(종조고) : 服22③
從祖昆弟(종조곤제) : 服20③ · 22④
從祖父母(종조부모) : 服20① · 22④
從祖姊妹(종조자매) : 服22③
從祖祖父母(종조조부모) : 服20①
終幅(종폭) : 喪7③
從獻(종헌) : 虞1⑫
髽(좌) : 服2⑫, 喪20⑩
左袒(좌단) : 喪12②
左本在下(좌본재하) : 服1⑧
佐食(좌식) : 虞3⑦
左人(좌인) : 喪21經, 虞3⑩
左衽(좌임) : 喪14⑧
左執領(좌집령) : 夕19經
左何之(좌하지) : 喪1⑥
左還椁(좌선곽) : 喪35②
幬(주) : 喪24⑱
輈(주) : 夕5①
輖(주) : 夕35⑧
朱極(주극) : 喪9⑱
柱楣(주미) : 服1㉚
柱右麷(주우전) : 夕23⑦
主人(주인) : 喪3②
主人辟(주인피)) : 喪30⑩
周祭(주제) : 夕11②
柱左麷(주좌전) : 夕23⑦
周祝(주축) : 喪11②
竹杠(죽강) : 喪7⑦
竹不成用(죽불성용) : 喪35④
鬻餘飯(죽여반) : 喪14③
俊士(준사) : 服8㉘
重(중) : 服2③, 喪8④ · 14①
重鬲(중력) : 喪8④
中帶(중대) : 夕23⑤
中霤(중류) : 夕18⑩
中封(중봉) : 喪34⑫
衆婦人(중부인) : 喪4⑤
中殤(중상) : 服12傳
中屋(중옥) : 喪1⑨
中月而禫(중월이담) : 虞23④
衆子(중자) : 服8⑮
中鼏(중정) : 虞13經
中庭(중정) : 喪5⑤
中從上(중종상) : 服18③ · 22㉛
中從下(중종하) : 服18③ · 22㉛
衆主人(중주인) : 喪4②
衆兄弟(중형제) : 喪4⑤
卽葛(즉갈) : 服13③
卽葛九月(즉갈구월) : 服13③
櫛(즐) : 喪10③
櫛笄(즐계) : 服23㉞
蒸(증) : 喪8①
贈(증) : 夕10⑧ · 15⑤
贈幣無常(증폐무상) : 夕31經
池(지) : 夕6⑤
止柩于堩(지구우긍) : 夕32①
知死者贈(지사자증) : 夕10經
知生者賻(지생자부) : 夕10經
志矢(지시) : 夕35⑧
支子(지자) : 服2⑧
持重(지중) : 服8㉔
持體(지체) : 夕18經
職(직) : 喪24⑮
搢(진) : 喪11⑧
進鬐(진기) : 喪28⑥
振動(진동) : 喪5⑦
陳襲事(진습사) : 喪9①
進柢(진저) : 喪21⑩
振祭(진제) : 夕11②, 虞5⑪
質(질) : 喪9⑲
姪婦人(질부인) : 服14⑧
絰不樛垂(질불규수) : 服12③
姪丈夫(질장부) : 服14⑧
執(집) : 喪20⑧
執事(집사) : 喪21⑫
執筭(집산) : 夕13②
執衣(집의) 喪22⑪
執披(집피) : 夕14②

ㅊ

次(차) : 喪29③
差盛(차성) : 夕23①
笮(착) : 夕7⑯
鑿(착) : 喪36⑰
櫕(찬) : 夕35④
贊(찬) : 虞3⑥
鑽(찬) : 喪36⑰
斬(참) : 服1①
斬衰(참최) 服1經 · 2經
斬衰裳(참최상) : 服1①
簀(책) : 喪18①
策(책) : 夕10⑬⑭
妻從夫爵(처종부작) : 服8㉛
綪(쟁) : 喪9② · 15③
薦(천) : 虞21②
薦車(천거) : 夕5①
遷禰奠(천녜전) : 夕30①
薦馬(천마) : 夕5⑥
薦新(천신) : 喪33⑰
遷祖奠(천조전) : 夕5④
薦此常事(천차상사) : 虞23②
薦此祥事(천차상사) : 虞23③
徹琴瑟(철금슬) : 夕18⑥
徹帷(철유) : 喪5②⑩
徹衣者(철의자) : 喪6⑨
綴足(철족) : 喪2, 夕19⑥
歠粥(철죽) : 服1㉘
裧(첨) : 夕25⑮
鬄(척) : 喪19②
體君(체군) : 服8㉜
體解(체해) : 喪19②
酢(작) : 虞36⑦
燋(초) : 喪36②
楚焞(초돈) : 喪36②
初虞(초우) : 虞12④
招而左(초이좌) : 夕19④
初獻(초헌) : 虞6
招魂(초혼) : 喪1
刌肺(촌폐) : 夕11②
總(총) : 服2⑫
冢人(총인) : 喪34②
緅(추) : 喪9㉒
鬌(타) : 夕25①
祝(축) : 喪11②
軸(축) : 喪24⑲
築坅坎(축금감) : 夕23⑳
縮二橫三(축이횡삼) : 夕7⑤
祝俎(축조) : 虞13⑩
祝饗(축향) : 虞3⑱
出於衰(출어최) : 服24④

29①, 夕10⑪
兄弟服(형제복) : 服23⑯
兄弟之服(형제지복) : 服10⑬
縞衾(호금) : 喪18①
笏 (홀) : 喪9㉕
鑊(확) : 喪24㉒, 虞13④
萑(환) : 虞16①
還車(선거) : 夕8⑦
還重(선중) : 夕8⑨
環幅(환폭) : 喪9⑥
滑(활) : 虞16①
滑易(활이) : 服21③
荒(황) : 夕6⑤
皇考(황고) : 虞21⑧
皇辟(황벽) : 虞21⑧
皇妣(황비) : 虞21⑧
皇祖(황조) : 虞19⑪
皇祖姑(황조고) : 虞21經
皇祖妣(황조비) : 虞21⑧
皇辟(황벽) : 虞21⑧
會(회) : 服16①
横三縮二(횡삼축이) : 夕7③
殽香(효증) : 喪19②
孝子某(효자모) : 虞22⑥
孝顯相(효현상) : 虞22⑥
猴(후) : 夕35⑦
後脛骨(후경골) : 虞5⑲
後大宗(후대종) : 服8傳
後束(후속) : 夕6④
猴矢(후시) : 夕35⑦
纁(훈) : 喪9㉒
凶器(흉기) : 夕19⑧
凶拜(흉배) : 喪5⑦
饎爨(치찬) : 虞1④

후기

《國譯儀禮(喪禮篇)》의 출간을 목전에 두게 되니 뿌듯함보다 두려움이 앞선다. 2013년 3월에 《의례》 喪禮 윤독을 시작한 때로부터 벌써 2년이 넘었다. 이 기간 동안 '나는 지금 왜 《의례》 번역을 하고 있을까?'라는 의문을 스스로에게 얼마나 던졌는지 모른다. 때로는 수천 년 동안 이어져온 경학의 무게가 이정도로 클 줄은 상상도 하지 못했던 자신의 무지를 탓하기도 하고, 때로는 《의례》 번역을 시작하기 전 그저 어렵게만 느껴졌던 喪禮가 희미하게나마 윤곽이 보이는 기쁨에 가슴이 뛰기도 하였다.

당초 《의례》 윤독의 계획은 박사 논문을 준비하는 과정에서 시작되었다. 당시 수년째 논문을 준비하고 있던 내게 喪禮에 대한 전반적인 이해 부족은 곳곳에서 어려움을 야기하고 있었다. 논문의 주요 주제는 조선시대 후기의 吉祭였지만, 喪祭에 대한 이해 없이는 길제 역시 불완전한 이해가 될 수밖에 없었으며, 喪祭의 이해는 또 《의례》의 喪禮에 대한 이해가 선행되지 않으면 수년 전부터 강독해오던 《禮記》와 《家禮》 역시 모래성 쌓기라는 것을 절감하고 있던 터였다. 마침 10여 년 전부터 다양한 교재로 함께 윤독을 해왔던 동학들이 고맙게도 나의 논문을 도와주고 싶다는 제안을 먼저 해왔다. 가뭄에 단비를 만난 것 같았다. 《의례》, 그중에서도 상례 부분 윤독을 먼저 시작하고 싶다는 나의 말에 동학들은 애초에 관심 밖의 주제였을 터인데도 흔쾌히 동의해주었다.

급선무는 가장 빠른 시간 안에 가장 효과적으로 《의례》를 파악할 수 있는 윤독 교재를 찾는 것이었다. 시중에 나와 있는 韓·中·日의 각종 《의례》 주석서와 번역서들을 검토한 결과 중국의 저명한 三禮學 전문가 楊天宇의 《儀禮譯注》가 윤독 교재로서 가장 적합하다는 결론을 내렸다. 《의례역주》는 각 편마다 편명 바로 다음에 해당 편에 대한 해제를 먼저 제시하여 해당 편에 대한 전반적인 이해를 할 수 있도록 해주고 있다. 또한 경문을 내용에 따라 몇 개의 층차로 구분한 뒤 매 층차마다 다시 여러 개의 소단락으로 구분하고 핵심 주제를 제시하고 있다. 또한 鄭玄과 賈公彦의 古注를 비롯하여 淸代와 최근의 연구 성과까지 반영한 상세한 주석과 그림, 이러한 주석을 바탕으로 보충역이 풍부하게 들어간 백화 번역을 수록하고 있는데, 이러한 특징들은 초학자들로 하여금 생략이 많아 알기 어려웠던 《의례》 경문에 쉽게 다가갈 수 있도록 훌륭한 길잡이 역할을 해주고 있었기 때문이다.

처음 몇 달 동안은 단순히 윤독만 하였으나 시간이 지날수록 그냥 읽고 넘기기에는 아쉬우니 번역을 하여 자료를 축적해 두자는 것으로 의견이 모이게 되었다. 번역서 출간으로 윤독의 방향이 바뀌면서 처음에는 매주 1회, 매회 4~5시간씩 하던 윤독이 점점 늘어나 나중에는 매주 3회, 매회 7~8시간 까지도 하게 되었다. 초고 작업이 끝난 뒤 張惠言과 黃以周의 儀禮圖를 하나하나 대조 검토하다보니 옛 선현들이 왜 그토록 左圖右書를 강조했는지 알 수 있었다. 처음부터 다시 거의 재번역 수준으로 면밀한 윤독 작업이 시작되었다. 처음 초고를 작성할 때보다 몇 배의 시간과 노력이 들었다. 각종《의례》주석서와 禮說들을 검토하고 수정하면서 두려움과 기쁨이 교차되는 날들이 쌓여갔다. 그리고 막상 출간을 염두에 두고 보니 용어 색인과 도표 정리, 범례 보충 등 독자의 시각에서 필요하다는 판단이 들어 시작한 작업들 역시 별도의 노력과 시간이 들어가는 일이었다.

학자들은 조선시대 후기를 禮學의 전성시대라고도 부른다. 당대 최고라 할 수 있는 학자들이 거의 모두 예설을 언급하고 있을 뿐 아니라 수많은 禮書가 쏟아져 나온 시대이니 이와 같은 규정도 과언은 아니다. 성리학과 더불어 조선 시대 유학을 특징지을 수 있는 두 개의 큰 물줄기 중 하나인 예학의 출발점은《의례》·《예기》·《주례》로 대표되는 三禮이며, 이 삼례 중에서도《의례》는 가장 근본이 되는 經이다. 아쉬운 점은 이렇게 중요한 전적임에도 아직까지 1종의 완역서도 나오지 않을 정도로 연구가 미미하다는 것이다. 모든 일에는 得失이 공존하는 법이니 단순히 열정으로 시작한 우리의 작업 역시 분명 失이 있을 것이다. 그러나 이렇게 비판 받을 수 있는 여지를 만듦으로써 우리나라의 학술 발전에 조금이라도 보탬이 될 수 있다면 그것으로 이미 매우 기쁜 일이다.

《의례》번역서를 내고 싶다는 말에 흔쾌히 도와주겠다고 말씀하신 寒松 成百曉 선생님께 어떤 말로 감사를 드려야 할지 모르겠다. 선생님께 처음 글을 배우기 시작한 것이 2001년 국역연수원에 입학할 때부터였으니 벌써 15년이 되었다. 末學이 감히 이런 말을 하는 것이 외람스러우나 그동안 선생님께 배우면서 彌高之歎을 발한 것이 또한 얼마였는지 모른다. 늘 百之千之의 다짐을 할 뿐이다. 그리고 멀리서 후학들에게 선뜻 지원해주신 호서문화연구소의 林東喆 소장님께도 깊은 감사를 드린다. 마지막으로 뻔히 적자가 예상됨에도 기꺼이 출간을 맡아주신 한국인문고전연구소 출판사 사장님께도 깊은 감사를 드린다.

2015년 7월 남산이 보이는 연구실에서

이상아

이 책을 번역하고 엮은이

이상아

공주사범대학 중국어교육과를 졸업하고 성균관대학교 한문고전번역협동과정 석사 및 박사 과정을 졸업하였다. 민족문화추진회(현 한국고전번역원) 부설 국역연수원 연수부 및 상임연구부를 졸업하였으며, 한국고전번역원 번역전문위원을 역임하였다. 현재 성균관대학교 대동문화연구원에 책임연구원으로 재직하고 있다.
석사 논문은 〈다산 정약용의『가례작의』역주〉, 박사 논문은 〈다산 정약용의『제례고정』역주〉이다. 공역서로《국역 기언》,《일성록》,《교감학개론》,《주석학개론》,《역주 대학연의》,《무명자집》등이 있다.

박상금

민족문화추진회(현 한국고전번역원) 부설 국역연수원 연수부 및 일반연구부를 졸업하였다. 時習學舍에서 一愚 李忠九 선생님께 6년 동안 수학하고, 해동경사연구소에서 寒松 成百曉 선생님께 8년째 수학하고 있다. 현재 해동경사연구소 연구위원이다.

최진

민족문화추진회(현 한국고전번역원) 부설 국역연수원 연수부를 졸업하고 時習學舍에서 一愚 李忠九 선생님께 5년 동안 수학하였다. 현재 해동경사연구소 연구위원이다.

감수 성백효

충남忠南 예산禮山에서 태어났다. 가정에서 부친 월산공月山公으로부터 한문을 수학했고, 월곡月谷 황경연黃璟淵, 서암瑞巖 김희진金熙鎭 선생으로부터 사사했다.
민족문화추진회 부설 국역연수원 연수부 수료, 고려대학교 교육대학원 한문교육과를 수료하였고, 현재 한국고전번역원 명예교수, 전통문화연구회 부회장을 역임하고 있으며, 사단법인 해동경사연구소 소장을 역임 중이다.
번역서로『사서집주四書集註』,『시경집전詩經集傳』,『서경집전書經集傳』,『주역전의周易傳義』,『고문진보古文眞寶』,『근사록집해近思錄集解』,『심경부주心經附註』,『통감절요通鑑節要』,『당송팔대가문초唐宋八大家文抄 소식蘇軾』,『고봉집高峰集』,『독곡집獨谷集』,『다산시문집茶山詩文集』,『송자대전宋子大全』,『약천집藥泉集』,『양천세고陽川世稿』,『여헌집旅軒集』,『율곡전서栗谷全書』,『잠암선생일고潛庵先生逸稿』,『존재집存齋集』,『퇴계전서退溪全書』,『현토신역 부 안설 논어집주懸吐新譯 附 按說 論語集註』,『현토신역 부 안설 맹자집주懸吐新譯 附 按說 孟子集註』등이 있다.

국역의례 國譯儀禮-상례편 喪禮篇

1판 1쇄 인쇄 | 2015년 10월 21일
1판 1쇄 발행 | 2015년 10월 31일

엮은이 | 이상아, 박상금, 최진
감수 | 성백효

편집총괄 | 권희준
디자인 | 씨오디
인쇄 | 천일문화사

발행처 | 한국인문고전연구소
발행인 | 조옥임
출판등록 2012년 2월 1일(제 406-2012-000027호)

주소 | 경기 파주시 미래로 562 (901-1304)
전화 | 02-323-3635
팩스 | 02-6442-3634
이메일 | books@huclassic.com

정가 | 60,000원
ISBN | 978-89-97970-21-6 93380

* 본 도서는 영동대학교 호서문화연구소, 해동경사연구소 연구비 지원도서입니다.

* 이 도서의 국립중앙도서관 출판예정도서목록(CIP)은 서지정보유통지원시스템 홈페이지(http://seoji.nl.go.kr)와 국가자료공동목록시스템(http://www.nl.go.kr/kolisnet)에서 이용하실 수 있습니다. (CIP제어번호 : CIP2015027795)